U0906672

1993

中国人物年鉴

华艺出版社

（京）新登字124号

1993
中 国 人 物 年 鉴

华艺出版社出版
（社址：北京朝内南小街前拐棒胡同一号）
新华书店北京发行所发行
一二〇一工厂印刷

开本：787×1092毫米16开　印张31.125　字数1040千字
1993年10月第1版·1993年10月第1次印刷
(平)ISBN7-80039-818-8/Z·214　定价：20元
(精)ISBN7-80039-819-6/Z·215　定价：26元

主　编：李方诗　培　康　李维民　孙　波　邹英毅

编　审（按姓氏笔画顺序）：

于　温　门　岿　马连儒　王　澍　王绪圻　王鹏程
王锡璋　田翠华　朱小鸥　伊增埙　孙　川　孙公麟
孙志渊　孙晓青　孙璞方　李玉田　李贺普　张仕国
张如贤　张翼昌　陈进鹏　陈学武　邵遗逊　林　凡
武际良　周　雨　周学之　赵志民　洪卓民　徐潮江
唐　旬　彭　飞　温云提

撰　稿（按姓氏笔画顺序）：

丁　乙　万兴坤　王吉江　王明智　王学娟　王俊璞
王晓琦　王道源　史海燕　冯敬希　司洪文　邢立国
乔天富　刘　飒　刘敬智　刘彦波　刘路沙　汤家厚
孙凌雁　杜淑芳　杨启儒　杨效周　李来征　李炳清
李素珍　李晓燕　严兆坤　吴雅丽　何东平　张　东
张　盾　张　锋　张广顺　张文真　张书林　张秀琴
张建国　张桂凤　张婉英　陆彩荣　陈铁榜　陈淑英
林慧军　周春启　周雪静　赵　群　俞小一　姜力康
洪　琦　袁　潮　原成刚　顾锦明　晏　唐　钱　瑛
徐顺生　郭永兴　高　坦　萧子光　常晓玲　梁金雄
梁致东　韩小冬　蒋凤波　蒋国良　简　勤　鲍继福
戴　勃

编 辑 说 明

《中国人物年鉴》是我国第一部以年鉴的形式，介绍每年度我国各方面知名人士的活动、事迹、贡献及生平的大型工具书。自 1989 年创刊出版以来，受到各界广泛重视和众多读者的欢迎。1993 年《中国人物年鉴》进一步扩大收录人物范围，充实内容，共收录各界人物 1039 人，其中包括中国共产党和国家、政府、军队的领导人，各民主党派领导人，获得全国性重大荣誉称号的英雄模范人物，在农工商各条战线上做出突出贡献的企业家、改革家和优秀代表人物，在科学技术方面有重大发明创造的专家，在学术上有重要成就的学者，发表有影响的著作或作品的理论家、文学家，在国内外重大比赛或评奖中名列前茅的艺术家、运动员，在教育、政法、卫生、新闻出版、美术工艺、文物考古等方面有突出贡献的人士，有重大影响的少数民族、华侨和宗教界人士，以及台湾、香港、澳门各界著名人士，同时收录了在 1992 年逝世的我国各界著名人物和在 1992 年内举行过纪念活动或出版过文集、传记的我国历史上的著名人物。

按照年鉴的惯例，收入 1993 年《中国人物年鉴》中的人物，其情况介绍截止于 1992 年 12 月 31 日。对于 1993 年本书付印前有关人物发生的特别重大的情况，在该条目释文之后加附注作简要的说明。

本书还附录了中国共产党、国家、政府、军队和全国人大、全国政协、各民主党派主要领导人名单，全国主要社会团体领导成员及各省、市、自治区主要负责人名单等。此项资料截止时间为本书付印日期（1993 年 6 月 30 日），在此之前未得知的变动，将在下年度年鉴中再作介绍。

为便于读者查阅，已将各界人物按性氏笔画顺序作出人名索引，载于目录之后。

本书邀请各有关方面的专家、学者和新闻工作者参加编撰和审稿。1993 年人物年鉴有一部分条目是经过对传主本人直接采访后撰写，并经本人审阅；有一部分是通过信函由传主本人或所在单位提供材料撰写的；另有一部分人物的简历，参考或部分摘引了有关辞书或中央报刊刊登的有关资料。如有差错，将在下年度年鉴中更正。对于本年鉴存在的缺点与问题，诚挚地欢迎各界读者予以批评指正。

目　　录

二　画

三　画

四　画

五　画

六　　画

七　画

八　画

九　画

十　画

十　一　画

十 二 画

十　三　画

十　四　画

十　五　画

十六画以上

附　录

各界人物检索

党政军

民主党派、无党派、宗教界人士

科　　技

教　育

工　矿　企　业

农　林　牧　副　渔

交　通　邮　电

财　贸　金　融

医 药 卫 生

政 法 公 安

社 科 理 论

新 闻 出 版

文　学

影　视　戏　曲

音　乐　舞　蹈

美 术 摄 影

体 育

英 模 人 物

台 港 澳 人 士

纪 念 人 物

逝世人物

其他人物

〔丁文昌·任人民解放军空军政治委员〕

1992年11月，中央军委任命丁文昌为人民解放军空军政治委员。

丁文昌，1933年10月生，安徽宿县人。1951年起先后入解放军第十六步兵学校、空军第五预科总队、第十航空学校学习。1956年加入中国共产党。曾任空军军政治部组织处干事、干部处处长，师副政委，军区空军干部部部长，军副政委、空军政治部副主任、主任。是第七届全国人大代表，中共十四届中央委员。1988年被援予空军少将军衔。1990年晋升为空军中将。

〔丁关根·当选中共中央政治局委员〕

1992年10月18日，丁关根在中国共产党第十四次全国代表大会上当选为中共第十四届中央委员会委员。19日，在中共十四届一中全会上当选为中央政治局委员，并根据中央政治局常务委员会提名通过，担任中央书记处书记。《人民日报》12月8日报道，中共中央决定，丁关根兼任中共中央宣传部部长，免兼统战部部长。

丁关根于5月25日至6月1日应邀访问朝鲜。

丁关根于10月26日和11月4日，先后在中央党校、中宣部等单位举行的报告会上，从8个方面介绍了他学习十四大精神的体会。即：关于建设有中国特色的社会主义理论；关于坚持党的基本路线一百年不动摇；关于改革是我们党领导的又一次伟大革命；关于社会主义市场经济；关于加快发展经济，力争隔几年上一个新台阶；坚持两手抓，两手都要硬；国际形势与我们的对外政策；关于用邓小平同志建设有中国特色社会主义的理论武装全党。1992年11月11日、12日《人民日报》和《求是》杂志1992年第23期，共同发表了丁关根的这篇学习体会。

丁关根，1929年9月生，江苏无锡人。1951年在上海交通大学运输管理系毕业后，历任铁道部工程师、外事局副处长、教育局局长，第六届全国人大常委会副秘书长。1985年任铁道部部长，是中共十二届中央委员，十三届中央委员、中央政治局候补委员。1988年起任国家计委副主任、台湾事务办公室主任。1989年6月增补为中共中央书记处书记。1990年兼任中共中央统战部长。

丁关根给自己立下的准则是“少说多做”。他严于律已，关心重大问题，阅读所有群众来信。能说流利的英语，擅长打桥牌。夫人是铁道部一位高级工程师，有一子一女。

〔丁衡高·任国防科学技术工业委员会主任〕

1992年11月，中央军委任命丁衡高为国防科学技术工业委员会主任。

丁衡高，1931年1月生，江苏南京人。1952年南京大学工学院机械系毕业。次年加入中国共产党。历任中国科学院光学精密机械研究所助理研究员。1957年留学苏联。1961年在列宁格勒精密光学学院获苏联技术科学副博士学位。回国后，任国防部第五研究院设计室主任，第七机械工业部设计所副所长，国防科委科技部副局长、研究员，副部长。1985年起任国防科工委主任。是中共十二届中央候补委员、十三届、十四届中央委员。1988年被授予中将军衔。

〔于龙淮·火箭专家·参与指挥澳星发射成功〕　中国运载火箭技术研究院副院长、研究员于龙淮是澳星发射总指挥，在1992年4月第一次澳星发射受挫后，他与沈辛荪、王德臣一起组织科技人员很快查明了原因，并在100天内生产出了又一枚长二捆火箭，于同年8月14日将第一颗澳星准确送入轨道，为祖国赢得了荣誉。

于龙淮，1931年2月生于吉林省延吉市，1958年2月，毕业于苏联莫斯科苏科夫斯基军事航空学院飞机制造系。他早在1947年12月就参加工作，先后在哈尔滨外语学校、沈阳空军第四航校、上海空军1师、青岛空军16师任翻译。1951年8月，前往苏联留学，归国后即投身于我国航天事业，先后担任过火箭研究院科技部副处长、处长、副部长、部长等职，从1983年开始任研究院副院长至今。

于龙淮参加了我国第一枚火箭发动机和其它型号发动机的总体设计和领导工作，解决和处理了大量设计与工艺的技术协调工作，对保证液体发动机的研制成功做出了贡献。他还担任过某型号的发动机主任设计师，成功地领导了发动机的设计、生产和试验。1964年，调到院科技部，从事科研生产的技术组织管理工作，协助院领导直接参加了全院科研生产计划的制定和组织实施。他与老专家任新民一起，组织了我国第一颗人造卫星的发射工作，圆满完成了任务。1975年“三抓”（抓洲际导弹、潜艇发射火箭、通信卫星）任务下达后，他参加组织了多次飞行试验，做出了重要贡献。这期间在他主持下，逐步在研究院建立了各项规章制度和管理办法，对型号任务的完成和管理走向正常化起了重要的促进作用。

〔于永波·任人民解放军总政治部主任〕 1992年10月19日中共十四届一中全会决定，于永波为中共中央军委委员，其后，中央军委任命于永波为人民解放军总政治部主任。

于永波，1931年9月生，辽宁复县人。满族。1947年参加东北民主联军。次年加入中国共产党。曾任第四野战军四十二军团宣传队副队长，参加了东北1947年冬季攻势作战和辽沈、平津、西南等战役。1950年参加抗美援朝，在中国人民志愿军任团宣传干事。回国后，任中南军区团政治处宣传助理员、军政治部教育助理员、师宣传科副科长、科长，团政委，军政治部宣传处处长、师副政委兼政治部主任、师政委、广州军区司令部办公室主任、军政委、南京军区政治部主任、解放军总政治部副主任。是中共十三届、十四届中央委员。1988年被授予中将军衔。

〔于道泉·著名藏学家·在北京逝世〕 我国著名藏学家、语言学家、教育家、中央民族学院教授于道泉，1992年4月12日在北京逝世，终年90岁。

于道泉，字伯源，1901年10月28日生于山东临淄县。1924年济南大学毕业，历任北京大学哲学系课堂翻译，北海图书馆（今北京图书馆）满、蒙、藏文图书采访及编目馆员，中央研究院历史语言考古研究所助理研究员。1934年留学法国。1938年受聘英国东方非洲研究院高级讲师。1949年回国后，历任北京大学东方语言文学系教授、中央民族学院少数民族语言文学系教授。1957年加入中国民主同盟。于道泉毕生从事藏学研究，早在1930年，他与赵元任合译注《第六代达赖喇嘛仓央嘉措情歌》，出版后轰动国内外。1951年，他在中央民族学院主持筹建了藏语教研室，开设了第一个藏语班，40年来培养了3000余名藏学人才。1983年，他主编的专著《藏汉对照拉萨口语词典》，填补了藏学研究的一项空白。于道泉通晓汉、藏、满、蒙、英、法、梵、德、俄、日、土耳其等10多种语言文字，堪称语言奇才。

〔万里·全国人大常委会委员长·主持七届人大五次会议〕 七届全国人大五次会议于1992年3月20日在北京开幕。万里主持会议。本次会议的主要议题是听取和审议政府工作报告，审议三峡工程议案等。在4月3日的闭幕会上，通过了关于政府工作报告的决议、关于1991年国民经济和社会发展计划执行情况与1992年国民经济和社会发展计划的决议、关于1991年国家预算执行情况和1992年国家预算的决议、关于兴建三峡工程的决议，还通过了《中华人民共和国全国人民代表大会和地方各级人民代表大会代表法》、《中华人民共和国工会法》、《中华人民共和国妇女权益保障法》。

三峡工程上还是不上？两种完全对立的意见在我国已经持续争论了三十多年。这次人大会议代表们就这一关系国家经济建设大局的问题展开了热烈的讨论。主上者列举三峡工程巨大的综合效益，希望尽早拍板兴建，反对者担心这项工程太复杂，没把握。3月20日，万里主持人大会议主席团第二次会议，在听了代表们的热烈发言后说，三峡工程经过各方面专家四十多年的论证。论证的结果是兴建三峡工程效益显著，利大于弊。尤其是去年发生的特大洪涝灾害再次提醒了我们，要有水患意识。如果不上三峡工程，一旦出了问题，我们将无法向历史交代。既然如此，就不应再议而不决了。当然，同意兴建三峡工程也并不是马上就上马，只是批准国务院列入国民经济和社会发展十年规划。何时上马，还应根据国力情况作出决策。4月3日，七届人大五次会议举行全体会议，表决三峡工程议案。表决结果是，出席会议代表为2633人，1767票赞成，177票反对，664票弃权，25人未投票，议案获得通过。

在1992年，万里委员长先后主持召开了人大常委会第二十四、二十五、二十六、二十七、二十八、二十九次会议。第二十四次会议通过了《中华人民共和国领海及毗连区法》。万里在会议上就加强法律监督问题发表了讲话。他说，我们这个国家有几千年封建社会的历史，缺乏民主和法制传统，要真正建立社会主义民主和法制，是一项非常艰巨的任务。当前群众反映最强烈的是，有法不依，执法不严，违法不究，甚至以言代法、以权压法的问题在一些地方和部门还相当严重。一定要把制定法律同对法律执行情况的监督检查放在同等重要的地位。各级人大要理直气壮地把法律监督抓起来。第二十六次会议通过了《中华人民共和国人民警察警衔条例》。万里在这次会上讲话，强调在加快改革开放形势下，加快、加强经济立法工作是全国人大和地方各级人大的一项紧迫的重要任务，要尽可能地加快经济立法的步伐。

1月5日至7日，万里考察了哈尔滨市的城建工作。

2月14日至17日，万里考察了云南省西双版纳傣族自治州、德宏傣族景颇族自治州和大理白族自治州，

应日本众议院议长樱内义雄和参议院议长田裕二的邀请，万里于5月25日至6月1日对日本进行了正式友好访问。访问期间，分别会见日本天皇明仁和宫泽首相。

这一年，万里先后在北京会见了应邀来我国访问的奥地利国民议会议长海茵兹·费舍尔、日本众议院议长樱内义雄、日本参议院议长田裕二、新加坡国会议长陈树群、莫桑比克议长桑托斯、朝鲜最高人民议会议长杨亨燮、罗马尼亚众议院议长丹·马尔茨、泰国上议院议长猜·吕初攀、孟加拉国议会议长谢赫·拉扎克·阿里、智利总统艾尔文。

万里，1916年出生于山东省东平县。1936年加入中国共产党。曾任中共东平县工委书记，冀鲁豫区地委书记，军分区政委。1947年后任中共冀鲁豫区委员会秘书长。建国后，曾任中华人民共和国建筑工程部副部长、城市建设部部长，中共北京市委书记兼北京市副市长。1973年后，任中共北京市委书记，北京市革命委员会副主任。1975年后，任铁道部部长，轻工业部副部长，中共安徽省委第一书记。1980年任国务院副总理。是中共十二届中央政治局委员、中央书记处书记，十三届中央政治局委员。1988年在七届全国人大一次会议上当选为人大常委会委员长。

〔附注：1993年3月27日，八届全国人大一次会议选举乔石为八届人大常委会委员长，万里卸职。〕

〔万静（女）·杂技小演员·在摩纳哥“初登舞台”青少年杂技比赛中获金奖〕　1992年12月12日，成都军区战旗杂技团小演员万静在摩纳哥举行的“初登舞台”青少年杂技比赛中表演《小顶碗》，获得这次国际大奖中的唯一金奖——金K奖。该奖由摩纳哥公国大公亲自颁奖。

万静，1979年生。湖北汉阳人。1985年3月入武汉市艺术学校杂技班，为学员。1990年4月由解放军成都军区杂技团招收为演员。她在教师胡维娘、李福兰的指导、训练下，刻苦学习，顽强地攻关，成绩突出，荣立三等功。她表演的《小顶碗》在1990年12月第三届全国杂技比赛西南区预选赛中曾获最佳节目奖。

〔万超尘·美术电影艺术家·在上海逝世〕

著名美术电影艺术家，我国早期动画电影的开拓者万超尘，于1992年10月28日在上海逝世，享年86岁。

万超尘，1906年10月出生，1923年考入南京美术专科学校西画系，以后又在上海东方艺术专科学校学习装饰画。1925年进入商务印书馆附设的活动影戏部，1930年进入上海联华影业公司，1938年到武汉中国电影制片厂卡通室工作，1946年赴美国好莱坞考查彩色动画电影技术，1948年回到祖国。万超尘自1925年和哥哥万籁鸣、万古蟾、弟弟万涤寰一起绘制了我国第一部动画广告片《苏振东华文打字机》之后，接着创作了大量动画片。抗日战争期间他们绘制了多部表现抗日题材的动画片，起到了鼓舞士气的积极作用。

解放后，万超尘担任了上海美术电影制片厂副厂长，主管技术工作。这期间，他创作导演的彩色木偶片《机智的小山羊》、《雕龙记》分别在布加勒斯特国际电影节上获“木偶片奖”；在木偶影片及木偶戏节上获银质奖。同时努力培养年轻的美术电影工作人员，既启发、肯定他们的创新精神，又严格、仔细地帮助他们掌握美术电影的制作技术。由他担任技术指导的木偶片《小小英雄》、《神笔》、《火焰山》，都受到国内外专家及观众的好评。

万超尘还连续担任了中国电影家协会第一、二、三、四届理事，第五届名誉理事，上海影协常务理事。

〔弓晋强·解放军空军飞行教员·被援予模范飞行教员称号〕　人民解放军空军某飞行学院教员弓晋强扎根边疆，任教24年，安全飞行1万多架次，精心培养出38名合格飞行员。1992年9月19日，空军党委决定授予他模范飞行教员荣誉称号和二级英雄模范奖章。

弓晋强，山西省汶水县人，1949年7月生，1966年7月入伍，1967年10月加入中国共产党。历任学员、教员。上校军衔。1968年以优异成绩毕业于人民解放军空军某飞行学院，留校任飞行教员。24年来扎根边疆，热爱本职，出色地完成了教学任务。为提高教学质量，他刻苦钻研航空理论和飞行技术，学习了教育学、心理学、航空生理学、管理学、气象学及思想政治工作等几十本著

作，总结整理了近十万字的学习笔记和教学经验，熟练掌握了“演、讲、写、画”的基本功，不断提高自身素质。教学中，他“严”字当头，一丝不苟，力求学员准确地做好每一个动作，从不迁就。为了培养学员的良好品质，他处处以身作则，注重身教。24年中的上千个地面准备日，他都坚持跟班，一个不少。部队组织“双机复杂特技”训练，年轻教员一天飞5个架次，他主动要求飞6个架次。平时出操站队、卫生值日、公差勤务、体育锻练，他样样带头，使自己的身体始终保持甲类标准，做到出满勤，带全期。每批新学员来到，他都注意细心观察，通过聊天、同娱乐，了解每个学员的思想、性格、志趣、爱好等特点，因人施教。对技术靠后的学员，他采用耐心辅导、多鼓励等方法，帮助他们增强信心和勇气，提高训练积极性。有个学员反应慢，先后换了三位教员，技术提高不快。大队让他带教后，他耐心启发、鼓励，陪同这名学员在地面反复模拟练习空中动作，直到熟练自如才上飞机。飞行中，他分步骤做示范，终于使这名学员攻克了难关，掌握了操纵要领，毕业考核取得了好成绩。他就是这样勤奋教学24年如一日，培养出38名合格飞行员，先后6次立功，被评为优秀飞行员和全国教育系统劳动模范。

〔马可·已故著名音乐家·其塑像在徐州揭幕〕　为纪念曾为我国民族音乐作出重要贡献的作曲家、音乐学家马可，弘扬民族优秀传统文化，1992年10月17日，在马可青少年时期读过书的江苏徐州五中校园内，举行了马可塑像揭幕式和马可纪念室开展式。马可雕塑高3.2米，花岗岩质地。纪念室内有反映马可一生的照片80余幅及其他资料。在塑像制作和建室过程中，得到市有关领导、广大校友和马可生前所在单位和亲属的大力支持，中国音乐学院、中国歌剧舞剧院、中央戏剧学院、中国艺术研究院戏曲研究所、中央歌剧院、中国音协等50个单位出资，456人捐款，为雕像及纪念室的落成做出了贡献。

马可（1918—1976），江苏省徐州市人。早年在河南大学化学系学习。抗日战争爆发前后，曾参加“一二·九”学生救亡运动及抗日救亡歌咏活动，负责音乐指挥及创作，表现出对音乐的兴趣和才能。1939年底赴延安，在鲁迅艺术学院音乐系工作。1940年随边区民众剧团巡回演出，广泛学习和研究了陕北地方戏曲和民间音乐。解放战争时期随“鲁艺”赴东北解放区从事音乐工作。中华人民共和国成立后，先后在中央戏剧学院歌剧系、中国戏曲研究院音乐研究室、中国音乐学院、中国歌剧舞剧院及《人民音乐》编辑部等单位担任领导工作。曾任中国音乐家协会常务理事和书记处书记、中国音协民族音乐委员会副主任、全国政协委员、全国三届人大代表等。

马可是为我国民族音乐的发展做出过重要贡献的当代音乐家之一。他一生写有各种体裁的音乐作品五百余首。他创作的不少歌曲如《南泥湾》、秧歌剧音乐《兄妹识字》、《我们是民主青年》、《咱们工人有力量》等，广受群众喜爱，久唱不衰，堪称歌坛瑰宝。作为主要曲作者创作的歌剧《白毛女》，对中国新歌剧的形成和发展，奠定了坚实的基础；而歌剧《小二黑结婚》，有新的突破和发展。他的作品跳动着的脉搏，具有群众化的特色和鲜明的民族风格，在国内外有广泛影响。

他结合自己的创作经验写出了多篇有关歌剧创作的理论文章，《在新歌剧探索的道路上》、《新歌剧和旧传统》等论文，表达了马可强调我国歌剧的发展要重视对民族音乐传统的继承和借鉴的主张。他对戏曲音乐的研究和改革作了大量工作。1953年与评剧演员新凤霞合作，为评剧现代戏《志愿军的未婚妻》作唱腔设计，他撰写的《从戏曲艺术的特点看戏曲音乐工作》、《戏曲唱腔改革中的几个问题》等论文，表达了他对戏曲音乐改革的主张。此外，还发表了《中国民间音乐讲话》、《时代歌声漫议》等论文多篇。

人民音乐出版社出版有《马可歌曲选》，收有马可40余年的歌曲创作代表作40余首。

〔马加·现代作家·获中国满族文学荣誉奖〕

首届中国满族文学奖于1992年5月28日在北京颁奖。马加获中国满族文学荣誉奖。

马加，满族，原名白晓光。1910年2月7日生，辽宁省新民县弓匠堡子人。1928年秋入沈阳东北大学读书，受进步思想影响，开始读高尔基、鲁迅、郭沫若、蒋光慈的作品，接着在报刊上发表诗歌和小说，并和进步同学出版文艺刊物，1931年“九·一八”事变后，日帝国主义侵占东北，他被迫离开学校，流亡北平，从事创作。由于当时国民党进行文化“围剿”，发表反映抗日题材的作品受到限制，生活极端困难。1935年在北平加入中国左翼作家联盟，参加革命活动。在北平的《文艺月报》和上海的《光明》上发表过一些文艺作品。这时期，还和一些左翼文艺界的同志主编了《文学导报》、《文风》、《黎明》三种地下文艺刊物。抗日战争爆发后，参加战地服务团。1938年到延安，在陕北公学和中央党校学习。1941年加入中国共产党。后到太行山、晋察冀等根据地体验生活，三年后回延安文艺界抗敌协会从事专业创作，参加了延安文艺座谈会。1946年赴东北农村参加土改。1949年参加中国作家协会，任理事；次年任东北作家协会主席。全国解放后，其主要作品有：《开不败的花朵》，通过描写抗战胜利后一支赴东北战场的干部队伍与敌人进行的一场遭遇战，歌颂了英勇无畏、视死如归的革命同志，这部中篇小说被译成三国文字；《江山村十日》是描写东北土地改革斗争的中篇小说；《在祖国的东方》是描写民工支援抗美援朝斗争的长篇小说。此外还有长篇《红色的果实》、《滹沱河流域》及短篇小说集《双龙河》、《新生的光辉》、《过甸子梁》及散文集《幸福的时代》等。现任中国文学艺术界联合会全国委员会委员、辽宁省文联主席、中国作家协会辽宁分会主席。

〔马熊·贵州省外贸包装公司经理·获两项“世界之星”最高包装荣誉奖〕　据1992年7月25日《光明日报》报道：国家有突出贡献的中青年专家、贵州外贸包装公司经理马熊，1992年远渡重洋到英国伯明翰，从世界包装组织秘书长皮埃尔·T·露易斯手中接过众所瞩目的“世界之星”最高包装荣誉奖。

“世界之星”奖由联合国世界包装组织（WPO）在一年一度的“世界之星”包装竞赛中评出，是国际最高包装荣誉奖。我国是亚洲包装联合会的成员国，每年在国内选拔数项优秀包装，代表中国参加亚太地区包装最高奖——“亚洲之星”奖的评比，获奖者代表亚太地区参加“世界之星”的评比。

马熊第一次参加广州出口商品交易会时，亲耳听到外商评价我国的茅台酒：“你们的酒质量好，只是包装太差了。”从此他就下决心攀登商品包装设计的高峰，改变我国商品产销中“一等产品、二等包装、三等价格”的落后状况。1985年，马熊承担茅台酒珍品包装设计，经过300多个日日夜夜的艰苦劳动，茅台酒珍品包装设计终于以风格独特、高贵华丽获得第13届“亚洲之星”奖。1988年，马熊又承担安酒特级包装设计任务。经过精心构思，他把粗犷的地方戏面具变化造型成陶质的酒瓶，以配有文字的手工腊染为衬布，并组合细木条造成酷似竹筒的木盒。整个包装和谐、古朴、典雅，1988年获得“世界之星”最高包装荣誉奖。

1991年，马熊又承担中国名酒董酒和贵州羊艾毛峰茶的包装设计任务。他打破常规设计，以高超的技艺，使这两种产品的包装设计显得新颖巧妙、富于创新，传统风格与时代风貌融为一体，双双获得“世界之星”奖。这是马熊继1988年之后，第二次荣获“世界之星”奖。

近10年来，马熊一共获得省级以上包装奖108项，居全国之冠。他曾3次被评为贵州省劳动模范，3次被评为全国优秀包装工作者，1987年被评为国家有突出贡献的中青年科技专家，1989年被评为全国劳动模范。

马熊是上海市人，1942年4月30日生，大专文化程度。1958年7月参加工作，原是一名普通工人，1960年主动要求从上海来到贵州工作，先后在皮件厂、贵阳市工艺美术研究所任职，1975年调入贵州省包装进出口公司从事商品包装设计，1983年加入中国共产党，现为高级美术设计师。

〔马一浮·已故著名学者、书法家·《马一浮遗墨》出版〕　1992年，《马一浮遗墨》影印行世。此书为华夏出版社出版，夏宗禹主编，选取马一浮早中晚年各种书件诗文草稿等400余幅，篆刻百余方，均为稀世珍品，至为宝贵。赵朴初题写书名，沙孟海作《序》。按书编排内容，分别由沙孟海题写《马一浮书法》，赵朴初题写《马一浮诗词》，费新我题写《马一浮书简》、任继愈题写《马一浮序跋》，潘潘题写《马一浮诗札》，钱君匋题写《蠲戏斋印存》。

马一浮，初名福田，后名浮，号谌翁，别署蠲翁、蠲戏老人。生于1883年（清光绪九年），卒于1967年，浙江绍兴人。青年时期曾留学美国、日本，对中国古代文学、宋儒理学和西方学术文艺等深有造诣。1938年至1946年间，先后讲学于浙江大学和复性书院。1951年，应聘为上海文物保管委员会委员，1953年任浙江省文史馆馆长，1954年任政协全国委员会特约委员。1964年，受到毛泽东主席的接待宴请。沙孟海称马一浮“是现代中国硕果仅存的一位博古通今、学贯中西的大儒，在国际上也久负盛名。他的学问品格，按之旧时代国史，应入儒林、道学、文苑，也兼隐逸、艺术，是多方的有高度学养的人物。”

马一浮的书法，“凝练高雅，不名一体。篆书，直接取法李斯。隶八分，直接取法汉碑。真行书植根于钟王诸帖，兼用唐贤骨法。”（沙孟海评）马先生提倡尚古而不泥古，书法要写出自己的风格。即所谓“书如其人”，“书为心画”，达到神悟，方能入雅。马先生诗学精，用力勤，造诣深。遗诗上千首。他常说：“后人有欲知我者，求之吾诗足矣。”现存马先生手迹，大部分是书写自作诗词。1907年，革命志士秋瑾、徐锡麟两烈士被杀害，马先生满怀幽愤，赋排律《悲秋四十韵》，以志悼念。马先生遍临名碑，每临多跋记心得，反复书写历代名文名诗，佛经更多，且多有题记。检读马氏题跋，可全面了解他对历代碑帖和诗文服习之精到，体会之深刻，见解之超卓，鉴别之审谛。马先生刻印，朴茂高雅，浑厚苍劲，纯用汉法。所用印章，皆自己镌刻，很少为人治印。

马一浮著有《太和会语》、《宜山会语》、《复性书院讲录》等。《马一浮全集》已由浙江古籍出版社出版。

〔马三立·相声表演艺术家·艺术生活六十五周年庆祝会在天津举行〕　为庆祝马三立艺术生活六十五周年，中国曲艺家协会、天津曲艺家协会、甘肃曲艺家协会于1992年11月12、13日在天津举办马三立相声艺术报告会和专场祝贺演出。北京、天津、甘肃等地的曲艺专家及有关人士近二百人与会，就马派相声艺术的形成与发展，马三立的艺术成就及特点进行了专题研究，对他的卓越成就给予高度评价。大家认为：在漫长的舞台艺术生涯中，马三立虽饱经风霜、历尽坎坷，但他矢志不移地以相声为武器，讽刺假恶丑，歌颂真善美，他的独特艺术风格推动了相声艺术的发展；他满腔热情、勤勤恳恳地为人民服务、为社会主义服务，堪称当代相声泰斗，幽默大师，曲坛楷模。

马三立，北京人，1914年生，其简历见1992年《中国人物年鉴》

〔马小珍（女）·广东台山白沙大酒店经理·获全国最佳服务员称号〕　1992年9月15日，商业部在北京人民大会堂隆重召开建国以来首次全国饮食服务业最佳服务员表彰大会。广东省台山市供销社白沙大酒店经理马小珍，被授予“全国最佳服务员”称号。

马小珍，广东省台山市人，生于1951年11月。初中文化程度，1968年11月到农村插队，1978年回城到酒店工作，先后任服务员、楼面部长、酒店副经理、经理，1987年加入中国共产党，职称为二级服务技师。

马小珍从事饮服业14年如一日，全心全意为人民服务。有的住店华侨患了病，她就热情地请来医生，把药送到床前；有的客人衣服淋湿又要赶路，她就主动为顾客熨干衣服方便客人。几年来顾客送给她名酒名烟及外币等价值2000多元，她都如数交到上级处理。由于她服务热情，白沙大酒店和马小珍的名字不胫而走，在国内外顾客中声誉很高。许多返乡探亲的华桥慕名而来，认为马小珍办事最为满意放心。马小珍刻苦钻研业务，不断提高服务艺术水平，在短短的几年中，就以优异的成绩考取了二级服务师职称。她还运用自己掌握的知识，自编教材，积极培训新服务员。她坚持每年组织举办一次服务员培训班，先后培训服务人员200多人次，使酒店的服务水平有了明显提高。马小珍平时注意了解顾客心理，坚持征求顾客对菜点的意见，通过信息反馈指导生产，不断适应顾客的消费需求，使酒店生意越做越旺。马小珍曾4次被评为江门市供销系统先进工作者，还被评为江门市和广东省先进工作者。

〔马文瑞·全国政协副主席·在纪念延安整风五十周年座谈会上讲话〕　1992年2月25日，当年曾参加延安整风的一部分老同志在人民大会堂举行座谈会，纪念延安整风五十周年。全国政协副主席、中国延安精神研究会会长马文瑞在会上发言，强调发扬延安整风精神，加强党的建设。他说，延安整风，标志着我们党找到了提高全党的马克思主义理论水平和识别能力，澄清历史上的是非问题，解决党内各种思想矛盾，坚持着重从思想上建设党的一种形式。这种形式，可以使党通过自我教育，进行自我更新、自我完善，清除和防止政治灰尘和政治微生物玷污党的面孔、侵蚀党的肌体。那次整风在全党确立了一切从实际出发、理论联系实际、实事求是的辩证唯物主义的思想路线，形成了我党特有的三大优良作风。马文瑞强调，以三大作风为标志的我们党的优良作风，是我们党赢得人心的重要法宝，因而自然也是我们党赢得和维持执政地位的重要法宝。“三风不强，党乃灭亡”。在执政、改革开放和发展商品经济以及反对和平演变的三种考验面前，我们党能否顶得住，在很大程度上就看我们能否很好地继承和运用这些重要法宝了。

马文瑞，1912年11月生，陕西省子洲县人。1926年加入共青团，1928年转入中国共产党。曾任中共陕北特委委员、共青团陕北特委书记、中共陕北省委秘书长、东北军工委书记。抗日战争爆发后，历任陕甘宁晋绥联防军385旅政委、中共中央西北局组织部长等职。建国后，先后任中共中央西北局副书记，国家劳动部部长，国家计委副主任，陕西省委第一书记。是中共八届候补中央委员，十一、十二届中央委员。第六届、七届全国政协副主席。

〔马丕静（女）·化工工艺高级工程师·获全国先进女职工称号〕　从事化工科研工作和担任云南省化工研究院研究室主任三十余年的马丕静，根据云南有丰富磷矿的特点进行科研，立志为农作物经济作物提供高效、高浓度的肥料，使资源优势成为经济优势，为提高我国农业生产水平做出了杰出贡献。她多次担任国家“六五”、“七五”几个重大化工科技攻关项目的技术负责人，出色完成了“900吨／年半水物湿磷酸及3000吨／年磷酸——铵新技术开发”、“500吨／年氮磷钾三元素烟草专用复合肥”、“500吨／年氮磷钾复混粒肥装置通用设计”、“澄江地区磷矿开发综合评价”等，为此，曾获云南省级6项科技成果奖、科技进步奖，1992年“三八”节前夕，她被全国总工会授予全国先进女职工称号，并赴北京参加了全总召开的表彰奖励大会。

马丕静常说：“任何一个项目的开发，成功与失败总是同时存在的”。她总是迎着困难和风险干，经过多次挫折才获得成功。80年代初，他们在建立中试装置开发半水物湿法磷酸工艺流程时，国外专利拿不到，国内建过千吨级装置未成功，有人主张不要干，但她和同事们决心啃下这块硬骨头，反反复复实验，日日夜夜奋战，终于完成中试阶段任务，并于1990年利用该项技术建成我国第一家万吨级生产装置，一次投产试车成功，产品合格。

马丕静有崇高的无私奉献精神，她家有老小需要照顾，但她一下厂，有时几十天，有时近半年。从事化工，接触有毒有害物质，损害身体健康，她以身作则和大家一起在现场工作，为事业做出牺牲。

马丕静，1933年3月生，云南省玉溪人，1951年1月参加工作，1957年毕业于成都工学院无机化工专业，1956年入党。曾被评为云南省石化厅优秀党员。

〔马自福·宁夏白芨沟矿采煤二区党总支书记·获全国“五一”劳动奖章〕　宁夏石炭井矿务局白芨沟矿采煤二区党总支书记马自福，带领全区1500多名职工，发扬“团结、勤奋、务实、创新”的精神，年年超额完成国家下达的生产任务，从1989年以来原煤产量连续突破120万吨。1992年4月29日，马自福获全国总工会授予的全国“五一”劳动奖章，并在“五一节”期间受全国总工会邀请，到北京参加全国五一劳动奖章、奖状授奖大会，受到党和国家领导人接见。

马自福自1985年担任采煤二区党总支书记后，身先士卒，坚持在井下与工人同劳动。每当出现顶板冒落空区时，他总是捷足先登，亲自爬到支架上，敲帮问顶、撬掉松动的危岩，然后再打木垛，直到把冒顶区完全控制、处理好为止。在他挺身而出的大无畏精神鼓舞下，职工们人人树立对顶板的超前管理意识，攻破了生产过程中遇到的道道难关，月产10万吨原煤的高产月一个连着一个诞生。

马自福在煤矿工作20年，左手食指因工伤截指三分之一，脚指骨折两处，并患有急性结核性胸膜炎。但他始终身不离井下，每月下井都在26天以上，对井下各个生产环节出现的问题，他都亲自处理，与工人苦乐在一起、整个身心扑在煤矿生产事业上。

马自福，1954年5月5日生，宁夏同心县人。曾任采煤班长、副队长、党支部书记，1982年他被选为矿务局劳动模范，1988年被评为石嘴山市优秀团干部和自治区先进生产者，1989年被评为宁夏回族自治区劳动模范。

〔马松亭·中国伊斯兰教协会副会长、著名回族大阿訇·在北京逝世〕　中国伊斯兰教协会副会长、中国伊斯兰教经学院名誉院长、第七届全国政协委员、著名回族大阿訇、经学教育家阿卜杜·莱希姆·马松亭于1992年1月16日在北京逝世，终年97岁。

马松亭，北京人，1895年2月19日生于伊斯兰教世家，九岁起攻读阿文经书。26岁时穿衣挂幛为阿訇。此后30年间，先后受聘于河北、山东、北平、重庆、台北、香港、北京等地区清真寺开学阿訇。他对阿拉伯文、波斯文伊斯兰典籍有较深造诣，对古兰经诵读学以及明、清以来汉译伊斯兰论著有独到研究。

马松亭热心回族同胞和中国伊斯兰的教育事业。早在1925年，就在济南创办成达师范学校，1935年与人合作创办新月女子中学，1936年发起创办北平回民小学20余所，为培养中国伊斯兰宗教人才，解决回族失学儿童入学作了积极贡献。三十年代，他再次远渡重洋，访问埃及和沙特阿拉伯，并首次与埃及爱资哈尔大学建立民间文化友好联系，成立中埃文化协进会，选派学生赴该校深造，为振兴宗教教育，传播伊斯兰文化，培养“德才兼备、阿汉兼通”的宗教人才作出了重要贡献，在国际伊斯兰教界享有一定声誉。为在国内刊行伊斯兰典籍，他从埃及带回欧斯曼定本《古兰经》，在北平影印发行全国。还带回了多种型号的阿文铅字进行翻制，为在我国铸造阿文铅字，出版发行更好的阿语教材和经书创造了条件。1931年，他与蔡元培、陈垣、顾颉刚等文化名人，发起募集捐款与图书，建立北平东四清真寺福德图书馆。“七七事变”前后，他不顾个人安危，挺身而出，参加了北平各界人士《抗日宣言》签名。在桂林又应邀参加了周恩来主持的“第三方面人士招待会”，响应中国共产党提出的“坚持抗战”的号召，积极进行抗日宣传。1945年8月，他在北平创办“北平回教经学院”，建立“月华文化服务社”，印行《月华周报》，积极宣传伊斯兰教义及文化。1948年受聘在台北清真寺任教，不久，赴埃及等地观察伊斯兰教情况，1952年由香港回到北京。回京后，即受聘西单清真寺教长，1953年被推选为中国回民文化协进会副会长。1955年9月中国伊斯兰教经学院成立，被任命为副院长，兼授《古兰经》及“古兰读法”课程。1956年12月任中国伊斯兰教协会第二届委员会副主任。

1980年、1987年在中国伊斯兰教第四、第五次全国代表会议上，当选为中国伊斯兰教协会副主任、副会长至今。1982年，经学院恢复后，任名誉院长。他是全国政协第二、五、六、七届委员。他一生谨奉教典，严守五功，清正廉洁，联系群众，深受国内外穆斯林的仰慕与崇敬。

〔马国庆·西宁林家崖农工商企业总公司总经理·获全国乡镇企业家称号〕　青海省西宁市林家崖农工商企业总公司总经理马国庆，于1992年被评为全国乡镇企业家。

马国庆，青海省西宁市人，1944年6月出生。党的十一届三中全会刚开过，当时担任林家崖大队党支部书记的马国庆产生了带领全村群众兴办企业、走共同富裕道路的决心。1984年冬，他们在西宁市郊区政府的支持下，根据在外地参观学习到的经验，组建了林家崖农工商企业总公司，马国庆出任总经理。他制定了发展村办企业的三个“三年计划”。为了实现第一个三年计划，解决发展村办企业启动资金，马国庆带头把给儿子娶媳妇的5000元作为集资款交给了公司，在他的带动下，群众迅速集资十二万八千元，解决了燃眉之急；同时，国家城市建设征用的土地补偿费，没有按人按户平均分配，而是用于兴办村办企业。经过各方面的充分准备，1985年，他们一鼓作气，扩建了五金厂、印刷厂、建筑工程队三个企业，新办了汽修厂、碱厂、预制件厂、综合商店、润滑油商店、开关厂等七个企业，使公司所属企业增至10个，从业人数175人，企业总收入首次突破一百万元大关，占全村各业总收入的71·3%。1986年，他们投资二百六十多万元，依靠自己的施工力量，兴建了“青海高原乡镇企业第一厦”——黄河大厦，建筑面积5500平方米，楼高七层，水暖电齐全，各种设施配套，设有旅店部、百货商店、清真餐厅、理发馆、照相馆、停车场、卫生间、会议室、会客室等。具有了接待外宾的资格，于1988年初正式建成营业。从1988年到1990年，马国庆执行第二个三年计划，将开关厂转产为包装袋厂，将碱厂转产为有机复合肥料厂，再一次扩建了五金厂和汽修厂，新建了具有两条自动化生产线的通达饮料厂等一批新企业，开发了多种规格的塑料包装袋、有机复合颗粒肥及18个品种的饮料等一批新产品。其中7C1·5型农用拖车获农业部优质产品奖，气流净选脱谷机获得国家专利。

1991年至1993年，马国庆实施发展村办企业的第三个三年计划，他要在更高的层次和更大的范围内实行农工商一体化。到1992年底，林家崖农工商企业总公司已有独立核算的工业、商业、建筑业和服务企业14个，从业人员500多人。工农业总收入720多万元。依靠村办企业的发展，马国庆带领林家崖农民走上了共同富裕道路。

〔马俊才·济南钢铁总厂厂长兼党委书记·获全国“五一”劳动奖章〕　山东济南钢铁总厂厂长兼党委书记马俊才，任职九年来，生产一年上一个台阶，使一个长期徘徊在30万吨的钢铁厂跨入年产百万吨的先进行列，累计实现利润17·18亿元，上交利税12·6亿元，成为一业为主，多种经营，跨地区跨行业联合，内外贸相结合的企业集团。1992年5月，马俊才获得全国总工会颁发的“五一”劳动奖章。

1983年9月，51岁的马俊才离开工作过24

年的省冶金厅，到济南钢铁厂任厂长。当时这个厂设备严重老化，钢产量长期徘徊在30万吨，经济效益很低。有人断言：要改变济钢面貌，不花大钱更换设备，比登天还难。马俊才坚信事在人为，立下“少活十年，也要把济钢搞上去”的誓言，把铺盖搬到办公室，成天找干部谈心，请工程师献计，向工人请教，经过七个多月的调查研究，一个彻底改变济钢面貌的总体思想形成了。他提出：在企业发展上，从实际出发，不搞大呼隆，一年上一个台阶，高速、高效、稳步发展；在技术改造上，内涵挖潜，小步快走，滚动前进；在组织领导上，坚持政治上不整人，任人唯贤，把充分发挥人才作用作为厂长第一责任；在企业管理上，全方位地实行承包责任制。从1984年开始，马俊才坚持不停产改造的原则，抓住制约生产能力的关键环节，利用设备检修的时机，大修大改，中修中改，小修小改，逢修必改，在改中提高，先后改造了原料场、球团竖炉、高炉、13吨炼钢转炉和轧钢系统，产量接连上升。1984年，钢产量41·5万吨；1988年，钢产量71·7万吨；到1992年，钢产量达108·69万吨，实现利润1·35亿元，稳步地跨入了百万吨级的大型钢铁企业行列。这种不停产改造法，被一些专家和厂长视为冶金界的“宝贵财富”。1987年马俊才获山东省“富民兴鲁”劳动奖章，1989年获山东省“首届优秀企业家”称号，评为省劳动模范，同时获《半月谈》杂志社“思想政治工作创新特等奖”，1990年，又获“第一届全国冶金工业优秀企业家”称号。

马俊才的成功秘诀是善于超前思考、超前决策。在1988年，他就决定并加快建立国内外产品销售和矿石供应基地，大力发展规模经济和外向型经济。先后在全国20多个省市以半紧密型和松散型联合等形式建立了原料供应和产品销售基地；在省内五个地区兼并了16家冶金、矿山、机械、轻工等企业，形成了集团经济规模；同十几个国家和地区建立起矿石供应和产品销售渠道，进出口贸易总额迅速发展到5000多万美元。他在积极吸引外资，建立合资企业，引进先进技术的同时，开展劳务输出，技术输出，并建立起合资远洋运输公司。他还打破局限于厂内上下工艺平衡的思维定势，在东南亚地区投资办厂，建立钢坯（材）深加工基地，跨国度寻求钢和材的大工艺平衡，开创了多元化、多层次走向国际市场的新局面。

马俊才，1931年12月生于山东省沂南县的一个农民家庭，1948年参加工作，在潍坊大华机器厂当工人，1951年就读于济南第二速成中学，1954年考入北京钢铁学院，1959年毕业分配到山东省冶金厅工作，历任基建处副处长、调度室主任，1975年9月加入中国共产党，1983年9月任济南钢铁总厂厂长，1984年11月兼党委书记，1988年任山东省冶金总公司经理兼党组书记，同时任济南钢铁总厂厂长兼党委书记。

〔马恒昌·已故著名全国劳动模范·马恒昌小组提出建设班组新倡议〕 以著名劳动模范马恒昌命名的齐齐哈尔第二机床厂马恒昌小组（现任组长孙普选），1992年9月在全国第二次班组工作会议上，以“发扬优良传统，放眼未来，苦练技术”为题在会议上发言，介绍他们学习老组长马恒昌精神，在改革开放的新形势下，坚持开展以老带新学理论、练技能、搞革新、攻难关的活动，把小组建成技术精、作风硬的坚强集体的事迹，并与其他九个先进班组一起，向全国兄弟班组倡仪：认真开展献绝招、练本领、学技艺、创一流活动，争当岗位状元，为实现八五计划建功立业。

马恒昌，1908年生，辽宁省辽阳县人。10岁给地主放牛，11岁进工厂学徒。沈阳解放后进沈阳第五机器厂当车工，不久当了车工一组的组长。解放战争期间，马恒昌带领小组工人积极生产，支援前线。他们小组生产的7000多件军工产品，件件合格。1949年3月，在迎接红五月劳动竞赛中，马恒昌小组获得生产竞赛模范班的奖旗。马恒昌小组建立了严格的责任制和检查制，要求先做好准备工作，仔细检查每一个成品；组成三人技术互助小组，经常利用午休时间研究改进技术；帮助新工人很快熟悉机器，掌握技术，保证产品数量、质量不断提高。1949年4月至1950年2月，马恒昌小组每月都提前完成生产任务，全组都立了功。1950年4月12日，东北总工会发出了推广马恒昌先进生产经验的指示，三个月后，东北各工厂中涌现出300多个马恒昌式的先进生产小组。1950年9月，马恒昌被评为全国劳动模范，出席了全国工农兵劳动模范代表会议。10月，马恒昌和部分职工迁往齐齐哈尔第二机床厂。1951年9月，在抗美援朝战争期间，马恒昌小组向全国职工发出了开展爱国主义劳动竞赛的倡议，得到全国18000多个小组热烈响应，使爱国主义劳动竞赛在全国蓬勃开展起来。在我国第一个五年计划期间，马恒昌带领他们小组用5年时间完成了14年的工作量。在60年代初国民经济暂时困难时期，马恒昌小组又发扬艰苦奋斗、勤俭节约精神，作出新贡献。后来马恒昌担任了工厂的总机械师。改革开放后，马恒昌小组解放思想，勇于进取，1983年6月9日，提前跨入2000年。1985年7月8日，马恒昌病故。马恒昌小组一直是全国机械工业战线上的一面红旗。

〔马继孔·原中共云南省委书记·其历史著作《爨史》问世〕　由原中共云南省委书记马继孔撰写的，记载华夏民族与云南土著民族团结奋斗共同创造云南文明进步历史的著作——《爨史》，于1992年3月在人民出版社出版面世。

马继孔长期在云南工作，他潜心研究云南人民开发边疆、巩固边防的斗争历史。对史载庄跻开疆、爨氏治滇的业绩和历史作用予以高度重视。鉴于从东晋到中唐，爨氏治滇的410余年历史在史书上几乎是空白，为研究云南经济与社会发展规律，以史为鉴，他在省委支持下，长期积累资料，艰苦写作，先后花费五年功夫，终于完成这一部力作。该书共分三篇、十三章，约二十五万二千言。上篇记述庄跻、爨氏的历史根源；中篇记述庄跻开疆、爨氏治滇与云南各族人民的血肉相联；下篇记述爨氏治滇的经过及其历史作用。指明爨氏治滇的四百余年，云南稳定太平；段为爨后，大理段氏治滇四百年，也是云南太平时期。而明至清初，云南却大乱三百年；清亡，民国建立，西南军阀混战，直至抗战，蒋介石的五个集团军驻云南，仍没有多少安定日子。解放以后，云南才稳定下来。爨氏治滇有许多历史经验，如：开发滇池、陆良坝子，奖励耕耘，薄赋、兴学、修史，提倡伦理道德，路不拾遗，夜不闭户，商贾兴旺，经济发达，牛羊满山岗，十里稻谷香，一片繁荣景象。研究爨氏治滇治军的历史经验，对于振兴云南，巩固西南边疆有重要意义。

马继孔还著有《云南文化史》、《云南陆军讲武堂史》，发表社会科学论文10多篇等。

马继孔，山东省肥城县人，1914年9月生，曾肄业于北京清华大学，1936年9月参加山东泰西抗日人民自卫团，任队长，1938年11月加入中国共产党，先后担任县长、八路军支队山东纵队第六支队参谋长、专员、市长、滇桂游击总队云南支队政委、云南省军管会、省人民政府秘书长、昆明市委书记、中共云南省委第一副书记、书记、甘肃省委书记、江西省委书记、省人大常委主任等职，为第二、第六届全国人大代表。

〔王升·台湾"国策顾问"·任台湾"促进中国现代化学术研究基金会"董事长〕　台湾"总统府国策顾问"王升出任1992年11月18日成立的台湾"促进中国现代化学术研究基金会"董事长。他强调该基金会工作计划将围绕中国现代化的主题，进行学术研究。主张继续加强海峡两岸的文化学术交流，表示基金会将负责筹划邀请大陆学者赴台湾参加讨论或台湾学者到大陆举办研讨会。他对大陆近年的改革开放政策表示钦佩，认为21世纪是中国人的世纪。

王升，1917年生，原名王建楷，字化行，又名王修阶，江西省龙南县人。黄埔军校第十六期、国民党中央干部学校研究部第一期、"国防研究院"第四期毕业。早年在江西追随蒋经国，历任江西赣南专员公署视察，赣县县政府军事、民政科长，三青团江西支团部组训组长、助理书记，青年军二〇八师政工处上校科长。抗日战争胜利后，任国防部预备干部局上校督察，国防部"戡建"第六大队少将大队长，大上海青年服务总队少将总队长，国民党江西省党部书记长。

到台湾后，任国民党中央改造委员会干部训练委员会委员，"国防部总政治部"副组长。1952年后历任"政工干部学校"训导处处长、教育长、校长。1960年任"国防部总政治作战部"副主任。1970年晋升为陆军二级上将。1975年任"总政治作战部"主任。1979年任"中华战略学会"副理事长。曾为"刘少康办公室"负责人，权倾一时，举足轻重，八十年代初被视为蒋经国的接班人之一。1983年调任"国防部联训部"主任，同年任台湾驻巴拉圭"大使"。1991年卸任返回台湾。

是国民党第八届中央候补委员，九至十三届中央委员，十一、十二届中央常务委员。

〔王亢·原解放军铁道兵顾问·在北京逝世〕

1992年11月24日，原解放军铁道兵顾问王亢在北京逝世，终年81岁。

王亢，辽宁营口人。1937年4月参加中华民族解放先锋队，同年加入中国共产党。曾任西北抗日先锋总队小队长、中队长，平西抗日联军司令部参谋长，晋察冀挺进军第35团参谋长，晋察冀军区平北军分区第10团营长、团长、平北军分区参谋长兼热西支队支队长，冀热辽军区副参谋长。参加了绥西、冀东、平西、平北等地区的游击战争。解放战争时期，任东北民主联军松江军区哈尔滨卫战区参谋长，独立第2师副师长兼参谋长，东北野战军第12纵队副参谋长，第49军副参谋长，第51军参谋长。先后参加了辽沈、平津、渡江等战役。中华人民共和国成立后，任中央军委作战部军务局副局长，军务部办公室主任兼编制处处长、特种兵编制处处长，西藏军区参谋长、副司令员，解放军铁道兵顾问。1960年晋升为少将。曾获二级独立自由勋章、一级解放勋章。1988年7月获独立功勋荣誉章。

〔**王军（女）·西北五棉公司副董事长·获优秀女企业家称号**〕　新中国第一代纺织女工、西北第五棉纺实业有限公司常务副董事长、常务副总经理王军，在1992年"三八"国际劳动妇女节前夕，被中国企业管理协会女企业家协会、全国妇联授予"全国优秀女企业家"称号，并被全国妇联授予"全国巾帼建功标兵"称号。

王军，1938年8月生。河南省许昌县人。1951年进西北国棉一厂，当过穿筘工、班组长、车间工会主席、厂工会副主席、织造车间主任和车间中共总支书记。后任陕西省总工会副主席、西北国棉五厂副厂长和厂党委副书记。1984年她凭着敏锐的改革意识，主动向省要求实行厂长负责制试点，所在厂率先实行了厂长负责制，推动了企业的发展。1986年从陕西省委党校毕业后，任厂党委书记、兼西北第五棉纺实业有限公司（现为五环集团股份有限公司）常务副董事长、副总经理。王军不计较个人名利得失，带领党委一班人，满腔热情地支持曾是她的下属而颇具开拓精神的现任厂长，形成企业党政领导"人合心、马合套"的大好局面，并大刀阔斧地对企业的组织机构和政治思想工作进行改进，使五棉形成了一套高效能的运行机制。同时与厂长一起运筹帷幄，努力发展外向经济、开拓国际市场、加强横向联合、组建企业集团、深化内部改革，将五棉由一个厂发展成拥有27个成员单位、集工商技贸为一体的多功能企业集团。王军参与领导的企业，连续五年被评为"全国思想政治工作优秀企业"，连续七年被评为纺织部"双文明建设优秀企业"，并获"国家二级企业"、"陕西省先进企业"、"全国企业管理最高奖——金马奖"、"五一"劳动奖状等60多种荣誉称号。王军有一句口头禅，"领导就是服务"。她对工作有火一般的热情，勇于进取，从不停步。而对自己则是只求奉献，不讲索取。多年来，她几乎没有星期天，丈夫几次生病住院，都顾不上照顾。为给职工修体育场、商品楼、安装暖气和闭路电视，她拖着浮肿的双腿跑材料。职工们有了思想问题，她东家进西家出，把思想工作做到家。她曾获全国"三八"红旗手、全国"优秀企业思想政治工作者"等称号。是陕西省女企业家协会会长。

〔**王芳·国务委员兼国家禁毒委员会主任·强调中国人民决不容许毒品祸害的历史重演**〕

1992年6月25日，王芳在《人民日报》发表文章，指出近十年来国际毒品犯罪浪潮也侵害着正在扩大对外开放的中国。为纪念国际禁毒日5周年，国家禁毒委员会已作了专门部署，要求各地特别是重点地区大力开展禁毒宣传教育，以进一步发动群众，掀起禁毒斗争的高潮。

王芳在文章中指出，中国历史上就是鸦片烟毒的受害国。新中国诞生不久，中国共产党和人民政府采取坚决措施，开展查禁鸦片烟毒的斗争。仅用3年时间，就禁绝了肆虐危害中国百余年的鸦片烟毒。这一壮举得到全国各族人民的衷心拥护，国际舆论也赞誉我国为"无毒国"。可是，时隔30年后，由于我国的西南边境毗邻世界最大的毒源地"金三角"，在国际毒潮的侵袭下，已经禁绝的毒品祸害又卷土重来。当前，这个由过境贩毒所引发的毒品问题仍在发展蔓延，由边境到内地，由农村到城市，使我国深受其害。

王芳说，面对毒品问题蔓延的严峻形势，党中央、国务院十分重视和关注，采取了一系列坚决措施。1990年11月，国务院决定成立由16个部委领导组成的国家禁毒委员会，统一领导全国的禁毒工作。同年12月全国人大常委会通过了《关于禁毒的决定》，为开展禁毒斗争提供了有力的法律保证。1991年6月全国禁毒工作会议提出"三禁（禁贩、禁吸、禁种）并举、堵源截流、严格执法、标本兼治"的禁毒工作方针，作出了在二三年内遏制住毒品泛滥势头进而从根本上消除毒品祸害的战略决策，制定了动员全社会力量开展禁毒人民战争的具体措施，有力地推动了禁毒斗争在全国范围广泛深入的开展。全国大多数省、自治区和重点市、县普遍建立健全了禁毒机构，充实了缉毒力量。国家和地方采取了各种措施普及禁毒教育，提高全民禁毒意识。各级缉毒执法部门通力合作，有力地打击了毒品犯罪活动。1991年全国共依法逮捕毒贩8080名，经法院审判判刑的5285名，其中判处无期徒刑、死刑及死缓的866名。各级政府依靠基层组织和广大群众，本着严管、重教、挽救的方针，对吸毒者强制其戒除毒瘾。对国内一些偏僻山区和林区出现种植毒品原植物问题，积极做好禁种宣传教育，一经发现坚决铲除。

王芳指出，由于危害我国的毒品主要来自境外“金三角”毒源，我国政府十分重视禁毒领域的国际合作，积极支持联合国禁毒署倡导的“金三角”亚区禁毒合作计划。在中国方面的努力促进下，中国、缅甸、联合国禁毒署三方旨在控制过境贩毒和以清除缅北毒源为长远目标的合作项目已经签署。中国积极承担国际禁毒义务，坚决打击过境贩毒活动，认真负责地对待缉毒办案和线索协查的国际合作，为扼制毒品向世界毒品市场贩运和扩散作出了重要贡献。

王芳特别强调指出，近几年对中国的禁毒问题出现了一些荒谬的说法。美国某些报刊把美国市场上的海洛因称为“中国白粉”（Chin aWhite）。前不久在美国参议院司法委员会一次听证会上，某些人竟称中国已成为亚洲海洛因贸易的“关健”，诬蔑中国“扫毒不力”，对中美禁毒合作“不积极”、“背信弃义”等。王芳用我国坚决禁毒的事实，据理予以驳斥，重申我们一向主张在禁毒领域开展国际合作，有关国家必须恪守相互尊重主权、不干涉内政、平等互利、真诚合作的原则。本着这个原则，我们将坚持不渝地发展同世界各国包括美国在禁毒领域的友好合作，为共同消灭毒品的祸害，保卫人类的生存发展做出贡献。

每年 6 月 26 日为国际禁毒日，是在 1987 年第 42 届联合国大会确定的。

王芳，1921 年生，山东新泰县人。1937 年参加八路军，曾任旅保卫科科长、鲁中军区保卫部长。1949 年后，任杭州市公安局局长，省公安厅厅长、副省长，1977 年重新工作后，曾任浙江省委书记。1987 年任公安部部长，1988 年任国务委员兼公安部部长。是中共十二届中央委员，十三届中顾委委员。

〔王克·任沈阳军区司令员〕 1992 年 11 月，中央军委任命王克为沈阳军区司令员。

王克，1931 年 8 月生，江苏萧县（今属安徽）人，原名茂清，1944 年参加萧县武装工作队。1947 年加入中国共产党。曾任华东野战军连文化助理教员，第三野战军团教导队副指导员。参加了胶济路反击战和淮海战役。建国后，任团参谋处参谋。1953 年参加抗美援朝，任中国人民志愿军炮兵团营长、副团长兼参谋长。回国后，历任北京炮兵学校训练部科长，武威炮兵学校训练部副部长，兰州军区守备师副师长，师政委，1980 年军事学院毕业。后任师长、军长，新疆军区副司令员，兰州军区副司令员，是中共十四届中央委员。1988 年被授予中将军衔。

〔王牧·青年物理学工作者·获吴健雄物理奖〕 1992 年 6 月 3 日，第三届吴健雄物理奖授奖仪式在中国科学院物理所举行，南京大学的博士毕业生、副教授王牧，以其所研究的“传输限制系统中的非平衡态生长和聚集”课题，成为荣获该奖的第 5 位学者。80 岁的吴健雄教授亲自向本届获奖的两名青年学者颁奖。

以国际著名女华裔实验物理学家、原美国物理学会会长吴健雄命名的这项物理奖，是由香港亿利达工业发展集团有限公司于 1987 年出资设立的，旨在表彰、奖励我国 35 岁以下青年物理工作者的学术成就，促进物理学的发展。凡在发现新现象，阐明物理规律、运用规律解决关键问题等方面取得优异成果的个人和集体，经专家评选和吴健雄教授审核均可获奖。

王牧的研究课题是当今凝聚态物理前沿研究领域的课题，目的是分析和解积晶体生长的机理。4 年前在一次物理实验中，他发现一种分形形态的晶体，而非简单的二维或三维形态，这是当时国际上非常热门的课题。国际学术界对这种形态的晶体生长机理并未搞清，于是王牧立即将研究方向转向这一课题，经反复实验，终于取得突破。他所研究的“传输限制系统中的非平衡态生长和聚集”项目中的部分成果，在国际最权威的杂志美国《物理评论》发表后，引起国际同行的重视。著名物理学家冯端评价说：本项目通过简单而巧妙的设计，精细的实验观测和分析，对非平衡态生长中形态的生长与选择，枝晶侧枝的形成机制提供了大量首次观察的实验结果。他结合实验提出的传输限制系统和成核控制聚集的新思想，对于远离平衡态的有关晶体生长和生长过程中的非线性问题研究具有重要意义，其研究工作具有独创性，处于国际先进水平，对这一领域的发展作出了重要贡献。

王牧，南京大学固体微结构物理国家重点实验副教授，江苏省扬州人，1962 年 12 月生，1984 年毕业于南京大学物理系，1986 年攻读该校物理系凝聚态物理专业，1991 年获博士学位。他在研究工作中刻苦努力，勤于思考，成绩优异，曾于 1989、1990 年分获该校颁发的樱松奖和光华奖。

先后在国内外有关杂志发表学术论文十多篇。

〔王选·计算机专家、中国汉字激光照排开拓者·当选中国科学院学部委员〕　1992年1月3日，中国科学院在北京正式公布了新增选的学部委员名单。北京大学计算机科学技术研究所教授、副所长王选名列其中。他之所以获此殊荣，是因为发明了华光（方正）电子排版系统，成为中国汉字激光照排的新时代开拓者。他的研究成果被誉为“汉字印刷术的第二次发明”，获得国内外20多项奖励。

王选，生于1937年，江苏无锡人。1958年毕业于北京大学。1975年，他开始从事这项研究。他深知这项研究难度很大：英文千变万化，也只是26个字母的组合；而汉字一字一形，多达6万，常用字也有3000多个，如排成16种印刷字体，储入计算机便是200亿。尽管当时没有人给他下达任务，又没有科研经费，甚至有人把他要搞第9代激光照排机的蓝图当成神话，然而他想的却是，我国是活字印刷的发明者，在激光照排的竞争中，不能甘居他人之后。他同在北大当助教的妻子陈堃銶，日夜苦干，拿出了一套瞄准世界最新激光照排技术的方案，并为此付出了16年的辛勤劳动。

1980年，王选等人创造的中国第一台汉字激光照排样机排出了第一本书。邓小平看后，当即写下了“应当支持”。这给他们很大鼓舞。1981年，样机通过国家级鉴定；1985年，国产激光照排“华光”系统在新华通讯社连续运行数日，日排印14万字获得成功。这项研究被列为当年10大科技成果之一。这一年，外国计算机大量涌入中国市场，面临激烈竞争，王选加快研究步伐，进一步将华光系统运用于汉字报纸排版，整版输出了一张张中文报纸。从此，所有研制汉字激光照排的外国公司全都宣布：在这个领域中，放弃与中国人竞争。

王选教授并没有因此停止前进的脚步。他进一步将华光Ⅱ型系统发展成为方正91型系统，完成了远程传输、光盘存贮、区域联网等功能，又进而用它印刷出第一张彩色报纸。如今，全国已有2800套方正91型和华光Ⅴ型激光照排设备在运行，不仅使许多新闻、出版、印刷单位告别了铅与火，进入了光与电，还使我国许多企事业单位实行了办公自动化。该产品已销往港、澳、台和新加坡，新增产值6亿多元。

〔王涛·乒乓球运动员·获第二十五届奥运会男子双打冠军〕　在1992年西班牙巴塞罗那举行的第25届奥运会上，来自解放军队的中国选手王涛，与吕林合作，夺得乒乓球男子双打冠军。

五涛，24岁。身高1米61，左手横握拍。在第41届世乒赛上曾获混双冠军。

王涛简历与事迹参见1992年《中国人物年鉴》。

〔王斌·著名医学家·在北京逝世〕　参加过红军长征的外科专家、医学教育家、卫生部原副部长、顾问王斌，1992年6月13日在北京逝世，终年84岁。

王斌，1909年5月出生于四川省兴文县。1933年参加中国工农红军，1935年加入中国共产党。历任红一军团医院医生，中央军委卫生学校教育主任，中央军委卫生学校校长兼保健医生，陕北延安卫生学校校长，第十八集团军卫生部医务主任，中央军委卫生部副部长兼中国医科大学校长，东北人民政府卫生部部长，中央人民政府卫生部副部长，中国医学科学院顾问，中华人民共和国卫生部顾问等职。

土地革命战争时期，王斌参加了中央苏区第四、第五次反“围剿”斗争和两万五千里长征。在艰苦卓绝的战争岁月里，他抢救了大批红军战士，竭尽全力保证了中央军委领导的健康。抗日战争时期，他为搞好医疗保健工作和部队战场救护工作，倾注了自己的全部心血。他在担任中国医科大学校长期间，创造了一套管理高等医学院校的有效方法，培养了大批医务人才，是我军正规医学院校教育创始人之一。解放战争时期，他随第四野战军参加辽沈战役，为辽沈战役取得重大胜利立下战功，得到中央军委领导的嘉奖。沈阳解放后，他进入沈阳市区接收原满州医科大学（国民党接管后改名沈阳医学院）。抗美援朝开始后，他担负起前线伤员的救治任务。他组织铁路沿线300所医院，24列卫生救护车，出色地完成了一大批伤病员的抢救治疗和转运任务。在50年代和“文化大革命”中，王斌曾遭受错误的打击，蒙受不白之冤。中共十一届三中全会后，他出任卫生部顾问。他是第四、第五、第六届全国政协委员。他不顾年老体弱，积极参政议政，为促进我国卫生教育事业，尽了最后的余力。

〔王童·台湾电影导演·执导影片《无言的山丘》获第二十九届台湾电影金马奖最佳导演奖等五

项奖〕　1992年12月，在第二十九届台湾金马奖的评选中，台湾著名导演王童因成功地执导了《无言的山丘》一片，而夺得最佳导演奖。这是他以《稻草人》一片首次获金马奖最佳导演奖之后，再次获此殊荣。由于他参加拍片以来已14次问鼎金马奖杯，因而为台湾舆论称为金马奖史上第一人。

影片《无言的山丘》是王童继《稻草人》、《香蕉天堂》之后拍摄的第三部乡土悲喜剧。它与前两部影片共同组成王童构想中反映近百年来台湾小人物生存状态的“台湾三部曲”，如按年代却又是三部曲中的第一部，构思和耗资均为最巨。《无言的山丘》是由台湾著名作家吴念真编剧的，以30年代日本占领时期台湾北部九份金矿区的生活为背景，讲述了一对贫困兄弟为生活所迫，来到这个地区当矿工后的种种遭遇。影片通过他们与村妇阿柔、日本矿长及妓女之间发生的冲突和悲喜故事，真实地展示了矿工和他们女人们暗无天日毫无希望的生活，以及他们善良的人性品格，有力地揭露抨击了日伪的残酷压榨。比较强烈地体现了民族意识。为拍好此片，王童花费了大量的时间进行筹划，除重新搭建当年的街景、矿村等，还在拍摄现场开垦荒地种植了大片油菜花。《无言的山丘》以其恢宏的气度、真切的叙事、优美的景观，及朴实的镜头和严谨精细的制作，构成了与台湾时下粗糙之商业片无法相提并论的独特的竞争力，从而一举夺得包括了最佳剧情片大奖在内的最佳导演奖、最佳原著剧本、最佳美术设计、最佳造型设计等5项奖。

王童，原名王中和。生于1942年，苏州人。1950年赴台，毕业于艺专美术科，后加入台湾中央电影公司任布景美术工作。参加过一百余部影片的拍摄。1970年曾赴美夏威夷大学剧场实习一年。1976年以《枫叶情》获得金马奖最佳美术设计奖。1980年始独立执导影片，并逐渐形成了叙事简洁、手法朴实、人物性格鲜明、寓意深刻、感染力强的艺术风格。

〔王震・国家副主席・为中日友好操劳〕

1992年8月28日，大病初愈的中华人民共和国副主席、中日友好协会名誉会长王震，亲切会见曾为中日邦交正常化作出重大贡献的日本前首相田中角荣。他们以茶代酒，庆祝中日邦交正常化20周年，共同祝愿中日两国人民世世代代友好下去。

王震从五十年代即为中日友好奔走。1957年，他率领中国农业代表团赴日本访问，回国后向毛泽东主席汇报日本人民要求同中国人民和平友好的强烈愿望。1974年，王震作为中日友好访问团团长，乘坐中日两国定期航线正式通航的首航班机前往日本。1982年，他去日本参加庆祝中日邦交正常化十周年活动和率团参加了在日本召开的中日民间人士会议第一次会议。仅从1983年他担任中日友好协会名誉会长以来，在国内和访日时，就会见日本友人近1000批达15000多人。1984年，王震作为中日友好访日代表团团长，走遍日本各地。他在参观日本长崎、广岛市陈列有关原子弹爆炸的实物和资料后，眼噙泪水说：“中日两国人民都是第二次世界大战受害者。两国人民团结友好的伟大力量，可以成为世界和平事业的坚强支柱。让我们下决心动员全世界人民，为使长崎、广岛的悲剧在世界上永不重演，为庄严持久的人类和平事业贡献毕生精力！”王震深知，中日和平友好不仅是美酒、樱花、唱歌、跳舞。对损害中日和平友好的事情，他就象不容自己眼里的沙子一样所不容。每次访日或在国内会见日本友人，他都虚心征求日方对中方意见，发现问题，责成有关部门及时解决。对在两国关系发展过程中出现的有损中日关系、令人不愉快的的事情，则坦率地向日方表明意见。1987年4月访日时，正值光华寮问题发生不久，无论是在招待会上的讲话，还是会见日本政界要人，王震都直言不讳地强调：光华寮问题是涉及中国国家权益和中日联合声明的重大原则问题，希望日本当局从两国友好出发，妥善处理。这一举措，引起日本官方和民间的关注，对维护我国正当权益和中日友好，起到了促进作用。王震在从事中日友好活动中多次强调：“友好的话要讲，有利于两国经济发展的事更要办。经济技术的合作与交流，是中日友好的基石之一。”针对日本友人担心我国改变对外开放政策的疑虑，他多次有的放矢地给予解释；还直接为两国经济、技术界人士牵线搭桥，并及时给以指导。

12月8日，在中华人民共和国国史学会成立大会上，王震被推举为名誉会长。

王震，1908年生，湖南浏阳人，1927年加入共青团，同年转入中国共产党。曾任红军师政委、军团政委、八路军359旅旅长兼政委、第一野战军一兵团司令员兼政委，新中国成立后，历任中共中央新疆分局书记兼新疆军区代司令员、政委，铁道兵司令员兼政委，人民解放军副总参谋长，农垦部部长，国务院副总理，1988年当选为中华人民共和国副主席。是中共八届至十二届中央委员，十

一、十二届中央政治委员，十三届中央顾委副主任。

〔附注：王震于 1993 年 3 月 12 日在北京逝世〕。

〔王夔·无机化学家·当选中国科学院学部委员〕　1992 年 1 月 3 日，中国科学院正式公布了新增选的学部委员名单。北京医科学大学教授、天然药物及仿生药物国家重点实验室主任王夔，被选为化学部学部委员。

王夔，1928 年 4 月生，天津市人。1949 年毕业于燕京大学化学系。五十年代他在国内率先研究有机试剂功能团与分析性能的关系。六十年代研究金属离子水解沉淀反应的隐蔽。八十年代研究生物无机化学，主要研究生物系统的总体反应和生物系统中的基本无机化学反应。研究大、小分子配体竞争金属离子反应机理，建立了一组教学模型。研究金属离子与细胞相互作用，提出多靶分子模型。研究在表面活性剂、矿化促进剂、矿化调节剂存在下矿化过程的特点以及细胞外基质对矿化影响。上述理论及方法用于医学科学研究取得一系列成果。

他承担的国家"七五"攻关课题——关于大骨节病病理化学过程的研究，提出了环境致病因子通过自由基反应引起软骨细胞异常、基质异常和矿化异常的新机理。它可以把现有各种病因统一诠释，并且提出用自由基清除剂和抑制剂以及细胞保护剂防治本病的途径。

在承担国家自然科学基金课题的研究中，他根据胆红素溶液化学和自由基化学的一系列研究成果，找出自由基引发胆色素结石形成的化学机理。

〔王大中·核能技术专家·获国家科技进步一等奖〕　清华大学核能技术设计研究院院长王大中教授，领导完成的国家重点项目"低温核供热堆"，1992 年获国家科技进步一等奖。

王大中，1935 年 3 月生于河北省昌黎县，1958 年 7 月毕业于清华大学工程物理系反应堆工程专业，1961—1962 年为该大学在职研究生。1958—1969 年在清华大学核能技术研究所工作，参加清华大学屏蔽试验反应堆建设，任热工实验室主任，屏蔽试验堆主要负责人之一，以及零功率反应堆负责人。1969—1980 年在清华核能所从事反应堆设计研究工作，先后任反应堆设计室主任，所科研组组长等职。1981—1982 年在联邦德国于利希核研究中心进修，在联邦德国亚琛大学获自然科学博士学位。1983 年至今，在清华核能研究所（今核研院）担任国家重点攻关项目低温核供热堆项目负责人，先后任该所副所长、所长，现任核研院院长。1986 年起任国家核安全委员会委员，1987 年 2 月起任国家高技术能源领域首席科学家，1990 年起任中国核学会副理事长。

在联邦德国进修期间，王大中提出了一种新型模块式高温气冷堆方案，获德、美、日等国设计发明专利。回国后继续推进高温堆研究发展工作，1987 年这一研究被列入国家"863 高技术"计划。同时，他提出建造一座 10 兆瓦高温堆，并领导完成了方案设计，目前该项目已经国家批准，将在本世纪内建成。

1983 年以来，王大中担任国家重点攻关项目——低温核供热堆项目负责人，该项目对解决我国北方城市供热问题具有重大社会与经济效益。他主持领导了清华大学 5 兆瓦低温核供热堆工程设计、研究与建造，于 1989 年 11 月建成投运，是世界上第一座投入运行的壳式核供热堆，它使我国在核供热领域跨入国际先进行列。

王大中曾获国家发明奖二等奖一项，国家教委科技进步特等奖一项、一等奖二项，北京市科技进步一等奖一项，国家专利发明金奖一项，并获得 1987 年全国"五一"劳动奖章和全国优秀科技工作者称号，1989 年北京市劳动模范和全国先进工作者称号。

〔王义夫·手枪选手·获第二十五届奥运会射击比赛一枚金牌一枚银牌〕　在 1992 年巴塞罗那奥运会上，王义夫以 684.8 环的成绩为中国队夺得射击比赛的第一个冠军（男子气手枪冠军），随后又获男子自选手枪亚军。

王义夫，辽宁省辽阳人，33 岁。身高 1 米 74，体重 60 公斤。16 年前开始学习射击，1977 年 5 月，刚刚在辽阳市业余体校参加了半年射击训练的王义夫，在省射击赛上获得第二名，满以为能进省队，结果大失所望。回到辽阳后，王义夫索性搬进体校射击场，没日没夜地苦练，感动了教练李天波，几个月后向省队推荐了王义夫。王义夫在接受省队考核时，打出 553 环的好成绩。1978 年 1 月，他被调进辽宁省射击队。4 个月后，王义夫便在全国射击分区赛上一鸣惊人，夺得了他射击生涯中的第一个冠军。这年秋天，王义夫以 562 环登上了全国冠军宝座。1978、1979、1980 年，凡是他参加的比赛，别人似乎只有争老二的份。此后

10 多年，王义夫从国内打到国外，越打越精。每年国内比赛不论是手枪慢射还是气手枪，他总有冠军可拿，金牌不下三、四十枚；国际比赛也常披金挂银。但王义夫有个憾事——缺一枚奥运会金牌，他以为，奥运会金牌的含金量才最高最纯。

第二十五届奥运会前夕，王义夫听了北京体育师范学院刘淑惠教授的心理课，带着对他启发极大的两句话："自强者胜，自胜者强"出征巴塞罗那，结果如愿以偿。赛后王义夫感慨万分：射击是自己和自己比赛，不能战胜自己，就谈不上战胜别人。

〔王无邪·台湾画家·在台北一次举办三个个人展〕 台湾著名的水墨画家王无邪 1992 年 10 月 1 日—25 日在台北雄狮画廊一次举办三个水墨画个人展，全面展示了他多年来创作水墨画所取得的巨大成就。观众涌跃，反映热烈，使台湾广大艺术爱好者进一步认识了中国水墨画的巨大表现力和生命力。

王无邪，1936 年生于广东东莞。后在台湾及美国求学。他先在美国俄亥俄州哥伦布市哥伦布美术及设计学院毕业，后再次于 1965 年在马利兰州巴尔铁摩市马利兰美术学院毕业，获硕士学位。他足迹遍各洲，在欧、亚、美各地举办了多次个人展、联展和群展。四年前，他和抽象派画家庄喆在北京举办的画展，引起了北京观众的强烈反映。这些画展中最著称的是 1980 年在加拿大多伦多市举办的个人展，1986 年在香港葛富利画廊举行的个人展；1988 年在台北雄狮画廊举办的个人展。而 1992 年的三个个展同时举行，一方面显示了王无邪艺术创造的丰硕成果；同时，也展示了王无邪在水墨画、丙烯画、书法等多方面的成就。他的许多作品由香港艺术馆、美国明尼苏达美术馆、美国明尼亚坡里市艺术馆、澳洲墨尔本维多利亚美术馆等处收藏。

王无邪天才横溢，在水墨画、丙烯画、书法、艺术理论的诸多领域都有令人叹服的成就。他出版过多种《王无邪画集》。王无邪的水墨画，多作长轴巨卷，画的内容，多为滃晕汗漫的莽原、丘壑、云海、苍山，气势雄浑，有一种宇宙洪荒，浩无涯际之感。他在画里创造的形像是具体的，而意念却是抽象的。山、水、风、云、一片混澜，幻化出自然界无源无际，无始无终的苍茫意蕴。应该说王无邪的艺术是具有深刻思想内涵的。不过，它很难用语言来范囿罢了！

〔王云峰（女）·沈阳商业城总经理·创造全国巨型商业零售企业最佳经济效益〕 王云峰领导的沈阳商业城，1992 年实现销售 6 亿元，创利税 5500 万元，创全国巨型商业零售企业最佳经济效益。

王云峰，1931 年生，辽宁省普兰店市人，中共党员，高级经济师。她思维敏捷、决策果断、精力过人、建树丰硕，已在商业战线奋斗了 42 个春秋。1979 年中国实行改革开放以来，她创造了一个又一个业绩，被评为省市特等劳动模范、优秀企业家，全国"三八"红旗手、全国商业特级劳动模范、全国"五一"劳动奖章获得者、全国劳动模范，是七届和八届全国人大代表。

王云峰是一位富有改革开拓精神的创业者。1983 年，她出任沈阳联营公司总经理，大刀阔斧地对企业领导体制、经营管理、分配制度、物价核算等方面进行了一系列卓有成效的改革，建立内部银行，并率先在全国商业系统试行了新职工劳动合同制，使企业当年实现利税 1300 万元，当年全部还清基建贷款，当年收回新建大楼的全部投资。她在联营公司担任总经理 8 年中，企业创利税累计达 1·8 亿多元，相当于赚回 14 个联营公司，为国家做出了巨大贡献。

1991 年初，她受沈阳市委、市政府的委派，担任沈阳商业城总经理。针对当时面临的一无开办资金、二无营业执照、三无办公地点等诸多困难，她以改革者的胆识和气魄，提出了"自己养活自己，不吃贷款饭，边筹建边经营"的口号，对调入员工实行按有效劳动计酬。她的改革措施极大地调动了干部员工的劳动热情，保证了 1991 年 12 月 28 日如期对外营业，创造了商业建店史上的一个奇迹。对外营业后，她打破传统的计划经济管理模式，先后推出了全员劳动合同制、干部聘任制、全员全额效益工资制、全额损失包赔制和内部股份制等五个方面的重大举措，初步建立和形成了一套企业自主经营、自负盈亏、自我发展和自我约束的全新经营机制，使企业充满了生机和活力。1992 年当年实现销售 6 亿元，创利税 5500 万元，人均创利税达 1·6 万多元，创造了沈阳市大型商业企业建店第一年的最佳经济效益，跻身全国十大巨型商业零售企业之列。

面向市场、开放经营，体现了王云峰独具特色的管理风格。为把商业城办成"一流管理、一流服务、一流效益"的现代化商业企业，她提出并实施了零批兼作、工商联销、以文促贸、内外并举和多种经营的营销策略，全方位跻身国内、国际两个市场，经营品种达五万余种。她在国内与著名侨乡——福建省石狮市百家企业建立了跨地区、跨行业、跨所有制的松散型经济联合体，引进12000余种服装精品，并投资150万元与高档服装生产企业合资办厂；还在南方沿海开放地区购买土地50亩，兴建商品房，开办商店，提高了商品档次和经济规模。同时，她把开拓国际市场作为经营的重点来抓，先后与美国、意大利、韩国、日本、香港、台湾等几十个国家和地区开展了现货贸易，并在约旦、独联体等国建立了跨国贸易公司和零售商店，出口创汇达300多万美元。在企业管理上，她坚持以法治店，制定了商业城75项管理制度和257个岗位规范，注重把心理学、行为科学和商业文化等软科学引入企业管理，在制定《员工守则》中增添了谈心篇，寓感情于严格管理之中；为适应管理手段现代化的需要，建立了高技术电子监控系统，推行计算机管理，为企业跳跃发展奠定了坚实基础。

〔**王文远·北京卫戍区医院副主任医师·首创“平衡针疗法”有奇效**〕　1992年11月12日，《人民日报》以“银针情”为题，报道了北京卫戍区医院门诊部副主任兼中西医结合科主任王文远，经过20余年临床研究、苦心探索，根据中医阴阳学说、经络学说，西医神经交叉学说、生物全息学说首创的平衡针疗法（即整体平衡一针疗法）。从1988年以来，王文远先后治疗来自31个省市和日本、美国、瑞士、英国、法国、加拿大、新加坡、伊朗等20多个国家、地区患有肩周炎、根型颈椎病、坐骨神经痛、面部神经麻痹的患者25万余人次，取得治愈率达86%、有效率99%，一针治愈率11%的奇特效果，被人们誉为“王一针”。

王文远，1945年3月生于山东省临沂县。1961年12月始，受教于鲁南已故名医刘春启。1964年12月调至北京卫戍区医院后，任助理医师、医师、主治医师、副主任医师。为使自己的针灸技术达到出神入化的境界，常“玩命”似地在自己身上试针，体验针感，寻找最佳穴位。具有选穴少、见效快、疗效好、病人痛苦小、无副作用、易于普及等特点的《针刺中平奇穴治疗肩周炎的研究》，就是在他自己的身上选择了15个敏感穴位，进行了近千次的针感体验而获成功的。这项成果获得全军科技进步二等奖。王文远曾收到国内外几十份高薪聘书，他说，祖国和人民哺育了我，我要把这“一针”无私地献给祖国和人民。他在军内外无偿举办了28期培训班，培养了1000多名针灸人才。1987年以来，还利用出差、讲学、巡诊及节假日为患者义务扎针1万多人次。在国内外发表学术论文148篇，开展新技术71项，获科技成果奖7项。被北京军区评为“优秀文职干部标兵”、“学雷锋先进个人”、“科技先进个人”、“优秀共产党员”等，立二等功两次、三等功3次。是首届“全国自学成才优秀人物”。

〔**王文秀（女）·农村养鸡专业户·获全国“双学双比”先进女能手称号**〕　1992年2月18日，全国各民族农村妇女“双学双比”竞赛活动协调小组作出决定，授予百名妇女“双学双比”先进女能手的光荣称号。王文秀是其中之一。

王文秀，1960年8月生于山东省东营河口区义和镇大牟村一个农民家庭，1983年与博兴村郭同军结婚。这个村地处沿海，土地沙碱，靠天吃饭，长期过着穷日子。流传的民谣是:“天不怕，地不怕，姑娘就怕往博兴嫁。”性格倔犟的王文秀不仅敢嫁博兴，还立志摘掉“穷帽子”。1987年12月，她从《农村大众报》上发现了养鸡致富的路子，就同丈夫商定，办一个大的养鸡场。春节刚过，小俩口乘上火车进北京、上天津、下寿光、跑临辎，拜师求教，自筹资金10多万元，经过一个多月的苦战，在博兴村建起了一个前所未有的现代化养鸡场，并试养鸡7200只，养猪75头，当年获纯利2.8万元。1989年扩大规模，养鸡8000只，养猪128头，年获纯利五万元。1990年试养一部分肉食鸡，年收入达九万多元。1991年，她根据市场要求，把重点转向养肉食鸡，这一年就收益13.4万元。1992年，又投资30万元，扩大项目，增加设备，年收益突破了15万元。

更可贵的是，王文秀自富不忘共富。村里安电灯，她主动投资1.5万元；村里建学校，她投资三千元；村养老院经费不足，改善生活有困维，她就无偿供给，四年共奉送鸡蛋2100斤，猪肉600斤。为从根本上改变村里穷面貌，她先后拿出15000元，购来《家庭养鸡》、《科学饲养一百问》等40多种书籍作教材，腾出自己的房子当教室，请来专家当教员，组织58个特困户学习养鸡技术，掌握致富本领，和丈夫一起，挨家挨户帮助建鸡舍、送鸡种。在她的扶植下，有40户一年就脱贫致富，人均收入由100元上升到600元。另外18户也逐步地富起来了。这时，她把目光投向全村，连续举办了八期养鸡培训班，参训的百名学员，有 60 人成为养鸡致富的骨干。同时招收 48 名中青年到她的养鸡场，手把手的传授养鸡“绝活”，让这些人边学、边干、边挣钱，既能学到技术，又能挣钱养家。就这样，三年时间，博兴村终于摆脱贫困奔小康了，人均收入由 200 元提高到 700 元。存款万无以上的 8 户，30 万元以上的 1 户。1990 年 2 月，东营市委、市政府授予王文秀“致富女状元”的光荣称号。1991 年 3 月，被出东省评为“三八”红旗手。

〔王玉云·台湾“总统府国策顾问”·被推举为台湾“商工统一促进会”名誉主席〕　台湾“商工统一促进会”于 1992 年 3 月 30 日在台北成立，台湾“总统府国策顾问”、国民党中央委员，华荣电线电缆关系企业集团核心人物王玉云被推举为该会名誉主席，其长子“立法委员”王世雄被推为该会顾问，雷渝齐、林保仁、张朝霖被选为主席团主席。该会以促进两岸商工经贸交流为宗旨。王玉云在成立会上致词说，该会将力促两岸直航与引进大陆劳工，并将为在大陆投资的台商协调服务。会上宣读了全国政协副主席程思远和海峡两岸关系协会的贺电。

王玉云，1925 年生，台湾省高雄县人，祖籍福建省晋江县。台湾公立学校毕业。早年家境贫寒。台湾光复后踏入警界，曾任高雄市警察局侦缉队员、刑警队员。后从事工商业，1956 年与其弟王玉发共同创办华荣铜铁工业公司，其事业不断发展壮大，又先后创办第一铜铁工业公司、台湾拆船企业公司、美达木业公司、国际拆船企业公司、华威光电公司等。1988 年华荣铜铁工业公司易名为华荣电线电缆股份有限公司。华荣电线电缆企业集团还拥有台湾清舱公司、祥弘建设公司、太平洋综合证券、银行业、联铭不锈钢厂等，主要经营电线电缆，次为拆船、家具等。该企业集团主要企业是华荣电线电缆股份有限公司、第一铜铁股份有限公司，并掌管《台湾时报》。王玉云历任华荣铜铁股份有限公司董事长、杰兴轮船股份有限公司董事长、台湾区旧船解体工程工业公会理事长。现任华荣电线电缆股份有限公司董事长、台湾中兴银行董事长。

王玉云不仅是台湾工商业巨子，而且在台湾政坛，尤其南部地区有较大影响，有“高雄王”、“南霸天”之称，曾任高雄市议会副议长、高雄市市长，台湾肥料公司董事长，“经济部国营事业委员会”副主任委员。是国民党十一届至十三届中央委员。主张海峡两岸实行“三通”。多次到大陆考察访问。有意到大陆投资，从事金融业。

〔王玉珍（女）·滇剧演员·获第九届梅花奖〕　1992 年 4 月，王玉珍因在北京献演的传统滇剧，获第九届梅花奖。这枝来自云南的“红山茶”，以其富有滇剧特色的表演，受到首都专家的高度赞赏。

王玉珍，云南省昆明市人，1946 年 5 月出生。她 11 岁考入云南滇剧院，先后在 50 多个剧目中创造众多不同性格的人物，如《白蛇传》（饰白素贞）、《三看御妹》（饰刘金定）、《哑女告状》（饰掌上珠）、《红色娘子军》（饰吴清华）等，并多次获奖。1979 年因主演《迎春曲》获云南省现代戏调演一等奖；1981 年因主演《水漫金山》获云南省青年戏剧演员会演一等奖；1987 年因主演《活捉王魁》获云南滇剧、花灯剧调演优秀演出奖；1991 年因在北京主办个人专场主演《桑园封宫》、《京娘送兄》、《云汝皇后》三戏被首都专家誉为来自云南的“红山茶”，荣获第九届梅花奖。

在戏曲舞台上曾有过多种风格的《千里送京娘》，这是元杂剧和明清传奇中的题材。但以前还有一出《京娘送兄》，又叫做“阴送”，这个戏早已成为昆曲史上的传说。没想到此次王玉珍进京献艺，展示了这一濒于失传的滇剧剧目，因而引起首都戏曲专家的极大兴趣。

经老剧作家杨明改编整理的《京娘送兄》，与《千里送京娘》内容不同，它是写赵匡胤千里送京娘后，京娘因被继母怀疑有私情，自缢身亡。赵匡胤夜过恶虎岭，京娘孤魂相随，一路两人追忆往事，情真意切。此剧唱做并重，从唱腔讲，滇剧和京剧相似，均源于徽剧、汉调和秦腔，只是滇剧结合了云南民间音乐和小调，唱腔、伴奏另有一番韵味。王玉珍嗓音高宽、甜亮，善于以唱传情，她的演唱如行云流水，抒发了京娘的满怀悲愤和对赵匡胤的感激之情，十分动听。在做功上，她以走“水上漂”似的鬼步和舞长水袖挥洒自如见长，凄风苦夜，京娘不顾土地爷的劝阻，追赶赵匡胤，王玉珍跑圆场由慢至快，最后急促如风，加之水袖翻飞，舞衣闪烁发光，犹如飞萤明灭的冷光，在为兄引路。王玉珍这一连串动作轻盈飘忽，如诗如画，充满奇异的浪漫主义色彩。由于王玉珍有很深的艺术功底，加之饰演赵匡胤的演员杨述武做派沉稳，唱做俱佳，两人又配合默契，致使这出濒于失传的滇剧，得以起死回生，成为改编传统剧目中的佳作。除此，王玉珍还在《桑园封宫》一戏中，发挥滇剧文武花旦的技艺，塑造了智勇之中透着娇憨淘气的少女形象。在《云汝皇后》中，则通过扎着大靠激烈的开打、沉稳急促的跑圆场、靠旗打出手和亮相对抖靠旗的特色动作，展现了身怀有孕的西周云汝皇后在激战中产子，但仍褰婴奋战的英武形象。这里王玉珍师承武旦大师关肃霜的"关派"功架，原来这位从艺三十载的滇剧演员 1981 年拜关肃霜为师，并是关的得意高足。王玉珍现是中国戏剧家协会理事、云南省政协委员、中国共产党党员。

〔王丙乾·国务委员兼财政部长·从财政角度研究《红楼梦》〕　在 1992 年 3 月举行的第七届全国人民代表大会第五次会议期间，国务委员兼财政部长王丙乾在听取人大代表们提出我国财政管理较差、企业潜亏、挂帐问题严重时发表看法透露，他近几年来曾组织一些专家、学者从财政角度对《红楼梦》进行过研究，结论是俭则兴，奢则败。

古典名著《红楼梦》问世以来，评论研究者众，人称"红学"。鲁迅曾经指出，"经学家看见《易》，道学家看见淫，才子看见缠绵，革命家看见排满，流言家看见宫闱秘事……"。在"红学"百家中，王丙乾对《红楼梦》的研究另辟蹊径。1991 年 7 月，王丙乾在向江泽民总书记汇报财政工作时，江泽民问到了关于《红楼梦》理财问题的研究情况，并要去了《红楼梦》理财问题研究的书面材料。

王丙乾在青年时代就熟读过《红楼梦》。不仅是贾宝玉与林黛玉的爱情悲剧，更有书中对封建贵族家庭经济状况所作精细而真实的描绘，深深吸引了他。七十年代，担任财政部副部长后，他重读了一遍《红楼梦》。1987 年又通看了电视剧《红楼梦》，发现贾府各种矛盾产生的一个重要背景是经济上入不敷出的危机。贾府在收入日渐枯竭的情况下，却不讲究俭省，寅吃卯粮，姿意挥霍，化"公"为私，贪奢并起，最后一败涂地，势所必然。

1989 年 11 月，王丙乾在约见财政部财政科学研究所的负责人时，提出要对《红楼梦》理财问题进行研究。按照他关于"研究《红楼梦》的目的是引以为戒"的想法，财政部财科所成立了《红楼梦》理财问题联合课题组，并分别召开了有红学专家邓庆佑、吕启祥以及北京、上海等地财政金融专家参加的座谈会。12 月，课题组撰写出《从"冷子兴演说荣国府"谈起》、《封建末世财政缩影——析＜红楼梦＞中的理财》的论文。王丙乾对此表示肯定。财科所又组织力量，对《红楼梦》理财的主线及相关问题进行讨论，并于 1990 年写出《俭则兴奢则败——＜红楼梦＞理财问题刍议》。同年，王丙乾作了批示指出："现在，我们正在贯彻执行党中央关于治理整顿和深化改革的决定，提倡艰苦奋斗，勤俭节约，实行廉政，反对腐败。经过各方面的共同努力，已取得了可喜的成效。我国古典文学名著《红楼梦》中对贾府的盛衰和管家理财情况的描述，除社会、政治原因外，讲出了一个'俭则兴，奢则败'的道理。"在他的重视和支持下，这个研究成果送给了国务院总理、副总理、国务委员、秘书长、中共中央有关部门，各省、市、自治区人民政府办公室。

王丙乾说："俭则兴，奢则败"是治国理财必须遵循的一条客观历史规律，也是持家筹计和办一切事业的一个重要经验。《红楼梦》作者在揭示贾府盛衰之变时归纳因缘有三：一是外伤性的奢费过大；二是内耗性的化"公"为私造成的缺口严重；三是缺乏廉政为"公"的监督和检查，存在"猫鼠同眠"的现象，这是对的。

王丙乾还指出，研究《红楼梦》理财问题，是为了批判地总结过去，以便在新的历史时期，更清醒、更主动、更自觉、更有力量地为弘扬光大和发挥社会主义制度优越性及其理财的优势而努力奋斗。

王丙乾，1925 年 6 月生，河北省蠡县人。1939 年参加工作。解放前，曾任冀中行署财政厅审计科员、华北财政部审计处副科长。新中国成立后，历任财政部科长、处长、司长、副部长、部长。1983 年任国务委员兼财政部部长。是中共十二、十三届中央委员。

〔附注：1993 年 3 月 27 日，八届全国人大一次会议选举王丙乾为八届全国人大常委会副委员长。〕

〔王立军·铁法市公安局副局长兼大明镇派出所长·被评选为中国十大杰出民警之一〕　1992 年 1 月 10 日，由中宣部、公安部和新华社、人民日报社、中央人民广播电台、中央电视台等新闻单位联合举办的"中国十大杰出民警"评选揭晓，辽宁省铁法市公安局副局长兼大明镇派出所所长王立军荣获"中国杰出民警"称号。同年 10 月，他出席了中共第十四次全国代表大会；11 月，以王立军的事迹为原型的电视剧《为了一方平安》，在辽宁铁法市晓南煤矿开机拍摄。

王立军，蒙古族，原籍内蒙古，1959年12月26日生，大专文化程度，1976年参加工作，1977年11月入伍，1981年3月退伍后当工人，1984年调入公安机关当治安队长，1987年10月起任铁法市公安局晓南派出所副所长、所长，1991年3月任大明派出所所长。

王立军是“十大杰出民警”中最年轻的一位。他曾17次深入虎穴，只身擒获多名荷枪实弹的歹徒，先后开创了两个派出所管辖地区社会治安的新局面，成了闻名遐迩的辽北传奇性人物。王立军从铁法市公安局治安队长的岗位调到被人们戏称为“小香港”的晓南镇任派出所长时，当地邪恶势力十分猖獗，社会秩序混乱。他一到任，就和干警们走家串户，发动群众，半个月内处理积案21起，打掉十几个犯罪团伙，使正气得到上升。然而执法的道路是艰难的。一次王立军带领干警查处了一起倒卖淫秽录相制品案，此案涉及30多人，其中不少是当地的名门子弟，一时间说情者不断，有的还公然以撤职相威胁。在遭到王立军严厉拒绝后，这些人利用手中职权，收回已经公布分给派出所的职工宿舍，不供给派出所一切机动车辆用油，甚至对派出所停水停电。在是与非、权与法的较量中，王立军和战友们顽强地顶住了，依法从重处理了人犯，维护了法制的尊严。在晓南派出所的4年里，他带领全体干警共打击处理各类人犯1676人，破获各类刑事案件318起，查处治安案件748起，为群众挽回直接经济损失16万余元。王立军和战友们用鲜血和汗水换来了晓南镇社会治安的稳定。1988年，全所治安案件查处率为100%，刑事案件侦破率为85%；1989和1990年，这个镇城镇管区无一刑事案件，受到了辽宁省和公安部的表彰。1991年，上级领导派他到与昔日晓南治安同样混乱的大明镇当派出所长。王立军起程那天，有几百群众等在派出所门外为他送行，有的挥泪与他告别。王立军到大明上任后第4天，便挂帅出征，率领干警连续奋战5昼夜，抓获人犯104名，打掉犯罪团伙9个。当他们押送人犯前往羁押场所时，路边出现了赞扬他们的醒目标语。此后7个月，他带领干警连续破获各类刑事案件143起，查处治安案件204起，从根本上扭转了大明地区治安的混乱局面。自1988年以来，王立军曾4次被市公安局评为文明干警；1989年被铁法市委评为优秀共产党员、廉政标兵；省公安厅给他记了二等功，命名他为省政法系统优秀科所队长；1990年，公安部授予他“全国优秀派出所长”称号；1991年，中共辽宁省委授予他“优秀共产党员”称号，辽宁省政府授予他“特等劳动模范”称号，公安部授予他“全国公安战线二级英模”称号。

〔王汉斌·当选中共中央政治局候补委员·撰文纪念宪法颁布十周年〕 1992年10月18日，王汉斌在中国共产党第十四次全国代表大会上当选为中共十四届中央委员会委员。19日在中共十四届一中全会上当选为中央政治局候补委员。

1992年12月4日是现行《中华人民共和国宪法》颁布10周年。王汉斌作为全国人大副委员长、法律委员会主任委员，在《求是》杂志1992年第23期上发表题为《党的基本路线在宪法中的体现》的纪念文章。文章回顾了新中国成立以来制订和修改宪法的历史，运用邓小平关于建设有中国特色的社会主义理论和党的十四大报告精神，对现行宪法作了深刻的阐述。

王汉斌指出，宪法序言明确规定:“今后国家的根本任务是集中力量进行社会主义现代化建设”。就是以经济建设为中心。我们党在十一届三中全会后对坚持党的基本路线不动摇，坚持以经济建设为中心不动摇的认识是一贯的、坚定不移的。14年来，尽管国际国内发生了这样那样的复杂情况，我们都没有动摇这个中心。因此，我国经济建设上了一个大台阶。在国际风云急剧变幻的情况下，中国的社会主义制度经受住严竣的考验，显示了强大的生命力。

他指出，宪法序言通过叙述本世纪以来中国革命和建设的实践，说明四项基本原则既是反映了不以人们的意志为转移的客观规律，又是中国亿万人民在长期斗争中作出的历史性选择。实践证明，把四项基本原则用宪法记载和确定下来是完全必要的，这是全国各族人民团结前进的共同政治基础，是我们国家在国际国内形势错综复杂变化的情况下的指路明灯，也是排除一切导致中国混乱甚至动乱的强大思想武器和法律保障。在谈到宪法规定要“不断完善社会主义的各项制度”，逐步进行经济体制改革时，王汉斌说，宪法规定:“社会主义制度是中华人民共和国的根本制度”。“社会主义经济制度的基础是生产资料的社会主义公有制，即全民所有制和劳动群众集体所有制”。“国营经济是社会主义全民所有制经济，是国民经济中的主导力量”。并规定个体经济是社会主义公有制经济的补充，国家保护个体经济的合法权利和利益。1988年修改宪法，进一步规定国家允许私营经济的存在和发展，明确个体经济、私营经济都是“社会主义公有制经济的补充”。这就明确了现阶段我国经济是以社会主义公有制经济为基础，全民所有制经济为主导，多种经济成分共同发展，这是符合现阶段我国国情和生产力发展水平的，改变了过去长期形成的过分单一的所有制结构，而不是改变社会主义经济的根本制度和原则，因而是有利于社会生产力发展的。同时我们仍然要坚持社会主义公有制经济的主体地位，决不能搞私有化。十几年来的实践表明，这种以社会主义公有制为主体，多种经济成分长期共同发展的经济体制，对加快我国社会主义经济建设的发展，具有十分重要的意义。

在谈到宪法规定要“不断完善社会主义的各项制度”，既要进行经济体制改革，也要进行政治体制改革时，王汉斌指出，宪法作了一系列重要规定，一是对人民代表大会制度的健全和发展作了许多规定，二是对国家体制的改革作了许多重要规定，使政治体制的改革迈出了重要的步伐，完善了我国的基本政治制度，并将推动政治体制改革的进一步发展。

王汉斌的文章最后指出，宪法是在“一个中心、两个基本点”的思想开始形成、新时期党的基本路线奠定基础的历史条件下制定的，它反映了党的基本路线的基本要求，同时又考虑到今后的发展前景。十年实践证明，这是一部具有中国特色的、合乎我国国情的、适应我们国家集中力量进行社会主义现代化建设需要的好宪法，是新的历史时期治国安邦的总章程，是我国进行社会主义现代化建设、坚持四项基本原则、坚持改革开放、把我国建设成为富强民主文明的社会主义国家的法律保障，也是我国发展社会主义民主、健全社会主义法制的里程碑。我们必须十分重视维护宪法的尊严和稳定性，同时，随着改革开放的深入发展和国家情况的变化，宪法的某些具体规定也会显出历史的局限性，可能需要根据变化了的情况作某些修改完善。

王汉斌，1925年8月生，福建省惠安人，1941年2月在缅甸加入中国共产党，并任中共仰光区委委员，缅甸华侨战时工作队队员。1942—1946年在西南联合大学历史系学习，毕业后，曾任中共北平学委委员，负责领导清华大学、北平师范大学等校地下党工作。新中国成立后，曾任全国人大常委会法制委员会副主任兼秘书长、全国人大常委会副秘书长、秘书长、法制工作委员会主任，1988年当选为第七届全国人大常委会副委员长、法律委员会主任委员。是中共第十二、十三届中央委员。

〔附注：1993年3月27日，八届全国人大一次会议选举王汉斌为八届全国人大常委会副委员长。〕

〔王成琪·显微外科专家·十年获百余项科研成果奖〕 济南军区第89医院副院长兼外二科主任王成琪，矢志探索显微外科技术，在世界首例接活了一个三岁幼儿的双断臂，成功地施行了10指完全断离再植、10个月婴儿的断指再植、足趾搬家和再造拇指等世界尖端手术。还把国际上人体皮瓣移植从24处发展到34处，其中一处被世界医学界称为“王氏皮瓣”。到1992年底，他实施显微外科手术5700余例，成功率达96.5%，其例数、精度均达到世界领先水平。1992年7月20日，《解放军报》在头版头条刊载了他的事迹。

王成琪，1931年生于山东费县，1944年10月入伍，当过战士、护士，1948年4月加入中国共产党，1949年9月到山东军区第三医院任外科医助、医生，1954年11月，到济南军区第89医院任外科医生，1957至1963年在第七军医大学军医本科班学习，毕业后回济南军区第89医院任外科主治军医、副主任、主任、副院长，1987年评为主任医师。他几十年如一日，坚持在实践中学习，在学习中实践，医术精益求精，科研成果累累。近十年先后担负或主持医学科研课题百余项，发表学术论文100余篇，撰写或主编医学著作9部，获国家和军队科技成果117次，有7项达到国际、国内先进水平。

王成琪不满足自己一花独放，从1982年起，有计划、分批次为军内外培训显微外科人才。0.2毫米微细血管缝合技术中的针距、针数、针序等套数，是他耗费了三年心血，经过上千次动物实验探索出来的，人称“王氏”缝合血管法。他把这一成果绘制成图和幻灯片，给学生讲，在实验室、手术台手把手地教，仅一个月，就使学生掌握了要诀。为了让更多的人掌握断肢、断指（趾）再植技术，他背着资料、挂图和幻灯片，奔波大江南北十几家医疗单位登门送宝，毫无保留地传授自己的“绝活”。十年为军内外培育显微外科人才499名，其中152名晋升为高级职称，423人获国家和军队科技成果奖，12人次创造了世界先进科技成果。人们称赞王成琪是“托起科技群星的人，一双手育出百双手，一根藤结出万千果”。他先后立一等功二次，二等功一次，三等功五次。1982 年被评为全军“医学科技先进个人”；1983 年被军区评为“优秀党员”，当选为第六届全国人大代表；1987 年参加全军英模代表会议；1985 年和 1989 年分别被济南军区树为“知识分子标兵”和“医学科技工作标兵个人”；1991 年被国家评为首批“有突出贡献的中青年专家”。

〔王成斌·任北京军区司令员〕　据 1992 年 11 月中央军委任命,王成斌仍为北京军区司令员。

王成斌，1928 年 1 月生，山东掖县人。1945 年参加八路军。同年加入中国共产党。曾任胶东军区独立团排长，华东野战军连长，参加了胶东保卫战和济南、淮海、渡江、上海、福州等战役。建国后，任营长、团参谋长、团长、师参谋长、师长、副军长。1981 年毕业于军事学院。后任南昌陆军学校校长。1985 年起任南京军区副司令员，北京军区司令员。是中共十三届、十四届中央委员。1988 年被授予中将军衔。

〔王光英·担任中国京剧艺术基金会名誉会长兼会长〕　1992 年 11 月 23 日，中国京剧艺术基金会在北京举行成立大会。王光英担任名誉会长兼会长。国务院向基金会拨款 1000 万元人民币，给予有力支持。海内外一批爱国企业家也纷纷向基金会捐款。王光英向第一批捐赠的人士颁发了奖状和纪念金牌。

中国京剧艺术基金会为民间组织，独立的社团法人，其宗旨是繁荣和发展中国京剧艺术事业，弘扬中华民族优秀文化，调动海内外各方面的积极性，热情资助、共同振兴京剧。

4 月 3 日，《人民日报》发表了该报记者采访全国政协副主席王光英的文章。王光英主张三峡工程要走经营性开发建设之路。他说，三峡工程总投资为 570 亿元，虽然数额很大，但由于分十几年投入，每年投资不算太大，国家预算也承担得了。还可以以电养电的办法解决大部分资金来源，精打细算搞经营性开发。只要善于管理，不仅可以节约不少资金，而且工程还会发挥更大效益。

王光英，1919 年生，北京市人。1942 年任辅仁大学助教，1943 年起任天津近代化学厂厂长。新中国成立后，曾任光大实业公司董事长。是第一、二、三届全国人大代表，第六、七届全国政协副主席，民建中央常务委员。

〔附注：1993 年 3 月 27 日，八届全国人大一次会议选举王光英为八届全国人大常委会副委员长〕。

〔王光祈·已故音乐学家·诞辰一百周年纪念会在蓉举行〕　1992 年 9 月 11 日，是我国近现代音乐史上卓越的音乐学家王光祈百年诞辰。由中国音乐家协会、中国音协四川分会、四川音乐学院、成都市人大、成都市政协、温江县政府共同主办的“王光祈诞辰 100 周年纪念会”，1992 年 9 月 11 日在成都市人大会议厅隆重举行。来自全国各地、海峡两岸的近百位专家、学者和研究人员汇集一堂，深切追念和缅怀这位民主革命先躯、我国现代音乐学的开拓者。9 月 12 日，在四川音乐学院学术厅举行了学术讨论会。1984 年在蓉城曾召开过首次“王光祈研究学术讨论会”，其后，研究队伍已扩展至日本、台湾和海外侨胞。本次从代表们提交的近 30 篇学术论文，如《为民族振兴国家富强进行不懈探索的业绩永存》（成都潘清雍）、《王光祈与毛泽东的交往略述》（四川黎永泰）《试论王光祈在中国近代史上的历史地位》（北京周淑真）、《王光祈对中国声乐的贡献》（四川周享芳）、《对乐律、乐舞、乐器的研究——王光祈〈中国音乐史〉的启示》（台湾庄本立）、《王光祈在律学上的贡献》（台湾黄国玺）、《王光祈的中西音乐文化观》（北京冯光钰）、《两论王光祈的‘国乐’观》（苑树青）等，可看出在对王光祈幼、少、青年时期的思想发展、人格形成，他同革命先驱李大钊、毛泽东等人的交往与思想影响，对他有关声乐、乐舞、乐器、诗词的论著等方面之研究上，范围均有所拓展;对他的爱国主义思想,在乐律学上的贡献，以及如何以历史唯物主义和辩证唯物主义观点公允评价他在中国近代史(含音乐史)上的地位等诸方面的研究中,内涵与层次都有进一步的深化。

王光祈（1892—1936），字润玙，一字若愚，四川温江人。1915 年入北京中国大学攻法律。1918 年与李大钊等组建“少年中国学会”。1919 年底，在陈独秀、蔡元培、李大钊等支持下，又创建“工读互助团”。1920 年 4 月赴德国研究经济，并任《申报》等报驻德特约通信员。后因意图“利用西洋科学方法”，整理中国古代的“礼乐”，以“唤醒我们中华民族的根本思想，完成我们的民族文化复兴运动”（王光祈《少年中国运动》序言），于 1923 年改学音乐。1927 年入柏林大学攻读音乐。1932 年起任波恩大学汉文讲师。

王光祈著述甚丰。音乐论著有《中国音乐

史》、《西洋音乐史纲要》、《东西乐制之研究》、《音学》、《中国诗词曲之轻重律》、《欧洲音乐进化论》等17种。他是我国民族音乐学的先驱者。在其著作中，最早系统地采用比较音乐学的方法，对民族音乐历史材料，特别是我国历代乐律理论，进行整理和归纳，提出不少有价值的见解。此外，尚有向欧洲介绍中国音乐的论文10余篇，有关政治、经济、外交、国防、美术、戏剧等译著19种，旅德存稿两卷和散见于中外报刊文章数十篇。

〔王任重·全国政协副主席·在北京逝世〕

无产阶级革命家、中国人民政治协商会议第七届全国委员会副主席王任重，在为筹备七届全国政协五次会议和七届全国人大五次会议的召开日夜操劳时，心脏病突发，抢救无效，于1992年3月16日6时许逝世，终年75岁。

王任重于1917年出生在河北景县一个农民家庭。学生时代受进步思想影响，1932年加入中国共产主义青年团，1933年加入中国共产党。他以小学教员身份为掩护，从事党的地下工作，历任景县县委委员、泊镇区委委员、津南工委委员，为争取、团结知识分子，发展壮大党的组织做了大量工作。抗日战争时期，曾在冀鲁豫地区任区党委宣传部副部长，冀南五地委书记，冀南区党委组织部长、宣传部长、区党委常委、行署副主任、党组书记，为建立冀南抗日根据地，加强党的建设和政权建设倾注心血。解放战争时期，他动员和组织群众支援前线，进行土地改革。1949年5月，随军南下，历任湖北省委常委、省政府副主席，武汉市委第一书记、武汉军区第一政委、省政协主席，中南局第二书记、第一书记、三线建设委员会主任，华中协作区主任，为湖北地区恢复和发展国民经济，建立和巩固人民政权做出了优异成绩。

王任重大公无私，光明磊落，勇于承担责任，敢于自我批评。五十年代后期，湖北成为带头搞“大跃进”的省份之一，造成了损失。他在深入实际中发现了问题，全力纠正错误，较快地扭转了困难局面。为总结教训，他将联系实际阅读《资治通鉴》的读书笔记刊登在《湖北通讯》上，帮助干部借鉴历史经验，接受现实教训，提倡发扬党内民主，坚持实事求是，反对主观主义、命令主义和随声附和、弄虚作假。

“文化大革命”中，王任重遭受迫害，身陷囹圄七年之久。他坚贞不屈，相信真理必将战胜谬误，显示了一个共产主义战士的高风亮节。1978年恢复工作后，历任陕西省委第二书记、省革委会第一副主任、省委第一书记、省革委会主任、陕北建设委员会委员，中共中央宣传部长、中央书记处书记，六届全国人大常委会副委员长兼财经委员会主任。他坚决贯彻执行中共十一届三中全会的路线、方针、政策，为拨乱反正，解放与发展农业生产力，加强党的思想建设，加强社会主义民主和法制建设做出了重要贡献。1988年3月，任七届全国政协副主席、党组副书记，为巩固和扩大爱国统一战线，坚持和发展中国共产党领导的多党合作和政治协商制度，促进社会主义现代化建设和统一祖国的大业不懈地努力，取得卓越成绩。

王任重勤奋好学，多年来反复研读马列和毛泽东著作。1990年出版的《马克思主义的立场、观点、方法》一书，汇集了他在社会主义建设新时期的部分讲话、文章，从各个不同侧面反映了他为恢复和坚持党的实事求是的思想路线所作的努力。

王任重是中共八届中央候补委员，十一、十二、十三届中央委员。作为一位老共产党员和党的领导干部，他重视把党的优良作风传播给广大党员和干部。在1991年7月，庆祝党的70周年之际，他给中共中央直属机关的党员干部上了一堂党课，用毛泽东生前对他的教导，联系自己几十年来担负党的领导工作的亲身体会，讲了如何坚持民主集中制、党委书记要学会当“班长”、开展批评和自我批评、要“读书、谈心、想问题”等有关领导作风的许多问题。同年《求是》杂志第21期发表了这个讲话。这是他生前对全党同志的最后奉献。

〔王会凤（女）·击剑运动员·获第二十五届奥运会女子花剑银牌〕　1992年在西班牙巴塞罗那举行的第25届奥运会女子花剑比赛中，中国选手王会凤获得女子花剑亚军，为中国队赢得1枚银牌。1992年5月王会凤在天津参加全国击剑锦标赛，夺得女子花剑个人金牌，并且与队友一起赢得了团体冠军。

王会凤，天津人，1968年1月24日出生，身高1米68，体重66公斤。她是我国剑坛的新秀，14岁开始学击剑，起初只是觉得好奇和好玩，不料一学就着了迷，到1992年已有10个年头。她从1990年开始在国际剑坛初露锋芒。1990年7月在法国第四十三届世界击剑锦标赛上，她是获得女子花剑团体第三名的中国队的一员；这一年的9月，她又在北京成为夺取第十一届亚运会女子花剑团体冠军的成员。

1991 年对王会凤来说是喜获丰收的一年。2 月她在德国世界 A 级花剑赛中，获得女子个人第三名；3 月在全国击剑 A 级赛上，夺得女子花剑团体和个人两枚金牌；4 月赴奥地利参加国际女子花剑赛，获得个人亚军；5 月在扬州举行的全国击剑锦标赛上，获得个人亚军和为天津队赢得团体冠军作出了贡献；5 月在上海举行的全国击剑 A 级赛上，获得女子花剑个人第三名；6 月参加第四十四届世界击剑锦标赛，是获得女子花剑团体第六名的中国队的一员；8 月在全国击剑冠军赛上夺得女子花剑冠军。

〔王兆国·任中共中央统战部部长〕　中共中央于 1992 年 12 月作出决定，任命王兆国为中央统一战线工作部部长。

王兆国，1941 年生于河北丰润。1965 年加入中国共产党。1966 年毕业于哈尔滨工业大学机械系。曾在第二汽车制造厂工作，任分厂技术员，厂政治部副主任，厂团委书记，分厂党委第一书记，厂党委书记、副厂长。后调任共青团中央书记处第一书记、中共中央办公厅主任、中央书记处书记。曾任中日友好二十一世纪委员会中方首席委员。后调福建省工作，任福建省副省长、代理省长。1987 年任中共福建省委副书记，1988 年当选为福建省省长。两年后出任国务院台湾事务办公室主任至今。是中共第十二、十三、十四届中央委员，第六届全国人大常委会委员，第七届全国人大代表。

〔附注：1993 年 3 月 26 日，全国政协八届一次会议选举王兆国为政协八届全国委员会副主席。〕

〔王汝刚·滑稽戏演员·获“宋河杯”全国曲艺小品邀请赛节目一等奖〕　1992 年 4 月，由中国曲艺家协会、河南省曲艺家协会、河南电视台、河南宋河酒厂联合举办的“宋河杯”全国曲艺小品邀请赛决赛在郑州市举行，上海人民滑稽剧团演员王汝刚在《征婚》中，一人兼演三人角色，诙谐而深刻地反映了某些征婚人的心态，演出效果强烈，得到一致赞扬，获得一等奖。

王汝刚，1952 年生，上海人。七十年代以来从事滑稽戏创作、表演。曾在《阿 Q 正传》等十七部滑稽戏中担任主角，还创作演出过独角戏六十多个，其中《头头是道》从 1988 年 10 月上演迄今已达一千多场次，曾获江南滑稽汇演优秀表演奖；《假夫假妻》、《七十三家房客》、《明媒争娶》曾分别获上海市法制汇演表演奖，上海市文化艺术节优秀成果奖，上海市白玉兰戏剧主角奖。1987 年以来他还担任上海人民广播电台专栏节目《滑稽王小毛》的演播，采用广播系列小品的样式，溶滑稽戏艺术和广播剧艺术于一体，针砭时弊、幽默风趣。该节目曾获全国戏曲广播优秀节目奖，至今已历五年，收听率不减。他还在上海电视台参加过近百个电视小品的演播，主演过《兰别林外传》、《旅行浪漫曲》等多部电视剧。1990 年当选为上海电视台“大舞台之星首席明星”。1991 年被评选为上海电视台“三百六十行状元”之一。他主演的《头头是道》曾在新加坡访问演出，深受欢迎。

〔王安廷·工人·收藏二万多枚毛泽东像章被载入美国“吉尼斯大全”〕　1992 年 2 月 19 日《中国日报》载，四川成都市普通工人王安廷已经收集毛泽东像章 15231 个品种、共 22736 枚，因此被载入美国“吉尼斯大全”一书。先后有 10 多家报纸报道了他的事迹。

王安廷，四川省成都市人，1932 年 12 月生，曾在人民解放军 18 军后勤部康藏工程处当工人，后回成都市当木工。他怀着对领袖崇敬的心情，自 1951 年开始收藏毛泽东、朱德像章，在“文化大革命”期间大量收集，直至拨乱反正以后仍坚持不间断。他收集像章注重收藏价值，形形色色，品种最全，大的直径 40 公分，小的只有一、二厘米，最重的达 10 多斤，轻的只有几克。像章是从全国 29 个省、自治区、直辖市汇集来的，凡是有纪念意义的他都纪录其来历。最珍贵的是一枚 6.18 克纯金的像章，大多数为铝合金，也有银、锡、铁、陶瓷、塑料、胶木、有机玻璃制作的。王安廷在自己家里办了个“小小展览馆”，分门别类陈列着 2 万多枚像章。近四年来，接待了 5 万余参观者，其中有来自美、英、法、德、日本等国外宾 200 多名，16 本留言薄写满了各种文字的留言。1990 年 12 月毛泽东诞生 97 周年之际，王安廷及其他像章收藏者建立了毛泽东像章研究会，王安廷任会长，古月——电影中毛泽东的扮演者为名誉会长。有一对年轻的美国夫妇出价 50 万美元要求购下全部像章运到美国举办展览，王安廷婉言相拒。他决心在有生之年，收集到 25001 枚毛主席像章，使参观者达 108000 人之众，以纪念红军长征二万五千里，宣传毛主席等老一辈革命家培育的优良传统。

〔王均瑶·农民·首创国内民间包机业务〕

1992年4月5日，以经营包机业务为主的民办企业——浙江温州市苍南县天龙包机业务公司在苍南县龙港镇正式宣告成立。公司经理王均瑶心情特别激动，这位青年农民想包飞机的愿望实现了，他的闯劲终于得到了社会的承认：湖南民航局为增加“长沙——温州”包机载客量，已着手将目前飞行的小型飞机更新为波音737型客机；南京联合航空公司特派代表赶赴龙港与王均瑶签订了开辟“上海——温州”每周两航班的协议书；福建民航局派人到龙港洽谈包机业务。

王均瑶，浙江苍南县金乡镇人，1965年出生，中学毕业后在本乡乡镇企业工作，过去因跑业务经常往来于温州至长沙之间，这段路路程虽仅1200公里，但交通很不方便，乘汽车转火车，折腾两天才能到达。路途艰辛自不待言。温州机场正式通航后，他就盼望着长沙到温州开通航线。可等啊等，温州——北京、温州——杭州、温州——厦门……条条航线不断开辟，唯独去长沙的航线杳无音讯。他到民航局打听，才知道民航局主要担心经济收入无把握。王均瑶与弟弟均全商量：我们可不可以在确保民航局一定收入的前提下，把这条航线承包起来？得到了均全的支持，并得到湖南省民航局的赞赏。1991年春节期间，湖南省民航局有关部门的负责人到温州实地考察后商定，温州至长沙航线由王均瑶承包经营，按架次里程上交一定金额，一切票证按民航规定办理，风险由承包者全部承担。于是，1991年7月28日，一架安20型飞机首航长沙至温州航线，每周来回两班次。1991年腊月二十九，一些在长沙经营的温州人再次尝到了现代化交通的甜头，因为这天上午他们还可以做生意，下午只需两个小时，就能舒舒服服乘飞机跨越一千多公里山山水水，飞抵温州，与家人团聚。不到一年时间，“长沙——温州”航线已飞行150余架次，载客率达95%，营业额200余万元。

试包航线成功，增强了王均瑶开始新包机领域的信心。他与几位朋友商量后，决定集资筹建专业性的包机业务公司，以承包更多的空中航线，这个筹划得到了民航有关部门的支持，县工商行政管理局及时予以批准，于是天龙包机业务公司在改革大潮中应运而生，王均瑶成为我国第一个承包民航飞机业务的农民。

〔王孝涛·中药炮制学专家·获“阿尔伯特·爱因斯坦世界科学奖状”〕 中国中医研究院中药研究所研究员王孝涛，40年来，在振兴传统制药技术，创建和完善中药炮制学科，实现传统炮制技术现代化等方面作了大量工作。1992年，王孝涛接到总部设在墨西哥的世界文化理事会通知，他被世界文化理事会授予1991年度“阿尔伯特·爱因斯坦世界科学奖状”。这是中药炮制学科研究人员首次获此殊荣。1992年，王孝涛还获得国家中医药管理局科技进步三等奖和中国中医研究院科研成果一等奖、三等奖各1项。中国中医研究院为表彰他的科学成就，还授予他荣誉证书。

王孝涛，1928年6月出生，浙江平阳人。1951年在浙江医学院药科毕业后，在中央卫生研究院中国医药研究所工作。1954年调卫生部中医研究院，后为中国中医研究院中药研究所，曾任炮制室主任。兼任中国中医研究院专家委员会、学位委员会委员，中医继承导师、卫生部药典委员会委员，中国中医药学会中药学会副主任委员，中药炮制科学研究会会长等职。

他从事中药饮片炮制和本草（中药）科研工作42年，提出了中医药科研应以中医药传统理论为指导，运用传统和现代科研方法，改进传统制药工艺技术及其设备，促使中药传统制药技术向工业化、现代化方向迈进的主张。50年代，他主持筹建了全国第一个炮制学科研实验室。“七五”期间，他所领导的科室完成的科研成果，获国家级和部、局级奖6项，院级奖3项。

王孝涛先后编纂出版了6部中药炮制学专著。《中药炮炙经验集成》，获1978年卫生部医药卫生科技大会科技成果奖；《全国中药炮制规范》，获1989年中国中医研究院科技成果一等奖；《历代中药炮制法汇典》，获1991年首届全国优秀医史文献图书银奖。同时还发表了50多篇专业论文。他是第六、第七届全国政协委员。

〔王孝慈·原甘肃省副省长·在北京逝世〕

原甘肃省副省长王孝慈，1992年8月31日在北京逝世，终年88岁。王孝慈学生时代就积极参加反帝反军阀斗争。1927年入西安中山军事学校学习，同年3月加入中国共产党。1928年参加组织渭华起义，先后任中共延长、宜川特区区委书记。后从事党的地下工作达十年之久，曾三次被国民党反动派逮捕入狱，始终坚贞不屈。抗日战争爆发后，长期在太行地区从事抗日武装斗争和政权建设，任太行第四地区中共地委书记、太行军区第四分区政委。曾任中共中央太行分局组织部副部长。1945年出席了中共第七次全国代表大会。后任冀察热辽军区第十九分区政委、中共地委书记。中华人民共和国成立后，任中共天津铁路局党委副书记、全国铁路总工会副主席、北京铁道学院院长兼党委书记。曾在反右倾运动中受到错误对待，1979年5月得到平反。是第五届全国政协常务委员。

〔王连生·农民·再获全国农民运动会自行车赛冠军〕　曾在第一届全国农民运动会上获得自行车赛冠军的北京郊区农民王连生，1992年10月12日在湖北孝感市举行的第二届全国农民运动会上，提前拆掉因伤在胳膊上打的石膏，连止痛针都没打，就跨上自行车上了赛场。他在50多名选手中最后一个出发，却以43分46秒12的好成绩最先到达终点，获得了25公里载重75公斤自行车赛的冠军，被誉为"农民车王"。

26岁的王连生是北京市通县郎西村农民。他从小就喜爱体育活动，18岁时，他到离家30公里的县水泥厂当临时建筑工人，每天骑自行车往返，练出了一身骑快车的本领。1989年，在全国第一届农民运动会上，他获得了25公里载重50公斤自行车赛的冠军。本届自行车赛载重增至75公斤，但由于他刻苦锻练，赛前曾骑过42分钟的好成绩，因而夺冠的呼声很高。然而天有不测风云，人有旦夕祸福。就在农运会开幕前半个月左右，王连生在公路上练车时，不幸被汽车撞倒，左手骨折，住院后打上了石膏，肿得很粗，教练担心他不能参赛，提出换人的建议。王连生坚决不同意换人，仅休息了一天，又咬着牙骑上车，上公路练习了。骑车虽然不很费手劲，但自行车颠震得受伤处钻心地痛，他就用单手扶把坚持练。功夫不负苦心人，王连生最后比第二名超前3分钟到达终点，卫冕成功。

〔王秀芳（女）·舞蹈编导·获文华编导奖〕

在中共中央宣传部、国务院文化部、广播电影电视部于1992年5月20日联合召开的"纪念毛泽东同志《在延安文艺座谈会上的讲话》发表50周年颁奖大会"上，山西省歌舞剧院舞蹈编导王秀芳，因编导大型民间歌舞《黄河儿女情》获文化部第二届文华编导奖。此前，该作品曾获山西省文学艺术创作金牌奖。大型山西民歌舞蹈《黄河儿女情》继承了三晋文化的优秀传统，以优美的山西民歌和民间舞蹈为素材，采用新颖奇特的结构方式，编织成为一幅五彩斑烂的美丽画卷，使传统艺术与当代审美意识完美结合，具有较高观赏价值和认识价值。全剧构思精巧，自然流畅，具有浓郁的生活气息和强烈的艺术感染力，犹如一幅精美的山乡风情画，又似一首甜醇的田园抒情诗，被认为是继民族舞剧《丝路花雨》之后，又一部具有深远影响的作品。

王秀芳，1942年5月生于河北省石家庄市。1956年进入中国人民解放军某军文工团担任舞蹈演员。1958年调入山西省歌舞团（剧院），曾先后扮演舞剧《宝莲灯》、《白毛女》、《红色娘子军》中的主要角色和《草原儿女》中的妈妈、《抢亲》中的村姑、《枫》中的丹枫等。她非常注重对人物的心理刻画，其情真意切的表演给观众留下了很深的印象，被誉为"黄土地上的一颗明珠"。1980年开始专门从事舞蹈编导工作。王秀芳的创作，比较注重表现乡土气息和生活情趣，并借鉴民族戏曲、外国舞蹈、雕塑和绘画的表现手法，以博采众家之长。她的舞蹈作品，均具有浓郁的民族情调和鲜明的地方色彩。她与人合作编导的双人舞《元宵夜》，独特、清新、鲜亮。于1986年一举夺得全国民间音乐舞蹈比赛大奖，个人获文化部颁发的辅导一等奖和山西省劳动竞赛委员会颁发的特等功奖状。次年被命名为山西省"三八"红旗手。她参与编导的大型民俗系列舞蹈《黄河一方土》以其浓厚的民族文化风味与现代意识的完美结合，分别获1989年全国国庆文艺展播一等奖，"90上海艺术节"、"花冠文艺奖"大奖和广播电影电视部授予的"星光杯"一等奖、编舞奖。1992年编导的群舞《开花调》获第二届全国音乐舞蹈调演一等奖、"群星杯"金奖，同年她被山西省评为一等功。所创作的《看秧歌》、《瞧，这些婆姨们》、《踩鼓点》、《山妞与模特》等舞蹈作品，分别于1988、1990、1992年被选入中央电视台春节晚会，有的被评为晚会歌舞类节目一、二等奖。她的《看秧歌》、《山铃》、《婆姨》等作品蜚声舞坛，并被认为是其代表作。王秀芳编的舞不仅体现了民间舞蹈情浓趣深的特征，它俗中有高雅的情趣，土中有浓厚的韵味，丑中有悦目的美感，既有观赏性、艺术性，又有思想性。

她是山西省第七、八届人民代表，省劳动模范、优秀专家、文联委员和省舞蹈协会理事，并享受专家特殊津贴待遇。

〔王秀春·工会干部·获"宋河杯"全国曲艺小品邀请赛节目一等奖〕　1992年4月，由中国曲艺家协会、河南省曲艺家协会、河南电视台、河南宋河酒厂联合举办的“宋河杯”全国曲艺小品邀请赛决赛在郑州市举行，王秀春创作、导演的曲艺小品《真假之间》，生动形象地讽刺揭露了弄虚作假蒙人骗钱的丑恶现象，获得节目一等奖。

王秀春，1939年生，山西太原人。1958年入太原钢厂工作，业余从事曲艺创作和表演活动，擅长编演数来宝，他的作品生活气息浓郁、语言朴素生动、能深入浅出地揭示主题，反映时代精神。1981年他创作和演出的数来宝《该怨谁》，在全国曲艺优秀节目（北方片）观摩演出大会上获一等奖，1982年又被中央文化部选调赴西南西北巡回演出，后来这个作品被编入《北方曲艺选》出版。1984年他创作的数来宝《人证》，获中国曲协主办的全国曲艺征文二等奖。近年来他在各种报刊上发表作品近百件。1988年山西省音像出版社录制发行了《王秀春数来宝专集》磁带两盒。他曾被全国总工会授予“全国优秀工会积极分子”的称号，曾获山西省总工会颁发的“自学成才奖”。原钢铁公司擢升他为工会文体部副部长。他现任山西省曲协主席，全国曲协理事，中华说唱艺术中心常务理事及山西省青联副主席。

〔王怀萍（女）·徐州市沧浪浴池脚医·被授予全国最佳服务员称号〕　1992年9月15日，商业部在北京人民大会堂隆重召开建国以来首次全国饮食服务业最佳服务员表彰大会。江苏省徐州市饮食公司沧浪浴池女脚医王怀萍，在大会上被授予“全国最佳服务员”称号。

王怀萍，江苏省徐州市人，1953年8月生，初中文化程度，1975年5月参加工作，在徐州沧浪浴池当服务员，1977年6月加入中国共产党，1986年6月被聘为中心店副经理。

王怀萍当了浴池服务员后，经常看到一些患有脚病的姐妹，不好意思找男修脚工修脚，自己用剪刀剪，有时剪得鲜血淋漓。她当时已脱产担任中心店团干部工作，为减轻姐妹的痛苦，冲破各种压力，自愿当了一名修脚工。她找来细柳木、竹筷子带在身边，一有空就在柳木上削，在竹筷子上练，逐步掌握了修治脚病的削、挖、雕等项技术。她工作热情、主动、耐心，当脚医的第二年就被评为市劳动模范。沧浪浴池坐落在徐州市中心，王怀萍的事迹通过报纸、广播和电视宣传后，慕名前来修脚的人应接不暇，王怀萍总是尽最大努力让顾客满意而去。她在不到一尺高的小凳上一坐就是六七个小时，低头弓腰，常常累得腰酸腿疼，头昏眼花，但她从不叫苦。有些顾客送给她钱物，她一概不收。她平时注意搜集治疗脚病的单方、验方，自己配制鸡眼膏，还用中药治疗刺猴，均收到较好的效果。甲沟炎是一种较难治的脚病，有些患者吃药打针都不见效，甚至在医院做手术去掉脚趾甲仍不能治好。王怀萍广泛研究了大量病例，治好了不少这样的患者。王怀萍在做好脚医室工作的基础上，坚持利用业余时间外出登门服务。甚至在怀孕快要临产时，仍上门为老顾客服务。她身子笨重，坐不下，就边蹲边跪着干，顾客感动得热泪盈眶。10多年来，经王怀萍治疗过的脚病患者达10万多人次，她利用业余时间登门服务1万余人次。王怀萍患有眼病和十二指肠溃疡，领导关心她，多次安排她去桂林、庐山、深圳等地疗养，都被她推辞，坚持带病工作。

王怀萍先后14次被评为省、市劳动模范，11次被评为省、市优秀共产党员，2次被授予“全国商业劳动模范”称号，3次被授予“全国三八红旗手”称号，1986年被授予“全国优秀服务员标兵”称号并获得全国五一劳动奖章，1988年当选为第七届全国人大代表，1989年被国务院授予全国劳动模范称号。

〔王青山·青年教师·提出地球地貌演变新概念引起地学界震动〕　内蒙古包头师范专科学校地理系青年教师王青山，经过多年研究，提出“古陆环球，赤道变迁”机理，引起地学界的震动。学者们认为，它将引起地学思维和理论、认识的一系列深刻变革。1992年6月11日，人民日报刊登记者阿斯钢的报导，介绍了王青山的学术观点。

王青山认为，在人类居住的地球上，曾经形成过一条古赤道，后来赤道发生了约30度的变迁。经过漫长的地质时代，地球的面貌才演变成现在的模样。他的研究成果表明，远古时期的陆地是沿着古赤道环绕地球分布，古磁极曾与古地理极重合。后来，在距今约1.95亿年前，有一颗直径约1100公里的星体，由原北极哈得孙地区斜砸入地球内部至百慕大下部，从而形成了北美加拿大北部的圆形哈得孙盆地。星体的坠入，改变了地球的最大惯量轴即稳衡轴或质量分布对称轴，地球赤道发生了变迁。日地系统黄赤交角随即出现，从而使地球开始斜着身子围绕太阳公转。从此，太阳直射点不再象以前那样只在赤道上移动，而是开始在南北回归线之间来回移动，使地球上有了明显的四季之分。

这一坠入星体的铁镍质星核经过原磁北极哈得孙时，被磁化星核前端之推送作用及星核对原磁北极磁性物的吸附作用，使磁化星核把原磁北极的不少强磁物带至百慕大地下，使百慕大地区的磁场强度显著增大，当飞机、轮船经过时，由于受百慕大地区异常强烈的磁场干扰，使指南针不再仅指南北，而是一端直指百慕大中心区，致使机船迷失方向。而且星核的潜入也加强了百慕大地区的重力场。百慕大地区异常磁场的干扰和下部超常重力的吸引，以及其它因素的叠加，使该地区灾难性事件的发生成为常事。

星体的坠人和赤道的变迁，也导致了南极洲、北美洲等板块的远距离漂移，是白垩纪恐龙灭绝的根源所在。

王青山的地学新概念，已在地学界，尤其在地质力学家中引起较大震动，一些著名地理地质学家给予了充分的肯定和高度评价。曾跟随著名科学家李四光教授工作多年的地质矿产部地质力学研究所高级工程师马胜云对他的论文鉴定称，它分析综合了前人的成果，但未受束缚，而是广开思路，步步深入。结论是有独创性见解的，尤其是为今后深入研究，在开拓了新的途径，指出了辽阔的前景。地矿部地质力学研究所研究员马醒华说，他的研究成果，无疑将推动地学基础理论的发展，在开拓构造地质学新思路方面，起到重要的促进作用。学者们认为，它将引起地学思维和理论、认识的一系列深刻变革。

王青山，陕西省神木人，1959 年 8 月出生，1982 年毕业于内蒙古师范大学地理系，后在中学任教，1991 年调人包头师专任教。

〔王茂甫·沧州兴济生物技术研究所所长·获全国第三届科技实业家创业奖银奖〕 沧州农民王茂甫，这位在改革开放大潮中富裕起来的乡下人，没有仅仅想着个人发家，而是把自己辛辛苦苦挣来的几十万元投入到发展科技上，创办起兴济生物技术研究所，为科技人员创造良好的工作和生活条件，吸引来几十位专家、教授。如今，这个研究所拥有固定资产逾 1000 万元，年人均产值 20 余万元，取得省级重大科研成果 6 项，国家级重大科研成果 3 项，连续三年获河北省先进科研单位称号。王茂甫本人于 1992 年 10 月 23 日获全国第三届科技实业家创办奖银奖。

王茂甫，山东沧州于庆屯村人，1952 年生，从小在家务农，干木匠活，1978 年后，靠耍木匠手艺兼做三合板生意，几年下来，挣了几十万元存入银行。1987 年春节，一位在研究所当工程师的亲戚来串门，王茂甫对他诉说自己的烦恼:“我总觉得，人生在世，有了钱不一定就算‘富裕’。现在我有了钱，可心里总觉得空虚。”这位亲戚也向王茂甫说了他的烦恼：他正在搞一个科研项目，因为缺钱，拖了几年还是没搞成。王茂甫心里为之一动，他想：用我这几十万块钱搞个研究所，搞出科研成果来，就算咱这个农民为国家做了点贡献。过完春节，他就拉上那位亲戚上天津，进北京，去大连研究所拜访专家、教授。当年 7 月，在北京王府饭店，他邀请北大、清华和农科院的近 20 位专家、教授，开了一次创办研究所的恳谈会。王茂甫一片诚心，深深打动了这些专家、教授，在他们的技持下，兴济生物技术研究所于 1988 年办起来了。

研究所办起来后，王茂甫不惜财力，为科研人员创造良好的科研、生活条件。天津市一位教授要辞职来这里，原单位要他退房。王茂甫闻讯，开车直奔天津，把 17 万元放在教授桌上，说:“你买套住房吧!”南昌市一位研究员辞职要来沧州，去接这位研究员时，王茂甫带去 10 万元，不仅把研究员住房买下来，还给他家装了部电话，说是:“你以后远在沧州，装部电话好给家里联系。”研究所作出规定：科技人员的研究成果在本所投产后，可提取利润的 10%；对获得各种奖励的科研成果，国家奖给科研人员多少，所里也奖多少；完成一个国家专项的课题，所里奖励一万元。

王茂甫用一颗对待科技人员的诚心，吸引着各地的人才纷纷奔来。现在，这个研究所已拥有专职、兼职科技人员 43 名，大部分具有高级职称，研究所已设有水产、动物营养、添加剂、饲料酵母等 9 个研究室，科研成果一个接一个。几年来，先后有“棉仔饼、菜子饼酵母脱毒技术”、“鱼虾康”等 9 个项目通过省级以上技术鉴定。他们研制的“多维高蛋白活性饲料酵母”，1990 年通过国家科委组织的技术鉴定，评价为国内首创，达到国际先进水平。现行销全国 27 省市，通过三资企业创汇 109 万元，取代进口鱼粉为国家节汇 550 万美元。

每次通过技术鉴定，开鉴定会时，王茂甫总是把会议组织好，让专家们坐主席台，自己悄悄地躲在不显眼的地方。那一本本获奖证书上，更是没有他的名字。科研人员忘不了王茂甫的操劳，多次向他提出:“每项成果没有你的支持和帮助就搞不出来，成果上应该有你的名字”。王茂甫说:“我是一个农民，连字都认不全，如果成果挂上我的名，掉价！”他投资300万元为专家建宿舍大楼，自己家里仍是原来那几间普通农房。70多岁的老父亲和爱人仍在家里种着20多亩地，天天起早贪黑地忙碌着。

〔王学仲·书画家·“王学仲艺术国际研讨会”在北京举行〕　1992年，王学仲被英国剑桥世界传记中心列为世界文化名人，同时被聘为该传记中心的顾问团顾问；获得美国北卡来罗纳世界名人传记中心世界名人称号，并为其颁发有成就的终身名人学术金奖；收入中国的中外名人研究中心（北京）《中国当代名人录》，聘为该中心的艺术顾问。同年11月26日，中国美术家协会等组织在北京人民大会堂举办“王学仲艺术国际研讨会”。到会的有英、美、法、德、日、韩等国家以及台湾等地区的专家学者，收到国内外论文30多篇，在研讨会上，美术评论家认为王学仲是一位颇具功力而又能勇于拓展的中国书画家。会后编辑出版《王学仲艺术国际研讨会论文集》。

王学仲，笔名夜泊，别号筑波山侨、日泼一斛墨主，斋号已出楼。1925年10月23日生，山东滕州人。幼从父学习古典文学及书法，从表兄苗君实学习中国画。1942年秋，考入北京京华美术学院国画系，1949年考入北京国立艺术专科学校（中央美术学院前身），从师徐悲鸿、蒋兆和、李可染等学习人物山水画，间或请教齐白石老人。徐悲鸿当时赞誉王学仲的才华，曾欣然亲笔题词为“秉赋不凡，盖由天授”，他看到王学仲的国画创作后，誉之为“三怪之才”。1953年毕业后任天津大学美术教师，现为该校教授及王学仲艺术研究所所长。

王学仲书法功底深厚，真、草、隶、篆多有涉猎，所作小楷、篆、隶，清明刚劲，古朴蕴藉，尤以漆书而成之碑版作品，书风更见高古；最擅行书、草书，代表作《狂草赋》，豪放雄健，跌岩多姿，富有“山岳气”。作品多次参加国内外重大书法展览，并收入书法作品集。精于书法理论，颇多建树，著有《书法举要》、《王学仲书法选》等。

王学仲攻山水及人物画，为深入生活，他曾到山西太行山区，秦岭、峨嵋、雁荡、桂林等风景名胜地区实地写生。1959年，他参加创作的《海河之春》（长卷画），被全国美展入选，并在《中国画》发表，同时为北京人民大会堂创作了多幅作品。1978年文化部成立了中国画创作组，王学仲作为第一批美术家调到该创作组进行中国画的创作。为北京火车站外宾候车室创作了大型国画《天风海涛图》。他的《垂杨饮马》，除参加全国美展外，还赴美国60名中国名作展。1980年被选为天津美术家协会副主席，天津国画研究会副会长。他多次应邀访问日本，进行讲学活动。1981年受聘为日本国立筑波大学艺术学系客座教授。日本上野火车站建站一百周年并举行东北新干线通车仪式之际，由王学仲为该站创作了大型壁画《四季繁荣图》。

1983年7月，王学仲在日本东京鸠居堂画廊举办个人画展，出版日文版《王学仲书画诗文集》。在日期间，王学仲借鉴日本画的异国色彩，提出了“借大和风，还华夏魂”，广泛吸取了大和着色及浮世绘的式样，参以墓室及敦煌壁画，创作了日本和服妇女及日本风光的系列作品，充分表现了大和色彩的异国风情。

1991年出版《王学仲书画旧体诗文集》、《夜泊画集》。1992年3月，王学仲在深圳、广州举行中国画个人展，广州美术学院举办了“王学仲国画创作研讨会。”

〔王建煊·前台湾“财政部”部长·高票当选台湾“立法委员”〕　前台湾“财政部”部长王建煊于1992年12月19日以高票当选为台湾二届“立法委员”，王建煊在1992年夏天提出“按实际交易价格课征土地增值税”方案，其目的在于“提高税负、抑制土地投机、防止地价飙升”。此方案在台湾引起轩然大波，遭到一些财团及既得利益者的不满反弹，也激化了国民党上层派系矛盾和权力之争。“倒王”、“拥王”者皆大有人在。最后导致王建煊辞“财政部”部长之意“甚坚”，于10月21日获准。辞职之后，无意再踏入政坛，在各方鼓舞下，才决定自行参选，角逐台湾二届“立法委员”。他缺乏竞选经验，没有政党及财团支持，也未操办酒席、大量印发宣传品，也不去抹黑漫骂对手，而是向大众筹募竞选经费，在政见会上宣扬其主张，却赢得众多选民的支持，被誉为“吸尘器”、“吸票机器”。王建煊素以“不畏特权”、作风“强硬”著称，台湾舆论多有好评。

王建煊，1938年生，安徽省合肥市人。1961年台湾成功大学会计系毕业。1965年政治大学财政研究所毕业，获硕士学位。1971年美国哈佛大学国际赋税计划系结业。1973年台湾分类职位公务员十职等考试最优等第一名及格。曾任台湾“行政院赋税改革委员会”专门委员，“财政部税制委员会”专门委员，东吴大学、政治大学等兼任副教授、教授。1972年任“财政部赋税署第一处”处长。1976年任“行政院”参事兼第四组组长。1980年任“财政部关务署”署长。后任财税人员训练所所长。1984年任“经济部”常务次长，1989年升任政务次长。1990年3月因感于台湾“法治紊乱”，“公权力不彰”，“无力感充斥于心”而坚辞政务次长之职。同年6月任“行政院政务委员”、“财政部”部长。还历任财团法人金属工业发展中心董事长、《卓越》杂志名誉发行人。是国民党第十三届中央委员。

著有《税务折旧制度之研究》、《所得税研究》、《奖励投资条例修正原则的再检讨》、《租税法》、《税务会计》等。

〔王绍飞·经济学家·在北京逝世〕　1992年8月，经济学家王绍飞教授在北京逝世。

王绍飞，山西灵丘人，1929年生。1956年毕业于中国人民大学财政系，先后任中国社会科学院财贸物资研究所研究员、中国社会科学院研究生院教授。他还是中国财政学会、中国经济杠杆学会的常务理事，中国金融学会、中国投资学会理事。

王绍飞长期从事财政金融领域的教学和研究工作，在财政金融问题的研究上有较深的造诣，以马克思主义的剩余劳动理论为基础建立了新的财政学理论体系。他的主要著作《社会主义税收发展的客观必然性》，1987年获中国税务学会优秀论文奖；《财政学新论》一书，1984和1989年获中国财政学会优秀著作奖。

〔王树珊·马鞍山钢铁公司党委书记·马钢连续第五年被评为全国思想政治工作优秀企业〕
企业的凝聚力，是企业的灵魂。1985年王树珊一担任马鞍山钢铁公司党委书记，就把思想政治工作的重心放在培养企业凝聚力上，组织和依靠群众力量，使企业生产高效和有序地向前发展。1991年10月，王树珊在冶金部思想政治工作研究会上，发表题为《论企业凝聚力》的论文，引起到会同志的强烈共鸣。1992年，王树珊听了邓小平南巡讲话后，立即发表专文《论破除计划经济意识》，明确指出：长期的计划经济，使企业只关心自己产品数量，没有商品意识；只对上级行政部门负责，不对用户负责；企业的劳动成果无法衡量，创造的价值不能直接体现出来，失去了能动机能；企业没有竞争意识，失去了技术改造，不断发展的动力；由于企业利益机制没有显示出来，社会主义按劳分配制度得不到体现，严重挫折了职工积极性。他号召职工转换脑筋，把思想由高度集中的计划经济意识转换到建立社会主义市场经济上来，使马钢出现了一个朝气蓬勃、齐心协力奋发向上的好形势。1992年，马钢连续第五年被评为全国思想政治工作优秀企业。

王树珊在实际工作中深切体会到，职工群众反映最强烈的往往是不正之风，没有一个好的党风，企业就不可能有凝聚力、号召力。因此，作为企业党委书记，他始终致力于党风建设。有一段时间，社会盛行的吃喝风刮到马钢，甚至公司内部检查工作也要摆酒设宴，各厂矿相互攀比，动用小金库，盖起了小餐厅。工人群众对此意见很大，反映到王树珊那里，他冒火了，决定对参加吃喝的人进行通报批评，谁请客，谁付钱。为抓好制度建设，减少滋生不正之风的土壤，在他的建议下，马钢的每个党员都有一本党风考核本，定期对照检查考核。各级党组织也普遍建立了党风信息监督网，使各级领导干部和每个党员都置于广大群众监督之下。

王树珊常说，只有领导心里装着职工，职工心里才会装着企业，他始终把自己置于“公仆”的位置上，关心职工疾苦，倾听群众呼声，真心实意地为职工排忧解难。对信访办转给他的信件，每件必读，每件必批，每件必问结果。当他听到岗位工人对单项奖有意见时，就亲自下基层搞调查。调查结果使他感到名目繁多的单项奖弊病很大，要害是每项奖领导都能沾上边，真正干活的却拿不到或拿得很少，摸清情况后，他同公司经理王秀智商量，两人一致同意改进单项奖管理。

王树珊，吉林省人，1932年6月生，1953年2月加入中国共产党，1962年毕业于上海科技大学无线电系，历任马钢动力厂队长、车间主任，马钢自控所副所长、副书记、书记；马鞍山市委常委、组织部长，安徽省委候补委员、马鞍山市委副书记。1990年获全国优秀企业思想政治工作者称号。

〔王树铎·激光专家·获国家发明奖二等奖〕

高级工程师、中国科学院物理研究所研究组长王树铎，因与范良藻一起发明聚偏氟乙烯薄膜激光辐射探测器而获得1992年国家发明奖二等奖。

王树铎，1945年6月生于浙江省绍兴市，1963年大学毕业后分配到中科院物理所固体电子学室工作。1963—1969年参加晶体学21号任务等研究工作。1978年起担任研究组长，主持“光辐射测量”研究工作，1983年主持完成我国第一台“光谱效应、数字式激光功率能量测量仪”的研制获奖。1983—1986年按时完成国家“六五”科技攻关项目专题“激光参数测量的研究”。1986—1991年研制成功国家“七五”科技攻关项目“多功能智能化激光测量仪”，因而获奖。1991—1992年主持并完成了“863”高科技项目委托的研制任务。王树铎曾先后获中科院科技成果一等奖、国家发明奖二等奖、国家科技进步三等奖。还曾获得第15届日内瓦国际发明展览会镀金牌奖。

这次获奖的激光辐射探测器是一种测量激光强度的探测仪器，广泛应用于包括紫外、远红外、可见光在内的各种激光脉冲能量和连续功率的测量。这项发明已获美国专利，并已出口美国、日本和德国。

〔王品素（女）·声乐教育家·教学四十五周年纪念活动在沪举行〕　为庆贺、褒扬王品素教授在专业声乐教学、特别是民族声乐事业的突出贡献，由上海音乐学院、上海文化发展基金会、上海音乐家协会、上海市民族事务委员会共同主办的“王品素声乐教学45周年”纪念活动，1992年9月8日在上海举行。内容包括：来自藏、苗、蒙、汉、哈等各民族著名歌手举行的“王品素民族声乐学生音乐会”和“王品素民族声乐教学研讨会”。学生们精湛和富有浓郁民族风情的演唱，得到包括工厂、农村、部队在内的广大听众的热烈欢迎。研讨会上，王品素作的题为《顺气顺字顺嗓子》的学术报告，何纪光和上海音乐学院声乐系教师胡靖舫、常留柱的学术报告，都进一步总结了她的教学经验与成果；与会者在发言中对她在这一领域的开拓奉献精神和学术建树，都给予肯定。

王品素，河南省开封人。1923年4月24日生。曾在开封艺术师范学校读书。1938年参加商震领导的国民党二十集团军妇女宣传队，演出过《放下你的鞭子》等节目，宣传抗日救亡。1939年加入中国共产党。1941年考入内迁重庆的上海音乐专科学校，师从洪达琦和斯义桂主修声乐，自此开始其专业音乐生涯。毕业后，在从事党的地下工作的同时，一直进行着声乐教学和演出活动。曾在重庆和开封举办过独唱音乐会和参加其他革命文艺演出活动。1953年任职于上海音乐学院声乐系，从事美声唱法的教学工作。1958年，中央民族事务委员会和文化部委托上海音乐学院开办民族班，为各少数民族培养音乐人材，院方委派王品素参与该班创建和担任民族声乐教学工作。在长期的教学实践中，她逐步摸索出一条在尊重学生各自的文化背景、保持原有民族风格的基础上，提高和发展他们歌唱能力的声乐教学方法，为培养我国民族歌手和声乐工作者做出了贡献，在国内外享有盛誉。数十年来，为22个少数民族培养一大批声乐家，如：1989年获我国首届金唱片奖、成功地演唱了《在北京的金山上》的著名歌手才旦卓玛（藏族）；获1989年首届金唱片奖、成功地演唱了《洞庭鱼米乡》的著名歌手何纪光（苗族），1989年获“全国民族唱法十大女歌唱家”称号的葛军、冯健雪（均为汉族）、金花（蒙族）；1985年获我国首届少数民族声乐比赛“金凤奖”的宗庸卓玛（藏族）和傅祖光。另如古兰、爱尔肯、索德米德和曹燕珍、金永玲、牛宝林、应鹃、黄英、察荣国等，也都是在有自己民间歌曲和戏曲音乐的基础，在王品素指导下，又有新的提高和发展的优秀歌唱演员。他们共有的特点是个性强，民族风格浓，其艺术成就，都浸透着王品素的心血。

1986年，为庆祝王品素从事中国民族声乐教学40周年，在北京举办了“王品素教授学生音乐会”。

王品素是中国音乐家协会第四届理事，上海音乐家协会常务理事，上海市第七届人大代表。曾多次荣获全国“三·八”红旗手称号。

〔王峥嵘（女）·青年小提琴家·在国际小提琴比赛中夺冠〕　1992年3月21日，在新西兰首都惠灵顿举行的“国际小提琴比赛”中，我国24岁的青年小提琴家王峥嵘艺压群雄，荣获第一名。来自世界17个国家的27名小提琴手参加了这次比赛。日本，南朝鲜和冰岛的小提琴手分获这次比赛的第二至第四名。由英国、美国、中国、澳大利亚和新西兰等国著名小提琴家、音乐家组成的评委会对王峥嵘的演奏给予了很高评价。比赛结束，英国的伯恩茅斯交响乐团、皇家利物浦爱乐乐团、伯明翰市管弦乐团以及新西兰的新西兰交响乐团和国家青年管弦乐团当即与王峥嵘签订了演奏合同。

王峥嵘，北京市人。1968年生。自幼在有较好艺术氛围的环境中生长。1977年考入中央音乐学院附属中学，师从小提琴教育家王治隆教授，科学、系统、严格的教学为王峥嵘的小提琴演奏打下牢固基础。1983年考入本科，继续从师王治隆。1986年，去美国波士顿大学音乐学院深造至今。

此前，王峥嵘曾多次在国际小提琴比赛中获奖。1983年在美国举行的“梅钮因国际小提琴比赛”中，她荣获少年组第二名；1985年在波兰举行的“里宾斯基——维尼亚夫斯基国际小提琴比赛”中，她荣获青年组第二名；另外，在日内瓦和荷兰举行的国际小提琴比赛中，亦都获有名次。

〔王修身·满医针炙专家·应邀出席第三次国际针炙学术大会〕　王修身以其不同凡响的针炙绝技和高尚医德，使许多疑难症患者得以新生，被誉为京城“神针王”。1992年10月，他应邀出席了在汉城举行的第三次国际针炙学术大会。

王修身，满族，北京市门头沟区人，1931年12月生，出身满医世家。外祖父为清宫御医之后，王修身8岁随外祖父学医，14岁佐诊，得清宫御医秘传针炙真功，曾先后在宛平县医院、中医针炙研究所、北京中医医院、安外中医门诊部任内科医师、针炙主任医师。1981年他自办“王修身中医诊所”，用满医的绝活神技为病人服务。

经几十年的摸索和积累，王修身在继承祖国医学传统的基础上创造了眼针、透针、舌针等几手针法，疗效显著，堪称绝技。

眼针，就是用一寸或寸半银针在患者眼角内侧的血轮穴进针，一直扎入眼底，在针炙界十分罕见。王修身行针时，“进退搓卧捣，捭摇刺入进”，手法娴熟，一气呵成。眼针主要治疗近视、弱视、斜视、青光眼、视神经萎缩、眼外伤、眼底出血等，安全可靠，疗效显著。有个16岁的姑娘李志英，因脑炎后遗症，双目失明。经王修身用眼针治疗半个月，视力得到恢复，戴上眼镜可以读书看报。

透针、双针、斜透等针法，可治疗脑血栓、脑出血、脑梗塞、脑血管异常、骨质增生、大脑发育不全、小脑萎缩、甲亢等疑难病症。患者刘全生，23岁得了医学界公认的疑难病——帕金森氏综合症，全身麻木，肌肉萎缩，不能行动，住院一年多不愈，被视为不治之症，王修身在患者的风池、风府、曲池等穴位施针，采取了斜刺、直刺、捻转、两头见针拉锯等针法，加服中药，经几个月治疗，患者痊愈，上了班，结了婚。另一位法国朋友瑞德·朗明，到北京后打算第二天游览长城。结果中午一觉醒来，只觉腰腿剧疼，行动困难。王修身用银针在其阳陵泉、行键穴位上扎了几针，40分钟后，疼痛大减，行动自如，第二天按原计划登上长城，并游览了十三陵和颐和园。瑞德·朗明高兴地说王大夫的医术太高明了，我第一次领略了中国针炙的魔力。

舌针，就是在患者舌根施针。这对脑血栓造成的舌头不灵、瘫痪失语等有特效。北京市二中女教师王艾平，患脑血栓，口舌不灵，言语不清，王修身在她舌根扎了一针，吐出一口黑紫血，顷刻间，舌头就灵活了，再经针治，又重新登上讲坛。

王修身虽个体行医，但医德高尚，遵纪守法，合理收费，拒收病人送他财物。对军属、孤寡老人，则送医上门，免费治疗，受到群众的赞誉。十年来，接待中外各类病人20万人次。《人民日报》、《健康报》、中央人民广播电台、中国国际广播电台等十几家新闻单位都报道过他的事迹。

针炙是祖国医学宝库中的一朵奇葩，王修身又得满医御医真传，加上几十年的刻苦钻研，积累了丰富的经验。为使祖传针炙绝技后继有人，他摒弃了秘不外传的陈规，决心将自己几十年钻研的针炙成果，和盘托出传给弟子。他的针炙绝技已被拍成电视专题片，与美国、加拿大、法国、荷兰、日本、南朝鲜等国交流。

〔王泉生·北京贵宾楼饭店总经理·获得世界美食荣誉带〕　1992年8月下旬，在北京贵宾楼饭店举行的授带仪式上，世界美食协会亚太地区分会主席哥桑·古载礼先生，代表本会授予贵宾楼饭店总经理王泉生世界美食荣誉带（即杰出管理者），并宣布接纳王泉生为该协会成员。王泉生是我国大陆地区酒店高层管理人员中获此荣誉的第一人。

世界美食协会是全球餐饮界名流荟萃之所，总部设在巴黎，各大洲设有分会。该会在全球旅游业享有很高威望。哥桑·古载礼来京参加国际名厨协会会议，他在事先未通知店方的情况下，对贵宾楼的设施、设备、菜点、服务、卫生等方面进行了全面考察，评价是“饭店设计风格独特，特别是花园大厅非常漂亮，令人心旷神怡；客房的家具新颖，别具一格，到处干干净净，窗净几明；菜点味道纯正，令人食之不忘；服务人员彬彬有礼，热情为宾客服务，使人强烈地感到家庭般的温暖。作为一家中国人自己管理的饭店，不愧为五星级，不愧为‘世界一流酒店组织’的成员。”因此作出上述决定。

北京贵宾楼饭店，是国内与香港著名爱国人士霍英东合资建造的集中国古典艺术与西方现代文明于一身的豪华酒店。它是由中国人自己设计、自己施工、自己管理的。在1989年试营业期间，就以其独特的设计、豪华的设施、完善的设备、优质的服务，被“世界一流酒店组织”接纳为会员。1990年9月22日，第11届亚运会开幕当天正式营业，亚运会的指挥中心就设在这里。1991年被国家旅游局评为五星级酒店。正式开业两年来，共接待海内外宾客70多万人次，已经将银行贷款全部还本付息。

王泉生，北京市人，1956年12月生，1974年5月参加工作，1982年10月加入中国共产党。大专文化，职称为经济师。他高中毕业后到北京饭店客房部当服务员，4年后当接待科副科长，后为办公室副主任。1982年底到意大利罗马科学旅游国际学院留学，次年7月学成回国，任北京饭店副总经理。1987年7月到北京财贸管理干部学院进修两年，后任贵宾楼饭店总经理。他把学得的理论知识和自己10多年的饭店工作经验结合在一起，大胆借鉴国外同行业好的做法，严格管理，使这座新酒店在国内外旅游市场上崭露头角。

〔王洪文·林彪江青反革命集团主犯·在北京病亡〕　林彪江青反革命集团主犯王洪文，因患肝病于1992年8月3日在北京病亡。

王洪文，1935年生，吉林长春人。1950年参加人民解放军。复员后到上海国棉十七厂当保全工人。1951年加入中国共产党。后在十七厂保卫科当干事。1966年乘“文化大革命”之机，发起组织“上海工人革命造反总司令部”，当上“司令”。同年11月制造卧轨拦车的上海“安亭事件”，要挟中共上海市委。随后纠集打手大搞打、砸、抢，批斗老干部，制造武斗。1967年初，勾结张春桥、姚文元制造上海“一月风暴”，刮起夺权风。组织上海市革命委员会，当上副主任，并任国棉十七厂革命委员会主任。1968年当上中共上海市委的第三书记，后兼上海市工代会主任、上海市总工会主任、上海警备区政委。1969年4月在中共九大被选为中央委员。1983年8月在中共十大被选为中央委员、中央政治局委员、常务委员会委员、中央副主席。同时任中共中央军委常务委员。他积极参与江青夺取党和国家最高权力的活动。1974年至1975年，与江青、张春桥、姚文元结成“四人帮”，借“批林批孔”运动大肆攻击以周恩来为代表的老一辈无产阶级革命家，反对周恩来组阁、反对邓小平主持中央日常工作，企图取而代之。随后积极参与镇压北京天安门“四五”群众运动。不久亲自到上海建立由他直接控制的帮派武装，预谋筹划上海暴乱。1976年10月7日经中共十届三中全会决定，永远开除他的党籍，并撤销其党内外一切职务。1981年1月25日，最高人民法院特别法庭判处其无期徒刑，剥夺政治权利终身。王洪文于1986年患病后即被送医院治疗。

〔王洛宾·作曲家·因创作歌曲《在那遥远的地方》获金唱片奖〕　由中国唱片总公司主办的中国第二届“金唱片奖”，1992年10月30日在北京饭店举行颁奖仪式，38位艺术家分别荣获“特别荣誉奖”、“金唱片奖”、“指挥特别奖”、“创作特别奖”和“编曲特别奖”，各获一张金光闪闪的唱片。被誉为是开发我国西北民族音乐宝库的先驱者的作曲家王洛宾，以其创作的曾长期被作为是首青海民歌并流传海内外、可说是家歌户诵、有口皆碑的《在那遥远的地方》一曲，荣获“金唱片奖”的“创作特别奖”。获奖者名单是由音乐、戏曲、曲艺界权威专家组成的评委会经过认真审议、采取无记名投票方式确定的。

“金唱片奖”在世界许多国家盛行，但各国基本上只是作为一种商业性活动，单纯依赖唱片的销售量。中国唱片总公司设立的“金唱片奖”则是作为一项促进社会主义文艺创作的艺术评奖活动，评奖依据“艺术成就高，社会影响大，唱片音带发行也达到一定数量”的标准。首届“金唱片奖”于1989年10月举办，81名获奖者包括了建国以来在音乐、戏曲、曲艺等领域里成就卓著的老中青三代艺术家，在社会各界引起强烈反响。中唱总公司决定今后每三年颁发一次“金唱片奖”。

王洛宾，北京人。1913年12月1日生。1931年入北京师范大学音乐系，从外藉教师学声乐和钢琴。1934年辍学，去一所中学教音乐。1937年抗日战争爆发后，到山西参加丁玲领导的西北战地服务团。1938年去兰州，参加西北抗战剧团。1941年被国民党反动派逮捕，1944年出狱后，在青海一所中学任教。1949年参加中国人民解放军，随一野进军新疆。五十年代他在新疆军区政治部文艺科工作。1960年因冤案再度入狱达15年之久。1986年任乌鲁木齐军区歌舞团艺术顾问。

王洛宾的一生是坎坷的一生，也是创造的一生。他数十年在西北地区工作，接触了西北各少数民族的音乐。他学习、记录、译配、改编了大量维吾尔族、哈萨克族等少数民族的民歌，如《阿拉木汗》、《半个月亮爬上来》、《玛依拉》、《达板城的姑娘》、《掀起你的盖头来》、《都达尔和玛丽亚》，等等，沟通了西北少数民族音乐与内地音乐。这些民歌所以能够广泛流传，是与王洛宾对歌词译配的用力分不开，他的译词忠实歌词原意，但又使之尽量符合汉语语法，有时，他是半译半编的。王洛宾也创作有众多的歌曲，如《亚克西》、《撒拉姆，毛主席》、《民族团结亚克西》等。他还创作有歌剧音乐《两代人》（与人合作）、《带血的项链》等多部。他的音乐创作深深地扎根于我国西北的民间音乐土壤，深为人民喜爱。他虽离休多年，仍笔耕不止。1983 年和 1986 年，甘肃人民出版社和新疆人民出版社分别出版了《洛宾歌曲选》和歌曲集《在那遥远的地方》；前不久，王洛宾精选了近百首民歌，出版了两本英汉版的《丝路情歌》。

〔王莲香（女）·海军职工·发明“海王牌”新型蓄电池享誉海内外〕 只有初中文化程度的海军 4810 厂的普通女职工王莲香发明的“海王”牌胶体蓄电池，解决了目前广泛应用于各类车辆、机械和舰船的铅酸蓄电池（电瓶）挥发出的对使用设备、环境及人体造成很大危害的强酸雾这一世界性难题，以无污染、无腐蚀、少维护、耐低温，造价低，有害酸雾消除率达到 100%，使用寿命比一般电池长一倍以上，使中国蓄电池生产技术跃居国际领先地位。国家科委已将王莲香的这一发明列入 1992 年火炬计划，并拨专款支持其开发推广。1992 年 12 月 15 日国家科委、劳动部、物资总局、环保局和海军政治部在北京人民大会堂举行新闻发布会，联合向社会推荐王莲香的发明，以加快其转化、经营和造福社会。

王莲香，原籍山东省平度县。1945 年 6 月 29 日生于辽宁省大连市。1961 年于营口市第 5 初级中学毕业后，曾加入人民解放军。1970 年起，先后在大连纺织厂、旅顺硬质合金厂当工人。1975 年后，任海军 4810 厂第一职工大学干事。1985 年到其丈夫所在的远洋船探亲时，感到使用铅酸蓄电池（电瓶）危害人体健康的问题应当解决，萌发研制新一代无污染蓄电池的念头。为解决科研所需的经费，她不仅花光家中全部积蓄，还把丈夫从国外购买的摩托车、彩电、冰箱、收录机、电烤炉以及心爱的二十多套进口衣裙全部卖掉。为了保证有足够的研究时间，她申请提前退休。经过 6 年顽强拼搏，历尽艰辛，在她研制的第一代、第二代产品的基础上，第三代“海王”产品终于成功。这项产品电解质的电容量，比目前称雄于世界蓄电池领域的某些国家提高 30%至 50%，使用寿命延长一倍以上，它的消除酸雾装置属世界首创。在 1990 年第二次国际专利及新产品新技术展览会、曼谷中国实用新技术新成就展览会及 1991 年第二届北京国际博览会上，三次获金奖。美国国家安全委员会委员、华美公司董事长雷蒙德·汤姆先生曾三次来华考察“海王”产品。他说，我们美国政府曾经拨款数亿经费研究而没有突破的项目，没想到竟被中国的一位女工攻破了！这是对人类环境保护做出的巨大贡献。“海王”产品问世后，有的外国厂商曾出上千万美元的高价，想购买王莲香的技术专利，有的想独家生产她的产品，均未能如愿。王莲香没有凭自己的发明去当百万富翁，在她心中装着的是自己的祖国，是民族工业。王莲香发明的产品已有三十多个国家和地区的厂商要求订货或合资生产。她在美国西海岸注册开办了首家子公司——“大连海王美国公司”。王莲香现任大连海王化学电源总公司董事长、总经理，中国劳动工业企业协会副会长。

附注：1993 年 2 月王莲香被劳动部授予“在职业安全卫生领域有卓越贡献的发明家”称号。

〔王振华·中国海洋石油渤海公司计算机中心高级工程师·获第三届青年科技奖〕 1985 年毕业于华东石油学院北京研究生部的王振华，分配到中国海洋石油渤海公司计算机中心后，专门从事地震资料处理方法研究工作。7 年多来，他先后完成了《二维波动方程全倾角偏移》、《二维迭前 DMO 技术》、《三维波动方程 P-R 分裂偏移》、《三维道间插值》和《二维地震等效迭前偏移》等科研工作，在全国性学术刊物和全国性学术研讨会上发表了近 20 篇论文。先后获得局、部和国家级科技进步奖 8 项（次）。其中《三维波动方程 P-R 分裂偏移》的提出，在国内物探界引起很大反响，从而改变了我国在三维地震资料处理领域一直采用两步法的现状，开始了进行高精度的一步法偏移的新阶段，为我国油田勘探开发作出了重大贡献。1992 年 10 月，中国科学技术协会决定授予王振华第三届青年科技奖。同年还被评为全国厂矿企业讲理想比贡献竞赛活动先进个人。

过去处理三维地震资料，在国内地震甚探领域大多采用两步法空间归位，误差有时很大。实现三维地震一步空间归位，是最复杂、最困难、意义也最重大的课题。王振华从开始工作起，就把全部精力投入这一课题的研究，在最初的理论研究中，他终日处于理论的推导之中，吃饭、走路都在想数学公式，绞尽脑汁，昼思夜想，为了验证一个公式的正确性，收集、查找了国内外大量的有关资料。经过 100 多个日日夜夜工作，终于攻克第一道理论难关，提出了一种全新的三维一步空间归位算法：即 P-R 分裂空间归位。为了把理论运算编成计算机软件，他放弃了所有的节假日，牺牲了娱乐和休息时间，天天干到半夜，有时通宵达旦。一次，为找一个错处，两天两夜没合眼。三个月后，终于完成了一万多句的偏移处理软件的研制调试，并顺利投产。物探专家们认为这一成果达到了“当前三维地震资料迭加后空间归位的国际先进水平”。这一技术通过部级技术鉴定后，1991 年获国家科技进步二等奖。为了完善和推广应用这一成果，他又对原处理软件进行全面整理优化，增加了许多辅助性处理手段，使这一技术日趋完善，目前运用这一技术处理三维地震资料已达五千多公里，创产值 700 多万元，为国家节约外汇 90 多万美元。

王振华，1958 年 2 月生，江苏省江阴市人。1990 年被评为天津市劳动模范；1991 年被评为中国海洋石油总公司劳动模范、天津市新长征突击手。

〔王振铎·著名科技史学家·在北京逝世〕　中国科学技术史研究的奠基人之一、国际著名的科技史学家、博物馆学家、考古学家、中国历史博物馆顾问、研究员王振铎，于 1992 年 2 月 6 日在北京逝世，终年 80 岁。

王振铎，1913 年生于河北保定。1934 至 1936 年就读于北京燕京大学研究院历史系。其后长期在中国文物博物馆工作，曾任故宫博物院科学技术研究室主任、中国历史博物馆古代科学技术研究室主任、中国革命博物馆陈列形式总设计师、文物博物馆研究所副所长、中国历史博物馆顾问等职。

为了揭示中国古代科学技术的光辉成就，王振铎为博物馆陈列研究、复原了指南车、记里鼓车、候风地动仪、水运仪象台等百余件古代科技模型，分别收藏、陈列于中央、地方及国外的博物馆中。这些复原研究工作在国际科学技术史研究领域有深远影响。在博物馆的形式设计和陈列设备的设计领域里，他推出了具有民族特色的陈列风格，设计了与博物馆建筑风格协调一致的陈列设备；在形式设计中力求形式与内容的统一，设计出具有典范性的陈列场面。这些科学实践活动对丰富博物馆学，建设具有中国特色的博物馆事业都具有启迪意义。

王振铎治学态度严谨，其《科技考古论丛》被誉为科技史研究的经典著作之一，在国内外学术界产生了重大影响。他还是第三届全国人大代表和第五、六、七届全国政协委员。

〔王晓红（女）·游泳运动员·获世界杯蝶泳两项冠军和奥运会亚军〕　在 1992 年世界杯短池系列赛总决赛中，中国选手王晓红获得女子 100 米和 200 米蝶泳两项冠军。在巴塞罗那第二十五届奥运会上，她以 2 分 9 秒 01 的成绩获得女子 100 米蝶泳亚军和 200 米蝶泳第四名，为中国代表团赢得一枚银牌。王晓红 1992 年在全国和亚洲比赛中也获得了好成绩。4 月上旬在北京夺得全国游泳冠军赛女子 100 米和 200 米两枚金牌，接着在 4 月下旬举行的第四届亚洲游泳锦标赛上获得这两个项目的银牌。

王晓红，生于 1968 年 11 月，江苏常州人。身高 1 米 72。1990 年在北京举行的第 11 届亚运会上，她曾获得 4 枚金牌一枚银牌。1991 年，王晓红参加了在澳大利亚珀斯举行的世界游泳锦标赛，在女子 50 米和 100 米蝶泳比赛中均获银牌；在泛太平洋游泳锦标赛中，她获得女子 100 米蝶泳第四名。

王晓红事迹与简历参见 1991 年《中国人物年鉴》

〔王晓棠（女）·电影表演艺术家·任八一电影制片厂厂长〕　1992 年 10 月，八一电影制片厂副厂长王晓棠被任命为该厂厂长。这正是王晓棠入八一厂从艺四十周年的日子。四十年来，她曾在《神秘的旅伴》、《锁不住》、《边寨烽火》、《英雄虎胆》、《海鹰》、《碧空雄师》、《鄂尔多斯风暴》、《野火春风斗古城》、《震》、《翔》、《老乡》等影片中担任女主角。她在《边寨烽火》中扮演的玛诺，获得第十一届卡罗维·发利国际电影节青年演员奖。1964 年她在《野火春风斗古城》中一人扮演性格迥异的姐妹俩——金环、银环，获得该年度百花奖最佳女演员奖。王晓棠自幼受过京戏训练，正式客串演出过《打渔杀家》、《苏三起解》、《金玉奴》、《铁弓缘》、《游园惊梦》、《春香闹学》等，她还学习评弹、舞剑、射箭、马术、并尝试自己写剧本，任导演。人们说她是一位文艺全才。

王晓棠 1934 年 1 月 4 日出生于河南开封，父亲是国民党部队文职官员，擅长诗画，酷爱京剧，家里收藏很多中外文学名著和京剧唱片。王晓棠从小受家庭熏陶，对文艺有特殊爱好。11 岁拜荀派旦角郎定一为师，是年即能正式登台演出《金玉奴》。在学校，她还在进步老师的影响下参加了话剧《南归》、《偶像》、《哑妻》的演出。

1952年王晓棠进入总政文工团京剧团，1953年调话剧团，第一次步入影坛，在《神秘的旅伴》中扮演女主角小黎英。她学习非常刻苦，较快地克服了京剧表演的痕迹，逐步趋向电影化，较好地塑造了淳朴、泼辣的黎族姑娘的形象。1958年王晓棠正式调入八一电影制片厂，到“文革”开始时，她已拍了十二部影片，塑造了众多性格各异的银幕形象，受到观众的欢迎。尤其是《野火春风斗古城》中的姐妹俩，充分地展示了她的表演才能：金环泼辣、干练、沉稳，叱咤风云，银环温顺、恬静、稚嫩、柔肠万端。她在《英雄虎胆》中扮演的阿兰，戏不多，但能通过色彩反差的处理给观众留下较鲜明的印象。

〔王铁成·电影表演艺术家·获电影金鸡奖、百花奖最佳男主角奖〕　1991年王铁成在广西电影制片厂及中影公司联合摄制的大型历史故事片《周恩来》中扮演周恩来，他以精湛的演技、15年的生活积累和感情准备，在银幕上塑造了真实感人，形神兼备的周恩来的生动形象，受到海内外广大观众的赞誉、同行们由衷的钦佩。江泽民总书记给以“精致、深刻、感人”的高度评价，李鹏总理亲笔为王铁成题词：“演技绝伦，情出于心，再现总理，光照后人”。他获得了1992年《中国电影》金鸡奖、《大众电影》百花奖最佳男主角奖。

王铁成，原名王铁城，北京人，现年55岁。1961年中央戏剧学院表演系毕业后被分配在北京儿童艺术剧院做演员。当他还未来得及在舞台上施展出才能，“文革”就开始了。整整17年无戏可演。1976年周总理逝世，王铁成悲痛万分，想到总理为国为民鞠躬尽瘁的一生，他立志要在银幕上为人民留下周总理的光辉形象。他收集有关总理的著作、讲话、图片、录音，反复观看纪录周总理活动的影片，学习周总理的说话、走路、表情。他认为要演总理，必须形神兼备，外形不像，神往何处搁。外形是基础，而神韵是灵魂，他十几年来日夜琢磨于心，锲而不舍地临摩、揣摩、琢磨。从外形到总理的品质、人格、他说自己与周总理相距甚远，但相信只要诚心诚意地学习，身体力行地努力，总能逐步接近。他除了潜心阅读、研究有关书籍资料，还在日常生活中培养总理的爱好。他把自己原来养的一屋笼鸟送人，重新培育了君子兰、马蹄莲、竹子，还特地从南京买来雨花石。事情虽小，足见其心之诚、志之坚。

1977年，他第一次在《转折》中扮演周总理，得到观众认可，邓颖超大姐的肯定，接着在《大河奔流》、《报童》、《李四光》、《西安事变》、《风雨下钟山》等影片中饰演周总理。这一时期在银屏舞台上扮演周总理的演员虽多，但最为观众接受的是王铁成。他的表演自然、真切、细致、生动，不矫情，不做作，不仅形象动作风度越来越像，而且气质、神态也几可乱真。为此文化部给予他特等奖。

1989年王铁成由丁荫楠导演的邀请，在大型历史故事片《周恩来》中饰演周恩来。他不讲条件，不要报酬，立即从香港赶回内地，认真研读剧本，反复琢磨每一场戏，一个镜头、一句台词，把周总理在不同环境中与不同人物的关系，对人对事的处理原则都在内心找到合理的依据，并融化为自己内心的自然反映，如影片中探望病中毛主席时的关切、尊重，批斗陈毅会上对陈毅的爱护，对危难中贺龙夫妇的安全的焦虑，对江青无理取闹的不快又无可奈何的隐忍，临终前对罗青长的嘱咐……王铁成都通过不同的眼神及细微的动作，有分寸、有层次、有区别地体现出来，尤其是他在贺龙追悼会上的七鞠躬出神入化地体现了周总理深层的内心感情和高尚的人格。无论当年周总理身边的工作人员还是电影表演艺术家，都一致认为王铁成的表演炉火纯青，令人信服。

王铁成表示，能以自己的余生再现周总理形象是他梦寐以求的毕生愿望，任何时候，只要需要他演周总理，随叫随到。

〔王益民·响水县监察局局长·被授予全国监察模范工作者称号〕　1992年6月20日，监察部和人事部在江苏省响水县联合召开命名表彰大会，授予响水县监察局局长王益民“全国监察模范工作者”称号，江苏省人民政府同时授予他“优秀监察干部”称号。

王益民是江苏省响水县人，生于1948年11月，高中文化程度，1971年4月加入中国共产党，1979年以前在农村基层工作，当过生产大队党支部书记、公社党委副书记、书记等职，1979年参加援藏工作，1985年任响水县纪委副书记，1988年任响水县监察局长。

王益民在监察工作岗位上清正廉洁，秉公办案，从不在外吃一顿招待饭，喝一杯招待酒。他在调查处理县纺工公司一中层干部用公款为其子女集资进厂问题时，发现该公司有十几名干部有类似行为。这时有人劝他睁只眼闭只眼算了，再追下去要得罪多少人，在响水怎么呆下去？但王益民坚持一查到底，对十几名干部作了严肃处理，追交集资款12万多元。1989年他处理的一个案件中，当事人是某公司经理，该经理利用手中权力，多年编织了一张张关系网，是个树大根深、颇有影响的人物。信访调查已掌握他受贿1500元的问题，他非但不交代，还扬言要把王益民搞倒。正准备立案时，一位领导打电话，阻止案件查处。王益民毫不犹豫地立了案，结果查清了问题。自1988年3月组建监察机关以来，王益民带领一班人，先后查处各类违纪案件102起，处分违纪干部38人，其中局级干部6人，为国家挽回经济损失100多万元。王益民在查处违纪案件的同时，还支持、保护了7名改革者。3年来，王益民一次被表彰为监察系统先进个人，两次被市委、市政府授予“优秀共产党员”、“先进监察工作者”称号，还两次受到县政府记功奖励。响水县委、县政府先后作出向王益民学习和授予他“模范党员干部”称号的决定。

〔王祥林·广西喷施宝有限总公司总经理·获全国第三届科技实业家创业奖银奖〕 广西喷施宝有限总公司总经理王祥林，严格管理，经营有方，积极做好农业实用技术的推广服务工作，创造了显著的社会经济效益，1992年3月获“五一”劳动奖章和全国优秀经营管理者称号，12月又获全国第三届科技实业家创业奖银奖。

喷施宝是一种多功能、营养型的新型农用叶肥，它含有多种有机酸和微量元素，投资少，增产效果显著，受到农民的普遍欢迎，被誉为“中华肥王”。1987年，王祥林从农业部专利事务所引进喷施宝的生产技术，在自己创办的一个小厂进行开发试验。在资金紧缺、市场竞争激烈的情况下，他善于管理，大胆进行改革，实行多层次、多形式的承包经营管理责任制和相应的分配制度，不断完善企业内部的竞争机制，大大提高了科技人员与工人的生产积极性和自我管理意识。为使喷施宝以百分之百的合格率进入农业推广领域，他广揽人才，聘请国内著名的化学、土肥、植保专家，为公司出谋献策。还组建了叶肥研究所，根据社会需求和各地区的不同气候、土壤等条件，不断改进喷施宝的配方，提高产品质量。产品制成后，首先请权威科研单位鉴定、试验，然后亲自带着新产品走乡串镇给农民试用。为了让用户解除后顾之忧，他们在保险公司长期承保。如果使用喷施宝没有增产或使用户蒙受损失，可随时到当地保险公司索赔。现在，该公司已经形成了一套比较完整的质量研究、监督和推广体系。先进的适用技术，可靠的质量与信誉保证，使广西喷施宝公司三年迈出三大步：1989年喷施宝覆盖面积2千万亩次，1990年达到5千万亩次，1991年突破1亿亩次，增产效果10%以上，三年为社会带来经济效益45亿元以上。1989年11月，喷施宝获全国星火计划成果适用技术展览会银奖；1990年国家科委列入“国家科技成果重点推广计划”；1992年3月获首届中国民用新技术博览会金奖。同时，喷施宝也在国际上赢得了声誉，相继得到日本、美国等国家的认证，出口到加拿大、澳大利亚、南斯拉夫等二十多个国家和地区。王祥林领导的喷施宝公司，三年来先后获全国四新成果科技扶贫兴农奖、中国专利新技术新产品博览会金奖、全国十强企业、自治区和地区级科技进步一等奖、特级信用企业等多种奖励和荣誉称号，他本人曾多次被评为乡镇企业先进个人、最佳乡镇企业家、全国优秀经营管理者称号等。

王祥林，广西博白县人，1946年生，1968年参加工作。高级工程师。他经常教育职工致富不忘乡亲，公司长期扶助住地400多家五保户，承揽了落乡镇所有五保户每月生活费，并为贫灾地区和社会公益捐资百余万元，受到群众赞誉。

〔王基华·上海梅龙镇酒家餐饮部主任·获全国最佳服务员称号〕 1992年9月15日，商业部在北京人民大会堂隆重召开建国以来首次全国饮食服务业最佳服务员表彰大会。上海梅龙镇酒家餐饮部主任王基华，被授予“全国最佳服务员”称号。

王基华，浙江鄞县人，1953年1月15日生。初中毕业后到江西农村插队，1979年进饮食业工作，1985年到上海梅龙镇酒家当服务员。梅龙镇酒家创建于1938年，已有50多年历史，1978年后获得“国家二级企业”、上海市文明单位、全国旅游优胜单位等荣誉，利润率达全国同行业第一。

王基华热爱本职工作，每天提前一小时上班，下班总是最后一个离开。有一天晚上餐饮部即将结束，服务员已停止开票，一位顾客来酒家就餐，王基华仍热情接待。他为顾客参谋点菜，菜很快上来了，而那位顾客嫌菜上得太快，要求每上一个菜，另加一杯热开水，用开水烫筷子，然后撤下，再换一杯热的。如此反复多次，他不厌其烦，顾客吃得很高兴，最后他把多余的菜点用食品袋包好交顾客带走。顾客临别时留给他90元小费，被他婉言谢绝。王基华刻苦钻研业务技术，经常登门向特级宴会师求教，能根据不同客人的不同要求，精心配菜，经济实惠，深受顾客好评。上海大众、振华两家出租汽车公司驾驶员反映，在国际机场接台湾及港澳同胞时，许多人的第一个要求是到梅龙镇酒家品尝家乡菜。王基华待顾客似亲人，1988年10月，台湾餐饮业同行施纪明先生和家人一起到梅龙镇小聚，由于王基华的优质服务吸引他们接连来了4次，回到台湾后还寄来了热情洋溢的表扬信并附上近照，称王基华是“一流的手艺，一流的服务”。新加坡副总理李显龙来我国访问时，指名要到梅龙镇酒家就餐，王基华担任了宴会值台主手，宴会后李显龙先生对王基华的服务赞不绝口。王基华还带领餐饮部服务人员学习心理学、餐厅英语等，促进服务水平明显提高。在王基华的带领下，梅龙镇总店龙凤厅自1985年起，连续13次获优质服务金牌，并获得信得过柜组“三连冠”称号，连续两次被评为上海市财贸系统商业文明服务优胜集体。在上海市评选吉祥服务员活动中，他得到的群众选票名列榜首，成为1990年上海电视节“吉祥服务员”。

〔王菊生·高级农艺师·研究再生稻高产栽培技术实现亩产超吨粮被农民称为“谷仙”〕 1992年金秋时节，地处闽中玳瑁山腹地的尤溪县文峰村山民们欢腾雀跃，喜庆丰收。他们在尤溪县高级农艺师王菊生指导下种殖再生稻2022亩，头季稻亩产达688.3公斤，再生稻达404.25公斤，最高亩产达540.95公斤，全年亩产超吨粮，成为水稻生产的一大奇迹。山民们把王菊生称作“谷仙”。

王菊生，1933年生，福建省福州市人，1956年于福州农校毕业后，主动放弃在繁华的省城工作机会，毅然来到交通闭塞的闽中腹地尤溪，他深深爱上了尤溪这一方土地，从此他一直在这个山区默默耕耘了37个春秋。山民们传统观念根深蒂固，为使他们接受科学，相信技术，王菊生作了艰辛的工作。他刚到文峰村推广再生稻高产技术时，村民们就围着他吵吵嚷嚷：“多少年来，咱们村山高水冷，稻田从来就是种一季收一季，割后的稻桩能再收一季粮食，自古以来没听说过！”有的农民带着挑衅的口吻说：“要改种再生稻可以，你敢不敢包每亩增5担？”王菊生斩钉截铁地回答：“亩产增不了250公斤，我贴”。村民们看他态度坚决，勉强同意改种再生稻。

农民讲的也不是没有道理，要种好再生稻的确不是一件轻而易举的事。王菊生在长期从事再生稻高产栽培技术研究中费尽了心血。他通过几年来反复试验，研究出再生稻高产栽培技术模式，提出“四早、三严、两过硬”的配套技术措施。为了让农民掌握其技术环节，他办起村再生稻技术夜校和6个分校，列出了课程安排表，按季节分阶段适时讲课传授技术，在授课时利用实物图解，把深奥的科学原理变成通俗的语言进行讲解，使农民一听就懂。课后，他又带着农民们到田间，亲自给大家做示范操作。夏日南方的太阳火辣辣的，他整天穿着背心、短裤，打着赤脚，深入农田检查苗情。有时钻进稻丛中观察，一呆就是两三个小时。在王菊生的精心指导下，文峰村2022亩再生稻首创了国内外大面积再生稻单产最高纪录。文峰村仅此一项就增产粮食98.74万公斤，比前一年平均亩增485.85公斤，增长80.73%。

王菊生从事再生稻高产栽培技术研究与示范成功了。1991底，他被国家农业部评为科技兴农工作先进个人，被三明市人民政府评为有突出贡献农业科技工作者，并获重奖。1992年初，他荣获三明市科技拔尖人才称号。

〔王领弟（女）·人民日报社校对组长·当选为中共十四大代表〕 1992年10月，人民日报社校对组组长王领弟，作为正式代表，出席了在北京召开的中国共产党第十四次全国代表大会。

近几年来，人民日报的差错率通常保持在10万比1以下，在1991年举行的首都20家主要报纸编校质量抽查评比中，人民日报排名第二。这里面有王领弟的一份功劳。

王领弟是1975年担任人民日报校对员的。17年来，许多人吃不了这份苦，认为搞校对没有前途，相继调走了。而她默默无闻地坚守在校对岗位上，勤勤恳恳，毫无怨言。

1986年，王领弟担任校对组长以后，针对本组管理不严、思想不稳等情况，注重加强思想教育，提高党报质量意识，主持制定并完善了校对工作程序，建立了严格的校对数量和质量登记、奖惩制度及考勤办法，调动了班组同志的积极性。校对组人员少，工作多，王领弟经常替班，但从不补休，也不要加班费。她患有高血压、心脏病等多种疾病，衣袋里装着假条，还坚持上班。节假日她先安排别人休息，自己主动顶班。组里一位同志怀孕了，她特意做了好吃的送去。同志们说，在工作上她是我们的领导，在生活中，她是我们的老大姐。

报纸的校对工作是在夜里。王领弟和同事们终年彻夜鏖战。每天8个版，近10万字的报纸，要逐字仔细地校，特别是政治性差错，一旦漏过，影响难以挽回。他们聚精会神地把一个个差错挡在付印之前。1991年，人民日报校对组被中国记协评为全国先进新闻集体，王领弟也被评为全国优秀新闻工作者。

〔王清勋·税务稽查队长·被追授模范税务干部称号〕　1992年10月14日，国家税务局和河北省人民政府在河间市隆重举行命名表彰大会，追授1992年4月22日因病去世的河间市税务局黎民居税务分局稽查队长王清勋"模范税务干部"荣誉称号。同年6月5日，中共河间市委、市政府还追授王清勋"优秀共产党员"、"模范税务干部"称号。

王清勋，河北省河间市人，29岁，1983年在沧州财贸学校毕业后参加税务工作，1987年9月加入中国共产党。1983年，王清勋主动放弃留城工作机会，自愿到离市区55公里、生活和工作条件都很差的北老生乡税务所任会计，一干就是8年。他刻苦钻研业务，学过的业务书籍有40多本，做笔记20多万字。他经常加班到深夜，从1985年到1991年9月，他在做会计内勤工作的同时主动参加收税，累计征收税款达80万元，占全所累计总收入的一半。他一尘不染，廉洁征税，他家中3间低矮的土坯房已破旧不堪，用木纹纸裱糊的水泥柜已裂开了缝。他从不吃业户一口饭，不喝业户一杯酒，不吸业户一支烟。他积极帮助乡亲致富，使家乡几个亏损厂家扭亏为盈，税收也增加了。1989年春，王清勋发现自己腹部一边高一边低，伴有胸闷、气短、厌食、乏力等症状，经医生检查，他患的是肝炎。他担心住院影响工作，就悄悄把化验单扔掉了。后来他的脸色越来越黄，饭量越来越少，妻子逼他再去检查，医生埋怨他来晚了，病情开始转向肝硬化，但如注意节劳，二三十年内并无危险。可他一工作起来，就把医生的忠告忘到了脑后。1990年10月，他调任黎民居分局稽查队长，负责三乡一镇的税收稽查工作。白天，他带队员下户检查；晚上，一学就是大半夜。由于过度劳累，他的肝病迅速恶化，肝区常出现阵阵绞痛，大腿不时抽筋，就是这样，他也没请过一天假，没误过一天班，一直隐瞒着病情。再次检查时，他得到的是一个残酷的结论：肝硬化晚期。1992年春节，王清勋的病已十分严重，脸上、嘴角出了许多毒泡，全身无力，发烧，但仍坚持到机关查看在岗在位情况，还替别人值班。就在他病逝前的20多天，他还夜以继日地工作，直到大口大口地吐血。他病逝后，有1000多名乡亲自发地排了一里多路为他送葬。

王清勋参加工作9年，11次被评为地、市先进工作者、优秀会计，两次受到记功奖励。

〔王森然·已故著名艺术家·《王森然画集》出版〕　王森然是我国著名的革命家和画家。为研究和介绍他在美术方面取得的成就，人民美术出版社于1992年10月出版了《王森然画集》，用中日两种版本发行。画集收了他从三十年代到八十年代的画作180幅，印章15枚。《画集》的出版为学习、研究王森然艺术思想和绘画风格提供和保存了形象的史料。

王森然，1895年8月出生于河北定县，1984年10月在北京逝世，享年89岁。王森然自幼随父读私塾，性喜书画。很早就参加革命工作，为我国早期马克思主义的传播作出了可贵的贡献。他生前任全国政协委员，中央美术学院教授。

王森然是一位造诣极深的画家，创作了大量的中国画。早在1944年，齐白石就为王森然画展书写前言，给予了很高的评价。1979年王森然在北京再次举办个人画展，王雪涛、李苦禅同样给予极高评价。日本《四国新闻》两次报导了画展的消息。1989年为纪念王森然逝世五周年，中国美术馆举办了《王森然遗作展》。1984年和1992年人民美术出版社曾两次出版《王森然画集》。1992年10月出版的画集收入了王森然大师从三十年代至八十年代的代表作180幅。王森然擅用"大泼墨"刻意，尤擅花鸟画，他的作品拙朴自然，笔墨浑厚，表现了真切的思想感情和坚定的人生信念。他在1973创作的《雨后芭蕉》笔墨淋漓，大气磅礴，画面上一株枝叶损伤的芭蕉挺然而立，仿佛受伤的勇士，虽然伤口在流血，但依然充满活力与信念。画中题词更是充满激情，发人深思："留得窗前破叶，风光已是残秋，潇潇一夜冷雨，白了多少人头"。这幅画作于十年浩劫之际，实为时代风雨的记录，人生价值的颂歌。1979年创作的《令箭花》诗画融一，格调极高，充分显示了先生独到的大家风格。1986年中央电视台和河北电视台联合拍摄了王森然传记纪录片《闪烁的星儿》，在全国播放。

他晚年创作的《白鹰》、《岁朝清供》、《秋水双鸭》、《夜半客来茶当酒》等作品，乐观中含着苦涩，质朴中带着深沉，单纯中深藏哲理，表现出老人对青春、爱情、生命和人生的赞美与思考。他的画作曾到美国、香港、台湾、新加坡和日本的许多城市展出，他还多次为外国国家元首和驻华使节作画，为祖国赢得了荣誉。

〔王鼎玲（女）·牟平县妇联主任·被授予全国巾帼建功标兵称号〕　山东省牟平县妇联主任王鼎玲，作为"巾帼建功"演讲团的成员之一，于1992年3月3日在北京向千余名与会者作了首场报告。并于3日7日被授予全国"巾帼建功"标兵和全国"三八"红旗手的称号。

1989年春，王鼎玲应家乡父老乡亲的请求，单身一人由县妇联返回娘家小山子村"挂职"任村支部书记。小山子村190户人家，600多口人，人均收入比全县平均低40%，在全乡45个村中列倒数第三，是个出名的贫困村。她到职后没有发表就职演说，而是办实事，从培植集体经济新的生长点抓起。为了凑资金、跑原料、找销路、请技术员，她顾不上病痛，到处奔波，一心扑在村里的事情上。终于在两年多的时间里，带领群众走出了一条新路，创建了五个工副业项目，使濒临崩溃的集体经济重新焕发出了生机。1991年全村总收入达200万元，人均收入800元。她在挂职期间，不谋私利，不搞特殊，出差尽量不上饭店吃饭，村里有了汽车，上下班仍骑着自行车跑。村民们说，王鼎玲为村里留下的不仅是经济财富，还有共产党员清正廉洁、艰苦奋斗的优良作风。

王鼎玲，1943年9月生于山东省牟平县。1966年于农校毕业后，先后在乡农业机械站、农业中学工作。1970年起在牟平县第四中学任教。曾被评为市级优秀教师。担任学校领导工作后，所主管的教学工作居于全县前列。1984年被调至县妇联工作。1991年先后被授予山东省"三八"红旗手和省"模范共产党员"称号，同年被中共中央组织部命名为"全国优秀领导干部"。

〔王景芬·书法家、书法理论家·应邀赴新加坡讲学〕　1992年2月5日至12日，王景芬应新加坡中华书学会邀请，参加新加坡全国书法大赛作品评审工作，并作学术讲座，讲述《论草书》，受到热烈欢迎。5月，参加陕西省旅游局举办的《第二届国际书法年会》，在会上宣读了论文——《论虞世南书法艺术》。同年，王景芬与夫人阮增宝共同创作完成20万言电视连续剧文学剧本《颜真卿》，中国电视剧制作中心已列入拍摄计划，将成为海内外第一部以反映书法家传记为题材的电视连续剧。

王景芬，笔名书杉，1931年8月生于浙江义乌佛堂镇。1953年考入北京艺术学院美术系，毕业后留校任教。1964年奉调国家文化部艺术教育司任职。"文革"后到文物出版社从事书画编辑工作，并致力于书法理论研究。1981年参与筹备中国书法家协会的创建工作，任第一届中国书法家代表大会副秘书长、常务理事，主持创办《中国书法》杂志，任编辑部主任。现为中国书法家协会书法艺术培训中心主任，中国书协研究部主任、学术委员会副主任，中国书协理事，新加坡中华书学会评审委员会评议员。

王景芬的书法，从学《瘞鹤铭》、颜真卿入手，继学赵孟頫、智永、李北海，又习王羲之、王献之、张旭、王铎的行草书。他尤擅长行、草，人们称其行书秀雅，有浓厚的书卷气。草书连绵不断，草不逾矩，狂而不乱，自然率意。作品参加《中日名家书法展》、《中日书法家自作诗书展》、《国际中华书画艺术草书临摹大展》、《全国名家作品展》、《中外草书大展》等大型全国性、国际性高品位书法展览。不少作品被全国各大博物馆、碑林收藏镌刻并流传到东南亚、日本、美国、西欧等国家和地区。

王景芬是中国书协学术理论研究的主要负责人。他强调理论与实践并重，认为只有"眼高"，才有"手高"，书法理论是提高书法艺术水平的关键。他在长期积累的基础上，花费两年时间，撰写了30余万字的书法理论专著《论古代名家书法》。自汉代钟繇直至清代邓石如，共介绍、论述了22位书法名家及他们的书学观点。启功、沙孟海为此书题签，周而复在序言中称这部专著："从纵向与横向两个方面剖析了这些书法名家的生平经历、社会政治背景、心理素质、书坛地位及艺术特色和风格，是一部系统、全面、完整地展示与总结我国历代书法艺术大师的共性与个性及其内在联系的宏篇巨制。"王景芬还编著出版《颜真卿》（碑帖六册）、《柳公权》（碑帖二册）、《三希堂法帖》（说明与作者小传）、《书法基础知识》等。先后主持召开了三届全国书法理论研讨会，及首届绍兴兰亭国际书学研讨会等大型国际性、全国性学术会议。为在全国范围内建立、扶植起一支书法理论队伍倾注了大量心血。

王景芬的夫人阮增宝，是中国文联出版社的文学编辑，她对丈夫生活上照顾，事业上支持，成为贤内助。他们夫妇还合作创作了八集电视连续剧《怀素》和五集电视连续剧《舜帝南巡》。

〔王赓武·香港大学校长·当选台湾"中央研究院"院士〕　香港大学校长王赓武于1992年7月9日当选为台湾"中央研究院"第十九届人文组院士。

王赓武，1930年生于印尼一个华侨知识分子之家，祖籍江苏泰县。早年移居马来亚，就读于新加坡。1945年抗日战争胜利后，举家迁居大陆，他进南京中央大学攻读历史。1947年因战乱返回新加坡，进马来亚大学（新加坡大学前身）继续攻读历史，获学士、硕士学位。1954年赴英国伦敦大学，专修非洲和东方历史学，获博士学位。后执教于马来亚大学，1963年升为教授、历史系主任。1968年到澳大利亚国立大学任远东历史系教授兼系主任，1975年任太平洋研究院院长。1986年被聘为香港大学校长。

王庚武长期致力于中国及东亚历史研究，尤其是华人历史的研究。学术造诣很深，成就不凡，撰著甚多，其中有《南洋华侨简史》、《马来亚居民的文化背景：中国文化》、《华人在政治上对现代东南亚历史的贡献》、《东南亚华人少数民族》、《中国历史著述中的东南亚华侨》等，其学术观点受到国际同行的重视，有"远东史权威"之称。

1986年王赓武就任香港大学校长后，期待该校学生对中国现代化建设做出贡献，鼓励学生学习普通话。近年对加强与大陆大学及研究机构的往来交流做了很多工作，他是暨南大学的董事。

王赓武关心海峡两岸的交往沟通。1992年7月间，接受记者访问时说，过去香港大学在两岸不能直接沟通时，曾经扮演很重要的桥梁角色，尽量把大陆、香港、台湾三地学者聚到香港，就一些中国人共同的问题合作研究，这多少促进了相互了解。

〔王遂舟·郑州亚细亚商场总经理·被评为第三届中国十大杰出青年之一〕　第三届"中国十大杰出青年"评选结果1992年10月6日在北京揭晓。10名当选者中，有一位是河南郑州亚细亚商场总经理王遂舟。

王遂舟是一位改革的勇士。1988年10月，他主动放弃了国家机关干部的"铁饭碗"，来到了当时还是一张白纸的"亚细亚"，带领干部职工用198天就完成了开业的全部筹备工作。

王遂舟对传统的企业管理体制、经营机制进行了大刀阔斧的改革。开业3年，先后降免干部40人次，开除违纪职工74名，职工月收入最高达900余元，最低者分文没有。强烈的危机感刺激每一位"亚细亚"人，都竭尽全力做好自己的工作，使商场在短时间里就显示出蓬勃的活力。

在郑州，"亚细亚"最早成立了售后服务车队，免费为顾客运送大件商品；最早设立迎宾小姐和顾客关系部等，热情为顾客提供服务。"亚细亚"是全省第一家禁烟商场和花园式商场，也是全省第一家实行部分商品开架售货以及免费开放儿童乐园、夏季开办夜市的大商场。王遂舟对服务态度要求很严，营业员与顾客吵架，要受到200元以上的重罚，还要当面向顾客赔礼道歉，甚至被开除。

在王遂舟的领导下，"亚细亚"开业3年实现利税及其增长幅度均居全省零售商业之首。"亚细亚"的经营、管理及企业文化建设被称为"亚细亚现象"，受到全国商界的关注。王遂舟本人被评为"河南省青年十杰"，并被全国青联授予"为'七五'建设出成果、做贡献"竞赛活动优秀个人称号。

〔王湘宁(女)·国旅总社导游·在全国旅游系统职工服务技能大赛中获导游(英语组)第一名〕

1992年12月，展示我国旅游业最高水平的全国性竞赛——92全国旅游系统职工服务技能大赛在旅游名城桂林市举行。在强手如林的导游（英语组）比赛中，最引人注目的第一名，被来自北京中国国际旅行社总社的年轻姑娘王湘宁获得。

王湘宁，1968年2月出生于南京，1986年毕业于天津南开大学旅游系，1986年分配至中国国际旅行社总社担任英语导游。

说来有趣，王湘宁参加这次大赛，可以说是"被迫"的。赛前她正在北京外语学院参加联合国同声传译培训的紧张学习，她自己向来不爱参加各种比赛。这次直到选拔赛中入围时，她仍然要求把她换下来。最后还是总社领导"一锤定音"，她才服从了。总社领导的决定是有根据的：王湘宁这位24岁的姑娘，自1986年分配到国旅总社，短短几年间已在总社众多的导游人员中崭露头角。国旅总社和中央电视台合拍《导游规范》专题片时，由她担任片中主角；去年总社卢奋燕总经理在人民大会堂招待各国旅行商，又让她担任主持人。接受大赛任务后，王湘宁白天坚持参加培训学习，晚上进行参赛准备。在自选项目内容确定后，王湘宁反复构思更加新颖和富有吸引力的导游方案。比赛时，王湘宁以这样一段精彩的导语开始了她的讲解："女士们，先生们，假如让你长第三只眼睛，你喜欢长在什么地方呢？"台下有人说长在头顶，有人说长在脑后，也有人说长在两眼之间。这时她接着说："我问过许多中国人，大都这么说；但当我问一名西方游客时，他却说喜欢长在手掌上，这样看东西才更方便。"她从这种中西方思维方式的不同展开了她的题目《中西方文化的对比》，给人留下深刻印象。在比赛市容导游时，正赶上天阴下雨，这种天气往往容易影响人的情绪，而王湘宁却借题发挥："有人不喜欢雨天，可我并不在乎。"在客人们楞神之时，她接着说："因为你们就是我的太阳。"这个"包袱"一抖，引来一片笑声。大赛总裁判长如此评价她说："北京的王湘宁不仅语言上受过严格的培养，在导游规范，导游艺术方面也接受过严格培训，她使裁判们难以找出毛病来。"

〔王富龙·医院院长·研制癫痫汤获中华儿女传统医学奖〕　年仅27岁的哈尔滨市南岗区红十字康复医院院长王富龙，自1987年以来，向人类疾病中的顽症——癫痫病发起挑战，成功地研制出"癫痫汤"，临床治疗有效率达99.6%，痊愈率达60%，已为4110名癫痫患者解除了终身痛苦。在1992年2月举行的全国第二届中华儿女传统医学"飞达杯"学术表彰会上，他的科技成果论文《癫痫汤治疗癫痫病临床及实验研究》，在2000余篇论文中获得一等奖。同年11月，他在国际心病学术会议上宣读这篇论文，受到高度评价。12月19日，王富龙被选为全国青联第七届委员会委员。

癫痫病是世界医学领域的一种顽固性疾病。据统计，全世界癫痫病患者约有2000余万人，我国有500多万，居世界第2位，此病多发于青少年，严重影响患者的身心健康。目前国内外虽有很多药物可治，但临床实践证明，不能根治而且副作用大。为了攻克这一顽症，王富龙精读了大量的医学经典，翻阅了大量中外医刊杂志，深入研究癫痫的病因机理，悉心掌握各种治疗癫痫病的中草药之功效，继承中医辩证组方的精髓，成功地研制出癫痫汤。9岁男孩刘军，3岁时因感冒发烧引起抽风，每天发作数次，父母带他走遍哈尔滨的大小医院，皆无效果。孩子不能走路，不会说话。1990年8月4日，王富龙收治后，第一周孩子能站起，第二周能走动，第三周便可呼唤"爸、妈"，一年后恢复健康，现在已经上学了。王富龙治好了几千个"刘军"，被人们誉为"癫痫病患者的救星"。他不仅在学术上卓有成就，在医德医风上也堪称楷模。他十分体贴患者，对不能来院就医的患者开设家庭病床，免费登门服务。他先后开设家庭病床500余张，义务诊治1.5万人次，拒收礼物价值7000余元。

王富龙，黑龙江省哈尔滨市人，1965年12月12日出生于中医世家。他少年时就能吟诵"药性歌诀"、"汤头歌诀"，并略晓组方之道。曾先后就读于哈尔滨市第163中学和第9中学。1983年考入省中医学院。1987年毕业分配到南岗区红十字康复医院，在5年时间里，他出版了3部著作：《癫痫病分型诊断与治疗》、《冠心病中医疗法与研究》、《糖尿病中医临床研究》，共76万字；一部译作《糖尿病非药物疗法》，20万字。其中《癫痫病分型诊断与治疗》获全国医学工具书奖。他还先后获省市科技成果奖7项。发表学术论文72篇，其中10篇在国际会议上宣读，33篇属国家级论文。

〔王瑞林·任人民解放军总政治部副主任〕

1992年11月，中央军委任命王瑞林为人民解放军总政治部副主任。

王瑞林，1929年12月生，山东招远人，1946年参加革命，次年加入中国共产党，曾任胶东军区招远县独立营文书，东北军区机要处译电员。建国后，历任政务院机要处副股长，国务院副总理办公室秘书，中共中央总书记处秘书，总参谋部动员部装备处参谋，中共中央副主席办公室秘书、办公室主任，中共中央办公厅副主任，中共中央军委主席办公室主任。1990年起任中央军委纪律检查委员会书记。是中共十三届、十四届中央委员。1988年被授予中将军衔。

〔王新爱（女）·济南汽车制造总厂车桥厂铣床工·获全国先进女职工称号〕　"做一个共产党员就要有奉献精神。"王新爱1971年12月入党后，这句话就植根在她的心里。她进入工厂后一头扎在铣床上，一干就是十几年。1991年9月她担任了四车间党支部书记，仍依然跟班作业，置身于群众之中，保持"小草"本色。1992年3月，王新爱被全国总工会女工委员会授于全国先进女职工称号，并到北京参加了表彰奖励大会。

王新爱，山东牟平县人，1953年4月生。1970年入山东南阳湖生产建设兵团，1976年回到济南进了工厂。当时她爸爸是厂党委书记，又是人们敬仰的战斗英雄。但她没有找什么轻松的工作，愉快地到车间当了一名铣工，踏踏实实干了十几年。她是总厂、市局的劳动模范，是优秀党员，又是职工代表，各种学习和会议很多，但她从不因此耽误生产，1991年她参加市先进劳模报告团，白天巡回报告，晚上到车间干活，651制动臂急需调直，为争取时间，她自己搬运，自己加工，班产定额128件，她每次都干到270件。就这样她开会两周，加班半个月，完成了相当20天的工作量。7月参加全国中汽总公司模范报告团一个月，8月份回厂就白天连着黑夜干。一个月超额完成了两个月的任务。

在实践中，她逐步认识到，要出好产品，不但要有严谨工作态度，还要有科学文化知识。她积极参加厂里举办的中级工人学习班，经常学习到深夜，提高了技术和理论水平。加工162—85臂时，由于毛坯不规则，质量难保证，还容易出工伤事故。她细心观察之后，除请设计部门改变定位外，还认真向书本请教，解决了卡具夹力小，工件容易左右摆动的问题，铣出的工件光洁度高，质量好。

王新爱一门心思扑在工作上。父亲病重住院，她晚上陪伴，白天照常上班；孩子在医院做颈部手术，她依然控制着自己的感情，两眼盯着铣刀工件拚命干。等干完活赶到医院，孩子手术已做完。丈夫发高烧在家，她也未能请假照顾。她常常提醒自己：是一名共产党员就要把对家庭的爱、对亲人的爱连同时间和汗水都熔铸在对事业的追求中。

王新爱多次被评为汽车总厂模范黄河人、优秀党员、先进生产者。1990年被评为济南市先进生产者、优秀党员、双文明建设女标兵，1991年获山东省“富民兴鲁”奖章及省优秀党员称号。

〔王殿文·东宁县人民检察院检察长·被授予模范检察长称号〕　1992年5月，最高人民检察院授予黑龙江省东宁县人民检察院检察长王殿文“模范检察长”称号。

王殿文是河北省抚宁县人，1938年9月生，大专文化程度，1955年12月参加工作，1966年加入中国共产党，长期从事公安工作，担任过县公安局副股长、股长、副局长等职，1982年起任县人民检察院检察长。

王殿文创立的“检察建议书”与“检察建议信”相结合的办法，收到发一案、“治一线”的效果，帮助13个单位改变了治安状况，被最高人民检察院向全国推广。他注意全面发挥检察机关职能作用，努力为经济建设服务，一方面为企业清除蛀虫，同时建立“帮企点”，为企业提供法律帮助，先后使11个发案企业提高了效益，救活了4个濒临倒闭的企业。他以积极慎重的态度保护企业家、改革者，自1987年以来，先后保护改革者4人。

王殿文十分重视加强检察队伍自身建设。13年来，院领导班子严于律己，没出现过一起违纪现象，没办过一件人情案，近3年拒吃请30余次，拒说情200余人次，拒礼拒贿万余元。在领导的带动下，全院纪律严明，作风过硬，政绩突出。1989年以来，先后有25人次荣立三等功，4人荣立二等功，15人被评为先进工作者，18人次荣获市级优秀公诉人、办案能手、专项打击先进个人称号，10人次被评为省市检察系统先进工作者。在王殿文领导下，东宁县检察院连续4年被评为全省检察系统先进集体，曾受省委省政府通令嘉奖，并被评为社会治安综合治理先进集体。

遇有重大疑难案件，王殿文总是亲自参与办理。1990年和1991年，全院办理各类经济案件72件，他件件过问。54件贪污贿赂案件，他亲自参办的就有32件。重大案件的审讯、取证，他都亲自动手，保证了办案质量和进度，也培养了青年干警。他任检察长近10年，平均每年加班80个工作日以上。他从不徇私情，不办人情案。近几年，他拒说情100多人次，拒吃请数十人次，仅1991年就拒礼拒贿6000余元。10年中他领导办理的2300余件各类案件，未出现过一件冤假错案。王殿文曾受牡丹江市政府记大功奖励，被评为市检察系统先进个人、端正党风先进个人，还被评为“五好干警标兵”和“优秀共产党员标兵”。

〔韦文雅·畜牧专家·育出杂交水牛其泌乳量达国际先进水平〕　“八五”期间国家星火计划水牛开发顾问韦文雅在水牛改良研究课题中作出突出贡献，1992年他负责的水牛三元杂种横交种的泌乳期产乳量为2000公斤以上，达到水牛泌乳量的国际先进水平。

韦文雅，广西宾阳县人，1911年9月9日生，毕业于广西大学农学院畜牧专业。1939—1952年留校任副教授兼畜牧兽医专修科主任。1953年—1988年先后任广西畜牧试验场畜牧组主任兼副场长，广西农科所畜牧兽医系主任，中国农科院水牛所繁育系主任，广西畜牧所副秘书长。现任“八五”国家星火计划水牛开发顾问。

韦文雅长期从事我国水牛资源的研究。1978—1983 年写成《中国水牛资源调查汇编》（30 万字），获广西农业厅科技进步一等奖和农业部科技进步一等奖。1956 年向广西农业厅建议引进印度摩拉水牛用杂交方法改良中国水牛，结果改良后的中国水牛产奶量达 1128—1400 公斤，比未改良的当地水牛提高一倍，以后全国改良水牛发展到 16 万头。为此，韦文雅于 1985 年 12 月应邀参加在埃及开罗召开的首届世界水牛会议，荣获“科学先驱者”奖章和奖状，并获埃及国家水牛协会荣誉会员称号。他参加全国牛品种资源调查编写的《中国牛品种志》，获农业部 1987 年科技进步一等奖。他主持的广西家畜家禽品种资源调查并主编《广西家畜家禽品种志》，获 1987 年广西农业厅科技改进一等奖和广西科委科技进步三等奖。

〔区梦觉（女）·原广东省政协主席·在广州逝世〕　区梦觉于 1992 年 3 月 16 日因病在广州逝世，其遗体于同月 25 日火化。

区梦觉，广东南海人，1906 年生，又名区润燕。1925 年参加“五卅”运动。1926 年 1 月加入中国共产党。后曾任广东省妇女解放协会主任，参与组织广东妇女运动，领导建立各县妇女协会。1927 年 4 月曾赴汉口出席中共第五次全国代表大会。同年 12 月参加广州起义，失败后潜往香港，坚持革命斗争。1931 年九一八事变后参与组织香港反帝大同盟，任中共党团书记。次年两次被捕，在狱中坚贞不屈。抗日战争爆发后，经党组织营救出狱。此后曾任中共广东省委委员兼妇女部部长，参与领导广东妇女参加抗日救亡运动。1940 年底被选为中共七大代表，随广东代表团步行赴延安。1941 年任中共中央妇女运动委员会委员，入中共中央党校学习。1945 年 6 月任新成立的中国解放区妇女联合会筹备委员会常委兼秘书长。解放战争时期赴东北地区工作，曾任中共辽源地委组织部部长、佳木斯市委书记、松江省委委员兼妇女部部长。曾参加第二次国际妇女代表会议。1949 年被选为中华全国民主妇女联合会常委兼秘书长，出席第一届全国政治协商会议。中华人民共和国成立后，任过中共中央华南分局委员兼组织部副部长、纪律检查委员会副书记，中共广东省委组织部部长兼广东中级党校校长，广东省政府监察委员会副主任、主任，中共广东省委常委、书记、监察委员会书记，广东省政协主席，广东省人大常委会副主任等职。是中共第八次全国代表大会代表，当选为中共第八届候补中央委员。在中共十二大当选为中央顾问委员会委员。曾以特邀代表身份出席中共第十三次全国代表大会。是第一、三届全国人大代表。

〔牛荫冠·原全国供销合作总社主任·在北京逝世〕　牛荫冠于 1992 年 5 月 10 日在北京逝世，终年 80 岁。

牛荫冠是山西人。1933 年开始从事中共地下工作，1934 年参加社会科学家联盟，随后加入人民武装自卫会。1935 年加入中国共产党，并担任清华大学地下党支部书记，后担任北平西郊区委组织部长，北平市委组织部干事。直接参与组织发动了“一二.九”运动。抗日战争前夕，受中共中央北方局派遣，回山西参加中共领导下的与阎锡山开展特殊形式的上层统一战线工作，是中共山西工作委员会（公开）领导人之一。后全权负责牺盟总会工作，协助薄一波开办军政干部训练班、民训干部教练团。1939 年 12 月晋西事变中，领导牺盟总会保护疏散四百余名党的干部。后转赴晋西北根据地，先后任晋西北行政公署副主任、党组书记，晋中行署主任、党组书记，晋西北参议会副议长，晋绥贸易总局局长等职。

中华人民共和国成立后，牛荫冠任江西省财委副主任、财政厅长、江西省政府副主席。1954 年到湖南株洲三三一厂任厂长兼党委书记，并为中共湖南省委委员，领导研制出中国第一台螺旋桨飞机发动机。1955 年调沈阳一一二厂任厂长，并为辽宁省委委员，领导制造出我国第一架喷气式歼击机。为此，曾得到毛泽东的高度评价与表彰。1962 年后，任中央商业部副部长，全国供销合作总社副主任、主任兼党组书记。他是中共八大、十二大代表，第五届全国人大代表、第六届全国人大常委会委员。

〔毛江森·病毒学家·当选中国科学院学部委员〕　1992 年 1 月 3 日，中国科学院正式公布了新增选的学部委员名单。浙江省医学科学院研究员毛江森被选为生物学部学部委员。同年 10 月，他作为浙江医学科学院院长、中共十四大代表，到北京参加了中国共产党第十四次全国代表大会。

毛江森，1934 年 1 月生。1956 年毕业于上海第一医学院医学系。他研究医学病毒三十五年，在《中国科学》、《微生物学报》、“J.of Inf.Dis.”等发表论文五十余篇。从 1978 年以来，他对甲肝病毒进行系统研究；分离出 HAV；阐明了排毒及抗体反应模式；发现敏感动物——红面猴；证明甲肝有隐性感染；发现 HAV 在组织培养细胞内质网中增殖；研制成诊断试剂，解决了甲肝特异诊断；在领导国家“七五”214 项目——甲肝疫苗研制工作中，创立减毒株育选方法，培育出甲肝减毒疫苗毒种，研制成安全有效的活疫苗。这些成果为控制甲肝的严重流行取得重大突破，并将造福于人类。这项研究居世界领先地位。

1961 年，毛江森还率先开展干扰素研究，建立和系统研究了乙脑病毒——鸡胚细胞干扰素产生系统，促进了我国干扰素的研究；完成了我国 polio 活疫苗免疫效果及病毒增殖动态研究，为生产和使用提供依据；建立用于病毒工作的人胚肾传代细胞系；他曾著文强调“信息有可能从 RNA 传给 DNA”的新观念。

〔毛泽东·名著《在延安文艺座谈会上的讲话》发表五十周年全国各地举行纪念活动〕

1992 年 5 月，是毛泽东《在延安文艺座谈会上的讲话》发表五十周年。50 年前《讲话》的问世，改变了中国文坛的面貌，开创了中国革命文艺的新航程。在《讲话》发表 50 周年之际，全国各地举办了多种形式的纪念活动，许多报刊发表回忆录和纪念文章，广大文艺工作者缅怀半个世纪以来，《讲话》对指引、推动我国革命文艺不断发展所起到的不可磨灭的历史作用，决心在改革开放的新时期，弘扬《讲话》精神，为繁荣社会主义文艺，促进社会主义现代化建设作出新贡献。

5 月 7 日，中国社科院举行学术讨论会，对《讲话》的历史意义及如何在改革开放的新形势下继承和发展毛泽东文艺思想进行研讨；18 日至 31 日，文化部在中国美术馆举办大型美术作品展览，展出美术馆馆藏作品 286 件，延安时期四位画家（古元、石鲁、罗工柳、彦涵）作品 286 件；17 日，中宣部文艺局和水利、电力、石油、地质、林业、铁路、煤矿系统文化单位在京举办文艺晚会；20 日，中宣部、文化部、广播电影电视部在京联合举行纪念《讲话》发表五十周年颁奖大会，表彰过去一年里取得优异成绩的宣传、文化单位和文艺工作者；21 日，陕西省和西安市在西安举行纪念演出大会，延安各界在毛泽东发表《讲话》的旧址杨家岭举行纪念大会和文艺演出；22 日，文化部和广播电影电视部联合举办《丰收大地》文艺晚会，李瑞环、李铁映等观看了演出，数亿电视观众收看了现场直播；22 日—24 日，中国文联、中国作协、中国艺术研究院联合举行坚持和发展毛泽东文艺思想研讨会；上海市在 5 月份举办了一系列纪念演出、展览、座谈和学术讨论活动；江苏省举行了为期一个月的优秀剧目展览演出；文化部和总政于 5 月下旬组织大批文艺团体和艺术家带着 49 台剧（节）目赴厂矿、农村、部队、学校和科研机关，为基层群众演出。

《人民日报》于 5 月 21 日发表艾克思的长篇文章《延安的锣鼓》，详细记述了毛泽东酝酿、形成、发表《在延安文艺座谈会上的讲话》的前后经过。

为纪念《讲话》发表 50 周年，出版界推出了一批新书，其中有《毛泽东论文艺》（增订本）、《毛泽东文艺思想全书》、《延安颂歌》、《“5·23”丛书》、《延安文艺回忆录》、《延安文艺作品精编》、《延安文艺概论》、《延安文艺史》等等。

1992 年，《毛泽东兵法》在港出版，《毛泽东大辞典》、《毛泽东思想宝库》先后出版发行。5 月，陕西省周至县在唐代著名诗人白居易当年构思创作千古绝唱《长恨歌》的仙游寺，将毛泽东书写的《长恨歌》刻石流芳，建成碑廊，供世人欣赏。9 月，“毛泽东诗词墨迹碑林”在津门十景之一的蓟北雄关落成，碑林镌刻了毛泽东从 1923 年至 1964 年间创作并手书的诗词 26 首。12 月，由毛泽东的亲属李敏、孔令华主编的大型画册《怀念》出版，收入历史照片 130 余幅，其中有大量从未发表过的珍贵照片。

1992 年 9 月 9 日，是毛泽东逝世 16 周年纪念日，毛泽东的亲属及生前身边工作人员与来自全国各地的人民群众，来到毛主席纪念堂，瞻仰毛泽东遗容。12 月 26 日，是毛泽东诞辰 99 周年纪念日。毛泽东的故乡——湖南省韶山市的干部和群众隆重集会纪念。到 12 月 24 日为止，1992 年内韶山共接待中外参观者 106 万人，中共十一届三中全会后的 14 年，来韶山的中外参观者已达 817 万人次。

毛泽东，1893 年 12 月 26 日出生于湖南省湘潭县。1920 年在湖南创建共产主义组织。1921 年 7 月出席中国共产党建党的第一次全国代表大会，后任中共湘区委员会书记，领导长沙、安源等地工人运动。1923 年出席中共第三次全国代表大会，被选为中央执行委员。1924 年国共合作后，在国民党第一、二次全国代表大会上都当选为候补中央执行委员，曾在广州任国民党中央宣传部代理部长，1926年11月任中共中央农民运动委员会书记。1927年到武汉任全国农民协会总干事。先后发表《中国社会各阶级的分析》、《湖南农民运动考察报告》，阐述无产阶级领导农民斗争的极端重要性，批评了陈独秀的右倾思想。

1927年8月7日，中共中央在汉口召开紧急会议，毛泽东在会上提出“政权是由枪杆子中取得的”即以革命武力夺取政权的思想，并被选为政治局候补委员。会后，到湖南、江西边界领导秋收起义，接着率起义部队上井冈山，创立第一个农村革命根据地。1928年同朱德领导的起义部队会师，成立工农红军第四军，任党代表、前敌委员会书记。1930年红军第一方面军成立，任总政委。1931年中华苏维埃共和国临时中央政府在瑞金成立，被选为主席。1933年被补选为中共中央政治局委员。从1930年底起，同朱德领导红一方面军战胜了国民党军队的多次“围剿”。1934年10月红一方面军开始长征。长征途中，1935年1月中共中央政治局在贵州省遵义县城召开了扩大会议，确立了以毛泽东为代表的新的中央领导。10月，中共中央和红一方面军到达陕北。随后，毛泽东被选为中共中央军委主席。

在抗日时期，毛泽东写了《论持久战》、《新民主主义论》等许多重要著作。1942年领导全党开展整风运动，为全党夺取抗日战争和全国革命的胜利奠定了思想基础。1943年3月被选为中共中央、中央政治局主席，1945年主持召开中共第七次全国代表大会，作《论联合政府》的报告。

抗战胜利后，针对蒋介石企图消灭共产党及其武装力量的现实，毛泽东提出“针锋相对”的斗争方针。1945年8月赴重庆同蒋介石谈判。1946年夏蒋介石发动全面内战后，他和朱德、周恩来等领导中国人民解放军从战略防御转入战略进攻，经过辽沈、淮海、平津三大战役和1949年4月渡长江以后的作战，推翻了国民党政府。1949年3月，主持召开中共七届二中全会，并作重要报告，决定把党的工作重心从农村转到城市，规定了党在全中国胜利以后的各项基本政策。

1949年10月1日，毛泽东在北京天安门宣告中华人民共和国成立，任中央人民政府主席。1953年，提出党在过渡时期的总路线，开始有系统地实行社会主义工业化和对生产资料私有制的社会主义改造。1954年，第一届全国人民代表大会第一次会议通过《中华人民共和国宪法》。他在这次会议上当选为中华人民共和国第一任主席。1956年4月作《论十大关系》的讲话，对适合中国国情的建设社会主义的道路进行了一些初步的探索。1957年2月，作《关于正确处理人民内部矛盾的问题》的讲话。1958年，他发动“大跃进”和农村人民公社化运动。

1966年，毛泽东错误地发动“文化大革命”运动。这一运动又被林彪、江青反革命集团利用，使党和国家、人民遭到建国以来最严重的挫折和损失。但是，毛泽东一生对中国革命所建立的丰功伟绩始终受到中国人民的崇高尊敬。1976年9月9日毛泽东在北京逝世。

他的主要著作收入《毛泽东选集》。

〔仇志海·黑陶艺术家·荣立一等功〕 济南军区政治部创作员、中国雕塑家协会理事、山东美术家协会副主席仇志海，为弘扬祖国的龙山文化，携子世森刻苦探索，精心创作了近千种、上万件黑陶艺术品，先后在14个国家和地区举办展览，所到之处引起轰动，为国家创外汇20多万美元，被誉为“仇氏黑陶”、“艺苑精英”。1992年8月29日，中央军委主席江泽民签发通令，给仇志海记一等功。

黑陶是山东龙山文化最著名最典型的陶器，被历史学家称之为“原始文化中心的瑰宝”。但由于种种历史原因，这一“瑰宝”在数千年前就消失了，成为我国历史上的“千古之谜”。1928年，吴金鼎先生虽然首次发现了龙山黑陶，但由于没有弄清制作结构之谜，只能作为一种文化证件陈列在历史博物馆。矢志不渝的仇志海决心揭开这个秘密，50岁的生日刚过，就说服从工艺美院毕业的次子仇世森，揣着大半生积攒下的两万元钱，到山东省日照城关向阳河村，同几位农民兄弟一起，搭窝棚，垒土窑，栖窑枕土，探索制烧技术。渴了喝苦涩的井水，饿了啃冰冷的煎饼，经过三年的艰苦奋斗，终于掌握了300多个科学数据，攻克了制作和烧结的难关，一批又一批令人惊叹不已的黑陶艺术品问世了，使佚失四千多年的“国之瑰宝”重放异彩。1989年10月，获国务院文化部科技进步一等奖；同年12月，获布鲁塞尔第38届“尤里卡”世界发明金奖；1990年获国家科技进步一等奖；1991年2月，国务院文化部发出文告，要求把“仇氏黑陶”作为珍贵的艺术品予以特别保护。

“仇氏黑陶”在继承中求发展，在发展中重创新，源于古人，高于古人，具有古今结合、中西相融、古朴宏伟、飘逸俊雅和超薄超大的特点。大型作品的烧制是古代没有的。如蛋壳黑陶杯，高20厘米，壁厚0.2毫米，重18克，簿如纸，敲如钟。特别是《华夏祖缸》，高1.8米，直径2米，周长6.6米，重250公斤，壁厚仅1厘米，缸面塑有《盘古开天地》、《陶祖》、《夸父追日》、《老子》、《孔子》等33位华夏祖神和历史名人，称为“世界之最”。大型平面拼合浮雕作品的烧制，不变形，不开裂，平整均匀，衔接坚密。以《华夏五子图》为例，由25块30×30毫米的浮雕一次烧制而成，整个作品浑然一体，别具特色。沾土注浆成型工艺，成功率达98%以上，更是史无前例。仇氏父子改进了传统的卵石打光，既省时又保险，提高了工效16倍。所有创作堪称是“返朴归真，稀世奇珍，虽无金碧也辉煌”的艺术珍品。1989年4月，近20名专家在国务院文化部召开的鉴定会上一致认为：仇志海的“现代黑陶艺术”，继承和发展了我国龙山黑陶艺术，在技术和艺术创作上都有新的突破，为雕塑、工艺美术、环境艺术、建筑装饰开创了广阔的前景，是美术新技术、新材料、新工艺方面的重要成果。

“仇氏黑陶”在国外展出后，华裔看了感到骄傲，外国人看了为之倾倒，世界刮起了“黑旋风”，十几个国家和地区的客商不惜重金购买收藏。党和国家领导人出访，经常把“仇氏黑陶”作为贵重礼品赠给外国元首。当年，吴金鼎首次发现龙山黑陶，破除了“中国文化西来论”。如今，仇志海发掘了制作、烧结黑陶艺术品的秘密，把黑陶艺术从历史博物馆里解放出来，把陈列品变为人们生活的艺术品，雄辩地证明：伟大的中华民族，历来是人才济济，聪明绝顶，智慧超人，它的意义已经远远地超过了“仇氏黑陶”本身。

仇志海在艺术上功迹卓著，在政治上始终保持共产党员的优秀品德。1989年获国际发明金奖之后，他拿出一万元赠给曾经战斗过的连队改善生活。1990年9月，他给在北京召开的第十一届亚运会捐赠了价值21万元的黑陶艺术珍品。1991年9月，他又委托香港万业隆发展有限公司举办“仇氏黑陶赈灾义展销”，将所得的12.2万元港币全部赠给华东灾民，以表达一个老党员为人民之心，爱人民之情。

仇志海，山东崂山县人，1935年出生。其简历见1990年《中国人物年鉴》。

〔乌兰夫·已故国家领导人·乌兰夫纪念馆在呼和浩特落成开馆〕　据《人民日报》报道，乌兰夫纪念馆于1992年12月23日在内蒙古首府呼和浩特落成开馆。乌兰夫纪念馆展出面积1400平方米，分为序厅和8个展室。序厅正面为高3米的乌兰夫汉白玉坐像，两侧为蒙汉文乌兰夫生平介绍，左右两壁为四组5.5米的仿汉白玉浮雕。以参加反帝爱国运动、武装斗争、经济建设和各族人民团结为主要内容，详细介绍了乌兰夫同志65年的革命斗争生涯。

乌兰夫（1906—1988），蒙古族，曾用名云泽、云时雨，内蒙古土默特左旗人。1925年加入中国共产党。曾任内蒙古自治区主席、党委第一书记，中央民委主任，国务院副总理，中共中央政治局委员，中共中央统战部部长，全国政协副主席，全国人大副委员长，国家副主席。1988年12月8日因病逝世。

〔凤飞飞（女）·港台知名人士·为希望工程捐款六十万元〕　港台知名人士、著名女歌星凤飞飞与夫婿赵宏琦，于1992年7月15日在北京人民大会堂为希望工程捐款六十万元人民币，资助援建三所希望小学。这是迄今为止海外同胞捐资援建希望小学数额最大的一笔捐赠。共青团中央书记处书记、全国青联副主席洛桑对其慷慨之举表示感谢，并希望海内外同胞携起手来，进一步加强联系和合作，共同为振兴祖国教育、培养面向21世纪的优秀人才作出更大的贡献。

凤飞飞，本名林秋銮，1953年生，台湾省桃园县人。初中毕业。最初以林茜之名当歌星。1971年台湾中华电视台开播时，因演出闽南语连续剧《双飞燕》而走红，并改艺名凤飞飞，陆续演出连续剧《开漳圣王》、《兄弟英豪》等。后以演唱为主。1977年凤飞飞主持台湾电视台综艺节目《我爱周末》，大受欢迎。后转投中华电视台，主持《你爱周末》、《一道彩虹》等节目，以乡土气息的形象在歌坛独树一帜。曾屡次获电视综合杂志主办的电视金像奖，被选为最受欢迎的女歌星。还数度客串演出电影，并主唱《枫叶情》、《我是一片云》等电影主题歌。1979年主演电影《春寒》。1981年赴香港与赵宏琦结婚。同年11月获美国华盛顿市颁赠的“玉音奖”。之后不时登台演唱，1984年获圣地亚哥美国国际大学“国际知名艺人荣誉奖”。1991年出有歌唱专辑《浮世情怀》。凤飞飞闻名台港，《就是溜溜的她》、《凤儿踢踏踩》等。

在台湾凤飞飞拥有众多歌迷。这些歌迷于八十年代初成立了“凤之友”歌友会，1991年8月他们还专为凤飞飞走过舞台二十载举办了一场三小时的温馨感人的庆生会，最后凤飞飞演唱了自己最喜爱的歌《掌声响起》。

〔方生·经济学家·发表《对外开放与利用资本主义》一文〕　1992年2月23日，中国人民大学教授、经济学家方生在《人民日报》上发表了《对外开放与利用资本主义》一文，引起海内外舆论的广泛关注。这篇文章针对改革开放中存在的那种害怕资本主义、不敢大胆利用资本主义，甚至把改革开放说成是引进和发展资本主义的“左”的倾向，明确地指出，中国只能走社会主义道路，不能走资本主义道路；但是同时，只有正确利用而不是完全排斥资本主义，批判吸收而不是一概拒绝西方文化中对我们有用的东西，中国才能富强起来。论文发表后，美国《纽约时报》、日本《读卖新闻》等报刊纷纷发表评论，新华社和中国新闻社摘要转发，《北京周报》全文译为英、德、法、日和西班牙五种文字向国外介绍。

方生原名陈实，1925年10月生，福建连江人。1946年进台湾大学攻读农业经济，曾任台大学生联合会首任主席，领导台大进步学生运动，并投身于台湾人民“二·二八”起义。后辗转回到大陆。1950年至1952年在中国人民大学攻读政治经济学专业研究生，毕业后留校工作，历任讲师、副教授、教授。1959年至1966年，任人大函授学院马列主义理论教研室主任。1983—1986年到深圳，参加深圳大学的创建工作，任深圳大学副校长兼特区经济研究所所长。现任中国人民大学教授兼校务委员、中山大学和中国科协讲学团兼职教授、全国台湾研究会常务理事、北京台湾经济研究中心理事长。

方生长期从事社会主义经济理论的研究和教学工作，在深圳大学工作期间开始研究特区经济和台湾经济问题。改革开放以来，他出版了十余种经济学著作，其中影响较大的有《中国经济改革》（合著）、《中国社会主义经济问题》（合著）、《深圳特区经济考察》和《深圳特区经济问题》等。他主编的《走向开放的中国经济》一书，以其体系新、有创见而受到学术界的推崇。此外，他还在《人民日报》、《经济研究》等报刊上发表论文近百篇。

近年来，他先后多次应邀到美国哈佛大学、哥伦比亚大学、伯克莱大学和日本东京大学、早稻田大学讲学与进行学术交流。

〔方汉奇·中国新闻史学家·当选中国新闻史学会会长〕　经国家民政部批准成立的中国新闻史学会，1992年6月在北京召开首届会员大会，方汉奇当选为该会会长。

方汉奇，原名方汉迁。1926年生。广东普宁人。1950年于苏州国立社会教育学院新闻系毕业后，到上海新闻图书馆从事《申报》史料的整理和研究工作。1951年在上海圣约翰大学新闻系讲授新闻史专题。1953年调北京大学中文系新闻专业任教，专讲新闻史。彼时，新闻史研究尚待开拓，不到27岁的方汉奇一边讲课，一边扎进图书馆，从浩如烟海的故纸堆里，精心择选星星点点的资料，为新闻史的研究奠下一块块基石。40年过去了，方汉奇如今已鬓发染霜，然而在他笔下却结出累累硕果。

他历年发表的新闻史方面的论文近百篇。其中《从不列颠图书馆藏唐归义军“进奏院状”看中国古代的报纸》一文，论证了原藏敦煌石窟的中国唐代“进奏院状”是世界上现存最早的报纸；《邵飘萍是共产党员》一文，明确了著名新闻工作者邵飘萍的共产党员身份；《新闻学是历史的科学》、《关于新闻史研究的几点体会与建议》等文，论述新闻史研究在新闻学科中的重要地位，批评新闻史研究工作中“左”的思想影响，引起国内外新闻学者的注意。著有《中国古代的报纸》、《报史与报人》、《报刊史话》、《中国近代报刊史》、《中国新闻事业简史》（与人合作）、《中国当代新闻事业史》（主编）、《中国新闻事业通史》（主编）等。其中《中国近代报刊史》一书近60万字，涉及报刊500家、报人1500名，是继戈公振《中国报学史》之后出版的又一部有关中国新闻史的重要学术著作，该书1986年获北京市优秀科研成果奖，1987年获吴玉章奖金新闻学一等奖。

1958年，方汉奇随北京大学中文系新闻专业并入中国人民大学新闻系执教，历任讲师、副教授、教授，新闻事业史教研室主任等职。现任中国人民大学新闻学院教授，校学术委员会委员，博士研究生指导教师，中国新闻史学会会长，《中国大百科全书·新闻出版卷》编委兼中国新闻事业史分支主编，《中国新闻年鉴》编委，中华新闻函授学院顾问。1984年被中华全国新闻工作者协会评为全国一级优秀新闻工作者，1989年被评为全国优秀教师。

〔尹文英（女）·昆虫学家·当选中国科学院学部委员〕　中科院上海昆虫研究所研究员、博士生导师尹文英因在原尾虫系统分类研究中作出重要贡献，于1991年底当选为中科院生物学部学部委员，1992年1月3日正式公布。

尹文英，1923年10月18日生，1947年毕业于中央大学生物系。曾在中央研究院动物研究所工作。新中国成立后，先后在中科院水生生物研究所和上海昆虫研究所工作，兼任国家自然科学基金第一、二、三届评委及第二、三届动物学科评审组组长，中国昆虫学会、上海动物学会和美国纽约科学院及英国皇家昆虫学会会员。

尹文英长期从事原尾虫系统分类的研究。她根据我国各地采集的标本报道了原尾虫144种，其中121个新种、16个新属，并建立了4个新科。她通过研究华蚖和古蚖属的前幼虫及它们的精子发现，有气管系统的古蚖和华蚖不是原始的，而是由无气管系统的蚖类的祖种演化而来，是较特化的类群，从而推翻了长期来许多著名原尾虫专家的分类观点。她将已知的54属原尾虫用新概念分群，形成2亚目、8科和14亚科的分类体系，这与著名丹麦专家TUXEN在1964年创立的3科16属原尾虫经典分类系统原则上不同。她还发现原尾虫与有翅类昆虫和无翅亚纲的双尾目、弹尾目及缨尾目昆虫均有明显差异，因此提出“原尾虫是不是昆虫”的问题，引起国内外著名学者的关注，并对其成果予以高度评价。

尹文英曾对淡水鱼类寄生虫和鱼病防治进行了研究，找出了十几种流行广、危害大的鱼病的防治措施和管理方法，在全国基本上控制了淡水鱼病的发生。她还对土壤动物如白蚁、螨等进行了研究，由她牵头研究的《亚热带森林土壤动物区系及其在森林生态平衡中的作用》成果于1990年撰写成第一部《中国亚热带土壤动物的研究》专著。她主持的“原尾虫系统分类的研究”获中科院1986年科技进步一等奖和1989年国家自然科学奖二等奖；“中国淡水鱼类鱼病防治”、“鱼病的预防和治疗”（主要参加者）、《中国淡水鱼类寄生虫论文集》（参加撰写）分别获国家自然科学奖三等奖、中科院优秀科技奖和科技进步二等奖。此外，她参加的“青藏高原隆起及人类活动和自然环境影响的综合研究”获中科院1986年科技进步特等奖。

尹文英是九三学社第六、七、八届中央委员。曾先后获1983、1989年全国“三八”红旗手及上海市先进工作者、市“三八”红旗手、市“六好”积极分子、市劳动模范等称号。

〔尹永顺·铁道建筑路基病害防治专家·创解决铁路防风防沙新技术〕　乌鲁木齐铁路局科研所铁建研究室主任、高级工程师尹永顺创南疆铁路防风新技术，为国内首创，1992年3月通过了鉴定，受到国内著名专家高度评价。

尹永顺，1942年2月生，山东人。1957年毕业于西安交通大学工程力学系。1982年获该校硕士学位。1967—1969年曾留校任教。1982年调乌鲁木齐铁路局科研所工作至今。

尹永顺针对南疆铁路吐鲁番至鱼儿沟113公里穿越砾漠大风地区的路段常遭巨大风沙侵袭，以及兰新铁路新线多次遭受风灾列车被迫停运的情况，进行了铁路防风沙的研究。为了摸清风沙流的结构、规律以研究戈壁风沙的特征（包括大风的起沙风沙、飞扬高度、风沙密度），他和助手们把研究地点设在南疆线风沙最大的地段。每当八级以上大风，他们就在布满砂砾碎石的戈壁滩上猫着腰工作，对动态车辆气动特性进行了开拓性的研究。苦干六年，终于在“风区铁路挡风墙合理高度及列车安全运行研究”中，取得重要成果，并通过了铁道部专家的鉴定。该成果降低了防风工程造价34%，节省投资208万元，填补了我国铁道车辆空气动力学的空白。

他还主持了“南疆铁路风沙流及线路防沙技术研究”（1985—1987），“风区铁路路基风蚀机理研究”（1988—1991）等课题，前者填补了我国在砾漠大风地区铁路防沙技术的空白，并于1989年参加第三届亚洲及太平洋国际风工程学术会议时，受到好评。后者为国家自然基金的重要项目之一，它不但在理论上有新发现，在技术也有创新，特别是路基风蚀极限的发现和防风蚀工程优化设计的方法，可节省投资60%。他还主持了“百里风区大风规律的研究”，提出了铁路上防止因大风而翻车的合理对策及工程防护的总体方案，受到专家们的高度评价。

尹永顺的研究成果“南疆路风沙流及线路防沙技术研究”获1988年铁道部科技进步一等奖、自治区科技进步二等奖、1989年国家科技进步三等奖；“风区铁路挡风墙合理高度及列车安全运行研究”获1990年铁路局科技进步一等奖、1991年铁道部科技进步三等奖；“百里风区大风规律的研究”获1985年铁路局科技进步一等奖、1986年自治区科技进步四等奖。1991年，国家教委、国务院学位委员会授予他“做出突出贡献的中国博士硕士学位获得者”，新疆自治区党委授予他“有突出贡献的优秀专家”，铁道部授予他“全国铁路优秀知识分子”和“全国铁路优秀共产党员”等称号。

〔尹作斗·沈阳双喜股份有限公司董事长兼总经理·获全国优秀乡镇企业家称号〕　尹作斗领导沈阳市双喜股份有限公司完成工农业总产值超亿元，于1992年被评为全国优秀乡镇企业家。

尹作斗，1931年10月生，山东省沂南县双喜村人，大专文化。改革开放十多年来，尹作斗认真贯彻执行党中央的富民政策，从本村实际出发，走出了一条持续发展乡镇企业的成功之路，展示了农村城市化的光明前景。据1992年统计，他领导的沈阳市双喜股份有限公司，共兴办集体企业51个，完成工农业总产值1·2亿元，拥有固定资产6300万元，使公司一跃成为农、工、商各业综合发展的企业集团。

1984年，在尹作斗的倡导下，双喜村创立了辽宁省第一家农民股份制企业——双喜股份有限公司，目前股金已由最初的85万元发展到1000万元，占全部流动资金的40%，到1992年共向国家纳税3000多万元，向职工支付股息900多万元，为集体新增固定资产原值6300万元，安置社会劳力3516人。在原有股份合作制的基础上，1988年，双喜村又实行了股份加租赁的办法，进一步完善了股份制。股份制的实行调动了经营者及股东的积极性，改革了企业内部经营机制，保证了企业持续、协调、稳定发展。

尹作斗非常重视企业的技术改造和新产品开发。双喜股份有限公司的沈阳市工业泵厂研制的MPH型化工流程泵多级阶段式离心油泵，被列为国家“七五”重大攻关项目，荣获由国务院总理李鹏签署的“国家重大科学技术装备成果二等奖”，替代了进口产品，成为部级定点生产和销售厂家；专利产品椭圆罐模具荣获第二届乡镇企业出口商品展览会一等奖。尹作斗还大力兴办外向型企业，与匈牙利合资兴建的沈阳双喜皮革制品有限公司即将投入生产。

尹作斗时刻不忘关怀群众的生活。双喜股份有限公司在村民中实行了月工资制、劳保退休制，并实行了十三项福利待遇，由集体出资为村民办理了家庭财产、集体财产、劳保退休和人身等四保险，全部职工都住进了两水两气住宅楼，投资七十万元兴建了高档次的幼儿园，五保户、烈军属都得到了妥善照顾。

尹作斗抓经济建设，也抓精神文明建设，常年坚持对广大村民进行爱国主义、社会主义思想教育，把党总支建设成了一个坚强的战斗堡垒。他严格要求自己，一心为公，廉洁清明，在名利面前表现了共产党人的高风亮节。双喜股份公司被省政府授予“发展乡村工业先进村”、市政府授予“先进集体”荣誉称号。

〔丑述勤·东北制药总厂党委书记·总结出以经济建设为中心做好党务工作的新经验〕　在以经济建设为中心，实行厂长负责制的情况下，如何当好企业党委书记？《人民日报》1992年7月21日向读者介绍了国家一级企业、产品远销55个国家和地区的东北制药总厂党委书记丑述勤的新经验。

1991年初，由于原料价格上涨等原因，东北制药总厂遇到了前所未有的困难。上级下达的2500万元利润任务，几经努力到一季度末才完成250万元。一些干部职工对完成全年任务产生畏难情绪。丑述勤说，只要思想不滑坡，办法总比困难多。他立即组织全厂党员围绕上新产品和利润指标立项攻关。又部署举办“东药党员风貌展”，广泛开展向优秀党员学习和“怎样做一名合格党员、合格工人”的讨论，充分发挥党员的先锋模范作用，激发起广大职工的主人翁责任感。在100天中，党员立项攻关320项，厂里上了3个新产品，进行了23个较大的技改项目，节约原材料1100吨。上半年，不仅超额完成了利润突破千万的目标，而且有5个产品的指标创历史最高水平。丑述勤体会到：在以经济建设为中心，实行厂长负责制的情况下，企业的党务工作要放到具体生产经营中去，扭住“中心”献赤诚，才有依托，才能抓出实效来。

丑述勤认为，群众组织是党联系群众的桥梁和纽带。加强党对群众组织的领导，就是要他们把工作重点放在生产经营的难点上，围绕“中心”发挥作用。因此，他积极参加工会组织的各种活动。在生产竞赛中，他建议把“承包指标，现场管理，科技攻关”等内容包含进去。去年工会搞的以“比学习、比干劲、比节约、比效益”为内容的竞赛中，全厂职工提出合理化建议2683项，创经济效益700万元，降低成本850万元，修旧利废节约经费1105万元。为了使全厂1400多名党员在改革开放中不断开拓进取，丑述勤倡议开办了东药党校。党员们在这里学习马克思主义基本理论和发展外向型经济的常识，不断提高对新形势的认识。无论是搞风险抵押、房租改革、股份制试点还是发展外向型经济，第一项改革方案出台时，走在前面的总是党员。由于始终扭住“中心”开展政治工作，许多政工干部也学会生产经营的本领。近年来先后有20多名得力的政工干部被调整充实到生产经营岗位上去，发挥了很大作用。丑述勤说，就是要让党员干部都具有政治工作和行政经营两套本领，在企业改革开放中打先锋。

丑述勤，辽宁省新金县人，1935年11月生，1951年参加工作，1953年加入中国共产党，职称为高级政工师。40年来的精力才华全部奉献在东北制药总厂，开始做保卫工作，后做党务工作，1985年担任厂党委书记。曾荣获沈阳市劳动模范、辽宁省优秀党务工作者称号和《半月谈》杂志授予的政治工作创新奖特等奖。他所在的东北制药总厂被授予“全国经济效益先进单位”，荣获全国企业管理优秀奖（金马奖）、国家质量管理奖。

〔邓宇·青年舞蹈演员·获最佳表演奖〕

在首开福建省舞剧艺术先河的《丝海箫音》中，饰演小海的福建省歌舞剧院青年舞蹈演员邓宇，以其娴熟的技巧、清新的韵味和感人的表演，于“92全国舞剧观摩演出”中，获最佳表演奖。

邓宇，1967年10月生，福建省漳州人。1978年入福建省艺术学校学习舞蹈专业。在校期间，参加演出过《追鱼》、《长夜行》、《乡间小路》、《希望》、《怀念战友》、《猎归》、《牧马人之歌》等。1984年以优异成绩毕业后，到福建省歌舞团任演员。1985年以舞蹈《命运》参加福建省音乐舞蹈节获表演一等奖。1986年在全国第二届舞蹈比赛中获表演一等奖。1988年在北京舞蹈学院进修时，参加了全国第二届“桃李杯”比赛，夺取现代舞组唯一的优秀演员奖。在随团出访玻利维亚中，被冠以“外国优秀演员”荣誉称号。1989年冬应聘到由曹诚渊创办的香港第一个专业现代舞蹈团——香港城市当代舞蹈团担任演员。在香港艺术节中，由该团演出的《岛与大陆的梦》一台六个节目的晚会里，邓宇主演了《独自》、《河之三：幻化——鸟》、《鸟之歌》等三个作品，受到同行们的赞赏。有评论说，邓宇的舞艺令人拍掌叫好，技巧感情几乎给予观众满分享受，弹跳轻盈、稳健，时间控制尤其精妙。1991年他如期回到福建省歌舞剧院后，又在不舍地追着“太阳”，那“太阳”就是邓宇心中的艺术殿堂。他是中国舞蹈家协会会员。

〔邓林（女）·画家·举行个人画展获好评〕

1992年7月，著名水墨画家邓林，在中国美术馆举办了她的个人画展《远古的回音》，并出版了《远古的回音》画集。

邓林，四川广安人，1941年出生于河北涉县。当时正值抗日战争的艰苦时期，生后七天，即寄养于农民家，两年后，才到延安保幼院。四年后，回到母亲身边。长期随父母转徙于河北、北京、上海、南京、武汉等地。她成长于艰苦的环境中，而对美术、音乐，极有秉赋。1954年到苏联治病时，遍览莫斯科各博物馆所藏名画，这对她后来专门从事美术创作，极有启示作用。

邓林曾入中央音乐学院附中学音乐，后转学入中央美术学院附中。曾为汪慎生先生入室弟子。其后正式入中央美术学院国画系花鸟科学习，受教于李苦禅、田世光、郭味蕖诸大师。她历经磨炼，对艺术矢志不移，刻苦学习。毕业后，入北京画院任花鸟创作室副主任。

从1981年开始，她以其酣畅淋漓的大写意花鸟画，参展于北京、深圳、加拿大、纽约、日本、法国、泰国、菲律宾、台北、香港和澳门等地的重要联展和个人展，并遍历亚、美、欧各大洲。在展览，访问、拍卖、讲学的诸多艺术活动中，每多创造，并不断地变革创作手法，追逐艺坛时代风云，在国内外赢得盛誉。

1985年是邓林艺术丰收的一年，她首次在日本东京举办个人展，出版了《邓林水墨画集》，秋天，发起成立“东方美术交流学会”，并任会长。11月，又受哈默博士邀请，访问美国。这些展览、访问和频繁的艺术活动，既锻炼了自己，也为日后的展拓奠定了良好的基础。次年，由北京画院调至中国画研究院，任专职画家。开始了创作的变革，创作了一系列新颖别致的抽象水墨画。并率团赴香港参加《东方美术交流学会中国画展》和“东方水墨画大展”，从而更进一步巩固了她在画坛的地位。特别是1988年在台湾慈晖画廊的展出，为海峡两岸的文化交流，作出了有益的贡献。此后她在法国考察、展览，在日本举办个人展，在菲律宾举行“四人展”，在新加坡举行水墨联展，在泰国参加“中国当代美术家系列画传”的首展仪式，并多次参加拍卖，都取得了隆盛的声望。

她的作品风格遒劲，笔墨爽健，饶有现代意味，饶有阳刚之美。1986年在日本曾获“现代水墨画展‘86’优秀奖”，1988年在北京获“国际水墨画展‘88’优秀奖”，1991年她的磨漆画《远古的回音》获日本“亚细亚现代美术展”金奖。《远古的回音》是她在国内举行的首次大型个人展。作品以抽象水墨为主，她的大幅艺术丝毯，就是她磨漆画创作思路的延伸和发展。

邓林现为中国画研究院副研究员，东方美术基金会主席、国际友谊促进会理事。

〔邓拓·已故无产阶级新闻宣传家·诞辰八十周年纪念诗会在福州举行〕 1992年2月12日，邓拓的家乡福州举行了“纪念邓拓同志诞辰80周年”诗会。全国各地寄去诗词250多首，对联70多副，表达人们对“文革”期间迫害致死的邓拓的无限怀念。其中一首写着：“识荆有幸在燕山，《夜话》篇篇见寸丹。盖世奇才悲玉碎，长留正气照人寰。”

邓拓，原名邓子健、邓云特，笔名左海、马南邨、向阳生等。1912年生，福建闽侯人。父亲是清朝最后一科举人。邓拓在其父严教之下，从小刻苦读书。1930年在上海光华大学读书时，加入“中国左翼文化总同盟”中的“中国社会科学家联盟”，同年加入中国共产党。1933年参加福建人民政府的反蒋爱国斗争。抗战爆发前投身抗日救亡运动。1937年进入晋察冀边区，先后担任《晋察冀日报》社长兼总编辑、新华社晋察冀总分社社长、中共晋察冀中央分局宣传部副部长、党报委员会书记等职务。北京解放后，历任中共北京市委政策研究室主任、宣传部长，《人民日报》总编辑、社长，北京市委书记处书记，《前线》杂志主编，中共中央华北局书记处候补书记等职。他还曾担任中华全国新闻工作者联合会主席、中国科学院哲学社会科学学部委员，中国历史研究所学术委员。

在《晋察冀日报》工作期间，他一手拿枪，一手握笔，在烽火硝烟中坚持随时出报，谱写了名闻遐迩的“八匹骡子办报”的佳话。在《人民日报》和《前线》杂志工作期间，他勤奋工作，积累了丰富经验。他博学多才，勤于写作，新闻工作之余，在历史、文学、美术、书法等方面也有所涉猎，成绩斐然。他为《北京晚报》的《燕山夜话》、《前线》杂志的《三家村札记》等专栏写的杂文，具有较高的思想性和艺术性，深受广大读者欢迎。

“文化大革命”一开始即遭迫害。林彪、江青反革命集团无端发难，抓住《三家村札记》、《燕山夜话》中真切批判“左”倾机会主义的杂文，曲解原意，大兴文字狱，在全国掀起大抓大小“三家村”的妖风浊浪。1966年5月17日夜，邓拓伏案灯前，写完他对现代“文字狱”的控诉书，便与世长辞，年仅54岁。

“笔走龙蛇二十年，分明非梦亦非烟。文章满纸书生累，风雨同舟战友贤。屈指当初功与过，关心最是后争先。平生赢得豪情在，举国高潮望接天。”邓拓满纸豪情的七律《留别人民日报诸同志》，是他经历艰难曲折而始终不懈地献身革命的光明磊落一生的真实写照。1979年9月5日，中共中央为蒙冤受屈的邓拓彻底平反，胡耀邦主持了隆重的追悼会。邓拓是第一、二、三届全国人大代表，第一届全国政协代表。

〔邓涛·曲艺演员·在全军文艺会演中获表演一等奖〕 1992年6月，解放军成都军区战旗歌舞团曲艺演员邓涛，在全军第六届文艺会演中演出谐剧《中秋节》，获表演一等奖，创作二等奖。

邓涛，1947年生，四川高县人。1961年起在成都一家具厂当工人、干部。他酷爱曲艺、谐剧，于1976年拜四川谐剧创始人王永梭、著名相声演员杨子阳为师，此后即活跃于业余和专业舞台，曾被评为四川省、成都市先进文艺工作者，多次获得创作奖、表演奖。1986年参加解放军成都军区战旗歌舞团，至1991年，连年因深入边防为兵服务立功受奖。特别是几次去西藏高原演出，在气候恶劣和严重缺氧的艰苦条件下，担负了繁重的演出任务，常常是一个人一台戏，每到一处，都给部队带去欢乐，被誉为“边关笑星”。他创作和表演的谐剧《寻子记》、《多情姑娘》、《在列车上》等，分别在1987年、1989年全军文艺会演和调演中获奖，并由中国唱片社录制磁带发行。

〔邓小平·视察南方发表重要谈话〕 1992年1月18日至2月21日，邓小平先后到武昌、深圳、珠海、上海等地视察，沿途对当地党政领导、企业负责人发表了一系列重要谈话。中共十四大报告称：“今年初邓小平同志视察南方发表重要谈话，精辟地分析了当前的国际国内形势，科学地总结了十一届三中全会以来党的基本实践和基本经验，明确回答了这些年来经常困扰和束缚我们思想的许多重大认识问题……不仅对当前的改革和建设，对开好党的十四大，具有十分重要的指导作用，而且对整个社会主义现代化建设事业具有重大而深远的意义。”

邓小平南巡谈话涉及我国改革开放和经济发展

前景的许多重大问题，既体现了他的一贯思想和主张，又有许多新的发挥和发展。谈话“贯穿了一个鲜明的中心思想，就是必须坚定不移地全面贯彻执行党的‘一个中心、两个基本点’的基本路线，解放思想、实事求是、放开手脚、大胆实践，排除各种干扰，抓住有利时机，加快改革开放步伐，集中精力把经济建设搞上去，不断地把有中国特色的社会主义事业全面推向前进”（江泽民语）。谈话指出，革命是解放生产力，改革也是解放生产力，不坚持社会主义，不改革开放，不发展经济，不改善人民生活，只能是死路一条。谈话强调，改革开放胆子要大一些，敢于试验，不能像小脚女人一样，看准了的，就大胆地试，大胆地闯，没有一点闯的精神，没有一点“冒”的精神，就走不出一条好路，走不出一条新路。在如何认识和处理计划与市场的关系问题上，邓小平提出，计划多一点还是市场多一点，不是社会主义与资本主义的本质区别，计划经济不等于社会主义，资本主义也有计划；市场经济不等于资本主义，社会主义也有市场，计划和市场都是经济手段。在关于反“左”、反右的问题上，邓小平指出，现在，有右的东西影响我们，也有“左”的东西影响我们，但根深蒂固的还是“左”的东西，中国要警惕右，但主要是防“左”。在关于社会经济发展速度快和慢的问题上，邓小平认为，像中国这样一个发展中的大国，发展得要快一点，要抓住时机，加快发展，关键是发展经济，能发展就不要阻挡，有条件的地方要尽可能搞快点；在现代化建设的长过程中，要争取出现若干个发展速度比较快、效益又比较好的阶段。邓小平还强调要坚持两手抓，一手抓改革开放，一手抓打击各种犯罪活动，两只手都要硬，不仅经济要上去，社会秩序、社会风气也要搞好，这才是有中国特色的社会主义。邓小平提出，要认真研究西方发达国家符合社会化大生产的先进经营管理方式，是否适合中国这样的发展中的社会主义大国。他说，证券、股市，这些东西究竟好不好，有没有危险，是不是资本主义独有的东西，社会主义能不能用？允许看，但要坚决地试，看对了，搞一两年对了，放开；错了，纠正，关了就是了。邓小平还着重指出，中国的事情能不能办好，社会主义和改革开放能不能坚持，经济能不能快一点发展起来，国家能不能长治久安，关键在人，要按照“四化”标准培养选拔接班人，要进一步找年轻人进班子。

邓小平南巡发表谈话以后，中共中央政治局于3月9日至10日召开全体会议，讨论我国改革和发展的若干重大问题，会议完全赞同邓小平的重要谈话。接着，中共中央和国务院作出了关于加快改革开放和经济发展的一系列决定，对经济体制、科研体制、金融、政府职能等方面进行调整、改革。4月，国务院下达《国家中长期科学技术发展纲要》，确定科技体制改革的目标，推动经济建设转移到依靠科技进步的轨道。随后，国家科委、国家体改委又决定在北京、沈阳、武汉、重庆、中山等五个开发区进行以产权制度、分配制度等为重点的综合改革试点。6月，国务院成立经济贸易办公室，发布实施《股份制企业试点办法》，财政部决定从当年起在浙江、辽宁、天津等九省市率先实行分税制。7月，国务院颁布《全民所有制工业企业转换经营机制条例》，推动国有企业全面进入市场，增强活力，带动整个国民经济更快、更好地迈上新台阶。与此同时，国务院在1992年批准长江沿岸28个城市和8个地区对外开放，前后批准中缅、中越、中俄等边境上的13个城市开放。至此全国基本形成东部沿海地区、长江沿岸地区、周边地区和以省会城市为中心的内陆地区的多层次、全方位开放格局。各项加快改革开放措施的出台，促进了新的经济运行机制的启动和运转，拓宽了对外开放的领域，进一步加速了国民经济发展的步伐（据国家统计局提供的统计材料说明，1992年我国经济呈现出“稳定中的繁荣”，年增长率达到12%）。中共十四大报告对此作出评估称：“以邓小平同志的谈话和今年三月中央政治局全体会议为标志，我国改革开放和现代化建设事业进入了一个新的阶段”。

国内报刊对邓小平南巡作了广泛报道。国外舆论对南巡谈话反应强烈，许多传媒机构纷纷发表评论，认为南巡谈话“对中国形成巨大冲击”，“引起最大的变化是思想上、观念上、理论上的种种重大突破，人们似乎都有一种思想冲破牢笼的痛快感”，“实际上已引发了一场新的思想解放运动，其意义绝不亚于当年‘真理标准讨论’所引起的思想解放运动。这场思想解放运动的鲜明特点之一，就是中国人正在竭力冲破一切改革开放和经济发展的框框”。

在1992年，《邓小平科学技术思想研究》、《邓小平和世界各国领导者》大型摄影艺术画册、《邓小平思想理论辞典》、《邓小平著作学习大辞典》相继出版；“邓小平执政党建设思想研讨会”、“邓小平经济思想理论研讨会”、“邓小平著作研讨会”相继召开；自1983年出版《邓小平文选》，至

1992 年 9 月，邓小平各项著作出版发行总数已逾一亿册。对邓小平的思想理论的研究在他南巡发表重要谈话之后，形成了一个新的高潮。

1992 年 6 月和 10 月，邓小平以“一个老共产党员”的名义，两次向“希望工程”捐款 5000 元，以救助贫困地区失学青少年复学。这笔捐款后来全部用于他曾经生活战斗过的广西百色革命老区。百色地区有 2500 名失学孩子得到救助重返校园，他们于 12 月写信向邓爷爷表达感激之情。

1992 年 10 月 19 日，邓小平同在中共十四届一中全会上新当选的中央领导人一起，在人民大会堂与出席中共十四大的全体代表见面，合影留念。他对江泽民说：“这次大会开得很好，希望大家继续努力”。

老挝人民民主共和国主席凯山·丰威汉于 1992 年 7 月 14 日签署主席令，授予邓小平老挝人民民主共和国国家最高金质勋章。

英国《金融时报》1992 年 12 月 29 日宣布，该报推选邓小平为“1992 年风云人物”。

邓小平，1904 年 8 月 22 日生于四川省广安县，1920 年赴法国勤工俭学，1922 年加入中国社会主义青年团，1924 年转为中国共产党党员。1926 年到苏联学习。1927 年后，任中国工农红军军政委、军团政治部主任、总政治部副主任，中共中央秘书长，参加长征。1937 年后，任八路军一二九师政委，晋冀鲁豫中央局书记。1945 年后，任第二野战军政委，中共中央中原局书记，中共中央华东局书记。1949 年后，任中共中央西南局书记，西南军区政委，中共中央秘书长，中央组织部部长，国务院副总理，中央军委副主席兼总参谋长。中共第七届中央政治局委员。八届中央政治局常委，中央委员会总书记。十届、十一届中央副主席。第二、三、四、五届全国人大代表。第二届全国政协常务委员，第五届全国政协主席。1981 年起任中共中央军委主席。1983 年当选为中华人民共和国中央军事委员会主席。1989 年辞去中共中央军委主席职务。

〔邓子恢·无产阶级革命家·逝世二十周年〕

1992 年 12 月 10 日，是邓子恢逝世二十周年，《人民日报》发表了李雪峰、杜润生等六人署名的回忆邓子恢的文章。文章说：“邓子恢同志曾受到过错误的批判，党的十一届三中全会以后，党中央已予平反。……今年 12 月 10 日，是邓子恢同志逝世 20 周年。20 年来，邓子恢同志当年那种勇往直前的胆识，日以继夜，全心全意为党的事业和人民的利益艰苦奋斗，忘我工作的精神，实事求是、一切从实际出发的工作作风，加之事后他坎坷的历史遭遇，都使我们对他更加怀念。”

邓子恢，1896 年 8 月 17 日生于福建省龙岩县泉井村。早年曾赴日本留学，1918 年回国。“五四”运动后，参加爱国进步活动。1926 年加入中国共产党。

1927 年“四·一二”反革命政变后，参与组织江西崇义县“五一”暴动。1928 年 3 月 4 日，与郭滴人等领导福建龙岩县后田暴动。同年 7 月任闽西暴动委员会副总指挥、闽西工农红军第 7 军第 19 师第 57 团党代表。1929 年任中共闽西特委书记，领导地方武装配合毛泽东、朱德率中国工农红军第 4 军入闽作战，参与创建闽西苏区。1930 年任闽西苏维埃政府主席、红 12 军政委。1931 年 11 月任中华苏维埃共和国中央执行委员兼财政人民委员。红一方面军主力长征后，任闽西南军政委员会副主席，与张鼎丞、谭震林领导闽西游击战争。抗日战争爆发后，任新四军政治部副主任兼民运部部长。1939 年参与组建新四军江北指挥部，开展皖东敌后游击战争。皖南事变后，任新四军政治部主任兼第 4 师政委、中共淮北区委员会书记。1942 年冬，与师长彭雪枫领导反“扫荡”斗争，巩固了淮北抗日根据地。1945 年 6 月被选为中共第七届中央委员。抗日战争胜利后，任中共中央华中分局书记兼华中军区政委。1948 年 5 月调任中共中央中原局第三书记兼中原军区副政委。1945 年 5 月任中共中央华中局第三书记、第四野战军兼华中军区第二政委。

中华人民共和国成立后，任中共中央中南局第二书记兼中南军区第二政委、中南军政委员会副主席。1953 年任中共中央农村工作部部长，1954 年任国务院副总理。1955 年春，在邓子恢主持下，中央农村工作部制定了农业合作社发展计划，并经中央政治局批准。毛泽东从南方考察回京后主张修改计划，加快发展，邓子恢不赞成改变计划，提出着重巩固现有合作社，为下一步发展打下基础的正确意见。毛泽东批评邓子恢思想右倾，“象一个小脚女人”，对合作化不积极。1955 年 10 月，中共中央召开扩大的七届六中全会，根据毛泽东《关于农业合作化问题》的报告，通过决议，指责邓子恢和中央农村工作部犯了“右倾机会主义”错误，并在全国农村中批判“右倾保守”思想，从而使农业合作化出现了过猛过快的偏差。

1965年1月，邓子恢被选为第四届全国政协副主席。他是中共第八、第九届中央委员。1972年12月10日病逝于北京。

〔邓子基·经济学教授·获两项国际荣誉奖〕 厦门大学经济学院博士生导师邓子基教授，因在经济学研究领域取得卓越成绩，1992年再度被英国剑桥国际传记中心选入世界500名人传，并被美国传记研究会列入国际500名有重大影响人物传。邓子基同时被上述两个机构评为1992年著名人物，获得“二十世纪优秀成果奖”（英国）和“国际光荣杯”（美国）。

邓子基是我国研究“国家分配论”的主要代表人之一。他在其代表作中提出许多改革建设与发展财政科学的论述，提出许多创新观点与政策主张。诸如：倡导并论证“经济——财政（税收）——经济”的理财思想模式，把经济作为财政税收的出发点与归宿点；倡导并论证财政的本质是以国家为主体的分配关系；提出并论证财政具有筹集资金、供应（运用）资金、调节经济与反映监督四大职能；提出并论证财政收支矛盾与平衡转化规律；提出并论证社会主义国家这一主体具有政权行使者与全民所有制代表者两种身份形式下的政权与财权、税收与利润，以及税收分配与利润分配关系的理论，为政企分开、两权分离与税利分流奠定了理论基础。此外，他还借鉴外国财税思想，研究国际税收与涉外税收，提出了许多财税与国有资产管理改革的建议。他提出的财政理论观点与政策主张，受到国内外学术界的重视，多数被政府部门采纳。

邓子基，1923年6月生，福建沙县人。中共党员。1952年7月毕业于厦门大学《资本论》研究生班，后留校任教。曾任厦门大学经济学院副院长、顾问。兼任中国财政学会、税务学会常务理事。已出版专著、译著、教材（含合作）40本、论文200多篇，总计1000万字。主要著作有：《财政学原理》、《财政理论研究》、《国际税收导论》、《美国加拿大税制改革比较研究》等。先后受奖达30多项。1990年获福建省人民政府授予的“有突出贡献专家”称号，1986年和1990年分别获省“五一劳动奖章”。

〔邓亚萍（女）·乒乓球运动员·在第二十五届奥运会上夺得女子单打冠军〕 在1991年第四十一届世界乒乓球锦标赛中夺得女单冠军的中国选手邓亚萍，1992年在西班牙巴塞罗那举行的第25届奥运会上，技压群芳，又夺女子单打冠军。奥委会主席萨马兰奇亲自为邓亚萍颁发了奖章。

邓亚萍，河南郑州市人，1973年出生。其简历与事迹见1990年《中国人物年鉴》。

〔邓朴方·中国残疾人联合会主席·获康复国际颁发的亨利·凯斯勒奖〕 1992年9月11日，在肯尼亚内罗毕举行的康复国际第十七届世界大会将亨利·凯斯勒奖授予中国残疾人联合会主席邓朴方，表彰他为推进残疾人事业作出的贡献。

邓朴方，1944年4月出生于山西左权县，1965年加入中国共产党，1966年毕业于北京大学技术物理系。在“文化大革命”中因受迫害脊柱摔伤致高位截瘫。1983年3月起投身中国残疾人事业。1984年3月发起创建了中国残疾人福利基金会。1988年3月，成立中国残疾人联合会后，他被推选为主席团主席，并兼任中国残联理事长。近几年，他主持制定了中国残疾人联合会章程，和残联的同事一起，协助政府和立法机关起草了《中华人民共和国残疾人保障法》，经全国人大常委审议通过颁布施行，主持起草了《中国残疾人事业五年工作纲要（1988—1992）》和《中国残疾人事业“八五”计划纲要（1991—1995）》，经国务院批准执行。倡议并参与组织了全国白内障手术复明、小儿麻痺后遗症矫治、聋儿听力语言训练三项抢救性康复工作，积极参与了联合国“残疾人十年”（1983—1992）等国际事务活动，切实推行联合国《关于残疾人的世界行动纲领》。1988年10月，曾获联合国秘书长授予的特别奖。1992年10月12日，邓朴方以中国代表团特别顾问身份在第47届联合国大会关于残疾人问题特别全会上发言，呼吁国际社会支持全球残疾人事业，受到各方重视。

〔邓在军（女）·电视编导·邓在军电视艺术研讨会在北京召开〕 1992年3月，邓在军电视艺术研讨会在京召开，她的编导艺术得到国内外专家的赞誉，她被世界名人传记中心提名为1991—1992年度国际知名妇女、美国人物传记研究所提名为1992年度国际知名人士，并被聘为英国剑桥大学国际名人传记协会研究员、美国名人传记协会会员。

邓在军，1938年出生于四川省荣昌县。1950年参军，任部队文工团戏剧、歌舞演员。1959年调中央电视台成为新中国第一代电视文艺编导。如今，她从事电视编导已三十余年，转播、编导录制了音乐、舞蹈、戏剧大型文艺晚会等不同风格样式的节目1000多台，仅近12年（1979—1991）中就有18部春节文艺晚会等大型节目，获中央电视台和全国电视文艺“星光杯”大奖和特别奖。如1990年举世闻名的《十一届亚运会》开幕式实况，获第五届“星火杯”特别奖。此次作为总导演的邓在军曾四登蓝天，考察拍摄景物位置。她以航拍为轴线，仅片头四分钟，就使观众看到母亲怀抱孩子停立在长城烽火台上，我国开展群众性体育画面，孩子放和平鸽，北京古城风貌，新颖别致的亚运村、体育馆及各赛区的风姿。这组画面简洁、精美，被誉为“龙头”，给人留下深刻的印象。紧接镜头过渡到主会场，当运动员手执亚运圣火，绕场一周时，为了增大信息量，穿插了天安门广场上亚运圣火点燃仪式，运动员手持火炬分别从北京的安定门、复兴门、和平门、德胜门四个方向跑出及全国火炬接力时的情景。通过蒙太奇技巧，长短镜头交替使用，全景、多方位和特写的切换，突出团体操《相聚在北京》中的六个精采片断及“空中跳伞”、“太极神功”、“军乐团进行曲”等表演。由于邓在军将各种艺术手段融于一体，使场外观众与场内连成一片，空中和地面遥相呼应，既充分展现我中华气势磅礴的英姿和浓郁的亚洲风情；也体现了亚运会宗旨：团结、友谊、进步的电视转播效果。开幕式在国内造成万人空巷的轰动效应，在外国普遍受到赞扬。亚洲广播电视委员会曾发来贺电说：“开、闭幕式的转播内容丰富精采，充满了诗意并富有激情。”印度著名电视评论员贾斯代夫·辛格说：“北京亚运会开幕式使中国走向世界，画面很美，转播很成功。”广播电影电视部副部长王枫贺信说：“亚运会开幕式成功的转播，在国内外产生了极好的反应，振奋了民族精神，开创了CCTV新的历史篇章”。为此邓在军被评为中央电视台好编导。除此，她编导的1979年、1980年、1983年的春节文艺晚会，1981年编导的舞剧《丝路花雨》均获中央电视台颁发的电视艺术节目奖。1984年国庆焰火联欢晚会实况直播，获广播电影电视部部长通令嘉奖及中央电视台专栏节目一等奖。1984年编导的《献给母亲的歌》获中央电视台的电视艺术节目一等奖。1987年春节晚会，获全国首届电视文艺“星光杯”最佳节目奖；1987年国庆文艺晚会《时代的音符》获首届“星光杯”优秀节目奖和编导奖；《古城戏曲大会唱》获首届“星光杯”二等奖；1988年春节文艺晚会获第二届“星光杯”特别奖；专题电视文艺晚会《今夜星光灿烂》获第二届“星光杯”特别奖；国庆40周年大型文艺节目《我爱你，中国》获第四届“星光杯”纪念奖。

〔邓丽华（女）·宁远县总工会主席·获全国“五一”劳动奖章〕 湖南省宁远县总工会主席邓丽华，维护职工权益无私无畏，理直气壮为工人说话，尽心尽力为职工办实事，被群众誉为“贴心主席”。1992年4月29日，被授予全国“五一”劳动奖章。

1987年6月，宁远县商业局副局长邓丽华调任县总工会主席。为了改变工会干部精神不振、工作效率低的状况，她狠抓工会机关工作制度、作风建设，加强工会干部队伍的培训，同时深入基层工会调查研究，大胆进行工会工作改革，积极推行基层工会主席直接选举制，摸索出了工会参政议政，深化企业民主管理，维护职工合法权益，活跃职工政治文化生活的新经验、新路子，使县总工会的面貌发生了深刻的变化，一跃由原来的后进单位，成为全地区先进集体。

“担任一届工会主席，对得起一方职工群众”。这是邓丽华经常自勉的一句话。1987年，邓丽华上任不久就接到了县大理石厂11名工人的联名信，要求县总工会主持正义，将被厂长错误开除的女工李金銮收回。邓丽华得知这个问题县总工会已收到过许多来信，只因有关部门的各级领导都支持厂长的做法，所以工会一直没有受理。她想：工会是“职工之家”，要使广大职工真正感受这个“家”的温暖，就必须理直气壮地为职工说话办事。一些人听说邓丽华要调查此事，有人给她打招呼，有人给她递条子，劝她：“不要为了一个人，得罪一伙人”。“你还年轻，要考虑前途。”然而，邓丽华不顾厂方的冷潮热讽，顶着来自各方的阻力，会同有关部门，先后9次进厂，花了近30天时间，弄清了事实真相，写出调查报告，提出重新处理的意见。并先后30多次找有关领导和部门催问结果。靠着一片诚心，打通一道道关卡，1988年春，那位女工的问题终于得到合理解决。这件事轰动了全县的各个阶层，职工群众说：“县工会伸张正义，理直气壮地为工人说话，是个好工会。”

邓丽华十分重视为职工排难解忧，当她得知中和区食品站职工欧阳友进因单位倒闭三年多，未得分文工资，一家老小七口面临绝境，她立即拿出自己的几十元薪金送去，并帮助指导她如何脱贫，还四处辛勤奔波为欧阳友进安排工作，解决一家困难。她想全县绝不会只有一个欧阳友进，立即对全县类似的情况进行了调查，争取县委和政府重视，及时解决了26名类似职工的困难。

邓丽华，1953年出生于湖南省宁远县，1971年8月参加工作。担任县总工会主席5年多来，连年被评为县先进工作者和优秀共产党员。1989年被授予“全国工会优秀职工思想政治工作者”称号，1990年被评为湖南省优秀女职工干部，零陵行署给她记大功，1991年授予“湖南省优秀工会干部”称号。

〔邓沐玮·京剧演员·获第九届梅花奖〕

1992年4月，著名京剧花脸表演艺术家方荣翔之弟子邓沐玮获第九届梅花奖。他是因在北京举办个人专场演出《大保国》、《审潘洪》、《铡判官》三出京剧而获此殊荣的。

邓沐玮，生于1948年4月，天津人。青少年时期酷爱京剧，以宏亮嗓音考进天津市戏曲学校，从师刘少峰、张福昆，演过十余出京剧、昆曲。1966年毕业后，分配在天津市京剧团，专攻裘（盛戎）派花脸。1981年拜方荣翔为师，曾随方一板一眼逐字逐句学得《将相和》、《除三害》两戏，对裘派艺术进一步领悟，技艺日臻成熟。

邓沐玮嗓音浑厚宽亮，演唱韵味醇厚，他注重人物性格的把握。如他在《铡判官》中，通过眼神、动作的变化，着力刻画清官包拯的机敏、睿智、干练的这一侧面，其中“望乡台”一折中“扶大宋……”的大段腔，行腔哀婉悲凉，颇富意味，既传情，又给人一种艺术快感。而他在《大保国》中扮演徐延昭时，则凝重苍劲，一派开国元勋、不畏奸佞的忠臣气派。出场第一句“徐延昭出朝房气冲牛斗”唱得气神完足，先声夺人。“功劳簿无有国太令尊”一段，由二黄转西皮，仿佛进入一个新天地，行腔紧凑刚劲，表现了徐延昭据理力争、不怕皇亲国戚的大无畏精神。《审潘洪》一剧中之潘洪，与包拯、徐延昭迥然不同，邓沐玮饰演潘洪，完全一副奸诈狡猾的嘴脸，一扫过去扮演正面人物表演的痕迹。“只打得两腿鲜血淋”一段二黄原板，运用了裘派的鼻腔共鸣，唱得起伏跌宕。最后，以嘎调翻高结束。全段唱一气贯通，句句精采。以上三戏，他通过黑、红、白三种不同脸谱、不同性格的三个艺术形象，展示了自己的艺术才华。人们不难看出，他已能在学裘派的基础上，发挥自己嗓音之长，揉进金（少山）派的神韵，既宗裘，又与裘不尽相同，有裘派的委婉苍劲，又有金派的黄钟大吕之势，充分显示铜锤花脸的阳刚之美。他的创新令观众耳目一新。1991年邓沐玮在“天津市中青年京剧演员电视大赛”中，得分最高，一举夺魁，获最佳表演奖；同年在“全国中青年京剧演员电视大赛”中，获最佳表演奖。近几年来，邓沐玮曾随团赴美国、加拿大、墨西哥、巴西、阿根廷等国演出，受到外国朋友和海外侨胞的热烈欢迎。

〔邓泽顺·武汉市公安局户政管理处处长·被评选为中国十大杰出民警之一〕

1992年1月10日，由中宣部、公安部和新华社、人民日报社、中央人民广播电台、中央电视台等新闻单位联合举办的“中国十大杰出民警”评选揭晓，武汉市公安局户政管理处处长邓泽顺荣获“中国杰出民警”称号。同年3月，他出席了七届全国人大第五次会议；6月，公安部授予他“全国公安战线一级英雄模范”称号；10月，他出席了中共第十四次全国代表大会。

邓泽顺，湖北省武汉市人，1956年5月10日生，大专文化程度，1974年12月参加工作，当过工人，1978年调入武汉市公安局硚口分局利济街派出所当户籍民警，1991年8月调入武汉市公安局户政处担任领导职务，现为处长、党委书记。

邓泽顺当户籍民警13年，长期扎根管段，以管段为家。居民中谁家有困难，他主动帮助解决；哪家有矛盾，他及时上门调解；发现犯罪分子，坚决予以打击；对待失足青少年，热情帮助他们重新扬起进步的风帆。他心系社会和人民的安宁，英勇无畏，曾31次同持械歹徒面对面搏斗，7次光荣负伤。自1979年以来，他及时妥善调解了218起民事纠纷，教育挽救了150名违法青少年，有效地减少了违法犯罪因素。他分管的辖区8年无火警火灾，9年未发生刑事案件，确保了一方平安。他关心群众，长年精心照料9位孤寡老人、5名孤儿，19次奋不顾身地抢险救灾，救出5名遇险群众。他从来没因工作关系收一次礼、赴一次宴，更没用手中的权力为自己、家庭和亲友谋半点利，而把自己10多年中受表彰所得的近4000元奖金，全部捐献给社会福利机构和生活有困难的群众。他担任领导职务后，外出活动、开会坚持骑自行车，调查研究写材料也都是自己动手，并经常深入基层，与基层干警同吃同住同总结经验，受到好评。在户政处，他手握审批户口和“农转非”的大权，找上门来送礼、说情的人络绎不绝，他带领全处同志制定了为警清廉的规定和措施，坚持严格按政策原则办事，一丝一毫不马虎。他所在管段某个体户，通过他的老上级来找他，要求帮助解决亲属的户口，并于当晚将抽油烟机、高级电子游戏机、名烟名酒等价值近千元的礼物送到他家，对他爱人说是他托人买的。邓泽顺得知后，立即把礼物退还给了个体户。邓泽顺多年来被当地群众誉为“活雷锋”，曾35次受嘉奖，多次被评为武汉市特等劳模，出席过全国公安战线英模表彰大会，被授予“全国公安战线二级英雄模范”称号。中共湖北省委、湖北省政府授予他“优秀共产党员”、“省特等劳动模范”称号，中央政法委还在军事博物馆展览过他的先进事迹。1988年，他当选为第七届全国人大代表；1989年，国务院又授予他“全国先进工作者”称号。

〔邓颖超（女）·在北京逝世〕 中共中央、全国人大常委会、国务院、全国政协于1992年7月11日发出讣告，沉痛宣告：伟大的无产阶级革命家、政治家、著名社会活动家，坚定的马克思主义者，党和国家的卓越领导人，中国妇女运动的先驱，原中共中央政治局委员、全国人大常委会副委员长、全国政协主席邓颖超同志，因病于1992年7月11日在北京逝世，享年88岁。

7月17日上午，江泽民、杨尚昆、李鹏、万里、乔石、姚依林、宋平、李瑞环、薄一波、宋任穷、温家宝、陈慕华、方毅、洪学智等领导同志来到北京医院送别室，向投身革命七十多年，深受全党和全国各族人民尊敬和爱戴的邓大姐三鞠躬，护送灵柩上灵车。这位老革命家身着一套三十多年前的黑色西服，肩上披的头巾也是她已经用过多年的。遗体由李鹏、温家宝、陈慕华、洪学智和邓颖超身边工作人员护送到八宝山革命公墓火化。从北京医院到八宝山18公里长的大街两旁挤满了为邓颖超同志送行的人，人们向她深深鞠躬，许多人不停地流泪。

1978年、1982年邓颖超曾两次亲笔向中共中央写信，留下了一份一无所求的“遗嘱”。1982年6月17日她写信给中共中央，信中说：

“我是1924年在天津成立共青团的第一批团员。1925年3月天津市党委决定我转党，成为中共正式党员。

人总是要死的。对于我死后的处理，恳切要求党中央批准我以下的要求：1、遗体解剖后火化。2、骨灰不保留，撒掉，这是在1956年决定实行火葬后，我和周恩来同志约定的。3、不搞遗体告别。4、不开追悼会。5、公布我的这些要求，作为我已逝世的消息。因为我认为共产党员为人民服务是无限的，所有的工作和职务也都是党和人民决定的。

以上是1978年7月1日写的，此次重抄再增加以下两点：

1、我所住的房舍，原同周恩来共住的，是全民所有，应交公使用，万勿搞什么故居和纪念等，这是我和周恩来同志生前就反对的。2、对周恩来同志的亲属，侄儿女辈，要求党组织和有关单位的领导和同志们，勿以因周恩来同志的关系，或以对周恩来同志的感情出发，而不依据组织原则和组织纪律给予照顾安排。这是周恩来同志生前一贯执行的。我也坚决支持的。此点对端正党风是非常必要的。我无任何亲戚，唯一的一个远房侄子，他很本分，从未以我的关系提任何要求和照顾。以上两点，请一并予以公布。”

邓颖超的骨灰于7月18日撒在天津海河。天津是她早年投身革命和战斗、工作过的地方。

邓颖超逝世后，全国政协、全国妇联分别举行座谈会，追念邓大姐光辉战斗的一生，学习她的伟大品格和高尚情操。南京举办《邓颖超——我们的邓大姐》生平专题展览。各界知名人士纷纷发表谈话、撰文赋诗悼念邓大姐。在台湾的张学良夫妇得知邓颖超逝世的消息后，委托侄女张闾蘅代献花篮。花篮的缎带上写着：“邓大姐颖超千古 张学良 赵一荻敬挽”。张闾蘅说：“伯父、伯母从电视中看到邓颖超逝世的的消息后，很怀念。他们是好朋友。”港、澳报纸高度评价邓颖超光辉的一生。《星岛日报》文章说：“邓颖超也和周恩来一样，从不搞特权谋私，两袖清风，生活简朴，廉洁持躬，为世人所景仰。邓颖超虽然没有功高盖世，但贤声卓著，仪德风范，公忠体国，国人推许，海外推崇。她的死，只挥一挥衣袖，不带走一片云彩。对真正为国为民的共产党人之逝世，我们也不免同声一哭！”澳门知名人士马万祺、罗柏心撰诗《悼邓大姐》：“巾帼英雄邓颖超，毕生伟绩壮云霄。匡扶总理平天下，孕育人群学舜尧。中外同钦风节亮，古今难比懿德昭。高山仰止如慈母，景范长存日月遥。”作家冰心撰写的《痛悼邓颖超大姐》一文说：“昨天得到了巴金的一封信，他说‘邓大姐走了，你难过，我也难过，她是一个好人，一个高尚的人，没有遗产，没有亲人，她不拿走什么，真正是个大公无私的人，她是一个多么不容易做到的榜样。’他说出了我不知道从何说起的话！”

1992年春节前夕，全国妇联主席陈慕华、副主席黄启璪于1月31日代表全国妇联全体同志看望邓颖超。邓颖超希望全国妇联好好做妇女工作。她深情地说："我从15岁就开始搞青年和妇女工作，现在虽然老了，但一直关心妇女和妇女工作。这是我一个老共产党员的责任。党中央对妇女工作很重视，妇女占全国人口的一半，这个半边天的作用很重要。我们自己要对妇女的力量有足够的认识和估计。妇女首先要自己看重自己，要有自力更生的精神，而不能埋怨别人不重视妇女。自己做好了，别人自然就会重视的。"

"三八"国际劳动妇女节前夕，邓颖超给全国农民姐妹们写信，希望她们为农业发展和农村建设作出更大的贡献。

"七一"前夕，邓颖超为《中华英才》杂志著文《庆祝党的生日　加快改革开放》，纪念中共建党71周年。

9月7日，在北京第一实验小学建校八十周年庆祝大会上，宣读了邓颖超生前于3月预写的贺信。邓颖超于1920年至1921年，曾在这个学校任教，是该校第一位女教师，几十年来，她一直关注着这所学校的每一步发展。3月，学校领导请邓颖超为八十周年校庆题词。她说："题词不好，我就以第一位女教师的名义写封信吧。"当时，邓颖超已缠绵病榻，仍强撑着一字一句写下了长达八百多字的贺信。这是邓颖超一生最后一封信。她在信里叮嘱："教师们，同学们，你们肩上的担子重啊！我希望大家不辜负党和国家各级领导的殷切期望，本着继承、发展、改革创新的精神，为社会主义教育事业和把学校办得更好而做出贡献。"信上最后写着："我等待着你们的佳音"。

邓颖超，1904年生，祖籍河南省光山县，1919年参加五四运动，在天津组织妇女、学生联合会，和周恩来、郭隆真、刘清扬等一起组织进步学生团体觉悟社，大革命时期在天津组织女权运动同盟会、社会主义青年团，1925年转为中共党员，从事青年、学生、妇女工作，曾任中共天津地委妇女部长、两广区委委员兼妇女部长。大革命失败后，在上海任中共中央妇委书记等职。1932年到江西中央革命根据地，曾任中央局秘书长，参加长征。抗日战争时期任八路军武汉办事处妇女组织员、中共中央长江局妇委委员，后到重庆任中共中央南方局委员、妇委书记、重庆战时儿童保育会常务理事。中共七大后任中共中央妇委副书记。解放战争时期先后在重庆、南京任中共代表团团员，参加旧政协做统战工作，任中央后方工作委员会委员，中共中央妇委代理书记。中华人民共和国成立后，任第一、二、三、四、五届全国人大常委会委员，第一、二、三届全国妇联副主席，第四届全国妇联名誉主席。从1956年中共八大起为历届中央委员。1978年中共十一届三中全会上当选为中央政治局委员、中央纪律检查委员会第二书记。1982年任中国人民对外友好协会名誉会长。1983年任全国政协主席，1988年引退。

〔孔尚任·清代著名戏曲家·其原著《桃花扇》重新排演〕　1992年3月，中央实验话剧院为纪念老院长、艺术大师欧阳予倩逝世30周年，重新排练、演出了根据孔尚任原著由欧阳予倩编剧的历史名剧《桃花扇》。

孔尚任（1648—1718）字季重、聘之，号东塘、岸堂，自称云亭山人。山东曲阜人。孔子64代孙。少时应试，中秀才。后避乱隐居石门山中，致力于礼、乐、兵、农的研究。闲时听一位族兄叙述秦淮河名歌女李香君血溅诗扇的动人故事及南明王朝兴衰的历史，萌发了创作历史传奇《桃花扇》的念头。1684年，康熙皇帝南巡江南，回京途经曲阜，谒拜孔子。孔尚任被召作引导官，并在御前讲经，得到康熙赏识，破格任为国子监博士，官至户部主事、员外郎。在任职期间，曾奉旨到淮、扬，协助工部侍郎孙在丰办理疏濬淮河海口工程。三年间，孔尚任凭吊前朝遗迹，游览江南名胜，与明朝遗老旧臣诗酒唱和，领略了江南的风物和人情世事，收集了许多有关南明王朝的史料。这一切为他创作《桃花扇》积累了丰富的素材。经过十多年的构思创作，名著《桃花扇》"三易稿而书成"。孔尚任称这部传奇是"实事实人，有凭有据。"并在《桃花扇凡例》中说："朝政得失，文人聚散，皆确考时地，全无假借；至于儿女钟情，宾客解嘲，虽稍有点染，亦非乌有子虚之比。"说明他的创作是忠实于历史的。他阐述创作的目的是"不独令观者感慨涕零，亦可惩创人心，为末世一救矣。"果然，这一历史传奇上演后，引起很大反响。一些明朝的故老遗臣，从剧中的人物和情节之中重新勾起了亡国之痛。为此，康熙及其左右重臣大为不满。事后不出半年，孔尚任即因涉嫌一件疑案，被罢官回家，从此重度普通平民生活。孔尚任另著有杂剧《大忽雷》，与顾彩合写传奇《小忽雷》，也颇有影响。他能诗能文，有《湖海集》、《石门集》、《长留集》等存世，其中多有反映民情与民生疾苦之作。1718年孔尚任在家乡去世，卒年70。

孔尚任的《桃花扇》被誉为中国十大古典悲剧之一。直至近世，将它改为各种地方戏曲和话剧者层出不穷，异彩纷呈，其中成就最突出、影响最大的，首推欧阳予倩改编的《桃花扇》。欧阳予倩首次改编《桃花扇》是在1937年上海“8·13”抗战之后。面对上海沦陷，中华民族危亡的紧急关头，身居上海租界的欧阳予倩联想到孔尚任《桃花扇》所写的人和事，引起强烈共鸣。于是，他怀着满腔忧愤，一气呵成，把《桃花扇》改编为京戏，搬上舞台，在上海观众中反应十分强烈，也激怒了日本侵略者，只演两场即被迫停演。1939年，欧阳予倩到了桂林，又把《桃花扇》改成桂剧，曾轰动一时，最后又被明令禁演。1946年底，欧阳予倩随中国剧社到台湾，他将《桃花扇》改编为话剧在舞台演出。这个话剧本解放后数度上演，不断加工修改，达到精练完美的境界，成为我国话剧中的一个精品，也是欧阳予倩的一大杰作。由于原著《桃花扇》人物繁多，内容较为庞杂。欧阳予倩在改编时，剪掉原著中的繁枝蔓叶，依照原作的故事轮廓，采用其中的主要情节，着重写李香君与侯朝宗的爱情故事，使事件更加集中，情节更为简练，人物也更为突出。同时，对侯朝宗与李香君两个主要人物的最后处理也作了修改。将原著中侯朝宗与李香君各自经历波折，最后相会在南京城外栖霞山寺庙，共商出家，改为侯朝宗回乡应试中副榜，身着清朝礼服到庵中寻找李香君，受到香君斥责，她因此气愤而死，使得这部悲剧的氛围更加浓烈。欧阳予倩在解放后出任中央戏剧学院院长，并兼任中央实验话剧院院长。1957年他亲自任导演，重排话剧《桃花扇》。首演女主角为澹台仁慧，男主角为王一之，因演此剧而声名鹊起。此次三排话剧《桃花扇》，由老艺术家舒强总导演协同年富力强的导演杨守镜执导，青年新秀廖京生、周予援饰演侯朝宗，荣获第14届“百花奖”最佳女配角的伍宇娟饰演李香君，演出酣畅淋漓，更富于时代风采，使众多观众不觉动情入戏，泪湿衣襟。

〔孔罗荪·现代作家·文学生涯六十周年〕 1992年10月1日，中华文学基金会、文艺报社、《中国作家》杂志社庆贺八十高龄的著名作家、文学评论家孔罗荪文学生涯六十周年。陈荒煤、冯牧、张锲、郑伯农、吴泰昌等看望了孔罗荪夫妇。

孔罗荪，现代作家，文学评论家，曾用笔名罗荪、鲁孙、孟丝萑、周梵、毕端等。1912年2月8日生于山东济南，原籍上海。父亲是电报局的职员，第一次世界大战爆发后，全家回到了上海，一年后又随父母到北京。1927年冬到哈尔滨，第二年考进邮政局。早在北京读中学时，就爱好文学，曾和同学办过油印文艺刊物。到哈尔滨后，又在《国际协报》主编文学副刊《蓓蕾》。1932年9月回到上海，1935年至1937年任汉口《大光报》文学副刊《紫线》主编。1937年至1938年任《战斗旬刊》主编；1938年担任中华全国文艺界抗敌协会理事兼出版部副部长。1940年至1941年末，任重庆《文学月报》主编。皖南事变后，受生活书店委托，为茅盾等人代编过《文艺阵地》，后因出版困难，另设文林出版社，主编了一套《文学集丛》。新中国成立后，他主要从事文艺领导工作及文学评论工作。1949年3月加入中国共产党。参加第一、二、三、四次中国文学艺术工作者代表大会。1949年11月，任南京市文联副主席。1950年在南京大学中文系兼课。1954年起相继任华东作家协会及上海分会秘书长。1962年任上海市文联秘书长。历任南京市人民代表及政协委员、上海市第四届政协委员会副秘书长。1975年调上海师范大学中文系。1977年参加了《上海文艺》的筹备和编辑工作。1978年5月调北京参加中国文联筹备小组，任《文艺报》主编。1979年在全国第四次文代会上被选为文联委员、作协理事、书记处书记。1980年加入中国笔会中心，为该会第一批会员。他的主要作品有：杂文《野火集》、《小雨点》、《最后的旗帜》、《喜剧世界》、《决裂集》，话剧《台儿庄》，文学评论集《文艺漫笔》，小说散文集《寂寞》、《战斗需要力量》、《保卫社会主义文学》、　《文艺散论》。1959年以后发表的文章主要有《革命文艺工作者必须掌握阶级分析的方法》、《上海十年工人创作的光辉成就》、《什么才是真正的艺术生命》、《探索真理的伟大战士——别林斯基》、《从胜利走向胜利的光辉记录——读阎长林的＜胸中自有雄兵百万＞》、以及评论《红岩》的文章《最生动的共产主义教科书》和《黎明时期的一首史诗——＜红岩＞》等，均散见于《文艺报》、《文学评论》、《上海文学》等刊物。

〔孔祥东·青年钢琴家·在第五届悉尼国际钢琴大赛中夺魁〕 我国旅美青年钢琴家孔祥东，1992年7月11日在澳大利亚结束的“第五届悉尼国际钢琴大赛”中，经5轮角逐，一举夺魁。4年一度的悉尼国际钢琴大赛在国际上颇负盛名。这次参赛的36位钢琴家，分别来自美、英、意、法、德、奥、乌克兰、加、澳和台湾等20多个国家和地区。这些选手是从42个国家的300多名钢琴家的实况考查中筛选出来的佼佼者，水平之高被认为是历届之最。

比赛从6月24日开始。在最后一次比赛中，代表中国参赛的孔祥东演奏了拉赫曼尼诺夫的《d小调第三钢琴协奏曲（作品30号）》。他的精湛演奏，获得评委高度赞誉。评委之一、日本著名钢琴家中村绂子说：孔祥东已经是一个成熟的艺术家。他的演奏感情炽热，技巧精湛，显示了钢琴艺术的感染力和音乐的人情味。他是当之无愧的第一。在本次比赛中，孔祥东还同时获得了7个特别奖中的4个特别奖，即：莫扎特协奏曲最佳演奏奖、莫扎特奏鸣曲最佳演奏奖、李斯特作品最佳演奏奖和现代作品最佳演奏奖。本次比赛的第二名和第三名分别为法国和澳大利亚钢琴家获得。

孔祥东，1969年生。曾在上海音乐学院附中学习，师从范大雷。现为美国柯蒂斯音乐学院学生，受教于克劳迪·弗兰克教授。尽管他现年只有23岁，他的演奏足迹已经踏及北美、欧洲、南非、中东及亚洲的许多国家和地区；5月至6月还在上海、厦门、北京、成都以及台北举行了他的“1992中国巡回演奏会”。孔祥东演奏征服了人心。他练就了无与伦比的技术；他掌握了丰富的音色调配技巧，能把音质、音色、音量的变化幅度扩展到近于极限。更重要的，还在于他的演奏所饱含着的个性的和情感的力量。他本人说过，他希望他的演奏能在人们心里留下新的东西。来自美国的评论说他是“钢琴稀才”、“充满生命力与流畅自如的节奏感”；来自德国的评论说他是“一个无可匹敌的钢琴家”、“他创造出范围广阔的音色变化，华丽和浪漫的演奏，非同凡响的色彩变化……具有强烈的艺术性格”；来自西班牙的评论说他有“极其敏感的东方之心”，“使人惊讶的火花和精湛的技巧，难以置信”，“他敢于向公认的标准挑战”；来自荷兰的评论则说他是“能量无限的钢琴家”，“非常罕见的钢琴演奏风格”。

此前，孔祥东曾多次在国际钢琴比赛活动中获奖：1986年他在苏联举办的“柴可夫斯基国际比赛”中获奖；1987年他在西班牙“帕罗玛·欧茵娅国际比赛”中获奖；1988年在美国“吉纳·巴考尔国际比赛”中，他以最年轻的获首奖者的身份引起国际乐坛的注目。

〔毋建国·导游·被评为国旅集团先进导游翻译工作者〕 1992年元月13日，在北京召开的中国国际旅行集团第一届导游翻译工作会议上，国旅西安分社导游毋建国获得先进工作者称号。他的精采发言，赢得与会同行和专家们的高度赞扬。

1992年3月，毋建国引导一个宗教旅游团参观碑林石刻馆时，一客人忽然问什么是道教，与其他宗教有何区别？他简明扼要地答道：儒教为入世——修身、治国、平天下——成名成家，追求人在社会中的自我价值；道教为出世——炼丹、长生不老——成仙，追求生命的永恒和愉快；佛教为出世——以善为怀、因果报应——成佛，追求人在内在精神生活中的心理满足。讲完，提问的客人感叹道：“毋先生，您不只是一个导游，您还是一位了不起的哲学教授。”毋建国在为外国旅游团导游时，经常遇到各种各样的提问，他都能回答上来。如，一位法国朋友问大雁塔门口双狮头上的髦毛疙瘩的多少表示什么？毋建国便介绍了中国封建社会的官分9品，髦毛多寡表示宅主品位的高低，但最多不能超过13个。过去，外国人多以为日本是盆景的发源地，每次去永泰公主墓参观，毋建国都要指着壁画中一宫女手持盆景的画面说明，法语盆景一词虽然来自日语，但这个词却是汉语“盆栽”一词的音译，盆栽在中国已有7千年的历史，盆景的发源地是中国。

毋建国丰富的知识，来自他多年刻苦的积累。他随身带一个笔记本，有用的记，不懂的记。他有《闲问拾遗》笔记本多种并有剪报的习惯，举凡美学、书法、绘画、金石篆刻、园林建筑、风情掌故，无论是只言片语，还是长篇大论有益者均收。10多年来，他的剪报摞起来有几尺高。毋建国说：一个称职的导游应该是一个学者型的人。为了弄清有关孔庙的形制问题，他几次骑自行车走访唐史专家；为了解道教音乐，他请教过天津大学的道教专家；为园林美学，他几次向上海同济大学教授求教……在此基础上，他编写了《中国历史小常识》114个专题，并和几个同事把这些材料译为法文。

毋建国，陕西华县人，1950年9月生，1976年2月参加工作。1972年开始在广东外国语学院攻读法语，结业后，于1976年2月在二机部第9研究院一所任资料翻译，1981年10月到国旅西安分社担任导游翻译。他多次被评为先进工作者和受到通报表彰，人民日报、中国旅游报和陕西的新闻媒介多次报道过他的事迹。这位黄土地养育出来的农民之子，生活非常简朴，烟酒不沾，唯买书，现在他的藏书已有几千册。

〔艾芜·著名作家·在成都逝世〕　中国作家协会顾问，四川省文联、四川省作协名誉主席，三十年代左翼作家联盟优秀战士、文坛巨匠艾芜，于1992年12月5日在成都逝世，终年88岁。

艾芜原名汤道耕，1904年6月20日生于四川省新繁县，1925年，21岁的艾芜在昆明的《云波》半月刊发表新诗《流星》。当年夏季他开始了在云南边疆、缅甸、新加坡等地长达6年的漂泊生涯。1931年回国后加入中国左翼作家联盟，并在"左联"的机关刊物《文学月报》上发表小说，推出了大量以流浪生活为背景的作品，逐渐形成自己的艺术风格。他是最早把西南边疆地区下层社会的风貌和异国人民在殖民地统治下的生活带进现代文学创作中来的作家之一，对于开拓新文学创作的领域作出了贡献。1935年，他的第一部短篇小说集《南国之夜》以及脍炙人口的成名之作《南行记》出版。

新中国成立后，艾芜曾担任重庆市人民政府委员兼文化局长，后来又担任全国文联委员、中国作家协会理事。在担负行政职务的情况下，他仍坚持到工厂、边疆深入实际、深入生活，写出反映新社会现实生活的《百炼成钢》、《新的家》以及受到读者推崇的《南行记续集》等作品。其《南行记》已拍成电影上映。艾芜从事文学创作近70年，写下了500余万字的作品，是他留给中国文坛的一笔宝贵遗产，在中国现代文学史上占有重要位置。

〔古宏晨·华北化工学院副教授·获大学生实用科技发明大赛特等奖〕　1992年11月9日，在北京举行的首次全国大学生实用科技发明大赛会上，古宏晨和另二位合作者的科研成果"超微粒磁粉制备技术"获特等奖，奖金1万元，在大学生中引起轰动。该项成果于当天被上海油墨厂以200万元高价买下。据专家称：这项技术可能带来2000万元甚至上亿元的利润。

近年录音录像带生产在我国发展很快，但由于它们的磁粉却长期靠进口。古宏晨的发明填补了中国高档磁粉的空白。经上海、保定两家磁带厂试用，"超微粒R——FE203磁粉制备技术"性能超过日本TDK，优于美国2380粉。

古宏晨，安徽省无为县人，1964年11月出生，1984年以无为县最高分考入华东化工学院。因一贯成绩优异，免试读研究生。一般需3年学够28个学分，他一个学期全拿下，并被推荐提前攻读博士学位。为攻克高档磁粉这一科技难关，他日夜辛劳，进行了数百次实验，终获成功。1992年7月他在华东化工学院读研究生毕业后留校工作，被破格提为副教授。《半月谈》杂志评选他为1992年中国十大新闻人物之一。

〔左叶·原农业部顾问·在北京逝世〕　左叶于1992年7月4日在北京逝世，享年80岁。

左叶，1912年生于江西永新的一个佃农家庭。1927年10月在遂川黄土板加入湘赣边秋收起义部队工农革命军第一师第一团。1928年4月加入中国共产主义青年团，1931年转入中国共产党。参加了创建井冈山革命根据地的斗争、中央苏区五次反"围剿"斗争和长征。抗日战争时期，任冀中军区第七分区十七团参谋长，八支队二十二团团长，后转赴晋绥军区，曾任第三分区副参谋长、八路军一二〇师副官长。解放战争时期，被派往东北任东北民主联军第三纵队第八旅旅长、八师师长，东北野战军暨东北军区独二师师长，第四野战军第四十一军一二一师师长等职。参加了著名的四平保卫战、四保临江、辽沈、平津、衡宝战役。在四平保卫战中，他作为主要指挥者之一，指挥部队以劣势兵力和装备，抗击国民党军达一个月之久，重创了敌军，创造了我军战史上的一个范例。中华人民共和国成立后，左叶历任中南公安兵团副司令员兼参谋长、中南军政委员会交通部副部长、中南财经委员会副主任。后调国务院任农业部部长助理、机关党委书记兼人事司司长。以后曾任重庆市政协副主席、中国农业科学院副院长、农业部顾问。他曾是全国政协委员。

〔石可·高级工艺美术师·研制鲁柘澄泥砚获得成功〕　北宋时统称为中国四大名砚之一的鲁柘澄泥砚，始于唐，兴于北宋，已失传800余年。山东省工艺美术研究所高级美术工艺师石可，经过多年的研制，终于使鲁柘澄泥砚重现光华。1992年10月27日，《文汇报》发表长篇报告文学《炼石》，记述了石可研制鲁柘澄泥砚的事迹。

石可，1924年8月生于山东诸城。1937年始学木刻，1943年在重庆参加中华木刻研究会，肄业于文华图书馆学专科学校，在国史馆工作期间从学于考古学家、金石书画家王献唐。1949年到胶东文管会工作，翌年调青岛市文联，曾任研究部长等职。1958年后转事工艺美术教学、研究、设计工作，曾任山东省工艺美术研究所所长。

石可于60年代开始，从事民族传统文化研究，系统地研究制砚艺术。先后在山东境内71个县找遍可用石料200余种，运至青岛，不幸的是在“文革”破“四旧”时，被沉入海底。70年代末，石可的艺术生命开始复苏。他重访泗水县柘沟镇，北上京城，到故宫博物馆考察藏北宋柘沟砚。又查阅了有关大量的书籍资料，而后创造了以“因材施艺、简朴大方”称著的鲁砚艺术风格，作品先后在北京、日本、香港、新加坡、美国展览，深得中外学界赞誉。1989年，在济宁市委、市政府的支持下，“鲁柘砚工艺研究所”成立，石可被聘为高级艺术顾问。他为恢复和发扬失传850余年的山东柘沟澄泥砚制作艺术，多次去外地调查，与当地窑工反复研讨，终于掌握了其滤工、成型、熔烧等工艺的规律，并一次试烧成功。鲁柘澄泥砚以仿汉、唐宋制为主并大胆创新，形成了“古朴而又新颖”的艺术风格。该砚已作为国家礼品赠送给日本、新加坡、泰国、德国和联合国的官员。

石可从艺“集研究、设计、制作于一身”。其作品“既有传统又有时代感”，并简朴大方见长，“寓精巧于天成，蕴匠心于简朴”。赵朴初多次赠诗词赞其作品，其中有：“道是天成无避席，还推巧手精思，无人合应妙难知……”。

石可40年代初创作的木刻作品《春天的行列》、《这是什么世界》等，曾参加国内外木刻联展及抗战八年木刻展。50年代创作木刻《晨》、《红旗》、《就地取材》等曾参加全国、全军及第六届世界青年联欢节美展，获第一届全国青年美展二等奖，第一届全军美展、第六届世界青年联欢节优秀作品奖。石可还专注于孔子学术研究，曾与陶器恩等创作大型石雕壁画《孔子事迹图》，长期陈列于曲阜孔庙诗礼堂。此作曾获日中艺术交流中心颁发的90年度金奖和新加坡颁发的金奖。

石可著作颇丰，出版有《经学分类法》、《国学图书分类法》、《新图书分类法》、《鲁砚初探》、《鲁砚再探》、《鲁砚》及个人木刻集《人民的新时代》等。

他是中国美术家协会会员，山东省文联常委，山东省政协常委，山东工艺美术学院特聘教授。

〔石呈虎·现代画家·《石虎天命年展》在北京举行〕　1992年7月25日至29日，北京国际艺苑美术馆举办了《石虎天命年展》，展出了石呈虎“隐居”三年来的新作几十幅。

石呈虎，别名石虎，河北人。1942年10月出生，1992年是他的天命年。1958年在北京工艺美术学校学习。1960年进修于浙江美术学院。后任人民美术出版社创作室专业画家。1990年移居澳门，潜心创作。出版有《非洲写生画册》等。他是中国美术家协会会员。

此次展出的作品与石呈虎以往的画风有所变化，人物造型简洁单纯，色彩凝重，具有原始性的直感和神秘的情调。此次展览是由中国艺术研究院、美研所和新加坡“紫云斋”共同主办的。展览还将在台湾、印尼展出。

〔石瑞祥·全国劳动模范·创办生化实业（集团）公司获重奖〕　1992年12月，江苏省如东县人民政府决定，给屡建功勋的江苏凯亨生化实业（集团）公司总经理、全国劳动模范石瑞祥奖励面积180平方米、价值8万元的独院住宅楼一套。

石瑞祥，1936年生。江苏如东人。1977年出任如东县一个小型油米加工厂厂长后，带领全厂职工把这个单一的小厂发展成为拥有生物、药用、食品三大门类10多个产品的中型企业，每年产值以30—40%的速度递增，1988年完成的产值和利税，分别比1977年增长18倍和350倍，经济效益居全省粮食企业之首。他在全省开创粮食深度加工生产味精的先例，率先发展横向联合，使工厂步入全国味精生产大户行列。他开拓“科技兴厂”，利用味精液研制单细胞蛋白，实现了第一个国家“星火”项目，获商业部、轻工业部、江苏省重大成果奖。

1989年，石瑞祥又提出新的经济联合构想，组建了如东生化集团，联合一批小企业，初步形成以粮食深加工为主体，集科、工、贸于一体，实行“资产一体化”的紧密型联合。联合第一年就实现产值6068万余元，利税959万余元。1992年初，石瑞祥又大胆提出了高层次发展集团经济的思路，组建了跨行业、跨地区、跨所有制的大型集团公司，生产经营食品、生化、制药、饲料、包装装潢、综合养殖及技术服务等7大门类，30多个系列产品。目前，这个公司投资1250万元的抗生素项目已破土动工，投资779万元的味精技改工程已近尾声，在黄海滩涂兴建的养殖场已进入紧张施工阶段。

石瑞祥，1989年被评为全国商业优秀企业家、全国商业劳动模范和全国劳动模范。

〔龙潜·济南军区原副政委·在南京逝世〕

1992年12月13日，济南军区原副政委龙潜在南京逝世，终年80岁。

龙潜，江西永新人。1929年参加中国工农红军，同年加入中国共产主义青年团，1930年转入中国共产党。曾任红12军30师101团特派员，中央军委干部团特派员，陕甘宁军区政治部红军工作科科长兼陇东地区武装动员部部长。参加了中央革命根据地第1、3、4、5次反"围剿"和长征。抗日战争爆发后，在西安从事秘密工作。1939年9月赴华中，任新四军江北指挥部政治部副主任，第5支队政治部副主任兼军法科科长，第2师政治部锄奸部部长，淮北行政公署公安局局长。解放战争时期，任苏皖边区政府公安总局局长兼淮阴城防司令员，华东军区后备兵团副政委兼教导师政委，先后参加淮海、渡江等战役。中华人民共和国成立后，任华东军区政治部保卫部部长，南京军区防空军政委，南京军区空军副政委、南京军区政治部副主任兼军事检察院检察长和军事法院院长，浙江省军区第二政委，河南省军区副政委、政委，济南军区副政委。1955年被授予少将军衔，获二级八一勋章、二级独立自由勋章、一级解放勋章。是第五、六届全国政协委员。1988年7月获一级红星功勋荣誉章。

〔卢志民·四平红嘴企业集团董事长兼总经理·获全国优秀乡镇企业家称号〕 吉林省四平市红嘴企业集团董事长兼总经理卢志民于1992年被评为全国优秀乡镇企业家。

卢志民，1949年5月生，吉林省四平市人。他是中共四平市铁西区委常委，四平市红嘴企业集团党委书记、董事长兼总经理。在共和国的同龄人中，卢志民称得上是一位出类拔萃的人物。七十年代初期，他当生产队长那年月，因为一心带领乡亲们发展生产，摆脱贫困，竟遭关押；到七十年代后期，他再度被选为生产队长，下决心要改变那种辛苦一年只有八分钱收入的贫困状况。他和刘洪义（现任副总经理）、张玉佳、卢宪臣一起，硬是以百元钱垫底，采取滚雪球的办法，陆续建起铸造厂、砖厂、制砖机厂，接着又建起轧钢厂和啤酒厂。先后办了十多个企业，办一个成一个，而且都是当年施工，当年投产，当年见效益，创造了令人惊讶而又佩服的"红嘴速度"。在邓小平南巡谈话精神鼓舞下，1992年是卢志民带领红嘴干部和职工实现超常规发展的最辉煌一年：3月，红嘴商场开业；4月，红嘴宾馆剪彩；5月，人才楼破土动工；6月，啤酒厂开始扩建；7月，集贸市场迎来第一批客户；8月和9月，轧钢厂、风机厂改造扩建；10月，新印刷厂投产……随着新的企业群的形成，红嘴年产值当年增长1亿多元，总产值达到2·58亿元，创利税5000万元，人均工资4500元。红嘴不愧为"神州第一屯"。

卢志民始终保持超前意识，他虽然创造了辉煌业绩，但决不满足。红嘴已经在珠海创办了三明实业公司；在蒙古乌兰巴托市合资创办了红嘴炼钢有限公司；与香港宝荣有限发展公司和美国杰汉姆公司分别合资兴建大型饮料厂和啤酒厂。目前已着手施工的年产30万吨的啤酒厂、年产30万吨的炼钢厂和年产5万吨的饮料厂及配套项目，待正式投产时，红嘴的年总产值将达到15亿元。

卢志民为党争光，为农民争气，赢得了应有的荣誉。从1987年获得全国最佳农民企业家的殊荣以来，他先后当选为中共十三大代表和八届全国人大代表，被评为全国劳动模范和全国优秀乡镇企业家，荣获全国思想政治工作特等奖；他还被选为中国乡镇企业协会副会长。

〔卢奋燕（女）·中国国际旅行社总社总经理·获全国旅行社行业优秀经理称号〕 由中国旅游协会和国家旅游局发起的首届全国旅行社行业优秀经理评选活动，历时近一年，于1992年6月10日在京揭晓，并在人民大会堂举行了隆重的颁奖仪式。中国国际旅行社总社总经理卢奋燕，在这次评选活动中获"优秀经理"称号，她同时还被授予中国旅游协会名誉会员称号。

卢奋燕，广东省普宁县人，1942年1月9日生。1965年毕业于河北师范大学生物系，之后在天津40中、天津中山门三中任教，当过副校长，1981年加入中国共产党，1983年6月任天津市妇联主任、党组书记，1986年10月任天津旅游局局长、党组书记；1990年8月起任中国国际旅行社总社总经理、党委书记、中国国际旅行社集团董事长。

卢奋燕领导的国旅总社成立于1954年，是全国最大、历史悠久的旅游骨干企业，它以招徕、接待海外旅游者为主，同时经营饭店、车船、商贸、代理国内外航空公司机票和火车国际联运车票等项业务。国旅总社现在全国设有147家分、支社，和海外600多家旅游批发商有经常性业务联系。卢奋燕勇于开拓创新，加强调查研究，在改革国旅总社组织机构、人事制度和分配制度的基础上，发动全社职工大力开拓客源市场，强化内部管理，使国旅总社的面貌有了新变化。1991 年国旅总社接待海外旅游者人数达 23.5 万人，比上年的 12.8 万人增长 83.5%；接待 148 万人天，比上年增长 84%；实现利润 3100 万外汇人民币，比上年增长 70%；外汇收入 9900 万美元，比上年增长 83%。在国家旅游局对中央一类社 12 项经济指标考核中，国旅总社名列总分第一，获 91 年度“首都旅游紫禁杯”最佳企业称号。

卢奋燕任天津市旅游局局长兼天津市旅游总公司总经理期间，就大胆实行干部聘任制，开展多种经营，成立实业公司，实行社会招标承包等改革措施，取得显著成绩。她曾 3 次被评为天津市劳动模范，3 次被评为全国“三八”红旗手，曾获得过“全国模范班主任”、“全国五讲四美先进个人”等称号。

〔卢颖华（女）·中学生·攻克两个世界著名的数学猜想〕　1992 年 8 月，在沈阳召开的第 6 届全国青少年发明创造比赛和科学讨论会上，广州市 17 岁的女中学生卢颖华，以其在 15 岁时连克当今世界数学领域里两个关于组合几何问题的著名猜想——海泼伦猜想和厄迪希猜想——的佳绩，获得科学论文一等奖的第一名和中国茅以升科学教育基金奖。

本世纪 50 年代和 80 年代初，分别以著名数学家海泼伦和厄迪希名字命名的两个组合几何问题的猜想，多年来使无数学者为之殚精竭虑而始终未能化解，成为数学领域里悬而未决的两大难题。1990 年 7 月，正值初中毕业的卢颖华，在准备升高中的暑假里，看到刚出版的《高中数学竞赛教程》一书，里面有海泼伦猜想：设平面上任意给定 n 个点（$n\geqslant3$），每两点之间有一个距离，最大距离与最小距离的比值记为 λn，求 λn 的下界。那猜想为：$\lambda n\geqslant 2\sin\frac{n-2}{2n}\pi$。从小酷爱数学的卢颖华被迷住了，她天真而又痴情地一头撞进这个玄妙深奥的数学领地，把自己整日“埋”进“猜想”中，写、画、算、想，经过 3 个月苦苦努力，把海泼伦猜想证明出来了。过一段时间，她又对这个猜想作了重要的改进。

成功的喜悦，促使卢颖华又兴致勃勃地去“啃”另一个与此密切相关的厄迪希猜想：平面上任意不共线的 n 个点（$n\geqslant3$），两两连结成线段，其夹角中是否有一个正角小于或等于$\frac{\pi}{n}$？开始时，她证明厄迪希猜想是正确的，但总是证不出来。于是，她开始怀疑它的正确性，终于找出反例，证明这个猜想不正确，并进一步提出，如果附加一个较弱条件，厄迪希猜想便可成立。1991 年 2 月，16 岁的卢颖华写出题为《关于组合几何中的两个重要猜想的证明》的科学论文，她的指导老师很快把论文送到专家手中，经我国组合数学权威和有关专家审阅后，认为证明正确，对她的论文水平和数学才华给予了高度的评价。特别是她用初等数学方法攻克了数学界多年诸多高手未能解决的大难题，更令人惊叹不已。1991 年 4 月，卢颖华在广东数学学会年会上作报告时。在权威面前，对答如流，演算熟练，受到广东数学界的重视和好评。

卢颖华，广州市人，1975 年 1 月生于一个知识分子家庭，父亲是暨南大学数学系副教授，母亲是医生。她 6 岁起就读于暨南大学附小，1990 年 7 月以优异成绩被免试保送升入华南师大附中。她攻克两个世界著名的数学猜想，曾获广东省和广州市分别颁发的少年论文一等奖、“爱德杯”专项奖，海内外新闻媒介多次报道过她的事迹，日本东京电视台专程来穗拍摄了她的专题电视片。

〔卢嘉锡·再次当选农工民主党中央主席〕

农工党第十一次全国代表大会于 1992 年 12 月 3 日至 8 日在北京召开。卢嘉锡在农工民主党十一届一中全会上再次当选中央主席。这次代表大会继续推举周谷城为农工党中央名誉主席，选举产生了第十一届中央委员会，推举出了农工党中央咨监委员会。在 12 月 9 日举行的十一届一中全会上，还选举出了农工党中央十位副主席：方荣欣、姚峻、章师明、田光涛、杨烈宇、翦天聪、陈灏珠、阎洪臣、宋金升、蒋正华。秘书长由宋金升兼。

大会期间，中共中央政治局委员李铁映到会祝贺并宣读中共中央的贺词。贺词称，农工民主党成立 60 多年来，同中国共产党风雨同舟，患难与共，为我国的革命和建设事业作出了重要贡献。我们为有农工党这样长期通力合作的亲密友党，而感到由衷的高兴！我们相信，农工党这次代表大会，将以邓小平同志建设有中国特色的社会主义理论为指导，认真学习贯彻十四大精神，进一步团结和动员广大成员及所联系的群众，为实现我国经济的腾飞和促进社会的全面进步作出新的贡献。

卢嘉锡在大会的工作报告中提出，我们应抓住当前的有利时机，投身经济建设的主战场，凡是符合中共十四大精神的事，就要大胆去干，充分发挥自身的优势，迈开新步伐，作出新贡献。要最大限度地把全体党员的智慧和力量集中到加快改革开放、发展经济、建设有中国特色的社会主义宏伟事业上来。

卢嘉锡，1915年生，福建厦门人（原籍台湾台南），1934年毕业于厦门大学化学系，留校任教。1939年获英国伦敦大学哲学博士学位。曾任厦门大学化学系教授、系主任，福州大学教授、副校长。1981年至1988年任中国科学院院长。1988年后任全国政协副主席。

〔附注：1993年3月27日，八届全国人大一次会议选举卢嘉锡为八届全国人大常委会副委员长。〕

〔卢肇钧·土力学专家·当选中国科学院学部委员〕 铁道科学研究院土木研究室主任、研究员卢肇钧是我国土木技术的开拓者之一，1992年底，当选为中国科学院学部委员，1992年1月3日正式公布。

卢肇钧，1917年11月17日出生，祖籍福建。1941年7月从清华大学土木工程系毕业后，赴美国学习，获哈佛大学土力学硕士学位，并在麻省理工学院作博士研究生兼助理研究员，1950年朝鲜战争爆发，他辞职回国。回国后，卢肇钧主持土力研究工作，深入现场查勘研究，在沿海地区最早成功地采用排水砂井处理软地基，并制定了对软地基的判别试验标准和设计原则；继而查明了西北兰新铁路所在地区硫酸盐渍土的松胀性对路基稳定性的影响问题，为上述地区铁路建设作出了重大贡献。

八十年代，我国开始公路、铁路立体建设，立体路基的坚固性与稳定性成为亟待解决的新问题。卢肇钧与助手们一道展开了新型“锚定板档土结构”的研究及其推广应用，创造性地研制出结构轻、柔性大，能节约建筑材料，并能适应承载力较低的地基等特点的挡土结构，同时提出了相应的设计理论，编写出《旱桥锚定板桥台设计原则》和《锚定板挡土墙设计原则》，为我国现代交通事业的发展作出了新贡献。

卢肇钧曾发表论文30余篇，与人合编专著6本。他现为博士生导师，已培养十多名研究生。他还担任中国土木工程学会土力学及基础学会理事长和国家自然科学基金委员会材料及工程学部委员。

〔帅孟奇（女）·著名女革命家、模范共产党员·电视连续剧《帅大姐》播映〕 由戴宗安、毛祥云编剧，戴宗安导演，潇湘电影制片厂拍摄的八集电视连续剧《帅大姐》，在中共十四大召开期间由中央电视台从1992年10月16日起播映。帅孟奇一生充满传奇色彩，她在反动派的监狱中九死一生，始终坚贞不屈；她身残志坚，在几十年革命征程中，始终坚持真理，实事求是，保护同志，明辩是非；即使在“文革”中被剥夺了一切权利身陷囹圄之际，依然刚毅不拔，一身铁骨，从不向黑暗势力低头，是全党公认的模范共产党员，被老一辈革命家尊称为“大姐”。这部电视连续剧不是采用编年史的方法来叙述故事，而是用感情的脉络来贯穿全剧，着意于开掘这位独特的女革命家的内心世界，紧紧抓住她情感的发展，丝丝入扣地展示她崇高的灵魂。全剧贯串一个“情”字：父女情、夫妻情、同志战友情、对人民之情、对革命后代之情，而又始终围绕帅孟奇对革命事业的耿耿忠心，火炽热烈的情，从而使它具有极强烈而深刻的艺术感染力，加上由我国演艺界著名“老旦”王玉梅饰演帅孟奇，以她出色的表演技巧使该剧演来细致入微，受人崇敬，让人信服。

现年95岁的帅孟奇是中共十四大特邀代表中年龄最大的一位，并被选入大会主席团，但由于生病住院，未能出席会议。她在十四大开会期间接受《人民日报》记者采访，谈到在改革开改的热潮中，尤其要重视加强和改进党的建设时说，目前党风问题仍然让她焦心。她列举了党内一些消极现象。她说，现在有些人入党为了做官，官僚主义严重。有的人对党和国家的利益看得很轻，对自己的利益看得很重。有的干部为自己的子女、亲属“走后门”升学、出国、找好位子，他们心中只有儿子、孙子、亲戚、朋友，而没有党和人民的利益。有的干部爱听奉承话，不愿听批评意见，对奉承他的人升级、提职，对向他提意见的人处处刁难，甚至打击报复。有的干部不服从党的纪律，分配工作讨价还价，这里不去，那里不行。有的干部言行不一，当面一套，背后一套。这些同志忘记了共产党员最主要的一条义务——为人民服务。帅孟奇着重强调每个共产党员尤其是老同志，对端正党风要身体力行，为全党作出表率。她说：“心中只有儿子、孙子、亲戚，没有人民，人民迟早要抛弃你！”她自己一生清廉，生活艰苦朴素，从不以权谋私，是端正党风的模范。1978年，她在“文革”中蒙受7年不白之冤平反之后，补发了二万元工资，她把这笔钱连同利息，统统上缴国库。有同志劝她：“大姐，你不要把钱都捐了，该吃的吃点，该花的花点，也给侄儿、侄女留一点。”帅大姐总是笑笑说：“我这就过得很好了。侄儿、侄女生活也过得去。钱多了，对孩子不见得有好处。有句古话‘无数朱门出饿殍，许多白屋出公卿’。家境困难些，孩子反倒有出息。”近几年，她虽年事已高，仍然省吃俭用，将积蓄的工资二万多元捐给了灾区和“希望工程”。

帅孟奇，1897年生。湖南汉寿人。1926年加入中国共产党。曾任汉寿县农民协会筹备会干事、妇女联合会负责人、中共汉寿县委组织部部长。1928年赴莫斯科中山大学学习。1930年回国后，任中共中央长江局秘书、江苏省委妇女部部长。1932年被捕入狱，在狱中受尽酷刑，始终坚贞不屈，被判处无期徒刑。1937年在国共重新合作的形势下，经过党的营救出狱，任中共湖南省工委秘书长、常益中心县委书记。1942年到延安，任中共中央妇委委员、代理书记。建国后，任全国妇联常委和组织部部长，政务院监察委员会委员，中央监察委员会候补常委。1956年11月起任中共中央组织部副部长。“文化大革命”中，受到林彪、江青反革命集团的诬陷和迫害。被隔离审查长达7年，受尽了无穷无尽的折磨迫害，直至被错误地开除党籍。1978年平反后，任中共中央纪律检查委员会常委、中央组织部顾问。她曾先后当选为第三届全国人大常委，第五届全国政协常委。中共第八次全国代表大会上当选为候补中央委员、中央监察委员。第十二次全国代表大会上当选为中顾委委员。

〔叶尔肯·卡德·维吾尔族矿工·获全国“五一”劳动奖章〕　新疆乌苏县四棵树煤矿矿工叶尔肯·卡德，十多年如一日，把满腔热血奉献给矿山的生产建设。1992年4月29日，获得全国总工会授予的全国“五一”劳动奖章，并在“五一”节期间，受全国总工会邀请，到北京参加全国“五一”劳动奖章、奖状授奖大会，受到党和国家领导人接见。

叶尔肯·卡德，1961年10月生，新疆乌苏人。1979年中学毕业后，参加了矿山的生产和建设，在井下采掘第一线一干就是十几年。从1988年起，他连续四年被评为矿和县的先进生产者，1989年被评为塔城地区先进工作者。

叶尔肯·卡德长期在井下生产第一线，干过采煤工，掘进工，放炮工。多年来他所在的班组从未发生过一起重大伤亡事故。1991年五号井因工作需要压缩区队编制，叶尔肯毅然提出辞掉区队长的职务，到班组去。他这种顾全大局的精神受到职工的一致好评。

叶尔肯·卡德作为一名少数民族职工，非常注意学习党的民族政策，做好民族团结工作，坚持“两个民族离不开”的思想，在工作中若发现不利于民族团结的事，他立即制止，并给大家讲民族团结的重要性，耐心进行说服教育。一次一个维族青工和一个汉族青工为了争用一个升柱器发生了口角，经了解主要责任在那位维族青工。下班后，叶尔肯·卡德带着这个维族青工向汉族青工赔礼道歉，这两个青工紧紧拉着叶尔肯·卡德的手说：我们从你身上看到了民族团结的希望和力量。并表示今后一定要加强民族团结，共同为矿山建设做出贡献。

1991年煤矿各井成立了家属安全生产协管站。叶尔肯·卡德积极动员妻子参加家属协管工作。从此妻子除每天做好家务外，积极下井，给井下工人送去奶茶，为工人浆洗缝补衣服，使工人们更加安心井下工作。

〔叶至诚·著名作家、编辑家·在南京逝世〕

1992年9月23日，我国著名作家、编辑家、江苏省作家协会常务理事、《雨花》杂志主编叶至诚在南京逝世。终年66岁。

叶至诚出身于文学世家，其父叶圣陶是我国著名的教育家、文学家。受家庭环境的熏陶，叶至诚自少年时代起就涉足文坛，并把自己的一生与文艺创作紧紧地联系在一起。1942年，他与兄姐合著《花萼》集；1944年，在父亲的指点下，三人又合作《三叶》集，并由朱自清先生写序。朱先生称赞叶至诚的《看戏》写出了自己的健康的顽皮和机智。此后，叶至诚陆续写出不少以孩子为主角的作品，先后见诸于《开明少年》月刊。

建国后，叶至诚服从工作需要，先后进行过不同形式的文艺创作。他写过许多歌词、越剧和锡剧剧本，以及散文。他还编辑其父叶圣陶著作多种。

1957年，叶至诚蒙受不白之冤，但他仍不放下手中笔，继续在文艺创作领域默默耕耘。“文革”后，其兄叶至善收集旧作编成《没有完的赛跑》。

叶至诚曾长期担任《雨花》主编，发现和扶植了许多文学新人，并为发展和繁荣祖国的文学事业作出突出的贡献。

〔叶至善·编辑家和科普作家·获第六届妇幼事业樟树奖〕　中国福利会设立的樟树奖，是在妇幼卫生保健、儿童文化教育领域内全国唯一的一个专项奖。前五届先后有冰心、陈伯吹、高士其、严文井、万籁鸣等 30 人获奖。1992 年 10 月 8 日，叶至善等 11 人被授予第六届妇幼事业樟树奖奖章和证书。

叶至善，1918 年生于江苏苏州。从小受到父亲叶圣陶的教诲和熏陶，抗战后期帮助父亲做编辑工作。1945 年进开明书店编辑《开明少年》（后改名《中学生》），正式开始了编辑生涯。

新中国成立后，他是中国少年儿童出版社的首任社长和总编辑，兼《中学生》杂志主编。他先后参与和领导编辑出版的大型丛书有：《儿童自然科学丛书》、《中国历史故事集》、《中国历史小故事》、《少年百科丛书》。其是以《少年百科丛书》规模最大，共有 200 种，发行 4000 多万册，被誉为打开知识宝库的金钥匙，通向未来世界的桥梁。

叶至善主编《中学生》杂志的时间较长，此外，还创办了《我们爱科学》等刊物。在书刊的编辑出版工作中，叶至善始终坚持质量第一，为读者负责。例如优秀长篇童话《小布头奇遇记》，原是一家出版社的退稿，理由是不象童话。他看了后深受感动，回到家跟父亲说，跟女儿说，又亲自润色稿件，批字号，定开本，画版样，组织插图，决心要使该书从内容到形式都是上乘的。从审稿到出书，他看了 12 遍，终于使这本书成为荣获全国儿童文学创作一等奖的优秀作品。

叶至善是编辑，又是作家。他给青少年写了大量的介绍多科知识的读物和文章，还出版了《花萼和三叶》、《未必佳集》、《竖鸡蛋和别的故事》等。可是他只承认自己是编辑，不承认自己是作家。他认为一个编辑应该集中精力把编辑做好，在这个前提下再写东西。同时他又认为，编辑自己能写作也是很重要的。

叶至善已年逾古稀，虽然担任全国政协委员，民进中央副主席等职务，工作很忙，仍一如既往地关心出版事业，一有时间就热情地为编辑讲课。有人认为编辑工作是“可怜年年压金线，为他人做嫁衣裳”，他则以自己的诗词明志：“得失塞翁马，襟怀孺子牛”、“且不悔为人作嫁”。他乐为他人“作嫁”，俯首甘为孺子牛，为千百万“孺子”——少年儿童贡献了他的多半生。

〔叶志镇·浙江大学副教授·留学美国成绩优异学成归来〕 1992 年 3 月，在美国做博士后研究的浙江大学副教授叶志镇返回祖国。他回国之后，就马不停蹄地在浙大高纯硅及硅烷国家重点研究室开展工作。和国外相比，这个实验室显得很简陋。对此，叶志镇平静地说：“这里条件比不上美国优越，仪器远不如那边先进，但我的信心和干劲比任何时候都高，因为这里是我的祖国，祖国的天空任鸟飞。”

叶志镇 1955 年出生于浙江省苍南县一个偏僻山村，十年动乱耽搁了他多年的学业，幸逢 1977 年恢复高考，他考入了浙江大学。在浙大，他刻苦学习，大学毕业后继续攻读硕士和博士。1987 年获得博士学位。1990 年 9 月，叶志镇进入美国麻省理工学院学习，师从著名低温外延半导体薄膜专家莱佛教授，从事低温外延优质硅薄膜的研究。低温外延优质硅薄膜是一项事关下一代超大规模集成电路和微电子高技术发展的重要课题，也是美日两国争夺下一代世界霸主地位展开激烈竞争的一个焦点。叶志镇夜以继日，经常工作到凌晨二、三点钟。由于他的努力，不到一个月的时间，就解决了样品在多个高真空室之间准确无误地传递的工艺难题，深得美国专家赞许。叶志镇感到麻省理工学院研究条件相当优越，他暗暗为自己加码，把目标对准了低温生长硅外延及外延层的性能评价研究。经过反复试验，终于在 550°C 下由硅烷热分解，成功地生长出高质量的硅外延层。这一成果，到目前为止仍为该领域的最高水平，当叶志镇在攻关年会上宣读这一成果论文时，引起了国际微电子材料科研界的极大关注。叶志镇并没有沉醉在成功之中，他很快掌握了透视电镜技术、扫描电镜技术，以及复杂的横断面透射电镜样品制作工艺，拍下了许多很有价值的透射电镜照片。在研究外延层缺陷过程中，叶志镇发现了新型晶界结构。这个成果得到了专门从事材料缺陷研究的巴洛菲教授的高度重视。在麻省理工学院研究期间，叶志镇共完成、发表了 9 篇论文，分别刊登在麻省理工学院年度报告、《电子材料》国际期刊上。至 1991 年，他已在国内发表论文 40 多篇。

1991 年底，当叶志镇的课题结束时，莱佛教授马上写推荐信给材料学的著名专家凯默林教授。与此同时，其他学校的五位教授都主动热情邀请他继续留美做博士后研究。叶志镇此时思绪万千。正在他越来越想回国的时候，大洋彼岸传来了邓小平南巡谈话和中国进一步加快改革开放的消息。叶志镇最后作出决断：立即回国，报效祖国。美国的导师很为他惋惜。叶志镇吐露了自己的肺腑之言：“中国虽不很发达，但它充满希望。中国的富强，要靠我们中国人自己。我们早一天回去，就能早一日把掌握的最新技术带回去，带动国内的事业。”现在，叶志镇已与浙江大学高纯硅及硅烷重点实验室的同事们制定了今后四、五年的工作计划。他雄心勃勃，要在半导体薄膜、光电子器件应用等项目上与世界强手一比高低。研究条件不如国外，收入更是少得多，但叶志镇不后悔。他说：“回国已半年，感觉很舒畅。尽管我仍留恋麻省理工学院的科研和生活，但在自己的祖国干得更有劲”。

〔叶盛兰·已故京剧表演艺术家·叶派艺术研讨会在京举行〕 1992年5月29日上午，首都戏曲界数十名知名人士集会，研讨叶（盛兰）派艺术，并祝贺《叶盛兰与叶派小生艺术》一书出版。

叶盛兰为当代著名的京剧表演艺术家，在多年的艺术实践中，他继承并发展了京剧小生艺术，创造了独树一帜的叶派，在京剧史上占有重要地位，在国内外产生了广泛的影响。由李滨声、李舒、朱文相编写的《叶盛兰与叶派小生艺术》一书，分“生平纪实”、“艺术探微”、“代表剧目”等几部分，比较全面地记录和评述了叶盛兰的艺术生涯和成就，对总结和传播叶派艺术是一大贡献。

叶盛兰，原名端章，1914年生于北京，1978年卒。为富连成科班创始人叶春善第四子。12岁入“富连成”科班，初习青衣、武旦，后改习小生。先从张彩林、萧连芳学文戏，又从其姐夫茹富兰学武小生。未出科已崭露头角，出科后又拜程继先深造。曾与马连良、言慧珠、章遏云、李玉茹等合作，并一度自己领班演唱。1951年参加中国戏曲研究院京剧实验团工作。1955年任中国京剧院一团团长。

叶盛兰扮相英俊，气度大方，表演细腻。演《群英会》、《临江驿》、《赤壁之战》的周瑜，能于儒雅英武中蕴其气量狭窄的心理；演《辕门射戟》、《吕布与貂蝉》的吕布，能于持勇骄矜中露出色厉内荏的本性。他嗓音宽高，刚柔兼备，唱腔华丽、饱满、遒劲，高则刚健峻峭，低则婉转萦回，跌宕起伏，收放自如，并讲究因戏谱腔。如在《辕门射戟》中唱得挺拔豪放，以示吕布盛气凌人；在《白门楼》中，则多用小腔，以抑扬凄婉的旋律，表现吕布被擒后的惊惧心情。他的念白注重口劲和音韵，大小嗓结合自然，不涩不浊，圆润流畅，演武小生戏和文小生戏的念白，或刚或柔，区别细致，安排得当。他的武功根底坚实，动作洗练，于稳健从容中显出脆、率。演《群英会》中周瑜的舞剑，姿势壮美，而不失儒雅风度。

叶盛兰能戏很多，昆乱兼擅，以演雉尾生最为专长，塑造得最为出色的形象有《群英会》、《临江驿》中的周瑜，《吕布与貂蝉》、《辕门射戟》中的吕布，《探庄》中的石秀，《雅观楼》中的李存孝等。中华人民共和国成立后，他较长时间与杜近芳合作，可说当时每戏都属京华盛事，他俩合作的《柳荫记》、《白蛇传》、《桃花扇》、《西厢记》等，被叶派迷誉为：“前无古人而今尚无来者的杰作。”叶盛兰塑造的梁山伯、许仙、侯方域、张君瑞等人物形象，各有特色。内外行曾普遍评价：叶盛兰的武小生比文小生好；文小生戏里贴近点武功技巧的又胜于一派斯文的扇子生，而自《柳荫记》始，他的表现艺术进入了一个新的境界，表演技巧更加精湛，文小生、武小生都达到了理想的高度。同时，由于他的提携，这时杜近芳在艺术上也攀越到一个高峰，他俩合作真谓光彩夺目，满台生辉。

遗憾的是“文革”以后，叶盛兰再未能复出即病故。可令叶盛兰含笑九泉的是其子叶少兰有如叶盛兰的“转世灵童”。几年前当叶少兰与杜近芳首演《谢瑶环》时，剧场轰动，叶少兰演出有乃父风范，嗣后与杜近芳排出《白蛇传》，从唱到做处处都好，使观众达到疯狂的程度。

〔田牛·微循环、放射医学专家·被列为世界杰出的科学家〕 人民解放军总医院专家组组长，基础医学研究所微循环研究室研究员田牛，1992年被美国传记中心聘为“世界名人传记中心”顾问；被英国剑桥世界传记中心列入“世界杰出的科学家”，并授予他“世界名人勋位”称号。同年，田牛与李向红等编著的《临床微循环检查手册》，由中国医药出版社出版。

田牛，原名田大年，1925年1月生于黑龙江宁安。1947年毕业于中国医科大学，1956年入苏联军事医学科学院，1959年获该院副博士学位和学术一等奖。后任长春军医大学内科讲师、副教授，曾被评为长春市一等劳动模范。1959年起任军事医学科学院放射医学研究所副研究员，研究员，后调解放军总医院。他领导的抢救组1963年在国内首次成功地救治了四例放射病人。在急性放射病治疗中最先提出有指征的预防使用抗生素，总结了治疗原则。1968年确定了各度放射病与剂量的关系。1970年研制了“急性放射病分类诊断图”。他作为课题主要负责人之一提出的急性放射病的分类、诊断、救治原则、实效剂量等编入了国家标准。1981年获军队科技成果二等奖，1987年获国家科技进步特等奖和卫生部乙级成果奖。

1970年后，他陆续对“微循环”提出了比较科学的定义和范畴，建立了六种研究微循环的方法，创立了半定量血流速度测定法，微血管的六种构形等，已编入全国有关教材，在全国应用。1980年他出版的专著《微循环》，开拓了我国微循专业，1987年获国家科技进步三等奖。田牛在国内开创了辐射微循环研究，在国际上首次提出“不同脏器微血管的辐射敏感性不同”的新观点，并对国际公认的有关辐射敏感性的Bergonie——Tribondeu氏定律做出了重要补充和修改，提出“从实质细胞，微循环，间质三方面综合判断脏器的辐射敏感性”的观点，上述主要观点已被国内四本专著采用；提出的改善微循环障碍的治疗原则，被编入国家标准，并获1988年全军科技成果一等奖。所著《辐射微循环学》获1988年全国优秀科技图书一等奖。1986、1987年相继提出的甲襞和球结膜微循环的综合定量评价方法已在全军、全国推广应用。1988年获全军科技成果二等奖，他作为第一主编出版的《微循环障碍与相关疾病》一书获1986年北方十省优秀科技图书一等奖。

田牛在学术上的突出成就赢得了国内著名专家学者的高度评价。世界著名的微循环专家、第四届世界微循环大会主席、庆应大学教授土屋雅春1989年给日本外务省的报告中写到：“田牛教授是中国微循环研究的第一人”。田牛先后发表论文110篇，专著9本。培养博士、硕士生7名，立一等功、二等功各一次。

〔田波·植物病毒学家·当选中国科学院学部委员〕　中国科学院微生物研究所研究员田波和同事一道在国际上首次应用卫星核酸防治黄瓜花叶病毒获得成功，1991年底当选为中国科学院学部委员，1992年1月3日正式公布。

田波研究的黄瓜花叶病毒是众病毒中分布最广、危害最大的一种。蕃茄、烟草、油料、瓜类等700多种植物都笼罩在它的阴影之中，一旦染上，叶子黄而皱，果实少而小。1983年，田波等人在世界上首次应用卫星核酸防治黄瓜花叶病毒取得成功后，受到国内外著名科学家高度评价，认为是“现代生物工程的成功范例”，其论文是“本领域第一篇文献”。这一方法目前已在国内普遍推广，并获中国科学院科技进步一等奖。

此后，田波又率课题组人工合成了卫星核酸的互补脱氧核酸基因，并将其转移到蕃茄、烟草中，使其在田间表现出良好的抗病性，为有效防治黄瓜花叶病毒开拓了新途径。此外，田波对我国马铃薯退化原因和无病毒原种生产技术的研究，也获得了中国科学院重大成果奖和科技进步一等奖。

田波在中国科学院微生物研究所担任博士生导师，兼任国际类病毒工作组成员、中国微生物学会病毒专业委员会副主任、中国植物病理学会常务理事等。他撰写百余篇论文和3种专著。1992年底，又被提名为美国植物病毒学最高奖——阿兰奖的候选人。

田波，1931年12月25日出生于山东省桓台县，其主要经历见1990年《中国人物年鉴》。

〔田纪云·当选中共中央政治局委员·谈本世纪末农村实现小康和解决贫困地区温饱问题〕

1992年10月18日，在中国共产党第十四次全国代表大会上，田纪云当选为中共十四届中央委员会委员。19日，在中共十四届一中全会上当选为中央政治局委员。

1992年，国务院副总理田纪云多次就本世纪末我国农村如何实现小康问题发表意见。6月29日在广东省珠海市召开的全国发展高产优质高效农业经验交流会上，他做了《加快改革开放步伐，实现农业向高产优质高效的转变》的重要讲话，当前我国农业和农村经济工作要重点抓好三项工作：一是农林牧副渔全面发展，走高产优质高效的路子；二是加快发展乡镇企业，重点向中西部进军；三是重视发展第三产业，加强以流通为重点的服务体系。要使三者有机结合，相互促进，共同发展。这样，九十年代广大农民生活水平不断提高，小康目标就可能如期实现。

田纪云认为，发展高产优质高效农业是我国农业发展史上的一个重大转折。这是满足人民生活水平提高、奔小康，提高农民收入，促进国民经济协调发展，发展农村商品经济，实现农业现代化的需要。他说，根据广东和其他省市的经验，发展高产优质高效农业的基本途径，大体上要做到“四个结合”，即：种养加相结合；农工商相结合；内外贸相结合；农科教相结合。同时要抓好两项工作：第一、农林牧副渔都要实行深度开发与广度开发；第二、改善生产条件，提高综合生产能力，增强农业发展后劲。他提出，发展高产优质高效农业，涉及方方面面，主要的是健全适合高产优质高效农业和农林商品经济发展的经济运行机制和管理体制。他强调各级党委和政府要把发展高产优质高效农业作为发展农村商品经济、实现小康的一项重要指导方针，长期坚定不移地贯穿到农业和农村经济工作中去。

关于加快中西部乡镇企业发展问题，田纪云于11月18日在全国加快中西部乡镇企业发展经验交流会上讲话时说，乡镇企业是社会主义市场经济的先导力量，乡镇企业西进是加快国民经济和社会发展的重大战略选择。他指出，根据中西部地区发展乡镇企业的有利条件和制约因素，今后中西部乡镇企业应采取的发展战略，总的是要加快改革开放步伐，坚定不移地贯彻“积极扶持，合理规划，正确引导。加强管理”的方针，以市场需求为导向，以资源开发加工为突破口，二三产业一齐上，依靠科技进步，加强企业管理，促进乡镇企业高质量、高速度、高效益的发展。他要求各级领导积极扶持，为加快发展中西部地区乡镇企业创造更宽松的环境。

1992年中，田纪云先后深入长江三峡、河北、山东、黑龙江、陕西、甘肃、青海等地考察，每到一地都反复强调各级领导干部要扎扎实实学习贯彻邓小平南巡重要讲话和党的十四大精神，按照建立社会主义市场经济的要求，进一步加快农业发展步伐。

田纪云十分重视扶贫工作，强调贫困地区更要注重开放开发。12月上旬，考察青海贫困地区时，他鼓励干部群众继续打好扶贫攻坚战，力争本世纪末稳定地解决贫困地区温饱，逐步脱贫致富。

1992年中，田纪云还率领中国政府代表团先后出访瑞典、挪威、丹麦、芬兰和俄罗斯等国。

田纪云，1929年6月生，山东肥城人，1945年5月入党，1945年1月参加工作。1945—1949年，在鲁西南从事战勤工作，曾任冀鲁豫战勤总指挥部总会计。建国后，曾在贵州省财政厅任科长、处长，副厅长。1969—1981年，任四川省财政局副局长、局长，省财政厅厅长。1981—1983年，任国务院副秘书长。1983—1987年，任国务院副总理兼国务院秘书长。1987年起，任国务院副总理。是第十二、十三届、十四届中央委员，十二届五中全会增选为中央政治局委员、中央书记处书记，第十三届、十四届中央政治局委员。

〔附注：1993年3月27日，八届全国人大一次会议选举田纪云为八届全国人大常委会副委员长。〕

〔田麦久·北京体育学院教授·主持完成《项群训练理论》专著〕　新中国第一位体育科学博士、北京体育学院教授田麦久，1992年主持完成了《项群训练理论》专著。项群训练理论是田麦久于1984年率先提出的，受到国内外体育学术界及运动训练界的高度重视。这一理论通过对竞技运动项目进行科学分类，并对各类项目独特规律进行深入研究，从而对体育运动训练实践具有重要的指导作用和实践作用。

田麦久，山东青岛人，1940年7月出生。1961年、1964年先后毕业于北京体育学院本科及研究生部。留校在田径教研室任教。1979年初赴联邦德国体育学院进修，不幸横遭车祸，手术15次，左足截肢。他以顽强毅力，勤奋攻读，于1981年8月获博士学位。1981年10月回国后，致力于体育运动训练理论的研究与教学工作，十年间先后发表论文80余篇、论著9册，共计约300万字。其中主要研究性专著有《论周期性耐力项目的多种竞速能力》、《论运动训练过程》等，尤其是1989年主编的55万言的《运动训练科学化探索》，着重对30多年来我国体育界丰富的科技成果进行应用性开发研究，系统、全面地建立了我国运动训练科学化结构，成为我国科学训练领域中的一部在理论与实践上具有指导作用的重要著作。

田麦久现任北京体育学院副院长，第七届全国政协常委，九三学社五届中央常务委员、北京市副主任委员，中国体育发展战略研究会副会长。1991年1月获“在祖国社会主义现代化建设中做出突出贡献的回国留学人员”称号。

〔田振虎·民航飞行大队大队长·获全国优秀工作者称号〕　中国国际航空公司第23飞行大队大队长田振虎，工作兢兢业业，一丝不苟，创造了安全飞行11600多小时的记录。1992年4月被全国总工会授予“全国优秀工作者”称号和“五一”劳动奖章。同时，还被评为全国民航劳动模范。

田振虎，1949年6月生，河北省唐县人，中国共产党党员。1968年4月从中国民航高级航校毕业后，分配到飞行部队工作。20多年来，他先后飞过运5、伊尔14、子爵号、波音707等多种机型，飞遍了祖国大江南北和欧、亚、非20多个国家与地区，胜利完成各项客、货班机与包机任务。1991年曾获中国民航局颁发的一级安全飞行奖章，并6次被评为天津市和民航局各级的优秀党员和先进工作者。

作为飞行大队的领导，他坚持把安全飞行作为首要问题来抓。通过严格训练、严格纪律、严格要求和严格各项规章制度的落实，保证安全飞行。在大队人员紧、新手多、任务重的情况下，每次领受任务后，他都认真收集资料，反复研究飞行方案，特别是飞新航线，他还要组织大家反复研究各项安全措施，确保飞行万无一失。1991年，大队先后接受北京——莫斯科——维也纳旅游包机，北京——迪拜——开罗开航，北京——达卡运送援外救援物资等任务，事先他都组织大家精心准备，保证了任务的圆满完成。1991年有一次执行迪拜——开罗——迪拜——北京的国际航班，起飞后，自动驾驶仪出现故障。如果返航修理，就要延误航班，不仅造成经济损失，而且会影响中国民航的国际声誉。他权衡利弊，决定克服困难用人工操纵。他和机组的同志聚精会神，连续工作17个小时，终于圆满完成任务。他领导的23飞行大队，已实现安全飞行25周年。1990、1991年分别被天津市、中国国际航空公司、中国民航授予"八五"立功单位、"文明建设先进单位"等称号，并荣立集体二等功。

〔史玉孝·任广州军区政治委员〕　1992年11月，中央军委任命史玉孝为广州军区政治委员。

史玉孝，1933年3月生，陕西宝鸡人。1949年参加中国人民解放军。曾任第一野战军师宣传队队员。参加了兰州战役。1953年加入中国共产党，同年参加抗美援朝，任中国人民志愿军师保卫科助理员。回国后，任中国人民解放军连指导员、营教导员、团政委、师副政委。1980年毕业于解放军政治学院。后历任师政委、军政委。1985年起任南京军区副政委、政委。是中共十三届、十四届中央委员。1988年被授予中将军衔。

〔史东仇、于晓平·动物生态研究工作者·朱鹮生态学研究居国际领先水平〕　陕西省动物研究所史东仇、于晓平等人开展的"朱鹮的生态学研究"课题，经三年艰苦努力取得重要进展，经专家鉴定，达到了国际领先水平。1992年11月26日，《光明日报》记者杨永林报道了这一研究成果。

朱鹮是当今世界濒临灭绝的一种珍禽，其野生种群已在前苏联西伯利亚、朝鲜半岛和日本境内相继灭绝。我国陕西省洋县成为唯一生存朱鹮野生种群的地方，但数量已很稀少。据悉，我国境内的朱鹮野生种群和人工繁殖种群仅有30多只。1981年在我国陕西洋县重新发现朱鹮之后，陕西省动物研究所受林业部的委托，在有关部门协作配合下，共同开展了朱鹮的生态学课题研究。主持这一课题研究的陕西省动物研究所副研究员史东仇和主要参加者、助理研究员于晓平等，在中国科学院动物研究所研究的基础上，对朱鹮的生态学开展了潜心研究。研究明确了占区、营巢、交尾、产卵、孵化、育雏及季节活动规律，记述了雏鸟各发育阶段的体重、体长、肢体、羽毛等情况，为野生科学管理和人工饲养提供了珍贵资料。这项研究详录了我国1981—1990年的繁殖状况，为进一步开展保护和增殖工作提供了依据。还查明造成朱鹮濒危灭绝的主要原因是农药污染与食物匮乏，并实测了现存地游荡期朱鹮的食物丰度。

由中国动物学会理事长、中国科学院动物研究所研究员钱燕文为主的专家鉴定委员会认为，史东仇主持的研究课题难度大，成果显著，研究水平达到了国际领先地位，具有很高的科学价值。研究成果丰富了有关该物种的科学文库，为挽救其他濒危物种提供了新鲜经验。同时，还为开展保护管理和人工饲养繁殖提供了科学依据。参加这一课题研究的还有陕西省野生动物资源管理工作站的许树华、卢西荣和陕西朱鹮保护观察站的路宝忠、翟天庆、黄丽、席咏梅、庚志忠。

史东仇，安徽省望江县人，1939年1月生，1962年8月由西北大学生物系动物学专业毕业，分配到陕西省动物研究所后，一直从事鸟类、兽类的生态生物学研究，在濒危鸟类、兽类的生态生物学研究及保护工作上，取得了显著成绩，参加过1989—1991年"中日共同保护增殖朱鹮"合作项目。他现在担任陕西省动物学会常务理事。参加执笔的主要著作有《秦岭鸟类志》、《大熊猫的解剖》、《西北濒危动物志》等，发表学术论文三十多篇。

于晓平，陕西省眉县人，1964年6月生，1986年8月毕业于兰州大学生物系动物学专业，到陕西省动物研究所后，是史东仇主持课题《朱生态学研究》的主要参加者。也参加了1989—1991年"中日共同保护增殖朱鹮"合作项目的研究。此外，他对朱鹮伴生种鹭科鸟类的繁殖和取食行为等进行了研究，发表学术论文十多篇。

〔史立本·农业土肥专家·获国家发明奖二等奖〕　山东省农科院土肥研究所副研究员史立本，主持完成的"高矿化地下水型滨海盐渍土农盐牧结合综合治理与开发配套技术”，获得1992年国家发明奖二等奖。

史立本，1931年11月25日生于山东省莱西县。1949年2月在莱西参加革命。1956年8月调入山东农学院土化系学习，1960年毕业后分配到山东农业科学院土肥所从事盐碱土改良工作，1978年开始承担并主持国家科委、国家计委和农业部下达的山东寿光滨海盐碱土改良利用试验区国家重点科技攻关任务。在承担国家课题期间，较完满地完成了国家“六五”、“七五”期间的科技攻关任务，现仍承担并主持山东寿光试验区的研究工作。他发明的“水质更新的土壤改良方法”获得国家专利。他因选育成功禾本科耐盐牧草“鲁牧一号”立三等功一次。他参与的“黄淮海平原中低产地区综合治理与综合发展”项目，获1992年度农业部特等奖。此外，他还主持设计了“低风速耐蚀型”风力提水机，获得国家新型设计专利。

史立本的获奖成果之一、适合于黄河三角洲及渤海莱州湾地区的“高矿化地下水型滨海盐渍土农盐牧结合综合治理与开发配套技术”，可将提咸晒盐、土壤改良与发展种植业、畜牧业紧密结合，利用提取的高矿化地下水进行晒盐并达到控制地下水位的目的，因而可同时建立起种植业、畜牧业和盐业联合生产基地，潜在效益十分可观。

〔史俊棠·宜兴紫砂工艺二厂厂长·获全国乡镇企业家称号〕　江苏宜兴紫砂工艺二厂厂长史俊棠，积极培养本厂工艺技术人才，发展传统紫砂工艺，使企业取得良好的经济和社会效益，于1992年被评为全国乡镇企业家。

史俊棠，1950年8月生，江苏省宜兴市丁蜀镇人。八十年代初，组织“紫砂之乡”的农民充分发挥当地资源优势、传统工艺优势和技术人才优势，白手起家，办成了宜兴紫砂工艺二厂。建厂初期，他提出了“立足国内求发展，瞄准外贸抓提高”的经营战略，采用“请进来，派出去”的办法，培养了一批工艺技术人才、经营人才和管理人才，使企业生机勃勃，成为农业部的全国乡镇企业先进单位、国家二级企业。

还在宜兴紫砂工艺二厂名不见经传的1985年，为使企业在强手如林的竞争中占领市场，史俊棠积极奔走于上海的紫砂壶收藏家之间，将自己工厂生产的产品和收藏家的藏品，在上海举办“宜兴紫砂民间收藏展览”，借以提高工厂的知名度。继而又因势利导，发起成立我国第一个紫砂民间团体——上海紫砂协会，并被推为理事长。1986年11月，他发起举办首届“宜兴紫砂散文节”，邀请了柯实、郭风、林非、菡子、艾煊、陆文夫、高晓声等一大批著名作家参加，请他们写文介绍紫砂，大大提高了宜兴紫砂的知名度。在1988年成立的中国工艺美术协会大会上，作为乡镇企业的唯一代表，史俊棠被推选为常务理事。

在企业发展过程中，史俊棠“重人才、重技术、重工艺、重质量”，因而使产品质量稳定提高。“华艺牌”紫砂工艺品先后争创了市优、省优、部优，并在第九届全国工艺美术百花奖上获得银牌。

史俊棠还紧紧依靠闻名海内外壶艺界的紫砂高级工艺师徐汉棠、徐秀棠兄弟，培养和造就了一批工艺骨干，形成了自己企业的名人名作，使紫砂工艺二厂的工艺声誉在东南亚一带，特别在台湾茶艺界与日俱增。在1990年厂庆十周年之际，史俊棠组织本厂产品赴首都北京举办了“迎亚运——宜兴紫砂精品展”，取得很大成功。他还与人合作，主编了我国第一本紫砂工艺方面的专著《紫砂春秋》。他几次带着数百件紫砂工艺精品，赴香港展览，并两次应香港电视台安排现场直播介绍“宜兴紫砂壶”及“紫砂壶的鉴别与收藏”，应邀为中艺（香港）陶瓷有限公司的员工讲授如何向顾客介绍和推荐茶壶的有关知识。在他一系列别出心裁的有效宣传和推动下，古老的紫砂工艺焕发出勃勃生机，传统的宜兴紫砂工艺从未像今天这样风靡于国内外市场。史俊棠现在分别与美国、英国、意大利的客商筹划合资创办规模更大的陶瓷生产企业。

1992年6月，史俊棠当选为宜兴市丁蜀镇镇长。他是江苏省乡镇企业家协会常务理事、中国乡镇企业家协会理事、江苏省人大代表。

〔史掌元·农民作曲家·获“当代农民之歌创作奖”〕　72岁的农民作曲家史掌元，1992年初收到北京中国音协寄来的“当代农民之歌创作奖”证书，这是对他近几年来，创作《这几年农村变化多》、《乡情曲》等十多首歌曲的奖励。42年来，史掌元创作100多首歌曲，其中有些歌曲曾在国内外产生过强烈影响。如1959年创作的《唱得幸福落满坡》、1963年创作的《请到我们山庄来》，不仅流行全国各地，而且还飘洋过海，流行到越南、日本、阿尔巴尼亚和香港等国家和地区。毛主席纪念堂落成典礼仪式上，经党中央、国务院选定演奏的两首歌曲中，就有史掌元1977年创作的歌曲：《我给周总理扎花圈》。

史掌元出生于山西省昔阳县界都乡里安阳沟村，一个祖传八音会的家庭。爷爷、伯父、父亲和叔父都是演奏传统民族乐器笙、管、唢呐、笛子的行家。逢年过节，红白喜事，乡亲们都要请他们到场演奏。聪明伶俐的史掌元从小受到家庭的熏陶，对音乐产生了强烈的兴趣。1946年村里组织业余剧团，他是成员之一，背着干粮到外地学唱歌剧《白毛女》中100多个曲调，并请教名家，学习简谱，学会了谱写新歌曲。他先后谱写的《积肥小调》、《大黄犍》等作品，都受到好评。

史掌元是个种了一辈子地的道地农民。就在他热恋创作歌曲的火红年代里，也一直没有离开过生产岗位。他创作的素材都来源于黄土地上的实践，充满了乡土气息。他在40多年的歌曲创作中，谱写了一曲又一曲歌颂党，歌唱社会主义制度，歌唱人民新生活的歌曲，赢得了党和人民的高度赞誉。早在1959年，他就被山西省晋中地区命名为农民作曲家。从1962年到1989年，他连任山西省音协副主席，后任名誉主席。中国民间文学委员，中国音乐家协会会员，从1960年到1985年，连任中国音协理事。

〔白春礼·扫描隧道显微学专家·被评为第三届中国十大杰出青年之一〕　中国科学院化学研究所副所长、扫描隧道显徽系实验室主任白春礼，因在扫描隧道显徽学科研领域取得突出成就，于1992年10月6日被全国青联、中国青少年发展基金会及首都十家新闻单位评为第三届中国十大杰出青年之一。

白春礼，辽宁省丹东市人，1953年出生。1978年毕业于北京大学化学系，1985年在中科院研究生院获博士学位，是我国自己培养的第一批化学博士生，后赴美在加州理工学院做博士后研究。1987年完成博士后研究，谢绝美国高薪聘请按期回国，投入国内刚刚起步的扫描隧道显微学研究。回国半年后，他带领科技人员研制出由一台微机控制、有数据分析和图象处理系统的扫描隧道显微镜（STM），其极高的分辨率能使研究者观察样品表面原子的排布。他研制的STM以其独特的设计思想及对关键技术问题的合理解决，获得了两项国家发明专利，并获1990年国家科技进步二等奖。为了推动科研成果的转化，他们在北京新技术开发区创办了一家公司，除了向国内提供STM产品外，还出口到美国。1989年初，白春礼领导的科研小组又比原计划提前10个月，研制出我国第一台原子力显微镜（AFM），其性能一下子就达到了原子级分辨率的水平，目前世界上仅有少数几个实验室研制的AFM能达到原子级分辨率。1990年11月，白春礼和他领导的扫描隧道显微学研究室的科学工作者，用自己研制的STM在世界上首次直接观察到脱氧核糖核酸（DNA）这种生命主要遗传物质的一种新结构——三链辫状缠绕结构。有关专家认为，这一发现拓宽了人们对DNA结构的认识，找到了研究DNA结构又一突破口，为生物信息、生命起源的研究开辟了一条新路。

白春礼具有为国争光的强烈责任感和顽强拚搏的精神，为取得科研成果，他经常通宵达旦地工作，使我国在扫描隧道显微学领域的研究一直保持国际领先地位。几年来，他在国内外学术刊物上发表科学论文90余篇，出版专著两本。作为科研项目负责人和主要科研工作者的四项科研项目分获国家级成果二等奖和中科院级成果一、二等奖，1990年国家人事部授予他有突出贡献的中青年专家称号。

〔包起帆·高级工程师·获第四十一届尤里卡世界发明博览会军官勋章〕　上海港木材装卸公司高级工程师、国家级中青年专家包起帆因发明海港装卸工具系列产品，1992年11月在第四十一届布鲁塞尔尤里卡世界发明博览会上荣获军官勋章。同年9月，他发明的无破损袋物手钩在第八十三届巴黎国际发明展览会上获特别荣誉奖。

包起帆，浙江省镇海市人，1951年2月生，毕业于上海第二工业大学，历任技术员、车间副主任、副科长、科长、高级工程师等职。从1981年至1992年，他主持完成了60多项技术革新和科研项目，先后获得国家发明奖3个，获得日内瓦、巴黎、美国、北京国际发明展览会金奖5个、特别荣誉奖1个、银奖2个、铜奖2个，被誉为“抓斗大王”。他发明的“15吨滑块式单索多瓣抓斗”、“单双索木材抓斗及工艺”、“异步启闭废钢块料抓斗”、“卡环式木材集装工具及工艺”、“无破损袋物手钩”、“半剪式散货抓斗”等，提高了工效，保证了安全，使卸船速度加快一半以上，劳动生产率提高2.48倍。这些科技成果为企业增创经济效益3200余万元；在全国100多个港口推广使用后，各港口重大伤亡事故大为下降，创造经济效益达5000万元以上。他发明的抓斗远销欧亚国家，改变了上海港以往港口机械方面有进口无出口的状况。他重视新技术的推广和传授，先后帮助 20 多个单位解决技术难点，促进了这些单位的生产。他还在各种杂志发表论文 30 多篇，广泛传播了装卸技术和经验。

包起帆自 1981 年以来，曾 11 次被评为局先进工作者，5 次荣获上海市劳动模范称号，1989 年被评为“上海市十大科技精英”之一，先后荣获全国“五一”劳动奖章和“全国优秀科技工作者”、“全国劳动模范”等称号，1991 年被国务院授予国家级有突出贡献专家称号。他勇于开拓，奋发进取，无私奉献，曾多次谢绝外单位高薪聘请，并拒收礼物，还把国家奖给他的奖金分送给跟他一起攻关的同志和因公致残的职工，自己分文不留。

〔邝安堃·著名内科学家·在上海逝世〕 我国著名内科学家、一级教授邝安堃，1992 年 8 月 2 日在上海逝世，终年 90 岁。

邝安堃早年赴法留学，1933 年获法国巴黎大学医学院医学博士学位后，回国在上海广慈医学（现瑞金医院）任内科教授。在其 60 年的从医任教生涯中，致力于祖国医学研究，在中西医结合治疗疾病方面颇有造诣。他的中医虚证、阴阳学说和性激素在男性冠心病、高血压、糖尿病等疾病中的变化及其与中医肾虚的联系等研究多次获得卫生部和上海市重大科技成果奖。

他还先后创立了上海市高血压研究所和上海市内分泌研究所，并主编《临床内分泌学》、《实用内科手册》等专著。曾任国务院学位委员会首届中西医结合评议组组长、中华全国中医学会副会长、全国中西医结合研究会副理事长等职。

邝安堃医术精湛，医德高尚，曾先后被评为全国先进工作者和全国劳动模范。历任第四、五、六届全国政协委员。1985 年，为表彰他对医学的杰出贡献，法国政府授予他骑士勋章。1991 年邝安堃又获国家教委、国家科委授予的全国高等学校先进科技工作者称号。

1992 年 5 月 8 日——世界红十字日，邝安堃将多年积蓄的 20 万元人民币捐赠给上海市医学卫生发展基金会和上海第二医科大学，分别作为“邝安堃中西医结合奖励基金”和“邝安堃奖学金基金”，用以鼓励青年学生钻研医技，促进医学事业发展。

〔冯如·中国航空史上第一个飞机设计家、制造家和飞行家·冯如航空学术研讨会在恩平举行〕

为纪念我国航空史上第一个飞机设计家、飞机制造家和飞行家冯如逝世 80 周年，我国航空学界数十人于 1992 年 8 月下旬在冯如的故乡——广东省恩平县举行冯如航空学术研讨会和全国航空史研究会第二次学术年会。与会人士对冯如在飞机设计和制造上所取得的突破性成就及其影响进行了深入研究。大家认为冯如为人类航空事业作出了卓越贡献，他勇于探索、刻苦钻研、敢于实践的精神永远值得后人学习。会议期间，与会代表参观了冯如中学，并向该校赠送了“学习冯如，为国争光”的锦旗。

冯如（1883—1912）广东省恩平县人。生当国家忧患之际，于 1895 年赴美在旧金山市当华工。因受孙中山先生革命思想影响，工余时间，他刻苦钻研西方先进的工艺技术。1903 年，美人莱特兄弟（威尔伯·莱特、奥维尔·莱特）设计、制成用内燃机作动力，木料作骨架，帆布作机翼的有人驾驶双翼飞机，于同年 12 月 17 日在基蒂霍克试飞成功，掀开了人类飞上天空进而进入太空的第一页，在全世界引起轰动。受莱特兄弟的影响，冯如于 1906 年开始设计和制造飞机。他决心对莱特兄弟所设计的飞机进行改造，制造出性能更好的飞机，得到了当地华工的热情鼓励和大力支持。几经失败，终于在 1910 年制成了自己设计的第一架飞机。这架飞机在性能上超过了莱特兄弟制造的飞机，在当时世界各地设计和制作的飞机中，性能处于先进水平。同年 10 月参加国际飞行协会举办的飞行竞赛，获第一名，因而引起美国航空俱乐部的注意。他们用重金聘请冯如。冯如决心将自己的研究成果贡献给自己的祖国，他谢绝美国人的聘任，于 1911 年 3 月带着自制的飞机回国。1911 年 10 月武昌起义后，冯如积极投身国民革命运动，曾多方策划组织北伐军飞机侦察队。1912 年 8 月 25 日，冯如在广州市郊举行飞行表演，不慎飞机失事身亡，死后葬于广州黄花岗。

〔冯英（女）·舞蹈演员·赴台湾演出获高度评价〕 1992 年 10 月上、中旬，中央芭蕾舞团应台湾新象文教基金会邀请，赴台演出。作为该团主要演员之一的一级演员冯英，以纯熟的技巧、优雅的动作、秀美的长相、高贵的气质、细腻的演技，在中外舞剧《天鹅湖》、《林黛玉》中，扮演的黑白天鹅和林黛玉，引起观众的强烈反响，并受到他们的喜爱和崇拜，台湾舞蹈评论家认为她的表演非常杰出，很古典也很现代、很西式也很中式，是具东方与西方古典美的优秀芭蕾舞演员。

冯英，祖籍山东。1962 年 2 月 28 日出生于黑龙江省哈尔滨市。1973 年 9 月考入北京舞蹈学校（院），1979 年以优异的成绩毕业，作为该届全优生，被留学院演员队任主要演员，主演著名外国芭蕾舞剧《天鹅湖》。1980 年 9 月调入中央芭蕾舞团，一直担任主要演员。1982 年加入中国舞蹈家协会后，被选送到法国巴黎歌剧院进修一年。十余年来，冯英先后主演了《希尔微亚》、《鱼美人》、《杨贵妃》及由英国舞蹈家贝琳达·赖沙、巴黎歌剧院芭蕾舞蹈团艺术指导鲁道夫·纽里耶夫等几位艺术家分别指导下排演的《吉赛尔》、《唐·吉轲德》女主角。她不但胜任西方古典芭蕾中美丽绝伦的形象，也擅长掌握中国舞剧《林黛玉》、《鱼美人》中秀外慧中的神韵。1992 年 5 月 23 日，在毛泽东《在延安文艺座谈会上的讲话》发表 50 周年之际，已息声 16 年的中国第一部大型现代芭蕾舞剧《红色娘子军》再现京城舞台时，冯英继白淑湘、薛菁华之后，成为该剧第三代女主角吴琼花的饰演者，同时也是她主演的第 10 部舞剧。冯英在芭团有个外号:“小苦命”。皆因她在艺术生涯的重要时刻，总要碰上意外事故。但她没有向命运屈服，她说:“越是不顺利，越要拚搏。”在她不折不挠地努力下，终于蝉联了第一、二届全国芭蕾比赛的女子冠军。她曾出访美、英、前苏联、日本、香港等国家和地区，均获赞誉。美国报纸评论她的表演“秀气、纤细”,“风格清新、韵味独特”。英国舞蹈家称赞由她主演的《鱼美人》“是中国对世界芭蕾的贡献”。国内人士说，她有一种独特的光采，至今还没有人可以凌驾其上。她还曾做为客座艺术家应邀参加法国巴黎第二届国际芭蕾舞比赛获奖者的盛大表演晚会。

冯英跳芭蕾的身体条件并不好，入舞校时仅以“备取生”资格勉强入学。她曾忍着巨痛开刀，把一立足尖就疼的好长一块脚背骨锯掉再接起来。她过的是“苦行僧”的生活，不但要忍受艺术磨炼中的种种艰难困苦，还要惯于物质生活上的清贫困窘。她的母亲一直劝女儿改行，而冯英却不改初衷，执迷于芭蕾事业。

〔冯玉祥·近代著名爱国将领·其诞辰一百一十周年纪念会在京举行〕 1992 年 10 月 21 日，民革中央在京举行座谈会，纪念杰出的爱国主义者冯玉祥将军诞辰 110 周年。民革中央副主席贾亦斌、全国政协副主席洪学智、程思远先后在座谈会上讲话。刘澜涛和民革中央、中共中央统战部、各民主党派领导人，冯玉祥将军的子女和生前好友等，出席座谈会。

冯玉祥（1882—1948），安徽巢县人。原名基善，字焕章。11 岁从军，曾充北洋第六镇队官、第二十镇管带。武昌起义后，毅然投入辛亥革命的洪流，在京畿重地滦州，首举义旗，震撼了清廷统治。辛亥革命胜利的果实被北洋军阀袁世凯攫取后，他兴兵讨袁护国，反对帝制，讨伐张勋，指挥部队入京平定了复辟的丑剧。1924 年，冯玉祥军队在赴热河前线途中，回师北京，囚禁曹锟，驱除溥仪，结束了辛亥革命后北京故宫还保留着皇帝的荒唐局面。1926 年 7 月，国共合作下的国民革命军大举北伐，冯玉祥由绥远率军出征陕、甘两省，与直奉军阀部队鏖战中原。1931 年“九一八”事变爆发后，在中国共产党的推动和影响下，冯玉祥积极投入抗日救亡运动，集合旧部，组成察哈尔民众抗日同盟军，一举收复多伦等四县，由于遭到国民党部队和日军的联合夹击，抗日同盟军归于失败。此后他隐居泰山读书，并邀请了一些共产党人和进步人士讲学，同时，加强与各地抗日爱国力量的联系。他在住室墙上题有一副对联:“救民安有息肩日，革命方为绝顶人”，用以自勉。抗日战争爆发后，冯玉祥任第六战区司令长官，他号召民众坚持抗战到底，誓死不当亡国奴，并成立三户印刷社（取“楚虽三户，亡秦必楚”之意），大量印刷毛泽东的《论持久战》和《新华日报》社论，宣传团结抗日，揭露亲日派的投降卖国行径。1939 年以后，他坚持国共合作，团结抗日，反对国民党当局多次发动的反共高潮，先后协助营救被国民党逮捕的共产党员和进步人士。

抗日战争胜利后，冯玉祥在日益严重的高压下，在国内难于立足，于 1946 年 9 月以“水利考察专使”的名义出访美国。1947 年以冯玉祥将军为首，在纽约成立了旅美中国和平民主联盟，开展反对美国援蒋的活动。1948 年 1 月 1 日，中国国民党革命委员会在香港成立，远在美国的冯玉祥，被选为常务委员和政治委员会主席。发起组织民革驻美总分会筹备会，大量翻印民革成立的各种文件，分赠美国国会、各大学、图书馆及华侨社团，扩大民革的政治影响。1948 年 7 月，冯玉祥将军响应中国共产党的号召，起程回国参加新政协会议筹备工作。在返回途中，轮船在黑海失火，冯玉祥不幸罹难。中共中央主席毛泽东，中国人民解放军总司令朱德致电痛悼，称誉冯将军“置身民主，功在国家”。

为纪念冯玉祥诞辰110周年，山东电视台于1992年春开拍4集电视剧《泰山将军》。冯玉祥曾于1932年3月至10月和1933年8月至1935年10月隐居泰山三年。在这三年中，他除潜心学习以外，还为当地人民除暴安良、排忧解难，修了泰山大众桥，办了13所义学。深受泰山百姓的爱戴。在离泰山普照寺不远的“冯玉祥墓”前，冯玉祥金色的浮雕头像下方刻着他亲笔隶书白话诗：“平民生，平民活，不讲美，不爱阔。只求为民，只求为国，奋斗不懈，守诚守拙。此志不移，誓死抗倭，尽心尽力，我写我说。咬紧牙关，我便是我，努力努力，一点不错。”这首诗是冯玉祥将军的自我写照，也是编导，摄制人员所把握的电视剧《泰山将军》的主题。

〔冯宏章·民办科技实业家·创办家庭农科所为全国一千七百多个县农民掌握农业科技发展农业生产服务〕　在全国2300多个县中，有1700多个县设立了山西省夏县冯宏章家庭农科所的农技服务站，平均每个服务站一年为当地农民掌握使用实用农业技术进行上百余次服务，受到广大农民的热诚欢迎，这个农科所也越办越发达。山西省科委经过评审验收，认为由自学成才的农艺师冯宏章创办的这个民办农科所，闯出了一条推广农业科学技术，推动科教兴农，提高农民科技素质，发展农业生产的新路子。

冯宏章于1954年3月出生于山西省夏县城关镇全村，小学毕业后从16岁开始从事农业劳动。他一贯热爱农业科学。二十三年来，他坚持自学农业科技，积极从事农业科技试验，不断取得新成果。1978年担任夏县城关镇农科站农业技术员。1982年，共青团中央在夏县召开“全国农村青年学科学用科学经验交流会”，冯宏章因成绩突出，被团中央命名为全国农村学科学用科学青年标兵。1984年7月15日，他创办山西夏县冯宏章家庭农科所，并任所长。

冯宏章在向农民推广农业科技中走过一段曲折道路。建所开始，他一心想在高新技术方面取得突破，在所内建立了生物工程研究室、试验室，不惜资金派人四出学习，重金请来外地技术人员，结果虽然培养出了葡萄、月季花、山楂等19种农作物新品种，但农民对他们的成果不感兴趣，成果得不到推广，投入的资金收不回来。建所4年负债100多万元，濒临倒闭。

冯宏章在逆境中反思，认识到失败的原因是没有从当前农业生产的实际需要出发选择科研课题，同时没有引导农民认识科技对发展生产的重要性。他们重新确立了实行农科教结合，从生产实践中找课题，又服务于生产实践的指导思想，果断砍掉了一些不适合农科所发展的机构和项目，建立广泛的推广网络和综合服务机构。在深入农户调查中，他们发现枯萎病是影响许多农作物生长的大敌，便集中财力、物力、人力进行攻关，经过330多次试验，终于研制出深受农民欢迎的“抗枯宁”杀菌剂，使农科所有了第一个拳头产品。随后通过自行研制与吸收省内外技术相结合的办法，先后研制出20个高新技术产品，推广了102项新技术、新成果。同时大力作好推广与教育工作。冯宏章和本地城关镇政府创办了农业技术联合学校，编写了30余册教材，几年来共培训农民1.3万余人次。同时采取多种形式，举办各种农业科技知识讲座，还免费向社会发放农业科技资料40余万份。经过宣传教育，许多农民认识了科技的重要，也了解了冯宏章农科所的科研成果，纷纷上门找他服务。如今，这个农科所已实现了科研、示范、教学、宣传、服务、生产、经营一体化，拥有固定资产70万元，科研成果年产值达1000多万元，不仅还请了贷款，还向国家交纳了17万元税款，所产生的社会效果更是无法估量。冯宏章本人先后当选为第六、七届全国人大代表，并被国家科委、团中央命名为“全国科技星火带头人”、“全国自学成才优秀人物”。1992年被山西省命名为“优秀民办科技实业家”。

〔冯健男·插图画家·获首次颁发的联合国儿童救援基金会（UNICEF）奖〕　上海画家冯健男创作的彩色儿童读物《神鹿》，以其强烈的民族风格和独特的艺术个性，在意大利举行的“1992年波隆那国际儿童图书插图比赛”中获奖。同时获得首届“联合国救援基金会（UNICEF）奖”。这是他继1982年《九色鹿》、1988年《神鱼驮屈原》之后，10年中第三次荣获国际奖。

冯健男，1940年9月出生，江苏南通人。1959年毕业于南通农业学校，1964年毕业于南京艺术学院油画系。同年7月，进上海美术电影制片厂工作，历任编辑、美术设计、高级美术设计师兼编导。

冯健男历年来创作发表的油画、宣传画、版画、年画、漫画、插图百余幅。他的代表作有：

《矿工》、《毛主席是我们心中的红太阳》、《车厢春暖》等连环画。他的《好猫咪咪》于1978年获文化部优秀影片奖。《九色鹿》于1982年获联合国教科文亚洲中心“野间”国际儿童图书插图比赛二等奖。《钱包》于1983年获美术片“小百花”奖。《神鱼驮屈原》于1986年获巴塞罗那国际儿童图书插图比赛三等奖。《熊猫康康历险记》（合作）于1987年获全国第一届幼儿图书比赛优秀绘画二等奖。《中国神话》获1991年第四届全国连环画套书三等奖。

冯健男，画风古朴典雅，色彩完美，构思明快、大胆，由于他的作品具有强烈的民族风格和鲜明的艺术特色，而深受国内外专家和读者好评，作品曾在日、美、法、意、捷克、西班牙、哥伦比亚、泰国、港台等国家和地区展览。并用英、法、德、西班牙、比利时等文版发行。

〔冯瑞英（女）·水稻育种专家·主持评选出适种北方的水稻良种增产效益达数亿元〕　中国农业科学院作物所水稻室主任冯瑞英潜心研究北方水稻，至1992年主持评选出70多个优良品种，增产效益达数亿元。

冯瑞英，1942年出生于湖南省湘潭县。从湖南省农学院农学系毕业后，在中国农科院作物所工作，长期从事水稻常规育种。她与丹东农科所合作培育和推广的粳稻良种“中丹2号”1991年获农业部技术改进一等奖，同年获丹东市科技成果一等奖。她参加研究的“水稻白叶枯病抗性遗传研究及应用”项目获农业部科技进步二等奖。她主持的国家“七五”水稻育种攻关项目“优质、高产、多抗新品种选育”的研究获阶段成果奖，受到国家科委、国家计委和财政部的表彰。在她主持下经多年研究试验于1982年选出的“中系8215”，在天津试种后经筛选又在北京、河南、山东试种，1990年定为农业部重点扩繁品种之一。“七五”以来共推广60万亩，其本质相当于引自日本的最好品种“越富”，而产量及其性状优于日本品种，先后被当作“小站稻”、“京西稻”种植，产品获1992年“中国农业博览会”优良品质奖。她还与京郊东北旺乡合作将“中系8215”加工成御膳米出售，深受消费者欢迎。1984年至今，她又和课题组的同仁组织了28家科研单位、50位科技人员，开展遍及北方13个省、市、自治区的“北方稻区水稻品种区域试验”，共为北方各地评选出78个适合当地气候特点的新稻种，累计推广面积4000多万亩，增产效益达数亿元。

〔冯福生·生物学副教授·研制植物光合促进剂获显著成效〕　河北师范大学生物系副教授冯福生研制成功植物光合促进剂，为农业利用光能促进农作物增产开辟了一条新途径。1992年河北省近千万亩小麦喷施光合促进剂，平均亩产增加10-15%，使全省小麦获得特大面积丰收。

冯福生长期从事植物生理和植物机理教学科研工作，从1985年开始，他带领科研人员，先后在11个县、30多个乡的10多万亩粮田、果园、菜地中，对几十种农作物进行逐项试验，终于筛选试验成功不同作物的光合促进剂。每亩地只要花几角钱喷施植物光合促进剂，就可以使小麦增产14.8%、棉花增产13.5%、水稻增产19·5%、蔬菜增产30·5%。

冯福生，1928年8月生，北京市人。中国民主促进会会员。1953年毕业于北京师范大学生物系。毕业后分配到河北师范大学生物系，历任助教、讲师、副教授，1986年开始任硕士研究生，博士研究生导师。曾任植物生理学教研室主任。兼任河北省植物生理学会副理事长。1982年、1986年、1988年三次获优秀教师、教学优秀奖。1990年获河北省科技兴农奖。他在国家级和省级刊物上发表重要论文20多篇。

〔司马义·艾买提·全国政协副主席、国家民委主任·谈贯彻中央民族工作会议精神促进各民族大团结〕　为贯彻落实中央民族工作会议精神，国家民族事务委员会于1992年1月19日召开各省、区、市民委主任会议。全国政协副主席、国家民委主任司马义·艾买提在会上讲话，强调要通过扎扎实实的工作，把中央民族工作会议精神落到实处，使这次会议确定的大政方针、政策措施在我国民族工作的实践中得到贯彻，在民族地区现代化事业中开花结果，进一步促进各民族的大团结和发展进步。他说，贯彻这次会议精神要紧密结合各地的实际情况，采取切实可行的步骤，要立足于诚心诚意为各族人民办实事。办实事，就是办政策法令规定应办的事，办少数民族人民迫切希望办的事，办那些有利于民族团结进步的事。为各民族团结进步办了多少实事，是衡量这次会议精神贯彻落实得如何的重要标志。

2月19日，司马义·艾买提就第三届中国艺术节对记者发表谈话指出，“这次艺术节盛况空前，明星荟萃，好戏连台。许多近于失传的民族文化在社会主义条件下得到抢救，获得新生；许多传统民族文化在社会主义条件下得到继承，得到繁荣；许多新的民族文化品种和文艺式样在社会主义条件下产生并得到发展。”

3月15日，司马义·艾买提在全国民族教育工作会议上讲话强调，“民族教育是整个国家教育的重要组成部分，和全国其他地区的教育互相依存，也互相制约”。“为了中华民族的振兴，为了我国社会主义事业的成功，我们必须妥善处理好民族问题，而发展民族教育对于处理好民族问题，意义极为重大”。他指出，要实现民族教育与全国教育的协调发展，必须作坚韧的努力。

从4月13日至21日，司马义·艾买提应法国参议院邀请，对法国进行了友好访问。

司马义·艾买提，1935年生，新疆策勒人。维吾尔族。1953年8月加入中国共产党。曾任策勒县县委副书记兼县长，和田地委宣传部副部长。1972年以后任新疆维吾尔自治区党委书记、自治区人民政府主席。1985年任国家民委主任。

〔附注：1993年3月29日，全国人大一次会议决定司马义·艾买提为国务委员〕。

〔司志扬·台湾企业家·创办河南民族文化曲艺宫〕　为发展曲艺说唱事业，开展海峡两岸的文化交流，河南藉台胞、企业家司志扬与河南省郑州市集体经济开发公司合资，于1992年初在郑州市嵩山南路150号兴办“河南民族文化曲艺宫”，任董事长。文化宫开办以来，他还多次担任节目主持人，主持演出各种曲艺、民族器乐和戏曲清唱节目，吸引了大量观众。河南省省长李长春称赞“这件事办得很有意义，对弘扬中华文化作出了具体贡献”。

司志扬，1933年生。河南获嘉人。祖辈务农，父亲在本县经营粮行。1943年全家迁居台湾。他曾就读于台北世界新闻学院，毕业后担任公职15年，后转入企业界，从事国际贸易并经营服务娱乐事业长达二十余年。八十年代他回乡探亲，看到大陆特别是自己家乡改革开放以来发生的巨大变化，非常振奋喜悦。他有感于河南省曲艺有广泛的群众基础，但由于缺少演出场地，阻碍了它的发展和繁荣，为表眷恋故土的游子之心，他投入自己的积蓄15万美元，创办了这座占地近千平米，建筑富丽堂皇，拥有现代化声光设备的高档文化娱乐场地——“河南民族文化曲艺宫”，为来大陆探亲观光的台胞和海外侨胞欣赏民间曲艺艺术提供了理想的场所，也为家乡旅游事业填补了一项空白。

〔尼玛泽仁·甘孜藏画研究院副院长·其杰出成就载入《世界名人录》〕　中国藏传佛教传统绘画研究员、十世班禅画师、甘孜藏画研究院副院长尼玛泽仁多年来在藏画创作和研究领域获得杰出成就，被英国剑桥国际传记中心选入《世界名人录》、《世界著名知识分子人物传》，并被授予国际名人特殊勋位。同时，美国国际人物传记协会也将他载入《最有影响的世界500名人传》。1992年9月16日《人民日报》报道了尼玛泽仁的事迹。

尼玛泽仁，藏族，四川省巴塘县人，1944年2月6日出生，1962年毕业于四川美术学院民族班。曾先后在县文化馆、报社、艺术馆、藏画研究院工作。他长期潜心研究藏族历史、藏画和社会文化结构，在继承藏族古唐卡画三大流派的精髓基础上，共创作了1300余幅作品，并对藏画研究写出多篇论文。他的许多优秀作品曾参加国内外重要展览，藏画《格萨尔王》（合作）除参加1982年法国卢浮宫春季画展外，还参加了首届全国少数民族画展，获得由文化部、国家民委、中国美术家协会颁发的金奖；藏画《扎西德勒》（合作）在此次画展中获银奖。《雪域》、《走出大山》、《古艺逢春》分别获四川文化厅、四川美术家协会颁发的创作“金龙奖”和一等奖，《岁月》获二等奖，《沐浴图》获三等奖。还有12件作品分别获得全国和省级优秀作品奖。先后有7幅作品为中国美术馆、国家民族文化宫收藏。多幅作品由美国、英国、瑞士、日本、法国收藏，并被选入国家大型画册。他在新藏画的研究、创新方面成绩卓著，形成了独特的新藏画流派和鲜明的个人艺术风格。《人民日报》、《中央电视台》、《中国国际广播电台》、《中国画报》等先后发表了40余篇文章加以评价，部分电视、广播也介绍了他的艺术实践。香港《明报》曾撰文说：“尼玛泽仁带来了藏画大突破”，美术界专家称赞他的画作“古朴清新，富有神韵，继承和发扬了藏画的优良传统”。尼玛泽仁为中国美术家协会会员、中国工笔画学会会员、中国版画家协会会员、四川省美术家协会理事。被选入《中国当代美术家人名大辞典》、《中国当代艺术界名人录》等十多种辞书。1992年被批准为享受政府特殊津贴国家级专家。

〔皮明庥·历史学家·新著《武汉史稿》出版〕　1992年4月，武汉市社会科学院研究员皮明庥的新著《武汉史稿》由中国文史出版社出版。这本65万字的专著，被列为中国社会科学重点书籍。在这一年，皮明庥还在《历史研究》第3期、《求是》杂志第16期和《文史哲》第5期，分别发表了《城市史研究略论》、《屈辱唤起觉醒》和《洋务运动与中国城市化、城市现代化》三篇论文。1992年5月，他还主持召开了全国第六届洋务运动史学术讨论会，对推动这方面的学术研究产生了积极的影响。

皮明庥，江西萍乡人，1931年10月生。1949年秋参加革命，1952年毕业于汉口高级步兵学校政治系，分配到军事院校任教。转业后曾在武汉市委宣传部工作，后任武汉师范学院历史系主任，1983年在武汉市社会科学院任研究员、副院长。1991年被评为武汉市优秀专家。

皮明庥的学术研究工作有两个显著成就：一是对中国的社会主义作了比较深入的历史考察。这在他撰写的38万字的《近代中国社会主义思潮觅踪》(吉林文史出版社1991年出版）一书中得到集中反映。在这部著作中，作者第一次界定中国社会主义的三次讨论热潮，判断社会主义从东、北、南三个方面传入中国，还分析了十月革命苏俄社会主义模式的正确方面和缺陷所在。二是参与中国城市史研究的开拓。近年来，他在《历史研究》等多种杂志上，发表了四五篇有关城市史的论文，引起学术界的关注。一些专家认为，在中国城市史的研究上，皮明庥是积极的开拓者，不少高等院校请他去作过城市史的学术讲演。

皮明庥著作颇丰，近15年来，他发表文章上百篇，出版书籍23种，其中个人著作6本，主编著作、论文集、工具书12本，整理古籍4种。这些著作有十几种在省市获奖，《武汉民族资本主义工业早期的状况、特点和产生渠道的考察》等三篇论文先后被翻译到国外刊出。

〔台震林·发明家·被评为第三届中国十大杰出青年之一〕 中国青年科技开发中心副主任、安徽省农化新技术研究所所长台震林教授，4年中荣获26项国际、国家级金奖，成为我国获金奖最多的发明家，被国外新闻媒介称为“世界科坛名将”，1992年10月6日，他被评为第三届中国十大杰出青年之一。

台震林，又名台相林，1953年2月生于山东省胶州市孙家村。1977年毕业于山东化工学院。后历任潍坊地区硝氨厂总调度员、团委书记等职。1983年调潍坊市化工研究所任研究室主任。由于工作成绩突出，他先后被选为潍坊市科技拔尖人才，获山东省劳动模范称号。1990年调团中央先后任中国青年智能研究中心主任和中国青年科技开发中心副主任。

台震林的26项金奖来源于他发明的“灭杀毙”系列农药。1991年6月29日，刚刚从美国第七届发明博览会上获得一项金奖、八项银奖的台震林，又作为中国青年发明家代表团团员赴保加利亚参加由联合国世界知识产权组织主办的第二届世界青年发明家成就展览会。应中国代表团的请求，展览会邀请了保加利亚、伊拉克及联合国教科文组织的8名农化专家对“灭杀毙”系列农药进行了学术鉴定，结果使专家们大为惊讶，“灭杀毙”不仅吸收了世界上先进的毒杀害虫的理论，也突破了著名昆虫毒理学家的“二元混配”学说，独创出闻所未闻的“三元混配”理论，其杀虫效力相当于增效类农药的17倍，而毒性低于毒类农药限额的54.92%，施用7天后即无任何残留，且无“三废”污染。接着8名专家又到附近农场进行实验，并将“灭杀毙”与美国名牌农药“天王星”、日本名牌农药“灭扫利”进行对比，结果“灭杀毙”系列8种农药有4种效力远远优于“天王星”、“灭扫利”。顿时，保加利亚各大报刊纷纷对这一农药领域的重大新闻进行报道，我国驻保记者也向北京发回了这一消息。台震林一人获此次展览会4枚金牌，一向被洋人瞧不起的中国农药，终于轰动了国际农药市场，保总统接见了台震林。

接着台震林又在比利时王国首都布鲁塞尔举办的第四十届发明博览会上获8项金奖和比利时王国骑士勋章，成为这次世界博览会上获奖最多的发明家。

一分收获一分辛苦，台震林为搞农药科研，除购买书籍进行理论钻研以外，还需要花钱购买试验材料。他曾负债6000多元，结婚4年未曾买过一件象样的家俱，他夜晚在家里搞试验，3岁女儿差点误食剧毒农药……。

台震林的成绩受到了党和国家的表彰，1990年他被评为全国30名杰出青年之一，1991年被团中央、国家科委选拔为全国十佳青年发明家。

据国家统计局和农业部统计，“灭杀毙”自1987年获中国专利并投产以来，累计产量已达7260吨，新增利税8800万元，出口创汇860万美元。中国专利局、农业部在《关于推荐首批用于农业方面的专利技术项目的通知》上说：“几年来，由于

‘灭杀毙’的问世，对我国农作物增产带来的社会效益已达14.45亿元。”

1991年安徽省受灾后，台震林将自己多年积蓄的183万元合法专利收入及奖金捐献给了灾区人民，鉴于台震林在科研方面的成果和奉献精神，安徽省政府1991年6月8日向他颁发了重大贡献奖。

〔邢美珠（女）·京剧演员·获第九届梅花奖〕　1992年金秋时节，北京吉祥剧院内掌声雷动，被誉为“小关肃霜”的邢美珠主演京剧《玉堂春》、《铁弓缘》一炮打响，从而成为第九届梅花奖得主。

邢美珠，生于1952年9月27日，祖籍北京。她出身于梨园之家，自小受京剧艺术之熏陶，6岁给张君秋、裘盛戎等京剧大师演娃娃生，显露了天赋才能。8岁考入哈尔滨京剧团学花旦、青衣，12岁被送进黑龙江省戏曲学校，攻青衣、刀马。16岁毕业后分配到吉林省，先后投师孙荣蕙、高吟秋和“四小名旦”之一的毛世来门下攻刀马、花旦、小生、武生。由于学的行当多，戏路宽，又有好嗓子、好扮相，加之喜爱钻研关肃霜的表演艺术、登台酷似素有武旦大师之称的关肃霜。

1982年夏季，她领衔主演的长春市京剧团赴天津演出，轰动津门。著名京剧表演艺术家厉慧良慧眼识才，对她说：“你太象关肃霜了，不跟她学，将是终身遗憾。”至此，邢美珠自制四杆靠旗，大练关派“靠旗出手”的绝招，经八个月鼻青脸肿的苦练，终有成效。后在《凤凰错》一剧中运用，一举惊人，被誉为“东北关肃霜”。1983年得厉慧良保荐，关肃霜亲自看了她的专场表演，颇为赏识。翌年4月邢美珠拜关为师，6月与丈夫调至昆明，被正式确认为关派接班人，亮牌“小关肃霜”。风雨七年，经关师呕心沥血的培育与启迪，技艺日臻成熟。后由云南北归，成为黑龙江省京剧院主演，去年在京演出《玉堂春》、《铁弓缘》，表现出她能文能武、能唱能打的全面才能。

《铁弓缘》原是关派花旦戏，邢美珠饰剧中人物陈秀英，先后变换花旦、闺门旦、小生、武生等多类行当。开头“茶馆”，作为花衫，演得活泼、天真、娇嫩、幼稚、调皮、淘气。“待嫁”又有不同，她喜形于色，婀娜妩媚。“发配”作为青衣，她表现了人物此时的端庄大方、贤淑雅丽。“上路”作为反串小生，她扮得英俊潇洒、风度翩翩。“交战”作为武生，她气宇轩昂、勇猛刚健，特别是她的“开打”干净利落，“靠旗出手”不乱，引起观众阵阵掌声。然而一个人物多行当的表演，既要有个性，又要有不同行当人物性格的变化。邢美珠的表演，从“茶馆”到“交战”，把陈秀英稚气、天真、顽皮的个性历经磨练后增添的成熟、稳重，表现得层次分明而又多姿多态。但作为天性又有不变的一面。因此与王富刚相逢时，她惊喜之中又流露出天真和顽皮，但这已与“茶馆”时的天真、顽皮不同，她的那种苦笑，具有多味道中的甜，多姿态的媚，多色彩的娇。邢美珠刻画人物的能力，在《玉堂春》一剧中也有表现。著名戏剧理论家阿甲看后，赞她“文武双全、歌舞传神”。

1992年3月，邢美珠随黑龙江省京剧院赴委内瑞拉的加拉加斯参加国际戏剧节，她演的京剧成为开台锣鼓，与莎士比亚、契柯夫、萧伯纳等的世界经典名作及各国当代剧目争奇斗艳。她与同仁演出了《穆桂英大破天门阵》，赢得场内数千名观众80多次热烈的掌声。

〔邢裕盛·地质古生物学家·完成国际地质对比计划研究项目〕　中国地质博物馆馆长邢裕盛，从1980年以来，从事的国际地质对比计划（IGCP）320项目——中国震旦系层型剖面研究，1992年底基本完成。这项研究的主旨是在前寒武系末期（6.5—5.7亿年前），建立一个新的国际通用的地层单位，学术界暂称为“丰元古系”。目前各国学者围绕该地层单位的命名权展开了激烈竞争。邢裕盛带领的研究组选择三峡震旦系剖面，通过长期研究，发现了丰富的震旦纪宏观动、植物化石，并用最新测年方法首次对该剖面的灯影组碳酸盐岩进行了年龄测定，取得了最新数据；还对中国南北方震旦系剖面厚度差异的原因进行了研究，取得了沉积速率数据，同时利用新资料修订了震旦系底界界限，使它与国际标准取得一致。这项成果极大地提高了我国剖面的竞争能力，并对于全球性地层对比，探索地球生物演化具有重要意义。

邢裕盛，1930年11月出生于山东省章丘县。1962年在苏联列宁格勒大学地质系毕业，获副博士学位。他长期从事地质古生物学研究，是中国晚前寒武纪微古植物（疑源类）学科研究的开拓者和学术带头人，也是国际上最早从事此项研究的少数学者之一。他首次发现并确定了中国前寒武纪有宏观藻类的有机体等古生物存在，建立了中国晚前寒武纪各系微古植物系列，为晚前寒武纪地层划分对比提供了重要基础资料和理论依据；与他人合作，提出了为学术界公认的具有指导作用的中国晚前寒武纪地层划分新方案。他的研究成果云南晋宁梅树村剖面曾于1984年被国际地层委员会前寒武系——寒武系界线工作组正式通过推荐为全球界线层型候选剖面。

从1962年毕业至今，邢裕盛在国内外发表学术论文30多篇，主编和参加编写的地质科学专著7本，研究成果曾多次获得国家和部级科技奖。他于1985年被授予全国地矿系统劳动模范称号，1989年被评为全国先进工作者。从1988年起任中国地质博物馆馆长，1990年当选为第三届中国博物馆学会常务理事兼地质博物馆专业委员会主任。

〔老子·春秋时代思想家·老子思想研讨会在西安举行〕 由陕西省社科联主办的老子思想研讨会于1992年7月在西安举行，来自全国部分重点高校和研究单位的数十名专家、学者参加了会议。

研讨会上，代表们首先就老子和道家在中国文化里的地位问题进行了讨论。有的学者从中国文化的总体概念、整体特征等方面论证了中国文化是儒道互补，以儒家为主干的观点。主张道主干说的学者则认为，从一般文化层次上讲儒家是主干，但从文化的本质层次即哲学意义上看，则道家构成主干，因为儒家思想的总体不是哲学，而是一种政治伦理学，孔子在宇宙论、本体论方面几乎是空白的；在认识论和辩证法方面也是阙如的。而老子则建立了相当完备的形而上学体系，倡导了“静观”、“玄览”的认识方法并具有系统的辩证思维，这些思想构成了中国民族文化的基干和精粹。还有一种观点认为，判断何种思想是主干，如果以是否占统治地位、是否是官方思想为标准，那么这本身就是儒家道统的观点。正确的看法是从实践出发，以是否推动人类对自然的认识和改造为尺度。这样来看问题，就会承认，道家在中国文化中具有重要的地位，但同时也应承认儒、法、墨等其它学说的进步作用，从而得出中国文化的发展在于不同文化源流的相互交融、相互促进的结论。

老子，姓李名耳，字伯阳。现在学术界普遍认为即是老聃。楚国苦县（今河南鹿邑东）厉乡曲仁里人，做过周朝“守藏室之史”（管理藏书的史官）。据《史记》记载孔子曾向老子问“礼”，回去后对其弟子大赞老子曰：“……吾今日见老子，其犹龙邪！”佩服之情溢于言表。

《老子》一书是现在研究老子思想的主要资料。《老子》亦称《道德经》、《老子五千文》，是道家的主要经典，学术界普遍认为是春秋末老聃著。但从书的思想内容和涉及的某些问题来看，该书可能定编于战国初期，基本上仍保留了老子本人的主要思想。注本有西汉河上公注、魏王弼注、明清王夫之《老子衍》、魏清源《老子本义》等，1973年马王堆三号汉墓出土文物中有《老子》的抄写本。《老子》一书成书的经过，据《史记》记载：老子长期在周居住，看到周朝衰落，于是离开周。走到函谷关时，关令（官名）尹喜对他说：“您要归隐山林了，请求您为我著书”。于是老子著书上下篇即为留传至今的《道德经》共有八十一章，五千余字。《老子》用“道”来说明宇宙万物的演变，提出了“道生一、一生二、二生三、三生万物”的观点，认为：“道”是“夫莫之命（命令）而常自然”的，所以说：“人法地、地法天、天法道、道法自然”。“道”可以解释为客观规律，同时又有着“独立不改”，“周行而不殆”的永恒绝对的本体意义，认为：“道”是世界万物的本源。《老子》书中包括着某些朴素辩证法因素，它提出“反者道之动”的命题。猜测到对立面的转化，如“正复为奇，善复为妖”，“祸兮福所倚，福兮祸所伏”，认为一切事物的生成变化都是有和无的统一（“有无相生”）。强调无是更基本的：“天下万物生于有，有生于无。”《老子》中对统治者进行了抨击：“天之道，损有余而补不足，人之道则不然，损不足以奉有余”；“民之饥，以其上食税之多”；“民之轻死，以其上求生之厚”；“民不畏死，奈何以死惧之？”等等，但他又忽视了在对立转化中的必要条件，也没有把事物向反面的转化看成是上升的发展，却看成是循环往复。在物质生活上强调“知足”与“寡欲”，憎恶工艺技巧，并归结到“绝圣弃智”、“无为而治”。老子学说对中国哲学的发展有很大影响，后来唯物、唯心两派都从不同角度吸收了他的思想。

老子是中国古代哲学中本体论的开创者，是中国古代哲学最高范畴“道”的提出者。在中国数千年理论思维发展史上具有很高的地位，而且影响到今，现代西方思想界，比如以海德格尔为代表的西方现代人文主义思潮对老子哲学就有着极高评价。在国外，《老子》一书的译本多达140余种。在我国，近年老子思想研究工作相对落后的状况得到了较大的改善。几年来，一批具有较高学术水平的研究专著已经问世，《道家文化研究》杂志也即将创刊。从总体上看一个多渠道，多学科研究老子的学术格局正在形成。这次西安老子思想研讨会的召开，对进一步推动老子的研究必将产生积极的影响。

〔老舍·已故著名作家·首届国际老舍学术讨论会在北京召开〕 由中国老舍研究会等单位联合举办的“首届国际老舍学术讨论会”于1992年8月21日在北京召开。国内老舍研究专家50余人，来自日本、美国、英国、法国、独联体、德国、新加坡、匈牙利等10多个国家的学者30余人，参加了这次会议。

老舍的作品属于全世界。到会的外国学者中，90高龄的美国人宁恩承先生，二十年代曾与老舍在伦敦组织读书会；美国斯坦福大学东亚语言系赖威廉教授是老舍长篇小说《猫城记》的译者；贝勒大学的陶普义教授正在得克萨斯州建立北美第一个老舍著作陈列室。来自日本的老舍研究专家阵容也很强大：中山时子教授是日文版《老舍小说全集》的主持人和《老舍事典》的主编；柴垣芳太郎教授是《老舍年谱》和《老舍编目注释》的作者；伊藤敬一教授的老舍短篇研究曾引起日中老舍研究界的重视；日下恒夫教授自费出版了三种老舍研究专著。来自法国的保尔·巴蒂教授则是欧州老舍友人协会的发起人和联系人，是法国第一位因研究老舍获取博士学位的学者。新加坡的王润华教授是新加坡作家协会副会长，从事老舍研究多年。匈牙利的冒寿福博士则是研究老舍语言的专家。中外学者们聚集一堂，拟就了一系列老舍文学的研究专题及老舍著作的翻译问题。会议期间，设在北京语言学院的“中国老舍研究资料中心”也一并举行了落成仪式。

据中国老舍研究会提供的信息，1992年以来，国内老舍研究专著又有9部新作问世，一批中青年老舍研究者不断涌现出来。国内外老舍著作的出版也有新的进展。国内16卷本《老舍文集》已经出齐。在国外，老舍作品的日文、德文、俄文、朝文、世界语等文种又都有新的译本出版，其中日本已出版了《骆驼祥子》的第8个日文译本，俄罗斯出版的第二种新编《老舍文集》发行量高达10万册。

老舍，我国享有盛名的文学大师，满族人，生于1899年2月，卒于1966年8月。详细生平见1989年《中国人物年鉴》。

〔权进常·蒲城春光无线电厂厂长·获巴黎万国发明博览会最高荣誉奖〕 陕西省蒲城县春光无线电厂厂长权进常发明的世界地球钟和汽车防碰撞装置，于1991年7月申请了国家专利，同年11月在北京“国际科技和平周中国首届科技之光展览会”上展出，受到来自几十个国家的专家们瞩目，并获优秀新产品奖。1992年5月，获法国巴黎万国发明博览会最高荣誉奖。

权进常，陕西蒲城人，1947年5月出生，曾在国营工厂当电工，刻苦自学，1989年6月毕业于西太平洋学院电学系专业（香港函授）。后停薪留职，自筹资金办起了春光无线电厂，不断地开发新产品。他去新疆等地出差，发现各地钟表时差较大，萌发了研制世界地球钟的设想。在设计、研制过程中，到上海、西安等地大钟表厂向专家们请教，到北京天文台、天文馆、陕西天文台查阅和收集资料，买了地球仪和各种书籍。他从人类历史上把当地太阳最高位置的时刻定为正午12点作为地方时研究起，又把国际上将地球划成的24个区时和各地方实际时间相对照，发现了许多国家和地区对不上。于是大胆地将国际上原定的24条经线的起点向西半球移动推算，经过上千次计算和验证，终于找到了比较准确的数据，以此将24个区时重新排列。这样，把全世界176个国家和地区无一遗漏地划进了24条经线，并设法使时针、分针的旋转同地球自转相适应，减少误差。1991年5月13日，世界上第一台同时可显示各地“地方时”和国际标准时的地球钟在中国诞生了。同年7月9日，国家专利局进行了鉴定和专利保护。权进常还利用红外线原理设计制作了汽车防碰撞装置，这个装置和世界地球钟一起，都参加了国际科技和平周中国首届科技之光展览，并列入高科技成果展坛。他还设计研制了“汽车电子点火器”、“风力发电机”、“电子恒温器”等，参加了陕西省节能技术成果展销会，列入“节能技术产品资料汇编”。

〔成龙·香港电影演员·主演《超级警察》获第二十九届台湾电影金马奖最佳男主角奖〕

1992年12月，在第二十九届台湾电影金马奖的评选中，曾获两届金马奖特别奖的香港电影演员成龙，因在《超级警察》一片中成功扮演跨国办案的刑警而荣登金马影帝宝座。早已成为巨星的成龙，在多次金马奖评选中呼声很高，然而直至今日方才如愿以偿。

影片《超级警察》是成龙的《警察故事》系列影片的第三集。影片中，成龙饰演的小警察陈家驹已经升任刑警。为破获一宗国际军火毒品走私案，冒险卧底黑帮，辗转大陆、泰国和马来西亚，终因身份暴露而引发大战……紧张的剧情、激烈惊险的打斗和动作，成龙在其中的表演自然真切，丝丝入扣，身手敏捷不凡，令人折服叫绝。

成龙生于1954年，原藉山东，本名陈港生。6岁时因家贫而入于占元的京剧训练班学艺，遂取艺名"元楼"，为"七小福"之一。成龙自小活泼机灵，早在八岁时，就在严俊、李丽华主演的《秦香莲》中饰演过哥哥。以后又在朱牧、李翰祥、吴宇森导演的《顶天立地》、《女警察》、《少林门》等片中任特约演员和武师。1976年，成龙加入罗维影业公司成为基本演员，并正式改艺名为"成龙"，先后拍摄了《新精武门》、《蛇鹤八步》、《神拳》等片，逐渐有了知名度。此后不久，成龙被外借到思远公司拍摄《蛇形刁手》和《醉拳》。导演袁和平充分挖掘和发挥了成龙的喜剧性格天分，使他一爆而红，成了武侠电影新形态喜剧功夫片的巨星。在这两部影片中，无论是人物性格，还是人物关系，都糅进了喜剧因素，甚至连敌对双方的打斗也因蛇拳和醉拳的特殊形态而染上了某种幽默、滑稽的色彩，令人在惩戒邪恶痛快解恨、欣赏民族文化精华的同时不时捧腹大笑。影片成为成龙走向世界巨星的转折点，也是香港武侠功夫电影发展的一个里程碑。这之后，在嘉禾公司的邀请下，成龙离开香港到海外拍片，自导自演了《师弟出马》等片，还与美国好莱坞合拍了《炮弹飞车》和《杀手壕》两部影片。这次海外之行使成龙对香港武侠电影的题材现代化有了设想。因此，两年后回到香港时，他所选择的影片题材就有了很大变化，几乎全是现代题材。如《A计划》、《A计划续集》、《威龙猛探》、《福星高照》、《快餐车》，以及《警察的故事》、《奇迹》等。他把功夫电影和侦破、惊险警匪、喜剧、闹剧等结合在一起，并且注重走大成本大制作，重质不重量及高难度特技的道路，从而再次开拓发展了香港新功夫动作片的题材内容和样式，使观众耳目为之一新。

作为一名国际著名的超级影星，成龙为人诚恳梗直、心地善良纯正，对电影对观众怀着一片赤热的感情。他曾不止一次地说观众要看的是新东西。因此，他每拍摄一部影片，都要在艺术的新鲜感上花功夫、出绝招，来报答观众的厚爱。为回馈社会，数年前他还特别成立了成龙基金会，每年以数十万元资助大批清寒的香港青年在大专院校深造。1990年，大陆水患，成龙又积极热心参与赈灾义演，为救济同胞兄弟作出了很大贡献。

〔尧西·古公才旦·十世班禅生父·在西宁逝世〕　第七届全国政协常委、西藏自治区政协副主席、十世班禅额尔德尼·确吉坚赞的生父尧西·古公才旦，于1992年12月8日在西宁逝世，终年72岁。

尧西·古公才旦，青海省循化县人，1920年生，藏族。原为循化县文都乡的千户，其长子被认定为九世班禅的转世灵童以后，被班禅堪布会议厅封为公爵。1951年随十世班禅额尔德尼·确吉坚赞大师进藏，成为班禅堪厅委员会的主要成员之一。1956年以来，历任西藏自治区筹委会委员，西藏第一届政协副主席、第二届政协委员，西藏自治区第三、四、五届政协副主席。1980年起任第五、六、七届全国政协常委。1991年任援助西藏发展基金会副主任。尧西·古公才旦是一位忠诚的有威望的爱国主义者，一贯立场坚定、旗帜鲜明地维护祖国统一和民族团结，为增进民族团结做出不懈的努力，是长期与中国共产党合作共事的一位忠诚的老朋友。

〔毕德显·著名电子学家·在北京逝世〕　中国科学院学部委员、电子学一级教授、解放军通信工程学院原副院长毕德显，于1992年1月12日在北京逝世。

毕德显，1908年12月生，山东省平阴县人。1934年于燕京大学研究生毕业后，留该校任教。1944年在美国获加州理工学院博士学位。1947年回国后，任南京中央大学物理系教授。1948年底辗转到东北解放区参加创建中共领导的第一所工科大学——大连大学的工作，任该校电机系、电信系主任。1952年初到张家口中共中央军工校任雷达工程系主任。从此，一直在解放军通信院校担任教学、科研和领导工作。毕德显是中国著名电子学家和教育家，在雷达理论、信息论、电磁场与天线理论方面均有很深的造诣。他曾负责创建了中国第一个雷达工程专业，并最早倡议和主持举办了全国性的信息论培训班，为把信息论普及到通信、雷达领域进行了不懈的努力。1977年7月加入中国共产党。1983年4月被解放军总参谋部党委授予优秀共产党员称号。1988年7月离职休息后，仍积极关心通信工程学院的建设。是第二、第三届全国人大代表，第五、第六届全国政协委员。

〔曲志超·南京第二机床厂厂长·被授予全国

优秀经营管理者称号和全国“五一”劳动奖章〕 曲志超自1985年担任南京第二机床厂厂长兼党委书记以来，勇于开拓，锐意改革，使企业面貌发生了深刻变化，使这个国家大型骨干企业的产值，年平均增长12·3%，全员劳动生产率每年递增10·3%，企业利税每年增长12·3%，出口创汇每年翻一番。1992年企业创产值1亿元，销售收入1·15亿元，利税1900万元。企业综合经济效益在全国机床行业26家骨干企业中名列前5名。1988年以来，企业连续四年被评为“全国思想政治工作先进企业”。1992年4月29日，曲志超被中华全国总工会授予全国优秀经营管理者称号和全国“五一”劳动奖章。

在深化企业改革,加强企业管理,加快经营机制转换上，曲志超进行了艰苦的探索。他把现代化管理同传统管理相结合，逐步摸索形成具有自己特色的管理方法。他主持编写的《企业优化管理法》，受到中国企协、机电部和省市政府的重视，南京市和机电部予以推广。1992年，他在广泛发动群众的基础上，着力转换企业内部机制，进行三项制度综合改革。改变企业用工制度，实行全员劳动合同制；精简机构，优化劳动组合，定岗定编，提高工作效率；改革企业分配制度，实行岗位技能工资制，即集中奖金、明确标准，严格考核，模糊发放，加大奖金占职工收入的份额（达45%至60%），拉开职工所得奖金的差距，极大地调动了企业职工积极性。

曲志超时刻着眼于企业的长远发展，大力推动企业技术进步。1990年，他充分利用企业实行“投入产出总承包”的有利条件，果断决策，投入资金4000多万元进行企业技术改造四大工程，其中列为南京市发展战略A类项目的齿轮分厂，从列项到完成仅用了半年多时间，实现当年投入当年投产的高速度。

曲志超把整个身心扑在企业上，从不计较个人得失。从1987年承包以来，他每年都把承包奖交给厂里。在住房、子女就业等问题上，同干部、工人一样，不搞特殊，他这种廉洁奉公、无私奉献的精神，激励着全厂职工心气顺，干劲大。

目前，曲志超正考虑着五年之后、十年之后企业如何再上一个新台阶。他深情地说：“我们这一代，注定是艰苦创业的一代，前人栽树，后人乘凉，没有这种精神，还算什么共产党人。”

曲志超1933年3月生，山东掖县人。1947年参加革命。1987年以来，他三次被评为南京市劳动模范，还被评为江苏省机械系统优秀企业家，机电部先进管理工作者、优秀企业家，1991年被评为江苏省劳动模范。

〔曲格平·国家环保局局长·获笹川国际环境奖〕 国务院环境保护委员会副主任、国家环保局局长曲格平教授，1992年6月6日在巴西里约热内卢接受了1992年联合国环境最高奖——笹川国际环境奖，获奖金10万美元。国际环境奖是1972年由联合国人类会议建议、联大批准设立的世界环境领域最高荣誉奖。此次是中国人第一次获得此项最高奖。同年，曲格平还被聘为加拿大“全球92国际环境大会”国际咨询委员会委员，并兼任中国环境与发展国际合作委员会副主席。

曲格平，1930年6月出生，山东肥城人。1947年加入中国共产党。他先在山东大学文艺系学习，后又进修化学。从五十年代起先后在工厂、化工部、国家计委工作。1972年他作为中国政府代表团成员出席了在斯德哥尔摩召开的第一次人类环境会议，从此即献身于环保事业。1976年任中国常驻联合国环境规划署首任代表，1985年任国家环境保护局局长。

曲格平是我国环境科学界著名理论家和开拓者。他在认真总结国内外环境保护经验的基础上，系统地提出了适合我国国情的，具有独创性的环境保护理论。强调在发展经济的同时保护环境，避免走西方国家“先污染后治理”的弯路。先后发表数百篇论文，并撰写了《中国的环境问题及对策》、《中国的环境管理》（获第四届中国图书奖二等奖）等著作，主编了《中国自然保护纲要》、（获国家科技进步三等奖）《2000年中国的环境》（获国家科技进步一等奖和国务院经济技术中心特等奖）。他参与制定和实施了一系列环境保护方针、政策、法规、制度和措施。制定了“预防为主，防治结合”，“谁污染谁治理”和“强化环境管理”三大环境政策体系。在改革开放初期，他大胆提出引进国外先进管理经验，结合国情制定了八项环境管理制度和措施，并在全国普遍实施，从而使中国在经济倍增的八十年代，环境状况不仅没有进一步恶化，而且还有所改善，为建立和完善具有中国特色的环境保护道路做出了突出贡献。1987年联合国环境规化署授予他“联合国环境规化暑金质奖章”）（世界上获此奖章的仅五人）。曲格平获得笹川国际环境奖后，决定将获得的10万美元奖金建立一个基金，用于奖励在中国环境保护方面作出贡献的人。

〔**吕林·乒乓球运动员·获第二十五届奥运会乒乓球男子双打冠军**〕　1992年8月，在西班牙巴塞罗那举行的第25届奥运会乒乓球比赛中，中国选手吕林与队友王涛合作，夺得男子双打冠军。

吕林，1969年生，浙江省运动员。身高1米74，右手直握拍，以正手拉弧圈球打法为主，反手以推挡为主。他曾获得全国男单亚军和男双冠军。

吕林靠勤学苦练才有今天的成就。他身体素质好，步法灵活，基本功扎实，手感好，连续拉冲的能力较强，落点变化好，队友们常反映他会"算球"。在比赛中，他常能三四板以至五六板地连续在移动中拉冲。他的不足之处是发球威力不大，为了练好弧圈球，他付出了比别人更大的代价，平均每个月要磨烂两双鞋。两年前，吕林首次参加第41届世乒赛，获男子双打亚军，对一个初出茅庐的新手来说应该是说得过去的成绩。但他对决赛的失利却耿耿于怀，暗下决心非要拿一个冠军。芬兰公开赛上，他夺得单打桂冠，1992年奥运会预选赛他再作魁首。然而他的目标盯在巴塞罗那。苍天不负有心人，他终于挂上了奥运会乒乓球男子双打的金牌，香港报纸称他是中国奥运会金牌获得者中最潇洒的男子汉。

〔**吕中五·高级工程师·获全国"五一"劳动奖章**〕　内蒙古第一机械制造厂副总工艺师吕中五，在新技术新产品研制中，满腔热情地奉献自己的智慧，解决了多项技术难题，取得显著经济效益。1992年4月29日，获得全国总工会授予的全国"五一"劳动奖章，并在"五一"节期间，受全国总工会邀请，到北京参加全国"五一"劳动奖章、奖状授奖大会，受到党和国家领导人接见。

吕中五是新中国培养出来的知识分子，在近30年的技术实践中，他作出了巨大的成绩。1974年前，他在包头钢铁设计研究院从事冶金企业工程项目设计工作，为全国44个1200M／m轧机配套的矽钢片进行热处理工艺设计及通氧退火用罩式炉的标准设计。他为西宁钢厂设计的热处理车间，被冶金部评为70年代国家优秀设计。1974年，吕中五被调入内蒙古第一机械制造厂，组织攻关组完成14·003液压减震器叶片磨裂等问题；试验成功了WX122磨擦减震器蝶簧一次淬火成型新工艺等等。后来他又负责研制我国第三代坦克中的重点部件综合传操装置工作，他不仅解决了大量试制中的工艺技术问题，还组织了88项技术攻关，并牵头协调设计、制造、试验中的各种关系和技术问题。

吕中五，1937年9月20日生，吉林省长春市人。1963年毕业于北京钢铁学院，先后在包头钢铁设计院、内蒙古第一机械制造厂，历任技术员、工程师、副总工艺师。曾多次被评为厂级先进生产工作者、劳动模范，立过二等功。

〔**吕泉生·台湾作曲家、音乐教育家·获台湾金曲奖特别奖**〕　台湾著名作曲家、音乐教育家吕泉生于1992年11月21日获台湾1992年金曲奖特别奖。吕泉生长期默默耕耘，整编民谣，创作歌曲，献身于台湾儿童音乐教育事业。他所创作的歌曲在台湾广为传唱，被誉为"台湾歌谣的拓荒者"、"民族歌谣的传薪人"。

吕泉生，笔名吕玲朗、田舍翁、居然、铁生、泉生、罗仙、明秋、长风，1916年生于台湾省台中县。自动酷爱音乐，早年就展露出音乐才华。台中一中毕业后即赴日本留学，进东洋音乐学校主修钢琴，后因手指受伤而改修声乐、作曲及合唱指挥。学业结束后，曾从事职业歌唱，成为东宝日本剧场的要角。1943年返回台湾。他不辞辛劳，足迹遍台湾乡间山地，采集整编客家、山地及福佬的民谣小调，其中有"六月田水"、"丢丢铜仔"、"一只鸟仔哮救救"等。1957年4月，参与创办台湾荣星儿童合唱团，历任团长、指挥。创作了大量儿童喜爱的歌曲，曾率该合唱团赴美国巡回演唱。他为陶冶儿童的美好情操，培养台湾音乐幼苗付出不少心血。

吕泉生创作过很多充满浓厚民族感情、乡土气息的歌谣、歌曲，其中有的是应时有感之作，如"摇婴仔歌"、"杯底不可饲金鱼"、"阮若打开心内窗"等，备受欢迎，温暖过无数台胞的心。还曾主编《一0一世界名歌集》，参与创办编辑《新选歌谣》月刊，任台湾实践家专音乐科主任。

吕泉生虽于1991年退休了，但表示将继续从事音乐创作，为社会献出余热。

〔**吕继宏·青年歌唱家·获中国民族声乐比赛第一名**〕　由文化部艺术局和湖北省文化厅联合主办的"1992中国民族声乐比赛"，1992年10月28日在湖北武汉音乐学院落幕。这次比赛专业性强，权威性高，其难度被誉为是建国以来文化部举办的民族声乐比赛最大的一次，其特点是不设置话简，比赛全过程曲目量多，技术难度大。来自全国15个民族的156名18至35岁的青年歌手参加比赛，海军政治部歌舞团独唱演员吕继宏以其富有穿透力的优美音色，声情并茂、气韵不凡的演唱荣获第一名，他在复赛和决赛演唱的曲目是《三十里铺》、《泪蛋蛋》、《再见了，大别山》、《北疆连着我的家》和歌剧选段《十里风雪》、《永别了，亲爱的樱子》等7首，使评委和观众为之动情，为之惊喜。获2至10名的歌手是董华、吴侃、韩延文、余凤兰、孙丽英、铁金、冯冰、王英民、宋立民。黄华丽、朱立群、戴玉强、贺继红、黄依兰、李星、王燕、黄辉、于联华、徐杰等十人获演唱奖。张权、郎毓秀、王音璇、吴雁泽、杨金岚、姜家锵、寇家伦等11位教授和歌唱家任复赛和决赛评委。

为鼓励歌曲创作，在6月举行的预赛中，每位选手被要求必须演唱一首新创作的民族风格作品，经评委会评选，《鹿回头传奇》、《二泉映月》、《山里人》、《回四川》等11首歌曲获"新作品奖"。

吕继宏，甘肃天水人。1960年6月27日生。中学时期，得启蒙老师李秀英谆谆教导，使他步入音乐殿堂，1978年考入西安音乐学院声乐系，师从陶立玲。1982年毕业后到甘肃兰州师专音乐系执教。1985年秋，以独唱演员的身份调入甘肃省歌舞团。1989年8月调入中国人民解放军海军政治部歌舞团。步入专业演出团体后，仍不断向歌唱家吴雁泽、姜家锵学习，特别在声乐教育家金铁麟严格要求下，使他在驾驭各类作品的能力上，舞台表演风范的尺度上，声乐技巧运用上都趋向完善。1992年，他在复排演出的民族歌剧《红珊瑚》中饰男主角，成功的表演得到专家们好评，此前，中央人民广播电台曾在"音乐天地"专题节目中对他进行过专访。曾去泰国做访问演出。

吕继宏曾在全国性声乐比赛中屡屡获奖。1988年，在"'金龙杯'全国歌手邀请赛"中获民族唱法银奖；1990年，在"第四届全国青年歌手电视大奖赛"中获民族唱法三等奖；1992年，在"第五届全国青年歌手电视大奖赛"中获民族唱法第二名，同年获"第六届全军文艺会演"一等奖。

〔吕道龙·烟台西苑集团总公司总经理·获第三届全国科技实业家创业奖金奖〕 山东省烟台西苑集团总公司总经理吕道龙，把发展企业的着眼点放在兴办高技术产业和开发高精尖产品上，从1978年创办低压锅炉厂起家，十多年时间，先后开发专利技术和引进国际先进技术近10项，发展到拥有16处企业，一所成人中专和成人大学，固定资产达5600多万元，产值已超过亿元。1992年12月11日，吕道龙在北京获得第三届全国科技实业家创业奖金奖。

吕道龙非常重视聚才、用才、育才，建立起一套适应科技发展的人才运行机制。企业开办初期，他跑清华、北大、山东大学等高等学府和科研机构，招聘大批各类中高级技术人才，并制定了一系列优惠政策。随着企业的发展，他认为必须走自己办学培养人才的道路。1984年，他投资160万元办起了一处成人中专，与企业发展配套，开设了机械制造，精细化工等5个专业（后来增至10个），已培养了800多名各类专业人才。办中专的成功，使吕道龙又产生了更大胆设想，经国家教委批准，投资3600万元，创办了烟台乡镇成人大学，暂设7个专业，实现人才培养和科研、生产一体化。

吕道龙十分重视运用科技新成就。他于1988年投资2300万元，建设拥有一流生产设备和高水平质检仪器的西苑制药厂。几年来，他们狠抓产品质量，生产的药品畅销全国，并打入国际市场。他们以海洋生物为原料生产的"西苑"牌藻酸双脂纳，是获得国际金奖的最新科研成果。他们依靠自己雄厚的技术力量和先进设备对原有生产工艺进行了改进，消除了原有工艺生产带来的药品不良作用问题，节约了原料、降低了成本。目前"西苑"藻酸双脂纳已被列入国家"八五"火炬计划，1992年8月在北京获"全国家庭常用药疗效患者满意奖"，还在烟台中国首届专利新技术新产品博览会中获银奖。

吕道龙，1937年12月18日生，山东省烟台市福山区塔寺庄人。高级工程师。1958年在福山铁矿参加工作，1956年加入中国共产党。1960年回村任团支部书记、副大队长，1978年任党支部书记兼低压锅炉厂厂长，1984年任福山实业总公司总经理。1988年被山东省政府评为"山东优秀农民企业家"，1989年被国家农业部评为"农业系统成人教育先进工作者"，1990年被山东省授予农业劳动模范称号，1991年被农业部授予"全国乡镇企业家"称号，同年被山东省委授予"优秀共产党员"称号。

〔朱元成、冯克煦、路明、刘珩·当选民建中央副主席〕 朱元成、冯克煦、路明、刘珩在1992年11月举行的民建六届一中全会上新当选为民建中央副主席，朱元成兼秘书长。他们在当选后表示要继承和发扬民建老一代同中共风雨同舟、密切合作的优良传统，团结并带领广大成员，用邓小平同志关于建设有中国特色社会主义的理论武装头脑，进一步提高坚持和贯彻党的基本路线的自觉性和主动积极性，把党的路线、方针、政策同民建的具体实际结合起来，增强政治责任感和参与意识，发挥主动性、积极性和创造性，以新的精神面貌推进民建的工作，为加快改革开放和现代化建设而努力奋斗。

朱元成，1926年生，山西寿阳人。新中国成立后，历任齐齐哈尔市龙华棉织厂经理，市工商联主委，市政协副主席，市民建主委，黑龙江省工商联副主委。1959年曾任齐齐哈尔市服务局副局长、局长。1979年后历任民建黑龙江省副主委、主委、民建中央常委，七届全国政协委员、省政协常委兼副秘书长。

冯克煦，1926年生，四川安江人。1955年加入民建。新中国成立后，历任重庆工商联科长、秘书，民建四川省委秘书，民建中央秘书，办公厅副主任，民建中央副秘书长兼经济咨询服务部部长、代理秘书长、秘书长，执行局副主任。是七届全国政协常委兼副秘书长。

路明，1939年生，辽宁大洼人。1961年西北农学院农学系毕业，分配至陕西吴旗县农牧站工作。1978年考入西北农学院，1982年获硕士学位。后到甘肃省农科院工作，1983年任农科院副院长。1984年任甘肃省副省长。1989年加入民建，曾任民建中央委员、甘肃省常委。

刘珩，1936年生，上海市人。1949年入华东军政大学、华东人民革命大学学习，结业后参加土改工作队、“三反”、“五反”工作队，后由组织选派到华东纺织工学院机械系学习。1956年毕业后，历任纺织工业部机械设计院技术员，沙市纺织厂技术员，沙市机床厂工程师，沙市职工大学、职业大学副院长、沙市副市长。1990年起任纺织工业部副部长，国务院重大装备领导小组成员，国务院机电进口领导小组成员，国家创造发明奖评审委员会委员。1984年加入民建，历任民建沙市主委、湖北省副主委、中央常委。曾编著《机械制图》、《机械零件》、《机床设计》等教材。

〔朱世慧·京剧演员·主演新编京剧《法门寺众生相》轰动京华〕 1992年，被誉为中国第一名丑的朱世慧，因主演新编京剧《法门寺众生相》倾倒首都观众，获文化部第二届文华表演奖。

《法门寺众生相》系导演艺术家余笑予、李云彦在传统名剧《法门寺》的基础上重新编写的。该剧在北京演出后，文化部为其组织座谈会，与会的首都专家及戏曲界的朋友一致认为该剧在编剧、导演、音乐、表演、舞美等方面，均很出色，是近年来各地进京汇报演出的创作剧目中颇具轰动效应的一个。该剧成功，为如何改编传统名剧，提供了宝贵经验，而朱世慧出神入化的表演，则是该剧成功的条件。对他这样的演员应打破梅花奖不能连评的规定，让他“梅开二度”。

朱世慧，湖北省武汉市人，1947年生。12岁入湖北省戏曲学校工老生，毕业后调入湖北省京剧团。在此次公演的《法门寺众生相》中，他饰贾贵，人们看到这个贾贵不再在祥和的乐曲声中缓步出场，而是在“急急风”的紧锣密鼓中，在如狼似虎的校尉的簇拥下，大步流星跑出台口，跨步亮相，傲气十足；而当九千岁驾到的呼声从远处传来时，面对尚未露面的主子，他却早已满脸堆笑，一身媚骨，前倨后恭，对比强烈。朱世慧的这一表演，给观众留下深刻印象。

然而最精采处是佛殿中的“扪心自问”，此时舞台上无景、无对象交流，锣鼓音乐也全停止。朱世慧运用大段独白使观众感到了这个“奴下奴”的贾贵的内心活动：贾贵是得意的，他一呼百应，可翻云覆雨，玩百官于股掌之上。贾贵是懦弱的，干了伤天害理之事，害怕神明惩罚，一个霹雷吓得匍伏在地，叩头不已。贾贵是痛苦的，他渴望过正常人的生活而不可得，猫儿闹春、七夕星夜、别人合家欢聚等等，都是对他深宫生活巨大的冲击。他可依权仗势、目空朝野，却无法改变自身被封建制度摧残、过不上人的生活的悲惨遭遇。而贾贵又是可怜的，侍奉太后老佛爷要百般逢迎、滴水不漏。与太后打牌输要“输得应该”，与太后说话，笑要笑得自然……。朱世慧在抒发贾贵这个人物的感情上，可说达到了同那双手微抖，强自压抑真情实感的身段动作，把贾贵对太后的崇敬而又仇恨，对世人的鄙视而又羡慕，对自己处境的踌躇满志而又怅然若失的复杂心态刻画得淋漓尽致，成功地塑造了一个“奴下奴”的贾贵，一个“为奴也难”的贾贵，一个被摧残扭曲的阴阳两面人！

朱世慧虽是丑角，而他在戏校做科时，却学的是生行，生行唱工重于丑，朱世慧无论行腔、吐字、收音、归韵都曾打下基础。剧中一段二黄重头唱，他字儿、劲儿、味儿有讲究，这是生行的底功赋予他的演唱技巧。而且朱世慧不唱则已，要唱总有效果，讲究讨俏，于抑扬顿挫中蓄势，关键时全力发挥，让观众过瘾，这得力于他钻丑行善于揣摩观众心理的长处。

从《一包蜜》到《法门寺众生相》，朱世慧已有十多年的创作历程。艺术视野开阔，接触的观众也是多层次的，这使他的丑富有时代气息，受到老人、青年、小孩的欢迎。专家们认为朱世慧以丑角应工挑大梁，站中场演主角，这无疑填写了近百年中国京剧史的空页。过去生、旦、净、末都有名角，但丑行只是打个浑、逗个趣，很难排头顶班儿。晚清十三绝中曾有刘赶三、杨鸣玉红极一时，其后有萧长华先生，以后丑行几乎没有挑大梁的，因之人们尊称朱世慧是当今“中国第一名丑”、“当今丑王”。

这出戏的编剧之一和导演是余笑予。在余笑予看来传统京剧只讲形式美的品味，而不重视同当代观众的思想感情沟通起来，因而不能吸引青年观众。这次名剧的改编就是他这种美学追求的又一次实践。很显然剧本内容表达了湖北省京剧团的艺术家们对当前廉政建设的深切关心。该戏荣获了第二届文华大奖、余笑予、李云彦获文华编剧奖，余笑予获文华导演奖，朱世慧获文华表演奖。

〔朱永兴·副教授·发明新型清淤机获第二届国际发明展览会银牌奖和国家发明奖〕　一种新颖的河道、水库、鱼塘专用清淤设备——自行往返远控潜吸式清淤机，1992年分别获得第二届国际发明展览会银牌奖和国家发明奖。同年5月，《光明日报》、《中国海洋报》、《世界科技信息报》等十多种报刊杂志先后介绍了该机及其发明者朱永兴的事迹。

目前我国河道、水库、码头、鱼塘等面积很大，仅鱼虾塘就有2500多万亩，每年淤积土方25亿多立方米，光清除淤积就要耗费很大一批经费和劳动力。为了能研制一种高效、低耗、省力的清淤机械，朱永兴经过几年潜心钻研多次往返于上海、无锡、泰兴等地的水库、鱼塘，几乎“泡”了一年半的时间，反复琢磨、观察，搜集资料。设计中，他大胆构思，跳出了清淤必用车、船的框框，打破了车入泥潭不能行走的禁区，终于研究设计出“自行往返远控潜吸式清淤机”。这种新颖的专用于河道、水库、鱼塘等处的清淤机械，外形酷似小坦克，只有500多公斤重。只要拨动电钮。就能够远距离操纵其自动行走、吸泥，既可在陆地，又能潜入水下，前进后退，转弯爬坡，灵活自如。爬坡能力可达45度，适应河道、鱼塘水下的多种复杂地形。在水下无论是前进或后退，都可边走边吸泥清淤。吸出的泥浆浓度为30%，最高可达90%，输泥距离达200米，如加接力泵，可任意延长，每千瓦功率可清淤3立方米，每小时清淤25—30立方米。它与目前使用的机身笨重、操作费力的清淤机、船相比，具有体积小、造价低、耗电少、无噪音、无污染、效率高、操作轻巧等许多突出优点，能在满水养鱼的条件下自动清淤，不需要抽水干塘，转场时也不需肩抬拖曳。1991年12月，上海高教局、江苏省机械工业厅组织对该机进行鉴定，认为属国内外首创，在北京、上海和江、浙、湖、广等十省市60多个水产养殖场以及水利、工厂等单位使用，普遍称赞它是目前最理想、最先进的清淤工具，

朱永兴，浙江省萧山人，1943年生。1966年9月毕业于上海水产学院渔业机械专业，先后在上海东海船厂、上海船舶设计院任技术员、工程师等职。1982年调上海水产大学工作至今，现任该校渔业工程系副教授。十多年来，在科研设计与教学工作中勤奋进取，刻苦钻研，其多项发明曾7次获国内外展览会的金银奖。

〔朱自清·已故著名诗人、散文家·电视剧《朱自清》拍成〕　由江苏电视台摄制的电视剧《朱自清》以散文名篇《背影》作序，《荷塘月色》作尾，中间穿插《匆匆》等华章，将现代散文家、诗人、学者朱自清的形象推上了荧屏。该剧是江苏电视台等单位正在拍摄中的江苏爱国名人系列剧之一。上海人艺的著名演员严翔穿起长衫，夹上书本，成了一代名家“朱自清”。此剧一如主人公纯正质朴的人格与其平淡之中见神奇的文风，采用独特的散文框架，以诗的语言、散文的韵味，抒写着主人公追求真理与光明的历程。

朱自清，字佩弦，1898年生于江苏东海县，后随祖父、父亲定居扬州。1916年毕业于江苏省第八中学，并考入北京大学哲学系。家境贫寒，他的大学生活十分清苦，冬天只能靠一床破棉被过寒夜。在北大，他受“五四”新文化运动的影响开始写新诗，并为学生刊物《新潮》社社员。1920年大学毕业后在江苏、浙江一些中学里教书。1921年1月，文学研究会成立，他为早期会员之一。1923年3月发表了长诗《毁灭》，引起当时诗坛的广泛注意，1924年出版了他的第一本诗文集《踪迹》。

1925年，朱自清任清华大学中文系教授，开始研究古典文学，并致力于散文创作。他的早期散文内容多系小资产阶级知识分子个人感情的抒发，但艺术构思缜密谨严，抒情写景委婉细腻，语言格调清新秀丽，如：《背影》在朴素清新的文字中，倾注了一股真挚而又深沉的感情，有力地拨动着读者的心弦，是脍炙人口的名篇。《荷塘月色》、《绿》、形象生动，色彩清丽，在对自然景物的描绘中，深深地抹上了作者的感情色彩，使文章充满了诗情画意。1928年出版的散文集《背影》标志着他已成为一个著名的散文家。

朱自清早年也写些触及时弊、针砭现实的文章，如《白种人——上帝的骄子》，揭露了帝国主义侵略者的嘴脸；《执政府大屠杀记》控拆了反动军阀的暴行。1935年"一二·九"爱国运动中，他随清华学生上街游行。1937年抗战爆发后，任西南联大教授。抗战后期，他不顾生活困顿，体弱多病，几年内完成《新诗杂话》、《诗言志辨》、《国文教学》等学术著作。时局的遽变和生活的磨练，使他的思想有较大的转变。1946年7月11日和15日，李公朴、闻一多先后被国民党特务杀害，他在17日的日记中愤然写道："此诚惨绝人寰之事。自李公朴被刺后，余即时时为一多之安全担心。但绝未想到发生如此之突然，与手段如此之卑鄙！此成何世界！"8月19日作挽诗一首，说一多是"一团火"，照见魔鬼的"火"，并相信在这火的"遗烬里"，必将"爆出个新中国"。18日，成都各界人士举行李、闻追悼大会，不少人恐特务加害，不敢参加，他却毅然前往并讲了话。后受聘主持整理闻一多遗著委员会，用了一年多时间，编成《闻一多全集》并作序。

1946年10月，朱自清返回北平，继续在清华任教，积极参加各项民主运动。1947年2月23日，他领衔发表了抗议国民党北平当局任意逮捕人民书。5月24日参加了呼吁和平宣言的签名，并亲访各院校征求签名。1948年4月12日清华教授为"反饥饿、反迫害"罢教一天，他为宣言起草人之一。晚年以"但得夕阳无限好，何须惆怅近黄昏"勉励自己，决心做"向下"（接近工农）的知识分子，并几次带病与清华同学一起扭秧歌，诚挚地显示向新时代学习的热情。1948年8月12日病逝前，谆谆告诫家人，说他已经签名拒绝美援，无论如何不要买政府配售的美国面粉，表现了高度的民族气节和爱国主义精神。表明他已成为一个反帝民主战士。毛泽东同志在《别了，司徒雷登》一文中赞扬他有骨气："一身重病，宁可饿死，不领美国的救济粮"，"表现了我们民族的英雄气概。"

朱自清著作有二十七种，近二百万字，大都收入《朱自清文集》。

〔朱次元·微雕艺术家·创作发刻精微小提琴破吉尼斯纪录〕 1992年，朱次元创作了一把"发刻精微小提琴"，头发丝做成的琴弦上刻了"为第25届巴塞罗那奥运会圆满成功敬制"等中英文字样，长仅1.8厘米，打破了1990年吉尼斯之最的1.98厘米的纪录。作品面世后，轰动了整个微雕界。

朱次元，1945年生，浙江湖州人。他自学成才，微雕技艺造诣甚深。10多年来，他创作微书、微刻、微雕共400余件、80多万字。在半张名片大小的象牙扇面上和小如粟米的象牙上，刻下了令人称奇的微雕作品《出师表》、《赤壁赋》、《楚辞》等古代名篇、诗词和小桥流水、人物花卉。观其刀法，刚柔相济生变化，点划皆有筋骨，字体雄媚自然，天庭地边、左右边幅匀称利落，韵味尽在其中，使观者有心醉神迷之感。有诗赞曰："镜下赫然米上诗，刀工指感动如丝，笔端气韵非神授，师事能人不拜师"。朱次元的作品深受海内外收藏家的青睐。1982年，他创作的一把仅8寸30[illegible]的"唐诗万字扇"，扇面上微书着16000多字，全都用繁体楷书写成，每字不到1毫米。字字笔划清晰，整齐匀称，布局大方，给人一种清新、秀美的感觉。1984年他创作的象牙微雕《孙子兵法》问世。在这件由12片薄如蝉翼的象牙组成的扇片上，一部共计6114个字的《孙子兵法》，通过放大镜细察，不但字迹清晰可辨，且其书法工楷秀逸，一丝不苟，可谓运刀如走笔，转合自如。此扇外表光洁，长仅寸许，比之南宋高宗收藏的长2寸的"细扇之优"还要小。它集传统军事经典、书法、微刻、工艺造型于一扇，从而形成世上罕见的一部能执于掌心的"兵书"。

1991年春，朱次元应邀送象牙微雕《孙子兵法》扇，参加香港首届消闲用品展览，那高超精湛的指上功夫引起了轰动效应。台湾民间艺术团体已向他发出邀请，请他方便时携作品去台湾展出。1992年春，"浙江民间工艺节"在杭州"天工艺苑"举行，朱次元的"象牙微雕扇"《金刚经》，被日本国行政事务研究株式会社董事长手竹内相一重金买下。朱氏多年酝酿，构思设计的"中国民族乐器系列发刻微雕"，经6个月的时间精心创作，于1992

年完成。除“发刻精微小提琴”外，还有“发刻精微琵琶”、“发刻精微二胡”、“发刻精微月琴”、“发刻精微阮咸”等共5件。用高倍显微镜可以清晰地看到每件乐器的第二、三根发丝琴弦上，分别刻有“白日依山尽，黄河入海流。欲穷千里目，更上一层楼”，“此时无声胜有声”等诗句。月琴、阮咸、琵琶小似芝麻的象牙如意头上，则分别刻有“请奏鸣琴广陵散，月照城头乌半飞”，“千呼万唤始出来，犹抱琵琶半遮面”等诗句。整组中国民族乐器系列微雕形态逼真，维妙维肖，融诗文、书法、微雕、发刻、工艺造型艺术于一体，堪称当今世界的艺术珍品。

〔朱初辉·炼油厂工人·获全国“五一”劳动奖章〕　广东茂名石油工业公司炼油厂一预分离车间三班班长朱初辉，30多年来无私奉献在炼油岗位上，被誉为油厂“铁人”。1992年4月29日获全国总工会授予的全国“五一”劳动奖章，并在“五一节”期间受全国总工会邀请，到北京参加全国“五一”劳动奖章、奖状授奖大会，受到党和国家领导人接见。

朱初辉1939年11月18日生，广东省潮阳县人。1958年参加茂名石油开发建设以来，尽管工作岗位变动多次，但不管到哪个工作岗位，他都很快成为行家里手。他酷爱学习，不断丰富提高自己的知识和生产技能。多年来他以坚韧的毅力先后自学了《炼油工艺基础》、《炼厂气体分离》、《石油炼制基本知识》等10多种专业书籍，并作了大量的学习心得笔记。1987年当班长时，他对69台设备、1300个阀门、8900多米管线，都了如指掌，被称为预分离装置“问不倒的活流程”。他凭着顽强的意志，啃完了工人技师必读的《炼油基本知识》、《有机化学》、《物理化学》和《数学》四门课程，顺利通过考评，被公司聘为工人技师。20年前，他曾因甲状腺肿瘤、输尿管长瘤和严重肾炎，动过三次手术，切除了一个肾的1/2，抽去了一根肋骨。后来，他又患上了高血压病和冠心病。但他对工作的高度责任心和认真细致的工作作风始终不变。近10年来，由于他的高度负责态度而发现的事故隐患达160多个。一次，他在47米高的分溜塔检查100层塔盘质量时，非常难以发现的第25层未装石棉垫的漏洞，让他发现了，从而防止了重大事故的发生。多年来，朱初辉看火数千次，没有失误一次，被誉为“看火功臣”。当班长后，他根据班组特点，制定了《班内劳动竞赛考核条例》、《学徒“三阶段”条例》、《岗位练兵条例》和《师徒合同》。多年来，朱初辉先后带出徒弟16个，个个都是身手不凡的技术操作能手，都已成为班组的技术骨干，有的还当了班长或车间领导。他还善于做班组成员过细的思想政治工作，每年谈心家访上百次。1987年以来，该班劳动竞赛各项指标一直走在其他班的前面，年年都被评为公司的先进班组或模范班组。

朱初辉怀着对企业的深情，凭着自己熟悉生产设备性能和工艺操作的专长，勤动脑筋，不间歇地为厂和车间、班组献计献策，每年平均提合理化建议达10条，内容不仅涉及生产、安全、技术改造等方面，还包括民主管理和思想政治工作等。1988年7月，他提出的“双塔生产改为单塔生产”建议，是一项简化工艺流程，降低能耗、物耗、提高产品质量的改革，这项建议实施后，节约能源价值110万元。他提出的改变塔热负荷分布，调整塔顶和塔底回流量建议实施后，塔三和塔四顶部的冷却水从每小时480吨下降到200吨，每年节能价值9.5万多元。

1987年厂正式开展为企业“献策、操心”活动以来，他共提合理化建议89条，其中72条被采纳，创造经济效益200多万元。1990年朱初辉被茂名市评为提合理化建议积极分子，1991年3月20日在首次全国合理化建议表彰大会上，被评为全国合理化建议积极分子。

〔朱物华·科学家·九十诞辰和从教六十五周年庆祝会在上海举行〕　1992年1月4日，上海交通大学为朱物华教授90华诞和从教65周年举行了庆祝活动。1月3日，中共中央总书记江泽民给他当年的老师朱物华发来贺信：“欣悉您执教65周年至为感奋。您为我国的教育事业，辛勤耕耘，几十年如一日，为科学事业的发展作出了卓越的贡献。闻知您的文集即将出版，特写书名，以志祝贺。并颂健康长寿。”国务委员兼国家教委主任李铁映为庆祝活动题了词。

朱物华是我国杰出的科学家和教育家，著名的通信与电子系统专家，专长信息论与水声工程。六十五年前，他满怀兴国振邦之心，从美国学成归来，投身我国的科学、教育事业。半个多世纪以来，他呕心沥血，不但为祖国开拓了“电讯网络”和“水声工程”学科领域，而且培养了杨振宁、张维、马大猷等一大批国内外知名的优秀学者和科学家，以及一大批国家的栋梁之材。

朱物华，1902年生，浙江绍兴人。1919年入上海交通大学读书，1923年赴美国麻省理工学院电机系学习，后转哈佛大学，获硕士、博士学位。曾在欧洲近10个国家参观访问，并从英国著名物理学家卢瑟福教授修离子、电子及离子辐射。1927年回国，先后任教于广州中山大学、唐山交通大学、北京大学、西南联大、上海交通大学等校。新中国成立后历任上海交大工学院院长兼副教务长，哈尔滨工业大学副校长兼教务长，上海交大副校长、校长、顾问，中国物理学会声学专业委员会委员、理事，上海电子学会理事长，电子工业部科技委员会委员等职。

〔朱学范、侯镜如·被推举为民革中央名誉主席〕　1992年12月，朱学范、侯镜如、孙越崎在民革第八次全国代表大会上被推举为民革中央名誉主席，贾亦斌、赵祖康被推举为民革中央名誉副主席。(孙越崎见另条)

民革第八次全国代表大会在致朱学范等老同志的信中，高度评价了他们数十年来为民革的团结和进步所作出的重要贡献，对他们这种顾全大局，“立党为公”的高尚情操表示崇高的敬意，并衷心希望他们今后一如既往，继续给民革的工作以指导和帮助。

朱学范，1905年生，上海金山人。1933年上海法学院毕业，后留学美国哈佛大学。曾任上海市总工会主席、世界工联副主席。建国后，历任邮电部部长、中华全国总工会副主席、民革中央主席，第五、六、七届全国人大副委员长，中国和平统一促进会会长。

侯镜如，1902年生，河南永成人。黄埔军校第一期毕业。1926年参加北伐，1927年参加上海第三次武装起义及南昌起义。1932年后历任国民党军队旅长、师长、军长、兵团司令。1949年起义后历任国务院参事，国防委员会委员，民革中央副主席、名誉主席，第七届全国政协副主席，黄埔同学会会长、中国和平统一促进会会长。

〔附注：1993年3月26日，全国政协八届一次会议选举侯镜如为政协八届全国委员会副主席。〕

〔朱相桂·江苏森达〈集团〉公司董事长·获全国乡镇企业家称号〕　1992年11月30日，中国皮革工业协会、轻工业部制鞋质量监督检测中心在北京人民大会堂发布新闻，江苏森达（集团）公司生产的“森达”牌皮鞋被评为信得过名牌产品，农民出身的公司董事长朱相桂赢得了人们的敬佩。他于年初获全国乡镇企业家称号。

朱相桂，1949年4月生，江苏省盐城市建湖县人。大专文化。中共党员。1974年在县国营砖瓦厂工作，1976年回村筹建并担任建湖县皮鞋二厂厂长，1991年担任合资企业江苏盐城森达制鞋有限公司董事长。朱相桂于1989年被评为江苏省优秀企业家，1992年获得全国乡镇企业家称号。他是江苏省人大代表。

森达公司的前身是村办企业建湖县皮鞋二厂。办厂过程中，他们饱尝了创业的艰难、挫折的痛苦。人们描述当时的的情景是：破牛棚作厂房，大猪圈改食堂，三个师傅同一张床。朱相桂带领一班人，不唯条件，不畏艰难，奋力开拓，创立大业。到1987年，该厂已跻身江苏制鞋业“三强”。朱相桂并没有满足，瞄准大目标，立足于大事业。他先后到德国、英国、意大利考察国际皮鞋市场，了解国际制鞋信息，吸收先进制鞋科技，并从英国引进具有世界先进水平的配底生产流水线，使企业得到了长足的发展，实现了从劳动密集型向技术密集型的新转换，生产规模与总量成倍提高，年生产能力达到160万双，资金总额达4500万元，成为全国最大的乡镇皮鞋专业生产企业。

在皮鞋市场竞争十分激烈的情况下，朱相桂及时制订实施名牌战略，产品向高档次、高利税、高附加值转换，内在质量与公共艺术有机结合，品牌在市场和广大消费者中得到了确立，先后夺得3个部优产品。1991年获得中华国产精品奖，1992年上半年，被国家技术监督局指定为向消费者推荐的信得过产品，下半年再获中国名牌产品殊荣。

乘名牌的东风，朱相桂又推出“进名城、入名店、唱主角、当明星”的营销决策，产品覆盖全国23个省市的360多个销售网点。该厂产品在以上海中百一店为首的30家全国大型商场（店）销售，还远销日本、法国、澳大利亚等11个国家和地区。1992年森达制鞋有限公司实现产值7200万元，创利税810万元，分别比上年增长68%和79%。

“视今天为落后”是朱相桂的名言，也是森达制鞋有限公司的企业精神。森达皮鞋虽然在国内市场已独树一帜，但他们永不满足，把目光投向世界名牌产品，在皮鞋王国意大利设立窗口，洽谈合资项目，要让森达皮鞋风靡世界。

如今，以朱相桂为董事长的江苏森达（集团）

公司已组建成立，森达公司下属企业除了原有的合资企业森达制鞋有限公司和皮鞋二厂外，还新建了童鞋厂、丝织厂、远东工贸联合公司、塑料厂和日化厂等。

〔朱洪元·著名理论物理学家·在北京逝世〕

著名理论物理学家、中国科学院学部委员、中国高能物理学会名誉理事、中国科学院高能物理研究所研究员朱洪元，于1992年11月4日在北京逝世，享年75岁。

朱洪元，1917年生于江苏宜兴。早年赴英留学，获曼彻斯特大学哲学博士学位。1950年回国，先后在中国科学院近代物理研究所、原子能研究所、高能物理研究所从事研究工作。1980年当选为中国科学院学部委员、数理学部常委。是第三届全国人大代表。

朱洪元毕生从事理论物理研究，在理论物理、高能物理领域中作出卓越的贡献，尤其以对同步辐射性质的开创性研究及强子结构与强子过程的“层子模型”的建立闻名于世。这项研究1982年获国家自然科学二等奖。他曾参与国防任务的研究，对包括光子、电子、中子和原子核在内的高温、高密度系统的输运过程、反应过程和流体力学过程的研究作出了贡献。

朱洪元始终关心我国高能物理实验工作的发展，在北京正负电子对撞机的建造决策、方案制定以及北京谱仪上物理目标的选定等过程中都起了重要作用。曾主持和创办了国内几种主要的物理学刊物。他撰写的《量子场论》曾经是我国几代粒子物理工作者的标准教科书及参考书。

〔朱留锁·三五四一工厂党委书记·热爱本职成为全军企业优秀思想政治工作者〕　1992年6月9日《人民日报》发表署名文章，介绍近年来被评为全军企业优秀思想政治工作者、全军劳动模范的朱留锁靠深入细致的思想政治工作，把全厂两千多职工的心凝聚在山高气寒的武当山麓，形成“厂兴我有功，厂衰我有责”的整体合力，使工厂经济效益大幅度增长的先进事迹。

朱留锁说：“要让工人爱工厂，工厂就要有可爱之处；领导为工人办实事，做工人的贴心人，工人才能把工厂的事当成自家的事。”全厂职工的生活他时刻挂在心头。每年，厂领导为职工排忧解难都有上千件。职工上班，液化气有人送上门；单身病号，有人送饭到床头；孤寡老人有青工照顾；双职工上夜班，孩子可送幼儿园……寒冬腊月，武当山大雪纷飞，上百个背书包的中小学生走出厂区，爬山下坡到地方学校上学。因为这些孩子的母亲户口不在工厂，按规定不能上本厂子弟学校。做父亲的成天担心孩子路上出事，上班心也不安。朱留锁忧职工所忧，经过与子弟学校联系，多方做工作，使150多个“半边户”子女入了学。他又和厂长一起，把那些远离工厂的职工家属户口迁到厂区附近的蔬菜队，在厂里成立了服务公司，解除了几百名“半边户”职工的两地分居之苦，激发起他们爱厂兴厂的积极性。对于后进青年，朱留锁认为，简单批评无济于事，单纯说教收效甚微，只有把准脉搏，调动方方面面耐心帮教，才能收到较好效果。厂里有两名青工曾一度失足，一名还劳改过，回厂后自认“废品”，打算破罐子破摔。朱留锁亲自带人上门做工作，鼓励他俩重新生活，找有关部门妥善安排他俩工作。他俩看到书记为他们费尽了心血，便下决心以厂为家，起早贪黑工作，连续3年超额完成了经济指标。朱留锁为和这些后进青年打成一片，帮助他们改掉懒散作风，在厂里组织了一支包括这两名失足青年的足球队。朱留锁担任领队，经常和他们一起摸爬滚打地练球，人贴近了，心靠紧了，调皮青年逐渐增强了纪律观念，以崭新面貌走向生产流水线，有的当了技术骨干和先进工作者。朱留锁还认为，要调动职工的积极性，就必须建立一种机制，使职工真正在主人位，行主人事。建立了“党员代表常任制”，并协助厂长健全了以职代会为主要形式的各项制度。工厂大事，部门生产计划，规章制度的修订，职工提干、晋级、调动、奖金、物资分配等，都要通过职代会或各单位民主管理委员会讨论。工人们高兴地说：如今是真正的民主管理，放开手脚创效益吧！由于全厂职工顺心、齐心，经济效益持续增长。1991年实现利税1550万元，比上一年增长54.7%。1992年上半年完成工业总产值8259万元，实现利税909万元，分别比上一年同期增长40%和18%。

朱留锁，江苏阜宁人，1947年4月出生，1965年加入中国共产党，1968年参加工作。1974年起在3541工厂任干事、组织科长、党委副书记。1985年担任党委书记。多次荣获湖北省、全军优秀思想政治工作者和劳动模范称号。

〔朱森林·当选广东省省长·宣布广东向小康迈进〕　广东省第七届人民代表大会第五次会议于1992年1月16日举行大会，选举朱森林为广东省省长。同年 10 月，朱森林在中共第十四次全国代表大会上当选为中共第十四届中央委员。

朱森林，1930 年生，江苏川沙（今属上海市）人。1952 年加入中国共产党，并到广东工作。历任中共广州市委组织部副处长、办公室主任，中共广州市越秀区委书记，中共广州市委副秘书长兼办公厅主任、市委常委、市委政策研究室主任、市委副书记，广州市市长。1988 年起任中共广东省委常委兼广州市委书记。当选省长前是中共广东省委副书记、副省长、代理省长。是中共第十三届中央候补委员，第七届全国人大代表。

1992 年 3 月第七届全国人大五次会议期间，朱森林向中外新闻记者宣布：广东开始向小康迈进。他说，广东省 1987 年国民生产总值提前三年实现了翻一番的目标，如果今后每年递增 7.5%，到 1995 年便可达到实现小康的战略目标。到本世纪末，广东部分人能达到中等国家的生活水平。他强调指出，广东将尽快推进全面改革，把开放区延伸到内地、山区，形成一个全省开放的新格局，提高开放层次，把深圳、珠海、汕头办成高科技开发区，建立高科技产业，把广州办成国际信息、金融中心，辐射全国乃至世界。

〔朱敦法·任国防大学校长〕　1992 年 11 月，中央军委任命朱敦法为国防大学校长。

朱敦法，1927 年 9 月生，江苏沛县人。1939 年参加八路军。1945 年加入中国共产党。1947 年任晋冀鲁豫野战军旅侦察连连长，在豫北战役中立大功，并获三级战斗英雄称号。1948 年在淮海战役中再次立大功。后任第二野战军师侦察股股长、营长。参加了邯郸、陇海、渡江、西南等战役。1951 年后，任师侦察科科长、团长。1953 年参加抗美援朝，在中国人民志愿军任团长。1960 年毕业于军事学院合成军队指挥系。后历任副师长、师长、军参谋长、副军长、军长。1985 年起任沈阳军区副司令员，广州军区司令员。是第六、七届全国人大代表，中共十四届中央委员。1988 年被授予中将军衔。

〔朱煜明·发明铸态球铁用球化剂·获中国新技术新产品博览会金奖〕　创办无锡永新特种合金有限公司（中外合资）并任总经理的朱煜明，研制开发“铸态球铁用球化剂”，这项系列产品在国家科委主办的 1992 年第四届中国新技术新产品博览会上荣登金奖榜首，并同时被国家科委宣布为“国家级新产品”。

这项新产品当初是在一家名不见经传的乡镇企业——无锡市郊区鑫园乡鑫园合金球铁厂生产的。在此之前，朱煜明曾怀抱着这项发明成果，寻觅了两年之久，竟无一家国有企业肯接受生产。

1988 年，朱煜明在无锡球墨铸铁研究所工作时，根据国内铸铁行业发展的需要，在国内率先提出研制和生产新一代球化剂的方案，以替代原有产品，直到他研制成功了第三代铸态球铁用球化剂后，也没有找到一家愿意生产这种产品的厂家。原因是目前国内生产球化剂的 80 多家企业，多数处于不景气甚至亏损状态。在这种情况下，谁也不敢再冒风险上第三代产品。

朱煜明怀抱“和氏璧”，却难觅知音人。在这种情况下，他毅然下海，创办了那家乡镇企业。1990 年 3 月，他借款 3 万元，集资 10 万元，在原鑫园围巾厂简陋的厂房外面挂上“鑫园合金球铁厂”的厂牌。经过两年努力，铸态球铁用球化剂合金问世了，产品的性能不断提高，品种逐渐增加，适用范围也进一步扩大。目前，企业已形成三个系列、几十种型号的系列品。使用结果表明：花一元钱购买这种新型球化剂后，可以省去铸件的热处理工序，为用户节省十元钱的成本。目前，朱煜明和农民们一起生产的球化剂产品，已受到铸铁行业的极大关注。上海宝山钢铁公司、长春第一汽车制造厂等 120 多家大中型机械铸造加工企业，都使用了该厂的产品，以此替代了进口材料。鑫园合金球铁厂已成为华东地区销量最大的球化剂专业生产企业，人均产值、利税位居全国同行业之首。

1992 年 4 月，合金球铁厂和香港永新公司合资，成立了中外合资无锡永新特种合金有限公司，这是国内首家专业化球化剂合金生产的中外合资企业。朱煜明出任该公司经理。

朱煜明，1951 年 10 月生，江苏无锡人。1968 年初中毕业后下乡到黑龙江省北安县龙镇农场，1974 年到齐齐哈尔机床厂技校学习，1976 年在技工学校毕业后在齐齐哈尔机床厂当工人。1978 年考入哈尔滨科技大学铸造专业，后在本校攻读硕士研究生，1985 年获硕士学位，分配到无锡球铁研究所，任工程师。1990 年 3 月到无锡市郊区鑫园乡创办合金球铁厂，任厂长。

〔朱镕基·国务院副总理·当选中共中央政治局常委〕　国务院副总理朱镕基于 1992 年 10 月 19 日在中国共产党第十四届中央委员会第一次全

体会议上当选中央政治局常务委员会委员。在此之前，国务院于6月发出通知，决定撤销国务院生产办公室，并在原生产办公室的基础上成立国务院经济贸易办公室，由朱镕基兼任办公室主任。10月，国务院决定撤销原国务院证券管理办公会议，成立国务院证券委员会，朱镕基兼任主任。

1992年3月9日至13日，国务院召开第三次全国清理三角债工作会议。朱镕基在会上强调要抓紧清理老债，重点防止新欠。他指出，国务院对清理三角债工作十分重视，并把它作为搞好国营大中型企业，提高经济效益的突破口。从1991年9月起，在国务院的直接领导和部署下，各地区、各部门和企业积极开展了清理工作。由于清理三角债工作的指导思想明确、工作方法得当，各部门、各地区密切配合，清欠工作取得很大成绩，缓解了长期困扰国营企业的债务，基本上遏制住了前清后欠。这有利于搞好国营大中型企业，有利于企业转换经营机制，有利于经济正常运行。他还对1992的清欠工作提出了要求，强调产生三角债的深层次矛盾还没有解决，前清后欠的潜在因素还未清除，彻底解决三角债的任务还相当艰苦。1992年要在抓紧清理老债的同时，把重点放在防止新欠上，并且做好相关的工作。

8月16日至23日，朱镕基先后在榆林、延安、铜川、宝鸡等地市和神府、东胜煤田考察工作，强调要下大力气抓好基础设施建设。他指出，邓小平同志年初南巡重要谈话发表后，全国各地进一步解放思想，加快经济发展速度，但基础设施的全面紧张难以适应国民经济建设快速发展的需要。因此，必须集中财力、物力，全力以赴地加快基础建设。

12月23日，国务院召开总结表彰会宣告全国性清理三角债工作结束。国务院副总理、国务院清理三角债领导小组组长朱镕基在会上作了全国清理三角债工作的总结。在谈到清理三角债取得的成绩时他说，两年共清理固定资产投资和流动资金拖欠款2190亿元（1991年清理1360亿元，1992年清理830亿元）实现了注入1元资金清理4元拖欠的效果。通过清理三角债，明显地缓解了企业资金紧张的状况，加速了资金周转，提高了经济效益，对国民经济的健康发展起到了重要作用。他总结了清理三角债的四条经验：立足于治本清源；治理流动资金拖欠采取釜底抽薪的办法，实行限产压库和“压贷双挂钩”的政策；各级领导高度重视、各有关部门团结协作；狠抓防欠措施的落实。并对今后防止新欠提出了具体要求和措施。

2月9日至22日，朱镕基副总理应邀对澳大利亚和新西兰进行正式友好访问。澳大利亚总督海登、总理基廷、新西兰总督凯瑟琳·蒂泽德、总理詹姆斯·博尔格会见了朱镕基。

11月14日至12月5日应英国、芬兰、丹麦、瑞典和挪威政府邀请，朱镕基出访上述五国。在访问期间，朱镕基副总理同上述五国政府领导人就国际形势和双边关系问题深入地交换了意见，还同不少经济、金融和科技界人士进行了广泛的接触，参观了许多企业和科研单位，增进了中国同这五国相互了解，推进了相互间合作关系的发展。11月16日，朱镕基在伦敦英国皇家国际事务研究所作了题为《关于在中国建立社会主义市场经济问题》的演讲。他说：中国经济改革的方向从一开始就提出以市场为取向。我们相信，我们既能按市场经济的模式来运作我们的经济，又能保持以公有制为主体，维护社会公正，实现共同富裕的社会主义制度；既能利用国外的资金，引进国外的先进技术和管理经验，又能够保持社会主义的精神文明和中华民族优秀的文化传统。因此，我们将满怀信心地在本世纪实现我们的第二步战略目标。谈到香港问题时，他指出，香港当局在不久前提出将对香港的政治体制进行重大改变，其做法和内容都明显违背了中英联合声明的有关规定和精神，违背了中英双方达成的关于要使香港政制发展同《基本法》衔接的谅解，为香港的平稳过渡和政权顺利交接设置了障碍，给香港的长期繁荣稳定造成危害。人们不禁要问，中英声明还要不要信守？中英双方达成的谅解是否就“一风吹”了？这是一个重大的原则问题。在原则问题上，中国政府和人民从来是绝对不含糊的。对此，任何人都不要作出错误的估计。11月26日，朱镕基在瑞典斯德哥尔摩瑞中贸易理事会作题为《中国的改革开放和中国与西北欧国家的关系》演讲中说：有的外国朋友提出，中国一方面实行改革开放，发展市场经济，另一方面又强调社会主义，这是否矛盾？我认为，这是不矛盾的。我们讲的市场经济就是指建立市场经济机制，并不是完全模仿资本主义市场经济的任何阶段。而且市场经济机制也不是资本主义独有的。今后，我们在建设社会主义市场经济的过程中，仍将会学习和借鉴一切国家反映现代社会化生产和商品经济一般规律的先进经营方式和管理方法。

朱镕基，生于1928年10月，湖南长沙人，1949年10月入党，1948年12月参加工作，清华大学电机系电机制造专业毕业，高级工程师。1947—51年，在清华大学电机系电机制造专业学习并参加“新民主主义青年联盟”。1951—52年，任东北工业部计划处生产计划室副主任。1952—58年，任国家计委机械局综合处副处长。1958—69年，任国家计委干部业余学校教员、国民经济综合局工程师。1970—75年，下放国家计委“五七”干校劳动。1975—79年，任石油工业部管道局电力通讯工程公司办公室副主任、副主任工程师，中国社会科学院工业经济研究所室主任。1979—82年，任国家经委燃动局处长、综合局副局长。1982—83年，任国家经委技改局局长，国家经委委员。1983—87年，任国家经委副主任、党组副书记。1987—91年，任中共上海市委副书记，上海市市长、市委书记。1991年起，任国务院副总理兼国务院生产办公室主任、党组书记，兼国务院经济贸易办公室主任、党组书记。

第十三届中央候补委员。

〔附注：1993年3月29日，八届全国人大一次会议表决决定朱镕基为国务院副总理。〕

〔朱殿华·北京饭店特级理发师·在北京逝世〕　北京饭店特级理发师朱殿华，1992年2月在北京去世。在北京医院小礼堂他的遗体旁，安放着李先念、邓颖超、薄一波、耿飚、卓琳、王光美等送的花圈，邓小平、邓颖超等还专派秘书参加了遗体告别仪式，聂荣臻、王震、宋任穷、谷牧等身边工作人员或亲属也打电话表示哀悼。王任重在他生前（2月27日）还专门亲笔写信向北京饭店和朱殿华的亲属致哀。

朱殿华，1924年生，他出身贫苦，1937年13岁时便进理发馆当学徒，后在北京饭店当理发师。他是北京饭店最早为党和国家领导人理发的理发师之一。几十年中，朱殿华以精湛的技艺和火热的心为中央领导同志服务。领导同志特别忙，理发时间极不规律，朱殿华不分昼夜，随叫随到。一次周恩来总理要到机场迎接外宾，只有10分钟理发时间，朱殿华娴熟、利索地为周总理理了发，只用了9分钟。周总理的胡子又密又粗，很难刮。朱殿华琢磨出顺刮、斜刮法，避免倒刮。周总理常风趣地说：“朱师傅就是多快好省的典型。”给朱老总理发时，他轻捏慢按，使朱老总能安睡片刻。周总理病重和逝世前，已有20多天没理发了。朱殿华多次要求去理，一次他带了工具等候在病房外面，可总理却嘱咐身边工作人员说：“老朱多年为我理发，看到我病成这个样子，他会难受的，还是别来吧。”老朱听了泪水不禁夺眶而出。周总理逝世的噩耗传来，朱殿华悲痛欲绝，他强忍住泪水，一丝不苟地为总理作最后一次服务，再现了周总理生前那慈祥、庄严的面容。

朱殿华为中央领导同志的仪表、健康倾注着自己全部心血和深情，中央领导同志也都很关怀他。朱老总从外地视察回来，常常给理发室和朱殿华送去自己最喜爱的兰花。农历除夕，朱殿华很少在家过年，总是被接去和首长一块儿过。1986年朱殿华退休后，因患偏瘫行动不便，邓小平还曾派车来接他去中南海玩。

〔朱德熙·著名语言学家·在美国病逝〕
我国著名语言学家、古文字学家、教育家、北京大学教授朱德熙，在美国讲学期间，因病医治无效，于1992年7月19日在斯坦福大学医院逝世，终年72岁。

朱德熙，江苏省苏州人，1920年10月生。1945年毕业于西南联合大学。毕生从事现代汉语语法和古文字学的教学和研究工作，为祖国的语言事业做出杰出贡献。50年代初，他与吕叔湘合写的《语法修辞讲话》，出版后在全国产生了广泛而深远的影响。在他的代表性论著《现代汉语语法研究》、《语法讲义》以及其它著作和文章中，对语言学提出了许多创见性的理论观点。朱德熙在任北京大学副校长兼研究生院院长期间，为培养高水平的人材作了大量工作。1986年获巴黎第七大学名誉博士学位。曾任世界汉语教学学会会长，中国语言学会副会长、第六届全国人大代表。古文字学方面的主要著作有：《寿县出土楚器铭文研究》、《信阳楚简考释》、《平山中山王墓铜器铭文初步研究》、《战国陶文和玺印文字中的“者”字》、《战国记容铜器刻辞考释四篇》等。

〔乔石·再次当选中共中央政治局常委〕
中国共产党第十四届中央委员会第一次全体会议于1992年10月19日在北京举行，乔石在会上再次当选中央政治局常务委员会委员。

作为中央政治局常委、中央政法委员会书记，乔石于1月10日同出席全国高级法院院长会议的高级法院院长座谈时，强调要严格依法办案，保障社会安定，在法院的审判工作中，对于严重危害社会治安的刑事犯罪分子，要继续依法从重从快惩处。1月下旬，乔石主持了在广东省珠海市召开的全国政法工作会议，并在会上作报告。报告指出，把经济建设搞上去，社会稳定是一个最基本的前提。各级党委，政府和政法部门一定要把维护政治安定和社会稳定放在压倒一切的位置上抓紧抓实抓好。特别是市、县和乡镇机关，肩负着“保一方平安”的政治责任，尤其要采取切实措施，把社会各方面的力量和积极性调动起来，搞好综合治理，维护好本地区的社会治安。要坚决打击严重危害群众的车匪路霸、流氓盗窃等，对带黑社会性质的犯罪团伙，一经发现要及时打掉，要坚决查禁各种社会丑恶现象。对那些违法犯罪猖獗，歪风邪气盛行的地区，要进行重点治理，尽快改变面貌。

担任中央社会治安综合治理委员会主任的乔石于3月中旬、6月下旬在北京主持召开了中央社会治安综合治理委员会第五次、第六次全体会议，乔石在这两次会议上讲话，在回顾中央社会治安综合治理委员会成立一年来取得的成效时指出，实践证明，抓社会治安综合治理这条路是走对了，深得人心。今年，认真搞好社会治安，仍然是党和国家的重点工作。党和国家把社会治安综合治理工作作为维护社会秩序和社会稳定的重要措施，决心坚持不懈地抓下去。他强调，在深化改革、扩大开放、加快经济发展的同时，社会治安综合治理工作不仅丝毫不能放松、还要进一步加强。各地区、各部门都要再接再励，把综合治理的各项措施落实到各部门、各单位的实际工作中去，党政主要领导同志要亲自抓，在某些地方，社会治安综合治理工作还要先行一步，为经济建设扫除障碍，提供保障。

5月7日，乔石在第九次全国检察会议上讲话，要求政法各部门要牢固树立为经济建设服务的思想，更自觉、更主动地服从和服务于经济建设和改革开放，强化人民民主专政的职能。他指出，依法惩治贪污贿赂犯罪是检察机关的一项重大责任，要深刻理解和认真贯彻执行党中央惩治腐败的方针，在工作中要严格执行法律、政策，既要防止打击不力，又要克服简单粗糙，严格分清罪与非罪的界限。

7月15日，中央党校校长乔石在该校1992年夏季毕业典礼上强调要继续深入学习邓小平南巡重要谈话。他说，邓小平谈话在全国引起了巨大的反响，振奋了亿万人民的精神，解放了亿万人民的思想，变成了亿万人民开拓创新，加快改革开放的实际行动，我们学习邓小平谈话，不仅要学习他阐述的战略思想、理论观点和决策原则，而且要学习他在研究新情况、解决新问题中的实事求是精神和马克思主义的立场、观点和方法。要努力克服那些对马克思主义的某些原则、某些本本的教条主义的理解，使全党同志更新观念，实现思想上的再一次大解放。

在这一年，乔石先后到广东、山西、江苏、辽宁、湖南、宁夏等地进行考察。1月下旬，他在广东省珠海市考察工作时指出，特区是经济特区，但是，经济与政治是分不开的，经济在改革中必然会涉及政治方面的问题。特区在经济改革上先行了一步，政治体制改革在经济特区也需要先行一步。因此，特区在社会主义民主与法制建设上要作一些探索和试验。特区对外开放得早，社会治安方面遇到的问题比其他地区多，要加强工作，及时总结，为全国提供新经验，12月下旬，乔石在宁夏回族自治区银川、银北、银南地区考察工作时，对农村工作和农业问题极为关注。他说，在今后相当长的时期内，农业仍然是我国国民经济的基础，一定要高度重视，抓紧抓好。当前由于受商品经济的冲击、农产品的价格等问题的影响，一些农民生产积极性不高甚至出现了弃农经商等问题，应当引起充分注意。各级政府都要认真研究解决农业发展中出现的新问题，特别是要千方百计保持和提高农民生产和经营的积极性。

在1992年中，乔石先后会见了来我国访问的老挝国家主席、老挝人民革命党中央委员会主席凯山·丰威汉，越南最高法院院长范兴时，澳大利亚首席大法官安东尼·梅森，俄罗斯司法部长尼·瓦·费多罗夫，泰国大理院院长沙瓦迪·初迪瓦尼，印尼总检察长辛基，马来西亚总检察长阿布·奥斯曼，奥地利总检察长奥托·米勒等。

乔石，生于1924年12月，浙江定海人，1940年8月入党并参加工作，大学文化。1940—45年，任上海南方中学、光华附中地下党支部委员、书记，上海地下党中学区委干事，在华东联合大学文学系学习，淮南华中局城工部调训班学习。1945—49年，任上海地下党学委中学区委组织委员、中学分委副书记兼组织委员，上海同济大学地下党总支部书记，上海地下党学委总交通，上海地下党新市区委副书记，上海市北一区学委书记。1949—54年，任浙江省杭州市委青委宣传部部长、组织部部长、市委青委书记，华东局青委统战部副部长。1954—62年，任鞍山钢铁建设公司工程技术处副处长、处长，酒泉钢铁公司设计院院长兼钢铁研究院院长，酒泉钢铁公司陕西工程管理处党委书记。1962—63年，在中央高级党校理论班学习。1963—82年，任中共中央对外联络部研究员、副局长、局长、副部长。1982—87年，任中共中央对外联络部部长，中央书记处候补书记，中央办公厅主任，中央组织部部长，中央政法委员会书记，中央保密委员会主任，中央政治局委员，中央书记处书记，国务院副总理。1987年起，任中央政治局委员、常委，中央书记处书记，中央纪律检查委员会书记，中央政法委员会书记，中央党校校长，中央保密委员会主任，中央社会治安综合治理委员会主任。

第十二届、十三届中央委员，十二届中央书记处候补书记，十二届五中全会增选为中央书记处书记、中央政治局委员，十三届中央政治局委员、常委、中央书记处书记。

〔附注：1993年3月27日，八届全国人大第一次会议第五次大会选举乔石为第八届全国人民代表大会常务委员会委员长。〕

〔乔红（女）·乒乓球运动员·获第二十五届奥运会乒乓球女子双打冠军〕　1992年在西班牙巴塞罗那举行的第25届奥运会上，中国选手乔红与邓亚萍合作，夺得女子双打冠军。

乔红，出生在武汉市一个干部家庭，7岁开始打球。1989年在第四十届世界乒乓球锦标赛上曾获得单打冠军，与邓亚萍合作曾获得双打冠军。

乔红的事迹参见1990年《中国人物鉴》。

〔乔志强·历史学家·新著《中国近代社会史》出版〕　1992年2月，山西大学历史系教授乔志强的新著《中国近代社会史》由人民出版社出版。这是我国第一部完整意义上的中国社会史论著。这本书突破了传统的近代史研究格局，从社会史的内在规律出发，将近代社会史的内容划成社会构成、社会生活、社会关系三大块，对近代人口、家庭与婚姻，物质生活与精神生活，人际关系、社会的各种功能等长期来被人们忽视的问题作了较为深入的研究。

从八十年代初，乔志强就开始钻研中国近代社会史，在山西大学历史系开设了中国近代史课程，并招收了这个课题的研究生。这几年先后毕业的18名硕士生，以他作为学术带头人，形成一个以社会史为主的研究中心与学术梯队。他还主编了《中国近代社会史纲》（高校教材，山西高校联合出版社出版）、《中国近代社会史词典》（山西高校联合出版社出版）等专著。目前，他正忙于《近代华北农村社会研究》一书的撰写。这是一部得到国家社会科学基金资助的著作。

乔志强，山西太原人，1928年生。1951年山西大学历史系毕业后留校任教，曾任历史系主任，现任山西大学历史研究所所长。1991年被评为山西省优秀专家。

乔志强长期从事中国近代史的教学与研究工作，主要著作有《辛亥革命前的十年》、《中国近代史新编》（合著）；并编辑出版了《曹顺起义史料汇编》、《义和团山西地区史料》、《山西制铁史》、《山西风物志》（合编）。由他主编的《山西通史》也即将出版。

〔乔修业·书画家·赴台举办《两岸中国名家书画联展》〕　1992年8月5日至18日，应台湾斗六市云林美术研究会邀请，乔修业、潘进武赴台参加民间书画艺术交流，举办大型《两岸中国名家书画联展》，台湾电视台、报纸等数十家新闻单位作了报道。并出版乔修业等以大陆画家为主的大型画册《两岸中国书画名家画集》。

乔修业，1934年1月生于河北安平，1958年毕业于北京外语学院。现为天津南开大学副教授，王学仲艺术研究所兼职副教授，中华炎黄文化研究会理事，天津炎黄文化研究会秘书长，天津书法家协会、美术家协会会员。他醉心于中国书画艺术，青年时代喜登山涉水，为祖国优美的自然风光所陶醉，因而对中国山水产生了浓厚的兴趣。曾从师刘君礼、严六符、刘止庸等名家，后在王学仲的水墨艺术和艺术思想的影响下，开始山水画创作生涯。数十年来，渗淡经营，精心创作，形成了颇具特色的画风。其山水画水墨淋漓、笔触豪放，萧洒清雅，有诗的意境和气韵之美。如代表作《黄山烟云》、《银河落九天》等，观后仿佛把人们带到大自然秀美的景色之中。1987年，他分别在天津、北京举办个人画展。1988年作品参加韩国汉城“中国现代书画展”，其中《春江烟雨图》辑入日韩合出的大型画册《中国现代书画》。1989年5月，在北京中国人民革命军事博物馆举办乔修业、王杰然、张存仕三人为郑州兴建炎黄二帝巨型塑像集资义卖展，乔修业捐献山水画100幅。他的画作还在日本、香港、台湾等国家和地区展出，并被不少画廊、艺术馆收藏。1991年，乔修业、姚广厚、汪绍孟联袂在天津举办“三友山水画展”。著名书画家王学仲看了乔修业的作品，称其“所画黄山颇得漂缈之致。”并为其题词：“人生不满百，愿得百年看。”

乔修业在绘画理论、美学研究上也颇有见地。他认为，中国文人画的本质特征是气韵美、意境美、诗和文的美，情和个性的美。气韵、意境、空灵、清雅也是中国山水画可谓达到了最高的艺术境界。画家把自己对山水画的追求归纳为四句话：“拙笔醉墨我画本，淡墨轻烟我画韵，淡彩清雅我画装，空灵放逸我画魂。”乔修业主编出版《旅游美学》，译著《美学》。

〔伍金赤列·被中央政府正式批准认定为十七世噶玛巴〕　西藏著名的噶玛噶举教派十七世活佛于1992年6月27日在距拉萨70公里的楚布寺被正式认定。这是自西藏1959年民主改革以来首次由中央政府正式批准认定的转世大活佛。

西藏自治区民族宗教事务委员会主任尤嘎在认定仪式上，代表国务院宗教事务局宣读了中国佛教协会对西藏佛协分会认定该灵童的批准书和国务院宗教事务局的正式批复。批复说：“同意认定西藏自治区昌都县拉多乡巴果牧民顿珠和洛嘎夫妇之子伍金赤列为第十六世噶玛巴转世灵童，特准继任为第十七世噶玛巴，并在适当时候举行坐床典礼。”

噶举教派形成于11世纪。噶举，藏语意为口授传徒，俗称白教。噶玛噶举为藏传佛教重要教派，该教派活佛早在元、明、清时代即不断向中央政府进贡，并多次受过皇帝敕封，一度曾执掌政教统治全藏。按惯例，西藏认定重要大活佛均须经中央政府批准，此次依照噶玛噶举教派宗教仪轨认定的转世灵童亦照此执行。据有关资料，西藏转世活佛判度由噶举派首创，此次按上世活佛遗嘱寻访认定的十七世噶玛巴活佛，现年8周岁。

〔伏明霞（女）·跳水运动员·获第二十五届奥运会女子跳台跳水冠军〕　14岁的中国选手伏明霞，1991年在第6届世界游泳锦标赛上，曾被誉为年龄最小的世界冠军。1992年在西班牙巴塞罗那举行的第25届奥运会上，又技压群芳，夺得女子跳台跳水冠军。

1978年8月16日，伏明霞出生在武汉一个普通工人家庭，父母并无体育基因传给后代。伏明霞跨进体育天地的第一步是跟着姐姐练体操，由于关节不大好，教练觉得她适合当跳水运动员，于是推荐她到省跳水学校。1987年教练于芬在省跳水训练基地发现了蕴蓄着很大潜力的伏明霞。此后，伏明霞在国家队里见到了高敏、许艳梅，见识广了，信心倍增。1989年二青会后国家总教练徐益明挑了30名小苗强化基本功训练四个月，伏明霞为其中之一，也成为国家队一员。

于芬教练调教“小马”着重基本功——走板、起跳、压水花等，象母亲一样关怀她。伏明霞此时已具备了跳水运动员的全部素质：身材苗条、作风顽强、空中感觉好、动作优美、心理素质很高。“千里马”终于开始腾飞了，1990年4月初战加拿大国际赛拿下亚军；5月在美国佛罗里达国际跳水赛中，战胜包括6名奥运选手在内的12人，获女子跳台跳水冠军；8月在美国西雅图又挫败众强手登上冠军领奖台，引起极大的轰动。但千里马也有失足的时候，在亚运会上她只得了第三名。伏明霞找出了主要缺点：动作不稳定，也因鲜花多了，掌声多了，飘飘然所致。

这次在巴塞罗那奥运会跳水赛中，她伴着掌声、惊叹声、欢呼声，获得高出第二名近五十分的461点43分的好成绩，在世界跳水和奥运史上留下了闪光的一页。

伏明霞事迹与简历参见1991、1992年《中国人物年鉴》。

〔任政·书法家·谈书法艺术创作〕　1992年5月，在纪念毛泽东《在延安文艺座谈会上的讲话》发表50周年之际，任政对书法艺术创作发表了自己的见解：“书法艺术应该提倡百花齐放，各种书学流派和书学观点的并存，恰恰说明书法可以向广阔的方向去发展。那种超前地盲目地去追求时髦的流行书风，是应该值得注意的一种倾向。”他认为搞创新不能急于求成。应该在继承传统的基础上多下功夫，以“一专”、“二博”、“三创”的精神来作为学书的方向。同年，任政为周恩来纪念馆题字为该馆珍藏。

任政，字兰斋，浙江黄岩人，1916年生，久居上海。7岁从叔祖任心尹学习诗文、书法。学书涉猎广泛，从三代金文入秦汉刻石，对六朝造像墓志、晋唐法贴以及宋元明清以来各家法书无不精心研习，青年时代得马公愚、沈尹默、王福庵等人指教，临池更勤。平生爱书法，60余年精勤不懈，功力之深，鲜有其匹。善鉴别、富收藏，精用笔，擅各体，风格洒落，筋骨老健，楷书法初唐，行草宗二王，分隶学两汉，在继承优秀传统基础上，推陈出新，创出自己风格，雄健挺拔，工整秀丽，深受国内外书法爱好者赞赏。早岁蜚声艺苑，著作论述丰富。已出版及发表的有：《楷书基础知识》、

《少年书法》、《祖国的书法艺术》、《书法教学》、《隶书写法指南》、《兰斋唐诗宋词行书帖》、《任政隶书字帖》、《任政行书千家诗贴》等10余种。上海各大、中学校、电视台、青年宫、文化宫等单位经常延请讲学。1979年获选书写行书字模7000余字，现为《人民日报》、《深圳特区报》、《文汇报》、《新民晚报》等报纸采用；1981年为淮海战役纪念碑书写碑文，刻石留芳；同年参加澳大利亚和日本联合举办的国际书法大赛名列前茅；1983年东渡日本讲学，深得友邦人士钦仰。1984—1985年荣获上海市文联文学书法艺术奖。

任政现为中国书法家协会会员，中国书法家协会上海分会常务理事，上海外国语学院艺术顾问，上海市文史研究馆馆员，复旦大学国际文化交流学院艺术顾问。

〔任虹（女）·青年舞蹈演员·获最佳表演奖〕　在大连艺术界也是大连歌舞团历史上第一部自已创作的舞剧作品《枣花》中，担任主要角色枣花的该团青年舞蹈演员任虹，以其凝重潇洒、刚柔相济的舞蹈语言在舞台上形成了一股强烈的感情涡流，推动着观众想象力的涡轮飞速旋转，获得了专家和观众的同声喝彩。一些著名舞蹈艺术家认为她是各方面素质都相当优异的一流尖子演员。在1992年12月5日全国舞蹈观摩演出闭幕式上，任虹获得了最佳表演奖。

任虹，原籍山东省掖县，1967年9月28日生于辽宁省大连市。1979年进入大连歌舞团学员班，在基本功的训练中，她付出了超越常人的努力，使她能连续不停地做二十多个旋子，她的高难度的大跳和爆发力，即令是男孩子也望尘莫及。经过5年严格、艰苦的学员生活后，于1985年成为该团舞蹈演员，先后在《金山战鼓》、《木兰归》、《血染的风采》、《晨曲》、《浪花曲》等舞蹈作品中担任主要角色。1991年参加双人舞《篱笆情》的排演，通过这部作品，任虹开始着意探索如何更深刻地把握角色的内心世界，将深挚的情感融注于舞蹈语汇当中，并显示出她善于细腻传神地将特定环境下人物复杂的内心世界和性格特征准确表现出来的表演特点。同年4月在参加辽宁省小型舞蹈作品比赛和专业演员技术表演赛中，获古典舞青年组第一名，《篱笆情》亦获一等奖。

〔任建新·任中共中央书记处书记·谈法院工作〕　1992年10月18日，任建新在中国共产党第十四次全国代表大会上当选为中央委员。19日，在中共十四届一中全会上，根据中央政治局常委的提名，担任中央书记处书记。

最高人民法院院长任建新在7月份接受记者采访时说，法院工作的根本出发点是为加快改革开放和经济建设服务。要通过审判工作，对有利于解放和发展生产力的行为，依法予以保护，对不利于解放和发展生产力的行为，依法予以限制，对破坏解放和发展生产力的行为，依法予以制裁。他指出，坚持两手抓，打击各种犯罪，目的是为改革开放和经济发展创造一个良好的社会环境。他还说，随着经济发展，给各种法律关系带来很大影响和变化。对当前尚无法律、政策处理依据的新类型经济纠纷案件，如股票方面的案件，法院将根据有关法理，借鉴外国审判实践经验并参照国际惯例，实事求是，慎重处理。

根据中共中央决定，任建新兼任中央政法委员会书记、中央社会治安综合治理委员会主任。他在12月9日召开的中央社会治安综合治理委员会第8次全体会议上讲话时指出，目前我国政治安定，经济发展，这是主要的、基本的大好形势。但同时还应当看到，社会治安方面的问题仍然很多，影响稳定的因素也还不少，因此，对治安形势切不可盲目乐观，思想上工作上绝不能有丝毫的麻痹松懈。他强调，社会治安综合治理工作是一项长期的任务。要乘十四大的强劲东风，再接再厉，进一步搞好综合治理，保证社会长期稳定。

12月14日，任建新在全国政法工作会议上提出1993年全国政法战线的主要任务是：认真贯彻落实党的十四大精神，进一步加强和改革政治工作，强化人民民主专政职能，坚决打击敌对势力和各种犯罪活动，落实综合治理，维护社会稳定，为建立社会主义市场经济体制提供多渠道、全方位的法律服务，保障加快改革开放和现代化建设的顺利进行。

任建新，1925年8月生，山西汾城（今襄汾）人。北京大学工学院化学工程系毕业。1947年加入中国共产主义青年团。次年6月加入中国共产党并参加工作。曾任华北人民政府秘书厅秘书。中华人民共和国成立后，曾先后在中央政法委员会、中央法制委员会、国务院法制局、中国国际贸易促进委员会任职，担任过中国国际法学会副会长，中国法学会副会长，中国经济法学会副会长，最高人民法院副院长、党组副书记。1988年起任最高人民法院院长、党组书记，中央政法领导小组成员兼秘书长，中央社会治安综合治理委员会副主任。是中共第十三届中央委员。

〔华岗·已故著名历史学家、教育家和政治活动家·逝世二十周年〕　1992年5月，是我国早期运用马克思主义研究历史的著名学者、教育家和政治活动家华岗逝世二十周年。

华岗，又名少峰、西园，1903年生于浙江龙游县（今衢县）庙下村一个普通农民家庭。1924年在宁波第四中学学习时加入中国社会主义青年团，1925年在南京加入中国共产党。大革命时期，他一直从事青年团的宣传和组织工作。1928年曾赴莫斯科出席中共六大和共青团五大，回国后担任团中央宣传部长，1929年初离开团中央专门从事党的宣传和组织领导工作。在这期间，他从革命斗争的现实需要出发，着手撰写《1925—1927年中国大革命史》，1931年7月在鲁迅帮助下由上海春耕书店出版。这部30万字的专著热情歌颂了广大工人、农民和知识分子掀起的新民主主义第一次大革命运动，痛斥党内右倾机会主义者，揭露了蒋介石、汪精卫等人的反革命罪行和对中国共产党与革命运动的种种诬蔑。当时一些地下党组织曾把它列为党员和群众的学习教材。毛泽东后来在重庆见到华岗，也称赞"这是一本好书。"

1932年，华岗在赴东北担任满洲特委书记途中被捕，直到1937年10月才被党营救出狱。抗战初期，他参加了《新华日报》的筹办工作，一度担任总编辑，1939年因病离开报社在重庆郊区养病。在此期间，他继续从事研究和写作，编写了《中国民族解放运动史》。这是一部40万字的简明中国近代史，1940年由上海鸡鸣书店出版，受到广大读者欢迎，几年内重印8版之多。

1943年，华岗担任中共中央南方局宣传部长。不久就被派到云南，以南方局代表的身份，做龙云等人的统战工作；同时应聘担任云南大学社会学教授。1945年，华岗调重庆任中共代表团顾问，参加国共谈判工作。1946年随周恩来到上海，担任上海工作委员会书记，1947年3月回延安。1951年新的山东大学成立，华岗被任命为校长兼党委书记。

山东大学是一所颇具规模的综合性大学。为办好这所大学，华岗呕心沥血，做了大量工作。他亲自给全校师生员工讲授《社会发展史》、《实践论》、《矛盾论》、《辩证唯物主义和历史唯物主义》等政治大课，定期做时事政治报告。他积极倡导科学研究和学术讨论，主持创办了山大学报《文史哲》杂志，他主张学术上各抒已见，广泛讨论。1954年，文科两名学生写了《关于＜红楼梦简论＞及其他》一文，许多报刊不予发表，他支持《文史哲》发表了这篇文章，在全国引起反响和重视，受到毛泽东的赞扬。《文史哲》逐渐形成自己的特色，成为国内有较大影响的学术刊物。

1955年秋，在全国反对"胡风反革命集团"及肃反运动高潮中，华岗被认为同胡风有关系。同时，山东党内开展了对所谓"向明反党集团"的斗争，华岗因和向明一起坐过牢，解放后又有过接触而受牵连。1955年8月华岗被捕，到1965年，整整审查了10年，最后竟以"莫须有"的罪名判处有期徒刑13年。在被审查和关押期间，华岗仍然以惊人的毅力继续研究和写作。在我国社会主义建设遭到严重挫折时期，他抓住研究客观规律性这样一个具有重大意义的哲学问题，作了系统的科学研究，完成了一部30万字的哲学著作《规律论》。此外，他还完成了《自然科学发展史纲要》、《科学的分类》、《美学论要》、《列宁表述辩证法十六要素试释》、《老子哲学的伟大成就及其消极面和局限性》等著作，总计近百万字。

"文化大革命"中，华岗遭到更严重的迫害。由于多年狱中生活的折磨，他的身体状况日趋恶化。1972年5月17日在狱中含冤去世，终年69岁。1980年，中共中央正式批准为华岗平反昭雪、恢复名誉。中共山东省委为他举行了隆重的平反昭雪追悼大会。

〔华中一·复旦大学校长·获美国传记学会颁发的终身成就奖〕　复旦大学校长华中一教授因在中国真空技术领域的开创性工作，1992年5月1日获得美国传记学会颁发的终身成就奖。

华中一是我国真空科学与技术的开拓者之一。早在50年代，他就设计试制成功一系列（约30种）高真空获得测量和分析设备，其中两项成果获1963年国家科委颁发的四新奖。他撰写的《高真空技术与设备》、《真空技术基础》是我国最早的两本真空书籍，曾被高等学校和技校普遍使用。他还主持了我国第一台基准式压缩真空规的研制工作，获得成功，在我真空计量方面起到重要作用。他曾设计和改进了一系列新型超高真空量具，得到国际学术界的肯定。他提出利用封闭曲面的变电位边界代替双曲面来产生静电四极场，可用于气体的分压强测定，这在国际上也是首次，并获得中、美、日三国专利。

在电子物理方面，华中一参加的我国31公分黑白显象管联合设计，获1977年电子工业部一等奖。在表面电子谱方面，1977年研制成功X射线光电子出现电势谱、俄歇电子出现电势谱、消隐电势谱等仪器，填补了国内表面分析仪器的空白。1985年获国家教委科技进步二等奖。

华中一，1931年1月生，江苏无锡人。1951年毕业于上海交通大学物理系。1953年至1955年在上海精密医疗器械厂任技术员；1956年至1959年在第四机械工业部第12研究所任工程师；1960年到复旦大学，先后任副教授、教研室主任、教授、系主任、院长、副校长，1988年担任复旦大学校长至今。1961年加入中国共产党。他还兼任中国真空学会理事长；中国真空与表面仪器学会理事长；国际真空科学技术与应用协会执行委员；中国科学院北京真空物理实验室学术委员会主任；国务院学位委员会评议委员等职。

由于华中一出色的工作和卓越的成就，1977年，被上海市人民政府授予“上海市先进科技工作者”称号；1984年，被国家人事部授予“中青年有突出贡献专家”称号；1988年，被列入国际传记中心（IBC）出版的《世界有成就领先人物录》；1989年，被列入美国传记学会（ABI）出版的《国际著名领袖指南》；1990年，被国家教委、国家科委授予“全国高等学校先进科技工作者”称号。

华中一的主要著作有：《高真空技术与设备》、《真空技术基础》、《真空实验技术》、《国外电子管概况》（合著）等7部专著，在国内外杂志上发表学术论文90余篇。

〔邬维庸·港事顾问·批评港督彭定康的“政改方案”〕　1992年10月17日，香港总督彭定康在未与中国政府磋商的情况下，在立法局首次发表了严重违反中英联合声明和香港特别行政区基本法，题为“香港的未来：五年大计展新猷”的万余字施政报告，提出了香港行政局和立法局分家、立法局1995年选举等“政改方案”。彭定康又于11月11日，经立法局会议通过支持其“政改方案”的所谓“麦里觉修订动议”。彭定康一系列举动遭到香港很多知名人士的批评。港事顾问、原香港特别行政区基本法起草委员会政制小组港方召集人邬维庸，从彭定康“政改方案”的内容、推出手法、彭的个人风格和历史的角度等四个方面提出质疑：彭定康真的想给港人带来民主吗？他指出在英国以往统治香港的一百五十年历史中从来没有民主这回事，现在离主权交接只剩下短短四年半时间，才突然改变政策，到底是何居心？又指出立法局通过的所谓“麦里觉修订动议”决不是孤立的事件，而是港英为推销其“政改方案”的“彭定康行动”的一环，是有意安排的。

香港立法局议员詹培忠，港事顾问朱幼麟、邵友保、徐四民、吴康民、廖瑶珠，香港工商总会主席张鉴泉等人或讲话或撰文，批评彭定康的“政改方案”，有的指出彭定康香港“原有制度”大改特改，而且扬言要过渡到1997年后继续实行，其结果损害香港的稳定繁荣。有的批评彭定康大打“国际牌”，把香港问题国际化。有的报刊文章分析说，彭定康推行政改的主要目的，就是企图在九七后使香港“独立”、“半独立”或成为“自决的政治实体”，以延续其殖民统治。

邬维庸，1938年生，原籍浙江宁波。六十年代初毕业于香港大学医学院。曾任伊丽莎白医院内科医生，现自开诊所执业。历任香港医学会会长、新生精神康复会主席、药剂业及毒药管理局委员、香港科技协进会副会长等职。是中华人民共和国香港特别行政区基本法起草委员会委员、咨询委员会委员。

〔庄田·广州军区原副司令员·在广州逝世〕

1992年4月25日，广州军区原副司令员庄田在广州逝世，终年86岁。

庄田，海南万宁（属海南省）人。1926年3月加入中国共产党。1929年赴新加坡做工，任中共支部书记，坚持秘密革命活动。1930年7月到香港中共海员工委会工作，同年冬被派赴苏联入莫斯科红军步兵学校学习。1931年12月回国到上海。1932年到中央革命根据地瑞金，在红军中央军事政治学校先后任排长、连指导员、营政委。1933年起先后任红军中央模范团政治处主任，红9军团3师7团政委、补充团团长兼政委，独立22师55团政委，参加了中央革命根据地第4、5次反“围剿”作战。1934年10月随中央红军长征，任红9军团8团政委，红5军团39团政委，红4方面军红军大学政治部组织科科长。长征到达甘肃会师后，任红军大学教导师3团政委。1936年底入红军大学学习。抗日战争爆发后，先后任抗日军政大学一队队长、副大队长，抗大第3分校大队长、校教育长，陕甘宁边区考察团团长，琼崖人民抗日游击队独立纵队副总队长，琼崖人民抗日游击队独立纵队副司令员。参与领导巩固发展海南抗日根据地的斗争和坚持抗日游击战争。解放战争初期，任解放军琼崖纵队副司令员、1947年起任粤桂边纵队司令员，滇桂黔边纵队司令员，率部参加开展滇桂黔边游击战争。中华人民共和国成立后，任云南军区副司令员，总高级步校教育长、副校长，海南军区司令员，广州军区副司令员、军区顾问。1955年被授予中将军衔，获二级八一勋章、一级独立自由勋章、一级解放勋章。是第五次全国政协常务委员。1988年7月获一级红星功勋荣誉章。

〔庄泳（女）·游泳名将·获第二十五届奥运会女子一百米自由泳金牌〕 在1992年巴塞罗那奥运会上，人称中国游泳队"五朵金花"之一的庄泳，夺得女子100米自由泳金牌、50米自由泳银牌，4×100米自由泳接力银牌，最终圆了奥运美梦，为祖国赢得荣誉。

庄泳1972年8月生于上海。早在她五岁时，就与水结下缘份。上海卢湾区业余体校的徐仁惠，慧眼识人才，发现庄泳是百里挑一的好苗子。整整7年，庄泳坚持在业余体校学习游泳，她的父母干脆将她的名字"庄咏"改为"庄泳"。1984年庄泳进入上海游泳队，成为自由泳四项年龄组全国纪录保持者。1985年在全国少年运动会上夺得三金三银，一炮打响，引起各界注目。1986年进入国家队。1987年是庄泳游泳生涯中的一个里程碑。春节游泳赛破全国纪录，泛太平洋地区赛和队友们共创亚洲最好成绩。第六届全运会上，她一人夺得4金1银共5枚奖牌，被评为"希望之星"，100米自由泳成绩列世界第10。1988年第3届亚洲游泳锦标赛上，杨文意破50米自由泳世界纪录，这给了庄泳很大的冲击和激励，她决心干出点样子来。汉城奥运会上庄泳不负众望，夺得100米自由泳银牌。这是中国游泳运动员在世界大赛中得到的第一枚奖牌。1990年亚运会上，庄泳一举拿了100米和200米自由泳、4×100米自由泳和4×100米混合泳接力共4枚金牌。庄泳事迹与简历参见1989、1992年《中国人物年鉴》。

〔庄巧生·作物遗传育种学家·当选中国科学院学部委员〕 中国农业科学院研究员庄巧生为我国农业科研和生产做出了卓越贡献，1991年底当选为中国科学院学部委员，1992年1月3日正式公布。

庄巧生，1916年生于福建省闽候县，1936年毕业于金陵大学农学院。1945—1946年赴美国堪萨斯州农学院和康乃尔大学进修。1946—1948年任中农所北平农事试验场技正兼麦作室主任。1949年至今先后任华北农科所副研究员、研究员、麦作室主任，中国农科院作物育种栽培研究所育种室、冬麦室主任、副所长。他长期来共育成5批20多个冬小麦优良品种。其中六十年代育成的早熟、抗锈病、丰产、优质的北京8号，最大种植面积达2000万亩以上；后育出的北京10号，最大种植面积约800万亩，这两个品种均获1978年全国科学大会奖。七十年代，他系选出冀麦1号代替了北京10号，获1983年农牧渔业部技术改进一等奖；八十年代育出的丰抗号系列，推广达1400万亩左右，1983年获农牧渔业部、北京市科技进步一等奖。据统计，仅北京8号、10号和"丰抗"号的推广，即为国家增产45亿公斤小麦。

"六五"期间，庄巧生主持完成国家科委重点科技项目"小麦稳产、高产新品种选育及理论与方法的研究"以及"麦类新品种选育"课题，1986年受到"三委一部、两委"的嘉奖；1987年主持的项目在全国大区级区域试验'六五'成果及其应用中获国家科技进步三等奖。

庄巧生在国内率先采用F2派生系统法简化育种操作程序，提前测产，为后期品系决选提供依据。为发掘利用新抗原，他最早利用苏联的早熟1号、智利的欧柔和罗马尼亚的洛夫林10号，通过不同基因的聚合，丰富了杂种的遗传背景。上述育成的几个推广品种均以高产、抗病著称。

庄巧生在五十年代初曾研究了小麦浇冬水的温度效应，为华北北部冬小麦防冻害提供了科学依据。1952年他赴西藏高原开展了大规模的引种试验，明确了西藏小麦的品种麦型、种植区域，并拓宽了冬小麦适种的范围。1954年由他定稿的《西藏农业考察报告》是我国第一部关于西藏农牧资源开发和增产技术的历史文献。1962年他第一次把遗传力的概念及其在育种上的意义介绍给国内，随后又发表了冬小麦亲本选配中配合力分析，促进了数量遗传学在我国作物育种上的应用研究。八十年代初他开展了我国小麦主要优良品种的面包烘烤品质研究。

庄巧生先后撰写、编辑、翻译有关小麦和作物育种的著作40余篇，包括7本专著和1本译书。其中《中国小麦品种及其系谱》专著系统，总结了建国30年来小麦育种的成就和理论，阐明育成品种的系谱渊源及其与种质资源利用的关系，获全国优秀图书一等奖、农牧渔业部技术改进一等奖。他担任了《中国大百科全书》农业卷和《中国农业百科全书》农作物卷的副主编。他主编的《中国科技专家传略》农学编、作物卷1已于1992年完成。

〔庄世平·香港南洋商业银行名誉董事长·获首届铁山兰花奖〕　香港南洋商业银行名誉董事长庄世平等34名旅居海外和港澳的普宁籍人士，于1992年2月19日获普宁县政府授予的首届“铁山兰花奖”奖章和荣誉证书。目前，旅居境外的许多普宁籍人士，热心家乡建设事业，他们积极投资兴办学校，开设企业，对促进普宁建设起到了重要作用。此奖是普宁县政府为表彰旅外乡亲对家乡建设的卓著贡献而设立的荣誉奖。同获此奖者还有旅暹普宁同乡会理事长陈克修、新加坡南洋普宁会馆馆长黄吉成等。庄世平在表彰会上说，我爱普宁，建设家乡是海内外普宁籍乡亲的共同心愿。他表示，今后将继续为家乡各项事业的发展竭尽全力。1990年庄世平曾与香港著名实业家李嘉诚被汕头市授予“汕头荣誉市民”名号。

庄世平，原籍广东省普宁县。1919年出生。北平（京）中国大学毕业。早年旅居泰国、缅甸、新加坡、马来西亚。曾任安达公司泰国分公司经理，是澳门南通银行创办人。1949年创办香港南洋商业银行，历任董事长、名誉董事长。在他主持下，该行逐步发展壮大，并于1981年在深圳特区设立分行，是首次批准的一家在海外注册的银行。他历任全国政协常委，全国侨联副主席，广东金融学会副会长、汕头特区顾问委员会主任，汕头大学校董会副主席，福建华侨大学董事会董事，北京中国银行总行常务董事。

庄世平关心祖国的建设事业，曾就改革开放、培养人才等方面出计献策。对家乡建设的贡献也令人赞扬，他帮助特区建立驻港办事处，参与倡建汕头大学，发动香港部分特区顾问成立财团公司，直接参加特区开发，筹资积极支援家乡建设。

〔庄晓岩（女）·柔道运动员·获第二十五届奥运会冠军〕　1992年巴塞罗那奥运会首次举行女子柔道比赛，中国选手庄晓岩成为奥运会女柔第一个金牌得主。这也是中国在奥运会上获得的第一枚柔道金牌。

这位23岁的沈阳姑娘在比赛中连挫5名对手，在7月27日晚举行的决赛中又以最高分击败古巴名将罗德里格斯，夺得冠军。这是她第二次在世界大赛中战胜罗德里格斯。1991年4月和10月，她先后在南昌和沈阳夺得全国女子柔道锦标赛和冠军赛无差别级冠军，7月征战西班牙巴塞罗那，首次参加世界柔道锦标赛，在28日举行的无差别级决赛中以一个腋落和一个背负投两次将身高马大的上届冠军、古巴的罗德里格斯掼倒在地，成为世界新的女子柔道“巨无霸”，并为中国在这届锦标赛上赢得了唯一的一枚金牌。

庄晓岩，1969年5月生于辽宁沈阳。在1990年第11届亚运会上，庄晓岩分别战胜日本名将田边阳子和南朝鲜选手文祉允，获得女子柔道无差别级冠军。最近几年来，庄晓岩几乎垄断了国内外无差别级比赛的金牌，庄晓岩简历与事迹参见1991年《中国人物年鉴》。

〔刘丰·农民·经营全国最大的私营建材商场获政府重奖〕　江苏省南京市浦口区石林乡农民刘丰，1992年因经营石林建材商场这个全国最大的私营建材商场营业额达5000万元，税金150万元，获得浦口区政府重奖——一辆“桑塔纳”轿车，成为轰动全国建材行业的新闻人物。

享有“建材大王”美誉的“刘老板”，虽然已51岁，但思想活跃，精力充沛，象一个年轻干练的小伙子。他出生于江苏省六合县石林乡地道的农民家庭。他人聪慧，小学未毕业就考上初中，初中没毕业就考取了技校。技校没毕业他却回家种地。他自小就很不“安分守己”，60年代初，曾“弃农经商”想发财，几次被割过“资本主义尾巴”，仍痴心不改。后来当过几年赤脚兽医，又替乡里办过建材厂。80年代初，辞职单干，主要搞长途贩运。一个偶然的机会，他发现重庆玻璃钢瓦价格高出南京一倍。刘丰便借款大做广告，低价批发，遂成“暴发户”。1987年夏天，他投资54万元，正式创办南京市石林建材商场，自任总经理。经营水泥、钢材、大理石等建筑材料。他为了适应大流通、大市场的需要，改变过去看样定货取货的方式，而采取“促销总代理”的办法，先后花去50多万元，为2000多家建材企业做广告，打开了产品的销路。他对用户坚持24小时服务，产品大进大出，加快流通，使建材这类微利产品，“货不停留利自生”，逐步形成了大利，连续两年营业额和纳税款直线上升。1991年全场营业额1500万元，纳税52万元；1992年营业额达5000万元，纳税150万元，增长3倍以上。刘丰已成为江苏省最大的私营企业家。南京市浦口区政府奖给他一部“桑塔纳”轿车。刘丰在谈到他的奋斗目标时说：“我是来自南京的土老板、小老板，我要学习北京的荣（毅仁）老板，为国家做更大的贡献。”

〔刘英·红军高级将领·殉难五十周年〕

1992年5月，是曾任中国工农红军第七、第十军团政治部主任的刘英被国民党顽固派杀害五十周年。《人民日报》于8月9日发表了题为《生而为英，死而为灵——深切怀念刘英同志》的纪念文章。

刘英，1906年生于江西瑞金县一个贫农家庭。1929年4月参加中国工农红军，同年9月加入中国共产党。曾任连指导员，营、团、师政委，参加了中央革命根据地的五次反“围剿”斗争。1934年任红七军团（不久改编为红军北上抗日先遣队）政治部主任，在闽浙皖赣四省边界地区转战半年多，11月与方志敏等领导的红十军会师，组成红十军团，刘英任军团政治部主任。1936年1月，红十军团在怀玉山区遭国民党军重兵围攻而失败。刘英与粟裕等率先头部队奋勇突围，挺进浙南，开辟浙南游击根据地，坚持了极其艰苦的三年游击战争。

抗日战争时期，刘英仍在浙江地区从事革命斗争。曾任中共中央华中局委员、特派员，中共浙江省委书记。1942年2月因叛徒出卖，被国民党顽固派扣押于国民党浙江省政府所在地永康方岩。同年5月，蒋介石亲自下令将刘英杀害。

〔刘昌·内蒙古军区原政委·在呼和浩特逝世〕　1992年10月19日，内蒙古军区原政委刘昌在呼和浩特逝世，终年79岁。

刘昌，福建长汀人。1930年参加古城游击队，次年编入闽西红12军。1932年加入中国共产主义青年团。1933年入彭杨学校学习，同年转入中国共产党。曾任江西军区第3作战分区警卫连指导员，独立2营政委，红8军团第21师63团连指导员，第23师68团营教导员。参加了中央革命根据地第4、5次反“围剿”作战和长征。到达陕北后，参加直罗镇战役，后任红29军第257团政委。抗日战争爆发后，任陕甘宁边区独立营政委，陇东军分区政治部主任。参加了保卫延安和边区大生产运动。1943年入延安中共中央党校学习。抗日战争胜利后，任热河军区热北军分区政治部副主任兼蒙汉联军政治部副主任，骑兵第4师副政委，内蒙古骑兵第10师政委，骑兵第3师政委。参加了保卫天山战役和剿匪战斗。中华人民共和国成立后，任内蒙古军区政治部副主任、主任，内蒙古军区副政委、政委。是内蒙古自治区第五届人大常委会副主任。1955年被授予少将军衔，获二级八一勋章、二级独立自由勋章、一级解放勋章。1988年7月获一级红星功勋荣誉章。

〔刘瑜·副教授·获第二十届日内瓦国际发明展览会金奖〕　由首都师范大学分部刘瑜主持研制的FGJ—9001高功能拒水粉，1992年获第20届日内瓦国际发明展览会金奖和全国科技成果展览会金奖。

FGJ—9001高功能拒水粉，是以工业废料粉煤灰为主要原料，加入添加剂及化学助剂，在一定温度、压力下，经化学及物理化学变化而形成的一种粉状杂化型防水新材料，具有隔热、抗震、耐高温、低温、耐老化、耐强酸强碱等优良性能，是工业、民用建筑地下工程、酸碱池、高温输水槽等理想的防渗漏材料。

传统的防水材料（卷材、涂料、油膏等）使用时，必须牢固地与基层粘贴在一起，形成整体防水层后才能有效地发挥其防水作用。一旦粘贴不牢，材料老化龟裂、脱壳，基础沉陷变形，导制裂缝，常常使防水层失效，造成渗漏，给国家和人民带来麻烦与经济损失。而FGJ—9001高功能拒水粉，构思独特，与传统的防水材料不同。它的功效是依靠具有强憎水性微细颗粒所形成的集团防水层来达到防水目的。该材料在使用时，以粉末形式存在，内层力分散，具有三维自由可变形性能，因此，不会发生其它防水材料因变形、开裂、破坏等而丧失抗渗能力的问题。1991年起在多项工程中试用，无一渗漏。经国家建材局科技委员会王启标等专家组成的鉴定委员会鉴定，认为“防水性能优异，具有无气味、耐酸碱、耐高温（<300℃）、耐低温（—45℃）、耐老化、抗裂变等优良性能，使用寿命长，能在潮湿面使用。综合造价低，是工业、民用建筑、地下建筑等较为理想的防水材料。产品性能达到较高的技术指标，在国内居领先水平”。高功能拒水粉的发明，既有利于防止工业废料粉煤灰对环境的严重污染，又解决了产品的原料来源，变废为宝，具有广阔的发展应用前景。因而在国际发明展览会上，受到美、英、法、德、加等许多国家专业技术人员的高度重视。瑞士一家国际治沙公司的专家看到刘瑜的发明成果后，拟将它用于治沙和

建造人工湖工程。

刘瑜，首都师范大学分部化学系副教授，吉林省伊通县人，1947 年 8 月生，1968 年 7 月参加工作，插过队，1979 年毕业于齐齐哈尔师范学院。他在教学与科研工作上刻苦勤奋，锐意进取，取得了较好的成绩，曾先后获该校颁发的教学质量优质奖，教学改革成果优秀奖，科研一等奖、二等奖等。1991 年 7 月获北京市发明协会颁发的银牌奖和前景开发奖，同年 11 月又获第 6 届全国发明展览会银牌奖。著有《无机化学解说》，发表论文 10 余篇。

在刘瑜主持下，参加 FGJ—9001 高功能拒水粉研制工作的还有首都师范大学分部的汪毓海、谭进谦、王凡红、李夏、吴楷及石景山石电资源开发公司的王德富、商文辉、李振声、李录田。

〔刘震·军事科学院原副院长·在北京逝世〕

1992 年 8 月 20 日，军事科学院原副院长刘震在北京逝世，终年 78 岁。

刘震，湖北孝感人。1929 年在家乡参加农民赤卫军。1931 年先后参加（黄）陂孝（感）北县游击大队、中共鄂豫皖省委特务队。1932 年 8 月加入中国共产党。曾任红 25 军手枪团排长，75 师 225 团连指导员、营政委。参加了鄂豫皖革命根据地反“围剿”斗争。1934 年 11 月随红 25 军长征，参加创建鄂豫陕革命根据地的斗争。同年 9 月到达陕北后，任红 15 军 75 师 22 团政委，参加了崂山和东征战役。后任红 15 军 75 师政委。抗日战争爆发后，任八路军 115 师 344 旅 688 团政治处主任、团政委，独立团团长，第 344 旅旅长，新四军第 4 师 10 旅旅长，第 3 师 10 旅旅长兼淮海军区司令员。参加了苏北反“扫荡”、淮海区夏季攻势等战役战斗。1945 年任中共淮海地委书记兼淮海军分区司令员、政委，新四军 3 师副师长。抗日战争胜利后到东北，任中共吉江省委书记，吉江军区司令员、政委，东北民主联军第 2 纵队司令员，率部参加临江、辽沈和平津战役。后任第 4 野战军 14 兵团副司令员兼 39 军军长。1950 年后任中南军区和东北军区空军司令员。1951 年参加抗美援朝，任中国人民志愿军空军司令员。1954 年任解放军空军副司令员兼东北军区空军司令员，空军副司令员兼空军学院院长、政委，沈阳军区副司令员，新疆军区司令员，军事科学院副院长。1955 年被授予中将军衔；获一级八一勋章、一级独立自由勋章、一级解放勋章。是中共第八届候补中央委员，第十一、十二届中央委员。1986 年、1987 年被选为中共中央顾问委员会委员。1988 年 7 月获一级红星功勋荣誉章。

〔刘广义·山东省地质矿产局第六地质队队长·第六队被授予功勋卓著无私奉献的英雄地质队称号〕　1992 年 10 月 19 日，国务院通令嘉奖山东省地质矿产局第六地质队，授予该队“功勋卓著无私奉献的英雄地质队”称号，国务院号召全国各条战线的广大职工向第六地质队学习。在北京举行的命名大会上，六队队长刘广义作了关于六队英雄事迹的报告。

山东省地质矿产局第六地质队，是全国地质战线上功勋卓著的英雄群体。自 1958 年建队以来，34 年如一日，以无私奉献精神，先后探明特大金矿五处，大中小型金矿床 28 处，提交黄金储量约占全国探明岩金储量 1／3。他们在实践中探索并创造的“焦家式”金矿模式，打破了“大断裂带只导矿不储矿”的传统理论，使我国金矿勘查实现了重大突破，在国际地学界也产生了重大而深远的影响。这支队伍之所以功勋卓著，关键是有一个勇于开拓、善于管理、科学求实、团结战斗的领导班子。队长刘广义就是现任领导班子中的优秀代表。

刘广义 1983 年出任六队副队长时，这个队的装备技术十分落后，为全局倒数第二。为加速金矿勘查，他狠抓设备的更新改造，加强科学管理，制定了长远规划和年度计划，积极引进新技术、新工艺，使全队台月效率年年都上新台阶。他主持应用安全系统工程理论和方法管理探矿生产和车辆运输，全队连续 10 年无重大伤亡事故。

1991 年初，刘广义升任六队队长。当时这个队地质找矿和地勘费的高峰期已过，地勘费每年以三四百万的幅度锐减，地质找矿的后备基地严重不足，一时要走下坡路的悲观情绪笼罩六队。他首先统一领导班子的思想认识，在各种会议上用辩证唯物主义观点分析形势；响亮地提出再造一座“金山”的口号，使全队员工看到了光明前景。根据六队的实际，他提出“一个中心”和“两个突破”的指导思想，即以提高经济效益为中心，实现地质找矿和地质市场，多种经营两个重大突破。为使这一思想付诸实施，他在管理上采取新措施：一是不拘一格用人才，有能力的、有干劲的、在工作中取得显著经济效益的上，否则就下。1991 年以来，他在优秀工人中聘用了 5 名中层干部。二是在保证国家规划重点项目的同时，狠抓地质普查工作，一年发现两处金矿新发现矿产地，为缓解后备基地不足作出突出贡献。三是狠抓产业结构的调整，他一方面积极开拓地质市场，扩大基础工程公司，为社会提供全方位服务，如开办地质技术咨询、水文地质和工程地质勘查，打井和二氧化碳洗井等等。同时，大力发展多种经营。他多次闯东北、下江南，联系考察项目，并在武汉、北京等地设立办事处，建立经济信息网络。1992 年，多种经营实现了毛收入 200 万元。

国务院号召全国各条战线职工学六队后，刘广义带领六队职工开展“全国学六队、六队怎么办”的大讨论，使职工明确了荣誉与困难同在，机遇与挑战共存的形势，决心发扬团结协作、艰苦奋斗、无私奉献、开拓进取的精神，为国家作出更大的贡献。

刘广义，1940 年 9 月生，山东省定陶县人。1965 年毕业于北京地质学院，被分配到地质六队，历任探矿技术员、工程师、副队长等职。1987 年到 1991 年，先后被山东省地矿局授予“安全生产优秀领导干部”、“山东省地矿局劳动模范”和优秀共产党员等称号；1992 年 11 月被地质矿产部、中国煤矿地质工会全国委员会评为“全国地质系统工会优秀职工之友”，12 月 5 日获全国重视老年工作领导者功勋奖。

〔刘文炳·高级农艺师·获第二十届日内瓦国际发明与新技术展览会金奖〕　福建省尤溪县管前乡农技站高级农艺师刘文炳发明的《杂交水稻超高产制种配套新技术》，因有效地解决了杂交水稻制种难题，于 1992 年 4 月在日内瓦国际发明与新技术展览会上，与 30 多个国家的近千项发明成果同台角逐，一举夺魁，捧回金奖。

杂交水稻是我国著名科学家袁隆平对世界农业的一大贡献。但杂交水稻繁殖有一重大难题，就是它的后代不能作为种子，因此需要有专门的制种基地进行制种。而水稻又是一种自花授粉植物，要使其异花授粉就需要割叶、剥苞，工序繁、单产低、效益差，严重影响杂交水稻的大面积推广。刘文炳为攻克杂交水稻的制种难题，克服了重重困难，他两次辞官（一次辞去乡党委副书记，一次辞去县科委副主任），两次不进城（一次谢绝省农科研调函，一次在县科委当副主任时，不到县城安家落户），一心扑在杂交水稻制种技术的科研上。采取定向培育超高产制种栽培模式，借助他本人坚持 15 年艰辛研究出的被誉为“魔水灵药”的“速效调花灵”、“强力花时剂”、“快速增产灵”这“三级火箭”的威力，终于在 80 年代使杂交水稻制种异交结实率取得重大突破，并于 90 年代初形成了成套的超高产制种栽培新技术。这一新技术不再需要割叶剥苞，使异交结实率达 79·9%，实现了大面积制种亩产 300 公斤，1991 年最高亩产达 451·46 公斤，创我国杂交水稻制种单产之冠，解决了我国杂交水稻制种的难题，并为机械化制种开拓了良好前景，受到袁隆平等专家高度评价，并取得显著经济效益，至 1992 年止，全国 16 省市推广这项新技术的制种田达 100 万亩，为社会增加经济效益近 6 亿元。1991 年这项成果相继获全国星火三等奖、首届中国科技之光成果展览会金奖和“七五”全国星火计划成果博览会金奖。在刘文炳带动下，管前乡农技站从单一推广型乡站创办成为科研、示范、推广、培训、经营“五位一体”多功能、开放型农技服务经济实体，为我国乡镇农技站改革创造了成功经验，被农业部评为全国区乡先进农技推广站、福建省授予“福建省乡镇农技站楷模”称号。

刘文炳，1937 年 11 月出生，福建省龙岩市人。1957 年 9 月龙岩农业学校专科毕业，1987 年 12 月获高级农艺师职称。现任龙溪县科技开发中心高级农艺师、龙溪县科协副主席。由于在解决杂交水稻制种难题上作出突出贡献，他于 1990 年 5 月获全国劳动模范称号，1991 年 10 月获全国优秀星火企业家称号，1991 年 10 月被批准为首批享受政府特殊津贴专家。1992 年 4 月，全国总工会授予他“全国优秀科技工作者”称号及全国“五一”劳动奖章。

〔刘玉坤（女）·残疾人运动员·获第九届残疾人奥运会金牌〕　1992 年 9 月 7 日，在西班牙巴塞罗那第 9 届伤残人奥运会上，中国选手刘玉坤获得女子 A3 级铁饼的金牌，并以 25 米 96 的成绩刷新了世界纪录。

刘玉坤，1958 年生，原籍山东省，出生于黑龙江省富拉尔基，高中毕业后，到东北第一重型机械厂当电焊工，19 岁时在劳动中被重型钢板砸伤，双下肢截肢，为 A3 级残。她在逆境中同命运抗争，投入了艰苦的体育锻炼。她每天戴上假肢进行数百次练习，连续磨破了 3 具假肢，有时截肢部位血肉模糊，还坚持苦练。功夫不负苦心人，她终于获得成功。1984 年参加全国第一届伤残人运动会，夺得 A3 级标枪、铁饼、铅球 3 项冠军。1986 年参加在印尼举行的第四届远东及南太平洋地区伤残人运动会，获铅球、铁饼、标枪3个项目的金牌。1987年参加第二届全国伤残人运动会，获铁饼、铅球、标枪3块金牌和乒乓球女子单打第四名。1989年在日本神户举行的第五届远东残疾人运动会上，她又夺得3枚金牌，破两项世界纪录。1992年在第三届全国残疾人运动会上，又赢得铁饼、铅球、标枪3项冠军，被誉为“三铁公主”。她曾被授予全国“三八”红旗手、全国自强模范、全国残疾人十佳运动员、省市劳动模范等称号。

〔刘玉林·宝坻环球旅游帐蓬厂厂长·获全国优秀乡镇企业家称号〕　天津市宝坻县环球旅游帐蓬厂厂长刘玉林，在1987年被评为天津市农民企业家之后，领导全厂先后又两次获得全国乡镇企业出口创汇先进单位称号。1992年，刘玉林本人被评为全国优秀乡镇企业家。

48岁的刘玉林是天津市宝坻县北王庄村农民，当过多年的村干部。1985年10月，在改革开放的大潮中，他和其他村干部一起，开始摸索怎样改变全村人均收入仅有150元的穷困面貌。全村700多口人，用仅有的6台缝纫机，办起了旅游帐蓬厂。一个偶然的机会，外商在天津要选择一家生产尼龙绸旅游帐蓬厂合作，但由于要求交货很急，条件又苛刻，一些知名的国营企业也望而却步。刘玉林抓住这个机遇，连夜回厂，组织职工发扬“蚂蚁啃骨头”的精神，试制出样品，第二天拿给外商看时，他们惊喜万分，高兴地当场与他们签订了4万顶帐蓬的合同。随后，他们又兴建了旅游制品等16个配套（件）生产专业厂，逐步形成了以“主厂为龙头，发展企业群体”，引进世界一流水平的机器设备，培训了大批技术骨干，消化、吸收高新技术，增强了产品在国际市场的竞争能力，由于企业群体产品销往世界30多个国家和地区，成为亚洲最大的旅游帐蓬生产厂家。现在，全厂已拥有1700多名职工，开机1000多台，50多条生产线，固定资产2000多万元，自有流动资金1300多万元，企业积累1120多万元。6年累计创产值4亿元，利润3000多万元，交税1500万元，出口创汇6450万美元。全村700人人均收入已达4000元左右，生活显著改善，村镇建设日新月异，住房、街道、公园、学校都城市化，富裕文明的社会主义新农村的雏型已经形成。

〔刘正成·书法家、书法理论家·主编《中国书法全集》首批七卷出版〕　《中国书法全集》上迄商周、下至近现代，总计一百卷。这是继宋代《淳化阁帖》、清代《三希堂法帖》之后，对中国书法史一次空前的整理和研究，1992年已出版苏轼、米芾、王羲之、王献之等7卷。许多有识之士认为，这项浩大的工程，填补了中国书法研究和出版史上的空白，再次展示了传统文化的独特魅力，以它磅礴的气势和博大的内涵体现了“反映生命的艺术”——书法所富有的旺盛生命力。并称刘正成主编该书是一大壮举，是一项将载入史册的文化工程。

刘正成，1946年生于四川成都。20多年前，许多人拜学画家陈子庄，陈子庄看了他们带的书画作品，对人讲，有两人将来于书画会有大成。这两人，其一便是刘正成。1981年中国书协举办第一届全国书法展，刘正成以鲜明的个人风格脱颖书坛。1985年他被调至中国书协主持《中国书法》杂志编辑工作。他和同事一起商议把杂志由不定期改为季刊，开辟新栏目，推出了一系列书法家。1986年他组织举办了第二届全国中青年书法篆刻展，在中国书坛引起了轰动。继而他又组织300多名专家、学者编纂《中国书法鉴赏大辞典》，行销国内外共三万余册，并获中国图书二等奖。日本曾编辑出版《书道全集》，刘正成受到刺激、震撼，便萌生宏愿：由中国人自己编纂一套《中国书法全集》。他肩负起这项不可推诿的历史责任。为完成这项巨大的文化工程，刘正成组织许多著名专家学者加入这项具有历史意义的文化工程中来。在已出版的7卷中，刘正成亲自编撰的《苏轼卷》便是目前为止，收录苏书作品最多最全的一部作品集。为出版《中国书法全集》，刘正成冒着巨大的经济风险投入了巨额资金，为着这项文化工程的推进，倾注了诚挚的民族情怀。

刘正成，现任中国书法家协会副秘书长，《中国书法》杂志主编。他正酝酿着进一步将这门中华民族的传统艺术推向世界。正如中央电视台“神州风采”为他摄制的专题节目《翰墨观止》中所言：了解、认识我们仍可炫耀于人的文化艺术——书法的创造，增强我们的民族自信心，中国人将更有勇气重新走在世界物质创造的前列。

〔刘半农、刘天华、刘北茂·中国现代文化史杰出人物·刘氏三杰纪念活动在京举行〕　在中国现代文化史上，一个以同胞三兄弟构成的独特群体，以显赫的文化业绩和学术成就赢得世人的仰慕，这就是刘半农、刘天华、刘北茂，被誉为“刘氏三杰”。1991年是刘半农百年诞辰，刘北茂10年忌辰，1992年是刘天华60年忌辰。值此三位文化先贤重要纪念日之际，文化部、广播电影电视部、中国作家协会、中国音乐家协会及江阴市人民政府等单位于1992年5月15日至6月4日，在北京联合主办“刘氏三杰”纪念活动。内容包括：纪念“刘氏三杰”音乐会，演出为刘半农诗作《听雨》、《忆江南》、《稻棚》、《教我如何不想她》等谱写的声乐作品，刘天华创作的二胡曲《闲居吟》、《病中吟》、《空中鸟语》和琵琶曲《虚籁》、《歌舞引》、民乐曲《光明行》等，刘北茂创作的二胡曲《欢送》、《漂泊者之歌》、《小花鼓》、《汉江潮》和民乐曲《欢乐舞曲》、《流芳曲》等，演出曲目还有根据三兄弟原作创作或改编的其他乐曲。“刘氏三杰”纪念展于5月12日至26日在中国革命历史博物馆展出，主要展品均为江苏江阴市“刘氏兄弟纪念馆”的藏品。6月1日至4日在北京平谷举行了以“刘天华的艺术道路”为题的“第二届刘天华学术研讨会”，全国诸多专家学者与会，本次研讨会共提交论文22篇，其中包括刘天华的生平及创作道路、刘天华创作研究、刘天华对中国民族音乐发展的贡献及影响、刘天华对民族器乐演奏及专业民族音乐教育的贡献等诸多内容。6月8日，在三兄弟都任过教的北京大学，召开了以纪念“刘氏三杰”的现实意义为题的座谈会。

“刘氏三杰”的纪念活动，以首都为中心并在全国许多省市开展，产生了较大影响。

刘半农、刘天华、刘北茂主要经历见1991年《中国人物年鉴》。

〔刘仲藜·任财政部部长〕 根据国务院总理李鹏的提名，全国人大常委会于1992年9月4日决定国务院副秘书长刘仲藜任财政部部长。同年10月，刘仲藜在中共第十四次全国代表大会上当选为中共第十四届中央委员。

刘仲藜，1934年生，浙江宁波人。1954年加入中国共产党。他18岁时便到黑龙江省计划委员会工作，曾任省计委副处长、副主任、主任。后任省计划经济委员会主任。1985年任副省长。1988年起调任财政部副部长，党组副书记。1990年任国务院常务副秘书长、机关党组副书记。他在接受记者采访时说：“我只有高中学历，如果说我对经济工作比较熟悉，很大程度上来自我在黑龙江省的那段经历。”1988年调中央工作后，他还是分管计划、财政、金融等经济工作，这使他有可能懂得经济运行的规律，把握全国经济活动的脉搏。刘仲藜认为，克服财政困难、减少财政赤字的出路在于继续深化经济改革，加快经济发展步伐，提高经济效益，理顺分配关系，并逐步减少乃至取消各种财政补贴。

〔刘华清·当选中共中央政治局常委、继任中央军委副主席〕 1992年10月19日，中国共产党第十四届中央委员会第一次全体会议选举刘华清为中央政治局常务委员会委员，同时决定了中央军事委员会组成人员，刘华清继任中央军委副主席。

1992年1月，刘华清在广州军区考察时强调，军区广大指战员一定要坚定不移地、长时期地贯彻执行党的基本路线。一定要珍惜和充分利用改革开放的有利条件，全面加强部队质量建设，更好地担当起保卫祖国南大门的重任，为社会稳定和改革开放的顺利进行作出新的贡献。1月26日，他在广州军区基层建设“双先”代表会上讲话时提出，要进一步注重质量建设，走有中国特色的精兵之路。他说：我军的质量建设，包括我军特有的政治优势，适当的兵力规模，合理的装备构成，较高的经费使用效能，科学的组织编制，严格的训练和管理等。作为基层来说，就是要依据《军队基层建设纲要》，高标准地做好各项工作，提高建设质量。基层是军队的基础，基层的质量建设搞好了，整个部队的质量建设才能得到加强。他还强调指出，要加强对部队的训练和管理，坚持以战斗力为标准，做到治军要严，训练要严，管理要严，纪律要严，扎扎实实抓好基层全面建设。特别要始终抓住党支部建设这个核心，保证党的路线方针政策真正在基层落实。要坚决克服形式主义，各级领导干部和机关都要加强责任心和事业心，为基层服务，要少说多做，讲究效率，大力改进领导作风，少开会议，少发文件，避免重复的检查评比，腾出更多时间，以主要精力抓部队，办实事。要从培养革命事业接班人的高度发现和宣传先进典型。广泛深入开展争先创优活动，在部队形成鼓励先进，学习先进，争当先进的好风气。

3月3日，刘华清出席全军纪念义务植树运动十周年总结表彰动员大会，并讲了话，他说，十年来，全军广大官兵坚决响应党中央、国务院和中央军委的号召，满腔热情积极投身于植树造林的绿化战场，不畏困难，艰苦奋斗，为绿化祖国，装点军营做出了贡献。据统计，全军营区植树共1.66亿株，成片造林8万多公倾，全军近70%的宜林荒山空地得到绿化。他要求全军更加主动自觉地参加地方植树造林工作。在绿化祖国的进程中，发扬我军的光荣传统，加强军政军民团结，再塑人民军队的新形象。

3月25日，刘华清在第七届七次全国人大解放军代表团会上发言时指出，全军要完整准确地理解邓小平同志关于建设有中国特色的社会主义的理论，坚定不移地贯彻党的基本路线，积极参加支持和保卫改革开放，抓住有利时机加速我军质量建设。他说，我军历来是执行党的政治路线的武装集团，党和人民对军队寄予厚望，军队无论怎样更新换代，都要绝对服从党的领导，维护社会主义制度，不辜负党和人民的重托。他指出，当前要抓住有利时机，加速我军的质量建设，走有中国特色的精兵之路。加强质量建设，就是要按照“政治合格，军事过硬，作风优良，纪律严明，保障有力”的要求，全面提高战斗力。如何加强军队的质量建设，他谈了六条看法：一是要大力加强政治建设，继续抓好党的基本路线教育和经常化的思想工作，搞好各级领导班子和党组织的建设，保证党对军队的绝对领导，保证军队的高度集中统一和团结稳定；二是要提高国防科研水平，加快我军装备现代化的步伐；三是要优化结构，科学编制，精减机构，充实基层，克服官僚主义和形式主义，提高工作效率；四是要立足现有装备，抓好战备和训练；五是要坚持依法治军的方针，严格执行条令条例，加强部队的管理；六是要扎扎实实抓好基层建设，打牢军队建设的基础。

12月3日至7日，刘华清在广西壮族自治区考察了柳州长虹机器制造公司、柳州汽车厂、桂林轮胎厂、桂林市美术陶瓷厂等单位。他在考察时说，不管军工企业，还是民用工业企业，都要认真贯彻落实党的十四大精神，进一步改革开放，积极参与市场竞争，在竞争中求得发展提高。刘华清指出，随着我国市场经济的发展，军工企业要走上市场，要敢于参与市场竞争。企业要瞄准市场，瞄准先进水平，尽快上新产品，并且把好产品质量关。质量问题，要认真对待，一丝不苟，扎扎实实，不搞花架子。军工企业转产民品，把生产军品、民品结合起来，是发展趋势。产品要到市场上去考验，用户顾客是最好的评判员。刘华清在考察时强调，企业领导人思想要更开放一些，眼光放得更远一些。在柳州汽车厂，他了解到这个厂今年产量已达15000多辆，产值已达10亿元，占柳州市工业产值的1／10，产品供不应求时，提高知名度，增强在国内外市场的竞争力。他勉励干部职工们要增强改革开放意识，为振兴广西经济作出贡献。在考察期间，刘华清在广州军区、广州空军负责人的陪同下，分别视察了驻柳州、桂林部队、院校和有关单位。他要求广大指战员坚持党的基本路线，认真学习落实邓小平同志新时期建军思想，发扬我军的优良传统，保持红军本色，重视培养干部，抓好教育训练和管理工作，加强党的建设，增强军内外团结，全面提高部队战斗力。

11月21日，刘华清在北京会见了俄罗斯政府副总理绍欣。11月24日，刘华清会见了赞比亚国防部长本加明·姆维拉。

刘华清，生于1916年10月，湖北大悟人，1929年10月入团，1935年10月转党，1929年10月参加工作，1930年12月入伍。1929—1937，曾任少共区委书记、少共团委书记，交通队指导员，军政治部组织、宣传、文印科科长。军团政治部敌工部科长，师政治部宣传科科长，红三十一军司令部机要科科长、作战科副科长，干部大队长兼政委。1937—1945年，任八路军一二九师司令部秘书主任、师政治部宣教科科长、师供给部政治部主任，冀南军区政治部组织部副部长、部长，平原军区政治部组织部部长，冀鲁豫六分区副政委、冀南军区第七支队政委。1945—1949年，任第二野战军二纵队六旅政委，二野三兵团十一军政治部主任。1949年以后，历任西南军区军政大学政治部主任，西南军区第二高级步校政治部主任，二野十军副政委，第一海军学校副校长兼副政委。1954—1958年，赴苏联海军指挥学院海军指挥专业学习。1958—1965年，任海军旅顺基地第一副司令员兼参谋长，海军北海舰队副司令员兼旅顺基地司令员，国防部第七研究院院长。1965年以后，任六机部副部长兼第七研究院院长，国防科委副主任，海军副参谋长。1979—1982年，任解放军总参谋长助理、副总参谋长。1982—1987年，任海军司令员，海军党委副书记。1987年起，任中央顾委委员，中央军委委员、副秘书长，中央军委副主席。

〔附注：1993年3月28日，八届全国人大一次会议选举刘华清为国家中央军委副主席。〕

〔刘全利、刘全和·杂技演员·在第九届意大利国际“金小丑”比赛中获“金小丑”奖〕 1992年12月，中国铁道建筑总公司文工团杂技演员刘全利、刘全和，在意大利锡拉库扎市举行的第九届意大利国际"金小丑"比赛中，表演滑稽节目《照镜子》，获唯一的"金小丑"奖。

刘全利、刘全和，是一对孪生兄弟，生于1957年3月18日，天津市人。他们于1970年底一起参加人民解放军铁道兵文工团，开始学习和表演杂技。1984年起为铁道部工程指挥部（现称中国铁道建筑总公司）文工团演员。他们有形体面貌酷似的独特条件，又能刻苦钻研，不断创新，因而他们的表演往往独树一帜，别有情趣。1991年5月，在第三届全国杂技比赛中，他们表演的《橱窗模特》曾获"银狮奖"。

〔刘安元·任南京军区政治委员〕　1992年11月，中央军委任命刘安元为南京军区政治委员。

刘安元，1927年11月生，山东高青人，1943年加入中国共产党。1945年参加八路军。曾任东北民主联军连指导员、第四野战军营副教导员。1947年在四平保卫战中立大功。参加了辽沈、平津、广西和海南岛等战役。1952年后，历任团政治处主任、团政委、师政委、军副政委，总政治部组织部、干部部副部长，广州军区副政委，总后勤部政委，第二炮兵政委，是中共十三届、十四届中央委员。1988年被授予中将军衔。

〔刘志华（女）·获全国优秀乡镇企业家称号〕　连续四年被评为"全国三八红旗手"的河南新乡县小冀镇东街村女企业家刘志华，继1989年被评为全国劳动模范之后，1992年又被评为全国优秀乡镇企业家。她在对记者谈感受时说："我这一辈子就是要争三口气：为妇女争口气，为农民争口气，为农村争口气。因为我是生在农村、长在农村的农民女儿。"她是全国51位乡镇企业家中仅有的4位优秀女企业家之一。

现年52岁的刘志华是新乡县小冀镇东街村第一代有文化的农家女。50年代末，她高考落榜回村种地。1972年，全村男人都当了一遍队长，再也无人愿当队长时，30出头的刘志华挺身而出："男的没人干，俺女人来！"她靠一心为公的共产党员胸怀，聚拢了全队的人心，逐步解决了温饱问题。农村改革开放，开阔了她的眼界，也逐步积累了一些办副业的经验，有了一点不自觉的市场观念。1979年，她到新乡市出差，头一次吃凉拌腐竹受到启发，决心要办腐竹厂。她风风火火地请师傅，建厂房，出产品，扛上一箱子就上北京——进军首都市场，逐步登上中南海、人民大会堂的礼品专柜。从此，便有了京华实业公司的名字。1987年，刘志华在日产腐竹600斤的基础上，又扩建了日产1吨腐竹的新厂，并逐步开办了罐头厂、纸箱厂、豆浆制品厂、日化厂等，由小到大，由土到洋，由劳动密集型转向技术密集型，逐渐形成了京华实业集团公司。如今，这个仅有72户、200多人的小村，有了十几家工厂和一个小农场，年工农业总产值3100多万元，人均年收入4800元，超过了小康生活标准。现在走进这个村，人们就会看到，希腊式的园顶门，加拿大式的褐色顶高楼，雅典廊庙式的农民文化宫，一排排洁白色西班牙式、乳色英国式、深灰色美国式的农民公寓，交相辉映，异彩纷呈，吸引着一批批国内外的旅游观光者。独联体的客人到此惊呼："啊，我们来到了沙皇的御宫！"江泽民总书记来此视察时，情不自禁地赞扬道："你们的建筑风格这么好！"。

〔刘克东·军队离休干部·被授予全国关心下一代先进个人称号〕　兰州军区离休干部、老红军刘克东以高度的政治责任感，抱病拚搏，奉献余热，为关心教育下一代倾注了大量心血，得到广泛的赞誉，被授予全国关心下一代先进个人称号，中央电视台于1992年4月向全国宣扬了他的事迹。

刘克东，1918年1月出生于陕西省延川县，1934年加入中国工农红军，同年加入中国共产主义青年团，1936年1月转为中国共产党党员。历任电台报务员、台长、班长、通信科长、处长、中央邮电部西北邮电管理局局长、中国人民解放军军事电讯工程学院副院长等职。1936年被派到国民党17路军和38军做地下工作。"西安事变"前后参加杨虎城部与我党中央的通信联络。抗日战争中，参加了对日军板恒师团直接作战的忻口、太原、中条山等战役。解放战争中，参加了保卫延安、解放大西北的历次战役。1988年中央军委授于二级红星功勋荣誉章。

刘克东在长期革命战争中积劳成疾，1963年因病离职休养，现为陕西省军区西安兴庆干休所正军职离休干部。他患有冠心病、高血压、脑萎缩、胆囊炎等症，得过两次脑血栓，因压缩性骨折引起偏瘫，右眼失明多年，左眼只有0.01的视力。他以旺盛的斗志、顽强的毅力，把全部精力倾注到教育下一代的事业上。离休30年来，义务担任了西安市15所大中小学的校外辅导员，作传统报告

1200余场，直接听众达32万余人。他离开12倍的放大镜就什么也看不见，在这种困难情况下写下了90多篇60多万字的回忆录，其中已发表的40多万字，出版了《彭总指挥我们战斗》、《让历史祝福未来》两本书。他对社会公益事业极其关心，1986年的一天，他从广播里听到西安残疾人福利基金会成立的消息，立即和老伴商量后捐款2000元，还给孤儿福利院送去三张木床、一台洗衣机。1991年南方地区遭灾，他一次捐款1000元。1984年以来，每逢六一儿童节，他都要买100本书作为节日礼物送给西安市仁厚庄小学的孩子。他得知该校三年级女生张红学习成绩差，便和老伴一同走访，原来张红失去父亲，母亲又四肢瘫痪，母女俩靠政府发的救济款生活，极为困难，从1989年开始，张红的学习用具，都由刘克东为她准备得齐齐全全。刘克东把党的优良作风溶入家庭生活，培育“共产党员之家”的高尚家风。他关注下一代，得到家人的全心支持，先后为救灾、助残和赞助教育事业捐献实物和现金7000余元。人们誉之为“活的延安精神”、“播种太阳的人”，先后获西安市精神文明标兵、陕西省发扬延安精神先进个人、陕西省军区和兰州军区优秀共产党员、全国“老有所为精英奖”、全国“关心下一代先进个人”等称号和奖励。

〔刘克远·工程地质专家·获国家科技进步一等奖〕　教授级高级工程师、水利部成都勘测设计研究院副总工程师刘克远主持的国家“七五”重点科技攻关项目“高坝坝基岩体稳定性评价及可利用岩体质量的研究”，获1992年国家科技进步一等奖。

刘克远，1934年11月生于四川省仁寿县。1955年毕业于东北地质学院水文及工程地质系，同年参加工作。历任水文及工程地质勘探队技术负责人、副队长，勘测总队总工程师，勘测设计研究院副总工程师，教授级高级工程师。曾主持千佛岩、铜子子、龚咀、二滩等大型水电工程中地质、勘探、岩土工程技术领导工作和多项工程技术指导，审定过数十项工程技术报告书和撰写有多篇学术论文。他主持的国家“七五”重点科技攻关项目“高坝坝基岩体稳定性评价及可利用岩体质量的研究”，经专家委员会评审鉴定确认：科研成果整体已达国际领先水平，对推动高坝坝基岩体工程科学技术的进步有显著的作用。该项科研工作曾获1989年国家计委、国家科委、财政部的工作表彰和奖励。其科研成果于1991年获能源部科技进步一等奖，1992年获国家科技进步一等奖。他本人于1991年获国家颁发的做出突出贡献科技人员荣誉证书、奖牌和奖金，其业绩已编入能源部1991年出版的“科技群英谱”一书中。

〔刘伯承·已故中华人民共和国元帅·百年诞辰·刘伯承军事理论研讨会在北京举行〕　1992年12月4日是刘伯承元帅100周年诞辰。为缅怀刘帅的丰功伟绩，学习和研究刘伯承的军事理论及其对毛泽东思想形成和发展所做出的贡献，军事科学院、国防大学、中国军事科学学会于12月3日至5日在京联合召开刘伯承诞生100周年军事理论研讨会。中共中央总书记、中央军委主席江泽民出席了开幕式，并于会前接见了刘伯承元帅的夫人汪荣华。薄一波出席会议并讲了话。会议宣读了江泽民、刘华清、张震等领导同志的题词。江泽民题词是：“继承刘伯承同志的军事理论遗产，把我军现代化建设事业推向前进。”刘华清的题词是：“用兵典范，治军楷模”。张震的题词是：“论兵新孙吴，功业照千秋。”

中央军委副主席张震在研讨会开幕式上讲话，他高度赞扬刘伯承元帅的军事指挥艺术和军事理论造诣，在国内外屈指可数，对于今天我军现代化建设和未来作战，仍具有重要的现实指导意义。他强调，当前，军队建设正处在一个高新科技发展时代，摆在我们面前的一个重要问题是加强军事科学研究。我们要以刘帅为榜样，重视对现实重大问题的对策性研究，探索现代条件下武装力量建设和人民战争的规律，更好地为国防建设，军队建设和未来作战服务。

会议共收到论文69篇。军委副主席张震就刘帅执行中央军委战略方针的坚定性和创造性，撰写了《受命中央千钧负　号令三军行如流》的长篇学术论文。会议对刘伯承军事理论的主要内容及其历史作用与现实意义进行了深入的研讨，认为刘伯承军事理论大体可概括为：

一，关于对毛泽东军事思想形成和发展的重大贡献。邓小平同志曾指出：“对于毛泽东军事思想的形成和发展，伯承是有大贡献的”。刘伯承对于毛泽东军事思想的形成和发展，一是他所领导的、由广大人民群众和广大指战员参加的战略区的军事实践活动，是毛泽东军事思想形成和发展的重要来源之一；二是他的许多重大创见和建议的提出，为毛泽东军事思想的形成和发展发挥了参谋、咨询的作用，例如他在1934年5月提出的“敌进我进”的战略思想；三是他在长期军事斗争实践中所总结出的军事理论，丰富了毛泽东军事理论的宝库。四是他谙熟古代兵法，并作了大量的注释；重视国外军事学术的借鉴，广泛地吸取有用的思想，并约之以马列主义，毛泽东思想，增添了毛泽东军事思想体系的光辉。

二、关于马克思主义战争观的思想。刘伯承作为一个大军事家，对战争的本质有深刻的理解，他从早年从军起，就坚持为“拯人民于水火”而战，从而形成刘帅走上军事生涯的基本出发点；他着眼政治，运筹军事，认为军事斗争从属并服务于政治斗争；他坚持人民战争思想，认为“人民战争是胜利的源泉。如果没有人民战争，许多奇迹，是不可思议的。”

刘帅始终坚持把军事辩证法思想贯穿于他全部军事实践之中。运用唯物辩证法的基本原理，深刻揭示了错综复杂的战争矛盾运动及发展规律。他强调运用军事辩证法要贯穿实事求是的认识路线，从我军具体实际出发来对待书本上的定论，不能一成不变。

三、关于战略战术思想。刘伯承的战略战术思想是其军事理论最突出的内容之一。概括起来，主要有以下几个方面：一是善于把握全局和局部的关系，掌握战场主动权；二是善于根据不同的作战类型，实施作战指导；三是善于集中兵力，合理运用作战形式，促成强弱转换；四是善造作战之势，使之“势险”“节短”；五是善于充分发挥技术的作用，组织合同作战。

四、关于军事指挥艺术及谋略思想。刘伯承的指挥艺术是其军事理论中瑰宝，突出之点：一是强调指挥必须从实际出发，知己知彼，他提出“五行术”，“研究情况要从任务、敌情、我军、地形与时间的综合估计考虑，据此而定下决心”；二是强调辨证指挥，一切都要因敌变化而取胜，能因敌之变而取胜者谓之神；三是强调指挥方式的多样性；四是强调建立科学的指挥体制，特别是高效能的司令部。

刘帅的谋略思想内容丰富。一是强调对敌斗争不仅是斗力，更主要的是斗智。二是把以弱胜强作为军事谋略的着眼点。三是间谋略于军事行动之中。四是不拘常法，出奇制胜。

五、关于军队现代化、正规化建设的理论。刘伯承是我军的缔造者之一，也是我军现代化、正规化建设的奠基人之一。刘帅在军队建设方面也表现出高超的战略眼光。当我军还处在小米加步枪的时代，他就从诸军兵种联合作战的前景，来考虑我军的建设问题。面对现代战争的特点，他提出了一系列国防现代化和军队现代化、正规化建设的思想。他认为，军队现代化就是新兵种及其学术的建设。新兵种指步兵以外的兵种，学术指诸兵种的战斗条令。正规化主要是军队正规化生活秩序的建设。他还特别强调院校建设和后勤建设。

12月4日，中共四川省委、省政府在刘伯承元帅的故乡开县举行大会纪念刘帅100周年诞辰。同时举行了刘伯承元帅铜像揭幕和刘伯承同志纪念馆落成典礼。江泽民为纪念馆题词：“学习刘伯承同志崇高的革命精神和思想品德。”邓小平题写了馆名，中共中央委员，中央军委委员迟浩田受中共中央、中央军委委托，专程参加纪念活动。同日，邮电部发行《刘伯承同志诞生一百周年》纪念邮票一套共两枚。

根据中共中央书记处、中央军委和总政治部决定，由国防大学编写的《刘伯承传》、由刘帅的老战友和亲人们撰写的刘伯承诞生100周年纪念文集《意远情深》及传记文学作品《中国元帅刘伯承》于12月先后出版。

刘伯承，原名刘明昭，1892年12月4日生于四川开县赵家场。1911年考人重庆军政府将校学堂。次年参加四川讨袁（世凯）军。1914年加入孙中山领导的中华革命党。在护国、护法战争中，任连长、旅参谋长、团长，曾被誉为川中名将。1926年5月加入中国共产党。同年12月参与发动泸州、顺庆（今南充）起义。1927年，参与领导“八一”起义，任中共前敌委员会参谋团参谋长。1928年曾留学苏联，毕业于伏龙芝军事学院。长征中，于1934年底任总参谋长兼中央纵队司令员，指挥先遣部队强渡乌江，智取遵义。1935年1月参加遵义会议，支持毛泽东的主张。协助毛泽东等指挥中央红军四渡赤水河。率红一师在安顺场强渡大渡河。红一、四方面军会合后，他坚定地执行中共中央的战略方针，同张国焘分裂活动进行斗争。抗日战争爆发后，任八路军第一二九师师长，创建晋冀鲁豫抗日根据地。1945年6月被选为中共第七届中央委员。解放战争时期，任晋冀鲁豫军区、中原军区、第二野战军司令员。1947年与邓小平率12万大军突破黄河河防，组织指挥鲁西南战役，进军大别山，在江淮河汉之间大量歼灭敌人，对扭转全国战局起了决定性作用。1948年11月起，参与指挥淮海、渡江战役。后指挥西南战役。四川、云南、贵州、西康四省解放后，任西南军政委员会主席。1950 年冬领导组建解放军军事学院，任院长兼政委。1954 年起，任军委副主席、国防委员会副主席、军委训练总监部部长、高等军事学院院长兼政委。1955 年被授予中华人民共和国元帅军衔和一级八一勋章、一级独立自由勋章、一级解放勋章。1966 年 1 月任中共中央军委副主席。是中共第八至十一届中央政治局委员，第二至五届全国人大常委会副委员长。1982 年，辞去党政军领导职务。1986 年 10 月 7 日在北京逝世。

刘伯承的主要军事论著收入《刘伯承文选》。另有《合同战术》、《论苏军合围钳形攻势》等大量译著。

〔刘松藩·当选台湾“立法院”院长〕 1992 年 1 月 17 日，台湾“立法院”改选正副院长，分别由刘松藩、沈世雄当选，任期至 1993 年初第二届“立法委员”就职为止。

刘松藩，1931 年生，台湾省台中县人。台中商校高级班毕业，政工干校战地政务财经班、台湾省训练团农会总干事班结业。曾赴日本近畿大学商经科深造。历任台中县大甲镇农会总干事，台中县税捐稽征处税务员，国民党台中县党部委员，台湾东亚企业公司董事长，美信贸易公司、东昌塑胶公司常务董事，台湾角力协会常务理事，体育协会常务监事，省农会理事。1972 年起连续 6 次当选增额“立法委员”。曾任国民党“立委”党部常委。1988 年任国民党中央政策会副秘书长。1989 年任国民党中央秘书处主任。1990 年 2 月当选“立法院”副院长，是首位由增额“立委”中选出的“立法院”副院长。他还是国民党十三届候补中央委员。

台报称，刘松藩“木讷寡言”，“精明深沉”。

1992 年 12 月当选为台湾二届“立法委员”。

〔刘转连·沈阳军区原顾问·在广州逝世〕

1992 年 10 月 28 日，沈阳军区原顾问刘转连在广州逝世，终年 81 岁。

刘转连，湖南茶陵人。1930 年 8 月加入中国共产主义青年团，9 月转入中国共产党。同年参加中国工农红军。曾在湘东南独立师任排长，红 8 军 22 师任连长，红 6 军团 17 师任营长、团长。参加了湘赣、湘鄂川黔革命根据地反“围剿”。1935 年 11 月率部突破国民党军澧水封锁线，抢占沅江渡口，为主力突围打开道路。长征中任红 16 师参谋长、师长、模范师师长。参与指挥扎佐、将军山等战斗。1936 年底入抗日军政大学学习。抗日战争爆发后，任八路军第 120 师 359 旅 717 团团长，率部参加收复晋西北七城、郃家庄、上下细腰间等战斗。1941 年入延安中共中央党校学习。1942 年任第 359 旅参谋长，参加南泥湾大生产运动。1945 年 5 月任南下第 2 支队司令员，率队南下豫北。抗日战争胜利后转赴东北，先后任第 359 旅旅长，东北民主联军独立 1 师师长，第 10 纵队 29 师师长，第 4 野战军 48 军副军长。率部参加了四平保卫战、三下江南、东北 1947 年夏秋冬季攻势作战和辽沈、平津等战役。1950 年后任第 48 军军长兼赣南军区司令员，第 41 军军长兼粤东军区司令员。1957 年毕业于南京军事学院，后任旅大警备区副司令员、司令员，沈阳军区副司令员、顾问。1955 年被授予中将军衔，获一级八一勋章、一级独立自由勋章、一级解放勋章。是第五届全国政协委员。1982 年、1987 年被选为中共中央顾问委员会委员。1988 年获一级红星功勋荣誉章。

〔刘贤权·济南军区原顾问·在济南逝世〕

1992 年 6 月 15 日，济南军区原顾问刘贤权在济南逝世，终年 77 岁。

刘贤权，江西吉安人，1929 年加入中国共产党，次年参加中国工农红军。曾任红 22 军独立 4 师司令部通信员、团青年干事，红 1 军团 2 师 6 团连指导员、团卫生队队长、师卫生部政委、参加了中央革命根据地第 1 至 5 次反“围剿”和长征。后任红 1 军团 2 师政治部民运科科长。抗日战争爆发后，任八路军 115 师教导大队民运股股长，343 旅政治部民运科科长，冀鲁边纵队 5 支队政治部主任、支队政委，冀鲁豫军区太安分区司令员，冀鲁边军区政治部主任，渤海军区三分区司令员。日本投降后赴东北，任牡丹江军区副司令员、司令员，东北民主联军 3 师政委，第四野战军师长。参加了辽沈、平津、渡江、衡宝、广西等战役。中华人民共和国成立后，任第 38 军副军长。1951 年参加抗美援朝，任中国人民志愿军 47 军政委。1953 年回国后任海南军区副司令员。1957 年毕业于军事学院。后任军长，沈阳军区副参谋长，兰州军区副司令员兼青海省军区司令员，铁道兵司令员，济南军区副司令员、顾问。1955 年被授予少将军衔，获二级八一勋章、一级独立自由勋章、一级解放勋章。是中共九、十届中央委员。1988 年 1 月获二级红星功勋荣誉章。

〔刘金宝·中国银行上海分行副行长·被评为第三届中国十大杰出青年之一〕　1992年10月7日，第三届中国十大杰出青年评选揭晓，被誉为“金融骄子”的刘金宝榜上有名。同年，刘金宝还被上海市选为第八届全国人大代表。十多年来，不论在伦敦的国际金融市场，还是在国内引进外资的谈判中，刘金宝都能随机应变，机智果断，排除困难，赢得成功，为国家的改革开放与经济建设，争取了大量外汇资金。

刘金宝，上海市人，1952年9月生，中国共产党党员。1976年毕业于北京外贸学院。现任中国银行上海分行副行长，兼任由中国银行上海分行、交通银行、日本三和银行、香港东亚银行联合投资组建的国际财务公司董事长。他是我国自己培养的年轻一代的国际金融专家。1978年，他从北京外贸学院毕业不久，即被中国银行总行派往伦敦金融市场，从事外汇、黄金、股票生意，成为建国后我国在国际金融市场上第一批最年轻的交易员。他发奋图强，刻苦学习，把整个身心都投入了金融事业，因而获得了一次次的成功。

1981年3月，美国总统里根遇刺，他马上意识到，这个事件可能影响美国以至世界的政治、经济形势。他当机立断，决定在纽约市场购进大量黄金。几分种后，里根遇刺的消息传遍世界各地，金价直线上升，由刘金宝买进时每盎司780美元上升到每盎司800美元。这时，他又毫不犹豫地决定立即抛出。此时，路透社也传来消息：里根被抢救脱离危险。金价又开始下降，回复到原来每盎司780美元的水平。刘金宝在这十几分钟内的一进一出，为国家赚取了大量外汇。

1982年，他奉调回国，主持中国银行上海信托咨询公司的工作。当时，上海开办合资公司刚刚起步，缺乏经验，再加上政策不配套等原因，各种谈判，举步维艰。1985年，上海光华玻璃厂与英国皮尔金顿玻璃有限公司合资办厂的谈判，濒临中断。刘金宝闻讯后，代表中国银行加入这一十分艰苦的谈判。他坚持原则，灵活应对，经过2年多时间的一次次交锋，终于使谈判获得成功。这是中国银行在改革开放以后为国家引进的第一笔外资和先进技术。它的成功，也为后来引进外资项目积累了宝贵的经验。

在主持上海信托咨询公司的四年中，刘金宝参加了多次重大国际经济合作项目的谈判，通过展览中心新馆以及闵行、虹桥、漕河经济开发区等20多个合作项目，提供了6千多万美元、2千多万人民币的资金，并为一大批中外合资项目提供了几亿美元的资金担保。为使上海适应改革开放的形势，刘金宝多次向上海市政府写信，提出加快交通、电讯、金融人才培养等方面改革的十多条建议，得到当时市领导朱镕基的肯定和支持。

长期超负荷的工作，使刘金宝患了高血压和脑动脉血流速度降低症，曾几次晕倒，医生认为必须住院治疗，但他只是稍事休息，仍继续不懈地工作。由于他在工作上创造出的优异成绩，1988年被评为上海市“十大精英”之一。

刘金宝在金融理论方面造诣较深，常在海内外报刊上发表金融理论文章。曾编著我国第一部《英汉银行辞典》，参与主编我国第一套《国际金融与外汇业务》等书。35岁时，被聘为上海复旦大学世界经济系兼职副教授。

〔刘建安（女）·妇产科医师·救治病人献出自己生命〕　1992年1月8日上午，湖南医科大学第一附属医院妇产科主治医师刘建安，主刀为一位妇女做完了子宫全切手术，正在一针一针地缝全切口，眼看只差两针了，她“扑通”一声仰面倒在手术室里。医院立即成立了由6位专家组成的抢救组，经过24个日日夜夜的抢救，刘建安终因病情过重不幸去世。该院妇产科主任雷慧中痛心地告诉记者：刘建安医生硬是累病的。早在1983年她就发现心电图异常，可是她一直没有进行更全面的检查和治疗。她一心扑在繁忙的工作上：每周4天手术，每天做2至3台；3天轮流一次晚夜班，主管20多张病床，还要看门诊、急诊，并且要带教学和指导进修医生。医院曾开了单子要她做B超检查，她笑笑说“还是不检查好，查出来会背包袱。”事实上，日益恶化的心脏病已常使她感到不适；但她一直坚持出满勤，上全班，连规定的教学假也很少休息。就在她倒下的前两天，她还满头冒着冷汗，手把手地教下级医生做手术。倒下的前天晚上，科室的同志又一次评她为先进工作者。

1992年1月26日《健康报》在头版头条报道了刘建安倒在手术台上的消息，在社会上引起强烈反响，许多读者给报社和医院写信，卫生部副部长孙隆椿专门给湖南医大打电话慰问病人，省卫生厅厅长、副厅长亲自深入病房参与研究抢救方案。但是刘建安的病情太重了，几乎所有的生命器官都出现了衰竭，她的心脏于2月1日11时30分永远停止了跳动。抢救组的同志发现，刘建安的心脏比正常人大两倍。1992年2月13日，湖南医大第一附院隆重集会向人民医生刘建安告别。3月1日刘建安被评为湖南医大优秀党员。湖南省卫生厅号召全省卫生人员向刘建安学习。

刘建安，1950年8月3日生，湖南长沙人。1969年在长沙市第四中学毕业后下放农村劳动。1973年入湖南医科大学医疗系。1976年毕业后在第一附院妇产科工作。

〔刘建国·解放军排长·被授予模范青年军官称号〕　解放军某部载波排长刘建国扎根连队，勤奋工作，在身患骨癌高位截肢后，仍以顽强的毅力返回连队坚持工作。1992年11月24日，广州军区党委决定授予他模范青年军官荣誉称号和二级英雄模范奖章。

刘建国，湖南省衡南县人，1966年11月出生，1985年9月考入解放军广州通信学院入伍，1988年5月加入中国共产党。历任学员、排长等职。专业技术13级，助理工程师，中尉军衔。他在军校学习时是“三好学员”，毕业后到部队任职3年多来，一心扑在工作上，7次出差路过家门而不入，3次放弃调机关工作的机会，安心基层先后设计完成了“载波配电线路改装”、“载波配线简易检测”、“实用电源工作台”等技术革新项目；340多次带队查线，排除故障270多起，大修线路60多公里，保证了120多公里线路畅通无阻。1990年6月，他带领全排架调5公里通信线路，苦干30多天，提前半个月完成任务，节约经费近2万元，受到上级表扬。他狠抓业务训练，使全排战士都掌握了两门以上有线通信技术，骨干掌握了载波、自动、电源、话务、外线等通信业务技能。为提高战士的文化水平，他给战士办了文化补习班，在他帮助下有3名战士考上了函授大学和部队院校。他耐心帮助有缺点和过失的战士，关心战士疾苦，三年来先后资助11名家庭有困难的战士420元钱。1991年2月，他的膝关节疼痛逐渐加重，为了工作，他两次推迟住院。同年7月，洪水冲坏通信线路，他坚决要求出院，忍着疼痛带领全排抢修连续工作20多天。后经医院确诊，他患的是“右股骨恶性纤维组织细胞瘤”，实施了高位截肢手术。术后他谢绝了调他到机关工作的照顾，拄着拐杖回到载波排，半年多时间里，先后39次带队外出检查维修通信线路。他说：“我不知道生命还有多久，但只要我活一天，就要为部队尽一份力量。”入伍以来，他曾先后7次被部队评为先进个人，4次受嘉奖，1次荣立三等功。

〔刘春福·蔬菜专家·用科技知识帮助菜农致富被农民誉为“活财神”〕　在辽宁省北票市姜家窝铺乡，有位靠自学成为高级农艺师的蔬菜专家，他将科技知识毫无保留地奉献给当地农民，使周围十几个乡镇的上千户农民靠蔬菜生产走向富裕。他就是姜家窝铺乡蔬菜办副主任刘春福。乡亲们敬重他，感激他，称他为“活财神”。

刘春福于1959年1月出生于北票县五间房乡，1974年高中毕业后在本乡黄杖子学校教书。1981年，刘春福为了掌握农业科技参加了中央农业广播电视学校的学习，由于刻苦钻研，他以优异成绩毕业，取得中专学历，被评为当时辽宁省唯一的优秀学员，受到校方和省市的表彰奖励。1984年被调至五间房乡农业站任蔬菜技术员。1988年9月任姜家窝铺乡蔬菜办副主任、技术员。

刘春福在掌握了蔬菜生产技术之后，便全身心扑在帮助农民运用科技发展蔬菜生产事业上。首先抓了建立蔬菜示范户的工作。王兰旗村有位复员军人彭贵海，1986年搞了2亩多地的塑料大棚，栽培西红柿和黄瓜，作物长势喜人。不料，作物坐果时突然患病，眼看上万元的收入即将化为泡影。刘春福得知，主动上门手把手教彭贵海为蔬菜治病，又帮他搞“大垅双行高畦地膜覆盖及丙烯绳黄瓜吊秧”试验。这一年彭海贵的2亩蔬菜丰收，总收入2、4万元，创全乡最高生产纪录，成为科技示范户。8年中，刘春福共扶持蔬菜科技示范户100多个，为菜农增加直接经济收入300多万元。

在蔬菜病害中，“病毒病”被称为不治之症，蔬菜一旦染上这种病就要绝产绝收。刘春福为解决这一难题费尽心思。1990年，他从报纸上发现，东北某地生产出一种防治这种病的新药“病毒A”。他立即同厂家联系，与工厂技术员一起进行对比试验，取得成功后在全市一万多亩菜地上推广使用，当年菜农增收350多万元。

8年来，刘春福为发展蔬菜生产，先后为十几个乡镇办了培训班150多次，培训农民5000多人，其中1000多人靠蔬菜生产致富。他亲自承包扶贫困户15户，如今每户都已富裕了。几年来，他先后获得了辽宁省农牧厅“小棚青椒技术指导科技进步二等奖”，朝阳市“植物激素乙烯利在黄瓜中的推广与应用二等奖”，并连续两年被北票市政府评为蔬菜生产先进工作者。1990年，他被上级有关部门破格晋升为农民高级农艺师。

〔**刘赵黔（女）·花鼓戏演员·获第九届梅花奖**〕　“洗衣的妹子嗓门高，翘起脚板扭起腰，拨开一河七色水，洗得月牙儿白漂漂……”一阵妩媚泼辣的歌声，一股撩人心醉的乡情，揭开了湖南花鼓戏《桃花汛》的别具一格的序幕，风风火火地把一群以“花”命名的姑娘、媳妇们推到你的面前。这里有梅花、李花、莲花、杏花、菱花、荷花……而最使你感到光彩夺目的，是作为新时期农村新党员形象出现的——桃花。饰演桃花的演员刘赵黔因演此角成功，1992年一举夺得第九届梅花奖桂冠。

刘赵黔，湖南省娄底市人，1946年10月生于贵州省贵阳市，因父刘姓、母赵姓，故名刘赵黔。少年的刘赵黔读书之余，酷爱歌舞。13岁成为学校歌舞队队长，先进湖南省花鼓戏剧院少年班，后入湖南省戏曲学校，有幸坐科于花鼓戏著名杨派唱腔创始人杨福生门下，习青衣花旦，很得杨师垂青。刘赵黔悟性高，肯于精习杨门艺术，并得众师调教，练就了一身“幼功”。从艺五年，学会《芦林会》、《小姑贤》、《红色娘子军》、《审椅子》等十余出剧目，奠定了后来在艺术上成为“千手观音”的坚实基础。

对于表演艺术，刘赵黔认为“花从深处色更浓”，只有努力开掘人物的内心世界，表演艺术之花才能开得更红。她生性乐于观察生活，善于摹仿人们的言谈举止，进而有针对性地深入生活，寻找角色对象，努力挖掘人物形象独特的内心世界。譬如此次主演《桃花汛》，她理解桃花是个新党员，在改革开放浪潮中，她的任务是带领一群姑娘和小伙子，搞水上运输，一起劳动致富。刘赵黔先是在生活中捕捉桃花的形象，她从农村一位妇女队长身上看到桃花的影子，她写出角色的潜台词和内心独白，为人物设计形体动作。瞧，她在台上将水乡妇女涉水、行舟的步态与花鼓戏中的二旦的台步相结合，时而小跳步；时而快步如飞；时而双手来回几摆，在载歌载舞中表现出桃花这位水乡妇女大胆泼辣的形态美。特别是当桃花得知丈夫喜宝不是去赌钱，而是去买化肥时，刘赵黔演得欣喜若狂，用双拳捶打丈夫，用双脚轻踢，又骂又笑、又撒娇，还紧紧拥抱，拧丈夫耳朵，带哭腔骂丈夫自私鬼，后又破涕为笑。她的这一极富个性化的表演，达到传人物之神的境界。

花鼓戏以唱为主。刘赵黔嗓音甜、圆润、清脆、嘹亮，又富感情色彩。在三十年的艺术生涯中，她演唱兼收并蓄，汲取众长，能运用跟电声乐器协调一体的科学发声方法，也能将京、汉、湘诸剧种声腔演唱特点，交汇于新民歌、新小调、流行歌曲等诸种唱腔内，从而形成自己的“俗而不旧、新而不洋”的演唱风格。她的歌音或高或低；或柔或刚，均能情饱意满，韵味十足。这在《桃花汛》一剧中的唱腔处理上，得到充分体现。尤其第三场在桃花规劝爱耍钱的虾仔时，有一大段唱，利用高音的几层转换，接连运用甩腔、叫头、花腔等连接穿插，一气呵成。其间高潮迭起，如桃花汛涨，顺流而下，把桃花热道衷肠的殷切期望、心灵呼唤的深情劝导，以及关心、信任等情感，全部倾泻出来，声到情到。难怪观众不觉泪下。刘赵黔还饰演过天真烂漫的机手春兰（《抽水机旁》）、聪明能干的兽医向群（《山村兽医》）、英勇无畏的革命者柯湘（《杜鹃山》）、热情积极的卫生员红菱（《野鸭洲》）、正直慧敏的知识青年范灵芝（《三里湾》）、纯朴偏激的村姑杜鹃（《牛多喜坐轿》）等四十多位古代和现代的不同人物，给湖南观众留下难忘的印象。应该提到的是刘赵黔的歌唱，在湖南拥有众多的观众和听众，她在几家音像出版社灌制的《花鼓新潮》、《刘海砍樵》、《小姑贤》、《潘金莲裁衣》等几十种花鼓戏唱腔盒带，特别受到湖南籍的港台同胞的赞赏，被誉之为花鼓戏的“盒带皇后”。

〔**刘复之·最高人民检察院检察长·要求维护被监管改造人员合法权益**〕　最高人民检察院检察长刘复之在9月9日结束的全国监所检察工作会议上讲话指出，近几年来，监所检察工作发展很快，广大监所检察干警做了很多工作，不仅全面履行了法律监督职责，促进了监所依法文明管理，而且业务建设和队伍建设均已初具规模，开始步入经常化、制度化和规范化轨道，为监所检察工作进一步发展奠定了基础。他指出，监所检察部门要认真履行法律赋予的监督职责，要从保障“人权”的高度，依法维护被监管改造人员的合法权益。对侵权、渎职行为，要及时提出纠正，构成犯罪的，要依法追究刑事责任。

刘复之，1917年生，出身于广东梅县的华侨世家。其主要经历见1989年《中国人物年鉴》。

〔**刘庭怀·归国华侨·培养少年女子体操运动员成绩突出获特殊贡献奖**〕　1992年7月1日，湖南省长沙市人民政府作出决定，授予培养少年女子体操运动员取得突出成绩的印尼归侨刘庭怀长沙市特殊贡献奖，发给奖金8万元，并将其事迹载入《长沙市志》和《长沙年鉴》。

刘庭怀原籍广东陆丰，1927年2月出生于印度尼西亚，八岁进印尼中华公学读书至体育大专毕业，1948年起在印尼中华公学任教6年。1954年，刘庭怀怀着报效祖国的赤子之心，毅然带着妻子儿女回到祖国，在长沙市修业学校当上了一名普通的人民教师，从此开始了他的体育教学生涯。1958年他兼任女子体操教练员，在修业学校办起了少年女子体操队。30多年来，无论盛夏酷暑，还是数九寒天，他一直默默耕耘在体操园地。他克服种种困难，搜集、阅读了大量的国内外体育科技资料，潜心钻研探索体操训练规律，整理出了一套培养少年女子体操运动员的科学训练方法。几十年来，先后有600多名体操小将在他精心指导下，接受了起蒙训练，打下了良好基础。她们中，许多人以后脱颖而出，成为闻名于世的体坛新秀。其中文佳、周小玲、夏燕飞、李扬、刘恋等，先后在各种国际体操大赛中摘取了女子体操桂冠。王学军、谭珂、朱梅、罗清、黄莉等先后荣获全国女子体操比赛冠军，有8人获国家一级运动员称号，2名获健将级称号。1990年8月，刘庭怀率领的修业学校体操队，代表湖南省参加全国少年儿童组体操比赛，一举夺魁，荣获10至12岁女子组团体冠军，个人全能冠军及4个单项的全部金牌。1992年4月，刘庭怀带领4名由他精心训练的体操运动员远涉重洋，代表中华人民共和国参加在澳大利亚举行的"泛太平洋中学生运动会"，获体操团体亚军，女子个人全能、平衡木、跳马3枚金牌。由于刘庭怀培养女子体操幼苗成绩卓著，有人用高薪请他到国外执教；他的弟弟也多次写信催他去印尼继承祖业，都被刘婉言谢绝，他说：我的志愿就是终身为祖国体坛培养人才。

刘庭怀的突出贡献，受到了党和人民的尊敬和奖励。他被推选为七届全国政协委员、长沙市政协常委；自1981年以来，先后被评为全国优秀体育教师、全国先进归侨、全国归侨优秀知识分子。国家体委、国家教委授予刘庭怀所在学校——长沙市修业学校"全国体育传统项目学校先进集体"称号，并获霍英东培养体育人才基金奖。现在，刘庭怀年已65岁，早已到了退休年龄，但他依然以"春蚕到死丝方尽"的精神，为发展中华体操事业尽心尽力。

〔刘彦和·科技副镇长·研究稻田浅晒浅湿灌溉法被联合国粮农组织推广〕　黑龙江省绥棱县上集镇现任科技副镇长刘彦和，经过十余年的试验，研究出"浅晒浅湿灌溉法"，既能大量节约稻田用水，又能大幅度使稻谷增产，这项稻田节水新技术已于1992年被列入联合国粮农组织所属的国际农业情况体系出版的《农业科技文献》，并被该组织向127个国家和地区的农业专家推广应用。

刘彦和，黑龙江省绥棱县人，1954年12月出生，1975年7月考入东北农学院水利系学习，1978年7月毕业，分配到本县水利局工作，1991年3月调任上集镇科技副镇长。刘彦和1978年到绥棱县水利局工作时，当时绥棱县水田面积只有3·5万亩，大都利用浅水串灌、大水漫灌，不但浪费水资源，而且稻田平均亩产只有150公斤左右。他从1980年起，在水稻直播、旱育稀植和水稻旱种三种不同种植方法的试验田里，采用了五种不同的灌溉方法，对水稻进行了各生育期不同水层深度的试验研究，经过十余年的试验，研究出了"浅晒浅湿灌溉法"。这种新灌溉法根据水稻生理需水和生态需水规律，把原来稻田水层9—12厘米改为3—5厘米。在水稻分蘖末期以前是浅水灌溉，到水稻乳熟期开始湿润灌溉。这种灌溉方法于1987年通过地、县两级鉴定，具有以下优点：一是节水增产，与对照区相比，节约用水16·95%，增产9·95%；二是提高温度，水温平均比对照区高0·62℃，地温日平均比对照区高0·71℃。三是壮苗早熟，无论在水稻生长前期还是后期长势都优于对照区，黄熟期比对照区提前早熟3—4天。这样计算下来，采用这种灌溉方法每亩水田平均可节水300多立方米，井灌水田节电27千瓦特，而水稻平均增产近10%，一节一增，效益显著。1992年，采用此种方法示范面积已扩大到5000亩，并开始在示范区内推广稻、豆、鱼、鸭立体化生产。

十余年来，刘彦和因研究水稻灌溉新技术，曾多次受奖。他研究的课题《水稻旱育稀植灌溉制度及需水量试验研究》于1985年至1989年先后获省、地、县科技成果奖，《水稻节水灌溉技术推广》1990年度获黑龙江省绥化地区行政公署一等奖。

〔刘泰英·台湾经济研究院院长·到大陆参加研究会〕　台湾经济研究院院长、著名经济学家刘泰英及其随行人员——台湾润泰企业集团董事长尹衍梁等多家大企业的高层人士，于1992年8月18日抵达北京，参加了24日在北京召开的为期两天的两岸产业科技合作交流研讨会。刘泰英表示，这次研讨会已为未来两岸产业科技的合作制定了一个良好的模式，相信在两岸产业科技人员及有关单位的继续努力与协助下，定将对中华民族在世界经济合作，特别是在东亚经济合作中产生重大有利的影响。他认为，透过产业科技的合作交流，也将使两岸产业分工与合作关系更进一步提升，从而促进两岸经济稳定与快速成长。他对此次会议的结果感到"非常满意"，对两岸产业科技合作的前景感到乐观。在京期间，国务院总理李鹏、副总理吴学谦分别会见了刘泰英一行，对众多台湾产业科技界人士来京表示欢迎。

刘泰英，1936年生，台湾省苗栗县人。台湾大学经济系毕业。获美国罗彻斯特大学经济学硕士学位。1971年获美国康乃尔大学哲学博士学位。台湾"革命实践研究院"国家建设研究班第一期结业。1973年台湾"考试院"分类职位公务员考试及格，关务管理及税课考试及格。历任台湾"行政院"国际经济合作发展委员会委员、赋税改革委员会主任、"财政部"财税资料处理主任及考核中心副主任。1972年任"财政部"关务署副署长。1971年至1984年任淡江文理学院教授兼系主任、商学院院长。1972年任台湾经济研究所副所长，1982年升任所长。1989年该所改制为台湾经济研究院，出任首任院长，1992年访问大陆后辞去该职。

刘泰英还历任台湾"经济部"产业发展咨询委员会秘书长、"经济建设委员会"咨询委员、"太平洋盆地经济理事会"台湾总会秘书长、证券市场发展基金会董事长等职。

〔刘起釪·历史学家·发表《中国现代史学奠基者顾颉刚先生》一文〕 1992年3月，台湾《国文天地》第82期刊载了中国社会科学院历史所研究员刘起釪撰写的《中国现代史学奠基者顾颉刚先生》一文，在台湾史学界引起较大反响。

刘起釪，1917年生，湖南安化人。1941年入中央大学历史系，1947年获历史学硕士学位，到国史馆工作。新中国成立后，任中国科学院南京史料处组长，主持300多个单位历史档案的整理工作，编成系统化目录400余册，选编史料汇编3000多万字，撰写了《历史档案的整理方法》一书，1957年由人民出版社出版。这项历史档案的整理工作获得中国科学院科学奖金。1962年，刘起釪调北京中华书局，协助顾颉刚先生整理《尚书》。1976年调中国科学院历史所工作。从1976年起，全力研究《尚书》。主要著作《尚书校释译论》已成50万字，《禹贡地理丛考》已成13万字。虽然都没有完稿，其中已经发表的若干篇章颇为国内外学术界推重，日本学术刊物《东方》杂志称赞刘起釪的研究"确为前所未有的盛业"。

刘起釪的学术著作颇丰，影响较大的当属60万字的《古史续辨》。这是一部高水平的科学著作，1991年8月由社会科学出版社出版。他的其他著作还有《尚书评述》、《尚书学史》、《尚书源流及传本考》、《顾颉刚先生学述》、《西周春秋战国史料学》等。他在学术上的成就，不仅得到国内学术界的赞誉，也引起国外同行的重视。在日本，不仅翻译出版了他的大量著作，而且多次邀请他去讲学。1992年，日本18所大学20位教授联合组成"邀请刘起釪教授访日委员会"，再次请他赴日讲学。

〔刘格平·原宁夏回族自治区人民政府主席·在北京逝世〕 刘格平于1992年3月11日在北京逝世，遗体于同月26日按回族习俗安葬。

刘格平，1903年8月出生于现河北省孟村回族自治县大堤东村，回族。1923年加入社会主义青年团，1926年加入中国共产党。此后曾任中共顺直省委特派员，中共津南特委书记、组织部长兼军委委员，中共天津市工委书记。在组织津南庆云群众反霸斗争和领导津南地区马颊河民工准备暴动时，先后两次被捕，在狱中坚贞不屈，领导开展了绝食等形式的斗争。后调往山东工作，在解放战争时期曾任山东回民协会筹委会主任，中共中央华中局民运部副部长，渤海区党委副书记兼渤海军区副政委，渤海区南下干部支队党委第一书记兼政委，华东人民革命大学副校长、党委书记等职。1949年参加了中国人民政治协商会议第一届全体会议，被选为中央人民政府委员、中央民族事务委员会副主任。1952年以后，任中共中央统战部部长，第一届全国人大常委会委员、民族委员会主任委员，中央民族学院院长。1958年后调任宁夏回族自治区人民政府主席、区党委书记处书记、代理第一书记，山西省副省长，山西省革委会主任、党的核心小组组长，山西省军区第一政委，北京军区政委。他还是中共第八、九届中央委员，第六届全国政协委员。

〔刘夏石、刘中柱·国家级科技专家·兄弟联手研究农业高产先进技术获成功〕 1992年3

月参加七届全国人大五次会议的两位兄弟人大代表刘夏石、刘中柱，同被英国剑桥国际传记中心和美国传记中心选为“国际名人”。他兄弟俩联手研究了“土壤识别与优化施肥技术”和“调控稻田人工生物圈”两项农业高产技术获得成功。全国人大常委会副委员长王汉斌、国务院副总理邹家华听取了他们的汇报并给予肯定。

刘夏石是著名的航空专家，却非常关心农业生产。1987年，他和在福建农科院任院长的哥哥刘中柱研究了“土壤识别与优先施肥技术”，并研制了专用计算机。该技术在福建、江西、云南等6省推广3200万亩后，增产粮食近14亿公斤，节支增收10多亿元，投入产出之比为1∶700，获国家发明三等奖；专用计算机获航空航天部科技进步一等奖、全国星火计划展览金奖。同年，刘氏兄弟开展了“调控稻田人工生物圈”与“调控山地人工生物圈”研究，改革过去单纯种植水稻的生物圈为稻——萍——鱼共生栖的人工生物圈，从而形成低投入、高产出、少污染、改良土壤的新耕作体系。这项技术通过省部级鉴定后在江西省推广证明，在节约一半化肥、农药的条件下，水稻仍有增产，每亩平均产鱼500多公斤，最高达744公斤。国内外专家认为，这是解决我国耕地缩小、土壤退化、粮食生产堪忧的一条有希望的途径。

刘夏石，福建省福州市人，1937年10月生，1958年毕业于南京航空学院飞机设计专业，现任航空航天部第602所科技委员会副主任、研究员。长期从事歼击机和直升机的设计研究工作，为我国多种型号飞机的研制作出了重要贡献。在“航空结构最佳设计”、“蜂窝夹层结构”、“有限元和优化设计”等方面研究取得重要成果，有的达世界先进水平。曾先后获得三项全国科学大会奖、三项国家发明奖、一项国防系统二等奖、六项部级科技进步奖，以及多项国内外发明展览会金奖、中国专利优秀奖等。先后发表《航空结构矩阵分析》、《工程结构优化设计》等专著及60多篇论文，共160多万字。多次参加国际学术会议宣读论文并获得赞誉。曾被授予“全国优秀科技工作者”、“全国先进工作者”、“国家级有突出贡献的科技专家”等称号。

刘中柱，福州市人，1929年9月生，1961年毕业于南京农学院植物生理研究生班，历任福建农科院研究室主任、研究所所长、副院长等职，现为福建农科院院长、研究员。长期从事植物生理研究，特别是对红萍重组研究达国际先进水平。他主持研究的课题有9项获国家级和部级奖励，其中“红萍养殖研究”、“球肥深施”获全国科学大会奖，“人工萍藻共生体建立”、“土壤识别与优化施肥研究”等获部级科技进步一等奖。发表了《立体农业原理与技术》等两部专著及数十篇论文。他主持的红萍研究中心已成为国际土壤肥力研究协作网红萍分网的领导中心。他被聘为英国剑桥国际人物传记中心副总裁。在改革科研体制、优化管理方面也取得显著成绩，被评选为全国优秀农业科技管理专家。

〔刘振亚·临沂电业局长·领导职工闯出发展电业新路被誉为“闯局长”〕 刘振亚上任四年，在齐鲁大地闯出了一条以电力为核心发展多种产业的新路，形成了电力、冶金、商业、机械、非金属、农副业综合发展和集约经营的产业群体，使企业得到了全面振兴。供电量连续四年以14%以上的速度递增，十项电力经济技术指标连续四年创历史最好水平，电力生产连续1000天安全无事故，居全国同类供电企业之首，电力建设完成固定资产投资1·2亿元，是建局20年的1·5倍。多种经营年产值1·5亿元，居全国电力系统领先水平，连续三年捧回省级先进企业奖牌，1990年晋升为国家二级企业。群众送他一个美称，叫“刘敢闯”。1992年4月9日《大众日报》和5月21日的《经济参考报》，都以“闯局长刘振亚”为题报道了他的闯关事迹。

一闯起步关。1988年3月，新上任的刘振亚，面对市场物价普遍上涨，电力成本大幅度增加，责任事故不断发生的严峻局面，在职工大会上大声疾呼：靠单一经营，电力企业不可能摆脱困境，要求得生存和发展，出路在于改革，成功在于敢闯。沂南县孙祖乡是电业局的扶贫点，有着储量丰富的含硅“石头蛋”和漫山遍野的地瓜蛋。他决心从这里闯起，三上北京，五进济南，反复向有关部门陈述利用“两蛋”创办既利于脱贫致富，又利于发展电力企业的意见，终于开了绿灯。他们自筹资金一千多万元，带领群众奋战142天，在孙祖乡破天荒地建起了铁合金厂，产品主要销往国外。正在这时，刚刚起步的铁合金厂受到严重的冲击，一度面临倒闭的危险。刘振亚临危不乱，力闯难关，敏锐地抓住市场信息，迅速将原来的碳化硅等初级产品，深加工为磨具磨料，打破了国际封锁，把蒙山的“石头蛋”投到了美、英、日等8个国家和地区市场，年创外汇100多万美元。他把这些钱一部分用于发展企业，一部分用于解决扶贫点吃水难、上学难、路不通、电不通等实际问题，使孙祖乡的工业总产值由1985年200万元增加到1992年3000万元，人均收入由1985年124元提高到1992年602元。

二闯规模关。“干企业怕冒风险就没有成就，办商业没有规模就不会有效益”。基于这种思想，刘振亚毅然排除众议，把旧办公楼拆除，用了不到10个月的时间，建造了一座1·6万平方米、庭院式结构，集商业、游乐和服务为一体的“桃源大世界”，开业半年就创利税904·5万元。接着又建起以“三星级”陶然居大酒店为龙头的13个商业网点，4个为用户服务的电力器材生产、销售企业。先后共建成具有法人资格的24个经济实体，从业人员达两千多人，年赢利超600万元，成为鲁南一大经济支柱。

三闯“外向”关。1991年8月，刘振亚去德国慕尼黑参加博览会，增强了“外向”意识，决定到经济特区办中外合资企业。他带着210万元资金飞往深圳、海口与港台商人和澳大利亚、加拿大等国家合资建了七个中外合资企业，年创外汇340万美元。1992年6月，国务院能源部的领导实地考察后称赞道：临沂电业局已经摆脱了受电力企业保护的旧模式，初步形成了产业化、集约化经营，出现跳跃发展的好局面。

刘振亚，山东省郯城县人，1952年6月生，1971年10月在山东白杨河电厂当工人，1974年9月，到山东工学院学习，1977年8月，在山东工学院当教师，1979年5月调临沂电业局任技术员，1984年3月任临沂电业局生技科科长，1984年4月，加入中国共产党，1985年10月任临沂电业局副局长，1988年3月代理局长，1989年5月，任临沂电业局局长兼党委书记，先后8次被评为省、地先进工作者、优秀共产党员。1990年8月，评为全国电力系统优秀企业家，1991年4月，荣获山东省政府颁发的“富民兴鲁”劳动奖章，1992年4月，评为省劳动模范。

〔刘振敏（女）·中央人民广播电台主任记者·新闻作品多次获奖。〕　中央人民广播电台时事政治部副主任、主任记者刘振敏1992年采访七届全国人大四次会议主席团会议关于三峡问题的一场讨论和录音报道：《监督、支持和信任》分别获第二届宣传人民代表大会制度一等奖、二等奖。她录制的录音讲话《钱学森的三次激动》，获1992年第10届全国优秀广播节目二等奖和中国新闻二等奖；《党和国家领导人在森林公园植树》获第4届全国林业好新闻三等奖。

刘振敏，1937年9月生于河南省唐河县。1961年毕业于中国人民大学新闻系。同年分配到中央人民广播电台工作。30多年来，刘振敏主要从事毛泽东、周恩来等党和国家领导人重大政治活动的采访报道，曾到过30多个国家。近十几年来，她采写的各种新闻稿5700多件，约300万字。在全国优秀广播节目评奖和有关部门的评奖中，共获奖31次。

刘振敏十分注意发挥广播优势，突出广播特点，特别致力于现场报道，加强广播的耳听性和特效性。1966年10月，刘振敏在人民大会堂采访毛主席接见外宾，现场气氛热烈。她当时灵机一动，写了一个纸条请示周总理，能否作现场报道。总理立即批示“同意”。这是中央人民广播电台时政报道上的一个突破。

政治中富有浓郁的人情，人情中又贯穿了一定的政治意识，这是刘振敏现场报道的一个突出特点。1983年11月8日，刘振敏从日本发回现场报道。《胡耀邦在日本岚山瞻仰周总理诗碑》，是一篇声情并茂，震撼听众心灵的佳作。她有声有色地向听众描述了岚山的地理位置、周围环境和历史价值；并用深沉的语调介绍了胡耀邦和他的随行人员向诗碑献花、默哀的情景；还插播了一群日本女演员用中文演唱的歌曲《歌唱周总理》。现场激动人心的气氛，通过电波传播到广大中国听众的耳际，再一次激起人民怀念总理感情的波澜。

刘振敏采写的现场报道《在火热的工地上》，报道江泽民等中央领导同志在北京昌平县水利工地上劳动的情景，获1990年度第9届全国优秀广播节目特等奖。刘振敏善于剪裁取舍，显示了记者把握主题、发掘主题、深化主题的能力；反映了记者运用话筒的功力。她能在迅速流逝、不断发展的事物中当机立断，即兴构思，措辞、提问得当，出口成章，手、眼、耳、嘴并用，采播同步进行。

刘振敏非常热爱广播事业，她结合自己多年的业务实践，不断探讨现场报道的特点和规律，在广播业务刊物上发表过研究文章。还多次到大学新闻系讲课。

〔刘晓程·心血管病专家·六天施行两例“换心”术并完成国内首例心肺移植术〕　牡丹江心血管病医院院长、主任医师刘晓程，率领一支平均年龄仅26岁的年轻队伍，于1992年7月5日和7

月 11 日，在六天内连续为 55 岁的农民张守社和 38 岁的农民吕荣禄成功地做了心脏移植手术。至本书发稿时，两位患者均安度 7 个半月，十分健康，成为我国仅有的三位心脏移植患者中年龄最大的两位。这一工作的顺利开展，使中国的心脏外科跻身于亚澳地区的先进行列。1992 年 12 月 26 日，刘晓程等又为 43 岁的工人赵明亮成功地做了心肺移植手术，填补了国内空白，使该院成为世界上能够开展此项手术的 50 家医院之一，标志着中国的心血管病治疗水平已达到世界先进水平。

刘晓程，1949 年 7 月出生，黑龙江佳木斯人。1968 年 10 月赴黑龙江生产建设兵团。1972 年 3 月回城在佳木斯医学院基础生理教研室任技术员。1973 年 9 月入哈尔滨医科大学医疗系，1977 年毕业后任佳木斯医学院附属医院外科医师。同年加入中国共产党。1979 年考入中国医学科学院心血管病研究所研究生，1982 年毕业后任中国医学科学院阜外医院外科医师。1984 年 6 月赴澳大利亚布里斯班市查理王子医院留学。1985 年 10 月回国后任阜外医院外科主治医师。1987 年 6 月，为开创我国心血管事业的新局面，举家北迁牡丹江市，筹建牡丹江心血管病医院。于 1991 年建成我国第二家（迄今共三家）心血管病专科医院，任院长、党委书记、主任医师。

1988 年刘晓程主持完成我国东北地区首例由国人执刀的冠状动脉搭桥术。1991 年后，先后为来自全国 23 个省的 1400 多位患者做了心脏手术，成功率达 98·4%。并先后赴四川省医院、上海医科大学华山医院等单位，协助其开展冠状动脉搭桥术。目前已与华山医院签订长期协议，两家联合在上海开办外宾冠状动脉搭桥病房。刘晓程还被上海医科大学聘为客座教授。

刘晓程领导的牡丹江心血管病医院，作为心血管病治疗中心的同时，还成为人才培训中心。在完善自身的同时，已为黑龙江省三家医院和贵州省医院培养了全套心血管专科技术人才。还将于 1993 年为上海医科大学华山医院、浙江江山医院、鞍山市医院、皖南医学院、安徽省立儿童医院及印度尼西亚万隆医院培养心血管专科技术人才。

刘晓程在心血管病治疗方面所取得的成就，在国内赢得了高度赞誉。1987 年、1988 年，连续两次被评为全国卫生文明建设先进工作者。并被评为国家级有突出贡献的中青年专家。1989 年被评为全国先进工作者。1990 年被评为全国卫生系统优秀留学回国人员。1991 年被评为有突出贡献的回国留学人员。此外，他还被英国剑桥国际传记中心和美国传记学院收入《远东和大洋洲名人录》、《国际知识分子名人录》、《世界 5000 人》、《国际杰出领先名人录》等。并曾收入 1989 年《中国人物年鉴》。

〔刘健群·高级工程师·创造多项发明对建筑结构技术进步贡献卓著〕 24 项科研成果，其中 13 项获国家发明专利，两项获巴黎国际发明展览会奖，10 项在全国得到推广应用，另有 8 项正在申请国家专利，这就是黑龙江省建筑设计院副总工程师刘健群多年科研的心血结晶。《黑龙江日报》1992 年 2 月 17 日介绍了这位成就斐然的发明家。

刘健群，1933 年 12 月出生于湖北省黄冈县。中共党员。1949 年至 1952 在武昌高级工业学校土木科学习，1952 年考入哈尔滨工业大学土木系，1958 年毕业后在鹤岗市工业局任技术员，后又到黑龙江省第二建筑公司任技术员，1963 年调入省建筑设计院，历任技术员、工程师、高级工程师、新技术研究所所长、副总工程师。

我国传统的建筑设计是“秦砖、汉瓦、肥梁、胖柱、深基、重盖”（周恩来总理的概括）。为了开展“设计革命”，创出适应现代建筑需要的设计新路子，刘健群是在一块 2400 平方米满是大坑的废墟上，带领十几个家属工建起试验基地的。在资金、材料、设备都缺的条件下，他通过熟人的关系从大庆联系到一台锅炉，待找车去拉时，不巧得了阑尾炎住进医院。若动手术势必误时，他请求医生作保守治疗。汽车开到大庆，一路颠簸又犯了病，而且来势剧烈。当地卫生所随会战大队转移了，只得从别处找来一位医生，顾不得室内有菌无菌，开刀割掉阑尾。幸好没有感染，5 天拆线，回来就投入了工作。有人说他“疯了！”刘健群整天脑子里装着“设计”，下班骑车骑到马路中间的交警跟前，弄得交警莫名其妙。一次骑车撞到了马车上，车老板赶忙扶他，他却连说没事没事，你帮我解决了一个大难题。原来他倒下时蓦然看到马拉车的两根大绳，顿时产生灵感，想到“架空叠层生产拱板”中间的“拉杆”问题，后来经过试验，果然奏效。刘健群是湖北人，爱吃米饭，可是他常让爱人做面食，为的是面团对他有妙用。搞建筑结构科研，从设计到成型，要经过很长时间，中间少不了反复修改，为了让构思能有具体形象，随意捏来捏去的面团就成了他思维的载体。家里的土豆萝卜也成了“试验材料”，有时几天就削下一桶。

1986年3月3日，世界著名的大型建筑企业日本清水建设株式会社向中国专利局提出钢管混凝土结构专利的申请，意在占领我国此项技术的市场。不久，中国专利局将该项发明专利予以公布。正在研究该项技术的刘健群怀着强烈的爱国心，为保护祖国利益，对日方的专利文件进行了详细分析，利用自己的试验结果，对日方专利提出异议，抢在8月中旬审定公告之前，为国家专利局驳回日方专利提供了可靠的技术根据。刘健群的“予应力钢管混凝土柱”获得了发明奖银奖。1989年5月，在第80届巴黎国际发明展览会上，刘健群发明的“现场叠层生产予应力钢筋混凝土拱型屋面大板”和“予应力钢管混凝土柱”两项建筑结构产品，以其新颖的创造和显著的效益，被分别授予银奖和荣誉奖。展览会评委会主席、法国著名建筑学家爱德蒙德·伯斯向报界发表评论，赞扬“予应力钢管混凝土柱”这项发明解决了当今世界建筑行业的一大难题，无疑在高层建筑史上写下了新的一页。刘健群的其他发明专利，如横膈和纵膈两种“钢筋混凝土拱板屋盖”、“架空叠层生产拱板屋盖”、“大孔径深桩自反力试桩法”、“自身倒园台反力装置试桩法”等，都已在全国大面积推广应用。

〔刘浩歌·农民作家·创作两部文学作品出版〕 1992年初，刘浩歌创作的两部文学作品《刘浩歌乡土文学选》、《刘浩歌通俗文学选》分别由山东文艺出版社和中原农民出版社出版，受到人们的普遍关注。

刘浩歌，1956年生于山东省滕州市。童年时，刘浩歌读《水浒》入了迷；中学时，《李有才板话》、《吕梁英雄传》和《蒲柳人家》，他不知读了多少遍。1976年高中毕业后，他暗下决心，用笔写自己的父老乡亲，写微山湖的昨天和明天。刘浩歌有一股初生牛犊不怕虎的闯劲和执着求索的精神。白天他同别人一样劳作于田间，夜晚躲进自己的小茅屋，伏在一张旧桌上，借着如豆的灯光，写啊，写……不论是炎热的夏委，还是寒冷的冬天，他从未间断过业余创作。寄出去的稿子一次次被退回，并没有使他泄气，终于写出了《玉兔传奇》、《乱世姻缘》、《寡妇门前》等作品。

迄今，刘浩歌已在全国七十多家报刊、杂志上发表了《哑巴喊冤》、《孔府秘踪》、《刘浩歌乡土文学选》、《刘浩歌通俗文学选》等十一部作品，共300余万字。他已被中国作家协会吸收为会员，并在家乡创办了“荷花文艺社”，为家乡培养了一批文学新人。他创作的《哑巴喊冤》等六部作品，被改编成电视剧；《寡妇门前》等十三部作品先后在全国及省级获奖。中国作协党组书记、副主席马烽题词称赞这位青年作家：“苦寒酷暑无所畏，甘为农民写春秋。”

〔刘雪华（女）·台湾影视演员·获台湾广播电视第二十七届金钟奖最佳女演员奖〕 台湾著名影视女演员刘雪华，以《风里的爱》于1992年7月11日获台湾广播电视第二十七届金钟奖最佳女演员奖。在此片中她扮演了一位从乡下到城市历尽沧桑的女子，给观众“含蓄有力，细腻生动”的印象，角色有极大的突破，演技日臻成熟。她曾四次入选，这是首次获奖。

刘雪华，生于北京，祖籍山东临沂。1965年随父母迁居香港。七十年代末投考香港长城影业公司，从此与影视结下了不解之缘。起初，刘雪华只是香港的一位普通影视演员。1983年她向台湾发展，在台湾电视公司拍摄的《电灯泡》、《笑傲江湖》中扮演角色，其中武打连续电视剧《笑傲江湖》颇受观众欢迎。台湾中国电视公司因此也拍摄一部名为《啸笑江湖》的剧集，邀刘雪华主演。之后，刘雪华崭露头角，逐渐走红于台湾影坛。

刘雪华真正成名，是她成功地扮演塑造了无数琼瑶笔下的痴情女子的形象之后。她在琼瑶所编的电视剧《几度夕阳红》中将女主角李梦竹复杂的内心世界表现得淋漓尽致，为观众所称道。还主演了《庭院深深》、《烟雨蒙蒙》、《在水一方》等。1990年到大陆长沙，在拍摄琼瑶同名小说改编的电视连续剧《六个梦中》担任主角。主演了《哑妻》、《雪珂》、《青青河边草》等。她对琼瑶作品有特殊感情，她说：在不同的年龄看琼瑶的小说会有不同的理解。琼瑶写的是一个“情”字，她在小说中所做的一切努力，无非都是为了突出和歌颂人世间那种纯真美好的感情。作为演员，我非常喜欢演琼瑶戏，要一直演到客观条件不允许我再演为止。

现实生活中的刘雪华与影视中塑造的弱女子形象大相径庭，其实她个性率直爽朗。

〔刘精松·任兰州军区司令员〕 1992年11月，中央军委任命刘精松为兰州军区司令员。

刘精松，1933年7月生，湖北石首人。1951年入中国人民解放军第七步兵学校学习。1954年加入中国共产党。历任第一机械化师教导营排长，坦克团高炮连连长、团作战训练参谋、师作战训练参谋、高炮团参谋长、副团长、军教导队队长、师参谋长、副师长、师长、军长。1985年起任沈阳军区司令员。是中共十二届、十三届、十四届中央委员。1988年被予中将军衔。

〔**齐得平·档案工作人员·鉴定领袖手迹有奇功**〕　1992年1月，福建日报《每周文摘》、深圳特区报相继转载《南风窗》杂志的文章，介绍齐得平在平凡的工作岗位上，做出许多不平凡的奇迹。他的专长，常常同毛泽东、周恩来、刘少奇、任弼时等一些领袖连在一起。

齐得平，河北省平山县人。1933年3月出生。1949年9月加入中国共产党，同时参加工作。大专文化。1949年11月至次年11月，先后进入华北人民革命大学和中共中央华北局党校学习。毕业后，被分配到中央办公厅秘书处（后改为秘书局）从事档案工作。历任秘书、科长、副处长等职。1961年起，齐得平开始专门负责保管毛泽东手稿和刘少奇手稿。得天独厚的客观条件，加上他长期的潜心钻研，使他逐渐熟悉了毛泽东等领袖人物在各个时期手书字体的特征及运笔风格，以致能准确地鉴别领袖手迹，订正书写时间，为编辑出版领袖著作、手迹和正确使用这批珍贵历史文献资料，作出了重要贡献。

"文化大革命"初，"刘少奇专案组"查到一份"罪证"：1948年底由刘少奇修改过的"中共中央关于建立中国新民主主义青年团的决议"和《团章草案》原稿上，有两处"毛泽东思想"几个字被用铅笔圈掉，改为"马克思列宁主义理论与中国革命实践之统一思想"。这不是与毛主席作对吗?"专案组"到中央档案馆找齐得平，叫他鉴定那几个字是不是刘少奇圈掉的。当时齐得平也在遭受审查，辨认错了可不得了啊！他暗暗告诫自己："一定要实事求是"。原稿摆出来后，他清楚地辨认出这几个字是毛主席自己圈改的，那笔迹他太熟悉了。原稿又拿到公安部门进行技术鉴定，结果与齐得平的"鉴定"一致。当时，凭他一句话，刘少奇就可能多一条"罪状"。他的鉴定虽然无法改变这位国家主席的厄运，但起码没有使刘少奇多蒙受一次不白之冤。粉碎"四人帮"后，齐得平到军事博物馆参观"毛泽东事迹展览"。展品中有一件是毛泽东1949年4月2日致傅作义函的手稿，他一眼认出这不是毛泽东的手笔，而是江青代抄的。他还发现在抗日战争时期的展品中，陈列着毛泽东题词"艰苦朴素"的手书，没有标明时间。他从字体上看出，这幅手书题写的时间应是1960年前后。他回馆后把这两条"鉴定"意见通过组织转告军事博物馆，使差错及时得到了更正。

在齐得平的"鉴定"经历中，确定领袖手稿的年代比辨别真伪更多一些。很多手稿当时没有注明时间，或者年月日不完整，给保管和利用造成困难。在编辑《毛泽东书信手迹选》时，选辑了一封给符定一的信，原件上只注明"9月30日"。编辑者根据毛泽东同期写给符定一的另一封信上落款的日期"1936年,"判定此信也是1936年写的。齐得平却觉得此信的字迹不象那个年代的。他把标明1936年的那封信拿来比较，认为也不像是1936年写的。他说："毛泽东学生时代的书法功底打得好，习正楷，字体工整有力。20年代，毛泽东的行书很流畅。1936年以后，行草兼备，字体纵长。40年代初又有变化，字书得更有力。建国后字体变化较大，博采众长，并有独创。1958年以后书狂草，达到炉火纯青的程度。"当他提出这两封信的疑点时，别人都不相信。信上明明由毛泽东亲笔写着"1936"年，难道你比本人还清楚吗？但齐得平坚持己见。后来，编辑者找到符定一的女儿，她确认这封信的日期是1946年，因为是她当年从延安带回北平交给父亲的。另一封信上注的"1936年"，当属毛泽东的笔误。

1989年以来，齐得平主编了《毛泽东题词墨迹选》，参与编辑了《毛泽东书信手迹选》、《毛泽东手书古诗词选》。对书信和题词的时间作了大量的考订工作。他对周恩来、任弼时的一些文章写作时间也作了考证，经他考证的文章已编入《周恩来选集》和《任弼时文集》。

〔**关中·台湾民主基金会董会长·参加在香港召开的中华经济协作系统研讨会**〕　1992年1月，中华经济协作系统研讨会在香港召开，台湾民主基金会是主办单位之一，该基金会董事长关中参加了会议，并以《中华文化经济共同体之政策分析》为题演讲。其讲稿一万字，针对当前全球经济"区域主义"集团化的发展趋势，分析与检讨当前台湾、香港与中国大陆三地经济互动的情况，并尝试透过多面角度的一组方案群，就此一区域如何透过经济整合形成一中华文化经济共同体提出具体建议。与会者有大陆、台湾及香港的学者专家。关中认为所有中国人（不管在何处），能坐在一起听听对方的意见，看看别人从另一个角度来看问题的见解，总是一种进步。还认为大家不是为哪个党派，而是追求中国人最大的和平、互助与互利。

关中，1940年生，满族、辽宁省凤城县人。台湾政治大学外交系毕业。台湾大学政治研究所肄业。国民党“革命实践研究院”国家建设研究班结业。获美国麻省佛莱彻尔国际关系研究院文学硕士、外交与法学硕士、哲学博士学位。在美期间曾任国民党驻美支部委员，是“反共爱国联盟”主要成员，参与《波士顿通讯》的创刊和主编工作。返台后历任政治大学东亚研究所讲师、副教授，国际关系研究所副研究员、研究员，台湾大学政治系兼任教授，“外交部”荐任科员，《亚洲与世界》杂志社总编辑，国民党中央青年工作会副主任，“中国政治学会”秘书长，“中国人权协会”党务理事，台湾“海线交通研究会”常务委员，国民党中央政策委员会副秘书长，国民党台北市、台湾省党部主任委员。1987年任“行政院青年辅导委员会”主任委员，同年11月任国民党中央组织工作会主任。1989年任国民党中央委员会副秘书长兼组织工作会主任。1990年任“中国广播公司”董事长。1992年12月当选台湾二届“立法委员”。

1990年11月10日，关中筹组的台湾民主基金会举行成立酒会，台湾“五院”院长、“总统府”资政及党政军商各界5000人与会祝贺。关中强调“以民主再造中国”，以民主法治推动国民党“革新”。他反对“台独”，赞同两岸尽早展开党对党谈判。

〔关肃霜（女）·京剧表演艺术家·在昆明逝世〕 1992年3月，第三届中国艺术节在云南昆明举行。做为云南省京剧院院长和主要演员的关肃霜除担任繁忙的接待工作以外，还带病坚持演出《水漫金山》，使成千上万戏迷最后一睹其艺术风采。后终因劳累过度，于3月6日突发脑溢血，不幸逝世，享年64岁。梨园巨星陨落，举国震惊，痛惜之余，回首其粉墨生涯，虽艰难坎坷却无比辉煌灿烂。

关肃霜，湖北荆州人，满族，1928年生。父关永斋原为梆子演员，后因倒嗓改为鼓师，技艺高超。幼年的关肃霜饱受颠沛流离之苦，15岁在武汉拜京剧花旦戴绮严、武生王韵武为师，先学武生，后习花旦。关肃霜天资聪颖、学戏刻苦，一年后便挂牌演出，以《狄青招亲》一炮打响，随后跟师傅辗转于汉口、上海、长沙之间，以《大英杰烈》（铁弓缘）等戏开始闻名剧坛。

出师后，关肃霜挂头牌挑梁，应西南大戏院之约赴昆明演出。时值昆明解放前夕，二十出头的关肃霜拒绝了去香港的重金引诱，以满腔爱国热情，迎接了云南解放，并从此献身于边疆的京剧事业。

50年代初，周恩来、朱德等国家领导人先后来昆明，给予关肃霜的表演以极高评价。

1959年，关肃霜到北京参加建国10周年献礼演出。她主演的《穆柯寨》、《战洪州》、《杨门女将》、《白蛇传》、《扈家庄》以及现代戏《多沙阿波》充分展现了她的全面才能。老一辈的艺术家田汉、夏衍、梅兰芳、欧阳予倩等专门为她开了座谈会。关肃霜随即向梅兰芳拜师。三年之后，也就是1962年，关肃霜再度进京，她以一专多能，艺兼文武的表演才能，演出了各种行当的剧目，被观众誉为“能文能武、昆乱不挡”的全才。

关肃霜之所以成为唱念做打样样精通的“多面手”，除了她的天赋条件好之外，主要是由于勤奋好学，以常人难以忍受的毅力刻苦磨练。她传统底子厚又善于博采众长，广泛吸取前辈艺术家的成就，留心观摩学习兄弟剧种的长处，结合本人条件加以革新和发展。她不仅擅长刀马旦、武旦和文武并重的戏，还敢于对老生、小生、武生、老旦、花脸等其他行当进行艺术实践。《战洪州》和《铁弓缘》都是她磨砺二三十年的保留剧目，其中独创的“大靠出手”，确属高难动作，丰富了京剧的表演艺术。1980年，关肃霜在西欧演出《战洪州》，轰动了巴黎、罗马、日内瓦等名城。她演的《铁弓缘》被拍成彩色戏曲片，关肃霜在戏中先演闺门旦，后演花旦，再演青衣；先反串小生，最后扮武生。全剧生旦俱全，文武兼备，门门精到，堪称关氏代表之作。

关肃霜不仅擅长传统戏，而且还以饱满的热情积极演出现代戏，特别在塑造少数民族的妇女形象方面，取得了可喜的成绩。1964年全国京剧现代戏会演时，关肃霜主演的《黛诺》轰动一时，被很多剧种移植。十年浩劫以后，年过五十的关肃霜排演了现代戏《佤山雾》，参加国庆三十周年献礼演出。1990年，她又带领全院排了新戏《南疆血碑》参加纪念徽班进京200周年纪念活动。

在此前一年，关肃霜还到香港、九龙演出十场。她一丝不苟的表演和坚实的真功夫赢得香港观众的热烈掌声，谢幕时，台上台下都激动得热泪盈眶。

关肃霜在舞台上是个强者，在生活中以热情直爽、诚恳助人著称。她多年以自己的工资接济几个年老多病的前辈艺人，此举在梨园界传为佳话。

〔关渭贞（女）、农群华（女）·羽毛球运动员·获第二十五届奥运会羽毛球女双银牌〕

1992年8月4日，中国选手关渭贞和农群华在西班牙巴塞罗那举行的第25届奥运会上，为无金而返的中国羽毛球队夺得了唯一一枚银牌。

巴塞罗那奥运会上，羽毛球王国中国在奥运史上第一次设立的羽毛球比赛中发挥失常，因而关渭贞和农群华获得的这块银牌显得珍贵。平均年龄27岁的中国姑娘，在决赛中与韩国名将黄惠英与郑素英苦战了一个半小时，如不是裁判在这场比赛中连判她们6次犯规，这块金牌当归中国选手。当国际羽联副主席中国吕圣荣给她们颁发银牌时，夺金未酬的两位中国姑娘再也忍不住流下泪水，她们为自己未能为祖国夺得金牌而内疚。奥运会归来后，三次获世界女双冠军的关渭贞正式宣布挂拍。农群华则找到了新搭档周雷。

关渭贞和农群华是1990年北京亚运会前一个月才匆忙组合，并一举夺得了亚运会女双冠军。第二年在第七届世界羽毛球锦标赛上，出人意料地击败了各路精英，为中国队夺得了3个双打项目中唯一一块金牌。1992年5月，她们还参加了在吉隆坡举行的第十四届尤伯杯团体赛，为中国队蝉联这项世界羽毛球女子团体最高荣誉立了功。

关渭贞，1964年6月3日出生在广东省广州市。其简历见1989年《中国人物年鉴》。

农群华，1966年3月16日生于广西上林县。其简历见1991年《中国人物年鉴》。

〔江国梁·济阳易学研究所所长·研究《周易》受到国际易经大会肯定〕　福州市济阳易学应用工程研究所所长、工人出身的江国梁参加第八届国际易经大会宣读论文、展示专著，受到中国和国际易学界的肯定。1992年3月17日《福建日报》和马来西亚《南洋商报》先后报道了他的事迹。

江国梁，福建省福州市人，1941年8月出生，1961年读高中时参加人民解放军，退伍后在福州市汽车运输公司任驾驶员。曾考入福建师范大学研究生班进修三年。他利用业余时间，长期攻读易经，自学成才，撰写和出版了《周易原理与古代科技》专著，发表了《易学中的光——气学说简论》、《周易研究方法初探》、《周易原理与罗盘生命学》、《周易解说》等一系列论文。他坚持理论联系实际，破除玄秘感，把《周易》原理运用于科学技术，运用八卦原理去阐释自然界种种现象。例如，用八卦原理对汽车的能量、承载力以及驾驶操作的安全系数作了探索性分析，创立了“能量、承载力、操作技术与精神”三点论，保证了安全行车20多年无事故的好成绩。、六十年代他依据易学原理，大胆地提出水的分解与还原取代汽油的设想（$2H_2O \rightarrow 2H_2+2O=2H_2O$），受到有关部门肯定与赞扬。这一设想虽因缺乏实验条件未付诸实施，但是1975年美国一位专家提出了类似的试验方案，证明了江国梁当年的设想具有科学价值。江国梁拜著名易学家黄寿祺为师，在黄教授指导下，致力于象数与义理的同一，时间、空间的多维性，八卦与自然科学的联系等方面研究，以“光——气学说”为核心，建立了新的太极学说，并撰写了专著。江国梁先后攻读了《易学读本》、《易汉学》、《周易集解》、《周易述》、《周易析中》、《太玄经》、《太阳经》、《开元占经》、《乙巳占》、《奇门遁甲》等书，以周易为本，对易学诸家、道教学、术数学进行比较研究。家庭藏书上万册，撰写读书笔记数十本。

江国梁现已被吸收为联合国教科文组织主持的“国际中国哲学会”、“国际易经学会”会员，贵州省易经研究会会员，贵州省易经针灸气功学校、中医学校、师范大学特聘为讲师、副研究员、研究员，还被选为福建省人体科学学会理事兼理论研究委员会主任，易学辨证法研究会理事，中华易学研究中心副理事长。他曾多次获自学成才奖，被评为全国自学成才优秀人物。

〔江泽民·连任中共中央总书记、中央军委主席·作中共十四大报告〕　中国共产党第十四次全国代表大会于1992年10月12日在北京召开。江泽民在开幕会上代表中共十三届中央委员会向大会作了题为《加快改革开放和现代化建设步伐　夺取有中国特色社会主义事业的更大胜利》的报告。10月19日，中共十四届一中全会选举江泽民为中央委员会总书记，同时决定了中央军事委员会组成人员，江泽民任中央军委主席。

江泽民在十四大的报告分四个部分：一、十四年伟大实践的基本总结；二、九十年代改革和建设的主要任务；三、国际形势和我们的对策；四、加强党的建设和改善党的领导。中共中央宣传部10月23日发出的《关于学习、宣传党的十四大文件的安排意见》强调：“江泽民同志在大会上的报告是在邓小平同志建设有中国特色社会主义理论指导下，动员全党和全国各族人民，进一步解放思想，把握有利时机，加快改革开放和现代化建设步伐，夺取建设有中国特色的社会主义事业更大胜利的纲领性文献。”报告的起草，是在以江泽民为核心的中央集体领导下进行的，前后历时半年多。2月20日，江泽民主持在中南海召开了关于十四大报告起草的座谈会。他在会上强调，十四大报告要以邓小平视察南方重要谈话作为贯穿全篇的主线；在系统地总结改革开放和现代化建设14年来的实践和经验的基础上，着重阐明为什么要毫不动摇地坚持党的“一个中心，两个基本点”的基本路线？江泽民还结合国内外形势提出，党的十四大报告必须回答：坚持党的基本路线必须注意把握的要点是什么？中国共产党人对当今世界重大问题的看法是什么？加强党的建设和改善党的领导的重点是什么？报告要展望并规划改革和建设在今后半个多世纪的进程和目标，提出在建党100周年时各方面形成一整套更加成熟更加定型的制度，在建国100周年时基本实现社会主义现代化，号召全党和全国人民朝着这个宏伟目标奋勇前进。6月9日，江泽民在中共中央党校向省部级进修班的同志发表重要讲话，就全面贯彻落实邓小平南巡谈话精神，阐述了九个方面的问题。在这篇讲话中，江泽民根据邓小平关于计划多一点还是市场多一点不是社会主义与资本主义的本质区别等有关论述，根据十一届三中全会以来的实践经验，提出了我国经济体制改革的目标，是建立社会主义市场经济体制。这个论断，被作为重要观点写入了十四大报告。9月，中共中央将报告稿第六稿印发全国119个地方、部门和单位征求意见。9月2日，江泽民邀请各民主党派、全国工商联负责人和无党派知名人士座谈，听取他们对报告稿的修改意见。经过多次审阅修改，十易其稿，报告提到了中共十四次全国代表大会上。出席十四大的代表普遍认为这个报告反映了改革开放以来我们党的新认识；报告阐述的邓小平建设有中国特色社会主义的理论，是对马克思列宁主义毛泽东思想的重大发展；报告总结过去，思考未来，为我们规划了继续前进的正确航程。

在1992年，江泽民总书记着重致力于贯彻邓小平南巡谈话精神，加快改革开放，促进现代化建设事业。3月9日至10日，他主持了中共中央政治局全体会议，根据邓小平南巡谈话精神，讨论了我国改革和发展若干重大问题。3月14日，江泽民在中南海怀仁堂向各民主党派、全国工商联负责人和无党派人士代表通报了政治局全体会议精神，听取到会的党外人士对我国改革和发展的若干重大问题发表意见和建议。他在谈话中强调，当前的关键是要狠抓各项工作的落实。6月20日，中共中央就加快改革开放和经济发展问题举行党外人士情况通报会，江泽民主持会议。

科技是第一生产力。江泽民总书记对发展我国科技事业极为关注。新年伊始，江泽民于1月7日、8日先后前往中国科学院半导体研究所、化学研究所考察工作，现场了解科学研究和实验情况。并同科技人员座谈。4月24日，江泽民邀请出席中国科学院第六次学部委员大会的部分学部委员在中南海怀仁堂座谈，5月31日，江泽民和杨尚昆、李鹏等在钓鱼台国宾馆会见了出席中国当代物理学家联谊招待会的300多位海内外物理学家。他在讲话中热情欢迎海内外科学家为振兴中华贡献力量。

江泽民总书记在1992年先后出席了许多重要会议，会见各界人士。1月14日，江泽民在中央民族工作会议开幕式上作了题为《加强各民族大团结，为建设有中国特色的社会主义携手前进》的长篇讲话。3月29日，中共中央、国务院召开计划生育工作座谈会，江泽民在听取汇报后说，各级党政一把手要坚持亲自抓计划生育工作，负总责，坚决完成到本世纪末的人口控制计划。12月18日，江泽民在全国计划会议闭幕会上讲话，指出当前经济形势很好，必须防止发生经济过热现象。12月24日至25日，江泽民在武汉主持召开六省（湖北、湖南、江西、安徽、河南、四川）农业和农村工作座谈会，强调各级党委必须把农业放在各项经济工作的首位，要采取果断措施，切实保护农民利益，明确提出在春节以前，全部兑现农民手中的“白条”。

12月15日，江泽民会见出席海峡两岸关系协会成立一周年座谈会的有关方面负责人，他在座谈会上重申我们主张用和平方式实现国家统一，坚决反对任何旨在制造“台湾独立”的企图和行动。如果出现“台湾独立”或外国势力分裂中国，我们必将采取断然措施，坚决维持国家主权和领土完整。

军委主席江泽民十分重视加强军队建设。12月2日，江泽民和中央军委全体成员来到国防大学与学员座谈，共商军队建设和改革大计，他在座谈会上强调，要加强军队的质量建设，走出一条有中国特色的精兵之路。12月29日，江泽民在中央军委举办的驻京部队老干部迎新年茶话会上，向老同志通报当前军队建设情况。他在讲话中希望老同志们继续关心党和军队的事业，使老红军的传统一代一代传下去。

在 1992 年，江泽民先后到上海、江苏、北京、山东、甘肃、湖北等地进行考察工作。在考察中，反复强调要进一步解放思想，转变作风，真抓实干，力戒形式主义，始终不渝地全面贯彻党的基本路线，一心一意把经济建设搞上去。

1992 年是中日邦交正常化 20 周年、江泽民应日本政府的邀请，于 4 月 6 日至 10 日访问日本，会见了日本天皇明仁，与宫泽首相举行了会谈。在这一年里，江泽民先后会见了来我国访问的白俄罗斯部长会议主席维·弗·克比奇、乌兹别克斯坦共和国总统伊·卡里莫夫、尼泊尔首相柯伊拉腊、柬埔寨国家元首西哈努克、联合国秘书长布特罗斯·加利、老挝人民民主共和国主席凯山·丰威汉、蒙古政府总理达·宾巴苏伦、玻利维亚总统帕斯·萨莫拍、吉尔吉斯斯坦总统卡尔阿卡耶夫、印度总统拉马斯瓦米·文卡塔拉曼、贝宁总统尼塞福尔·索格洛、坦桑尼亚总统阿里·姆维尼、日本前首相田中角荣、纳米比亚总统萨姆·苏努努、伊朗总统拉夫桑贾尼、英国前首相爱德华·希思、韩国总统卢泰愚、南非非洲人国民大会主席纳尔逊·曼德拉、巴基斯担总理纳瓦兹·谢里夫、日本天皇明仁、乌克兰总统列昂尼德·克拉夫丘克、智利总统艾尔文、土库曼斯担总统帕尔穆拉特·尼亚佐夫、俄罗斯联邦总统鲍里斯·叶利钦、以色列总统哈拉姆·赫尔佐克。

江泽民，生于 1926 年 8 月 17 日，江苏省扬州市人，1943 年起参加地下党领导的学生运动，1946 年 4 月加入中国共产党，1947 年毕业于上海交通大学电机系。上海解放后，历任上海益民食品一厂副工程师、工务科科长兼动力车间主任、厂党支部书记、第一副厂长，上海制皂厂第一副厂长，一机部上海第二设计分局电器专业科科长。1955 年赴苏联莫斯科斯大林汽车厂实习。1956 年回国后，任长春第一汽车制造厂动力处副处长、副总动力师、动力分厂厂长。1962 年调任一机部上海电器科学研究所副所长，一机部武汉热工机械研究所所长、代理党委书记，一机部外事局副局长、局长。1980 年后，任国家进出口管理委员会、国家外国投资管理委员会副主任兼秘书长、党组成员。1982 年后，任电子工业部第一副部长、党组副书记，部长、党组书记。1985 年后，任上海市市长，中共上海市委副书记、书记。1982 年 9 月在中共第十二次全国代表大会上当选为中共中央委员。1987 年 11 月在中共十三届一中全会上当选为中共中央政治局委员。1989 年 6 月在中共十三届四中全会上当选为中共中央政治局常务委员，中共中央委员会总书记。1989 年 11 月在中共十三届五中全会上当选为中共中央军事委员会主席。1990 年 3 月在第七届全国人大第三次会议上当选为中华人民共和国中央军事委员会主席。

〔注：1993 年 3 月 27 日，八届全国人大一次会议第五次大会选举江泽民为中华人民共和国主席、中华人民共和国中央军事委员会主席。〕

〔汤飞凡·已故著名微生物学家·其纪念邮票发行〕　1992 年 11 月 20 日，邮电部发行《中国现代科学家》纪念邮票一套 4 枚。这是从 1988 年起发行的《中国现代科学家》系列邮票的第三组。汤飞凡和熊庆来、张孝骞、梁思成等 4 位著名科学家的音容笑貌跃然于方寸之间。

汤飞凡（1897～1958），湖南醴陵人。1921 年湘雅医学院毕业后，到北京协和医学院任助教并从事细菌学研究。1925 年赴美国工作，发表论文多篇，引起美国微生物学界的重视。1929 年后，历任中央大学医院教授、细菌学系主任，英国国立医学研究院研究员。抗战期间，在昆明创办卫生防疫处，培养中国首批微生物研究专家。1947 年在世界微生物学会第四次大会上当选为常务委员。新中国成立后，历任卫生部生物制品研究所所长，全国生物制品委员会主任委员，中国科学院学部委员，中国微生物学会理事长。他是中国微生物科学的奠基人。有论著多种。

《中国现代科学家（三）》邮票上的另三位科学家是：

熊庆来（1893～1969）云南弥勒人，著名数学家。其简历见 1993 年《中国人物年鉴》。

张孝骞（1897～1987）湖南长沙市人，著名医学家。其简历见 1989 年《中国人物年鉴》。

梁思成（1901～1972）广东新会人，著名建筑学家。其简历见 1989 年《中国人物年鉴》。

〔汤反之·云南天然气化工厂副总工程师，获全国“五一”劳动奖章〕　专心致志于化工事业的汤反之，十多年来历尽艰辛为消化和吸收好进口装置，提高设备管理水平，制定了上百项技术攻关项目的方案。特别是在特殊钢材的焊接，大型工业炉和特殊类型的压力容器检测及维修技术方面取得的成就，为全国同行所称颂。1992年“五一”节前夕，他获得全国总工会授予的全国“五一”劳动奖章。

汤反之，四川简阳人，1937年8月出生。1960年毕业于成都工学院。1977年从昆明磷肥厂调到云天化工厂。我国七十年代首批引进的十三套大型化肥装置之一就在这个厂里。汤反之深入化工厂各个车间，了解化工生产的工艺流程，工艺参数，操作要领，设备位置，帮助解决检修中大量技术问题。在工作中，他收集到了近30万个实践数据和理论参数，记下了32册近80万字的经验“拷贝”，从而提炼出适合化工厂设备管理的一整套方法和理论。

他为了使化工机械设备检修工作做到规范化，程序化，杜绝违章检修无科学根据施工的现象，他呕心沥血编写出合成转动设备的检修规程，大部分章节被编入了《引进装置机泵检修规程》一书，获得了较高评价。

1984年以前，云化所有需要更换和新增的一、二类压力容器，都要靠进口或从遥远的压力容器生产厂家购买，每年要花去上百万元的费用，而云化是个机械加工和设备制造较强的单位，却不准制造这类容器。为了改变这种被动局面，从1985年夏末始，汤反之亲自挂帅，全面展开压力容器制造取证工作，经过3年的艰苦劳动，一套由45万多字，125种表卡，34张控制图组成的取证必备的《质量保证手册》于1989年2月通过省有关专家的审查，并给予很高评价。从而改变了不能生产容器的被动局面。

几年来在汤反之的主持下，在设备方面先后为工厂制造了124—CA，124—CB，132—C，115—C，129—C，116—C，127—CB等高质量的一、二类压力容器及114—C的全面修复。特别是1990年自行设计和制造的2500m氨罐，其质量更为上乘，这些设备的制造和检修，为工厂节约资金500多万元。

云南天然气化工厂，先后被国务院评为500家最大企业和200家经济效益最佳企业，成为云南省第一个国家一级企业。在这些成就中，凝聚着汤反之的心血。

〔汤良杰·石油地质工程师·获第三届青年科技奖〕　地质矿产部西北石油地质局工程师汤良杰，在新疆从事石油地质勘探和科研工作中，刻苦钻研，为塔里木东北地区找油勘探的突破作出了重要贡献。1992年10月，中国科学技术协会决定授予汤良杰第三届青年科技奖。

汤良杰，1957年3月6日生。1982年毕业于长春地质学院地质系，1984年在武汉地质学院北京研究生部获石油地质硕士学位。他主动要求到新疆从事石油地质生产与科研工作。他组织领导了“七五”国家重点科技攻关项目《塔里木盆地东北地区断裂、局部构造及其控油作用的研究》，被评为国内领先、部分达到国际水平的优秀成果。他同时还参加了“七五”攻关项目《塔里木盆地东北地区构造特征及其控油气条件》，以及《塔里木盆地东北地区控油地质条件和盆地远景研究》的部分研究工作。此外，还参与了塔里木盆地东北地区油气勘探许多决策问题的研讨和勘探钻井工作。他首次创造性全面、系统地总结了该地区以断裂系统为主的石油地质构造背景，为塔里木盆地日后的石油勘探打下了良好的基础。新发现32个储油构造，扩大了找油面积；到1989年8月所部9口勘探井全部获油气显示或打到油气层，其中一口井获高产工业油流。他先后以第一署名发表了14篇论文，与他人合作4篇。曾获中国地质学会青年地质科技金锤奖。

〔汤敏增·保定市公安交警支队副支队长·被评为中国十大杰出民警之一〕　1992年1月10日，由中宣部、公安部和新华社、人民日报社、中央人民广播电台、中央电视台等新闻单位联合举办的“中国十大杰出民警”评选揭晓，河北省保定市公安交警支队副支队长汤敏增荣获“中国杰出民警”称号。同年3月，他作为全国人大代表，出席了七届全国人大第五次会议；10月，又出席了中共十四次全国代表大会。

汤敏增，河北省徐水县人，1955年10月生，大专文化程度，1970年11月参加工作，1972年入伍，1976年退伍到公安战线，1982年加入中国共产党，1984年7月被提升为保定市公安交警支队副支队长，现为中共保定市委委员。

为了站好三尺岗台，汤敏增不分白天黑夜苦练基本功。他长年坚持收听新闻广播，一字一句地纠正自己的地方口音；他早出晚归，每天要跑几个岗，揣摩学习每个同志的指挥特长。天长日久，逐渐形成了自己的指挥风格——汤氏手势。他的指挥，动作标准规范，手势刚劲简洁，表意丰富明了，动作一气呵成又具鲜明的节奏。每当他上岗指挥时，路口总有人驻足观看。他在进行喊话指挥时，高低适度，语气温和，态度诚恳，用词准确，又不乏威严，让人感觉到是一种高度负责的爱的呼唤。支队把他的喊话总结成规范用语23条在全市录音推广。他每年纠正违章行车上万起，每次都使人心服口服。汤敏增热爱本职，把全身心都投入了岗台。当普通民警时，经常加班加点；当领导后，仍在岗台上度过一个又一个节假日。十几年来，他每天工作十几个小时，从未休过一个完整的星期天，没有一个节假日，多次放弃疗养的机会，每年加班都在100个工作日以上。他的儿子患病毒性肺炎，住了5次医院，他晚上陪床，白天照常工作。汤敏增还把岗台作为全心全意为人民服务的阵地。对于盲人，他是眼睛；对于残疾人，他是拐杖；对于外地人，他是向导；对于遇到困难的人，他是亲人。十几年来，为群众做好事数千件，收到感谢信50多封。他积极宣传交通规则，先后被15所大、中、小学校聘为校外辅导员，讲课100多次，受教群众达数万人。自1981年以来，汤敏增先后4次被评为河北省劳模，9次被评为省级优秀共产党员，10次被评为保定市劳模，9次被评为市级优秀共产党员。他还被团省委授予"学雷锋标兵"称号，荣立过二等功，出席过公安部功臣模范表彰大会。1985年，他获得全国五一劳动奖章，全国总工会授予他"全国优秀人民警察"称号。他的事迹还被拍摄成电视剧《确有其人》。1992年，他被评为河北省特等劳动模范，获得"最佳交通民警"称号。

〔许杰·华东师范大学教授·被选入英国剑桥国际传记中心所编《世界名人录》〕　上海《文汇报》1992年10月16日报道，华东师范大学教授许杰长期从事中国文学的教学、创作和文艺评论，成绩卓著，被英国剑桥国际传记中心选入1992年版（第十版）世界名人录。

许杰，浙江天台县人，1901年9月生，1922年毕业于浙江绍兴第五师范学校。1924年在上海教书时开始在《小说月报》发表短篇小说，他的名作《惨雾》被茅盾赞为当时杰出的作品。1928年至1929年赴马来西亚吉隆坡任华侨报纸《益群报》总主笔，并创办文艺副刊《枯岛》，在华侨中提倡新文艺。1930年以后，先后任广州中山大学、安徽大学、上海暨南大学教授，参加了左联和中国民主同盟。抗日战争时期任广东省文理学院、福建暨南大学教授。解放后，任上海复旦大学教授、华东师范大学教授、中文系主任，曾参加第一、三、四次全国文代会，任全国作协上海分会理事、副主席。青年时期追随左联主张无产阶级革命文学，发表有短篇小说《飘浮》、《暮春》、《火山口》、《锡矿场》、《子卿先生》等，出版了《许杰短篇小说集》上、中、下三集，列入文学研究会丛书。以南洋生活为题材写了大量散文。还发表了文艺评论集《文艺批评与人生》。1957年在反右派斗争中被错划为右派，1979年彻底平反后恢复一切名誉及待遇。连续出版了《许杰小说选》、《许杰散文选》、《许杰文论集》及《鲁迅小说讲话》、《鲁迅＜野草＞诠释》等著作。曾被收入《中国文学家辞典》、《中国现代作家传略》、《上海大学教授人名录》等。

〔许晴（女）·电影演员·主演大型电视连续剧《皇城根儿》〕　《皇城根儿》以九十年代北京皇城根下金家大院和"再造金丹"得失为线索，向人们展示了一个错综复杂、离奇诡谲、恩怨交织、富有传奇性的人间悲喜剧。1992年在北京电视台播出后，在社会上产生反响，成为京城议论的热门话题。许晴在这部电视剧中，饰演老中医金一趟的二女儿金枝。起初金枝对"金丹"不感兴趣，可是为了爱情不得不把目光投向了"金丹"。许晴的表演松弛、自然，贴近生活，将一个纯洁可爱，热情奔放和具有反抗意识的现代女性形象生动地展现在屏幕上。

许晴，北京电影制片厂青年演员。1969年生于北京。还是一个少女时就在《铁甲008》、《西游记》、《风雨下钟山》等影视片中显露自己的艺术才华。高中毕业，她考入北京电影学院表演系。二年级时便脱颖而出，被陈凯歌慧眼所识，挑去主演《边走边唱》。初出茅庐的许晴，由于这个黄土地上的柴禾妞儿兰秀儿形象的塑造，备受国内外影视界、新闻界的瞩目。不久，她又在荣获中国电视飞天奖和四川国际电视节金熊猫奖的《南行记》中饰演一个十分可爱的"野猫子"，在著名老导演凌子风根据李劼人长篇小说《死水微澜》改编的影片《狂》中，饰演一个泼辣、正直、敢爱敢恨的多情少妇蔡大嫂。许晴主演的这两个角色，形象鲜明，性格突出，深受观众的喜爱和制片人的青睐。出道不长，便已成为影视界一颗冉冉升起的新星。她以清纯的青春魅力，被有的评论家称之为"直逼刘晓庆、巩俐"式的人物。

〔许厚泽·大地测量与固体物理学家·当选中

国科学院学部委员〕 中国科学院测量与地球物理研究所所长、研究员许厚泽在地球重力及固体地球潮汐、地球动力学研究中作出重要贡献，1991年底当选为中科院地学部学部委员，1992年1月3日正式公布。

许厚泽，1934年5月生，安徽省歙县人。1955年毕业于上海同济大学工程测量系，1956年中科院测量与地球物理所研究生毕业。他是我国大地测量与固体地球物理学的主要学科带头人。在建立中国天文大地网的巨大工程中，他为其中的天文重力水准布设和处理设计出新颖的极模板系统，对生产实际作出了突出贡献。在中国航天武器系统的测绘保障研究中，他提供了高空重力赋值方案、全球重力场模型及我国1°×1°平均重力异常的估算方案。在建立中国基本重力网85系统中，他作为技术负责人，指导了网的施测及数据处理。在地球外部重力场逼近理论研究中，他在国际上首次建立了一种高逼近级的高程异常和垂线偏差统一逼近模型理论，给出截断误差的估计格式；由于顾及相应约束条件，大大提高了逼近级和收敛速度。

许厚泽是我国固体地球潮汐形变研究的开拓者。在引潮位计算方面，他提出易于实现的重力潮汐理论值算法。在地潮观测方面，他与比、英、德等国一起建立了中国的重力潮汐基准。在海洋负荷影响方面，他提出褶积与球函混合解法，便于估算负荷改正的精度。他还和学生们一起发展了地潮理论的研究，使该理论成为顾及侧向不均匀性、椭球、滞弹及自转的完整理论。

许厚泽先后发表论文60余篇，其中《斯托克司函数逼近与截断误差估计》、《中国大陆的海洋负荷潮汐改正模型》、《固体潮汐论文集》等为代表著。其科研成果“地球动力逼近理论与实践”、“三峡工程对生态与环境的影响及对策研究”（主要参加者）分别获中科院1986年和1989年科技进步一等奖；“1°×1°平均空间重力异常计算方案”、“我国精密重力的相对联测”、“中国大陆的天文、重力的倾斜潮汐改正”、“中国沿海重力潮汐剖面”、“高空扰动力场赋值模式”等五项成果均先后获中科院科技成果二等奖；“地球动力场逼近理论与高空赋值模式”获1987年国家自然科学奖三等奖；“国家重力基本网——1985年系统”（主要参加者）获1987年国家科技进步三等奖和1986年国家测绘局重大成果奖二等奖。

许厚泽共培养硕士生14人，博士3人，在读博士生7人。他是中科院物理学会固体物理专业委员会副主任，中国测绘学会副理事长，国际大地测量协会执委兼地潮常设委员会主席，湖北省测绘学会和地球物理学会理事长及省科协副主席，同济大学、武汉测绘科技大学及军事测绘学院兼职教授。还是第六、七届全国人大代表。曾获湖北省特等劳模和全国劳模称号。

〔许海文·奇石收藏家·在京举办“奇石艺术展”〕 1992年12月，北京大观园举办“许海文奇石艺术展”，共展出5个品种，大小100多块形态奇美，色泽瑰丽的天然奇石。有神态维肖的“淘气的猫”；有天风浪浪、海山苍苍、一轮红日正喷薄而出的“云海日出”；还有“海底奇观”，那海底的沙滩，浮动的水草、穿梭般游动着的一条条小鱼形象逼真，令人称奇……

许海文，北京房山区文化馆干部。1958年出生在房山西境的小山村。他原本喜欢的是根雕艺术，1986年7月，许海文带着他的54件根雕作品参加了在劳动人民文化宫举办的北京首届根雕艺术展，一年后许海文的根雕作品“海狮”和“小毛驴”被送往加拿大，在世界博览会上参展，他的名字被列入《中国当代文学艺术新闻人物传集》。但当他一次在龙骨山上寻找树根时却又迷上了石头，从此潜心研究奇石艺术。1990年7月，全国首届观赏石观摩研讨会在京举行，许海文带着有关龙骨石画的三篇学术论文和数件作品出席会议。在步入大厅的时候，他失手将一件作品掉在地下。那铿锵脆响的断裂声引来了众多的围观者，人们捡起地上的青石残片，对上面的山水、云雾、森林图案称奇不已。他成了大会的新闻人物。他的作品“故乡的梦”、“日暮的印象”获得优秀作品奖。1990年10月，他的龙骨石画在第十一届亚运会艺术节上展出，获得优秀作品奖。又作为中华一绝特邀参加了在广州举行的“中华百绝博览会”。

奇石的得来在发现，因此人们常说奇石艺术是一种“发现的艺术”。许海文为了这个“发现”，不知走了多少路、爬了多少山、钻了多少岩洞。几年来他整天忙忙碌碌，东奔西跑。为了寻找一种“花岗伟晶石”，他只身一人去到新疆，终于在可可托海的莽莽戈壁中找到了这种“宝石”。他对石头之恋达到了入迷的境地，每当拣到一块好石头，便欣喜若狂，忘乎所以。一个星期天，他带着六岁的儿子在大石河滩上玩耍，忽然在乱石中发现一块拳头大小的石头，其状如同一只毛茸茸的小毡鞋，他兴奋得手舞足蹈，拔腿就往家跑。到了家，才想起把孩子丢在了河滩上。一位湖北朋友取笑他：真是捡了个“孩子”（湖北等地把“鞋”读作“孩”），丢了孩子。在展览会上，有位女士愿以千元高价买下这块奇石，被许海文婉拒。

许海文有个心愿，他要把中国的石文化艺术继承下来，并使之发扬光大。他说：“个人力量是有限的，我要把全国，及至海外的朋友联合起来。”为成立“中国奇石艺术委员会”，创建“中国奇石博物馆”，他在四处奔走，积资筹款。这是许海文毕生追求的事业，人们企盼着这一天的到来。

〔许舒亚·青年作曲家·在国际交响乐作曲比赛中获作曲大奖〕　我国赴法国巴黎音乐学院高级作曲班深造的青年作曲家许舒亚，在1992年9月举行的法国贝桑第5届国际交响乐作曲比赛中，以其管弦乐新作《夕阳·水晶》参赛，在有30余国作曲家参加、100余部作品参赛的这一重大赛事中荣获“作曲大奖”。这是本届比赛所评出的唯一的奖。而此比赛的前两届，因参赛作品未达到评委要求，均未颁发大奖。《夕阳·水晶》是为三个不同的混合管弦乐队而写，三个乐队分布在舞台的三个不同方位，但由一人指挥。作者称此作品的构思，是来自对夕阳的光线射在水晶体上，由此反射出的多层次、多棱角的不同光的颜色及光的力度等感受和联想而产生的。本届评委会主席、意大利作曲家卢契亚诺·贝里奥认为“这是一部很有个性及才华的作品”，盛赞作者在构思上、技巧上均有鲜明个性。授奖仪式定于1993年9月在贝桑松音乐节开幕式举行，同时首演这部作品。贝桑松音乐节比赛分作曲和指挥两项，每年一届。《夕阳·水晶》已定为下一届贝桑松国际指挥比赛决赛的必选曲目。法国出版社将出版该曲总分谱。

许舒亚，河北安新人。1959年生。1983年毕业于上海音乐学院作曲系。后留校任教。所写《小提琴协奏曲》，获1982年美国齐尔品作曲比赛第一名；弦乐四重奏《笛歌》获1984年“上海之春”音乐节优秀作品奖。是中国音乐家协会会员。

〔许嘉璐·当选民进中央副主席〕　许嘉璐在1992年12月11日至18日于北京举行的民进第七次全国人民代表大会上，当选为民进中央副主席。他在当选后表示，作为民进中央比较年轻的负责人之一，我要努力把民进老一代与中国共产党长期亲密合作的好传统接下来，传下去。认真学习邓小平同志建设有中国特色社会主义的理论，遵循中共十四大指引的方向，按照民进中央的工作部署，团结、带动民进的同志们，积极投身到改革开放和现代化建设的伟大实践中，为把我国建设成为富强、民主、文明的社会主义现代化国家作出自己的贡献。

许嘉璐，1937年生，江苏淮安人。1959年北京师范大学中文系毕业后留校任教至今，历任助教、讲师、副教授、教授，教研室主任、系主任、副校长，国务院古籍整理出版规划小组成员，国家八五哲学社会科学规划语言学评审组组长。1987年加入民进，历任民进中央常委、民进中央文教委员会主任，全国人大常委、教科文卫委员会委员，北京市政协副主席、教科文卫体委员会主任。1986年被评为国家“有突出贡献的中青年科学家”。著有《古代文体常识》、《中国古代衣食住行》、《古代汉语》等，主编有《传统语言学辞典》等。

〔阳翰笙·著名文学家、戏剧家、电影文学家·生平与创作展览在京开幕〕　1992年11月7日是我国著名文学家、戏剧家、电影文学家阳翰笙九十寿辰之日。这天上午，阳翰笙生平与创作展览在北京图书馆开幕，巴金为展览赠送了花篮，冰心为展览题词，全国政协副主席程思远和首都文化界知名人士出席了开幕式，共祝阳翰笙九十寿辰暨文艺生涯65周年。展览以大量珍贵照片和书稿，形象地再现了这位我国文艺界元老大半个世纪的革命斗争经历和文艺创作生涯。

阳翰笙1902年生于四川，早年投身革命，参加过南昌起义，是左翼文艺运动的发起人之一。他在党中央和周恩来同志的领导下，站在党的文艺事业的第一线，是进步文艺队伍的实际组织者和日常工作的指挥者，也是我国最有成就的文学家、戏剧家、电影文学家之一。

阳翰笙简历见1992年《中国人物年鉴》

〔附注：阳翰笙于1993年6月7日在北京逝世。〕

〔牟其中·南德经济集团总裁·完成中俄民间贸易史上最大的单项易货贸易〕　1992年9月8日，一架崭新的图——154M型客机平稳地降落在成都双流机场，这是四川航空公司从俄国得到的第4架干线飞机。至此，中俄民间贸易史上最大的一宗单项易货贸易获得成功。

做成这笔大生意的人叫牟其中，四川万县市

人，生于1941年6月19日，1962年毕业于武汉中南工业学院大专班，之后在四川万县当过高中教员、玻璃厂工人。12年前他辞去玻璃厂工作，借了300元钱经商。随着事业的发展，牟其中后来创办了目前中国大陆最大的民间企业——南德经济集团，自任总裁，在北京永定路租了办公大楼，光雇员就达300多人。

牟其中说："我的集团不生产名牌产品，也不经营百货商场，它的主要产品是'服务'，为社会主义经济巨人服务。"他形象地把自己的生意比喻为"组装市场"，即当中间商，为各方牵线搭桥，服务社会，自己也从中赚钱。南德集团的服务项目主要是金融投资、房地产、航空航运、旅游资源开发等产业，还有设备租赁、高科技应用、信息咨询等，涉及10多个领域。

3年前，牟其中发现中俄之间易货贸易互补性强，大有作为。当时国内市场疲软，许多国营企业生产的食品、服装等日用消费品积压滞销，而这些正是莫斯科市场急需的商品；俄罗斯的民航客机也找不到市场，这种比美国同类飞机便宜三分之二的大飞机正是我国地方民航事业发展所需求的，但是想买飞机的四川省航空公司无财力购进；存款激增的银行有钱但不能直接买飞机。牟其中经与俄方谈判，古比雪夫飞机厂先把飞机飞到成都，牟其中用飞机作抵押得到银行贷款，采购500个火车皮的中国罐头食品、服装鞋帽、机电产品源源不断地运往莫斯科，其成交额为4.2亿瑞士法郎。

经牟其中这么一"组装"，各方皆大欢喜：俄国飞机厂卖掉了飞机，得到了俄国市场急需的中国商品；四川航空公司以借贷得到4架飞机投入营运；大陆300多家企业的产品有了销路，如山东潍坊床单厂一次性销售24万条床罩、被单、被套、枕套，石家庄袜厂一次性销售66万双尼龙袜；牟其中的南德集团也赚了大钱，获利数千万元。

只要能"组装市场"提高经济效益的，牟其中都干。他投资1亿元在川东的小三峡建设空中索道，并修建旅舍，以适应日益增长的旅游需要。他看到近百万劳动大军及国内外人士将川流不息地进出离三峡坝址30多公里的宜昌市，而宜昌目前没有民用机场，便投资5亿元，与当地合作建设宜昌黄龙寺飞机场，并创办航空公司。1991年南德集团经营额达8亿，1992年贸易额突破了20亿。

牟其中有坎坷的经历。70年代初期，他因不满"四人帮"的倒行逆施，与几个朋友一起，写了一篇《中国向何处去?》的文章，列举"文化大革命"给人民带来的灾难。结果，作者们成了"反革命集团"，牟其中被判死刑。只是因为"四人帮"的迅速垮台，牟其中才免于一死。不过，他在铁窗里度过了4年多的岁月。

〔孙萍（女）·京剧演员·赴匈牙利讲学并演出〕 1991年11月至1992年3月，孙萍与丈夫叶金森应布达佩斯室内剧院邀请赴匈讲学，为中匈两国文化交流做出了贡献。这是1956年以来，我国首次由官方派出的京剧演员赴匈。

孙萍，回族，祖籍河南省洛阳市。五十年代其父母支援边疆从北京到宁夏西吉县安家。1959年8月，孙萍生于宁夏，不满周岁时，被寄养在北京外祖母家。她自小爱唱、爱跳、是个小戏迷，跟着收音机学会不少京剧名段。1972年凭天赋考入宁夏京剧团学员班，倍受老师、领导重视和关注。1975年不满17岁的孙萍脱颖而出，被选中主演《赛驼之手》登上首都舞台，演出一举成功，荣获优秀演员一等奖。三中全会后，传统剧目恢复上演，孙萍的艺术追求又登上一个新台阶。1978年在表演艺术家叶盛兰的鼓励下，一面苦练基本功；一面在爸爸的辅导下补习高中文化课，报考了中国戏曲学院。最终以专业科目出类拔萃、文化课名列第二被录取，1982年获得文学学士学位，被调进中国京剧院，成为我国第一代知识型的京剧新秀。

10年来，孙萍曾在京剧表演艺术家袁世海、李和曾、冯志孝、张学津等指导下，和他们同台演出《龙凤呈祥》、《孙安动本》、《秦香莲》、《柳荫记》、《廉锦枫》等剧，尤以演《秦香莲》在人物性格的塑造上有突破。在京剧舞台上，她还在即兴表演方面形成了自己的风格，并注意理论知识和感性认识的结合，精心设计唱腔道白、表演、音乐、舞蹈、武打等多样化地塑造人物。

1989年曾在中央电视台拍摄的电视剧《如意胡同》中饰女主角于燕，获电视剧"星光奖"。1990年2月随文化部慰问团赴南沙岛慰问海军官兵，获"南沙卫士"勋章及"荣誉水兵"证书，成为第一个登上南沙群岛的京剧演员。1990年10月随中国戏剧家协会代表团赴日访问。1991年9月随中央慰问团赴新疆慰问演出，受到党和国家领导的亲切接见，并荣获"天山奖"。随即又马不停蹄于1991年11月赶至匈牙利讲学。在匈短短数月，孙萍与丈夫叶金森辛勤地向剧院十多位男女演员传授中国京剧的基本动作。孙萍还专门讲解京剧历史、京剧表演体系、京剧行当、剧本、乐队、服装、化装、脸谱等，再通过剧目的排练，终将富有民族特色的中国京剧，移植到欧州这块土地上。由于匈牙利民族来自欧亚边境，而布达佩斯室内剧院又以演远东一带为主要题材的剧本，表演形式近似哑剧，以动作及表演为主，且有伴奏音乐，因而风格与京剧相当接近。使人惊讶的是，他们对京剧意境、动作的理解不仅比匈牙利其他剧团、甚至比欧洲不少国家剧团理解要快、要准确。由于此次授课的剧目武功占多，老师、学生天天一身汗。外国艺术家们非常尊敬、喜爱中国老师，老师临别时，他们特赠给有“金”字的大蛋糕以表谢意，并特向我国文化部致函赞扬，邀请他们1992年再次赴匈参加第八届国际青年舞蹈活动。另外孙萍还在布达佩斯隆重演出了京剧《天女散花》、《廉锦枫》、《摘缨会》片断；叶金森则演出了《闹王宫》和《三岔口》片断。《匈牙利新闻报》在头版刊登了孙萍彩照，并称赞孙萍在《天女散花》里的表演“宛如敦煌壁画里的人物复活后走上了舞台”。

〔孙长亭·残疾人运动员·获第九届残疾人奥运会金牌〕　1992年9月10日，在西班牙巴塞罗那第9届残疾人奥运会上，中国选手孙长亭在男子THS3级标枪比赛中两次刷新世界纪录，获得金牌。

孙长亭，1966年生，天津市人。1985年2月，在保卫祖国边防作战中负伤，左腿截肢，为A4级肢残。曾立二等功，获南京军区二级战斗英雄称号。他爱好足球运动，在部队时为青年足球队队员，曾被评为国家一级足球队员，全国最佳射手。1987年参加第二届全国残疾人运动会，获跳远、标枪、200米跑3枚金牌和100米跑1枚银牌，并被评为精神文明运动员。1988年，参加汉城第8届残疾人奥运会，获3枚银牌、1枚铜牌，被评为最佳运动员。1989年9月，在日本举行的第5届远东及南太平洋地区残疾人运动会上，获2枚金牌、3枚银牌。

〔孙平化·外交家·为发展中日友好作出重要贡献被日本授予最高勋章〕　1992年11月16日，中日友好协会会长、全国政协委员孙平化，在日本驻中国大使馆接受了日本大使桥本恕代表日本天皇和政府授予的“勋一等瑞宝章”。这是日本授予外国人士的最高勋章。在中日邦交正常化二十周年之际，日本天皇和政府共给予五位中国人士这种荣誉，以表彰他们为发展中日友好作出的重要贡献。

孙平化，1917年8月生，辽宁省人。1939年后在日本东京工业大学读书，并加入中国共产党的外围组织。1943年回国，在哈尔滨从事地下工作，1944年1月加入中国共产党。后在中共哈尔滨市委、长春特别市政府工作。中华人民共和国成立后，曾在中国国际贸易促进会、中国对外文化协会工作。1952年任中国人民外交学会理事，1963年10月任中日友好协会副秘书长，1964年8月任廖承志办事处驻东京联络处首席代表。1979年1月任中日友好协会副会长兼秘书长，1986年4月任中日友好协会会长，还曾任中国人民对外友好协会副会长。他是北京大学、外交学院兼职教授。是第五、第六、第七届全国政协委员。曾获日本早稻田大学、创价大学名誉博士。

〔孙永田·电影摄影师·所摄影片获国际、国内电影摄影奖〕　1992年由孙永田担任摄影的影片《狂》，获第三届平壤“不结盟国家和发展中国家国际电影节最佳摄影奖”；他摄影的儿童故事片《人之初》获第五届童牛奖最佳摄影奖。1992年8月中国儿童少年电影学会专门召开了孙永田电影摄影艺术研讨会。他是中国儿童电影制片厂一级摄影师。

孙永田，1939年生，山东莱州人，现任中国儿童电影制片厂摄影车间主任。1963年毕业于北京电影学院摄影系，在中央新闻纪录电影制片厂拍摄了各种新闻纪录片300余本，其中部分影片在国内外获奖。中国儿童电影制片厂成立后，孙永田转到童影厂任故事片摄影师，拍摄了《十四五岁》、《飞飞从影记》、《离离原上草》、《多梦时节》、《别哭妈妈》、《我只流三次泪》、《人之初》等十余部影片。其中《多梦时节》曾获中国儿童少年童牛奖的最佳摄影奖。

孙永田的摄影用光讲究，他认为光线是摄影艺术的本体，特别注意通过光位、光质、光强、光比和光色来表达人物的情绪、心态。如《多梦时节》中女主角——年轻的中学生在大榕树下畅想未来时，他通过榕树筛下的朦胧斑驳的树影造成一种梦幻景象；而《人之初》中又借旧式房屋的窗棂透出的光彩，传达出小聂耳听见邻居木匠笛音的感觉。在凌子风导演的《狂》中，孙永田又利用光线阴晴早晚的变化，表现女主角复杂多变的情绪，渲染了她的欣喜、悲伤、失落，到最后的告状复仇。在色彩的处理上，他已超越了纪实美学对物质现实的外在真实的追求，而走向感觉的真实。孙永田是一位成熟的、造诣很深的摄影师，与他合作过的导演都认为他的摄影为影片增添了光彩。

〔孙传尧·矿物工程学专家·被推选为俄罗斯圣·彼得堡工程科学院院士〕 北京矿冶研究总院院长、高级工程师孙传尧在选矿研究方面成绩显著，1991年12月13日被俄罗斯圣·彼得堡工程科学院推选为该院院士，这是当选的15位外籍院士中唯一的中国专家。1992年7月22日，圣·彼得堡工程科学院院长等专程到北京向孙传尧颁发了证书和奖章。

孙传尧，祖籍山东，1944年12月生于黑龙江省饶河县。1968年从东北工学院有色冶金系选矿专业毕业后，曾在新疆可可托海矿务局选矿厂工作十年，历任技术员、助理工程师、副厂长。1981年10月获北京矿冶研究总院工学硕士学位，并留院工作，先后任该院科研处副处长、处长、副院长等职，1988年1月起任该院院长至今。

早在新疆工作时，孙传尧就解决了不少生产中的关键性技术课题，其中，低品位锂矿石的选矿工艺由他研究成功后用于生产，解决了选矿厂锂精矿质量长期不合格的难题。他与别人合作完成的优先选铍铍锂分离工艺，获全国科学大会奖和冶金部科技成果奖。1978年至1981年他读研究生期间，在著名选矿专家吕永信的指导下，以硅酸盐矿物霓石和赤铁矿为主要研究对象，提出了有创见的“络合浸蚀浮选法”，同时，在国内首次将现代俄歇能谱分析方法用于工艺矿物学和浮选机理研究，上述研究成果已编入高等学校教材《选矿测试技术》一书。他还在铅锌铜镍复杂多金属硫化矿选矿方面从事了大量研究工作，同李凤楼、赵纯录合作，在国内外首次提出“异步混合浮选”新工艺并在砚口铅锌矿生产高品位混合精矿取得成功，获国家科技进步二等奖和部级科技进步一等奖。他们的另一成果“提高浑江铅锌矿选矿技术研究”使浑江矿起死回生，获部级科技进步二等奖。

孙传尧还兼任中国有色金属学会常务理事、北京市科协委员等职。并先后独自或与他人合作发表论文、著作十八篇（部）。

〔孙华心·农民企业家·当选莱芜市副市长〕 1992年11月中旬，齐鲁大地爆发出一条新闻：山东省莱芜市城区孙故事村的一位普通农民孙华心，在市人大17次会议上，被选为莱芜市副市长。

50岁的孙华心，原是孙故事村的兴华实业公司总经理兼党委书记。他曾担任过村党支部书记，从1975年起，带着26个农民，靠几十只抬筐、十几把镐锄起家，发展到现在已拥有20多家厂、矿、公司，职工5500多人，已形成重工、轻纺、建筑三项产业于一体的企业集团，年产值1.2亿元，利税1000多万元，成为山东省和全国著名农民企业家。几年来，孙华心先后被评为山东省优秀共产党员、劳动模范、农民企业家，全国乡镇企业家，并当选为七届和八届全国人大代表。走马上任的孙华心对记者说：“作为一位农民，领导信任，群众支持，改革开放把我推到这个岗位上，我决心有十分劲不使九分九，为莱芜市的经济发展尽心尽力尽责。”

〔孙秀苇（女）·青年歌唱家·在威尔迪国际声乐比赛中获奖〕 1992年6月21日至26日，在意大利著名作曲家威尔迪的家乡布塞托举行的“第32届威尔迪声乐比赛”中，北京军区政治部战友歌舞团27岁的青年女高音独唱演员孙秀苇荣获二等奖。这是我国选手在近几年国际声乐比赛中所取得的最好成绩。她在决赛时演唱的曲目是歌剧《茶花女》中微奥列塔的咏叹调《我好像生活在梦中》。

两年举办一次的威尔迪国际声乐比赛，规格高、要求严、难度大，是公认的重大国际声乐比赛之一。由于名额有限，我国只能派一名选手参赛。经文化部和有关部门认真选拔，确定孙秀苇代表我国参加比赛。这次比赛，设一、二、三等奖各一名，参赛选手必须能演唱规定的24首威尔迪作曲的歌剧选段，然后抽签确定参赛的曲目。来自10余个国家的50余名选手参加了本届比赛，进入第三轮的有10人。

孙秀苇，辽宁营口市人。1964年8月18日生。1984年春以独唱演员的身分考入北京军区战友歌舞团。次年入上海音乐学院声乐系干部进修班学习，师从著名声乐教育家高芝兰。1988年毕业后回团工作。1990年始，又先后求教于著名声乐教育家沈湘、黎信昌、蒋英，使其演唱技巧更为娴熟。艺术功力更为深厚。

1986年，她曾代表上海音乐学院参加上海市纪念莫扎特诞辰音乐会的演出，得到专家们好评。1988年，在中央电视台举办的“第3届全国青年歌手电视大奖赛”中获优秀奖。1989年和1991年，在文化部为出国比赛而举办的国内选拔赛中名列前茅。1992年是孙秀苇光彩熠熠的一年：以中国艺术家代表团成员参加朝鲜平壤艺术节；4月，在首都歌剧培训中心上演的威尔迪歌剧《游吟诗人》中，饰女主角雷奥诺拉；9月，由意大利在华举办的“意大利文化周”开幕式音乐会上进行演出；10月，在中国民族文化博览会举办的首届“歌王·歌后声乐大赛”中，获美声组歌后奖。

〔孙起孟·再次当选民建中央主席〕　民建第六次全国代表大会于1992年11月19日至27日在北京召开，孙起孟在民建六届一中全会上再次当选民建中央主席。

这次代表大会选举产生了新的一届中央委员会，推举出新的中央咨议委员会。在六届一中全会上，陈邃衡、陈铭珊、万国权、冯梯云、黄大能、李崇淮、白大华、朱元成、冯克煦、路明、刘珩当选为民建中央副主席，朱元成兼秘书长。

大会期间，中共中央政治局委员李岚清到会祝贺并宣读中共中央贺词。贺词称，民建会自创建以来，积极带领广大成员和所联系的群众，与中国共产党并肩战斗，风雨同舟，走过了光辉的历程，为我国的革命和建设事业作出了重要贡献。贺词说，我们高兴地看到，几年来民建会组织成员就改革开放和现代化建设中的一些重大问题进行多项专题调查，提出了许多很好的意见建议；推动成员立足本职岗位，努力为两个文明建设服务，取得了良好的社会和经济效益。这一切，得到了人民的赞誉，也使我们的合作关系更加密切。事实证明，民建会不愧是我们党久经考验的亲密战友。

孙起孟同志在民建六届一中全会上强调，要深入学习贯彻中共十四大精神，用邓小平同志关于建设有中国特色社会主义的理论武装头脑，进一步提高坚持和贯彻党的基本路线的自觉性和主动积极性，把党的路线、方针、政策同民建的具体实际结合起来，在“结合”上动脑筋，下功夫，解放思想，真抓实干。同时，要增强紧迫感，积极推进领导集体和工作班子的新老合作交替，加强民主集中制建设，增强会的团结，努力开创发挥参政党职能和自身建设的新局面，为加快改革开放，集中精力把经济建设搞上去，促进社会全面发展而奋斗。

孙起孟，1911年生，安徽休宁人。1930年东吴大学毕业，曾在苏州女子师范、苏州中学、贵州师范学校任教，担任过上海《申报》周刊编辑，以后在中华职业教育社任职。1949年后任新政协筹备会副秘书长，中央人民政府人事部副部长，全国人大、全国政协副秘书长。现任第七届全国人大常委会副委员长，中华职教社理事长，中国统一战线理论研究会副会长。

〔附注：1993年3月27日，八届全国人大第一次会议选举孙起孟为全国人大常委会副委员长〕

〔孙原琍（女）·检察员·被授予模范检察干部称号〕　1992年5月，最高人民检察院授予湖北省武汉市人民检察院检察员孙原琍“模范检察干部”称号。《人民日报》、《中国青年报》和《法制日报》等先后宣传了她的事迹。

孙原琍，山东省人，1955年10月生，大学文化程度，1974年10月高中毕业后下乡插队，1976年6月加入中国共产党，1977年当工人，1978年3月考入湖北财经学院法律系，1982年毕业后任武汉市检察院刑检二处检察员。

在检察官的岗位上，孙原琍负责一审案件，要经常外出调查取证，工作十分辛苦，而她一干就是8年，从不叫苦叫累。她虚心好学，细心地研究办案的规律和方法，每办一案都作一次总结，记下了数十万字的工作体会。1990年，她办理的全国第一起法人走私案所写的起诉书，被最高人民检察院作为同类案件的范文。孙原琍办理一起重大抢劫、盗窃、脱逃案时，经阅卷和提审被告人，发现有余罪漏犯未查清，要到新疆和青藏高原等地调查取证。为了尽快查清事实，打击犯罪，她克服高度近视和强烈高原反应带来的不适，在零下20摄氏度的茫茫戈壁上长途跋涉，紧接着连续提审服刑犯20余小时，收集证据，追缴赃物。经过20多天紧张工作，查清了罪犯的7笔漏罪，追捕追诉一名漏犯，缴回一批赃款赃物，战果累累。1990年，孙原琍接办一起打着“兰芳实业公司”旗号的团伙诈骗案。此案有被告人10名，互相勾结或单独作案共13笔，诈骗总额近400万元。由于被告人所在的是个名副其实的皮包公司，帐目混乱，第一被告人又在办案期间死亡，赃款去向不明，使案件更为错综复杂。面对叠起来近一米高的38本卷宗，孙原琍夜以继日地工作。为了查找一个事实证据，往往要翻上数十本卷宗、几百页材料。她咬牙工作两个月，做出了上百页的阅卷笔录，100多个调查核实的要点，补充证据45份、350多页，终于理出了头绪。孙原琍抱着这堆心血凝成的战果走上法庭，提起公诉的8名被告有3人被判处无期徒刑，其余的也分别被判处5至15年的有期徒刑。近4年来，孙原琍共办理各类起诉案件155件320人，纠正错误定性 11 件 15 人，自行侦查补充认定 5 人，挖出余罪 24 笔，追诉漏犯 5 人，准确率达 100%。孙原琍曾荣立二等功 1 次，三等功 2 次，3 次被武汉市人民检察院评为先进工作者，还被评为湖北省劳动模范。1988 年她被最高人民检察院评为优秀公诉人；1990 年后，还先后获得武汉市总工会授予的“女能人”称号和“武汉地区首届十杰青年”称号等。

〔孙曼霁·生化药理学家·当选中国科学院学部委员〕 1992 年 1 月 3 日，中国科学院公布了新当选的学部委员名单。中国人民解放军军事医学科学院毒物药物研究所研究员孙曼霁，长期从事防化医学的生化药理研究，取得多项科研成果，当选为中国科学院生物学部学部委员。1992 年他还被聘为国务院学位委员会第三届学科评议组医学组成员。

孙曼霁，1931 年 8 月出生，河南安阳人。1948 年入南京中央大学医学院学习。1951 年参加中国人民解放军。1954 年第五军医大学毕业后，到军事医学科学院毒物药物研究所工作至今。历任实习研究员、助理研究员、副研究员，现任研究员、博士生导师。1956 年加入中国共产党。1973—1975 年赴英国伦敦大学精神病研究所生物学系进修。1987—1988 年受聘为联邦德国柏林技术大学生物化学及分子生物学研究所客座教授。

他长期从事防化医学的生化药理研究，在梭曼膦酰化乙酰胆碱酯酶（AchE）不能被重化的原因的研究中，特别是对梭曼磷酰化 AchE 老化机理的揭示、梭曼及其类似物结构与老化间规律性的阐明、有机磷毒剂酶促合成及体内游离毒剂的发现等系列研究中做出贡献。提出 AchE 活力中心双功能假说，发现了 AchE 的 4 个抗原决定簇，钓取并确定了其一级结构，是 AchE 结构与功能研究中的重要进展。揭示硫芥对人皮肤 DNA 的作用机理及皮肤损伤的分子基础，为防治提供了理论依据。先后取得 7 项科研成果，曾获国家自然科学二等奖和军队科技进步二等奖，其中“战时特种武器伤害医学防护”，1986 年获国家科技进步特等奖。1980 年以来发表学术论文 40 多篇。1991 年起享受政府特殊津贴。并曾立二等功 1 次，三等功 2 次。

〔孙淑伟·跳水运动员·获第二十五届奥运会男子跳台跳水冠军〕 1992 年 8 月 4 日，在西班牙巴塞罗那举行的第 25 届奥运会男子跳台跳水决赛中，中国选手孙淑伟以 677.31 分夺得金牌。他的最后一跳，7 位裁判有 4 位打了 10 分。16 岁的孙淑伟从此成为两个世界大赛的“双料”世界冠军。

孙淑伟，1976 年 1 月 31 日生，广东揭阳人。父亲曾是“业余渔民”，母亲和两姐姐也常“下水”。孙淑伟未到学步时就在水里泡出“胆量”，与水结缘，不到两岁拴在轮胎上学游泳，水性见长，三岁就能纵身跳入渠中，从此跳上了瘾。

孙淑伟真正接受跳水训练，是从 1984 年 6 月开始的，由他叔叔介绍进入广东榕江西湖的训练场，教练谢娴清收下这个年龄最小的学员。八岁登高台，第二年广东少年跳板第六，跳台第三。1985 年人广东队，教练胡恩勇给小孙起了个绰号叫“小老头儿”，教练很喜欢他，常给他加营养改善伙食，不过训练上异常严格，毫不留情。1989 年 9 月在第二届全国青运会上，13 岁的孙淑伟一人独得少年乙组三米板和十米台两项冠军。会后他进入国家跳水队，平时他虽顽皮，但训练却十分认真，受到总教练徐益明和教练于芬的好评。

1990 年 5 月，孙淑伟在加拿大国际赛上初试身手，即夺得金牌。在中国跳水会开赛上虽居亚军，但接着 1990 年亚运会上，以 690.93 分从兄长熊倪手中夺回冠军。1991 年 1 月孙淑伟在澳大利亚珀斯又赢得第六届世界游泳锦标赛男子跳台冠军。

孙淑伟的事迹与简历参见 1991、1992 年《中国人物年鉴》。

〔孙寅贵·百龙矿泉壶发明人·获中国科技成果及实用技术展览会金奖〕 决心为保护和改善人类生存环境而奋斗的孙寅贵，1991 年创建了绿色科技研究所，自任所长，并成功地开发出能将普通自来水经壶芯进行净化、矿化、磁化和灭菌后，变成优质矿泉水的百龙矿泉壶，在它问世的当年，就获得北京市第五届发明展览会“开发前景奖”和第六届全国发明展览会银牌奖。1992 年在印度尼西亚举行的中国科技成果及实用技术展览会上又获金奖。百龙矿泉壶从开发到 1992 年 7 月，已获纯利一千万元。

1956 年出生于湘西隆回山区，曾经担任县塑料制品厂厂长的孙寅贵，1985 年带着自己的四项发明，揣着 4000 元钱来到北京。第二年，他就与张立民、何鲁敏等人创办了亚都建筑设备制品研究所，并于 1988 年推出颇受人欢迎的亚都加湿器。

之后他继续追求、探索，他一人在亚都就有十几项专利。

一个偶然机会，他读了报告文学《中国的水污染》，开始思考如何解决中国的水质污染威协人们健康和生存的问题。渐渐地他有了一个绿色的梦：让现代人喝上远古时期没有污染的水。因此成立了“北京百龙绿色科技所”，开始了他的绿色事业。

根据我国国力和经济状况，孙寅贵认为解决人民饮水卫生状况的最佳途径，是家庭普遍使用饮水净化装置。他组建起一个攻关小组，对日本、南朝鲜，美国等国家的饮水净化器样品逐个进行解剖和分析，反复试验，经过无数次失败和几个月废寝忘食的苦战，一种新型净化饮水装置诞生了。经有关部门检测，自来水经矿泉壶处理后有益成分均有不同程度增加，而铅、汞等均降到零，标志着我国净水器生产达到国际先进水平。百龙矿泉壶成为最经济、最方便的家用矿泉水酿造器。

1991 年在科技所成立时，孙寅贵为自己立下了近乎苛刻的效益时间表——当年立项，当年出成果，当年完成生产配套，当年出口，当年收回 250 万元的投资。结果他只用了半年时间，就实现了这一目标。他创办的这个民办企业改变了过去旧的管理体制，实行利益与风险挂钩，高度重视个人的才能，注意企业的凝聚力，他鼓励每个职工在企业中寻找属于自己的最佳位置，创造大写的我。所以，孙寅贵和他的百龙绿色科技所凭着高质量的产品、高素质的人才和高水平的经销措施，在不到一年时间里，总产值发展到一亿元的规模。

为了绿色事业，孙寅贵毅然决定拿出他研制矿泉壶而获得的全部技术收入，设立“绿色科技奖”，专门奖励为保护和改善人类生存环境而做出杰出贡献者，并以此唤醒人们关心保护人类生存环境的意识。

〔孙越崎·中国能源工业奠基人之一·百岁华诞〕　1992 年 10 月 15 日，中国人民政治协商会议全国委员会常务委员、中国国民党革命委员会中央监察委员会主席、我国能源工业奠基人之一孙越崎，在北京政协礼堂举行的百岁华诞茶话会上，笑容可掬地接受全国人大、全国政协领导人和首都各界人士对他的祝贺。

孙越崎，浙江绍兴人。早年在北洋大学读书，任校学生会会长。参加了五四运动。1921 年毕业于北京大学采冶系。后任黑龙江穆棱煤矿工程师。1929 年赴美国留学。先后入斯坦福大学采矿系、哥伦比亚大学采矿系读研究生。1932 年回国。曾任国民党政府南京国防设计委员会矿室主任、陕北油矿勘探处处长，焦作中福煤矿公司总工程师、总经理，天府、嘉阳、威远、石燕煤矿公司总经理，国民党中央候补执行委员，玉门油矿局总经理，国民党政府资源委员会委员长，经济部部长。1949 年解放前夕，他组织资源委员会的同仁，脱离国民党，坚持留在大陆工作，给年轻的共和国保护了一大批重要财产和宝贵的技术力量。1949 年底，他由香港到北京。后历任政务院财政经济委员会计划局副局长，开滦煤矿总管理处副主任，国务院进出口管理委员会、煤炭工业部顾问，对外经济贸易部特约顾问，河北省第五届人大常委会副主任，河北省第四届政协副主席，民革河北省委员会第四届主任委员，民革第五、六届中央副主席。1988 年当选为民革中央监察委员会主席。是第二至四届全国政协委员，第五至七届全国政协常委。1992 年 12 月，孙越崎在民革第八次全国代表大会上被推举为民革中央名誉主席。

〔孙晶岩（女）·作家·获全国优秀报告文学奖〕　部队青年女作家孙晶岩以其代表作《冲出亚洲的坎坷》，于 1992 年 5 月获“1990—1991”年度全国优秀报告文学奖。

孙晶岩，1956 年 3 月 12 日生于山东烟台，1970 年入伍，毕业于解放军艺术学院文学系。发表过诗歌、散文、小说、报告文学等作品 100 余万字。现为中国作家协会会员，中国报告文学学会理事，中国散文诗学会会员。

孙晶岩于 1992 年单枪匹马由北京经西宁至格尔木，又穿过柴达木盆地，越过祁连山脉到达敦煌。尔后由敦煌翻越当金山、昆仑山、唐古拉山、念青唐古拉山，涉过长江源头沱沱河，经过藏北草原，抵达拉萨。行程一万多公里，采访了 100 多位中外人士，搜集了大量的创作素材。青藏兵站部的同志们说：“孙晶岩以惊人的毅力创造了女作家冬天翻越世界屋脊唐古拉山的先例”。

孙晶岩于 1992 年在北京出版社出版报告文学集《丰碑·天职·昆仑雪》，解放军文艺出版社出版报告文学集《众山之子》，中国文联出版公司出版报告文学集《献给后代的报告》，并在《西南军事文学》、《明日》、《艺术家》等刊物上发表了《天职》、《绿叶对根的情意》、《长夜的灯光》、《风雪湘西路》、《海》、《中国的皮尔·卡丹梦》、《热爱是最好的老师》、《春泉》等十余篇报告文学及散文，热情讴歌当代中国人的精神风貌。

报告文学《天职》于1992年2月获得总后勤部首届军事文学奖。

〔孙瑞林·邗江县公安局刑警队副队长·被追授全国公安战线一级英模称号〕　1992年12月，公安部追授江苏省邗江县公安局刑警队副队长孙瑞林“全国公安战线一级英雄模范”称号。

孙瑞林，江苏省邗江县人，1960年12月19日生，中专文化程度，1981年7月毕业于江苏省公安学校，此后在邗江县公安局刑警队先后任技术员、分队长、副队长等职，1989年11月加入中国共产党，职称为技术员。

1992年7月11日，孙瑞林接市公安局通报，镇江市丹徒县公安局发现一个与邗江县曾发生的一起重大盗窃案有关的线索，便立即带领5名干警驱车赶赴镇江。在传讯过程中，案犯百般抵赖，企图蒙混过关。为获取罪证，经丹徒县公安局批准，他们决定对案犯办公地点进行搜查。在搜查获取罪证之后，案犯狗急跳墙，弯腰拎起一只装满5公斤氢氟酸的塑料壶拔掉塞子向干警泼来。高浓度的氢氟酸泼到孙瑞林身上。氢氟酸是一种酸性毒品，在空气中达到一定浓度，就会使人急性中毒，甚至死亡。为制止犯罪，保护战友，孙瑞林一边大声呼喊，一边勇敢地扑向罪犯，不幸又被迎面泼来的氢氟酸泼中，身上脸上发出“吱吱”的灼烧声。氢氟酸在空气中迅速挥发，大量毒物呛入他的呼吸道，使他喘息困难，全身剧痛。在生死关头，孙瑞林与罪犯展开殊死搏斗，打落了罪犯挥舞的塑料壶。室内白色烟雾弥漫，面对面看不见人影，在场7名干警已有5人负伤。凶残的罪犯又捡起第二壶氢氟酸向干警猛泼，企图以此开道，夺门而逃。此时孙瑞林再次向罪犯扑去，用身体挡住了大量泼来的剧毒酸液，夺下塑料壶。他的脸大部被烧焦，皮肤脱落，颈部前胸重度烧伤。当战友们扶他走下楼梯时，他还以惊人的毅力俯身抓起散落的罪证。罪犯乘机推开后窗逃跑，被追捕干警抓获。孙瑞林以重伤的身躯组织封锁现场，防止罪证失落，直至昏倒在地。因呼吸道严重中毒，身体大面积烧伤，抢救无效，献出了年轻的生命。

自1983年以来，孙瑞林先后勘查刑事案件现场700多起，出具痕迹鉴定书82份，利用痕检技术手段直接破案48起，经临案实践，正确率达100%。1989年1月至1992年6月，他组织和参与侦破各类刑事案件426起，在百起重大案件的侦破中发挥了关键作用。他分管的刑事技术工作成绩突出，被市局作为典型召开现场会推广。他以严格的科学态度对待每起刑事案件，从未办过一起错案。自1984年以来，先后5次被评为全县公安系统文明干警和先进工作者，两次受到县局嘉奖，两次被评为县级优秀共产党员。他牺牲后，江苏省人民政府批准他为革命烈士。

〔花淑兰（女）·评剧花派创始人·舞台生活五十五周年〕　1992年4月24日，深受东北观众喜爱的评剧花派创始人花淑兰从艺55周年纪念活动，在沈阳拉开了帷幕。

出席纪念会的有辽宁省政协、省文联、沈阳市委、市府领导人和评剧界知名人士刘小楼、韩少云、筱俊亭等，及长期与花淑兰同台共事的艺术伙伴、新朋老友。与会人士高度评价花淑兰为评剧事业所作的贡献，盛赞她不仅创立了花派艺术，而且努力培养了青年一代。64岁的花淑兰，身着大红色毛衣，率领从长春、哈尔滨、天津、秦皇岛、牡丹江、本溪、鞍山、沈阳等地而来的11位学生登台，花淑兰说：“我所以取得今天的成就，是党的培养和广大观众的厚爱，我感谢党和人民的哺育，今后要把毕生的精力，奉献给祖国的戏曲事业。”花淑兰连续四天和弟子同台演出花派剧目，场场爆满，观众们深深为她的艺术成就和不断创新的热情所感动。

花淑兰，1929年生于评剧故乡河北唐山市，10岁随母习艺，后拜评剧前辈刘子西为师，此后即在冀东一带登台演出，因嗓子好，表演活引起人们关注。1945年张家口光复，恰逢她在当地，即参加了《白毛女》、《血泪仇》、《兄妹开荒》等新戏演出，较早地接受了革命文艺思想的教育，艺术上成长较快。全国解放后，相继在锦州评剧院、辽宁评剧团、沈阳评剧院工作。

花淑兰自小喜欢评剧名旦爱（莲君）派艺术，尤其欣赏其跳跃而富有弹性的“疙瘩腔”，经常对照唱片揣摩探索，后得爱莲君琴师、鼓师帮助吊嗓说戏，受影响更深。小时因嗓音高亮，曾苦学评剧名旦刘（翠霞）派高亢激昂的唱腔，并吸收北方戏曲艺术的营养，融入自己的唱腔，故早在50年代就逐渐形成自己刚健俏丽的艺术风格。花淑兰嗓音甜脆，音域宽，共鸣好，多使用高腔、高调、高音起唱，行腔给人一种清新爽朗之感，这也反映了东北人民的个性。

花淑兰戏路宽，生旦文武兼能。最初擅长花旦戏，《茶瓶计》是她早期的花旦戏的代表剧目。1953年，在东北地区戏剧观摩演出大会上荣获剧本奖、演出奖、导演奖、音乐奖，她本人荣获优秀表演奖。该戏唱腔充分体现了花派特色，既有欢快奔放的高腔，又有活泼跳跃的疙瘩腔。特别是"窥婿"一场，创造性地将评剧垛板与二立板混合使用，把细腻的装饰音和上下滑音巧妙地结合起来，运用了过板、内板、顶板及顿音的演唱技巧，出色地塑造了小春红伶俐顽皮的音乐形象，堪称评剧精品。

花淑兰中期和后期的代表剧《谢瑶环》、《半把剪刀》、《牧羊圈》、《黛婼》、《海峡情泪》等均很出色，不仅擅演花旦戏，还扮演了青衣应工的赵锦棠、彩旦应工的陈快腿及小生应工的谢瑶环以及少数民族姑娘、女经理等。

近十多年来，花淑兰跑遍东北、华北等地，卓有成效的教授了一批学生。1989年，在文化部举办的振兴评剧观摩演出时，她的弟子获得最高奖的竟有六位之多，在1991年全国青年调演中她的七名学生获得优秀表演奖。数十年来由于她的努力，使花派艺术延绵流传。花淑兰现任辽宁省戏剧家协会副主席。中国共产党党员。

〔严济慈·著名物理学家、全国人大副委员长·应聘为中国科学院学部主席团名誉主席〕　1992年4月25日，在中国科学院第6次学部委员大会上，学部主席团决定聘请著名物理学家严济慈为中国科学院学部主席团名誉主席。

9月8日严济慈会见了美国田纳西塑胶工程（香港）有限公司和田纳西（深圳）化工实业有限公司董事长、著名化学家、最早在大陆投资的旅美台胞黄照满博士。严济慈对黄照满博士在中国大陆改革开放、吸引外资、创办科技项目方面所作的努力表示赞赏。

严济慈，号慕光，1900年12月4日生于浙江省东阳县。曾获法国国家科学博士学位。九三学社名誉主席。七届全国人大副委员长。

〔苏进·原解放军炮兵副司令员·在北京逝世〕　1992年2月29日，原解放军炮兵副司令员苏进在北京逝世，终年85岁。

苏进，河南郾城人。1925年参加冯玉祥部国民军，先后任排长、连长。1926年秋任国民联军总司令部副官、参谋，后任洛阳军官教导团队长，参加北伐战争。1927年被派赴日本留学，入士官学校。1930年回国，任冯玉祥部西北军总司令部参谋，第14师手枪旅参谋长。同年冬部队改编为国民党军第26路军，任第47旅手枪团团副。1931年12月参加宁都起义，加入中国工农红军，任红5军团15军43师127团团长。1932年1月加入中国共产党。后任红15军44师师长，红1军团随营学校总队长，瑞金红军学校军事主任教员，红军大学参谋科科长，红军特种学校训练处处长。参加了攻打赣州和第4次反"围剿"作战。1934年10月随中央红军长征。长征中任军委干部团上级干部大队政治科科长，红军大学骑兵科科长。到达陕北后，任红军学校骑兵科主任教员，庆阳步兵学校训练部部长。抗日战争时期，先后任陕甘宁边区警备司令部参谋长，八路军120师359旅副旅长，八路军南下二支队副司令员。参加了保卫陕甘宁边区和大生产运动。1945年被选为中共七大代表。抗日战争胜利后，任东北民主联军铁道司令部司令员兼驻中长铁路军事总代表，东北铁路护路军司令员，参与领导恢复东北铁路运输，支援解放战争。1948年秋起任东北野战军总部炮兵司令部副司令员，炮兵纵队司令员，第4野战军特种兵纵队副司令员。率部参加了天津战役和进军中南。中华人民共和国成立后，任解放军炮兵副司令员。1955年被授予少将军衔，获一级八一勋章、一级独立自由勋章、一级解放勋章。是第六届全国政协常务委员。1988年7月获一级红星功勋荣誉章。

〔苏轼·北宋文学家·其故里隆重举行东坡文化节〕　苏轼故里四川眉山县于1992年9月隆重举行第二届东坡文化节，三苏（苏洵、苏轼、苏辙）塑像及诗碑同时揭幕。来自海内外的三苏后裔、苏学专家、书画家及经济界人士一万多人参加了开幕式。与此同时，全国苏轼学会、三苏资料中心正式挂牌，三苏生平陈列馆和大型三苏故事蜡像馆正式开馆。

苏轼（1037—1101），字子瞻，号东坡居士。在三苏中成就最大。幼时受到家庭文化修养的熏陶和教育，父亲苏洵早有文名，母程氏曾亲课诗书。少年时期即能博通经史，属文日数千言。仁宗嘉祐二年（1057）中进士，受到文坛领袖欧阳修的赞赏，说："老夫当避此人，放出一头地。"先后任福昌主簿、凤翔判官及殿中丞。神宗时，不满王安石变法时的过激做法，上书站在旧党一边，并请调外任，初为杭州通判，后转知密州（今山东诸城）、徐州（今江苏铜山），湖州（今浙江吴兴）。元丰二年，因写诗讽刺新法，被捕解京，入御史台狱，这就是当时著名的“乌台诗案”。出狱后贬为黄州（今属湖北）团练副使。神宗死后，旧党司马光上台，苏轼又奉召回京，任翰林学士兼侍读、龙图阁学士等官。因不满司马光对王安石变法全盘否定，复受攻击，又请外调，出知杭州等地。哲宗绍圣元年，新党再度执政，横遭报复，被贬到惠州（今广东惠阳）、儋州（今海南岛儋县）。在儋州期间，过着“食无肉，病无医，居无室，出无友”的悲惨生活。徽宗即位，赦还，次年卒于常州。

苏轼仕途上不得志，一生屡遭打击，曾有“问汝平生功业，黄州惠州儋州”自我解嘲的诗句。但他心胸十分旷达，贬为地方官期间，每有政绩。他关心民生疾苦，为老百姓办好事。任徐州知州时，黄河洪水泛滥，他亲自率领军民筑堤堵水，保全了一城人的生命财产。知杭州时，遇上大旱饥疫，他办理赈济，开设医坊，救治了不少人。他还疏浚西湖，兴修水利，灌溉民田，葑泥筑堤，就是有名的“苏堤”，一直为人所称道。

苏轼在文学艺术上有多方面的才能，散文、诗词、书画都有极高成就。他的文章如波澜迭出，变化无穷。无论什么样的题材，在他的笔下都表达得新鲜贴切又明白晓畅，具有很强的感染力。如前、后《赤壁赋》用古文的笔调写赋，叙事、写景、抒情、说理浑然融为一体，想象丰富，哲理深邃，有浓厚的浪漫主义色彩。散文《石钟山记》把游记和抒情紧密结合起来，从石钟山命名意义的探求过程，谈到要正确认识客观事物，必须进行实地调查，反对主观臆断，文笔酣畅，说理透彻。这类优秀的作品，为宋代古文创作开辟了崭新的天地。诗歌创作方面，他继欧阳修、梅尧臣之后，进一步扩大了题材范围，风格清新豪健，善于用夸张、比喻的艺术手法，达到明快、自然、圆熟的境地。少数诗篇能反映民间疾苦，指责统治者的奢侈骄纵，如《荔枝叹》。也有一些作品表现保守的政治观点和消极情绪。苏轼对北宋词风的转变有突出的贡献。他开拓了词的领域，突破音律形式的束缚，一扫当时绮艳柔靡的风尚，开创了豪放词派，对后世有很大的影响。《念奴娇、赤壁怀古》等词是千古传诵的佳作。据南宋俞文豹《吹剑录》记载：“东坡在玉堂（翰林院），有幕士善讴。因问：‘我词比柳（柳永）词如何？’对曰：‘柳郎中词，只好十七、八女孩儿，执红牙拍板，唱杨柳岸，晓风残月；学士（苏轼）词，须关西大汉，抱铜琵琶，绰铁板，唱大江东去。’公为之绝倒。”从这段故事中，可以看出苏轼和柳永的不同词风，也可以体会出宋词中婉约派和豪放派的不同特点。此外，苏轼还是著名的书画家，擅长行书、楷书，取法颜真卿、杨凝式而自创“苏体”，与蔡襄、黄庭坚、米芾并称“宋四家”。论画主神似，善画竹及枯木怪石。书法存世者有《答谢尼师论文帖》、《赤壁赋》、《黄州寒食诗帖》等。画迹有《竹石图》等。

苏轼的著作很丰富，有《东坡全集》、《易传》、《书传》、《东坡志林》、《仇池笔记》等。清王文诰纂有《苏文忠公诗编注集成》，今人龙沐勋有《东坡乐府笺》。

苏轼父苏洵（1009—1066），字明允，眉山（今属四川）人，和儿子苏轼、苏辙都以文学著名，世称“三苏”。相传他 27 岁时才开始发奋读书，刻苦攻读古代典籍，终于精通六经百家的学说。仁宗嘉祐年间（1056—1063），苏洵和苏轼、苏辙同入京都，得到欧阳修的推誉，并把他的著作二十二篇进献皇帝，由此文名大著。

苏洵的著作以史论和政论为主。他写的《六国论》（《权书》第八篇），分析战国时代六国灭亡的原因在于“赂秦”，指出向敌国供奉实际上增加敌人的力量，削弱自己的力量，必然招致祸败，应该引以为戒。他的文章继承《战国策》、《孟子》以及韩愈的古文传统而有所发挥，笔力雄建，善于辩析，语言明畅，形成独特的风格。明代以来，被列为唐宋八大家之一，著有《嘉祐集》15 卷。

苏轼弟苏辙（1039—1112），字子由，自号颍滨遗老。年十九，与其兄苏轼同登进士科，后又同策制举，累官尚书右丞、门下侍郎。他在政治上很不得志，曾被谪官雷州、永州、岳州等地。晚年筑室于许（今河南许昌市），因自号颍滨遗老。苏辙为文，一如其父兄，以策论见长，力倡“养气”说。著作很多，文集名《栾城集》。他在散文方面的成就不及其父兄，但亦自有特点，也被列为“唐宋八大家”之一。

〔苏策·军队作家·长篇传记文学《名将之鹰》出版获好评〕 1992 年初，苏策描写我军著名将领陈赓大将的传记文学《名将之鹰》由上海文艺出版社出版，引起文艺界广泛重视并获得很高评价。著名老作家陈荒煤在《人民日报》上撰文说：“这样的写法，难度很大，既如作者所要求的，要简洁、精练地加以编写，又要写出陈赓大将人物的形象来。而我觉得，苏策可以告慰自己了，我读了之后，觉得他的确完成了这个任务，的确很精练地写出了陈赓的人物的形象，而且真实感人。难能可贵的，是作者没有忘记，传记人物的真实、可信、生动，不可缺少的一面，是人物的内心活动和精神世界的揭示，或者说充分展示人物的心态。而长期以来，我们的文学作品在表现革命领袖人物、英雄人物形象时，都总是回避、掩盖这一点。”陈赓大将的夫人傅涯看完《名将之鹰》后致函苏策说：“我觉得写得不错。比较严肃。而且写陈赓不是孤立去写，把事业和他捆在一起，给人印象较深。谢谢你。”

苏策，1921年出生于北平，从小就喜爱文学。在艺文中学（今北京市28中）读完初中二年级，因家贫辍学，到工厂做学徒工。受“12·9”学生运动鼓舞，于1937年1月离家赴山西参加革命。抗日战争开始参军，历任战士、班长、排长、宣传员、宣传干事。解放战争期间任宣传科长。这期间他写了大量的歌曲、话剧、快板剧以及为战争服务的通讯报道、特写等。《我们的小组长》及《战斗动员》两篇特写，曾发表在抗日战争中延安的《解放日报》上。

解放战争后期，他开始写小说，第一篇作品《小鬼与团长》发表于1951年《解放军文艺》创刊号上。

1950年苏策随部队进入云南，1951年任云南军区文化部副部长，1955年任西藏军区文化部长。这期间他出版了中篇小说《红河波浪》、短篇小说集《生与死》和《雀儿山的朝阳》。1957年他被错划为右派，下放到重庆的矿山当工人。1961年摘掉右派“帽子”，不久调回昆明军区任创作员。但那时“左”风极盛，无法写作，接踵而来的“文化大革命”，他又受诬陷被关进监狱达七年之久。

1979年2月，他得到彻底平反，重新被任命为昆明军区文化部副部长兼创作组长。新时期政治路线带来了文艺思想的解放，他掀起了第二次写作高潮，陆续出版了长篇小说《远山在落雪》，短篇小说集《微笑》和《同犯》，长篇传记文学《名将之鹰》，还发表了百余万字的未成集的文学作品。

〔苏应宽·妇产科专家·在其设计指导下世界首例宫腔配子移植婴儿诞生〕　世界首例宫腔配子移植婴儿，1992年5月15日清晨5时在山东济南诞生。这项生殖医学助孕工程领域中的创新性成果，是在著名妇产科专家、山东省立医院苏应宽教授设计和指导下，由该院陈子江博士、冯云医师及妇产科生殖医学研究室共同完成的。他们在经典的体外授精和胚胎移植技术（即试管婴儿）的基础上，进行了大胆改进和创新，对一位27岁结婚5年不孕的妇女，采用超排卵技术，经超声指引、阴道穿刺取卵，直接将成熟卵子和其丈夫的经处理精子一同移植到宫腔内，获得临床妊娠成功。据苏应宽在5月19日向当地新闻界和有关部门同志介绍，这项助孕技术，改进了经典“试管婴儿”培育的程序，省去了体外授精及早期胚胎培养这个最复杂、最精细的步骤，从而能够为更多的临床单位和不孕症患者所接受。凡因双侧输卵管缺损或丧失功能的不孕者，皆可施行这项助孕手术。经情报资料检索证实，目前国际上尚无用完全与此例相同方法产生的婴儿。

苏应宽，1918年5月生。广东南海人。1943年毕业于上海医学院。在上海医学院附属医院妇产科任住院医师、总住院医师。1946年起在上海红十字会第一医院（华山医院）、上海中山医院任妇产科主治医师。1949年6月起任山东医学院副教授、教授、妇产科教研室主任，同时任山东省立医院妇产科副主任、主任。1962年起任山东省立医院副院长，1979至1987年任山东医学院副院长。

早在五十年代，苏应宽参与主编我国第一本《妇科手术学》，和全国大专院校教学用《妇产科学》。七十年代参加主编《实用妇科学》、《实用产科学》、《妇产科手术学》。在1978年全国科学大会上，《实用妇科学》获一等奖。

苏应宽兼任山东省科协副主席，是第三、第五届全国人大代表，全国首批博士研究生导师之一，也是首批被国务院评为有突出贡献的专家之一。

〔苏德荣·汽车驾驶员·获全国优质服务驾驶员称号〕　多次被授予优秀共产党员、优质服务标兵、爱国立功标兵等称号的首都汽车公司驾驶员苏德荣，1992年5月在全国城市交通系统服务竞赛活动中，又被国家建设部评为全国优质服务驾驶员。

苏德荣，北京市人，1954年11月13日生，1970年12月参加人民解放军，1975年8月加入中国共产党。1973年从海军复员后，先在北京市公共交通总公司开车，后调入首都汽车公司第二分公司。苏德荣开的是旅游大轿车。他严格执行公司的服务标准，坚持站立服务，报号服务。他站在车门口迎接乘客，搀扶行动不便者，无论雨中还是烈日下，都一丝不苟，总是等最后一位乘客上车后，才回到驾驶位置。客人坐定，苏德荣先致简短的欢迎词，缩短同乘客的距离。一次，他拉宾馆的工作人员去游览，拿起话筒他亲切地说:“同志们，你们在宾馆工作很辛苦，整天伺候别人。今天请舒舒服服地坐我的车，我伺候你们一天。尽情地说吧笑吧喝吧！”

为了搞好服务，苏德荣利用业余时间，自学了《伦理学》、《美学》、《心理学》等专著，一本二百多页的《北京城市导游》被他翻成了毛边。他还广泛阅览各种报刊杂志，学习旅游知识。他还总结服务中的经验体会，编出40余首顺口溜。如：中小学生“天真活泼爱打闹，拥上拥下车内跑”，要“热情多照料，鼓励多诱导”；旅游团体有时“一人晚来大家急，七嘴八舌话不一”，这时就要“避免矛盾转话题，介绍社情和古迹”。苏德荣对乘客体贴入微，把服务工作做到了艺术化的程度。乘客游览后回到车上，他打开录音机，放几首动听的音乐。看到人们疲倦起了睡意，便关掉录音机，快到住地时再用美妙的乐声唤醒大家。

苏德荣热情周到的服务，受到顾客广泛的赞扬。有一次，参加解放军学雷锋座谈会的朱伯儒、李润虎，张子祥及雷锋班历任班长乘坐苏德荣开的大轿车，大家依次郑重地向他行军礼致敬。

〔杜剑华·原解放军炮兵顾问·在北京逝世〕　1992年10月29日，原解放军炮兵顾问杜剑华在北京逝世，终年78岁。

杜剑华，山东沂水人。1937年5月参加中国工农红军，1938年加入中国共产党。曾任抗日军政大学军事教员、教员训练队队长、军事副主任教员、军教副股长，抗大南下干部大队参谋长，抗大五分校军教科科长，新四军第7师教导大队训练处处长、司令部训练科长兼干训班主任，抗大十分校副教育长等职。先后参加了皖江地区反顽战斗和枣庄、泗县、淮阳等战斗。抗日战争胜利后，任第三野战军7纵队司令部作战科科长，华东特种兵纵队炮兵团参谋长、副团长、团长。参加了南麻、临朐、金乡、菏泽、睢杞、淮海、渡江、上海等战役、战斗。中华人民共和国成立后，任云南军区炮兵主任兼炮兵第4师师长。1950年赴越南战地考察。回国后任重庆炮校校长，军委炮兵技术部副部长、部长，第二炮兵副参谋长、炮兵军政干部学校校长，解放军炮兵副参谋长、炮兵顾问。曾获二级独立自由勋章、二级解放勋章。1988年7月获二级红星功勋荣誉章。

〔杨冬（女）、肖蕾（女）、陈若茵（女）·杂技演员·主演《女子大跳板》获法兰西共和国总统奖〕　1992年1月，中国战士杂技团女演员杨冬、肖蕾、陈若茵等12人参加在法国巴黎举行的第十五届“明日”世界马戏节，她们表演的《女子大跳板》，在美、俄、德、加等17个杂技强国的48个精采节目的激烈竞争中，技压群雄，一举夺魁，荣获金奖第一名——“法兰西共和国总统奖”，受到国际杂技界的赞扬，为祖国赢得了荣誉。

杨冬，1971年生，河北保定人。从6岁起进行了9年的体操训练后，于1986年考入战士杂技团，曾主演《蹬板凳》等节目。她意志坚强，吃苦耐劳，在《女子大跳板》中担任“底座”，在完成“单底座五接人”等高难动作中，表现出超过男子的技艺和惊人耐力。肖蕾，1978年生。天津市人。5岁起进行体操训练。1989年底考入战士杂技团，曾主演《空中飞人》等节目。她在《女子大跳板》中，从七米高空“后空翻四周”，不用保险绳而准确落地，惊险扣人。陈若茵，1981年生。广东海丰人。1986年考入战士杂技团，曾演出《吊子飞人》《高台定车》等节目。在《女子大跳板》中她做的“后空翻上五节人”高难动作非常出色。她们三人在《女子大跳板》获奖后，都荣立一等功。

《女子大跳板》的其他演员是：贾娟、李亚萍、伍莺、钟晓杰、钟羽、刘芳、陈旸、吕艳婷、罗秋红。编导兼教练是宁根源、罗宝山、蔡荣华。由于这个节目打破了历来跳板由男女混演的的格局，所有砸、扛、接、翻动作都由女演员完成，因而一开始就引人瞩目。在创作、加工过程中，编、教、演团结奋战、群策群力、攻克一系列高难动作，完成了内容与形式相统一的新颖的艺术构思，音乐、舞蹈和舞美设计也都为表现女兵的勇敢、矫健、刚毅而大胆创新。1991年5月，这个节目在第三届全国杂技比赛中获“银狮奖”，被誉为“洋为中用的典范”。

〔杨光·贵州铝厂厂长·获全国“五一”劳动奖章〕　贵州铝厂是个有两万多职工的大型企业，也是我国最大的电解铝生产基地。厂长杨光坚持以改革为动力，把企业管理和技术进步做为企业发展的两个轮子，不断强化企业管理，努力转换企业经营机制，调动了职工积极性，1992年前9个月，该厂实现利税1·59亿元，突破历史纪录。1992年4月29日，杨光被全国总工会授予“五一”劳动奖章。

杨光，1937年1月生，吉林省人。1964年毕业于东北工学院。曾在鞍钢工作多年，担任过高炉党支部书记、办公室主任、鞍钢经济研究所副所长、企管处处长等职。1983年调任中国有色金属工业总公司沈阳公司副经理。1990年4月任贵州铝厂厂长。他到任40天后，在深入调查、全面分析贵铝历史和现状的基础上，提出了“全厂抓管理、干部抓作风、职工抓纪律”的治厂原则和“以人为本”的管理思想。他亲自组织制订了从总厂厂长到岗位工人，生产一线到后勤服务，总厂机关到车间班组的工作标准5078个，进一步理顺了职工“个个有职责，办事有标准”的管理秩序，提高了工作效率，1991年劳动生产率比上年提高13·2%。同时，他在铝厂率先改革人事、劳动、工资三项制度，精简了机构、压缩了非生产人员，使300余名干部充实到生产一线，形成了“干部能上能下、工资能升能降、职工能进能出”的竞争机制。

杨光坚持科技是第一生产力的观点，把推进技术进步作为企业发展战略重要一环。他充分信任、大胆使用有真才实学的专业技术人员，对有突出贡献和显著成绩的予以重奖。凡遇重大技术改造、开发项目，他都亲自参与。并根据市场需要，调整产品结构，使企业在日趋激烈的市场竞争中立于不败之地。1991年市场疲软，他们的铝锭不仅没有积压，而且供不应求。1992年销售收入达8·65亿元，创历史最好水平。

为发展我国电解铝工业，杨光于1991年底力排众议，投资1900余万元，加速大型电解试验槽工程建设，并亲自解决大型槽用电线路、阳极、铸铝等技术问题，使国内最大的4台180千安大型试验槽于1992年9月2日正式通电运行，为中国有色金属工业的发展提供了一个重要科研基地。

杨光是位造诣很深的企业管理专家，长期担任中国企业管理协会理事，其主编的《鞍钢企业管理》、《企业管理概论》、《有色金属工业企业管理学》等书，在全国工业企业中均有较大影响。1989年被中国有色工业总公司授予优秀企业家称号，并获金牛奖。

〔杨耀·已故著名家具研究专家·纪念其九十诞辰学术研讨会在苏州举行〕　1992年10月15日，中国明式家具学会在苏州举办了纪念我国著名的明式家具研究开拓者，明式家具研究学者杨耀教授诞辰九十周年国际学术研讨会。七十余名中外学者与会，宣读论文，进行学术交流。

杨耀（1902—1978）字扬，北京市人，生于清光绪二十八年三月，卒于1978年8月。家境贫寒，是自学成才的著名家具研究专家。

1932年任北京协和医学院建筑师，1944年任北京大学工学院教授。1950年后历任中央人民政府中直机关修建处设计室副主任，甘肃省建工局副局长，兰州市公园修建委员会副主任。1962年后，任建筑工程部北京工业建筑设计院总建筑师、标准建筑设计研究所总建筑师、中国建筑学会理事等职。

杨耀是著名的明式家具研究专家。早在本世纪三十年代起就用现代科学，现代美学和考据学的知识并用科学的方法研究我国古典家具，开拓了“明式家具研究”这一新学科，并作出了巨大贡献。他协助古斯塔夫·艾克教授于1944年编著出世界上第一部明式家具专著《中国花梨家具图考》(Chinese domestic furniture)。并发表了在国内，在世界范围内首批有学术价值的论文，在论文中首次提出对中国古典家具研究按使用功能进行分类的主张。在大量调查研究和亲身观测的基础上，对中国细木工众多精巧的榫卯进行了总结和命名。在中国首次按科学投影几何的方法测量和绘制了数量众多的明式家具结构图和现代家具图纸，这批图纸具有很高的科学性和学术价值。

杨耀还十分重视家具生产的工艺技术，家具结构，家具构造榫卯以及家具尺度与人体的关系，强调把明式家具作为古代物质文化的一部分加以研究和总结。在研究中既注重家具的物质性、技术性，又注重总结家具造型美学的成就，因此为后人开辟了一条研究明式家具科学的、正确的道路。

杨耀主张对明式家具研究要古为今用和古意新创。1959年他主持了北京人民大会堂甘肃厅的室内及家具设计，1962年主持和组织了中国硬木家具的出口创汇工作。

杨耀还注重对家具设计研究人员的培养,他多次到工厂讲演，办家具设计培训班，为我国培养了一批家具设计人员和古典家具研究人才。

他去世后，其主要论文和图纸结集为《明式家具研究》一书出版。

〔杨文意（女）·泳坛名将·获二十五届奥运会一项冠军一项亚军，并打破一项世界纪录〕　在1992年巴塞罗那奥运会上，人称中国游泳队

“五朵金花”之一的杨文意，在 50 米自由泳决赛中，以 24 秒 79 的成绩打破她本人保持四年之久的 24 秒 98 的世界纪录，夺得这一项目的冠军。此前，她与队友一道赢得女子 4×100 米自由泳接力银牌。

杨文意，1972 年 1 月 11 日生于上海，身高 1 米 78，体重 65 公斤。6 岁入上海市体育俱乐部少体校游泳班，开始在严伟莉教练指导下学游泳。1984 年入上海市游泳队，1986 年 2 月，14 岁的杨文意被选入国家游泳集训队。1987 年首次破仰泳全国纪录，同年 8 月创 4×100 混合泳接力亚洲最好成绩，列当年世界第四。1988 年在广州游出仰泳亚洲最好成绩，混合泳接力金牌；4 月 11 日，在女子 50 米自由泳决赛中以 24 秒 98 的成绩夺得金牌，并刷新 25 秒 37 的世界纪录。1988 年汉城奥运会以一臂之差败在奥托名下，而夺得银牌。她似乎沉寂了太长时间。

四年后，杨文意终于在巴塞罗那奥运会女子 50 米自由泳决赛中再惊世人。

杨文意事迹与简历，参见 1988 年、1992 年《中国人物年鉴》。

〔杨为农·农民书画家·被中国书法艺术研究院聘为教授〕　1992 年 6 月 20 日，美籍华人物理学家，诺贝尔奖获得者杨振宁教授访问安徽巢湖时，杨为农应市政府之约创作一幅由 100 个篆刻“寿”字组成一个大“寿”——《百寿图》，作为礼品赠给杨振宁教授。杨振宁接受《百寿图》喜形于色，并风趣地说：“我们姓杨的还出了这样的艺术家。”9 月，他的书画作品参加淄博《国际中华书画艺术临摹大展》分别获优秀奖、三等奖。同年，他被中国书法艺术研究院聘为教授。

杨为农，本姓赵。1951 年 2 月生，安徽巢湖人。初中还没毕业就下乡种田，农事之余，他在旧木桌上放块古砖当纸，一碗水、一枝笔，不畏酷暑严寒孜孜学书。到了而立之年，得书法理论家李明回指教。1986 年，杨为农移居巢湖市办起了水角斋画社，以绘画、金石、裱画、装璜为业。

杨为农对战乱和“文革”时期祖国的灿烂文化、珍贵艺术遭毁灭性破坏深感痛心。为继承我国文化遗产，推动人类文明的发展，他开始探索画仿古书画。悉心临摹，潜心研究，创作出大量的形神毕肖的作品。如黄慎《钟馗》、《南极仙翁》，渐江的《山水图》，闵贞的《八子图》、《醉八仙》，李鱓的《兰草》，任伯年的《羲之爱鹅》，八大山人的《老鹰》，形态各异，给人以美的艺术享受。

杨为农的书画作品曾先后在“牧野杯”国际书画大奖赛中获书法优秀奖；在首届《中国·颍州西湖碑林海内外书画大赛》中获国画优秀奖；在中国临沂羲之杯国际书画夺冠赛获国画优秀奖；1991 年，黄山、合肥市分别举办了《杨为农仿古书画展》，中央电视台、安徽电视台、安徽日报等先后作了报道。

〔杨本伦·硕士研究生·志愿到农村带领农民脱贫致富〕　1992 年 10 月底，分配到国家劳动人事部工作一年多的硕士研究生杨本伦，自愿申请到山东省沂源县石桥乡东北庄村当村党支部书记，决心带领沂蒙山区农民脱贫致富，引起了轰动。

28 岁的杨本伦，1982 年高中毕业后考取了山东曲阜师范大学，1986 年毕业后又考取中国人民大学法学硕士研究生。1989 年毕业后分配到令人羡慕的国家劳动人事部门工作。可是，杨本伦却认为，在人生道路上一帆风顺会使人平庸，应该到条件艰苦的地方去闯一番事业。他敬佩在改革开放大潮中涌现出来的一批有胆有识的农村先进人物，他认定中国要富强，就必须带领农民富裕。为了实现这个理想，他甘愿作出牺牲和奉献。1991 年 10 月，他提出先到山东省潍坊市坊子区人事局挂职锻炼一年。这期间，他回到家乡沂蒙山区做了两个月的社会调查，掌握了大量的第一手材料。1992 年初，他在邓小平南巡讲话精神的鼓舞下，带着难以抑制的兴奋心情赶回北京，急切地向劳动人事部领导正式提出了申请，得到部领导的支持和鼓励。10 月底，杨本伦带着组织和工资关系，来到家乡沂源县委报到后，立即奔赴石桥乡东北庄村走马上任。他热情洋溢地到处奔波，为村里找技术、资金和人才。在对采访他的记者谈体会时说：“虽然困难比预想的多，但我既然下决心来了，就决不能让父老乡亲们失望。”

〔杨白冰·当选中共中央政治局委员〕　1992 年 10 月 19 日在中共十四届一中全会上，杨白冰当选为中央政治局委员。

杨白冰，1920 年 9 月 9 日生，原籍四川潼南人。1938 年 1 月参加革命。曾任八路军 129 师政治部干事、第二野战军后勤部政治部组织部副部长。建国后，曾任成都军区政治部副主任、北京军区政治部副主任、军区副政委、政委。1987 年任总政治部主任。

〔杨兰春·豫剧作家、导演·其编导艺术研讨会在北京召开〕　1992年7月16日至17日，中国戏剧家协会、河南省文化厅、河南省文联、中国戏曲现代戏研究会、中国艺术研究院在北京联合举办了“杨兰春编导艺术研讨会”。

杨兰春，1921年生于河北省武安市的农民家庭，1938年参加革命，担任村、区青救会主任，1946年参加八路军，经历了抗日战争和解放战争的考验。解放后，自学成才，进入中央戏剧学院歌剧系学习，曾先后担任河南省歌剧团副团长、河南豫剧院艺术室副主任、豫剧三团团长、党支部书记、省文化局核心小组成员、省剧协副主席、省文联主席等职。

半个世纪以来，杨兰春本人或与他人合作共编导60多出现代戏、古装戏，如《小二黑结婚》、《刘胡兰》、《朝阳沟》、《冬去春来》、《李双双》、《朝阳沟内传》等；还先后为剧团导演了《三哭殿》、《桃花庵》、《抬花轿》、《花打朝》、《寇准背靴》等许多经过加工整理的传统戏。他的作品进一步开拓了我国戏曲现代戏发展的道路，为广大人民群众所喜爱，在我国当代戏剧史上占有重要地位。

研讨会上，文化部副部长高占祥深情地回忆起当年在山东农村搞调查时，一个高中生曾看了杨兰春编导的豫剧《朝阳沟》十七遍后立志扎根农村的往事，赞扬他的作品影响了几代人，为戏曲现代戏的发展做出了突出的贡献。老戏剧家张庚、郭汉臣及河南省委宣传部副部长、省文联主席刘清惠等相继在会上发言。人们评价杨兰春的作品与时代的呼唤、人民的命运息息相关。如他的第一部作品《解放洛阳》，揭露了国民党烧杀抢掠给人民带来痛苦，歌颂解放后洛阳人民获得新生；建国初期，与人合作根据同名小说编写的《小二黑结婚》，成为继《白毛女》之后影响最大的剧作；他的代表作《朝阳沟》，表现城市知识青年同传统观念决裂扎根农村建设社会主义新农村的精神风貌；三年自然灾害时期，创作了《好队长》、《冬去春来》、《杏花营》等，歌颂了党领导人民群众自力更生、奋发图强、战天斗地同困难做斗争的精神；新时期以来，仍壮心不已，保持着旺盛的创作激情。他除了导演《包青天》《抬花轿》、《卖苗郎》、《儿女传奇》等剧作和辅导青年创作外，还创作了《朝阳沟内传》等现代戏，表现在改革开放的时代潮流中，农村生活出现的新的矛盾和新的人物。

杨兰春是现实主义剧作家，强烈的现实主义精神，使他全神贯注于农村生活。他长期坚持深入农村，把农民当成知心朋友，这使他的剧作充满了现实主义戏剧的真切感情和艺术魅力。他笔下的人物形象鲜明，性格独特，语言朴素生动，象他在《李双双》剧中写的唱词“立了秋，秋风凉，梧桐树，落叶黄。一场春风对场雨，一场秋风对场霜。过了白露寒霜降，你的爹临走时没带衣裳。衣裳领子早上好，一对新鞋就要合帮。”可谓道地中原地区农村的语言，字字本色，老少皆懂。而且他还继承了民族传统，努力创新，运用戏曲手段对生活加以提炼规范，走了一条戏曲化、民族化的成功之路，他的代表作《朝阳沟》以戏曲化的表演、情景交融的成套唱腔，出色地解决了内容与形式的矛盾，为亿万人民群众所欢迎。杨兰春在导演工作上也是成绩卓著的，他博采古今中外之长，大胆创造出许多富有新意的戏曲程式和舞蹈语汇。为专家们所赞誉。现任中国剧协副主席、河南省文联顾问、省剧协名誉主席，是中共十一大及四届全国人大代表。

〔杨汉栋·农民速算专家·创立“变式正负单双计算法”获日本横田町算盘制作、使用、研究大奖赛努力奖〕　1992年3月26日，江苏省无锡县农民杨汉栋创立的“变式正负单双计算法”，在日本举办的横田町算盘制作、使用、研究大奖赛中获“努力奖”。有关学者认为，这是杨汉栋30年苦心研究的成果，居国内珠算研究领域的先进水平。

杨汉栋，江苏省无锡县人，1938年1月生，1957年毕业于南京无线电技工学校，后在上海一工厂工作。他从小爱好数学，刻苦学习，曾获一等优秀生与优秀共青团员称号。他从17岁开始研究速算法，1962年被下放农村，身处逆境，仍矢志不渝，坚持研究，创造出一种笔算、珠算、心算三结合的算具，并创造了加减五字珠算法在乘除开方上的应用。根据这一计算原理制成的助算器，能把复杂的乘除题在算盘上用加减法来运算，达到了多位数乘一单元数，一次运算，一口答清。他把这种计算原理编写成文字口诀，取名为“飞乘心算法”，计算速度几可与计算机相比。他的这一研究论文与实物，1978年3月向全国科学大会献礼，曾获国家科委纪念章一枚。

在这一研究基础上，杨汉栋又奋发努力，创造了一套可以在算盘或纸上演算的新算法——变式正负单双计算法，一改过去传统的计算形式。运算时，通过变式，取消了5以上单元数（即6、7、8、9），而且可以在算盘上作正负运算，大大提高了笔算、珠算的应用速度，比传统的拨子算法速度提高24%。

〔**杨伟豪·舞蹈编导·所参加编导的舞剧《丝海箫音》获优秀剧目演出奖**〕　由福建省歌舞剧院舞蹈编导杨伟豪担任总编导的舞剧《丝海箫音》，在92全国舞剧观摩演出中，获优秀剧目演出奖。这部舞剧开拓出了清新的闽南民间舞的舞蹈语汇，以闽南民俗文化中典型的"箫音"为中介，同时融进现代音乐舞蹈的手法，将观赏性和情节贴切地融合在一起，使其极富民俗、民风之情韵和浪漫气息。

杨伟豪，1945年2月生，福建省人。1958年入福建省歌舞团，1959年开始舞台生涯，擅长于民间舞的表演和创作，曾编福建民间舞《彩球舞》和创作大型神话舞剧《水仙花》等。1982年开始从事舞蹈编导工作，同年考入北京舞蹈学院编导系深造。1984年回团后，参与创作民间舞《宝缸》，获福建省第四届音乐舞蹈节创作一等奖，以现编舞技法而创作的《惊蜇》，获省第五届音舞节创作一等奖，其引起观众轰动的双人舞《别妻诗》，在1990年省第六届音舞节中，再次获创作一等奖，从而实现了他摘取福建舞蹈创作的三连冠的志愿。杨伟豪还在《南音乐舞》、《福建省首届艺术节暨建国40周年大型庆祝晚会》、《90国际旅游节庆祝晚会》等大型歌舞晚会任总导演。他热心为少儿们编舞，所创作的《听故事》、《小小花木兰》、《龙年龙舟赛》、《猴子捞月》等作品也频频获奖。杨伟豪是中国舞蹈家协会会员。

〔**杨芙清（女）·计算机软件专家·当选中国科学院学部委员**〕　北京大学计算机系主任杨芙清教授在计算机软件的研究中作出创造性的工作，1991年底当选为中国科学院学部委员，1992年1月3日正式公布。

杨芙清，1932年11月生于江苏省无锡市。1951—1959年先后在清华大学数学系和北京大学数学力学系读本科和研究生，其中有两年多时间赴苏联科学院和莫斯科大学学习。研究生毕业后一直在北京大学工作，历任助教、讲师、副教授、教授、博士生导师，现任该校计算机系主任、系学术委员会主任、校学术委员会委员等职。在教学和科研中都取得了显著成就。

杨芙清在计算机软件特别是系统软件和软件工程方面进行了系统的研究工作，取得了富有创造性的成果。早在五十年代，她在苏联从事的逆编译分析程序研究就被国际同行称为程序自动化早期的优秀工作。回国后，她主持研制了我国第一个能支持高级语言的多道操作系统，解决了资源共享和多道程序协调运行的概念和方法，获得1978年全国科学大会成果奖。七十年代中后期，又主持研制成功了我国第一个全部用高级语言书写的操作系统，学术界评之为具有首创性，在国际上也无先例。该项成果获1985年电子部科技成果一等奖。八十年代以来，她在软件结构与工具、软件设计技术等方面的研究又获部级奖。还先后研制成功软件工程核心支撑环境BETA—85和集成化软件工程支撑环境JB系统，前者获部级科技进步二等奖；后者通过鉴定时被认为是我国首次自行研制成功的集成化软件工程环境，达到了国际水平，这项成果获国家科技攻关重大成果奖。此外，她在软件智能化和应用软件系统等方面也多次获奖。还发表了《操作系统结构分析》等4部著作和科技论文50余篇，在计算机科技界有一定影响。

〔**杨丽华（女）·舞蹈演员·其舞蹈专集画册《舞星风彩》问世**〕　1992年二、三月份，在春意浓浓的昆明，中央民族歌舞团的回族独舞演员杨丽华，向第三届中国艺术节文艺盛会献上了她的舞蹈专集画册《舞星风彩》。展现在人们面前的这本集子，虽只是杨丽华一部分舞台表演艺术的剪影，却向人们展示了一幅幅绚丽多彩的画卷，从中可以看到各民族悠久的文化传统，高尚的审美情趣，以及各民族和睦相处、团结一致、振兴中华的精神风貌。

杨丽华，中国舞蹈家协会会员。1945年生。云南省大理市人。1958年踏进大理白族自治州歌舞团，1959年被保送到北京入中央民族学院艺术系，专修民族舞蹈。在校期间，她刻苦钻研、博采众长，打下了扎实的基本功根底，加深了对民族舞的理解，成为学院的高材生，曾在民族舞剧《凉山巨变》中担任女主角"阿果"。1965年毕业后，调入中央民族歌舞团，担任独舞、领舞、群舞演员，30多年来，她热情洋溢的舞步遍及少数民族地区的山山水水。流光溢彩的丰姿给南斯拉夫、罗马尼亚、马尔他、泰国、日本等国家观众留下了深刻的印象。国内很多民族群众说："杨丽华跳出了我们民族的性格和感情"。在日本，她以一曲轻柔、流畅的傣族舞蹈《水》，引发了满场的喝彩声，被国际友人誉为"跳出了东方女性之美"。到泰国探亲时，泰政府为她在泰义演颁发了荣誉证书。1976年在全国舞蹈会演中，她参加表演的双人舞《草原新花》，被评为优秀节目。杨丽华爱舞蹈，但更热爱自已的故乡、祖国。她曾多次谢绝留居海外的邀请。她说，我的根在中国云南大理，我只不过是苍山上洱海畔开出的一朵小小的山茶。我只想通过我的眼神和舞步，告诉世界各民族的人们，中国的民族舞蹈艺术，是不能只用千姿百态来形容的。它是心的撞击、火的迸发、力的较量、爱的升华。

〔杨丽花（女）·台湾演员·获亚洲杰出艺人奖〕 台湾著名歌仔戏女演员杨丽花，于1992年1月3日在美国纽约林肯艺术中心获美华艺术协会颁赠的"亚洲杰出艺人奖"。美国纽约曼哈顿区并宣布1月3日为"杨丽花日"。

杨丽花，本名林丽，1944年生，台湾省宜兰县人。生于歌仔戏世家，小时就爱上台湾流行最久最广的歌仔戏，4岁即上台跑龙套。7岁时与母亲同台献艺，演出《安安赶鸡》。13岁时放弃学业，加入戏班，开始学徒生涯。初次登场，在《陆文龙》戏中担任主角，因扮相、武功、身段超群而获好评。曾加入宜春园歌仔戏班。18岁加入台湾赛金宝歌仔戏团，赴菲律宾公演《薛丁山》、《陆文龙》等戏，颇为轰动。六十年代初应邀加入台湾正声广播电台，播唱歌仔戏，风靡台湾，成为家喻户晓的歌仔戏明星。1965年随天马歌仔戏团加入台湾电视公司。1980年出任台视联合歌剧团团长，翌年开始训练歌仔戏新演员，带领台视歌剧团巡回演出于台湾各大城镇，其盛况空前。还多次率团赴东南亚、日本、美国等地演出。演出剧目有《侠影秋霜》、《伴鬼闯江湖》等。1990年退居幕后。1976年后，杨丽花还主演歌仔戏电影，其中有《碧玉簪》、《新西厢记》等数十部。

〔杨怀文（女）·生物防治专家·获全国巾帼建功标兵称号〕 中国农业科学院生物防治研究所副研究员、所长杨怀文在生防研究工作中贡献突出，1992年3月获中央国家机关授予的"巾帼建功"标兵称号。

杨怀文，1944年1月生于湖南省浏阳县，1968年毕业于北京农业大学。中共党员。1985年及1992年两次到澳大利亚进行昆虫病原线虫的学习和合作研究。她是"八五"国家重点攻关子专题主持人，并为中澳合作研究项目——"应用昆虫病原线虫防治害虫"主持人之一。该项目还是国家自然科学基金项目。在研究中，她带领课题组的同仁很快研究出一套生产上实用简便、防治效果显著的措施，主要是对培养基加以改进，对线虫标记、回收、贮存技术、清洗工具、系统生产工艺等进行了大胆创新。这种新型杀虫剂经在天津、石家庄、兰州、鞍山、福建沿海等地推广应用于70万株树木，有效地控制了多年来在我国一些地区猖獗危害树木的蛀干害虫——小木蠹蛾、蒙古木蠹蛾和豹蠹蛾。如天津市使用这种杀虫剂三年后调查结果表明，小木蠹蛾危害株数大幅度下降。这项灭杀小木蠹蛾的技术1992年已在东北、西北、华北、东南的许多地方推广。这项研究成果1989年获农业部科技进步二等奖，1991年获国家科技进步三等奖。杨怀文本人被评为中国农科院"三八"红旗手、1991年院"七五"攻关优秀科技工作者，并获1992年北京市总工会授予的"首都劳动奖章"。

〔杨启先·经济学家·主持国家资助研究项目《国有企业经营机制转换的案例研究》 1992年，中国经济体制改革研究会常务理事、经济学家杨启先主持了国家资助哲学社会科学研究项目《国有企业经营机制转换的案例研究》，主张对国有企业进行股份制改造，实现国有企业经营机制的彻底转换。

杨启先，四川重庆人，1951年毕业于四川大学工商管理系，五六十年代长期在国家计划委员会综合局工作。七十年代转到河北大学从事宏观经济管理的教学与研究，担任经济系副主任和计划统计教研室主任。1982到1991年，任国家体改委总体规划局局长和专职委员。现任中国经济体制改革研究会常务理事、研究员，中国人民大学、河北大学、北京经济学院、中国企业管理培训中心和现代市场经济学院兼职教授。

在长达40年的经济工作中，杨启先参加过我国第一到第三个五年计划期间历次计划方案的编制工作，组织和参加过全国经济体制改革中长期规划和年度方案的制定，还多次参加过中央、国务院重要文件和报告的起草，是九十年代中国经济体制改革十年规划和"八五"纲要的主要执笔人，在我国经济体制改革的理论研究与实践中做出了一定的贡献。

杨启先对我国建国以来经济建设的历史和发展的曲折过程有比较系统的了解和深刻的体会，对我国经济体制改革的历史过程、观念变化、经验教训、存在问题以及进一步深化改革的重点和难点等，有比较全面的了解和深刻认识，他主编、出版了《国民经济计划概论》、《中国企业体制改革的基本模式》等书。近年来，他在国内外报刊上发表了各种论文100多篇，几乎涉及了经济体制改革所有主要方面的内容，如《中国经济体制改革向何处去》、《中国经济体制改革的目标模式研究》、《经济体制改革总体规划研究》、《社会主义商品经济浅析》、《论国家调节市场、市场引导企业》、《论社会主义市场经济》等。他的文章注重从我国国情出发，理论联系实际，既有说理性，又有较强的操作性。他对于我国经济改革的观点和思路，在经济学界有一定的代表性，已经被收入1992年北京出版社出版的《中国著名经济学家论改革》一书。

〔杨尚昆·国家主席·强调坚持改革开放把经济建设快点搞上去〕 国家主席杨尚昆在1992年视察各地时，多次讲话，强调要继续坚定不移地全面贯彻执行党的十一届三中全会以来的路线和一系列方针、政策，沿着邓小平同志指引的建设有中国特色的社会主义的道路，一心一意把经济建设快点搞上去。

1月21日至25日，杨尚昆在深圳特区和蛇口工业区考察。他来到工厂企业、渔民家庭、图书馆等处，向大家拜年，并详细了解生产经营和居民生活等方面的情况。作为国家主席，杨尚昆第一次来到沙头角，漫步在中英街上，对这个镇的生产经营情况作了了解。在深圳期间，他先后听取了深圳市及蛇口工业区负责人的工作汇报，对深圳特区十一年来的发展变化表示十分高兴。

1月26日至2月1日，杨尚昆考察珠海市、中山市。在珠海，他考察了江海电子股份有限公司、玻璃纤维厂、正大康地——珠海有限公司和洪湾开发区、湾仔鸿景花园建设工地。在中山市，杨尚昆参观了新城区建设，考察了在“质量、品种、效益年”活动中再创佳绩的威力洗衣机厂，对这个厂坚持“两个文明”一起抓的经验表示赞许。在考察期间，杨尚昆听取了广东省委、省政府的工作汇报。

2月1日至14日，杨尚昆到上海考察工作，与上海各界人士欢度春节，并先后前往浦东新区、漕河泾和闵行开发区，了解对外开放的新进展，两次巡行南浦大桥，看望和慰问当地的建设者。在听取上海市委、市政府工作汇报时，杨尚昆认为上海市委、市政府过去一年的工作做得好，对浦东新区、漕河泾等经济技术开发区在吸引外资、技术，发展生产等方面取得的新进展感到满意。

4月30日至5月5日，杨尚昆考察了大连市部分国有大型企业、三资企业、大连经济技术开发区、旅顺口区，并视察了当地驻军。在听取了辽宁省领导汇报辽宁开放和经济建设的工作思路时，杨尚昆说，大连乃至整个辽宁环境很好，工业基础实力雄厚，对吸引外资具有很大的优势，只要思想解放，政策对头，扎实工作，辽宁大有前途。

8月19日，杨尚昆视察了河北省秦皇岛市，到耀华玻璃总厂察看了浮法玻璃生产线的成型过程。在与省、市负责人和耀华厂的干部、群众交谈中，他在回顾十一届三中全会以来我国改革开放取得的伟大成就后说，搞经济建设，慢了就要落后，落后就要挨打。所有看准了的东西，就要抓住机遇快干，不要无休止地去争论。

在1992年新年到来之际，国家主席杨尚昆对中国国际广播电台海外听众发表了新年讲话。讲话指出，过去的1991年，对于中国来说，是不平凡的一年。在国际风云急剧变幻面前，在国内遭受严重洪涝灾害的情况下，我们的人民表现了坚定的信念，我们的民族显示了极强的凝聚力，我们的国家保持了政治稳定和社会发展，我们的经济建设取得了巨大成绩。我国所以能够取得这些成就，关键在于我们坚定不移地执行了改革开放的政策。我国人民从这一伟大实践中，看到了国家和民族的光明前途，正满怀信心地去创造自己美好的生活。

杨尚昆于1月7日至14日应邀对新加坡、马来西亚进行国事访问。于4月13日至17日对朝鲜民主主义人民共和国进行正式友好访问。6月28日至7月12日，杨尚昆应邀出访摩洛哥、突尼斯、科特迪瓦等非洲三国，同摩洛哥国王哈桑二世、突尼斯总统本·阿里、科特迪瓦总统博瓦尼举行了会谈。这是中国国家主席第一次访问这三个国家。

在中日邦交正常化20周年之际，应杨尚昆主席邀请，日本国天皇明仁和皇后美智子于10月23日开始对我国进行为期6天的正式访问。杨主席举行仪式和宴会热烈欢迎日本天皇、皇后访华。在欢迎宴会上，杨尚昆在讲话时说：“在近代历史上，中日关系有过一段不幸时期，使中国人民蒙受了巨大的灾难。‘前事不忘，后事之师’，牢记历史教训，符合两国人民的根本利益。”日本天皇致答词时说：“在两国关系悠久的历史上，曾经有过一段我国给中国国民带来深重苦难的不幸时期。我对此深感痛心。”这是日本国天皇、皇后第一次访问中国。

在1992年，杨尚昆主席先后与来我国访问的玻利维亚总统帕斯·萨莫拉、吉尔吉斯总统卡尔·阿卡耶夫、印度总统拉马斯瓦米·文卡塔拉曼、韩国总统卢泰愚、智利总统艾尔文举行了会谈。先后会见了来华访问的乌兹别克总统伊·卡里莫夫、尼泊尔首相贾·柯伊拉腊、老挝主席凯山·丰威汉、马绍尔群岛共和国总统马塔·卡布阿、贝宁总统尼·索格格、坦桑尼亚总统阿里·姆维尼、基里巴斯总统阿陶·蒂安纳吉、纳米比亚总统萨姆·努乔马、伊朗总统拉夫桑贾尼、密克罗尼西亚总统贝利·奥尔特、埃及总统穆巴拉克、乌克兰总统列·克拉夫丘克、土库曼总统尼亚佐夫、俄罗斯总统叶利钦、以色列总统哈伊姆·赫尔佐克。

杨尚昆，四川潼南县人，1907年生，1925年加入共青团，次年转为中共党员，1927年到苏联学习，1931年后，任全国总工会宣传部长、党团书记，中共中央宣传部长等职，后到江西中央革命根据地，任第一方面军政治部主任、红军总政治部副主任，红三军团政委等职，参加了长征。1937年任中共中央北方局书记，1945年任中共中央军委秘书长。建国后，任中共中央办公厅主任，中共中央副秘书长、书记处候补书记，中共广东省委书记处书记，省委第二书记，省革委会副主任，副省长，中共广州市委第一书记，市革委会主任，全国人大常委会副委员长兼秘书长，中共中央军委常委、秘书长，1982年起任中央军委常务副主席。1988年当选为中华人民共和国主席，是中共第八、十一、十二、十三届中央委员，1982年当选为中央政治局委员至今。

〔附注：1993年3月27日，八届人大一次会议选举江泽民为中华人民共和国主席，杨尚昆卸职。〕

〔杨国栋·副研究员·发明制服吸毒新药获重奖〕 被誉为“戒毒华陀”的杨国栋，发明了一种新药——安利苏，可成功地制服“人类第三杀手——吸毒”。1992年6月，浙江省和宁波市人民政府，分别奖给杨国栋三万元和两万元的奖金。

面对吸毒逐渐蔓延，败坏社会风气，诱发犯罪，危害社会治安的形势，杨国栋出于医药工作者的责任感，奋发努力，探索如何戒毒的问题。他是中国微循环与莨菪类药的研究开拓者之一，30年来，他长期致力于研究人体发病和微循环的联系，博取信息论、系统论、耗散结构论等理论的精华，创立了“信息——效应——能量”这一发病学的全新理论，并应用这一理论，研究莨菪类药物对人体微循环的调节作用，曾成功地治愈再生障碍性贫血、冠心病、高血脂、癫病以及河豚中毒等许多难治病症。他在研究戒毒中发现，吸毒者一旦毒瘾发作，便涕泪交加，四肢僵麻，精神萎靡，是与微循环障碍有关。因为毒瘾发作时，患者植物性神经功能失调，迷走神经乙酰胆硷分泌过多而出现上述戒断综合症状。于是，他用自己设想的一种能抗衡乙酰胆硷分泌的药物，达到戒毒的目的。经过多次实验，制成戒毒新药——安利苏。1990年底，无锡人民医院徐大立医师首次试验成功，杨国栋非常高兴，接着便率一支医疗队到云南，对曾多次戒毒无效的12名吸毒成瘾者，试用安利苏治疗，患者在十天内全部戒断毒瘾，精神振作，胃口大开，体重增加。一位有28年吸毒历史曾四进戒毒所仍无效的香港同胞经杨氏戒毒法治疗，也彻底戒除毒瘾。截至1992年7月，全国有2000多名吸毒成瘾者采用杨国栋的治疗方法获得新生，戒断率为百分之百。杨国栋的戒毒治疗分两个阶段：第一段三至六天，先给患者每天注射安利苏，使他们在睡眠中度过毒瘾发作期；第二段进入康复期，用中药扶正祛邪，提神通便，增强免疫功能，同时进行心理矫正。整个疗程十天即可结束。由中国药理学会理事长、中国医学科学院教授王振纲，中国检验学会理事长、卫生部检验中心主任叶应妩等九位专家组成的鉴定委员会认为，杨国栋创造的戒毒新法是一项重要的科研成果，与国内外其它戒毒法比较，见效快，疗程短，简便可行，无大的痛苦和副作用，在攻克世界性的戒毒难题中，取得了重大突破。国务委员、国家禁毒委员会主任王芳，很赞赏这种无痛苦的戒断方法，要求尽快总结经验进行推广。联合国卫生组织的官员雷伯特·费希致函杨国栋，赞杨他的非传统戒毒法“很有意义，很有前途”。美、德、奥、马来西亚等国及香港、台湾一些单位，纷纷提出与他合作开发。

杨国栋，1938年生于江苏省泰兴县。中国共产党党员。1960年毕业于浙江医科大学，1962年入上海医大高师班深造，现任宁波市微循环与莨菪类药研究所所长。他还是宁波市政协和市科协的副主席，中国中西医结合学会微循环专业委员会主任委员，九三学社宁波市主任委员。30年来，他潜心研究中西医结合，开拓了微循环与莨菪类药的新路。发表科研论文136篇，取得科研成果20项，有14项通过鉴定，有7项获得省市科技成果奖。1987年，由于创立“信息——效应——能量”发病学的新理论，治愈多种难治病症，被授予“国家级有突出贡献的中青年专家”称号，并获五一劳动奖章。

〔**杨国梁·任人民解放军第二炮兵司令员**〕
1992年11月，中央军委任命杨国梁为人民解放军第二炮兵司令员。

杨国梁，1938年3月生，河北遵化人。1961年加入中国共产党。1963年毕业于北京航空学院。历任国防科委基地处长、基地副司令员、基地司令员。1985年任第二炮兵副司令员。是中共十二届、十三届中央候补委员、十四届中央委员。1988年被授予少将军衔。

〔**杨保中·中学生·获第三十三届国际数学奥林匹克竞赛金牌**〕　1992年7月15日至16日，第33届国际数学奥林匹克竞赛在莫斯科举行。中国代表队的杨保中等6名同学全部获得金牌，并以240分的总成绩获得团体总分第一名。

参加这次比赛的其它5名选手是：江苏省南京师范大学附中的沈凯，42分；黑龙江哈尔滨师大附中的罗炜，42分；四川成都七中的章寅，41分；安徽安庆一中的何斯迈，40分；北京大学附中的周宏，33分。42分为满分。获团体总分第2至4名的代表队依次为美国队、罗马尼亚队和独联体队。

杨保中，河南省滑县人，1975年1月生。1981至1986年，在郑州大学附属小学读书。1986至1989年，在郑州二中读初中。1989至1992年在郑州一中读高中。1992年入北京大学数学系学习。1989年加入中国共产主义青年团。从一年级到高三，他年年被评为“三好生”，或优秀少先队员、优秀共青团员。1986年获首届“华罗庚金杯”少年数学邀请赛三等奖。1989年获全国数学初中联赛河南赛区第一名。1990年获郑州市化学奥林匹克竞赛一等奖。同年还获得全国数学联赛特等奖和全国信息学奥林匹克通讯赛河南赛区第一名。1991年获全国数学联赛河南赛区第一名；1992年因获国际数学奥林匹克竞赛满分，获郑州市团市委授予的“郑州市青年新长征突击手”和郑州一中授于的“特等生标兵”称号。

〔**杨亮功·前台湾“考试院”院长·病逝台北**〕
前台湾“考试院”院长、“总统府”资政杨亮功，因心脏衰竭于1992年1月8日病逝台北市。

杨亮功，1897年生，安徽省巢县人。1920年北京大学中国文学系毕业，。曾执教于天津女子学校，任安徽省立一中校长。留学美国，1924年获斯坦福大学教育硕士学位，1927年获纽约大学哲学博士学位。1928年返国后，历任河南第四中山大学教授兼文科主任，吴淞中国公学副校长、安徽大学校长、文学院代院长，北京大学教授。1933年任监察委员，兼北京大学教育系主任。1938年起任皖赣、闽浙、闽台、监察总署监察使。1948年任安徽大学校长、国民党安徽省党部委员。同年当选国大代表。

1949年到台湾后，任台湾师范学院教授兼教育系主任，“国立编译馆”代馆长。1950年任“监察院”秘书长。1954年任“考试院”考试委员。1968年任“考试院”副院长，1973年任院长。1978年被聘为“总统府”资政。曾任国民党中央评议委员会主席团主席、东吴大学董事长。

著有《中山先生教育思想述要》、《教育学研究》等。

〔**杨洪兵·边防派出所长·被授予边防钢铁卫士称号**〕　1992年1月14日，武警部队第一政委、公安部部长陶驷驹签署命令，授予武警云南边防总队红河支队金水河边防派出所所长杨洪兵“边防钢铁卫士”称号。

杨洪兵，苗族，云南省金平县人，1953年3月17日生，初中文化程度，1969年11月入伍，1971年10月加入中国共产党，1977年退伍后，被招任金平县公安局金水河派出所外勤民警，1990年被编入武警部队金平县边防大队，1984年起任金水河边防派出所所长，现为副营职，少校警衔。

杨洪兵自入伍以来，先后24次受嘉奖，3次荣立三等功，3次被评为优秀共产党员，获得团中央颁发的“边陲优秀儿女”铜质奖章。1979年底，在一次围歼武装歹徒的战斗中，他不幸身中两弹，被射穿右颊和右肩，全身有120余处被手榴弹炸伤，成了二等甲级残废。伤愈出院后，右手残废，面容毁坏，体内有80多块弹片没能取出。上级领导机关考虑到他的身体状况，曾几次安排他到机关工作。然而，杨洪兵没有离开边防，以钢铁般的毅力在101公里长的边境线上坚持战斗。一次接到群众报告，有一走私集团正在边境地区活动，他立即带领官兵直奔边境设防堵卡。途中下起倾盆大雨，山道泥泞路滑，旧伤口被雨水泡得又红又肿，每行进一步都疼痛钻心。他索性坐在地上，用手把弹片从肉层深处往外挤，挤到了皮下，他用刮脸刀划破皮取出了弹片。十几年中，他从自己身上取出米粒大小的弹片 30 多块。一天晚上，一名武装歹徒杀人行凶后携枪潜逃，杨洪兵只身前往原始森林堵截，冒着生命危险同歹徒搏斗，终于将歹徒抓获归案。他曾 12 次机智勇敢地打入走私集团内部，破获各种案件 13 起，抓获各类犯罪分子 400 多名，缴获价值 30 万元的走私物品，为人民追回被盗窃的财物价值 40 万元。

〔杨植霖·原甘肃省委书记、省政协主席·在兰州逝世〕　杨植霖因心脏病突发，经抢救无效，于 1992 年 9 月 10 日在兰州逝世，享年 81 岁。

杨植霖，曾用名王士敏，1911 年生于内蒙古土默特左旗。1925 年参加革命，同年加入中国共产主义青年团，1930 年转为中国共产党党员。在学生时期即投身革命运动，1931 年曾在绥远被捕入狱。出狱后继续组织地下革命武装，带领农民进行抗暴斗争。抗日战争爆发后，先后组织和领导归绥县抗日救国会和抗日宣传队，大力开展抗日救亡运动。日军入侵绥远地区后，他历经艰辛，主动与八路军 120 师取得联系，请求领导。后历任八路军大青山支队绥蒙游击大队大队长兼政委、中共绥西地委书记兼绥中、绥西行署专员、晋绥第二游击区绥察办事处副主任、绥察行署主任。1945 年后任绥蒙政府副主席、主席，中共绥远省委常委、绥远政府主席。

中华人民共和国成立后，杨植霖长期从事和领导少数民族地区的工作，历任内蒙古自治区人民政府副主席、中共内蒙古分局副书记、内蒙古自治区政协主席、中共内蒙古自治区党委书记处书记、内蒙古自治区人委副主席，中共中央华北局委员，中共青海省委第一书记、青海省军区第一政委、青海省政协主席，中共中央西北局书记处书记。“文化大革命”期间，他遭林彪、“四人帮”反革命集团的残酷迫害，蒙受了极大的冤屈。1978 年恢复工作后，先后任中共甘肃省委书记、顾问，省政协主席。他是中共八大代表，第五届全国政协常委、第六届全国政协委员、第七届全国政协常委。

〔杨雄里·生理学专家·当选中国科学院学部委员〕　中科院上海生理研究所所长、研究员杨雄里在视觉生理学基础研究中取得多项世界先进水平的成果，1991 年底当选为中科院生物学部学部委员，1992 年 1 月 3 日正式公布。

杨雄里，1941 年 10 月生，浙江省镇海县人，1963 年毕业于上海科技大学生物系。1980—82 年以访问学者身份赴日本国立生理学研究所进修，获学术博士。1985—86 年为美国哈佛大学外国研究员。1987 年至今为美国贝勒医学院客座教授，亚太地区生理联合会副主席，中国生理学会副理事长，中国科技大学、复旦大学兼职教授，中国科学院生物学部副主任。

杨雄里长期从事视觉神经机制的研究，涉及色觉的心理物理、视网膜电图、视网膜信息处理等几个方面的工作。他应用微电极细胞内纪录、染色技术，并与药理、计算机技术相结合，从不同侧面对视网膜中的信息传递的调控在几个层次上进行了系统研究。他在水平细胞所接受的光感受器信号及其相互作用的几个方面有了新的发现，修正了传统的观点。他和合作者首先报道了视杆——视锥间电耦合因背景光而增强，在国际上被列为八十年代视网膜研究中的突出成果。他还率先发现了视锥信号在暗中受到压抑的新现象，并对网间细胞及几种神经调质的参与机制进行了系统、细致的分析。国际学术界评论杨雄里“对视网膜功能的认识作出了具有根本意义的贡献”。

杨雄里在“视网膜第一突触层的信息处理”的研究中，在国际上首先从形态和生理上成功地鉴定了一种新的水平细胞，这对视网膜疾病发病机制的研究具有显著的指导意义。该成果获中科院 1989 年自然科学一等奖。他在 1988 年被授予有突出贡献的中青年科技专家称号，上海市授予 1989、1991 年市劳动模范和 1991 年市“科技精英”称号。

〔杨献珍·著名哲学家·在北京逝世〕　著名哲学家、教育家，原中共中央顾问委员会委员、中共中央党校顾问杨献珍，1992 年 8 月 25 日在北京逝世，终年 97 岁。

杨献珍 1896 年出生于湖北郧县的一个手工业者家庭，1916 年考入国立武昌商业专门学校。在校期间，参加了“五四”运动。1926 年加入中国共产党，任武汉第三区区委委员。1929 年去上海，在中共中央文委领导下的沪滨书店任编辑。1930 年赴河南开封从事党的地下工作。1931 年 7 月，他受党组织派遣到北平，在与党的关系人接头时被捕，不久即被转到北平军人反省分院（草岚子监狱）。在狱中党支部领导下，同敌人进行了长期、艰难、复杂的斗争。在狱中，他还翻译了《马克思主义的三个来源和三个组成部分》、《卡尔·马克思》、《论民族问题》等经典著作和共产国际领导人季米特洛夫的报告，以及《国际通信》刊载的共产国际文件和国际共运信息，为狱中同志学习和研究马克思主义理论作出了重要贡献。

1936年9月，杨献珍在党的营救下出狱，随即赴太原从事上层统一战线工作，1940年初调中共中央北方局任秘书长，不久又兼任北方局党校党委书记兼教务主任。从此，开始了他漫长的党校教育的生涯。此后，他历任晋察冀中央局党校副校长、马列学院教育长、副院长，为党的干部教育事业贡献了毕生的精力。

杨献珍长期从事哲学的研究和教学工作，在一些理论问题上有着自己的独创性见解。1955年6月，针对当时学术界有人提出我国的经济基础是单一的社会主义经济的观点，他撰写了《关于中华人民共和国在过渡时期的基础与上层建筑》一文，明确提出，我国的经济基础是包含五种经济成分在内的“综合经济基础”。1962年1月，他到西安参观。在阅览《蓝田县志》时，得知宋朝吕公临著有《老子注》一书，阐述了老子“合有无谓之元”的思想，从而受到启发。后来，他在读明朝方以智所著《东西均》时，发现有“合二而一”的提法，进一步引发了他对辨证法的表述的思考。他认为，辨证法不应当只讲斗争性，不讲同一性；不应当只讲“一分为二”，不讲“合二而一”；应当把“一分为二”和“合二而一”结合起来。

在党内生活不正常的年代，杨献珍曾经多次受到迫害和不公正的对待。1959年庐山会议后，他因为发表过批评浮夸风的讲话和文章，受到公开批判，被解除了中央党校校长的职务。1964年，“合二而一”这个学术问题被上纲为“反党”、“修正主义”的政治问题，杨献珍也再一次受到公开批判。“文化大革命”中，康生借中央名义将他逮捕，并开除了党籍，在狱中关押八年之久，后又被下放陕西三年多。中共十一届三中全会之后，他的问题彻底得到了平反。

杨献珍是中共八届中央委员会候补委员、委员，中央顾问委员会委员。他还是第一、二届全国人大代表，第二、三届全国政协常委，第四届全国政协委员。1955年，被聘为中国科学院哲学社会科学部委员、科学奖金委员会委员。

〔杨德芝·化工专家·获国家科技进步一等奖〕　国家医药管理局上海医药设计院高级工程师杨德芝，在完成国家重大科技攻关项目SH—1型乙烯裂解炉的工作中贡献突出，1992年获国家科技进步一等奖。

杨德芝，1940年7月26日出生于江苏省江阴市，1964年7月毕业于华东化工学院化学工程系。后分配到上海业余橡胶学校任教师，1966年3月调入上海石油化学研究所从事科研工作，1985年调入上海高桥石化公司工作，1986年6月调入上海医药设计院至今。

杨德芝1966年3月起从事石油化工科研和设计工作，主要有丁＝烯分离研究、乙烷硝化中试研究和石油烃热裂解开发研究的管式裂解炉辐射段、急冷换热系统的工程设计等。1985年起从事新型乙烯裂解炉的技术开发。1987年承担由国务院重大技术装备办、中国石化总公司下达的新型乙烯裂解炉——SH—1型裂解炉的技术攻关项目，于1990年底完成任务。该裂解炉技术难度大，采用了多种自行开发的先进技术工艺，经工业化实际运转考核，其主要技术指标达到国际八十年代先进水平。该项技术的开发成功对于提高乙烯工业的技术水平和国产化进程具有重要意义，年经济效益在600万元以上，并有显著的社会效益和推广前景。

杨德芝曾获1985年上海市科技进步二等奖、1988年上海科技进步一等奖、1991年国家重大技术装备成果奖、特等奖。

〔李行·台湾电影导演·积极推进海峡两岸电影界交流和合作〕　1992年，是台湾著名电影导演李行数度穿梭往来于海峡两岸，热心推进两岸影界交流和合作取得突破性进展的一年。10月31日到11月7日，由他率领的台湾电影代表团一行应邀携《推手》、《暗恋桃花源》、《阿呆》、《黄袍加身》、《父子关系》、《娃娃》等6部影片参加了在桂林举行的首届中国金鸡百花电影节，和海峡两岸及香港三地电影新作观摩展，使三地影片同时同地一起展映成为了现实。12月17日，应李行先生的邀请，以谢晋为团长的中国电影家协会代表团一行9人，首次实现了组团访台，并受到台湾同行及有关各方的热情接待，为日渐接近的两岸文艺界关系进一步增温。

李行，原名李子达，江苏武进人，1930年生于上海。1948年随家人赴台，是台湾60—80年代最重要的编导之一。李行自中学时代起就喜好戏剧，大学毕业后，曾任其父李玉阶创办的《自立晚报》文教影剧记者，且从事业余电影、戏剧创作活动。1958年改任导演，拍了5年台语喜剧片。1962年，李行为他自己家族所创的自立电影公司执导的第一部国语片《街头巷尾》，使他崭露头角。影片以平实自然的写实手法，真实描述了台北一个平民大杂院中从大陆来台的小人物形形色色的生活，展示了他们的思想情感。被认为是台湾国语片中第一部具有艺术创见的作品。接着他又受聘台湾"中影公司"，一连执导了描写海边渔家男女青年恋爱和生活的《哑女》（与李嘉合导），及描写河畔养鸭人艰辛生活和两代人亲情伦理关系的具有浓厚乡土气息的《养鸭人家》，并且连续夺得了第十一、十二届亚洲影展的最佳影片大奖和最佳编剧奖，成为台湾其时乡土电影热的焦点人物之一。

此后，由于受台湾经济的发展及电影商业性制肘影响，李行曾一度离开自己已然成功的创作轨迹，投入到其它影片的拍摄之中，直至70年代中期又重返乡土写实电影路线。1977年他根据残疾人郑丰喜的自传改编拍摄的《汪洋中的一条船》，以其表现手法朴实自然，人物性格鲜明生动，故事情节跌宕感人，演员表演充满激情，而一举夺得了最佳剧情片奖、最佳导演奖、最佳男主角奖等6项奖。该片在大陆上映后同样受到了广大观众的热烈欢迎。继后李行又拍摄了描写雕刻老艺人与女儿及徒弟的矛盾和伦理亲情的《小城故事》，歌颂小人物亲情、友情、爱情的《早安台北》，以及描写著名作家钟理和一生的《原乡人》，并再度以前二部影片连续夺得金马奖最佳剧情片奖。

近年来，李行担任金马奖执行委员会主席后，除积极推进该奖评选活动而外，还对促进两岸电影界的相互了解和合作投以满腔热情。自1990年应中国电影家协会之邀组团来访大陆以来，曾多次往返两岸为促成交流做了许多工作。他表示一定要在有生之年，为海峡两岸及香港三地电影的整合，为中国电影走向世界作出更多贡献。

〔李忠·军事五项运动员·夺得国际军事五项锦标赛两项冠军〕　1992年9月30日至10月4日，在瑞士布莱姆卡顿举行的国际军体理事会第40届男子军事五项锦标赛上，中国人民解放军八一军事五项队运动员李忠以5542.8分的优异成绩力克群雄，夺得个人全能冠军，并与队友一起以21948.8分的成绩。夺得"戴布鲁斯"杯，在中国军体史上，写下辉煌的一页。

李忠，身高1.75米，体重62公斤，中尉军衔。1969年3月25日，出生在黑龙江绥棱县一个工人家里，父母都是林业工人。儿时，他就非常喜欢长跑运动。1985年，16岁的李忠代表县一中参加了县田径运动会5000米比赛，获冠军。一年后，他代表县队参加绥化地区运动会获冠军。1987年入伍。1988年在大连参加了沈阳军区举行的军事五项比赛，获第13名。同年进入八一队。1991年第一次参加国际军体理事会第38届军事五项锦标赛，夺得个人亚军。1992年终于夺得金牌，并和队友一起夺得"戴布鲁斯"杯。当国际军体理事会官员将金牌挂在李忠的胸前，五星红旗在瑞士兵营徐徐升起的时候，李忠向国旗敬了一个军礼。他心里要想说的话是："祖国，我们军人没有给您丢脸。"

〔李侃·曲艺作家·获"首届全国个体劳动者文艺汇演"节目一等奖〕　1992年9月，中国个体劳动者协会举办的"全国个体劳动者文艺汇演"现场决赛在北京举行。李侃创作的广西文场《月圆情深》，歌颂了劳动服务行业中重视质量、信誉的品德和作风，唱词优美，真挚感人，获得节目一等奖。

李侃，1942年生，湖南岳阳人。先后在桂林就读高中和建筑专科学校，后从事教学。十年动乱中到建筑工地当木工。几年间勤奋自学，磨砺笔墨，从事业余创作提高了写作水平。1979年调入桂林市群众艺术馆，任《桂林文化》（后更名《故事天地》）杂志常务副主编兼编辑部主任。1988年调漓江出版社任编务室主任，1990年4月任副社长。他创作的曲艺集《爱的女神》是建国以来广西第一部地方曲艺的个人结集。此外，还出版过散文集《花坪探奇》（与他人合作）。他还曾发表过中短篇小说20余篇和一批剧本、诗歌等作品。1983年广西壮族自治区人民政府授予他先进工作者称号。他的作品曾多次获奖，其中广西文场《情深意切》获文化部颁发的"全国优秀曲艺（南方片）"观摩演出二等奖。他是中国曲艺家协会会员，广西曲艺家协会副主席，中国通俗文艺研究会理事。1992年8月当选为"全国文艺图书集团"（26家地方文艺出版社的联合体）理事会理事长。

〔李荣·冶金专家·获国家科技进步一等奖〕

冶金部钢铁研究总院高级工程师李荣因完成"CM钢及其制造工艺"的研究，1992年获国家科技进步一等奖。合作完成该课题的还有钟广信、齐连义、唐卫东、杨彪、申辉旺、张保良、刘纪梓、陈林福、钟耘我、滕力宏、刘洪霞、王福刚、沈光基。

李荣，1933 年 8 月生于福建省长汀县，1959 年毕业于哈尔滨工业大学金属学及热处理专业。1959 年至 1978 年在一机部通用机械研究所任工程师、室技术副主任。1978 年至今在冶金部钢铁研究总院工作，任高级工程师。

李荣曾在科研攻关中获过二项部级一等奖、一项部级二等奖和三项部级三等奖。他作为第一完成人发明的“CM 钢及其制造工艺”中的 CM 钢是用来制造铀同位素离心分离机的关键部件——高速转筒的。该转筒对耐压、耐腐蚀、寿命长等条件的要求十分苛刻。该钢在研制过程中，合理选择与设计了成份，采用了高纯冶炼技术，从而保证了 CM 钢的高纯度与高性能。

〔李勃・济南军区原顾问・在济南逝世〕　1992 年 4 月 5 日，济南军区原顾问李勃在济南逝世，终年 80 岁。

李勃，四川平昌人，1933 年加入中国共产主义青年团，1936 年转入中国共产党，次年参加中国工农红军。曾任少共县委组织部部长、县委书记。参加了长征。1936 年入中共中央党校学习。后任红 4 军政治部地方工作部干事。抗日战争时期，任八路军 129 师政治部民运工作团主任，八路军总部特务团组织股股长、后勤政治部组织科科长，军委办公厅协理员，警备 1 旅政治部副主任，参加过响堂铺、神头岭战斗。日本投降后，任热辽纵队第 27 旅政治部主任，冀察热辽军区 18 军分区政治部主任，东北民主联军 8 纵队 24 师副政委，东北野战军第 11 纵队政治部副主任，第 48 军政治部副主任。参加辽沈、平津等战役。中华人民共和国成立后，任军委民航局上海办事处政委、华中管理分局局长，空军第 4 军政治部主任。1957 年毕业于政治学院。后任空军雷达兵部政委，军政委，济南军区空军政委，济南军区政治部主任，军区副政委、顾问。1955 年被授予少将军衔，获三级八一勋章、二级独立自由勋章、一级解放勋章。是第五届全国政协委员。1988 年 7 月获一级红星功勋荣誉章。

〔李渔・包装设计师・获“世界之星”最高包装荣誉奖〕　1992 年 3 月 8 日，联合国世界包装组织巴黎总部电告湖南省进出口商品包装研究所副所长李渔，他设计的“古井春”酒包装，再次获得世界包装最高荣誉奖“世界之星”（1991 年度），并邀请他出席 1992 年 6 月 2 日在英国伯明翰举行的授奖仪式。这是李渔在短短 4 年之内，第 3 次夺得世界包装领域的最高荣誉。1988 年他以“黄龙玉液・湖之酒”的包装设计，首次获世界之星最高荣誉奖，1989 年又以“中国金酒”和“名茶套装系列”（与郭湘黔合作）设计，两摘“世界之星”。在国内外包装界引起轰动。1992 年 3 月 15 日李渔设计的“黄龙玉液”和“名茶套装系列”包装，还分别获中国首届外观设计专利及新产品展览会金奖和优秀奖。

李渔，1963 年 3 月生，湖南益阳桃江人。1984 年毕业于湖南省轻工业专科学校工艺系。他从小喜爱绘画，在学校读书期间，就在省以上报刊上发表过三十多件作品。1986 年他设计的快食面包装获中南星包装优秀奖。1987 年，李渔作为湖南出口产品美国加拿大展销会的工作人员，利用空余时间在两国市场进行调查。他惊异地发现，无论在美国还是加拿大，琳琅满目的货架上基本看不到中国商品。经了解他才得知主要原因是中国商品的包装不行。日本的粉丝质量不如中国的，但因包装好反倒畅销；湖南的瓷器出口到美国，被人换一个包装卖价就高几倍甚至十几倍。事实使他意识到，好的包装是商品打入国际市场的“通行证”。作为一个包装设计师，他深深感到自己的责任。在国外，他放弃旅游的时间，四处观看外国人的商品；回到国内，他一改不爱逛街的习惯，时常到商店去转悠。第一件体现李渔新探索的作品不久问世：一片片古朴竹筒做成的外包装打开，里面是黄色小巾围住瓶口，小巾上还系一枚古钱，高高耸起的酒壶提把，仿佛一条长龙从远古起就饮着这醇香的酒，这就是“黄龙玉液”。当这一作品在第 11 届世界包装大会上推出时，立即得到高度评价。新包装带来了奇迹：原来“黄龙玉液”酒 3 元人民币一瓶销路还一般，一改新包装，以每瓶 2.9 美元出口香港等地。随着一件件作品不断在国内外获奖，李渔也加强了理论探索。1990 年 12 月，他与另一位“世界之星”奖的获得者孙新华合著个人作品及思想理论集《跨越六千年》，联合国世界包装组织秘书长皮埃尔・路易斯亲自为之作序。

李渔事迹参见 1990 年中国人物年鉴。

〔李琴（女）・当选首都女新闻工作者协会会长〕　首都女新闻工作者协会于 1992 年 6 月 12 日举行第二届理事会，选举新的领导机构，新华通讯社原副总编辑李琴当选为会长。

李琴，1923年10月生。河南汝南人。1947年奔赴华北解放区，从北方大学毕业后，分到华北军区后勤部运输组工作。1948年与中央军委总后勤部部长杨立三结婚（婚后6年杨立三逝世）。1949年调新华通讯社，曾任记者、编辑、总编室副主任等职。

1975年9月，中共中央在山西省昔阳县召开全国农业学大寨会议时，江青在会内会外公开散布种种谬论，矛头指向邓小平，干扰和破坏中央关于发展农业的部署。当时任新华社总编室副主任的李琴，与社长朱穆之、副社长穆青把记者汇报的关于江青在大寨的所作所为，联名写信反映给毛泽东主席。"四人帮"发现后极为脑火，下令停止三人的工作，对他们横加迫害。被称为新华社的"朱穆李事件"。

李琴停止工作前，适逢周恩来总理不幸逝世，举国上下沉痛悼念，新华社却接到姚文元的指示：对悼念周总理活动的报道，要低调处理。李琴悲愤交加。当大家议论对"群众在十里长街送总理灵柩，久久不散的悲壮场面"的报道文字，要不要删节时，李琴毅然表示，这是人民的意愿，一定要写上，要删让他们去删。不出所料，姚文元退回的送审稿上删去了这段精彩而感人的描述。为此，李琴被扣上"分裂党中央"的罪名。

粉碎"四人帮"后，李琴担任新华社副总编辑，党组成员。她焕发精神，加倍努力工作。鉴于党的工作着重点转移到经济建设上来，她于1981年7月和几个同志创办《经济参考》报，兼任总编辑。报纸当年便畅销全国。1985年，她又建议创办了《国内经济信息专线》，兼任总编辑。1986年，为了把国内外两个市场沟通起来，李琴又筹办英文《国外经济专线》，并从1987年起逐年在海外开播。在世界信息界权威很高的美国道·琼斯信息公司，对《专线》稿件评价颇高。1988年李琴离职后，担任《经济参考报》和《经济信息专线》顾问。

〔李琦·话剧演员·获第九届梅花奖〕　在1991年全国话剧交流演出期间，李琦在话剧《白居易在长安》中扮演宦官吐突承璀，塑造了一个表面柔顺，内心狠毒；看似谦恭，实则权倾一时、野心勃勃的太监形象，给表演艺术中的"太监"画廊增添了一个极富个性的新作，从而于1992年10月4日，在全国政协礼堂捧走了第九届中国戏剧梅花奖的奖盘和证书。

李琦，1955年出生，陕西省人，16岁进入陕西人民艺术剧院。20多年来，不仅当过演员，还干过道具、灯光、司幕等台里台外、台上台下的活。因此，他"看透"了舞台，能够在舞台上自由松弛地演戏。曾在话剧《女人的一生》、《情祭》中有过出色的表演。在话剧《白居易在长安》中，他对吐突承璀的造型和外部形体动作，作了精心设计，说话尖细，眼神、动作、走路都带女气，但僵硬的脖子老是支着棍儿似的，透出一种做作的倨傲。他还用眼神的变化，笑容的不同，脚步的快慢来展示人物在不同情境中的心态。如在皇帝面前低眉俯首，十分恭谦；在白居易面前软中带硬，阴阳怪气；而在小太监面前则眼露凶光，盛气凌人。刚出场时脚步沉稳，使观众感到这个人物非同寻常，在"庭辩"与白居易斗智一场，又用较急的小碎步，不但表现出人物的心情，也把场上紧张气氛烘托了出来；而在后来郊外踏青的一场中，却改用较慢的方步，既表示了当时吐突承璀想邀买人心、故意缓和气氛的心境，又和悠然游春的人们十分和谐。李琦的这些表演，重视雕琢、设计，富有表现力，不仅激起场内观众的掌声，也赢得专家的赞许，人们认为他的表演有些"表现派"的味道。李琦对《白》剧中的宦官吐突承璀曾做过深入的研究和体验。翻阅过大量史书，得知吐突承璀"状如'妖妇人'"，便在日常生活中注意观察、体验女人做派，表演时常面带笑容，但关键时刻稍一加力，更显出人物阴毒、凶狠之情，令观众不寒而栗。

李琦从小练就一身武功，常能胜任一些艰苦危险的角色。1992年，全国第一个"晚宴戏剧"《Hello兵马俑》在北京月坛体育馆上演，他担任了此剧的主演。这种戏剧形式世界上只有少数几个国家有，它集歌舞、杂技、武打于一体，特别是马上格斗尤为惊险。李琦在剧中骑马腾跃、格斗厮杀，分外骁勇，并能在如此大的场面中注意用语言、表情、动作刻画人物性格，更是难能可贵。

〔李敬·体操运动员·获世界鞍马和双杠冠军〕　1992年4月，中国选手李敬在法国巴黎举行的第1届世界体操单项锦标赛上，夺得男子鞍马和双杠两枚金牌以及单杠的银牌。接着，他在西班牙巴塞罗那举行的第25届奥运会上又获得男子团体、吊环和双杠3枚银牌。

李敬，身高1米67，体重58公斤。1970年3月20日出生于湖南长沙，两岁时迁居衡阳。李敬的事迹与简历参见 1990 年 1992 年《中国人物年鉴》。

〔李景·任人民解放军副总参谋长〕　1992 年 11 月，中央军委任命李景为人民解放军副总参谋长。11 月 18 日，李景会见了巴基斯坦陆军防空军司令纳扎中将一行。

李景，1930 年 3 月生，山东滕县人，1946 年参加中国人民解放军，1949 年加入中国共产党，1952 年毕业于空军航空学校。历任空军飞行中队中队长，海军航空兵飞行大队大队长，团长、副师长、师长、海军副参谋长、海军航空兵部副司令员，海军副司令员兼航空兵司令员，海军副司令员。是第七届全国人大代表，中共十四届中央委员。1988 年被授予中将军衔。

〔李鹏·中共中央政治局常委、国务院总理·在七届人大五次会议作政府工作报告·再次当选中共中央政治局常委·出席联合国安理会首脑会议〕

李鹏于 1992 年 3 月 20 日代表国务院向第七届全国人民代表大会第五次会议作政府工作报告。报告分六部分：一、1991 年国内工作的回顾；二、抓紧有利时机，加快经济发展；三、加快改革步伐，扩大对外开放；四、为经济建设和对外开放创造更好的社会政治环境；五、积极推进祖国和平统一大业；六、关于国际形势和外交工作。报告在谈到抓紧有利时机，加快经济发展时，提出 1992 年经济工作的重点，是抓紧调整结构和提高效益，特别是要在搞好农业和国营大中型企业方面取得更大的成绩。在论述加快改革步伐，扩大对外开放时，强调加快改革开放的关键在于各级干部进一步提高贯彻执行党的基本路线的自觉性，要警惕右，但主要是防止“左”。

10 月 19 日，李鹏在中共十四届一中全会上，再次当选为中共中央政治局常务委员会委员。

新年伊始，李鹏于 1 月 7 日邀请各民主党派、全国工商联负责人和无党派爱国人士的代表，到中南海座谈，向他们通报了我国 1991 年的经济形势和 1992 年的工作打算，并听取大家的意见和建议。3 月 2 日，李鹏主持国务院第十三次全体会议，他在会上讲话时说，我国三年治理整顿的主要任务已基本完成，国民经济转入正常发展的阶段。治理整顿所以能够顺利进行，得益于十多年来的改革开放；治理整顿任务的顺利完成，为进一步深化改革和扩大开放创造了更为有利的条件，我们要抓住国内外有利时机，加快改革开放的步伐，集中精力把经济建设搞上去。现在关键在于落实，最重要的是狠抓实干。6 月 20 日，中共中央就加快改革开放和经济发展问题在中南海怀仁堂举行党外人士情况通报会，李鹏在会上通报了当前改革开放的进展情况和经济形势。他强调，要以邓小平重要谈话精神为指导，进一步解放思想，振奋精神，真抓实干，鼓实劲而不鼓虚劲，齐心协力抓紧办好几件大事，走出一条既有高速度又有好效益的国民经济发展路子。7 月 21 日，国务院举行第十四次全体会议，通报上半年的经济情况，部署下半年的经济工作。李鹏在讲话时指出，我国改革开放和经济建设出现了蓬勃发展的新局面，国民经济已由 1991 年的全面回升进入一个高速增长的新阶段。12 月 29 日，国务院召开农业工作电视电话会议，李鹏在会上指出，当前农业突出的问题是，在农业连年丰收的情况下，农业生产的经济效益下降，粮棉集中的主产区增产多增收少，有的甚至增产减收。许多地方一直存在着卖粮难的问题，今年更为突出，收购粮棉“打白条”现象相当普遍。各种集资、摊派不断加重，“谷贱伤农”、“摊派坑农”已引起农民的强烈不满。李鹏提出了保持农业稳定发展的十项措施，其中包括按期完成国家今年定购粮收购计划，对合同定购粮不得以任何理由限收拒收，不得压级压价；及时全部兑现收购农副产品的欠款，今年已经开出的“白条”，必须在春节以前全部兑现；制止各种违反法规的集资和摊派，国务院关于农民负担不得超过上年人均纯收入 5%的规定，必须严格执行，不准突破，凡是超过限度的，不论来自上边任何部门的文件，一律不办。

在 1992 年，李鹏先后出席了许多重要会议并发表讲话。1 月 10 日，李鹏在教育工作会议上强调，要把建设一支又红又专的教师队伍，全面提高教育质量，摆在教育工作的突出位置。1 月 11 日，李鹏在全国经济体制改革工作会议上谈 1992 年改革重点，是转换国营企业经营机制，使企业逐步成为自主经营、自负盈亏、面向市场的经济实体。1 月 18 日，李鹏在中央民族工作闭幕会上讲话时指出，加强民族团结，维护祖国统一，促进经济和社会的稳定发展，是中华民族的最高利益。我们的总政策和最终目标，是实现全国各地区和各族人民的共同富裕，实现各民族的共同繁荣。3 月 14 日，李鹏在与全国科技工作会议部分代表座谈时重申，“经济建设必须依靠科学技术，科技工作必须面向经济建设”是我国发展科技事业的基本方针，这项基本方针，是党的基本路线与科技、经济工作实际相结合的产物，必须长期坚持不变，并在实践中不断丰富和发展其内涵。11月10日，李鹏在全国加快第三产业发展工作会议上强调，加快第三产业发展是关系全局的重大任务，各级领导都要把发展第三产业作为深化改革，扩大开放，促进经济上新台阶的一件大事来抓。

李鹏在1992年先后到浙江、江苏、冀东、新疆考察，并先后两次带领国务院有关部门领导同志到三峡地区就三峡工程与库区移民进行实地考察，并于11月20日在武汉主持召开国务院三峡工程建设工作会议，研究了成立三峡工程建设领导机构问题，讨论了当前三峡建设工程前期准备工作。他在会上讲话说，兴建三峡工程是一件功在当代，利在千秋，全国人民关注的大事，全国都要积极支援三峡工程建设。三峡工程要用市场经济的办法进行建设，用现代化的经济管理办法进行管理。

联合国安理会首脑会议于1月31日在纽约的联合国总部开幕，这是联合国47年历史上第一次举行安理会成员国首脑会议。李鹏出席并在开幕会上发言，就国际形势、建立国际新秩序以及联合国在维护世界和平与安全方面的作用等问题阐明了我国政府的看法和主张，会议期间，先后会见、会晤联合国秘书长加利、英国首相梅杰、法国总统密特朗、日本首相宫泽、美国总统布什、奥地利总理弗拉尼茨基、委内瑞拉总统佩雷斯、印度总理拉奥、厄瓜多尔总统博尔哈。这次会议前后，李鹏应邀访问了意大利、瑞士、葡萄牙、西班牙等欧洲四国。

联合国环境与发展大会首脑会议于6月12日在巴西里约热内卢开幕，李鹏在会议上发表讲话，阐述了中国政府在环境与发展问题上的原则立场。会议前后，李鹏应邀访问了斐济和芬兰。

12月1日至5日，李鹏应邀出访越南，与越南总理武文杰举行会谈，会见了越共总书记杜梅、越南国家主席黎德英、越共中央顾问范文同。

1992年，李鹏在北京先后与来访我国的白俄罗斯部长会议主席克比奇、哈萨克斯坦总理捷列先科、乌兹别克总统卡里莫夫、尼泊尔首相柯伊拉腊、老挝主席凯山、蒙古总理宾巴苏伦、爱沙尼亚总理维亚希、吉尔吉斯总统阿卡耶夫、贝宁总统索格洛、亚美尼亚总理阿鲁秋尼扬、坦桑尼亚总统姆维尼、基里巴斯总统蒂安纳吉、纳米比亚总统努乔马、伊朗总统拉夫桑贾尼、南斯拉夫总理帕尼奇、密克罗尼西亚总统奥尔特、巴基斯坦总理谢里夫、埃及总统穆巴拉克、乌克兰总统克拉夫丘克、土库曼总统尼亚佐夫、俄罗斯总统叶利钦、马里总统科纳雷举行了会谈。

李鹏，生于1928年10月，四川成都人，1945年11月入党，1941年3月参加工作，苏联莫斯科动力学院毕业，高级工程师。1941—46年，在延安自然科学院、延安中学、张家口工业专门学校学习。1946—48年，任晋察冀电业公司技术员，哈尔滨油脂公司协理、党支部书记。1948—55年，赴苏联莫斯科动力学院水力发电系学习并担任中国留苏学生总会主席。1955—66年，任丰满发电厂副厂长、总工程师，东北电业管理局副总工程师、调度局局长，阜新发电厂党委副书记、厂长。1966—79年，任北京供电局党委代理书记、革委会主任，北京电业管理局党委副书记、副局长、局长、党组书记。1979—83年，任电力工业部副部长、党组成员兼华北电业管理局党组书记，电力工业部部长、党组书记，水利电力部第一副部长、党组副书记。1983—87年，任国务院副总理兼国家教育委员会主任，中央政治局委员、中央书记处书记。1987年起，任中央政治局委员、常委，国务院代总理、总理，1988—90年兼国家经济体制改革委员会主任。

第十二届、十三届中央委员，十二届五中全会增选为中央政治局委员、中央书记处书记，十三届中央政治局委员、常委。

〔注：1993年3月28日，八届全国人大第一次会议第六次大会表决决定李鹏为中华人民共和国国务院总理。〕

〔李九龙·任成都军区司令员〕　1992年11月，中央军委任命李九龙为成都军区司令员。

李九龙，1929年3月生，河北丰润人。1945年参加八路军。同年加入中国共产党。曾任第四野战军排长、连长。在辽沈、平津、衡宝等战役中，立大功四次。建国后，任营长。1952年参加抗美援朝，任中国人民志愿军副团长，师侦察科科长。回国后，任中国人民解放军团长、师长、军长。1985年后任济南军区司令员，总后勤部副部长。是中共十二届、十三届、十四届中央委员。1988年被授予中将军衔。

〔李小双·体操运动员·在第二十五届奥运会上获金、银、铜三块奖牌〕　在1992年巴塞罗那奥运会自由体操比赛中，中国选手李小双出色地完成了“团身后空翻三周”这一世界高难动作，以

9.925分的最高分夺得金牌。这枚金牌既是中国体操选手参加奥运会以来夺得的第十枚金牌，也是中国代表团在巴塞罗那奥运会上赢得的第十枚金牌。李小双不仅获得吊环铜牌、跳马第四名和个人全能第五名，还与队友一起获得团体亚军，一人获得金、银、铜牌各一枚。

李小双，1973年出生于湖北省仙桃市一个普通工人家庭。1990年在北京举行的第11届亚运会体操比赛中，李小双同队友合作夺得男子团体金牌，并在单项决赛中夺得自由体操冠军和个人全能第三名。1991年，李小双在世界体操锦标赛上，不仅与队友一起夺得团体亚军，而且获得个人全能和吊环的第四名。1992年4月他还参加了世界单项体操锦标赛，由于团自由体操仅获第六名，吊环名列第七和跳马获第六名。

李小双身高只有1米55，体重也只有48公斤。满脸孩子气。但他在体操队里素有“小铁人”之称，训练中从不叫累。自由体操和鞍马是他的强项。他在自由体操中的“直体旋”、“720度回笼”和“托马斯倒立转体360度落下接托马斯”，做起来让人看得眼花缭乱。

李小双曾荣获河北省劳动模范和湖北省新长征突击手等荣誉称号。他的事迹与简历参见1991年。

〔李小奇·空军某部研究室副主任·被授予模范科技工作者称号〕　人民解放军空军某学校研究室副主任李小奇，研制成功国内最先进的“三维计算机成像飞行模拟器”。1992年9月19日，空军党委决定授予他模范科技工作者荣誉称号，和二级英雄模范奖章。

李小奇，北京市人，1957年4月生，1982年1月入伍，1984年9月加入中国共产党。历任教员、副主任。中校军衔。1982年他大学毕业后分到空军某校当教员，发现部队使用的电源交流机体积和噪音大，易损难修，萌发了研制先进设备的想法。他边教学边收集资料，经过5个月的苦战，研制成功了“晶体管逆变器”。这种设备体积小，重量轻，噪音小，性能可靠，使用寿命长，达到国内先进水平，获得全军科技进步三等奖。当他发现部队使用的飞行训练模拟器材，与一些发达国家相比差距很大，训练效果不佳时，决心攻克这一难关。他刻苦钻研有关专业知识和技术，到许多科研单位学习取经，边学边干，经过半年的努力，研制成功一台用微机控制的“××多功能仪表飞行模拟器”，做到当年研制、当年鉴定、当年定型生产。该机模拟精度高，便于维护，获得军队科技进步一等奖。1986年初，他受命研制“成像模拟器”，图像收容面积是25万平方公里。他带领科研组同志奋战六个月，终于研制出第一台实用多通道计算机成像模拟器，获得空军展览一等奖，使我国继少数发达国家之后跨入能研制实用性计算机成像模拟器的行列。为缩小与世界先进水平的差距，他和课题组的同志又投入到“三维成像模拟器”的研制工作中，经过三年的艰苦努力，终于研制成功了“三维计算机成像飞行模拟器”，经鉴定认为，该机视景系统是目前我国运算速度最快、图像最丰富、纹理种类最多、视场角最大、性能价格最优的计算机成像视景系统，其中有些技术达到了八十年代末世界先进水平。十年来，李小奇和研究室的同志一起，先后完成了8个科研项目，其中有5项分别获得军队科技进步一、二、三等奖，有的属于国内首创，推广投产后可为国家节约经费1亿多元；生产了4种类型的飞行模拟器120多台，其中有4台出口到国外，为国家创汇120多万美元。他被空军树为先进科技工作者标兵，荣立二等功，1990年获中国科协第二届青年科技奖。

〔李友邦·台湾爱国抗日将领·逝世四十周年〕　1992年4月21日，台盟中央和全国台联在北京联合集会，纪念台湾爱国抗日将领李友邦逝世40周年。

李友邦，1905年生，台湾台北芦洲人。早在青少年时期，在日本殖民统治下的台湾读书时，就积极参加抗日爱国活动。后到大陆，考入黄埔军校第二期。抗日战争爆发后，他征得国民党“军委会”同意，在周恩来支持下，于1938年在浙江金华成立“台湾义勇队”和“台湾少年团”，高举“保卫祖国，解放台湾”的旗帜，组织和领导在大陆的台湾同胞献身全民族抗战的伟大事业。他还通过各种途径揭露和批判日本帝国主义在台湾的殖民统治。

抗战胜利后，李友邦返回台湾，意欲投身于建设民主、自由、平等的新台湾的事业，在台湾“二·二八”事件中受到国民党当局的迫害，1952年4月22日被枪杀。

纪念会上，台盟中央主席蔡子民、全国台联副会长徐北麟等发言，缅怀李友邦爱国爱乡的革命历程和高风亮节，表达了希望尽快结束两岸分裂局面、实现国家统一的心声。

〔李长明·工程师·获中国科学技术协会第三届青年科技奖〕　山东省昌邑县纺织机械厂厂长助理兼镍网分厂厂长、工程师李长明，勤勤恳恳奋斗在生产第一线，在印花镍网的研制和开发上取得了令人瞩目的成果，1993年2月24日获得中国科学技术协会第三届青年科技奖。

李长明，1958年3月生，山东省昌邑县人，1982年毕业于山东工学院机械制造专业，分配到昌邑纺织机械厂后，主要从事印花用镍网研制工作。1985年初，该厂为解决印花镍网主要依赖进口的问题，缩短和消除镍网同国际水平的差距，决定引进一套镍网生产线，李长明成为该项目的主要负责人之一。1986年，他被派往奥地利对镍网的制造设备和生产技术进行考察学习。为了尽快掌握国外的先进技术，他一头扎进生产车间，顾不上逛公园和商店，把全部心思和精力用在了考察和学习上。回国时，他带回的不是高档电器，而是一叠厚厚的技术资料，连外方老板都对这位年轻的中国工程师佩服地竖起了大拇指。李长明经过一番周密的计算与思考，在1987年设备洽谈引进过程中，大胆地省去了纯水、污水处理设备及6种辅机，全部依靠国内配套和自己设计制造，一次为国家节省外汇40万美元。镍网产品生产出来后，经省经委鉴定，主要经济技术指标达到国内领先地位。李长明再接再励，又自行设计三条镍网生产流水线，扩大了生产能力，年产量由原来的1万支提高到3万支。对依赖进口的六七种化工原料及其它辅料，经过研究改进，全部依靠自己生产。

短短的几年时间，李长明在科研事业上取得了一系列令人瞩目的成果：在印花镍网的研制上获两项省级科技进步奖，一项市级科技进步奖；两项填补国家空白，一项填补省内空白；取得一项国家专利。他在国家级刊物上发表论文6篇，其中1篇获中国纺织工程学会“陈维稷”优秀论文三等奖。他的科研成果应用于生产实践已实现利税450万元，实现社会效益3.6亿元，出口创汇50万美元。1989年，他被评为山东省新长征突击手；1992年被省科协授予第二届山东省青年科技奖。

〔李长春·河南省省长·改任中共河南省委书记〕　中共中央于1992年12月决定，李长春任中共河南省委书记。在12月19日召开的河南省第七届人民代表大会常务委员会第三十一次会议上，李长春提出辞去河南省长职务，会议接受他的辞请。此前，在10月召开的中共第十四次全国代表大会上，李长春当选为中共第十四届中央委员。

李长春，1944年生，吉林省吉林市人。1965年加入中国共产党，1966年毕业于哈尔滨工业大学电机工程系，历任沈阳市电器控制设备工业公司经理，沈阳市机电工业局副局长，沈阳市副市长兼市经委主任，中共沈阳市委书记兼沈阳市市长，中共辽宁省委副书记兼沈阳市委书记，辽宁省代省长。1988年任中共辽宁省委副书记、辽宁省省长。后调任河南省省长。是中共第十二届中央候补委员，第十三届中央委员，第六届全国人大代表。

〔李文卿·任国防大学政治委员〕　1992年11月，中央军委任命李文卿为国防大学政治委员。

李文卿，1930年5月生，山东牟平人。1945年任牙前县区青年救国会干事。1947年加入中国共产党。1948年参加中国人民解放军。参加了淮海、渡江等战役。建国后，历任华东军区排长、连指导员，南京军区直属政治部助理员、司令部办公室主任，沈阳军区副政委、国防大学副政委。是第六、七届全国人大代表，中共十四届中央委员。1988年被授予中将军衔。

〔李方玉·中年画家·创作国画《秋菊》获佳作奖〕　1992年，李方玉创作国画《秋菊》获得海外中国书画研究会主办的“枫叶奖”画展佳作奖，并被收藏；其国画作品《红叶》、《绿葡萄》、《牵牛花》入选韩、中美术家招待展并被收藏，编入《92年韩、中美术作家招待展》画集；其国画作品《紫藤》被编入《中国名家书画选》；山东美术馆出版社为其出版了《画竹技法新探》一书，并完成了《人民美术出版社》所约《古今画竹大全》书稿。

李方玉，又名李牛，1945年生于河南省范县。李方玉自幼酷爱绘画，弱冠即闻名乡里。1969年毕业于山东省师范大学艺术系，后入浙江美院国画系深造，受教于吴佛之、诸乐三等著名画家学习花鸟、人物。他曾于山东省博物馆工作十余年，刻苦钻研书画，得以饱览全国省市多家博物馆珍藏的文物书画精品，心记手追，研习不辍，十几年如一日，打下深厚的传统绘画功底。他注意多方面的修养，以浓厚的兴趣学习书法、诗文及绘画理论。李方玉的绘画恪守“求力、求势、求厚、求神、求变”之旨。他师承白石老人博取八大、石涛、吴昌硕等大家笔墨之长，但他的治学意旨是

"先入乎法而后超乎法"，"守常而达变"，不固守一家之法，而是在苦苦的求索中寻找一个"我"字。作为集理论研究与创作实践于一身的艺术家，李方玉十分清楚艺术的真正价值在于创造。他努力寻求形象美、意象美、抽象美的结合。他于自己"竹屋"门前栽植多种青竹，朝夕观赏研习，又多次赴江南竹林写生，致力于创新。他画古人与今人鲜为涉猎的雾竹、露竹、风雪竹、雨兰、雾兰等，具有独特的个人面貌。其竹、兰空灵清逸诗意盎然。古人论画有令人观不如动人情，动人情不如引人思三个不同层次。李方玉的画正是追求着可观可感可思的统一。他曾于省内外多次举办个人展、联展。著名画家周沧米先生书赞其画"气势宏大、气韵畅达"。

《中国文化报》、《人民日报海外报》、《新书报》、《书与画》、《山东画报》等十余家报刊杂志曾以专文介绍李方玉国画艺术。作品多幅被国务院文化部、中国对外艺术展览公司选入"中国造型艺术展"、"现代中国画展览"，在加拿大、日本、新加坡、墨西哥等国驻外使馆展出并收藏。有些作品被中南海、毛主席纪念堂、齐白石纪念馆、深圳博物馆、山东博物馆、美术馆等收藏。在香港《美术家》、《艺苑掇英》、《文物》等报刊发表绘画评论文章百余篇。出版了《李方玉画集》、《花鸟颂》、《画竹技法新探》、《兰竹吟》、《古柏百图》画集及《中国画的题款艺术》、《中外名画欣赏》、《中学文艺鉴赏词典》（与人合作）等理论著作。

〔李玉光·福建少儿出版社社长·获第六届妇幼事业樟树奖〕　中国福利会妇幼事业樟树奖，是在妇幼卫生保健、儿童文化教育领域内全国唯一的一个专项奖。前5届先后有冰心、陈伯吹、高士其、严文井、万籁鸣等30人获奖。1992年10月8日，福建少年儿童出版社社长兼总编辑李玉光等11人获得第6届妇幼事业樟树奖奖章和证书。

李玉光，1949年生。福建莆田人。1975年毕业于厦门大学中文系。先后在福建人民出版社文艺编辑室、海峡文艺出版社、福建少年儿童出版社从事编辑工作。18年来，编辑各类图书100多种，终审书稿500多部。由他任责编的《无名的星》获全国优秀散文（集）奖、《银色旋转》获华东6省优秀少儿读物编辑一等奖。

1986年他主持福建少年儿童出版社工作以来，组织出版了《绘画本二十五史故事精华》（8卷）、《世界科幻小说精品丛书》（36卷）、《童话列车》（25卷）、《儿童的疑问——说不完的为什么》（8卷）等一批较有影响的图书。几年来，有60多种书刊在全国性评奖中被评为优秀图书。同时，创作散文、报告文学等数十篇作品，校勘古典名著"三言二拍"五部十卷，近400万字（与人合作），担任《绘画本二十五史故事精华》总编撰（二人之一）、《中华民间大画库·爱情卷》主编。

1990年被评为福建省出版系统优秀共产党员、福建省省直机关系统优秀共产党员；1991年被中共福建省委授予福建省优秀共产党员称号。

〔李正龙·大洼县西安生态养殖场党支部书记兼场长·领导该场跻身"环球500佳"〕　1992年3月25日，联合国环境规划署公布了本年度在环境方面成绩显著的地球500佳名单。李正龙领导的西安生态养殖场荣获此隆誉，并且是其中74名获奖者之一（我国获此项奖者还有浙江鄞县上李家村和安徽颖上县小张庄村长张家顺），同时被邀请参加6月在巴西里约热内卢召开的国际环境与发展大会。

西安生态养殖场建于1975年，是一个以养猪为主，多种经营，综合开发利用的养殖场。他们根据农业生态学原理，利用猪场的自然资源，以放养水生饲料绿萍和水葫芦为核心，以水为纽带，用冲洗猪舍的高浓度粪尿水引入高耐肥的水葫芦池中，净化成第2级肥水；再引入细绿萍池中，净化成第3级肥水；然后将含有大量浮游生物的肥水引入鱼、蚌池中，净化成第4级肥水灌溉稻田，经水稻和稻田养鱼利用后基本变为清水，再引回猪舍重复利用。该场年饲养生猪6000头，养鱼50亩，育河蚌15000只，放养水生饲料80亩，栽各种果树4500棵。经4级净化，5步利用，为生物提供了良好的生态环境。这一良性循环使猪舍洁净，水生植物茂盛，鱼大蚌肥，稻谷金黄，物质和能量得到充分利用，创造出更多的使用价值和效益，达到了生产良性循环和生态循环的统一。1981年到1990年的10年间，共创产值1080万元，获纯利107万元。同时彻底改变了过去"脏水遍地流，蛆虫四处游，苍蝇嗡嗡叫，臭气无时休"的脏乱状态，出现了水清萍绿，树木葱笼，花草芬芳，无蝇无臭的新景象，被誉为花园式猪场。

李正龙为建设生态养殖场做出了重要的贡献。建场初期由于吃大锅饭，连年亏损，到1980年总计亏损31万元。有人提议，养猪赔钱，砍掉算了。李正龙不忍自己和100多名职工辛苦创建的家业破败，大胆改革，率先搞起承包责任制，

1981年扭亏为盈。随着管理体制和分配制度的进一步深化，经济效益年年增长，为建设生态养殖场奠定了坚实的基础。李正龙养了30多年猪，却只读过4年书。他渴望从知识中探寻生态养殖的金钥匙。每逢外出开会、参观，他都要买书和搜集养猪资料，抓空学习。为了使喜温的水生饲料在北方落户，他像着了魔，晚上看书到半夜，白天蹲在坑塘边痴痴地想，终于琢磨出越冬保种的道儿来。他和职工一起挖沟修坝，开展科学实验，使生态养殖系统日臻完善，不但获得了斐然的生态效益，而且还获得了显著的经济效益和社会效益。该场曾荣获省“星火科技”成果奖，国家农业部授予的全国畜禽优秀企业，接待国内外参观学习者17万人次。

李正龙，辽宁大洼县人，1938年6月出生，1953年参加工作，1959年加入中国共产党，职称为畜牧师。他曾任兽医站站长、畜牧场场长等职，在养猪战线上辛勤工作了36个春秋。他曾被评为全国劳动模范，荣获过全国“五一”劳动奖章。

〔注：地球500佳奖励，是联合国环境规划署于1987年设立的。每年都表彰一批把日益紧迫的保护环境和维持生态平衡作为工作目标，并在环境工作中作出成就的个人和组织。自1987年评选以来，我国共有14个个人和单位获此殊荣，其中7个个人和单位在生态农业方面有突出成绩。〕

〔李本昌·青海火电工程公司经理·获全国“五一”劳动奖章〕 青海火电工程公司经理李本昌，以勇于开拓顽强拚搏的精神，团结带领全厂职工，将一个近乎瘫痪、靠贷款发工资的企业，建成省级先进企业。公司施工产值从1984年的355·1万元增至1991年的3750万元；年创利从1984年的2000元增至1988年的101·4万元。固定资产由560万元增至2429万元，企业生产能力也从过去只能安装5万千瓦以下的中小型发电机组，连跨两个台阶，具备安装20万千瓦及其以上大型发电机组的能力。1992年4月29日，李本昌被全国总工会授予全国优秀经营管理者称号和全国“五一”劳动奖章。

1984年12月，李本昌接任公司经理时，公司是靠银行贷款过日子，公司有70多人要办退休手续，近百人正打请调报告。面对此情况，他果断提出以改革为动力，依靠全体职工战胜困难，制定了“以电为本，多种经营，坚持改革，提高效益，质量第一，信誉至上，目标管理，逐步升级”的企业发展指导思想。他调整了领导班子，实行干部聘任制和合理劳动组合。将公司分为施工生产、基地配制厂、第三产业三大块，全面实行公司经理和项目经理分级负责制。同时抽调主要力量打入江苏泰兴、苏州、常熟、宜兴等地，承揽地方小火电安装，三年创产值4685万元，创利200万元。初战告捷，使李本昌更加坚定了走改革之路的信心和勇气，他决心扩充实力，提高队伍素质，使企业挤身于全国电建行业大市场的激烈竞争之中。在竞争中求生存求发展。1989年他大胆地承接了山东省胜利油田自备电厂两台20万千瓦火电机组的安装任务。这对于最大才干过5万机组的青海火电工程公司来说简直令人难以置信。但强烈的事业心驱使着他，纵有天大困难也要拿下20万。经过一年多的顽强拼搏，胜利电厂工程取得令人瞩目的成绩，使山东电建行业的专家们不得不对其公司刮目相看了。

李本昌还靠关心群众廉洁奉公取得事业的成功。他患心脏病，曾晕倒在工作现场，但他从不考虑自己，星期天很少休息。他给公司干部定了个规矩：凡好事干部靠后站，不与工人争利益，干部必须坚持参加现场劳动。对职工他却关怀备至，解决职工住房难，子女上学难，招工难等问题。职工生病，他出面联系医院、亲自探望等，深得群众信任和拥护。

李本昌，湖南省武冈县人，1943年8月出生，1968年毕业于华中工学院，1982年加入中国共产党。1984年被西北电力建设局和青海省评为劳动模范。

〔李立山、张文甫、赵建国·曲艺演员·在全军文艺会演中获创作一等奖〕 1992年6月，解放军北京军区战友歌舞团曲艺演员李立山、张文甫、赵建国合作的数来宝《嘿，有这样两个士兵》，在全军第六届文艺会演中获创作一等奖。李立山创作的京韵大鼓鼓词《大漠情思》在这次会演中获创作二等奖。

李立山，1949年生。天津人。1969年参加人民解放军。1970年加入中国共产党。曾任甘肃省军区政治部宣传干事。1979年调入兰州军区战斗歌舞团任曲艺演员，1983年调到北京军区战友歌舞团曲艺队。1987年曾入解放军艺术学院进修。他从事曲艺工作以来，创作和演出了许多思想性、艺术性都较好的相声、数来宝等节目，受到观众欢迎。1986年在全国新曲（书）目大赛中，他表演的相声《威胁》、《妻子的褒贬》分别获表演一、二等奖。同年在中央电视台主办的全国电视相声邀请赛中，他创作和表演的相声《假话真情》获创作二等奖、表演三等奖。他创作的数来宝《开锁》、《军中骄子》，相声《巧立名目》分别在全军优秀曲艺作品评比和第五届全军文艺会演中获得创作奖和表演奖。他现在是战友歌舞团曲艺队队长，国家一级演员，中国曲艺家协会会员。张文甫，1954年生，北京人。赵建国，1952年生，河南人。他们都于1970年参加解放军。他们在曲艺工作中都有较好成绩。1982年在全国优秀曲艺节目观摩演出中，他们表演的数来宝《我的弟弟》曾获表演一等奖。

〔李对红（女）·射击运动员·获二十五届奥运会女子运动手枪银牌〕　多次获得世界杯射击赛女子运动手枪和女子气手枪冠军的中国选手李对红，1992年7月28日在西班牙巴塞罗那举行的第25届奥运会比赛中，获得女子运动手枪银牌。同年4月，她在巴塞罗那曾夺得奥运会热身赛女子运动手枪第一名。

李对红和李双红是一对孪生姐妹，1970年1月25日生于黑龙江省大庆市。12岁时，李对红随孪生姐姐李双红进入少校练习射击。在1990年第十一届亚运会上李对红获得三枚金牌。她的事迹与简历参见1990年《中国人物年鉴》。

〔李邦亮·解放军连长·被授予模范连长称号〕　1992年1月8日，广州军区党委决定授予某部连长李邦亮模范连长荣誉称号和二级英雄模范奖章。

李邦亮，山东省城武县人，1958年6月生，1978年12月入伍，1979年2月加入中国共产党。上尉军衔。他当排长时，样样工作走在前，带出两个先进排；任教员期间，出色地完成了教学训练任务；当连长后，带领全连官兵狠抓军事训练，不断提高连队战斗力。为了提高自身的军事素质，他挤时间自学了《毛泽东军事著作》、《孙子兵法》等军事理论著作，写了15万多字的读书笔记。他注意运用理论指导实践，总结了轻武器射击预习“缩短距离自我检查方法”；根据新兵、骨干的不同特点，总结了新兵训练示教、领教、辅教、分教、实教、评教的方法和骨干训练试教、看教、跟教、互教、轮教、评教的教法，有效地提高了训练水平。1989年带领连队参加上级组织的训练比武，夺得了7个比赛项目的6个第一名、1个第二名和总分第一的好成绩。1991年11月集团军抽考该连11个军事训练项目，取得8项优秀、3项良好，在受考单位中名列前茅。他关心爱护战士，战士负伤或生病时，他想方设法给战士治疗；尽管自己家庭生活困难，仍7次资助家里遭受自然灾害的战士；1989年，他探家30天，用11天时间走访了5名战士家庭。任连长4年多来，先后帮助19名战士改正了缺点，其中9名当了班长，5名荣立三等功。李邦亮多次被评为优秀基层干部，1991年被树为军区学雷锋标兵和全军学雷锋先进个人，曾荣立三等功两次、二等功一次。

〔李邦美·临海东方纺织配件厂厂长·连续三年获得国家发明专利〕　1992年5月，浙江省临海市东方纺织配件厂（乡办）农民厂长李邦美，因发明可替代进口、填补国内空白的新型不锈钢槽筒获得国家专利。这是他在1990年发明“滑而稳”改良珠算算盘，1991年发明双功能节电延时开关，两次获得国家专利后，连续第三次获得国家专利。

李邦美，浙江临海人，初中毕业后在家乡务农，他从小爱动脑筋，自从当了东方纺织配件厂厂长、有了发挥才干、搞发明创造的条件后，如鱼得水。这家建在贫困山区的乡办小厂，生产塑胶和五金等滞销产品，面临倒闭的危险。李邦美为探索救厂良药，到大中城市了解市场信息。1988年初，他看到上海、杭州市场上的珠算算盘存在飘珠、滞珠、回珠等缺点，容易造成计算失误，他便买了许多科技书籍，刻苦钻研，并向亲友借来3万元，研制新型算盘。他根据力学原理，经过多次改造试验，最后解决减少算珠与竹档磨擦及碰撞反弹力的问题，制成“滑而稳”新型珠算算盘，受到中国珠算协会算具研究会会长李国青的高度评价，并被著名算具收藏家陈金定教授收藏。1990年3月获得国家专利，畅销国内和日本、东南亚市场。

此后，李邦美更加自觉地刻苦学习，潜心搞发明创造。1991年2月，他又发明了双功能节电延时开关，并获得国家专利。年底，当他了解到纺织行业使用国产1332型络筒机质量不过关，每年需要用上百万美元进口时，他就果断投资5万元，研制填补国内空白、可替代进口的新型槽筒。经过一年多的努力，进行上百次的试验，终于研制成了不锈钢新型槽筒，于1992年5月获得国家专利，成为获得国家专利“三连冠”的农民厂长。

〔**李亚光·国家女篮主教练·率领中国女篮夺得奥运会银牌**〕　1992年巴塞罗那奥运会女篮比赛连爆冷门，中国女篮过关斩将闯入决赛，在8月7日进行的最后决赛中，以66：76负于世界劲旅联合队（独联体）女篮，获第二十五届奥运会女篮亚军。年轻的主教练李亚光率领中国姑娘在奥运会上实现了一次历史性的突破。

李亚光，四川人，1958年生，身高1米88，1982年被选为国家男篮队员，1983年在加拿大举行的世界大学生运动会上获"神投手"称号。此后，他又多次入选国家队，先后参加了1984年的洛杉矶奥运会，1986年的汉城亚运会和1988年汉城奥运会，多次参加世界锦标赛、亚洲锦标赛。1991年，33岁的李亚光担任中国女篮教练，这是当时诸多国家队主教练中的"少帅"。

李亚光上任之初，就拿出了与众不同的中国女篮战术方案。中国女篮是亚洲也是世界一支女篮劲旅，但是长期以来打的是高中锋战术，先后有陈月芳、郑海霞等"巨人"，以阵地战为主，缺乏攻击力，战术单调，成绩很不稳定。李亚光担任主教练后实施大胆改革方案，确立中国女篮"快速、灵活"为主的战术，加强在紧张对抗中的攻击能力。

李亚光率领中国女篮为备战奥运会付出了巨大的代价。他治军纪律严明、训练刻苦，是有名的"喊教练"。他与女篮姑娘驰骋球场，走南闯北，一心扑在事业上，难得回成都与妻子和年幼的儿子团聚。经过一年多的努力，中国女篮主力阵容逐步形成，快速、灵活的战术也有了雏形，对抗能力增强，李亚光率领的中国女篮以崭新的面貌出现在巴赛罗那女篮赛场。

中国女篮12名队员有柳青、李冬梅、郑海霞、王芳、郑秀琳、展淑萍、彭萍、丛学娣、郑冬梅、李昕、何军、刘军。中国姑娘在巴塞罗那奥运会女篮比赛中顽强拼搏，一举夺得亚军，这是中国篮球队在重大国际比赛中取得的最好成绩，主教练李亚光功不可没。

李亚光简历与事迹参见1992年《中国人物年鉴》。

〔**李先念·全国政协主席·在北京逝世**〕
中共中央、全国人大常委会、国务院、中央军委、全国政协于1992年6月22日发出讣告，沉痛宣告：伟大的无产阶级革命家、政治家、军事家，坚定的马克思主义者，党和国家的卓越领导人，全国政协主席李先念同志，因病医治无效，于1992年6月21日在北京逝世，享年83岁。

6月27日上午，江泽民、杨尚昆、李鹏、万里、乔石、姚依林、宋平、李瑞环、薄一波、宋任穷、温家宝、方毅、洪学智等领导同志来到北京医院送别室，向投身革命六十多个春秋，为党、为人民、为革命事业建立不朽功勋的李先念同志三鞠躬，并向林佳楣同志及其子女表示亲切慰问。

宋平、温家宝、洪学智等陪同李先念同志亲属，护送遗体到八宝山革命公墓火化。

为悼念李先念同志，北京天安门、新华门、人民大会堂、外交部，各省、自治区、直辖市党委及人民政府所在地，各边境口岸，对外海空港口，新华社香港分社，新华社澳门分社和中国驻外使馆于6月27日下半旗致哀。

遵照李先念同志的遗愿，李先念同志的部分骨灰安葬在八宝山革命公墓的一株茂盛的油松下，另一部分骨灰于7月2日、4日、5日分别撒在李先念曾经战斗过的祁连山、大巴山、大别山。

李先念同志逝世后，全国政协及原新四军五师在京老同志、一些曾经在李先念领导下从事经济工作的同志分别举行座谈会，缅怀李先念同志的光辉业绩和崇高品德。陈云、刘华清、秦基伟、洪学智、王丙乾、钱正英、钱其琛等分别撰文深切缅怀李先念同志。陈云在《悼念李先念同志》一文中写道："先念同志从红军时代起就是一位久经沙场、英勇善战的将军，在长期的武装斗争中，他为中国人民的解放事业建立了不可磨灭的功勋。1954年先念同志从湖北调到中央，参与领导全国财经工作。他是将军管经济，但他能很快精通当时的经济工作，这是十分难得的。这里要特别提到，'文化大革命'期间，先念同志在十分艰难的情况下，协助周总理主持全国财经工作，使一大批在建和新建项目得以建成或加快了建设进度，其中包括攀枝花钢铁厂、武钢一米七轧机、13套大化肥、4套大化纤、焦枝铁路、襄渝铁路和胜利油田等，继续为我国社会主义现代化建设打下基础。在粉碎'四人帮'这场关系我们党和国家命运的斗争中，先念同志同叶帅一样起了重要作用。由于叶帅和先念同志在老干部中间很有威望，小平同志暗示他们找老干部谈话。我到叶帅那里，见到邓大姐谈完话出来。叶帅首先给我看了毛主席的一次谈话记录，其中有讲到党内有帮派的字样，然后问我怎么办？我说这场斗争不可避免。在叶帅和先念同志推动下，当时的中央下了决心，一举粉碎了'四人帮'，使我们的国家进入了新的发展时期。"

李先念逝世后，许多国家的领导人发来唁电表示哀悼。其中有朝鲜民主主义人民共和国主席金日成、泰国国王普密蓬、约旦国王侯赛因、英国女王伊丽莎白二世、也门总统委员会主席阿里·阿卜杜拉、喀麦隆总统保罗·比亚、莫桑比克总统希萨姆、苏里南总统罗纳德·韦内蒂安、巴勒斯坦国总统阿拉法特、澳大利亚总督乔治·海登、毛里求斯总督萨米·林加杜、日本首相宫泽喜一、缅甸总理丹瑞、毛里求斯总理阿内罗德·贾格纳特等。

1992年春节前夕，李先念于2月2日发表谈话，通过海峡之声广播电台向台湾同胞拜年，衷心期望海峡两岸在实现直接"三通"和双向交流方面迈出新步伐，强烈谴责那些依靠外国势力搞"台湾独立"的分裂主义势力。

4月4日，出席七届全国人大五次会议的湖北代表团委托省计委主任漆林代表看望李先念。李先念请漆林给湖北省委、省政府捎个信，一定要把长江三峡"这篇文章"做好。他说，湖北省要充分利用三峡工程建设这一机遇，把三峡工程的配套工作做好，搞好服务，振兴湖北经济。

5月27日，担任中国扶贫基金会名誉会长的李先念，给在京召开的"经济较发达地区和贫困地区干部交流座谈会"发出贺信指出："扶贫济困，是我国人民的传统美德。共同富裕，是我们社会主义的的奋斗目标。我们应当在自力更生为主的方针下，通过先富帮后富，发达地区帮贫困地区，促进改革开放，促进经济协作，尽快把我国的国民经济搞上去。"李先念对贫困地区特别是革命老区的人民群众有着深厚的感情，曾多次指示要全心全意为贫困地区人民办好事，办实事，帮助他们发展生产，尽快脱贫致富。在逝世前一个月，他还专门听取了中国扶贫基金会领导的汇报，语重心长地说："搞好扶贫，造福后代，荫及子孙，功在千秋。"

李先念，1909年生，湖北省红安县人，1927年加入中国共产党。1926年任乡农民协会常委。1927年参加黄安农民暴动，后参加游击队。1929年后，任中共区委书记，县苏维埃主席，红四方面军团政委，师政委，三十军政委，参加长征。1937年率西路军余部转战到新疆。抗日战争时期，任鄂豫皖区党委书记，新四军五师师长兼政委。解放战争时期，任中原军区司令员，大中原军区副司令员，中共中央中原局书记。建国后，任中共湖北省委书记、省政府主席，湖北军区司令员兼政委，中共中央中南局副书记、中南军政委员会副主席，中共武汉市委书记兼市长。1954年后，任国务院副总理兼财政部长，国务院第五办公室主任，中央财经小组副组长，国家计委副主任，中央军委常委。从1945年中共七大到十二大为历届中央委员，是八届中央政治局委员、书记处书记，九、十届中央政治局委员，十一届中央政治局常委、中央副主席，十二届中央政治局常委，1988年当选为第七届全国政协主席。

〔李仲怀·广州市白云区人民检察院原检察长·被追授"模范检察长"称号〕 1992年5月，最高人民检察院追授广州市白云区人民检察院原检察长李仲怀"模范检察长"称号。

李仲怀，广东省兴宁县人，1930年10月生，高中文化程度，1950年5月参加工作，1956年4月加入中国共产党，自五十年代起一直在检察机关工作，先后任检察员、检察组组长、副检察长等职，七十年代曾当过区法院副院长，1978年起一直任广州市白云区人民检察院检察长。1992年2月病逝。

李仲怀执法如山。早在1982年，他就以坚决查处区城建局局长叶卓、副局长王铨兴、张振江贪污贿赂案而闻名遐迩，《人民日报》等9家报刊报道过案件查处情况，介绍过李仲怀的事迹。近年来，他又带领干警在民航、银信、汽贸、建筑运输、机电等行业相继挖出一大批经济犯罪分子，其中10万元以上的贪污贿赂重大案件16宗，成功地追捕了潜逃国内外的犯罪分子9名。1990年3月，他们在办案中发现广州民航售票处售票员易芳有重大贪污犯罪嫌疑。当时易芳已辞职半年，其父说她去泰国探亲未归。李仲怀亲自缜密部署侦察工作，在查明易芳尚在国内后，抓住战机，仅用11天时间，便将贪污313.8万元、潜逃半年之久的易芳及其同案犯抓获归案。此案披露后，在全国引起重大反响，受到中央领导同志高度赞扬。在办理某经济特区对外贸易（集团）公司进出口部4000多万元特大走私案过程中，从侦查、起诉到审判的各个刑事诉讼阶段，都受到了来自权势方面的严重干扰，曾两次中止审判活动。面对种种亵渎法律的行为，李仲怀挺身而出，与公安、法院、海关等部门坚决顶住，经过近两年抗争，终于使该案直接负责人站到被告席上，上千万元走私物品被没收上缴国库。他在办案的蛛丝马迹中觉察到，一些建筑包工头为获得工程不惜重金进行巨额贿赂，必然牵涉到一些单位的领导和干部索贿受贿。随即加强办案力量，循迹追踪，奋战两个月，相继挖出行贿受贿违法犯罪分子18人，立案12宗12人，追缴赃款赃物80多万元。近年来，他们在查处经济犯罪的同时，先后帮助多个投诉无门的企业追回被骗和拖欠贷款上千万元，受到企业高度赞誉。

李仲怀患有多种疾病，仍一直坚持带病工作。直到病逝的前两天，他还在安排工作。

在李仲怀的领导下，白云区检察院自1985年被评为全国检察系统先进集体后，还被高检院通令嘉奖，被省检察院记集体一等功，4次被评为省市检察战线先进集体。李仲怀本人也多次被评为省和全国检察系统先进工作者，曾被记大功、二等功。1990年被评为省检察系统优秀检察长，1991年被评为省先进工作者。

〔李后强·年仅三十岁的化学博士·解决了世界生物有机化学界公认的四个著名难题〕　四川大学博士生李后强把当代的前沿科学——分形理论应用于化学与生物大分子研究，在国际上首次提出“酶分形动力学”新概念并建立起相应的理论体系。他用这个理论作指导，经过三年艰苦研究，解决了世界生物有机化学界公认的四个著名难题。1992年李后强获国家教委科技进步一等奖（甲类），同年被评为四川省十大杰出青年，并获中国化学会青年化学奖。

分形理论是80年代世界科学家们最为关注的前沿科学，被认为是研究自然界和人类社会任何复杂现象最为有效的方法。李后强还在读大学时，就出版了我国第一部分形理论专著——《分形与分维》，成为全国最早研究分形理论的学者。这部著作被许多大学确定为研究生教科书。此后，他又接连出版4部分形理论应用研究专著。他在国际一流学术刊物上发表40多篇学术论文，被国外6家著名学术刊物聘为审稿人和联络员。

酶对化学物质为什么有高效催化性和选择性？世界科学家们研究了几百年都没有弄明白。李后强用“变分法”与分形理论相结合的方法，解决了“酶和蛋白质表面分维计算问题”、“酶本体分维及活性中心分维孰大孰小问题”、“酶动力学希尔系数的本质及其计算问题”和“酶模型设计所遵循的一般性原理问题”等四大著名难题。特别是后者，中国科学院五位学部委员鉴定后认为，它“有助于生命现象的揭示，极有可能导致化工生产和生物工程的巨大变革”，“做出了具有国际水平的重大贡献”。李后强还在风沙物理学和证实二维布朗运动轨迹的多重分形及相变等方面的研究上取得重大成果，再次引起国内外科技界的极大关注。

李后强，四川省云阳县人，1962年8月23日生。1975年9月入县故陵中学读书；1978年10月入万县师专化学系学习。1981年毕业后任该校化学系助教；1984年到1991年，在四川大学化学系先后攻读硕士学位和博士学位。1991年起任该校物理系讲师、副教授、教授、硕士生导师，四川大学非线性科学研究室主任。1986年4月加入中国共产党。他是四川省第七届政协委员。

〔李兆炳·原国家文物局顾问·在北京逝世〕

李兆炳于1992年6月23日在北京逝世，终年83岁。

李兆炳是福建漳州人。早年参加学生运动，1927年加入中国共产主义青年团，1932年参加红军。参加了长征。1935年加入中国共产党。抗日战争时期在晋察冀地区从事敌后武装斗争。1945年以后，历任冀中纵队第二旅政治部主任、冀晋军区独立第一旅副政委、北岳军区第二军分区副政委、晋中军区第一军分区副政委等职。中华人民共和国成立后，曾任华北军区政治部宣传部副部长、军委总政治部文化部副部长、北京军区后勤部副政委。1955年被授予少将军衔。后调任中国革命博物馆馆长、国家文物局顾问。是全国政协第五、六届委员。

〔李亦园·台湾人类学家·向泉州市赠送一批专著〕　台湾著名人类学家、台湾清华大学人文社会学院院长李亦园，于1992年5月间向福建省泉州市赠送了一批学术专著，其中有他几十年心血研究的成果《台湾土著民族的社会与文化》、《中国人的性格》、《人类学与现代社会》、《文化人类学选读》、《文化的图像》等。在举行的赠书仪式上，李亦园表示，返回台湾后，他将搜集在台泉州籍学者的著作以及与研究泉州有关的学术专著，赠给泉州市历史学会和市图书馆，促进闽台文化交流。他还即兴书写题为“架藏晋水风骚卷，馆系温陵赤子心”的条幅，赠给泉州市图书馆。

李亦园，1931年生于泉州，福建省晋江人。台湾大学毕业。留学美国，获哈佛大学人类学硕士学位。曾任台湾“中央研究院”民族研究所所长、研究员，“中央研究院”总干事，台湾大学人类学系教授，台湾“中国人类学会”理事长。1984年，清华大学设立人文社会学院后，出任首任院长，同年当选为“中央研究院”院士。曾两度获选为台湾“国家科学委员会”杰出研究教授。1985年任台湾“教育部”人文及社会科学教育指导委员。1989年任“蒋经国国际学术交流基金会”执行长。

李亦园长于人类学，著作甚多，已出版专书近二十种，论文百余篇。还著有《马太安阿美族的物质文化》、《文化与行为》、《信仰与文化》等。

〔李汛山·原后勤学院副院长兼教育长·在北京逝世〕　1992年4月30日，原后勤学院副院长兼教育长李汛山在北京逝世，终年82岁。

李汛山，四川蓬溪人，1929年加入中国共产党，1933年参加中国工农红军。曾任中共阆（中）南（部）联合县委宣传部部长，红四方面军经理部军需科科长、供给部军械修造处处长。参加了川陕革命根据地反“围剿”和长征。抗日战争爆发后，任八路军120师359旅718团供给处处长，陕甘宁晋绥联防军装备一旅供给部副部长、政委。解放战争时期，任冀热辽军区供给部政委，热辽军区副参谋长、供给部部长，冀察热辽军区后勤部副部长兼兵站部部长，冀热察军区参谋长，皖南军区参谋长，第二野战军后勤部供给部部长。参加了辽沈、平津等战役。中华人民共和国成立后，任西南军区后勤部财务部部长，解放军军事学院教授会主任，后勤学院副教育长、教育长、副院长，总后勤部军政干部学校校长，后勤学院教育长。1955年被授予少将军衔，获二级八一勋章、二级独立自由勋章、一级解放勋章。1988年7月获一级红星功勋荣誉章。

〔李如钢·企业家、书法家·在西安等地举办个人书法展〕　1992年夏，由《经济日报》、《中国企业家》杂志等单位在北京举办《首届中国企业家书画摄影展》，李如钢的书法佳作入选。同年，他先后在西安美术家画廊、西岳华山两次举办个人书法展览，在书画界和企业界引起反响。

李如钢1951年6月生于陕西渭南，字凌云，号黎霞阁。弱冠时即喜书法、诗词、音乐、体育，尤厚爱书法，遂立“和笔墨结缘，与诗书为伴”之座右铭，力追晋唐行楷，法师秦汉篆隶，广藏名人佳作，遍交书道之友，从历代碑帖中受益，于诸家书风中熏陶，心慕手追，研习不辍，翰林漫游，兼收并蓄。用笔中锋为主，侧锋相辅，雄浑中见秀雅，沉稳里显轻松，遣自然美之奥妙，借易理之阴阳，着饰点横竖撇捺，刚柔相济，自见其妙，形成了苍拙秀雅、古朴雄浑的书风。如他作的行书“湖海壮豪气，笔墨见精神”和草书“腾飞”，都很见功力，气势夺人。

李如钢当过教师、乡党委书记，现任陕西渭南地区工业品外贸公司、进出口公司副总经理。他在工作之余，也写诗作赋，其论文、散文、通讯、评论常见诸国内报纸，曾在全国性新闻征文大赛中获一等奖。这些“字外功”，使李如钢书法逐步进入新的艺术境界。他主张“一丝不苟的创作，脚踏实地的从艺，一切矫揉造作式的哗众取宠，只能适得其反。”李如钢书法作品曾先后四次进京展出，中国翰园碑林、李太白碑林等五处勒石珍存，数百幅作品被日本、美国、新加坡及港、澳、台友人收藏，《李如钢书法》一书由台北隆言出版社出版发行，国内外20余种报刊登载其作品并载文评介。

〔李连祥·通县宋庄乡蔬菜基地经理·引进国外特种蔬菜百余种种植成功被誉为“瓜菜王”〕
北京东郊通县宋庄乡特种蔬菜基地经理李连祥，从1988年起在500亩沙土荒地上建起特种蔬菜基地，引进新西兰、美国、日本、匈牙利、西班牙、荷兰、新加坡等国家及台湾、香港地区的特种蔬菜147种，种植成功，一年四季供应首都市场，每年达4万多公斤。至1992年，他已获得农业部、北京市、通县各级颁发的科技成果奖22项，人们赞誉他是京东“瓜菜王”。

李连祥，1943年8月出生于北京市通县宋庄镇大兴庄。16岁初中毕业后回乡开始“种园子”。他有心计，凡事爱琢磨，经他手种出的白菜、萝卜、菠菜往往比别人种的产量高出几倍。1988年，他瞧准了被称做宋庄“北大荒”的500亩沙土荒地，带领十几个人，苦战一秋冬，拔草开荒，修堤筑墙，建起了特种蔬菜基地。从此，他就没白天没夜晚地在这片土地上一门心思种瓜菜。开始引进国内新品种蔬菜在本地试种，以后又把眼光转向了国外。他想的是：“外国人能种的，我们中国人也能种；外国有的瓜菜，我们中国也要有！”经过几年引进试种，克服了外国菜“不服中国水土”的困难，种植成功了外国的盖菜、结球生菜、紫叶花菜、黑萝卜、樱桃西红柿、球茎茴香、香甜草等。每种外国瓜菜种植成功都要花费不少心血，经过反复试验，使他感受最深的是引种荷兰芹菜。引种第一年育种就遇到了困难，种子没能通过越冬春化，成长过旺，不抗倒伏，发了茎腐病。第二年他对症治病，效果还是不理想。但他不灰心，连年精心培育，终于达到了亩产菜籽20公斤的世界最高水平，推广种植后，亩产9000公斤，单株最重4.5公斤，创造了在国外也不多见的奇迹。

如今，这位“瓜菜王”已经出了名，不仅方圆百里经常有人找他教技术，给瓜、菜“看病”、“开药方”，全国十几个省市的同行也慕名前来求教。李连祥对从实践中学到的技术从不保留，只要有人求教，他都尽心传授，还经常到北京市和各县的一些农业学校、技术推广站讲课，传授种瓜、种菜及种果的经验，并先后应邀到青岛、重庆、洛阳、郑州、怀来、张家口、承德、赤峰等地传授技术，进行现场指导。河南一个林场的大学毕业生慕名来向老李求教，学习了一个多月，小伙子感慨地说：“从师‘瓜菜王’，比上大学收获还大。”

〔李连捷·著名土壤学家和教育家·在北京逝世〕　我国土壤学主要开拓者和奠基人之一、北京农业大学一级教授、中国科学院学部委员李连捷，1992年1月11日在北京病逝，享年84岁。

李连捷，1908年生于河北省玉田县。1932年毕业于燕京大学理学院地质地理系，后受聘于中央地质调查所任调查员。1940年获中华文化基金奖，并被派往美国考察水土保持工作，继而在美国就读，获得硕士学位。1944年被聘在美国就职。1945年回国，复任中央地质调查所研究员，并于当年创建了中国土壤学会，当选为第一届理事长。1947年被聘为北京大学农学院教授，后兼任土壤系主任。1949年转任北京农业大学教授。自1954年始，任一级教授，当选为第二至第六届全国政协委员，曾任全国政协农业工作组副组长。自1955年始，担任中国科学院地学部学部委员。他还在科研教学方面有多项兼职。他的学术著作得到中外土壤学界的普遍好评，他还为中外土壤科学流作出了杰出的贡献。

李连捷在土壤分类学、土壤地理学、地貌学和第四纪地质学方面科研教学成就卓著，并在土壤微形态、农业遥感方面有开拓性建树。为国民经济发展做出了重大贡献。同时，他在几十年的科研和教学工作中，培养了大批土壤学科研和教学人才，为发展我国科学和教育事业竭尽了全部精力。

〔李步新·原中共中央组织部顾问·在北京逝世〕　李步新于1992年1月30日在北京逝世，终年85岁。病重期间，他嘱咐家属后事从简，不搞遗体告别，不开追悼会，不留骨灰，把角膜献给人民，把遗体献给医学科研事业。

李步新是江西上饶人。1927年春参加革命，1929年10月加入中国共产党。土地革命战争时期，历任中共皖赣特委副书记、皖赣边区党委副书记，是皖南游击根据地的创建人之一。1934年参加中国工农红军北上抗日先遣队。抗日战争爆发后，任中共皖浙赣省委书记、皖南特委书记兼组织部长、皖南地委书记兼长江游击纵队政委、皖江区党委副书记等职。参与了新四军第七师的组建和领导工作，任第七师兼皖江军区政治部主任。抗日战争胜利后，任新四军第七师副政委兼政治部主任、长江支队政委、华东野战军先遣纵队副政委、中共中央华东局国统区工作部副部长。1949年渡江战役后任中共芜湖市委书记兼市长、皖南区党委副书记。

中华人民共和国成立后，李步新任华东军政委员会民政部副部长、部长，中共中央华东局组织部副部长，中共中央组织部政法干部管理处处长、部务委员、副部长。“文化大革命”中遭受迫害达七年之久。1978年7月复任中共中央组织部副部长，1980年后改任顾问。他是第一届全国人大代表，第三、四届全国政协委员，第五、六届全国政协常委。

〔李坚真（女）·原广东省人大常委会主任·在广州逝世〕　李坚真因病于1992年3月30日在广州逝世，其遗体于4月11日火化。

李坚真，1907年1月出生于广东丰顺一个贫苦农民家庭。1926年5月在彭湃的引导下参加农民运动。同年9月加入中国共产主义青年团，1927年6月加入中国共产党。大革命失败后，参加了丰顺农民暴动，参与创建东江革命根据地的斗争。1931年调闽粤赣革命根据地，任中共汀东县委书记、长汀县委书记。1934年1月任中共中央局妇女部部长，同年被选为中华全国苏维埃政府中央执行委员。参加长征途中，任军委第二纵队政治部民运科科长、军委干部休养连指导员。在陕北期间，担任中共陕北省委组织部副部长、妇女部长，中共中央妇女部部长，中共陕甘宁边区委员会执行委员。抗日战争爆发后，被派回南方工作，先后任中共江西省委委员、妇女部长，中共中央东南分局妇委书记；1940年后任中共苏南区党委党校主任、中共溧水县委书记、中共中央华中分局民运部副部长，参加了艰苦的敌后抗日游击战争。1945年秋起，任中共中央华东局妇女部长、中共山东分局妇委书记。1949年3月当选为全国妇联执行委员。中华人民共和国成立后，历任山东省妇联主任，中南军政委员会委员，中共中央华南分局妇委书记，粤中区党委第一书记，中共广东省委常委、书记处书记兼监委书记，中共中央监察委员会委员。1977年后，曾任中共广东省委书记、省纪律检查委员会书记，省人大常委会主任。是中共第八、十一、十二、十三次全国代表大会代表，中共第八、十一届中央候补委员。1982年9月当选为中共中央顾问委员会委员。还是第一至第七届全国人大代表。

〔李岚清·当选中共中央政治局委员·撰文谈加速发展对外经济贸易〕 1992年10月18日，李岚清在中国共产党第十四次全国代表大会上当选为中共中央委员。同月19日，在中共十四届一中全会上当选为中央政治局委员。

对外经济贸易部部长李岚清在《求是》杂志1992年第23期上发表题为《进一步扩大对外开放，加速发展对外经济贸易》的长篇文章。在谈到14年来我国对外贸易的成就时，他指出，沿海地区对外开放格局初步形成，全国正向多层次、全方位的开放格局发展，经济特区的发展成就尤为显著，作为我国"技术的窗口、管理的窗口、知识的窗口、对外开放的窗口"的作用日益发挥出来。贸易体制改革有力地促进了对外贸易的发展。1989年以来，外贸出口每年都上一个大的台阶，我国出口贸易在世界上由1978年的第32位上升到1991年的第13位。出口商品结构不断优化。过去主要是技术引进国，现在在引进的同时也开始出口技术。我国国际收支平衡状况有了根本改善，外汇结存到1991年底达217亿美元，加上银行的外汇头寸，超过420亿美元。利用外资和其他经济技术合作全面发展，到1991年底，我国已累计签订外商投资42027项，吸收外商直接投资协议金额523亿美元，实际用233亿美元，已投产的外商投资企业1.7万多家，其中生产型的占85%左右。我们借用国外贷款，绝大部分用于国民经济需要的基础设施和生产建设项目。至1991年底，我国外债余额为605亿美元，还本付息率为8%，低于20%的"警戒线"。

谈到对外开放和对外经济贸易的发展在社会主义现代化建设中发挥的作用，李岚清指出：通过利用国内外两个市场和两种资源，促进了我国工农业生产的发展和经济结构的调整；弥补了我国建设资金的不足，加强了能源、交通、通讯和基础原材料工业的建设；引进先进技术和经营管理经验，填补了我国某些技术的空白，使一些重要产品的技术日趋现代化；增加了国家财政收入，积累了资金；增加了劳动就业；丰富活跃了市场供应。

谈到如何进一步扩大对外开放的问题，李岚清强调要抓住机遇，迎接挑战，加速形成全方位发展格局。要根据社会主义市场经济的原则和对外开放的总方针，进一步解放思想，转变观念，统一认识；进一步办好经济特区、经济技术开发区、沿海开放城市，积极支持沿海城市和内地的开放；认真实施"市场多元化"和"以质取胜"的战略。

李岚清提出了进一步改革对外经贸体制，加速对外经济贸易发展的五点要求：1、转变职能，精简机构，进一步改革经贸行政管理机制。2、根据建立社会主义市场经济体制的要求，进一步改革进出口管理体制。3、认真落实《全民所有制工业企业转换经营机制条例》，深化外贸企业机制改革，实行政企分开，落实企业自主权。4、坚持工贸结合，发展集团化、国际化经营。5、大力推动科学技术和对外经济贸易的结合。

11月9日，李岚清在会见来访的关税及贸易总协定副总干事查尔斯·卡莱尔时说，中国恢复关贸总协定缔约国地位，不仅有利于中国，也有利于全世界。中国去年在全球贸易中居第13位，经过艰苦努力，我国将成为世界十大贸易国之一。中国将本着"和平、竞争、合作"的精神，按照国际规则发展自己的经济。

李岚清，1932年5月生，江苏镇江人。1952年毕业于上海复旦大学企业管理系。同年9月加入中国共产党并参加工作。1952—56年，任长春第一汽车制造厂计划科计划员、副科长。1956—57年，赴苏联莫斯科利哈乔夫汽车厂、高尔基汽车厂实习兼任实习队党总支书记、实习队队长。1957—59年，任长春第一汽车制造厂计划处科长兼东北人民大学经济研究所特邀研究员。1959—61年，任一机部秘书。1961—69年，任国家经委秘书、企业管理局科长。1969—72年，下放"五七"干校劳动。1972—78年，任第二汽车制造厂计划处副处长、发动机厂党委第一书记。1978—81年，任第三汽车制造厂建设指挥部副指挥长、重型汽车厂筹备处负责人。1981—82年，任国家进出口管理委员会政府贷款办公室负责人。1982—83年，任对外经济贸易部外资管理局局长。1983—86年，任天津市副市长兼市对外经济贸易党委书记。1986—90年，任对外经济贸易部副部长、党组副书记。1990年起任对外经济贸易部部长、党组书记、国务院经济贸易办公室副主任。是中共第十三届中央候补委员。

〔注：1993年3月29日八届全国人大一次会议第七次大会决定李岚清为国务院副总理。〕

〔李希白·农民·带领“痴呆老弱病残”贫困户共同致富受赞誉〕　吉林省延边朝鲜族自治州汪清县汪清村普通农民、朝鲜族共产党员李希白，宁愿放弃个人先富的机会，甘心为大伙吃苦受累，经过十年艰苦奋斗，终于带领16户几乎失去生活能力和信心的“痴呆老弱病残”人家，甩掉贫困的帽子，走上了共同致富的道路。他无私的品德和广阔胸怀在延边地区受到人民群众广泛的赞誉，人民日报于1992年9月18日宣传了他的先进事迹。

李希白现年46岁，从小参加劳动，是庄稼地里的老把式。当1982年联产承包的春风吹到这个朝鲜族聚居的村庄，李希白心里有个谱，自己摆弄庄稼活样样通，妻子是国家职工，孩子们都吃商品粮，全家人手整壮，路子又广，承包后自己先富起来手拿把掐。可这时村里有16户“痴呆老弱病残”贫困户。这些人家，没有一家能独立承包土地的，别说脱贫致富，就是维持生活也很难。共产党员的责任，庄户人家的情感，使李希白想到，不能只图个人致富，看着乡亲受穷。他决心把这16户贫困户组织起来，走共同富裕之路。李希白的想法得到党组织的支持，受到大家的欢迎。但也有人不理解；“有财不发，却拣个大包袱背！”有人问他图个啥？他说：“不图名，不图利，只图乡亲都富裕！”。

1983年初，联合组建立了，操心费力的事也接踵而至。全组16户，8户智力不健全；45人中，只有9男11女能干点活。组里大事小事，全靠李希白张罗，跟外界的一切联系，都得他去跑腿。全组4匹马只有两匹能耕地，一架马车还不能用。李希白就把自己家里的钱拿出来，大伙凑一些，买了种子、化肥、农具。生产季节到了，安排组里生产，李希白更是操心。有些人连普通农活都不会干，还得手把手地教。李希白带领全组的人艰苦奋斗，第一年就闯过了难关。这一年农业获得好收成，全组人均收入达到470元，比建组前翻了一番，达到全村中等水平。李希白是组里操心、出力最多的人，但到分配时却从不特殊。每年年终决算，大家一致同意他得最高收入，可他说什么也不同意。这些年来，他一直拿的是全组的平均收入。他说：“我要想个人收入高，就不搞这个联合组了！”由于李希白的模范行动，全组人不管呆的、傻的、病的、残的，都跟着他拼命干。到1986年，这个组人均收入超千元。这几年更是一步一层楼。10年前的土房不见了，16户都盖起了新砖瓦房，家家都使上了液化气罐，买了电视机和新家具。建组时的破牛车换上了新车，还添了3台手扶拖拉机。村支书赵千植介绍：“1991年，这个联合组人均收入1500元，是1982年的6倍。现在村里正在帮助李希白联合组筹建一个饲养300多头出口黄牛的饲养场，到时联合组的经济还会有更大的发展。”

〔李希林·任广州军区司令员〕　1992年11月，中央军委任命李希林为广州军区司令员。

李希林，1930年10月生，河北冀县人。原名瑞林。1945年参加中国人民解放军，1947年加入中国共产党。参加了襄樊、宛西、淮海等战役。建国后，历任湖北省公安总队参谋，中南军区公安部队团作战股长、广州军区团副参谋长、师作战训练科科长、团长、师参谋长、副师长、军参谋长。1980年毕业于军事学院，后任广州军区副参谋长、参谋长、副司令员。是第七届全国人大代表，中共十四届中央委员。1988年被授予中将军衔。

〔李怀清·周口味精厂厂长·带领该厂晋升世界味精四强〕　1992年12月12日，河南省周口味精厂2万吨扩建工程建成正式投产，从而使这个厂的生产能力由4万吨扩大到6万吨。这样，由李怀清在一个陈旧酒厂基础上建起的周口味精厂，经过9年拼搏，终于超越中国台湾味丹有限公司，成为世界味精行业中四强之一。

李怀清，河南项城县人，1940年出生。中学毕业后在本乡参加工作，曾任乡党委书记。1980年调项城县酒厂任厂长。这个厂一直用地瓜干酿酒，由于酒质低下，卖不出去，一下子积压了300多吨，眼看即将倒闭。他们急忙转产饴糖，没有销路；又转产柠檬酸，也只能当“处理品”抛出。严酷的现实使李怀清认识到，企业受经济规律指挥。他开始进行市场调查，发现全国味精市场潜力很大，而农村市场空档更多。项城场地广阔，地下水资源丰富，味精主要原料玉米可就地收购，生产味精有得天独厚的条件。他用精确调查的材料说服了全厂。1983年，周口味精厂建立起来了，由于产品适销对路，当年利税即达102万元。

办厂伊始，李怀清就把延揽技术人才作为兴厂的根本。他奔向全国的大学、科研所和大企业，到处招贤。郑州砂轮厂有一位总动力师，一生坎坷，戴了几十年"反动技术权威"的帽子，到离休时才彻底平反。眼看他渊博的知识和高超的技术即将全烂在肚里。李怀清听说后立即登门拜师，请他到厂里作客，到车间指导。这位老总一生爱书，李怀清把他安置在厂里最好的宿舍里，并派人马上买来书架放在屋里，老总被感动，主动提出担任厂里的顾问，实际上是总工程师。8次技术改造，都是他当总设计师，从此厂里技术条件得到了根本改善。天津轻工业学院发酵专业教授张克旭，对谷氨酸发酵研究造诣很深，李怀清闻讯驱车千里，赶到天津登门求教，感动了张教授。张教授不但答应担任厂里的技术顾问，并且一连写了7封介绍信推荐了8位专家、教授。李怀清凭着这张"联络图"，北上京津，南下江浙，30多个日日夜夜，行程两万多里，使这8位专家感动地积极为厂里出力。厂里建起了一个由著名专家、教授组成的"智囊团"，运用现代科技推动着周口味精厂一年上一个台阶。1987年，味精产量比建厂时增加8倍，达到2600吨，利税突破2000万元；1989年产量扩大到3000吨，在全国味精行业坐上了第一把交椅。1992年产量扩大到6万吨，为建厂时的150倍，并引进美国先进的发酵方法，吸收国内有关的土法验方，创造出独特的生产工艺，使每吨味精成本从万元左右降低到5800元上下，具有了打入国际市场与世界各家味精厂抗衡的能力。1992年实现利税近亿元，成为全国食品行业的利税状元。

〔李沛瑶·当选民革中央主席〕　1992年12月，李沛瑶在民革八届一中全会上当选为民革中央主席。

民革第八次全国代表大会于12月14日至22日在北京召开。中共中央政治局委员、书记处书记尉健行到会祝贺并宣读中共中央贺词。贺词说，中国国民党革命委员会成立以来，继承、发扬孙中山先生爱国、革命和不断进步的精神，走过了一条爱国革命的光荣道路，为新民主主义革命和社会主义建设事业作出了重要贡献。民革同我们党在长期团结合作、并肩战斗的岁月中，建立了深厚的情谊和互相信任、互相支持的密切关系，是我们党久经考验的亲密战友。贺词说，实现祖国统一大业，是人民的要求，历史的必然，是中华民族的根本利益所在。民革同台湾、港澳和海外的各界人士有着广泛的联系，在促进祖国和平统一事业中，具有特殊的地位和作用。我们相信，这次代表大会将掀开民革历史新的一页，进一步推动民革的各项工作开拓前进。可以预见，民革的同志们将更加团结振奋、鼓劲实干，为和平统一祖国大业，为祖国的繁荣昌盛和中华民族的腾飞，作出新的更大贡献。

民革这次大会推举朱学范、侯镜如、孙越崎为民革中央名誉主席，贾亦斌、赵祖康为名誉副主席，选举产生了新一届中央委员会，推举出了新的中央监察委员会。在八届一中全会上，彭清源、徐起超、李赣骝、何鲁丽、沈求我、周铁农、童傅、程　青、胡敏当选为民革中央副主席，朱培康为秘书长。

李沛瑶在被选为民革中央主席后表示，非常感谢同志们的信任，一定要虚心地向同志们学习，团结全党，共同努力工作，为改革开放和社会主义现代化建设和祖国统一事业作出更大的贡献。

李沛瑶，1933年生于香港，广西苍梧人。现任劳动部副部长，中华全国总工会副主席、书记处书记，七届全国政协常委。其主要经历见1990年《中国人物年鉴》。

〔附注：1993年3月27日，八届全国人大一次会议选举李沛瑶为八届全国人大常委会副委员长。〕

〔李忠云（女）·柔道运动员·获第二十五届奥运会柔道铜牌〕　1992年8月1日，在巴塞罗那奥运会女子柔道52公斤级比赛中，颇具实力的中国选手李忠云运气不佳，半决赛中与东道主西班牙选手阿·马丁内斯相遇，意外地负于对手，屈居第三名，获得该项目铜牌。

李忠云，辽宁人，1967年生，身高1米61。1987年，她获得世界柔道锦标赛金牌，1990年获北京亚运会金牌。

李忠云简历与事迹见1991年《中国人物年鉴》。

〔李学忠·戏剧导演·获第二届文华剧作奖及导演奖〕　1992年5月，李学忠因编、导京剧《高高的炼塔》获剧作、导演双项奖。

李学忠，祖籍山东省掖县，1948年3月出生于吉林省扶余县一个农民家庭。11岁考入长春市京剧团学员班，因才思敏捷、勤奋好学，渐由一名演员成长为优秀的戏剧编导。近十年来，李学忠的作品，以骠悍的东北雄风、叱咤风雪的关东气派崛起于戏曲剧坛。从1985年起，他从自编、自导吉剧《乌拉婚礼》起步，嗣后又自编自导了大型评剧

《契丹魂》，出色地塑造了萧太后的崭新形象。该戏不仅在第一届中国戏剧节上获优秀剧目演出奖；还于1989年，在全国振兴评剧交流演出大会上，获优秀剧目奖。李学忠独领风骚，当时一人获优秀编剧奖、优秀导演奖。同年9月，该戏获全国第二届少数民族题材剧本金奖，1990年又获吉林省政府设立的“长白山”优秀剧本奖。同年12月，再次获得第五届国家优秀剧本奖。1990年11月，李学忠再次进京，他执导的黄龙戏《魂系黄龙府》演出后，获第二届中国戏剧节优秀剧目演出奖；后获文化部首届文华新剧目奖。

李学忠自幼喜爱京剧，对传统京剧很为熟悉。可是在这之前，他大都编导的是评剧、吉剧、黄龙戏等地方戏，他一直想创作一部大型现代京剧。1991年，他主动邀请郝国忱共同编写了现代京剧《高高的炼塔》并由他和侯文瑞导演。《高高的炼塔》是以某厂评定高级职称为线索，描写了一群知识分子的喜怒哀乐，剧作充溢着对知识分子高尚情操的歌颂，对时弊的毫不留情的针砭，以及对知识分子命运的深刻思考。在结构剧本时，为使有限的舞台空间包容更为深广的艺术内涵，他别出心裁地将舞台分为前后两个表演区，纱幕后的表演区，高出前台一米多，这是剧中工厂俱乐部。大幕拉开后，只见一米多高处的平台上呈现一堂中西混合乐队，演奏人员全是着黄色工服的工人，他们时隐时现地在排练京剧。李学忠采用传统京剧伴唱现代京剧的手段，目的为外化前台人物的内心活动，由于主唱、伴唱连接巧妙，听来流畅熨贴，浑然一体。舞台场景看去波澜壮阔，气势雄伟，展现了社会主义大工业的崭新风貌。该戏初演于1991年5月扬州“全国戏曲现代戏观摩演出大会”，引起强烈反响，获优秀剧目奖；后又接演于北京，于1992年获文华大奖，李学忠获剧作、导演双项奖。此外，该戏创作人员还获得文华音乐创作奖、舞台美术奖及男主角表演奖。由于李学忠对戏曲事业作出的贡献，吉林省委、省政府及长春市委、市政府曾多次给予他以表彰和奖励，省市文化部于1991年10月联合召开了李学忠导演艺术研讨会。李学忠现为长春评剧院导演。

〔李宗泽·工艺美术大师·设计制作锡工艺美术珍品获得成就〕　云南省个旧市锡工艺美术厂工艺美术大师李宗泽，在继承传统工艺基础上刻意创新，研制成功硬度高、耐磨、抗氧化的二元锡基合金，设计制作了一系列锡工艺珍品，使中国锡器艺术走进了世界先进行列。云南日报于1992年9月2日报道了他的事迹。

李宗泽，云南个旧市人，1928年出生于一个传统的锡工艺世家。他父亲李国英是著名的民间锡艺人，由李国英制作的锡塑“关云长勒马望荆州”，经当时省主席龙云观赏后，推荐参加了巴拿马国际博览会，获得金牌两块、金奖章两枚。李宗泽在父亲指导下自幼就学会制作锡工艺品，10岁便能做小锡碗、小锡枪，12岁学会在锡器上绘画雕花，17岁时曾与他人合办雕塑绘画展，1949年初他参加滇桂边游击纵队，投身革命，在文工团做舞台美术工作，后转业回个旧市重操锡艺事业。“文化大革命”期间他受到迫害被关进“牛棚”，1972年尼克松访华之后，伴随着“乒乓外交”、“工艺品外交”之需要，国家要求发展锡工艺品，轻工部门派人把李宗泽从“牛棚”中“解放”出来。从此，他又全身心投入锡工艺品的创作。他和同事们一起，设计制作了各类锡壶、锡罐、锡杯、锡炉、锡画等等，一件件明如水，亮似银，造型精巧玲珑，美观典雅，锡器上的花鸟虫鱼，花纹图案，雕镂得工整细腻，栩栩如生。他们制作的锡罐、锡铜合金罐、锡银合金罐受到日本烧茶高手的欢迎。他们巧妙地应用锡金属的特征，采用独具特色的工艺处理，使锡工艺品日臻完善，以其高雅、实用、美观、华贵、抗酸碱、不锈蚀的特点驰名中外。改革开放以来，他们设计制作数以万计的锡工艺品，多次获国家轻工部“优质产品”称号，远销日本、德国、美国、英国、法国、澳大利亚等30多个国家和台湾、香港等地区。1988年至1992年，李宗泽主持设计制作的“虎纹笔筒”、“虎纹笔洗”、“小水烟筒”、“龙凤罐”、“龙耳香炉”、“花耳香炉”等八件工艺品被评为国家一级珍品，为故宫博物院及中国工艺美术馆珍宝馆收藏。李宗泽还以徐悲鸿的名作《奔马》图为原型，设计制作了一套题为“十骏”的群马锡塑，以个旧市人民政府名义，敬赠给中国锡工业的开拓者90高龄的缪云台先生。李宗泽于1988年被轻工部授予国家工艺美术大师称号，并受到国务院李鹏总理的接见。他多次被评为个旧市先进工作者。

〔李绍栋·舞蹈编导·获文华编导奖〕　沈阳市歌舞团编导、副团长李绍栋，在中共中央宣传部、国家文化部、广播电影电视部于1992年5月20日联合召开的“纪念毛泽东同志《在延安文艺座谈会上的讲话》发表50周年颁奖大会”上，因参与编导舞蹈系列剧《月牙五更》——关东回旋曲，获

第二届文华编导奖。李绍栋参与编导《月牙五更》，敢于突破固有的艺术形式，把民间小调题材的领域用新技法、新形式加以充实、开拓，不拘一格地集古今中外于一炉，以简练的舞蹈内容集中表现人物思想感情的戏剧性变化，舞中有戏，戏中有舞，手法诙谐幽默，新颖别致，高度的夸张变形、剪影的特殊效果和恰当的舞蹈动作，将生活中并不美的形体和动作通过舞蹈灵感，创造了很高的审美意蕴和价值，妙趣横生，令人拍手称绝，成为东北地区人民群众生动活泼的风情画卷，并代表了这一地域的文化色彩和特质。《月牙五更》的艺术神韵赢得了广大观众，百演不衰，获文华新节目奖。

李绍栋，1949 年 12 月生，辽宁省人。1964 年入辽宁省体操队，边从事体育运动，边学习舞蹈。1970 年到沈阳市歌舞团任舞蹈演员。曾在中国民族舞剧《白毛女》、《小刀会》中担任过主要角色。1984 年后，任舞蹈队教员、队长，舞蹈编导和歌舞团副团长。先后创作和参与创作的舞蹈有《龙舟情》、《新婚别》，《黄河之子》、《颂歌》、《军号长鸣》等。其中双人舞《新婚别》在辽宁省首届舞蹈比赛中，获创作奖；《黄河之子》在省舞蹈节比赛中获编导一等奖和指导教师一等奖；在《月牙五更》剧中参与编导，获第三届沈阳市艺术节优秀编导奖。是中国舞蹈家协会会员。

〔李春华·电视编辑·参与编制电视专栏节目《神州风采》受广大观众赞誉〕 由李春华等 25 位编导人员编制的《神州风采》专栏，到 1992 年底已播出 1370 多期。该专栏是中央电视台有史以来开办时间最长的电视系列节目，起初每周播六次，后改为七次，在《新闻联播》后的黄金时间播出。每次虽只五分钟，但却使观众听到祖国前进的足音，领略神州风采，博览中华文物古迹，了解古今名人、民情风俗、艺术瑰宝、奇才绝技，如同阅览一部介绍祖国历史、文化、科技成就的“百科全书”。它不仅在大陆而且在港、台、澳地区和海外都颇受青睐，其收视率始终名列电视专题节目之冠，曾荣获 1989 年全国社教节目专栏一等奖，1990 年全国社教节目优秀栏目奖，成为中央电视台的名牌栏目之一。

这个栏目遵循弘扬民族传统文化，激发广大人民群众爱国主义精神的宗旨，大胆探索、勇于实践，从节目内容到节目形式都进行了改革和尝试，把思想性、知识性、趣味性、欣赏性较好地融为一体，在有限的篇幅里，浓缩了神州大地无限风采，起到了短小精悍、尺幅千里，寓教于乐的作用。

这个栏目的编辑人员，为拍好和编好每期节目，发扬艰苦奋斗、团结协作的精神，劳碌奔波，足迹遍及二十多个省、市、自治区，北起冰天雪地的北极村，南至严热酷暑的南沙群岛，东到浩瀚的大海，西到气候恶劣的青藏高原，克服了无数艰难困苦，付出了艰辛的劳动，祖国的山山水水都洒下了他们的汗水，有的带病坚持工作，甚至冒着生命危险去拍片；有的放弃了与家人团聚的机会，坚持在边疆、山区采访；有的家人去世，仍坚持加班加点赶制节目。他们一致的心愿是：“要用自己的智慧和创造性劳动，在荧屏上弘扬华夏文化，展现神州风采”。

这栏目组，现有二十五位编导，他们都是屏幕后的英雄，这里介绍其中的十位：

李春华，1953 年 4 月生，山东省文登市人。1977 年毕业于北京外语学院，1981 年调入中央电视台任编辑。主要作品有系列片《黄金之路》等。《神州风采》栏目原负责人。

王光龙，彝族，1944 年 11 月生于四川省凉山。1965 年毕业于中央民族学院，1968 年毕业于北京广播学院。1968 年进入中央电视台，现任主任记者。创作的节目主要有《长白山四季》、《蓬莱新八仙》等。《神州风采》栏目原负责人。

董石才，1953 年 12 月生，云南省昆明市人。1975 年毕业于云南大学。同年进入中央电视台任记者。主要节目有《龙的心》、《松》、《海南岛》等。《神州风采》栏目现负责人。

魏中涛，1934 年 4 月生，江苏省南京市人。1958 年在武汉电影制片厂任摄影。1965 年进入中央电视台任记者、主任记者。创作的节目主要有《话说长江》、《话说运河》等。

李芳庭，1946 年 7 月生，湖南人。1965 年进入中央电视台任记者，1968 年毕业于北京广播学院。主要作品有系列片《乡情三部曲》等。

贾廷安，傣族，1945 年 5 月生。1965 年毕业于中央民族学院，1968 年毕业于北京广播学院，现任主任记者。主要作品有《孔雀之乡》、《春城花》等。

张金鹏，1951 年 6 月生，山东荣城人。1980 年毕业于北京大学，同年进入中央电视台任编辑。创作的节目主要有《永不消失的绿色》、《千古之谜》等。

刘玉峰，1939 年 3 月生。1964 年于中国人民大学新闻系毕业后到中央新闻纪录电影厂任编导，

1989年调入中央电视台，现任主任编辑。创作的节目主要有《自行车王国》、《中国风筝》、《正阳门下话春秋》、《福禄寿》等。

黄志刚，1939年7月生。1963年于北京电影学院摄影系毕业后到中央新闻纪录电影厂任摄影。1989年调入中央电视台，现任主任记者。主要作品有《十年与一瞬》、《飞毽》及系列片《桥》、《水乡古镇》等。

张文达，1943年1月生。1966年北京电影学院摄影系毕业，分配至北京电影制片厂任摄影师，1973年调入中央电视台任记者。主要作品有系列片《唐蕃古道》等。

〔李春圃·济南清河企业集团董事长兼总经理·获全国优秀乡镇企业家称号〕 走进济南市清河村，好象进入一座现代化的商业城。耸入云霄的明湖大酒店，流光溢彩的济南国际贸易大厦，雄伟壮观的济南国际精品大世界，比肩而立，交相辉映。这座座庞大建筑，清河人说凝聚着李春圃的心血。1992年，李春圃被评选为全国优秀乡镇企业家。

李春圃，1945年生，山东省济南市人。他卖过菜，拉过车，当过工人，现任济南市清河村委会主任、村党总支书记、济南清河企业集团董事长兼总经理。人们评价他：谦恭而不自卑，憨厚而不笨拙，精干而不奸诈，颇有一种雍容大度的气质和敢作敢为、精明果断的风度。

李春圃办企业总是比别人“快半拍”。党的十一届三中全会后，李春圃挑起了清河一村之长的重担。他抛弃了小农经济的框框，打破过去单一务农的旧生产格局，利用靠近省城、交通便利等优势，大力发展商品生产，走农工商全面发展综合经营的新路子。当人们仍守着“土地爷”观望徘徊时，他率先发展建材业，当啤酒、电子产品热的时候，他没有随大流，而是在巩固提高第二产业的同时，加速跨入第三产业新天地；当大伙看好第三产业市场时，他又加快第三产业设施配套完善建设的步伐。这些年来，清河村的工业、商业、服务、旅游、房地产等企业竞相崛起，到1992年，全村各业总收入超6亿元，人均分配达到2816元。一个“卖了细粮换粗粮、咸菜就米汤”的穷村，已发展成为拥有机械、化工、建材、造纸、电子、商业、服务等十几个门类、六十多个工商企业、4000多名职工、固定资产达5·6亿元的济南市计划单列企业——清河企业集团。

李春圃为振兴清河经济作出了巨大贡献。1988年，他被评为山东省优秀农民企业家，1989年，他被评为全国劳模；1992年，他被评为全国优秀乡镇企业家。李春圃所领导的清河村也先后被评为全国村镇建设文明村和全国乡镇企业思想政治工作先进单位。近几年，江泽民、李鹏、乔石、宋平、李瑞环、刘华清等二十多位党和国家领导人先后来到清河村，视察了清河村日新月异的新风貌。

〔李树德·园艺专家·获农业部科技进步一等奖〕 中国农科院蔬菜花卉所学术委员会主任、研究员李树德主持育成“抗病丰产蕃茄新品种‘中蔬5号’和‘中蔬6号’”，1992年获农业部科技进步一等奖。“中蔬5号”还获得同年首届中国农业博览会银质奖。

李树德，1927年7月生于北京市，1953年毕业于北京农业大学园艺系。后在华北农科所园艺系工作。1960年获苏联季米特里亚捷夫农学院生物学副博士学位。七十年代在中国农科院蔬菜所下放北京市期间，任北京市农林科学院蔬菜研究所副所长。1978—1988年先后任中国农科院蔬菜花卉所副所长、所长、副研究员、研究员。现任该所学术委员会主任。他主要研究番茄的育种工作。六十年代主持全国罐藏番茄加工适应性研究，制订了选育熟性配套品种，对延长番茄加工期、扩大番茄罐头出口发挥了积极作用。从八十年代至今，参与主持番茄抗病、优质、丰产育种课题的研究，先后育成中蔬4号、中杂4号、中蔬5号、中蔬6号等新品种，累计推广300余万亩，净增社会经济效益5亿多元。其中中蔬5号、中蔬6号获1992年农业部科技进步一等奖；高抗烟草花叶病毒病、优质、丰产的新品种中蔬4号获国家科技进步三等奖。七十年代中期，在李树德倡导和组织下，选育出白菜、甘蓝自交不亲和系、白菜雄性不育系、黄瓜雌性系等并育成200个一代杂种，使白菜、甘蓝主栽品种基本杂优化。他还主张育种专家和病理专家结合，提高抗病育种的效率和新品种的质量。上述这些活动对稳定和扩大蔬菜科研队伍，解决大中城市和郊区蔬菜的稳产高产，克服淡季实施周年均衡产生了重大影响。七十年代末，在参加“塑料薄膜地面覆盖栽培技术”的引进和示范、推广工作中做出了重要贡献，使该技术很快成为我国重要的农业增产措施。

李树德还主持“六五”、“七五”国家重点科技攻关和部重点研究计划中的两个课题，领导30多个单位育成5种蔬菜121个抗病、优质、丰产新品种，示范推广达1千万亩，曾两次受到国家计委、国家科委和财政部的表彰。1984年起，他还成功地领导了蔬菜花卉所的科研体制改革。

李树德创办并主编的《中国蔬菜》杂志，八十年代以来多次被评为中国农科院、农业部、北京市和全国优秀科技期刊。他还组织全国近百名专家编辑出版了《中国蔬菜栽培学》、《中国农业百科全书·蔬菜卷》，其中《中国蔬菜栽培学》1990年获第五届全国优秀图书一等奖。

李树德是中国共产党党员。曾任第二、三、四届农业部科技委委员，院学术委员会常委，国家自然科学基金会生命科学部评审成员，中国发明协会基金委员会委员，中国园艺学会第五、六届副理事长，《园艺学报》副主编。

〔李贵鲜·国务委员兼中国人民银行行长·谈中国金融业对外开放问题〕　1992年5月初，亚洲开发银行中国理事、中国人民银行行长李贵鲜率中国代表团出席在香港召开的亚洲开发银行理事会第二十五届年会。5月5日，他在发言中谈到中国与亚行的关系时强调，中国是世界上人口最多的发展中国家，消除贫困仍是中国的头等任务，为此，中国更需要国际社会的支持和帮助。在过去一年中，亚行在中国的业务活动已开始恢复正常。1991年亚行对中国的贷款和投资总额达到5亿美元。中国希望亚行对华业务在此基础上进一步扩大。

李贵鲜在年会期间回答记者提问时表示，中国金融机构应当积极创造条件走上国际市场，借鉴国际化运作方式来组织好信贷资金的营运与管理。

在谈到中国金融业对外开放的有关问题时，他说，中国在这方面的具体做法包括逐步实行资产风险管理；银行业务处理手段逐步向国际标准靠拢；改革国内银行现行的会计制度和记帐方法，改进金融统计制度与指标体系，建立国际和国内银行资金清算网络和现代化支付系统。

关于现已开放的地区是否允许更多的外资银行进入问题，李贵鲜说，对外资银行在我国设立机构并无数量限制。目前外资银行在经济特区和上海已设立了40多个业务机构。今后随着经济的发展，还将允许适当增加外资银行在经济特区和上海的业务机构。天津、大连和广州是新一批准许外资银行进入经营的城市。

6月中旬，李贵鲜应英国中央银行—英格兰银行行长罗宾·李·彭伯顿爵士邀请对英国进行正式访问，并主持中国人民银行驻欧洲代表处开业典礼。这是中国人民银行在海外开设的第一家代表机构，它将有助于促进中国与欧洲各国的金融交往与合作。

李贵鲜，1937年生，辽宁盖县人。1962年加入中国共产党。曾留学前苏联。担任过国营七七七厂总工程师，辽宁省电子工业局副局长、总工程师，辽宁省副省长，中共辽宁省委书记，安徽省委书记。1988年任国务委员兼中国人民银行行长。1992年10月当选为中共十四届中央委员。

〔附注：1993年3月29日，八届全国人大一次会议第七次大会表决决定李贵鲜为国务委员兼中国人民银行行长。〕

〔李泉根·病毒学家·在国际上首次发现艾滋病毒包涵体〕　中国人民解放军三零二医院病毒研究室主任李泉根教授，从一例中国艾滋病人的血浆中分离到一株生长快、产量高的艾滋病毒，并用电子显徽镜在国际上首次发现了电子致密度很高的包涵体。1992年7月，他应邀赴荷兰阿姆斯特丹，参加第八届国际艾滋病大会，报告了这个艾滋病毒研究的重要成果。李泉根的发现，使人们对艾滋病毒的认识更为透彻，并将对当前广泛开展的艾滋病发病机理和艾滋病防治研究产生深远影响。1992年12月30日，这一发现被卫生部、国家科委、中国科协、中华医学会等单位评选为1992年中国医药科技十大新闻之一。

李泉根，1942年10出生，江苏人。1966年1月加入中国共产党。1967年毕业于上海复旦大学生物系遗传专业。1970年至1979年在国防科委从事病毒疫苗研究工作。1979年调入三零二医院病毒研究室。1985年至1988年年在瑞典尤米尔大学病毒系攻读博士学位，1988年获医学科学博士学位。在尤米尔大学期间，李泉根与G瓦德尔教授协作从事艾滋病毒包涵体研究。回国后做了病毒分离工作，发现了包涵体。1991年又去瑞典继续研究。由于李泉根多年来在病毒研究中取得显著成就，曾获国家科技进步二等奖一次，军队科技进步一等奖一次、二等奖二次三等奖四次，四等奖二次。1990年立二等功，被人事部授予“有突出贡献的中青年专家”称号。1991年又被国家教委和人事部授予“在社会主义现代化建设中做出突出贡献的回国留学人员”。

〔李剑晨·画家·九十二岁高龄赴台办画展载誉归来〕　92岁高龄，被誉为“中国水彩之父”的江苏美术家协会副主席李剑晨，于1991年11月至1992年元月，应台湾中华艺术文化推广协会和台湾美术馆的邀请，在台北、台中举办为期49天的个人画展，每天参观的人群络绎不绝，台湾画界同行，给予了极高的评价。李剑晨载誉归来后，在接受记者采访时说：海峡两岸的文化艺术界应加强交流和往来，共同为中华民族艺术事业的发展和祖国的统一做出自己应有的贡献。

李剑晨，1900年出生于河南省，从事绘画艺术创作已超过一个甲子，他擅长水彩画、中国画、油画。1926年他毕业于北京国立艺专，担任河南省立第一师范和女子师范教员，1937年赴英国伦敦大学研究艺术，1939年到巴黎学习绘画与雕刻，1940年归国后任教于重庆国立艺专、中央大学建筑系，历任南京大学、南京工学院建筑系教授，中国美术家协会会员，中国美术家协会江艺分会副主席。出版发行有《李剑晨水彩画选集》，作品有《晨》、《李时珍采药图》、《抢修上海机场》等。他在水墨画的表现上善于博采古今之长，兼收中西绘画技法，自成一套绘画理论，被誉为：“中国水彩画之父”和“世纪同龄人画家”。

〔李前光·摄影记者·获全国十大青年摄影家称号〕　1992年金秋十月，中国摄影家协会副主席陈复礼代表中国摄影家协会、东方国际摄影艺术基金会把一枚泰国红木上镶嵌精美白银图案的“全国十大青年摄影家”奖牌颁发给十位年轻的摄影家。他们是：刘占坤、李前光、王文扬、邱晓明、郭建设、钱捍、刘开明、梁达明、王建军、姜振庆。

名列第二的李前光，是一位蒙古族的解放军少校军官。他1960年出生于河南。1976年参军到北京军区某部当侦察员，翌年调到团政治处任摄影员，后任政治处书记、干事。1984年调入解放军画报社任记者至今。

十多年来，他先后有数百幅摄影作品发表在各种报刊杂志上，并多次在国内外获奖。曾参加过华北军事大演习和亚运会等重大活动的采访，1984年赴云南老山前线采访，荣立战功。

1985年，李前光就读于中国人民大学新闻系，1987年毕业后，作为中国摄影师与美、英、法、意等数十个国家的著名摄影师合作，参加了大型画册《俯瞰中国》、《钢铁长城》、《中国一日》的拍摄活动。这些画册用多种文字在国外出版在世界上广泛发行。1991年应邀参加了中国摄坛盛事《上海一日》，拍摄出优秀作品《今日南京路上好八连》。

1992年是李前光的丰收年：摄影作品《神兵天降》获解放军报“桂冠杯”军事摄影比赛一等奖。《今日南京路上好八连》获“公元杯”全国摄影大赛银牌奖，《向党中央汇报》获全军摄影艺术展览二等奖，《赴汤蹈火》获“中国风采”全国彩色摄影艺术大奖赛最佳人物奖。《二条道》获“丽奥杯”全国万元摄影大奖赛大奖。

李前光为自己树立了两个目标：一是展示军人的阳刚之美，注重气势、个性的塑造；一是展示军人的真实生活，追求平淡、自然的韵味。

李前光用他的军事摄影作品，用他对军事摄影的理解，用他的智慧和汗水，而且用他作为军人的形象，为军事摄影，为他的人生划出了一个眩目的光环。

〔李骆公·书画家、教育家·在桂林逝世〕

著名书画篆刻艺术家、教育家李骆公因病医治无效，于1992年12月20日在桂林逝世，享年76岁。

李骆公，福建福州人，1917年9月生。自幼刻苦自学书画，1936年考入上海美术专科学校，1940年8月在上海举办“黑沙骆油画展”，后考入日本大学艺术专科攻现代油画，师事野口弥太郎、里见胜藏、猪熊弦一郎等。留学期间，作品入选第十三、十四回“独立美展”。他用中国绢创作民族化油画，成为我国民族化油画创始人之一。1944年冬，李骆公从日本回国后，历任哈尔滨美术协会会长、辽东学院（今鲁迅美院）美术系教授、东北师范大学讲师、天津津沽大学教授、河北女子师范学院副教授、河北师范学院美术系主任等。1957年后全力研究现代书法篆刻，经钱瘦铁、王个簃指点并与邓散木、宁斧成结为挚友，遂以现代中西绘画形式美渗入书法篆刻，艺风突变。1961年至1965年间发表首批诗文、书法、篆刻作品，并被介绍到港澳。1969年后精研草篆，作品新颖奇绝，壮阔大气，别具一格。《光明日报》、《福建画报》、香港《大公报》、《良友》、《澳门日报》、美国《美洲华侨日报》等载文专栏介绍其人其艺，1983年和1985年应邀访问日本和澳门并举办个展。出版《李骆公书法篆刻集》、《驼踪》（丁伯奎撰文）等，李骆公在逝世前，任中国书法家协会理事，中国美术家协会会员，日本北陆篆刻会名誉顾问和国际美术审议会海外评审委员，中国现代书法研究会顾问，桂林书画院名誉院长，河北师范大学名誉教授。

〔**李铁光·工人·集报万余种被誉为"集报大王"**〕　北京人民机器总厂行政处工人李铁光，30年来集报逾万种，被誉为"集报大王"。1992年4月9日、6月24日《人民日报》、《北京日报》分别报道了李铁光的事迹。

李铁光这位普通工人，在7000余人的大厂里并不显眼，但在全国集报爱好者中已颇有名气。1991年连续三年被北京工人集报协会评为中国集报界十大新闻人物之一，位居榜首。30多个春秋，他苦心耕耘，收藏颇丰。到目前为止，已收集世界80多个国家各类报纸10200种，10多万份。其中收藏的历史珍品、早期报数量居全国个人集报之冠。

李铁光家住两居室，并不宽裕，但被他视为珍宝的各类报纸却占了不少空间，大衣柜、壁橱、碗柜、组合柜、抽屉、床下都装满了报纸。种类之多，令人眼花缭乱。清朝同治年间的《申报》创刊号及整月的合订本，宣统元年的《北洋政法学报》创刊号，抗战时期的《解放日报》、《晋察冀日报》，解放战争时期朱德总司令题写报头的《华北解放军》，建国初期出版的《中苏日报》、《群众报》，戏曲大师梅兰芳题写报名的《影剧月报》创刊号等。李铁光得意之举是他收藏了建国以来各种党报的成套号外和喜报。如1964年10月16日《人民日报》号外"我国第一颗原子弹爆炸成功"，1970年4月26日《人民日报》、《解放军报》联合出版的特大喜报"我国成功地发射第一颗人造卫星"等。

他集报入迷，集报成了他业余的主要爱好与追求。有次家里来了客人让他买鱼。他到鱼店后，看到柜台上有份难觅的企业《永久报》，便诚意地向售货员索求。售货员给他后，如获至宝，抄起沾满鱼腥味的报纸往回跑。到家后才发现忘记买鱼。为集报，他对旧报摊、废纸车从不放过。有一次看见废品车上有报纸，就诚心相助，推车、卸车忙个不停，最后不需道谢，只求检回一张旧报纸。集报是需要花钱投资的。李铁光电视机不置，衣物少买，但有用的报纸却不惜重金购买。他就是这样积沙成塔、广揽博取逐渐积累起来的。1990年，他举办了个人藏报展，展出集报数千种，成为北京市第一个公开举办报展的集报爱好者。

李铁光集报、用报，自学成才。他说，"报纸是历史的真实记载，是百科全书，通过集报我学到了不少知识。"他在报刊上发表文章160多篇，其中《我爱集党报》一文在1991年北京市"工人阶级心向党"征文活动中荣获一等奖。他还被《北京工人》杂志社聘为评刊员，被北京人民机器总厂评为先进职工。

李铁光，北京市人，1947年生，现任北京市集报协会副秘书长、北京人民机器总厂集报协会会长。

〔**李铁映·当选中共中央政治局委员·提出教育发展与改革的十条思路**〕　1992年10月18日，李铁映在中国共产党第十四次全国代表大会上当选为中共中央委员。19日，在中共十四届一中全会上当选为中央政治局委员。

6月20日，国务委员兼国家教委主任李铁映在国家教委于济南召开的"办好教育为人民"研讨会上发表讲话强调，教育必须有一个较快的发展，而且能够有一个较快的发展。全国这十多年来教育事业的发展，证明了这一点。他说，什么是有中国特色的社会主义教育体系呢？这就是更好地为经济建设服务、为人民服务的教育制度。检验我们教育事业发展各项方针的客观标准是什么？应该是教育对经济建设和社会发展的适应程度。教育的发展只有在为经济发展服务的过程中才能找到自己的路子。

李铁映说，九十年代我们的任务就是全面贯彻教育方针，全面提高教育质量。他提出了教育发展与改革的十条思路：第一、基础教育和扫除文盲。到2000年，在全国范围内要基本普及九年制义务教育和基本扫除青壮年文盲。第二、职业技术教育。基本路子是走出一条产教结合，依靠贷款发展校办产业，增强学校自我发展能力的路子。第三、成人教育。现在实行证书制度和文凭制度。前者是不受约束的形式多样、方式多样的培训教育，很不完善，要由行业、地方在实践中不断完善；后者是一种学历教育制度，要国家化、制度化，让所有有志者通过各种形式的学习来获得相等学历的文凭。第四、高等教育的改革。主要是两个范畴，一类叫做管理体制改革，第二类属于教育和教学改革。第五、教育经费多渠道筹措的路还要拓宽。第六、建立符合教育特点的教师工资制度。第七、要建立地方教材。自然科学方面教材的编写应该吸收国外有些教材的内容。第八、要进一步理顺中央与地方、国家教委与中央业务部门、政府与学校、学校与教职工的关系以及相应的权责利。第九、面向农村问题。要扭转没有直接培养大学文化程度的农民和为乡镇企业服务的学校的局面。第十、对外开放。经济要参与国际竞争，教育也应如此，为经济走向世界服务。

李铁映在1992年中还对教育战线各个方面的工作发表了许多意见。他7月1日在全国高等学校党的建设工作会议上作的报告和7月中旬在国家教委直属高校工作咨询委员会第3次全体（扩大）会议上的讲话中强调，高等教育的改革和发展必须有利于坚持社会主义的办学方向；有利于全面贯彻教育方针，提高教育质量、科学技术水平和办学效益，培养德、智、体全面发展的建设者和接班人；有利于调动广大教职工和社会各方面的积极性；有利于为经济建设这个中心服务，探索有中国特色的现代化的社会主义大学的路子。11月18日，他在全国普通高等教育工作会议上的讲话提出，要加大教育改革的力度，努力建立与社会主义市场经济体制相适应的教育体制，为经济建设这个中心服务。今后一个时期，国家要集中力量逐步办好100所左右重点大学和一批重点学科，并使若干所大学在本世纪末进入世界先进行列。

关于出国留学问题，李铁映8月份在吉林考察时强调，出国留学是我国对外开放的组成部分，今后不仅要长期坚持，而且要继续扩大。总的原则是支持留学，鼓励回国，来去自由。

李铁映，1936年9月生于陕西延安，1955年4月在北京师范大学二附中学习时加入中国共产党。1955—61年赴捷克斯洛伐克查理士大学物理系学习。曾在国防部十院十三所、四机部一四一三所、一四二四所、一四四七所任技术员、室主任，总工程师。1981—83年，任中共沈阳市委书记，市委常务书记。1983—85年，任中共辽宁省委书记。1985—87年，任电子工业部部长，党组书记。1987—88年，任中央政治局委员，国家经济体制改革委员会主任、党组书记，电子工业部部长、党组书记。1988年起，任中央政治局委员，国务委员兼国家教育委员会主任、党组书记。是十二届中央候补委员，十三届中央委员、中央政治局委员。

〔附注：1993年3月29日，八届全国人大一次会议第七次大会决定李铁映为国务委员兼国家经济体制改革委员会主任。〕

〔李烛尘·杰出的爱国实业家·一百一十周年诞辰〕　纪念我国杰出的爱国实业家、著名的社会活动家和国务活动家李烛尘诞生110周年大会，于1992年8月16日在李烛尘的故乡湖南省永顺县举行。全国政协副主席、全国工商联副主席王光英专程前往出席大会并发表了讲话，他指出，李烛尘先生的崇高爱国感情和道德情操，他对建立独立、民主、自由、富强的新中国坚定不移的信念，虚怀若谷的学习态度，在利国利民的实际行动中所表现的创业精神、开拓精神和敢为天下先的精神，以及他对建设中国化学工业所做的巨大贡献，是有目共睹的。他的一生，是勤劳务实的一生，是为中华民族崛起而奋斗的一生。李烛尘先生不愧是工商界的典范和楷模，永远是我们学习的好榜样。湖南省委书记熊清泉出席了纪念会。

李烛尘，土家族，1882年9月16日生于永顺县毛坝乡。原名李华　，清末秀才。早年毕业于日本东京高等工业学校电气化学科。1918年回国，后任久大精盐公司技师、厂长，永利制碱公司副总经理。1943年任迁川工厂联合会理事长，参加创办“中国经济事业促进会”、“中国工业协进会”。抗战胜利后，参加发起组织民主建国会，任常务理事。1947年任久大盐业公司总经理。1949年代表工商界出席中国人民政治协商会议第一届全体会议。新中国成立后，历任中央人民政府委员，华北行政委员会副主席，食品工业部部长，轻工业部部长，全国工商联副主委，中国民主建国会中央副主委、代理主委，第四届全国政协副主席，第一届全国人大常委，第二、三届全国政协常委。

〔李盛春·南宁市人民检察院副科长·被授予模范检察干部称号〕　1992年5月，最高人民检察院授予广西南宁市人民检察院副科长李盛春“模范检察干部”称号。

李盛春，壮族，广西凌云县人，1933年9月生，1951年参加工作，1953年5月加入中国共产党，1958年毕业于上海法律学校，后一直在南宁市人民检察院工作至今，行政副处级。

李盛春热爱检察工作，在监所检察岗位上做出了突出贡献。1986年，广西南宁市检察院实行驻所检察制度，年过半百的李盛春不顾身体有病，主动申请，来到了集中全市6个监管场所的茅桥地区，在较艰苦的环境中，一干就是6年。这6年中，他平均每年驻场317天，共加班590多天，相当于多干了两年零三个月的工作日。他秉公执法，不徇私情。1991年6月，广西第一劳教所管教干警谢某因教养人员不听命令，用铁铲将一名教养人员左手尺骨打成骨折。在查处此案时，先后有8人找李盛春说情，但他坚持依法查处了此案，并进行了起拆。几年来，他先后认真查处34起管教干警违法违纪案件。1989年，李盛春的一位亲戚贩卖假药被公安局抓获，有人找到他，拿出5000元请他帮助疏通关系，开脱罪责，被他严辞拒绝。几年中，李盛春深入监管场所2800多次，做到法制宣传到现场，找人犯和两劳人员谈话1046人次，使68名态度比较顽固的犯人有了明显转化。他参加工作以来曾3次立功，40次受奖，多次被评为先进工作者，是南宁市劳动模范、劳模标兵，曾被评为自治区治安综合治理积极分子，自治区检察系统先进工作者等。

〔李雪三·总后勤部原副政委·在北京逝世〕

1992年12月22日，总后勤部原副政委李雪三在北京逝世，终年82岁。

李雪三，河南修武人。1931年参加宁都起义，1932年加入中国共产党。曾任中国工农红军第5军团38师政治部宣传队长、技术书记、宣传科科长，红15军团75师政治部宣传科科长，军团统战部部长。参加了中央革命根据地第3至5次"围剿"和长征。抗日战争爆发后，任八路军第115师344旅警卫营政委，第687团政治处主任，冀鲁豫支队第1大队政委，八路军第2纵队新编2旅政治部主任，新四军第三师8旅副政委、政委。解放战争时期，任东北野战军第2纵队4师政委、纵队政治部主任，第四野战军39军副政委兼政治部主任。先后参加了四平保卫战、三下江南、辽沈、平津、渡江、衡宝、广西等战役。中华人民共和国成立后，于1951年参加抗美援朝，任中国人民志愿军第39军政委，志愿军后勤部政治部主任、副政委、政委。回国后，任总后勤部副政委兼政治部主任，后勤学院副政委。1955年被授予中将军衔，获二级八一勋章、一级独立自由勋章，一级解放勋章。是第四、五届全国政协委员，1988年7月获一级功勋荣誉章。

〔李商隐·唐代诗人·其学术研讨会在平乐举行〕 李商隐学术研讨会于1992年11月21日至25日在广西省平乐县举行。李商隐曾任昭州（今平乐县）代理郡守，在桂林留下"天意怜芳草，人间重晚晴"等有价值的著名诗句。1992年正值他诞生1180周年。来自全国各地的与会者认为，认真研究李商隐的诗作，学习借鉴其中对繁荣社会主义文化仍然有用的东西是很有必要的。美国和香港等地的诗人也有代表出席。与会者还参加了平乐县商隐公园奠基仪式。

李商隐（约813～858），字义山，号玉谿生，怀州河内（今河南沁阳）人。幼年丧父，跟随堂叔学习经书和文章，十六岁就以古文知名。文宗大和三年（829），受天平军节度使令狐楚召聘入幕为巡官。令狐楚爱其才，让儿子令狐绹和他交游，并亲自指点他写作骈文，很快又以擅长今体章奏闻名当世。经令狐绹推荐，于开成二年举进士。次年，到泾州入泾原节度使王茂元幕府。当时唐王朝内部分别以牛僧孺和李德裕为首的两大官僚集团的斗争（史称"牛李党争"），正进入白热化阶段。令狐楚父子属牛党，王茂元则接近李党。从此，李商隐陷入朋党相争的峡谷，成了政争的牺牲品。于858年底，怀着报国无门的悲愤离开人世，年仅四十六岁。

李商隐善于多方面学习前人艺术经验，其诗以独特风格而蜚声唐代诗坛。其特点在于：构思缜密，多用含蓄象征的手法，精工富丽的辞采，婉转和谐的韵调，曲折细微地表现浓厚的感情。诗歌留存约六百首，编为《李义山诗集》（一作《玉谿生诗集》）。其中有相当数量的咏物诗，广泛反映了晚唐社会中宦官专权、藩镇割据、朋党倾轧、民族战争等各种矛盾，开掘甚有深度。长诗《行次西郊作一百韵》，从眼前农村残破、民不聊生的景象，追溯唐王朝二百年来治乱盛衰的历史变化，对唐代政治作了系统的回顾总结，是杜甫《咏怀》、《北征》以后难得的"诗史"。一部分咏史之作，以古喻今，有讽有叹，既斥统治者之荒淫，又寄怀才不遇之感慨。如七绝《贾生》截取历史上汉文帝坐宣室接见贾谊深夜长谈的场景，却通过"不问苍生问鬼神"的感叹，一针见血地揭穿了统治者在隆重礼遇外貌下隐藏着不重人才的实质，发人深省。其爱情诗，特别是其中的《无题》诗，成就尤高。清词丽句，情深动人，读来令人回肠荡气，名篇佳句较多。"身无彩凤双飞翼，心有灵犀一点通"，"春蚕到死丝方尽，蜡炬成灰泪始干"，均为描写爱情的千古绝唱。

李商隐还有三百多篇文章流传下来，辑为《樊南文集》和《樊南文集补编》。李商隐是唐代骈文的名家，所作骈文不仅对偶工整，用典精切，且能在整密的文句组织中参以白描成分，做到述情委宛，韵调自然。散文气势跳脱，形象鲜明，当得起“为文瑰迈奇书”(《新唐书·文苑传》)的评语。《上崔华州书》中对“学道必求古，为文必有师法”的传统看法提出质难，主张“直挥笔为文，不爱攘取经史，讳忌时世”，表现了追求思想解放的倾向。他的《李贺小传》以同情的笔调记述李贺的生平逸事，有传奇小说的风味。

注本以清人冯浩的《玉　生诗集笺注》和《樊南文集详注》最为精详，《樊南文集补编》有钱振伦、钱振常的校笺。

〔李景端·译林出版社社长·被收入国际杰出人物名录〕　1992年12月译林出版社社长兼总编辑李景端，被美国人物传记研究所收入《国际杰出人物名录》，并受聘担任该所三个评委会的名誉评委。该所及英国剑桥国际传记中心，还联合邀请李景端出席1993年7月在美国波士顿举行的“艺术与交流”第20届国际代表会议。

李景端，1934年生于福建省福州市。1954年毕业于中国人民大学外贸系。先在外贸部门工作，1975年进入江苏人民出版社，此后一直从事翻译出版工作。1979年他创办和主编的《译林》杂志，以及时介绍外国通俗文学中的最新佳作为特色，15年来，发行量一直居国内同类刊物的首位。1989年，李景端又筹建和主持译林出版社的工作。他实行“人不在多，在精；书不在多，在优”的原则，一个仅有二十来人的新社，4年来，就有15种书获得省以上颁发的优秀图书奖。其中法国名著《追忆似水年华》7卷本，获新闻出版署“全国优秀外国文学图书奖”一等奖和“江苏文学艺术奖”集体大奖。《汉英分类词典》等18种书，被港、台买去海外版版权。在经营上，该社注重实效，4年中纯利增长61倍，人均创利是平均工资的36倍。

〔李富良·工程师·研制接收故障查找仪在第八十三届巴黎国际发明展览会上获奖〕　年仅27岁的乌鲁木齐铁路分局库尔勒机务段助理工程师李富良，潜心研制的JHY·Ⅱ接地混线故障查找仪，1992年5月在巴黎举行的第83届国际发明展览会上，获得法国邮电部颁发的专项奖，成为中国唯一获此项奖的青年科技工作者。同年，乌鲁木齐铁路分局给他晋升一级工资，破格晋升为工程师。

李富良，山东省东明县人，1965年生。1985年毕业于兰州铁路机械学校铁道信号专业，从此便在新疆库尔勒扎下根。他先后担任过铁路信号检修队技术员，信号实验室技术员，信号修配所技术员、教员等，1990年聘为助理工程师。他从1988年开始研制接地故障查找仪，1989年获乌鲁木齐铁路分局科技成果二等奖，1990年又获丝绸之路专利技术暨自治区第三届发明与新技术博览会银奖。他的这项科研成果，使列车在不停机、不断电的情况下，准确查找到线路故障，可产生巨大的经济效益。

1989年以来，他曾获自治区先进工作者、优秀青年突击手等称号。

〔李瑞环·再次当选中共中央政治局常委〕

1992年10月19日，李瑞环在中国共产党第十四届中央委员会第一次全体会议上再次当选为中央政治局常务委员会委员。

1月23日，李瑞环在人民大会堂同出席重大革命历史题材影视创作会议的代表座谈时指出，1992年的宣传思想工作要突出经济建设这个中心，加大改革开放宣传的份量，文艺、出版工作的重点是抓创作、抓繁荣。

1月25日，李瑞环在同全国宣传部长会议座谈时强调，要用建设有中国特色的社会主义的理论和路线进一步统一全党思想，增强团结，振奋精神，推动全局工作。宣传部门要准确把握今年宣传工作的重点，采取坚决措施克服目前宣传工作中严重存在的形式主义，努力为经济建设帮忙鼓劲。李瑞环指出，在今年国内各项工作中，经济建设仍然是中心。宣传部门要运用多种宣传手段和形式，把一心一意发展经济的空气搞得更浓。要充分认识并紧紧跟上国内经济政治形势的新发展，把改革开放和建设有中国特色社会主义的宣传提到突出位置上来，鼓舞人们进一步解放思想，实事求是，开拓进取，把九十年代的改革开放引向深入。要始终重视四项基本原则的宣传和教育，在经济建设和改革开放的过程中坚持正确的方向。在谈到以正面宣传为主，团结、稳定、鼓劲这一宣传方针时，李瑞环指出，两年多来的实践证明，这一方针是正确的，今后要继续贯彻。在贯彻这个方针中，不能简单化，不应把“以正面宣传为主”理解为堆砌好人好事，不应把宣传搞成干巴枯燥的空洞说教，尤其不能宣传形式主义，助长形式主义。宣传思想工作者要不断提高政治素质和业务水平，要有艰苦扎实的工作作风，深入基层，深刻体察群众的情绪，努力探索和解决实际工作中的矛盾和问题，并进一步开创宣传思想工作的新局面。

5月8日，全国文物工作会议在北京召开，李瑞环在与会议代表座谈时指出，当前文物盗窃、盗掘、走私等犯罪活动十分猖獗，对文物保护工作构成了严重威胁，各级领导对此必须引起高度重视，采取坚决措施，依法予以严厉打击。如果让祖先留下来的这份遗产在我们手里损坏了，那就不是一般的工作失职，而是上无以对祖先，下无以对子孙，我们就会成为千古罪人。他说，文物工作要以保护为主，把抢救放在首位。我国文物的显著特点一是年头久，二是数量多。由于年代久，许多文物经历了几百年、上千年，称得上饱经风霜，已经是千疮百孔、风烛残年，抵御自然侵蚀的能力很低，有些抢救一下就保存下来了，不抢救就没有了；早抢救几年甚至几个月就保存下来了，晚几年甚至几个月就没有了。文物是无法再生的，一时的延误就有可能造成千古遗恨。

5月21日，李瑞环在与中国职工思想政治工作研究会负责人的谈话中强调指出，宣传贯彻好邓小平南巡重要谈话是全党的大事。他说思想政治工作不能游离于经济建设这个中心之外，更不能搞“自我中心”、两个中心或多中心，妨碍和干扰经济建设的发展。思想政治工作者必须提高执行党的基本路线的自觉性，强化为经济建设服务的意识，自觉地服从和服务于经济建设。思想政治工作只有在经济建设和改革开放的长过程中，找到自己合适的位置，才能发挥自己特有的作用，体现自身存在的价值。

8月10日，李瑞环参加了乌兰牧骑艺术节闭幕式，他在讲话中谈到繁荣文艺必须解放思想时说，由于“左”的思想影响，长期以来，我们有些同志对文艺的功能、文艺的目的和文艺的标准，存在着片面的理解。文艺有娱乐、审美、认识、教育等多方面的作用。但不可能使每个作品都具有这种作用。文艺的根本任务，是满足广大人民群众日益增长的文化生活的需要，因此，在提倡多创作健康有益、群众喜闻乐见作品的同时，也不反对政治思想上无害、艺术上较好、群众喜闻乐见的作品。

11月17日，李瑞环约请各民主党派中央、全国工商联和无党派代表人士座谈。他在讲话时强调，必须用邓小平建设有中国特色社会主义理论指导统一战线工作。他说，用这一理论指导统一战线工作，我认为至少要研究两方面的问题：一方面是如何更好地贯彻落实这一理论有关统战工作的内容；另一方面是如何更好地为根据这一理论所确定的总任务服务。

在1992年，李瑞环先后到黑龙江、吉林两省和内蒙古自治区考察，他在考察黑、吉两省时强调，当前，宣传思想工作要全面贯彻党的“一个中心、两个基本点”的基本路线，继续坚持团结、稳定、鼓劲的方针。

这一年，李瑞环先后会见了来我国访问的阿拉伯艺术家、日本四季剧团的主要演员、古巴拉美社社长维兰努瓦一行、朝鲜政务院副总理张澈一行，毛里求斯战斗运动代表团、布隆迪全国团结进步党代表团、美国新闻署署长及新加坡新闻与艺术部长兼第二外交部长杨荣文一行。

李瑞环，生于1934年9月，天津宝坻人，1959年9月入党，1951年7月参加工作，北京建工业余学院毕业。1951—65年，为北京第三建筑公司工人（其间：1958—63年在北京建工业余学院工业与民用建筑专业学习）。1965—66年，任北京建筑材料供应公司党委副书记兼北京建筑木材厂党总支部书记。1966—71年，在“文化大革命”中受迫害。1971—72年，任北京建筑木材厂党委书记。1972—73年，任北京市建筑材料工业局党委副书记。1973—79年，任北京市建委副主任兼市基建指挥部指挥、市总工会副主任，五届全国人大常委会委员，全国总工会常务委员。1979—81年，任共青团中央书记处书记，全国青联副主席。1981—82年，任中共天津市委常委、天津市副市长，共青团中央书记处书记。1982—84年，任中共天津市委书记，天津市代理市长、市长。1984—87年，任中共天津市委副书记、市长。1987—89年，任中共中央政治局委员，天津市委书记、市长。1989年起，任中央政治局委员、常委，中央书记处书记。

第十二届、十三届中央委员，十三届中央政治局委员，十三届四中全会增选为中央政治局常委、中央书记处书记。

〔注：1993年3月26日，全国政协八届一次会议第六次大会选举李瑞环为政协第八届全国委员会主席。〕

〔李魁正、彭培泉、李爱国·在京举办《现代没骨画展》〕　中国工笔花鸟画画家李魁正、彭培泉、李爱国等，于1992年10月27日参加了在中国美术馆举办的《中国现代没骨画展》。他们参展的100余幅作品反映了画家在花鸟画创作上多年潜心研究、大胆尝试、艰苦探索的成果。他们以东西方的现代绘画语言，继承和发展了"没骨"这一中国画传统绘画形式，赋予了"没骨"画法新的时代精神和内涵。

李魁正1942年生，北京人，1967年毕业于中央美术学院中国画系，现为中国美术协会会员，中国当代工笔画学会理事，北京工笔重彩画会副秘书长，中国现代没骨画派主持人，中央民族学院美术系副教授，中国画教学研究室主任。他曾师承著名画家俞致贞、高冠华、李苦禅、潘絜兹等。基础扎实，功底深厚。作品多次参加国内外画展并被收藏。代表作有《清气》、《金秋烁烁》、《金牡丹》、《净虚》、《幻曲》、《荷》、《晨露》等获奖。著文有《线意和色调——谈工笔花鸟画的继承与革新》、《工笔花鸟画的时代性》等。出版有《李魁正画集》、《现代花鸟画体》等。

李魁正在艺术上主张"中西融汇，工写结合"。强调以现代审美意识和个性语言重新观察和表现花鸟世界，力倡更加自由和主观表现的现代没骨画。其画风凝重辉煌，净谧和谐，境界超脱，格调高雅。

彭培泉，北京昌平人，1941年4月生，擅长中国画。1967年毕业于中央美术学院国画系，北京画院专业画家，中国美术家协会会员，作品《春风化雨》、《晚风》、《山霞》获建国35周年全国美术展览优秀作品奖等。

李爱国，沈阳人，1958年生。1982年毕业于鲁迅艺术学院国画系，1987年毕业于中央美术学院国画系，获硕士学位。现为北京师范大学美术系副教授，中国美术家协会会员，中国当代工笔画学会会员。其作品曾参加中国当代工笔画第二届大展，第七届全国美展，全国卫生画大展，在首届中国民族风情中国画大展中获奖。出版有《李爱国画集》。还先后在《人民日报》、《美术》等60余家报刊、杂志、电视台等发表中国画作品200余件（次）。多件作品为中国美术馆、中国军事博物馆收藏。李爱国认为，艺术家对自然界的深细观察和感悟，本身的清静、无为、自然的心态，对传统艺术独到的理解体会，三者都是不可缺少的。又认为万物源本皆始于混沌，经过破碎复归于混沌。好的绘画作品，也应具有高古，浑莽之意蕴、静穆、涵深之气脉。如他的表现草原牧民的鞍马人物画，着重在画的重量感，体积感，富有力度，露其阳刚之美。表现人体画，则近乎没骨的形式，人体用弱化线条处理，背景全用没骨法，产生出一种朦胧、圆融、和谐的对比关系，此类作品以阴柔之美见长。

在此次反响很大的没骨画展中还有潘缨、韦红燕、贾冕等女画家。

〔李新书（女）·农业银行信用员·勇斗歹徒以身殉职被追授"农村金融卫士"称号〕 河北省平山县农业银行焦家庄信用社信用员李新书，1992年6月30日与抢劫信用社的歹徒英勇搏斗，因伤势过重，英勇牺牲。中共河北省委追认李新书为中国共产党党员，中国农业银行河北省分行追授她"农村金融卫士"称号。省妇联和省团委分别授予她"三八红旗手"、"青年楷模"称号。6月30日凌晨4时许，当焦家庄村的李俊兵谎称乘车需换零钱敲开信用社门后，即用匕首威逼李新书交出保险柜的钥匙，李新书临危不惧，喝令歹徒滚出去。在脸部被刺伤的情况下，她强忍剧痛奋力去夺歹徒的凶器。歹徒又向其身上猛刺，身受二十二处刀伤的李新书血流如注，昏迷过去。待她醒来，见歹徒还在寻找钥匙，就挣扎着扑向距自己两米远的保险柜，用尽力气打乱柜锁号码，并抱住保险柜死死不放。绝望的歹徒又对准李新书的后背连刺三刀。李新书再次昏迷过去。待她苏醒后，歹徒已逃离作案现场。为尽快报案，她艰难地向哥哥李凤海家爬去，身后留下一条46米长的血路。而她留给人们的只有断断续续的一句话："快抓……俊兵……钥匙……钱……"年仅35岁的李新书终因伤势过重，失血过多，抢救无效，于当日晨6时逝世。

〔李嘉诚·香港长江实业（集团）有限公司董事会主席·在大陆投以巨资〕 自中国大陆改革开放以来，香港工业巨子、香港长江实业（集团）有限公司董事会主席李嘉诚积极支援祖国现代化建设事业，1992年又在大陆投以巨资。

1992年11月19日，汕头市人民政府同李嘉诚汕头大学基金会有限公司合作开发"汕头第一城"项目协议签字仪式在汕头国际大酒店举行。李嘉诚和汕头市长吴波分别代表双方在合作协议书上签了字。李嘉诚在汕头投以巨资发展房地产业，并非为了图利，他表示开发"汕头第一城"将来所得利润、本金全归汕头大学基金会有限公司，为汕大的未来发展作长远打算。此项目总投资约12亿港元。据报道李嘉诚已投资于汕头大学6.8亿港元。

1992年12月25日，李嘉诚与福建省委书记陈光毅在香港签署了一项改造主要位于福州市中心繁华地段三坊七巷旧城项目的协议书，投资总额达

35亿元人民币，计划五至七年内完成。这是福州迄今规模最大的投资项目，将推动加快福州城市建设的现代化步伐。

李嘉诚为祖国的教育事慷慨解囊，除捐助汕头大学等各类学校外，1992年12月又以李嘉诚基金会公司、长江实业（集团）有限公司、和记黄埔（中国）有限公司三者名义，向广东省教育基金会捐赠1000万港元，并表示愿意继续为广东省教育事业做出贡献。同年4月他被聘为广东省教育基金会名誉会长。

李嘉诚爱国爱乡，赤子之心。1991年华东部分地区遭受特大洪水灾害后，他曾捐款1亿港元予以支援。他对祖国对同胞的一片爱心备受赞许。1992年12月，李嘉诚、何鸿燊等42位港澳人士及卡尔·托马斯夫人等五位外国友人荣获广州市荣誉市民称号。他们为广州经济建设、社会公益事业和促进广州与外国的友好关系作出了重大贡献。

李嘉诚，1928年生，广东潮州人。其主要经历见1989年《中国人物年鉴》。

〔李翰祥·香港电影导演、出任临昆文化娱乐公司总策划、总监制〕　1992年9月中旬，香港著名电影导演李翰祥在山东临清市考察后，与临清市政府签约，成立临昆文化娱乐公司，并出任总策划、总监制。在今年世界第二届《金瓶梅》研讨会上，金学家们确认临清是古典名著《金瓶梅》的背景发生地，于是李翰祥选择此地作为拍摄三部电影《金瓶梅》和40集电视连续剧《金瓶梅》的外景地。临昆文化娱乐公司将在临清依照宋代画家张择端的《清明上河图》建造一座具有宋代建筑风格的清明上河图文化城，以及内有购物街、美食街、大型艺术表演厅和西门庆、李瓶儿、王婆宅院的金瓶梅文化城，预计总投资2亿元，1994年8月竣工，除供人参观外，并用以拍摄电影《金瓶梅》和电视连续剧《金瓶梅》。

1992年9月底，李翰祥又与北京顺义县负责人组成招商团会见记者，宣布将在顺义县合资兴办大都花城。

李翰祥，1926年生，辽宁省锦州人。北平艺术专科学校毕业。1948年赴香港从事电影业，任大中华公司特约演员，《女人女人》是他的处女作。曾参加永华公司演员训练班学习。不久进长城公司任广告绘制员，继转任大观公司布景设计师，兼任演员、编剧、副导演。1954年升任导演，执导首部影作为《雪里红》。之后加入邵氏公司，导演电影几十部之多，成为香港著名电影导演。1963年离开邵氏公司，赴台湾创办国联公司，5年内摄制电影20余部，促进了台湾电影事业的发展。1968年该公司因经济问题结束业务两年后，他又重组新国联公司，拍摄电影有《骗术奇谈》、《骗术大观》等。1972年，李翰祥再次投入邵氏公司，所执导的《大军伐》颇有观众。后又执导《风月奇谈》、《倾国倾城》、《瀛台泣血》等，且多自兼编剧。长于拍摄古装片，具有浓厚民族色彩。还偶而扮角拍片，如《秀才遇着兵》、《运财童子小财宗》、《声色犬马》。1979年起，回忆录《三十年细说从头》连载于港台报刊，并于1981年改编拍成电影。

李翰祥执导的电影在港台及国际上多次获奖，如《梁山伯与祝英台》于1963年获台湾第二届金马奖最佳影片、最佳导演奖，《西施》于1966年获台湾第四届金马奖最佳影片、最佳导演奖，《缇縈》于1971年获台湾第九届金马奖、最佳影片、最佳编剧奖。《乾隆下扬州》于1979年获台湾第十六届金马奖最佳改编剧本奖，《貂蝉》获第五届亚洲影展最佳导演奖，《江山美人》获第六届亚洲影展最佳影片奖，《后门》获第七届亚洲影展最佳影片奖。

1965年，他在台湾当选“十大杰出青年”。

近年，李翰祥与大陆电影界同行合作，执导影片《火烧圆明园》、《垂帘听政》，获文化部优秀影片1983年度特别奖。

〔来辉武·505神功系列保健品发明者·获中国优秀民办科技实业家称号〕　陕西咸阳抗衰老研究所所长、中国医学科学院西安分院医药保健品研究所所长、中国咸阳保健品厂厂长来辉武，在获得第14届世界发明家奖、七·五全国优秀星火企业家奖之后，继续潜心科研，在505神功元气袋基础上，又陆续开发出505神功药枕、儿童型神功元气袋、神功护肩、神功护膝、健脑帽革新产品，从而形成了505神功系列保健产品，已远销世界80个国家和地区，先后收到国内外感谢信、求购信近60万封。1992年，505神功系列保健产品，又获得第41届布鲁塞尔尤里卡世界发明博览会金奖、洛杉矶1992美国新发明新产品展示会国际成果奖、香港国际健康产品展览会十大健康产品奖、1992中日医学大会最高奖“中华博毅金奖”等共二十余项。至此该项产品在国内外获奖已达五十项。来辉武本人在1992年被授予中国优秀民办科技实业家称号和陕西省劳动模范称号。并被聘为西安交大兼职教授、西安工业大学顾问教授、中国科学技术讲学团教授。

在来辉武领导下，中国咸阳保健品厂企业产值和销售收均超过亿元，提前三年完成“八五”计划指标，实现利税1300万元。来辉武和全厂职工将国外友人因使用505系列产品受益而赠送的1000多万元酬金，捐献给科技、文教、体育、卫生、老龄和残疾人公益事业及灾区人民。1992年7月7日，来辉武在人民大会堂召开的新闻发布会上，宣布咸阳保健品厂出资重奖第25届奥运会奖牌得主。得金牌一枚奖5万元，得银牌一枚奖3万元，得铜牌一枚奖1万元。8月17日，来辉武在人民大会堂向我国在奥运会上获奖的健儿颁奖，共发奖金188万元。另外还出资100万元，设立了中国505体操运动奖励基金。

来辉武简历与事迹参见1991、1992年《中国人物年鉴》。

〔连贯·中华全国归国华侨联合会副主席·在北京逝世〕 连贯因病于1991年12月23日在北京病逝，终年85岁。生前曾提出丧事从简，不开追悼会，不举行遗体告别仪式。

连贯，广东大埔人，1906年生。1925年起在家乡参加革命工作，同年加入中国共产党。曾在广州中山大学从事学生运动。1927年经香港转到越南，在华侨青年中进行革命文化活动。1932年回到广州，在中山大学图书馆工作，积极参加革命群众运动。1936年初受组织派遣去香港，任全国各界救国联合会华南区总部秘书，并任中共党团书记。抗日战争爆发后，任八路军驻香港办事处党支部书记兼华侨工作委员，积极参与领导港澳地区的抗日救亡运动。1942年进入东江抗日根据地，任中共广东区党委常委，参与领导粤中抗日武装斗争。解放战争时期，任中共中央粤港分局委员、中共中央华南分局委员兼香港工委副书记。曾作为华南区首席代表出席第一次全国政治协商会议并任副秘书长。

中华人民共和国成立后，连贯历任中共中央城市工作部第三室主任、中共中央统战部秘书长、中央人民政府华侨事务委员会委员、中共中央对外联络部副部长、第一至三届全国人大常委会副秘书长、中国人民外交学会副会长、中国老挝友好协会会长、全国侨联第二至三届副主席、北京市侨联主席、国务院侨务办公室副主任等职。他是中共八大代表，第二、三届全国人大代表，第五、六届全国政协委员。他长期从事统战和侨务工作，作出了积极的贡献。中共十一届三中全会后，为恢复党的侨务工作机构，落实侨务政策，维护归侨、侨眷和海外侨胞的合法利益，做了大量艰苦的工作，深受归侨和侨胞的敬重。

〔步鑫生·八十年代初期的改革明星·落马后东山再起〕 1992年春节前后，辽宁电视台播出一条图象广告：“中国衬衫王”步鑫生隆重推出“阿波罗”名牌衬衫，字幕注明盘锦市阿波罗衬衫厂。此后，国内多家报刊报道了这位八十年代初期的改革明星东山再起的消息。

1988年初，一则令人注意的新闻传遍各地：经济改革中的风云人物、浙江海盐衬衫厂厂长步鑫生被解除职务；他所领导的工厂管理混乱，亏损严重，资不抵债。从此以后步鑫生销声匿迹。

辽宁盘锦服装厂连年亏损加外债高达240万元。盘锦市双台子区区政府想到了步鑫生，区长三次南下北京、海盐寻访。1991年6月23日步鑫生应邀出任盘锦服装厂（即现在的盘锦阿波罗衬衫厂）厂长。他到任后就扔下两句话：不出效益不回家，不创牌子不回家！区政府答应每月给他1000元高薪，他予以谢绝，只要200元的生活费。

步鑫生当厂长后，与职工们一起干了两件实事：一是贷款30万元，进行设备改造，引进现代化的衬衣生产线；二是开展多层次的职工技术培训，同时宣布他的施政纲领和管理制度。他提出：企业是生产部门，生产部门只有一个中心，一切为创经济效益服务。因此，他要求办公室人员处理完公务，一律下车间，他自己很少坐办公室，总是扎着围裙在车间指导工人操作。

在步鑫生主持下，这家厂不到半年便生产出在国内市场很有竞争力的名牌衬衫“阿波罗”。到1992年6月23日，当他上任一周年时，已创出建厂以来最高利润50万元。

阿波罗一炮打响，站稳脚跟后，俄罗斯一家服装厂想邀他去办分厂。他计划开发高档时装和西装，逐步实现阿波罗产品系列化，走向全国，跨出国界，向国际市场挺进。改革春风又助步鑫生，赢得盘锦人民对他再次出山的积极肯定，特别是对他在工作实践中表现出的改革精神深为赞赏。

〔肖力斌、谢明·公安干警·被追授全国公安

战线英模称号〕　1992年10月22日，湖北省武汉市隆重举行追悼会，悼念在追捕特大杀人、抢劫犯罪集团案犯战斗中英勇牺牲的公安干警肖力斌和谢明。同年12月4日公安部隆重举行庆功表彰大会，分别追授肖力斌和谢明全国公安战线一级、二级英雄模范称号。

1992年10月7日至11日，武汉市公安机关摧毁了一个由31人组成、带黑社会性质的持枪杀人、抢劫作案31起的严重犯罪集团。在捉拿主犯刘雄才的战斗中，武汉市公安局防暴大队直属六中队副队长肖力斌、侦察员谢明献出了年轻的生命。

10月7日上午，案犯刘雄才在武昌民主二路开枪打伤民警后逃跑。刘犯因抢劫罪被判刑13年，从新疆劳改农场脱逃后，在武汉与10多名“两劳”回归人员勾结在一起，形成一个带黑社会性质的犯罪集团。10日，犯罪集团成员中的5人被先后擒获，但主犯刘雄才仍未落网。11日1时40分，按预定方案，肖力斌与谢明、韩枫为一组，搜索至武昌车辆厂综合商店时，与刘犯狭路相遇。刘犯突然转身向谢明连开两枪，击中谢明左胸部。谢明在身负重伤倒地的刹那间举枪还击，一枪击中刘犯下颌部。肖力斌奋不顾身向歹徒扑去，与罪犯展开搏斗。刘犯在挣扎中连开4枪，将肖力斌左臂和胸部击穿。血流如注的肖力斌仍全力抱住罪犯不放，在店外策应的民警韩枫冲进店内向罪犯开枪射击，击中其头部。此时增援干警赶到，刘犯被当场擒获。当晚公安机关采取紧急行动，将另17名犯罪集团成员擒获归案。

肖力斌，河北省人，1963年6月7日生，中专文化程度，中共党员，1985年9月于武汉市警官学校毕业，一直在市公安局防暴直属六中队工作。7年中，全市哪里案情重大，哪里就有他的身影。一名作案者与家人发生矛盾，放火焚烧自家房屋，将3岁的孩子放在四楼鸽子笼上，将吊鸽子笼的两根铁丝砍断一根，拿着斧头狂叫“不准救火！不准救小孩！”为了拯救无辜的生命，肖力斌主动承担从相邻房间的窗口晒衣架上进攻案犯的危险任务。窗口距阳台约2米，离地面10米。肖力斌纵身飞扑过去，一手将小孩护住，一手紧抓住凶犯持斧的手腕，埋伏的干警迅速冲上，制服案犯，小孩安然无恙，目睹者惊呼着鼓掌。工作日志上的统计表明，肖力斌参警7年，累计加班2800小时。曾两次荣立三等功，3次受通令嘉奖，多次被评为优秀党员、模范干部和“新长征突击手”。

谢明，20岁，中共党员，1991年毕业于武汉市人民警察学校。他参加工作刚一年，参加办案和紧急行动10余次，次次出色完成任务，6次受到通报表扬。

肖力斌、谢明牺牲后，湖北省人民政府批准他们为革命烈士，授予他们省特等劳动模范称号。武汉市人民政府给肖力斌、谢明各发奖金5万元，市公安局一些基层单位和公安干警自发捐款8万元给他们的家属，市公安局破案奖励基金奖给肖力斌、谢明各2万元。

〔肖光夏·烧伤医学专家·研究成果获军队科技进步一等奖〕　1992年2月，第三军医大学烧伤研究所副所长肖光夏的《烧伤肠原性感染研究》，获军队科技进步一等奖、国家二等奖。

肖光夏，1929年12月生于福建鼓浪屿。1953年第六军医大学医疗系毕业，历任外科军医、主治军医、讲师、副教授，1985年晋升教授。他于1958年开始从事烧伤救治与研究，1964年因科研成就突出，立二等功。他的论文曾被美国知名杂志刊载。1985年协助黎鳌教授组织首届中美国际烧伤会议。1986年以访问学者身份被邀赴美国约翰·霍普金斯大学进行研究，一年内完成两篇论文，刊登于美国专业杂志。1987年研究期满，美方主动提出延续5年，并许诺接其家属赴美，他婉言谢绝，本人按期回国，另荐其研究生前往。该大学赋予“出色研究工作者”奖牌一面。回国后专心致力国内研究，其《烧伤感染研究》，获军队科技成果二等奖、国家三等奖。他是博士生导师，先后培养博士生、硕士生16名，有的被国家学位委员会授予“有突出贡献的博士学位获得者”，破格提升为副教授。1991年肖光夏被评为全军优秀教师，再立二等功一次。肖光夏还兼任中华烧伤外科学会副主任委员，西南五省一市烧伤、整形外科学会主任委员。

〔吴仪（女）·对外经济贸易部副部长·代表中国签署中美关于保护知识产权谅解备忘录〕
对外经济贸易部副部长吴仪经过与美国贸易代表希尔斯在华盛顿进行七天的协商和讨论，于1992年1月17日签署了中美关于保护知识产权谅解备忘录。这项备忘录涉及著作权（版权）、专利权、行政保护措施和防止不正当竞争等条款。美方将从当日起终止根据美国贸易法“特别301条款”对中国发起的调查，并取消把中国列为重点观察国家。签字后，吴仪重申尊重知识、尊重人才是中国的基本国策，提高对知识产权的保护水平，既是中国深化改革扩大开放的需要，是推动科学技术发展的需要，也是加速我国现代化建设的需要。她同时指出中国将进一步使对外贸易工作进一步向国际标准靠拢。

吴仪，湖北武汉人，1938年出生。1962年加入中国共产党，同年毕业于北京石油学院石油炼制系。后历任北京东方红炼油厂副总工程师、副厂长，北京燕山石油化工公司副经理、党委书记。高级工程师。1988年起任北京市副市长。1991年调任对外经济贸易部副部长。是中共第十三届中央候补委员。1992年10月当选为中共第十四届中央委员。

〔附注：1993年3月29日，八届全国人大一次会议第七次大会决定吴仪为对外贸易经济合作部部长。〕

〔吴军·第三军医大学助教·获国际烧伤“威廉斯奖”〕　正在意大利维罗纳大学病理研究所从事研究的中国人民解放军第三军医大学助教吴军，1992年6月，在以色列耶路撒冷举行的有20多个国家和地区的150多名烧伤治疗专家参加的国际烧伤会议上，被允许打破1名学者只宣读一篇论文的规定，在会上宣读了题为：《一个新的策略：延长异种皮肤移植物的生存，不带机体免疫系统的抑制后果》和《受体血液单核细胞在呈现异体表皮细胞抗元中的作用》两篇论文。经过由美、英、法、以色列等国著名烧伤专家组成的评委会的严格评审，吴军的研究被认为是“最佳烧伤研究”，他因此成为该会首次设立的“威廉斯奖”的第一个获得者。

吴军，1962年2月生，江苏省南京市人。1979年入第三军医大学军医系学习，曾连续三年被评为“三好学员”。1984年起读研究生，获硕士学位。1987年留校任基础部病理解剖学教研室助教。1990年9月赴意大利，从事异种植皮排斥反应机制及有关对策的研究。他根据免疫学原理，将供体与受体皮肤进行局部免疫学处理，第一次在完全不使用免疫抑制剂的情况下，成功地使人体皮肤与小鼠皮肤共存达1个月以上而未发生排斥反应，为烧伤愈合赢得了宝贵的时间。被专家们认为，是烧伤研究领域可喜的突破性进展，给异种植皮带来了希望的曙光。

〔吴大猷·台湾“中央研究院”院长·赴大陆参加国际性学术会议〕　台湾“中央研究院”院长、著名物理学家吴大猷于1992年5月17日赴大陆参加国际性学术会议，这是他阔别40多年后首次回大陆。中共和国家领导人江泽民、杨尚昆、李鹏于5月31日会见了他。吴大猷以个人身份在北京参加了“第一届东亚、太平洋超导能对撞机实验与物理研讨会”、“流体力学和理论物理国际研讨会”，出席了中国当代物理学家联谊招待会，参观了中国科学院高能物理研究所，还参加了在天津举行的“第二十一届理论物理中的微分几何方法研讨会”，拜访了在北京、天津的亲朋故友，被北京大学、南开大学分别授予名誉教授、名誉博士学位。6月11日离京返台。吴大猷对此次大陆之行感触良多，赞扬大陆高科技发展十分先进，认为某些科学领域已领先世界水准。近几年，他致力于加强海峡两岸的科技交流，表示两岸在科技方面交往不畅的局面是可以改变的，两岸有关方面共同推动，变化就会来得快一些。他促成了大陆谈家桢等7位著名科学家于6月赴台访问。

吴大猷，1907年生，广东省高要县人。1929年南开大学毕业。1931年赴美国留学，获密执安大学文学硕士和哲学博士学位。曾任南开大学讲师，北京大学教授、西南联大教授。1943年任中央研究院研究员。1948年当选中央研究院首届院士。1947年任美国密执安大学客座教授，哥伦比亚大学研究员。1948年任纽约大学客座教授。1949年任加拿大国家研究委员会理论物理组主任。1958年兼任新泽西州普林斯顿高等研究院研究员。1960年兼任瑞士洛桑大学客座教授。1962年任台湾“中央研究院”物理研究所代所长。1963年任美国布鲁克林工艺学院教授。1965年任美国纽约州立大学教授。1967年任台湾“国家安全会议”科学发展指导委员会主任委员，兼任“行政院”国家科学委员会主任委员。1983年任台湾“中央研究院”院长迄今。

著有《多原分子振动光谱及结构》、《量子力学散射论》、《气体及电离体方程式》、《狭义及广义相对论》、《近代物理学的基础》、《古典力学》等。

〔吴邦国·当选中共中央政治局委员〕

1992年10月18日，吴邦国在中国共产党第十四次全国代表大会上当选为中共中央委员。19日，在中共十四届一中全会上当选为中央政治局委员。

吴邦国，1941年7月生，安徽肥东人，1964年4月加入中国共产党，1967年9月参加工作，清华大学无线电电子学系真空器件专业毕业，工程师。1960—67年，在清华大学无线电电子学系电真空器件专业学习。1967—76年，任上海电子管三厂工人，技术员，技术科副科长、科长。1976—78年，任上海电子管三厂党委副书记、革委会副主任、副厂长、厂长。1978—79年，任上海市电子元件工业公司副经理。1979—81年，任上海市电真空器件公司副经理。1981—83年，任上海市仪表电讯工业局党委副书记。1983—85年，任中共上海市委常委兼市科技工作党委书记。1985—91年，任上海市党委副书记。1991年起，任上海市委书记，是中共第十二、十三届中央侯补委员。

吴邦国对上海经济发展主张自由引进资金和人才。接近他的人说，吴邦国谦虚和蔼，平易近人，性格沉静坚定，喜欢打网球。

〔吴吉昌·农民科学家·在闻喜逝世〕　全国著名劳动模范、农民植棉科学家吴吉昌，于1992年12月24日深夜，因患癌症医治无效在家乡山西闻喜县逝世，终年83岁。

吴吉昌是山西省闻喜县涞水河畔东镇村人。他自幼种地，一辈子和棉花结下了不解之缘。他种棉花、爱棉花，用心血和汗水换来“冷床育苗”、“一窝双株”、“青芽结桃”等15项棉花丰产技术，获得了亩产150公斤皮棉的试验成果。早在50年代他就获得全国劳动模范和农民科学家的光荣称号，并于60年代初，成为中国农作物学会、中国棉花协会理事。受到毛泽东、周恩来、朱德、邓小平等老一辈无产阶级革命家多次接见。

1966年1月，周恩来总理在中南海接见全国劳动模范时，曾握着吴吉昌的手嘱托说：“我把解决棉花落桃的任务交给你了。”吴吉昌回答说：“行”。从那时开始，这个普通的农民按周总理的嘱托，全身心地投入到这个事业中去，不管遇到多少坎坷、曲折，他从未懈怠。直到1992年，已身患癌症5年的吴吉昌仍在为科学植棉到处奔波。他到晋中、吕梁等6个地区指导棉花生产，向干部群众传授种棉新技术。特别是充分地利用有限的耕地，进行“麦棉两熟”的试验，结果取得了亩产皮棉100公斤、小麦403公斤的好成绩。小麦产量比单项种植产量翻了一番；每亩整体效益取得了新的突破。他象一颗坚强的种子，深深扎根于家乡的棉田沃土上，直到临终前，他还叮嘱小女儿：“把地翻好，肥上足，来年一定要种好棉花……”。

吴吉昌的事迹已选入中学教材，他的名字被收进《中华群英录》。他先后当选为山西省第六届人大代表、省人大常委，中共山西省第四次代表大会代表；全国第二、三、四、五届人大代表，多次被评为全国劳动模范。

〔吴光正·香港九龙仓集团主席·向武汉投以巨资〕　香港著名实业家、香港九龙仓集团主席吴光正，于1992年8月26日在香港与武汉市市长赵宝江就双方在武汉合资开发六大项目签订了协议，总投资额约一百亿人民币。

吴光正及夫人包陪容还于1992年8月3日在上海交通大学宣布，将赠捐约一千五百万港元（人民币一千万元），成立两项奖教学基金。上列奖教学基金分别以已故船王包玉刚（吴光正岳父）及已故建筑专家吴绍　（吴光正父亲）的名义设立。包玉刚奖学金将用以资助攻读商业管理课程，吴绍　奖学金则颁予建筑系学生。吴光正说：“随着国内经济开放，各类专门人才的需求日益殷切。此两项奖教学基金资助大学生及研究生在海外深造，及资助海外华籍学生回国攻读深造”。

吴光正，1946年生，上海人。早年在香港接受中学教育。后赴美进修，获哥伦比亚大学工商管理硕士学位，主修财务及国际事务。毕业后曾在纽约银行任职。1975年，吴光正到香港加入环球航运公司，从此踏入香港工商界。历任香港九龙仓有限公司副主席兼董事经理，环球航运公司副主席，电车有限公司及天星小轮有限公司主席。是港美经济合作委员会、华美银行国际顾问委员会成员。是香港特别行政区基本法咨询委员会成员。

吴光正关心大陆社会主义现代化建设事业。1992年1月间，国务院总理李鹏曾会见了吴光正及夫人，表示欢迎吴光正与内地进行进一步的经济合作。

〔吴仲华·著名科学家·在北京逝世〕　中国工程热物理学科创建人、杰出科学家吴仲华，因患癌症医治无效，于1992年9月19日在北京逝世，享年76岁。

吴仲华，1917年生，江苏省苏州市人。1941年从西南联大机械系毕业后赴美国深造，1947年获博士学位。1954年冬，与夫人李敏华取道欧洲回国，投身祖国的建设事业。在任清华大学动力工程系教授期间，创建了燃气轮机专业与教研组和中国科学院动力研究室。1957年当选中国科学院学部委员。1978 年创建中国工程热物理学会并任理事长。1980 年创建中国科学院工程热物理研究所，任研究员、所长、1981 年被选为中国科学院主席团执行主席。

他于 1980 年加入中国共产党。是第三届全国政协委员，第六、七届全国人大常委会委员。

吴仲华在科学技术上贡献卓著。从 1949 年起发表了一系列重要论文，提出了“径向平衡”、“通流理论”等。1952 年发表了《轴流、径流和混流式亚声速与超声速叶轮机械中三元流动的普遍理论》著名论文，创造性地建立了叶轮机械三元流动理论，得到国际学术、工程技术界的一致公认，称之为“吴氏通用理论”，其主要方程被称为“吴氏方程”。五十年代由于计算机能力的限制，工程界将早期的“径向平衡”应用于工程实践设计。随着计算机的发展，三元流动理论在国际上逐步全面地应用于先进叶轮机械的设计中。叶轮机械的性能也随之得到大幅度的提高。七十年代中期，吴仲华提出了使用任意非正交曲线坐标与相应的非正交速度分量的叶轮机械三元流动基本方程组，将这个理论提到了新的高度。在此基础上，他领导研究发展了一整套亚、跨、超声速计算方法与计算机程序，已在国内广泛推广应用，并得到了实验验证。至今，这一理论仍是国际先进叶轮机械设计分析的理论基础。

吴仲华对发展我国航空动力与航机陆用倾注了大量心血，在提高我国能源利用水平、发展我国联合循环等总能系统的基础理论研究与实践上都有重大贡献。直到逝世前不久，他仍在医院内为发展我国的一体化煤气化联合循环进行研究，提出关键性建议。

〔吴阶平·当选九三学社中央主席〕　九三学社第六次全国代表大会于 1992 年 12 月 26 日至 30 日在北京举行，吴阶平当选为九三学社中央主席，同时当选的十位副主席是徐采栋、郝治纯、安振东、王文元、杨樾、陈明绍、陈学俊、赵伟之、洪绂曾、金开诚，刘荣汉当选为秘书长。周培源、严济慈、金善宝被推举为九三学社中央名誉主席，王淦昌被推选为中央参议委员会主任。

中共中央政治局委员陈希同到会祝贺并宣读中共中央贺词。贺词指出，九三学社具有光荣的革命历史，近半个世纪以来，发扬“五四”运动反帝爱国精神，以民主、科学为宗旨，坚持同中国共产党亲密合作，共同奋斗，团结、动员广大成员和所联系的群众，为新民主主义革命的胜利，为社会主义革命和建设事业，作出了重要贡献。贺词说，在社会主义现代化建设中，科学技术是第一生产力。振兴经济，首先要振兴科技，而科技进步、经济繁荣和社会发展，要求我们必须把教育摆在优先发展的战略地位，必须在全社会进一步形成尊重知识、尊重人才的良好风尚。九三学社拥有许多科技、教育界的专家、学者，人才济济，在促使科学技术转化为生产力和发展教育事业、培养科技人才，促进科技进步方面，肩负着光荣的职责。

吴阶平在大会闭幕词中强调，要认真宣传、贯彻中共十四大的精神，动员全社同志积极投入加快改革开放和现代化建设的时代潮流，努力发挥科技优势，不断提高参政议政水平，做好岗位工作，在基础性研究、高新技术及其产业和开发研究三个方面积极贡献力量。在建立社会主义市场经济体制、解放和发展生产力中，在社会主义民主和法制建设中，在维护社会稳定，建设社会主义精神文明中，在促进祖国统一的伟大事业中，发挥更大的作用，作出更大的贡献。要继承和发扬九三学社老一辈与中国共产党亲密合作的光荣传统，以鼓劲务实的精神，团结民主的作风，兢兢业业，开拓进取，做好工作。在中共十四大精神指引下，继续开创九三学社工作的新局面。

吴阶平，1917 年生，江苏常州人。现任中国医学科学院名誉院长，协和医科大学名誉校长，中科院学部委员、学部主席团成员。其主要经历见 1990 年《中国人物年鉴》。

〔附注：1993 年 3 月 27 日，八届全国人大一次会议选举吴阶平为八届全国人大常委会副委员长。〕

〔吴远瑞·大冶县铜矿人民法庭庭长·被授予全国法院模范称号〕　1992 年 8 月 19 日，最高人民法院授予湖北省大冶县铜矿人民法庭庭长吴远瑞“全国法院模范”称号。随后全国总工会又授予他“全国优秀政法工作者”称号，并颁发“五一”劳动奖章。

吴远瑞，湖北省大冶县人，1938 年 5 月生，初中文化程度，1958 年 8 月参加工作，1959 年 5 月加入中国共产党，1979 年调大冶县铜矿人民法庭工作，1984 年任庭长。

铜矿人民法庭位于幕阜山北部支脉，辖区有 422 个自然村，6 万多人口，80%是山区，社情复杂，民事纠纷多，法庭办案任务十分繁重。吴远瑞白天下乡调查，送达文书，开庭审案，晚上阅卷整理记录，起草法律文书，常常工作到深夜。他工作起来没有星期天和节假日，每天仅休息五六个小时。他的挎包里经常装着几个案卷，在乡下找当事人不容易，找不到这个案子的当事人，就去找另一个案件的当事人。碰到当事人正在插秧，他就把裤腿一卷，下田帮忙，边干边谈，休息时坐在田埂上整理笔录；收割时，他一边和被调查人收捆稻谷，一边谈话调查。他常年奔波在山乡，一年要穿破两双解放鞋。每年出勤都在 340 天以上，最多时达 361 天。自 1986 年以来，他亲手办理的案件已超过 1000 件。他办案不仅数量多，而且质量好。上级机关到铜矿法庭评查案件，结论是：案件质量好，件件符合立案标准。后来黄石市中级法院在铜矿法庭召开现场会，吴远瑞办案的数量和质量使与会者无不叹服。

吴远瑞 10 年多办案逾千件，处理纠纷和信访 2000 多件，其中有涉及领导干部的，有涉及自己亲戚朋友的，他一概铁面无私，秉公执法。他女儿未过门的婆家与邻居为一间房屋产权发生纠纷，案子诉到法庭。人们议论：这案子的输赢不是明摆着的吗？女儿也让他无论如何得给面子。经过调查弄清了房产权为按份共有的事实，吴远瑞依法宣布公正的判决，使乡亲们无不为之折服。吴远瑞生活俭朴，住的还是土改时分的几间旧房，用的是几件旧家具，唯一的"现代化"是女儿留下的一台 12 寸黑白电视机。近 10 年来，每年至少有几十个案件的当事人送礼上门，有的将现金偷偷塞进他办公室的抽屉，他都一一拒绝，时间长了，人们都知道法庭的人不收礼，送礼的也就少了，但法庭在群众中的威信却越来越高。

吴远瑞的事迹被报纸电台宣传后，慕名而来找他办案的人越来越多，辖区外的案件常常起诉到法庭，农村经济纠纷也日益增多。他带领全庭同志努力工作，提高效率，1992 年审结民事、经济纠纷案件 203 件，执行 187 件；历年审结的 2300 余起案件，应执行而未执行的积案仅有 47 件；同时他们还调处简易纠纷 37 起，回访当事人 83 人次，提供法律咨询 235 人次。

吴远瑞到法庭工作以来，连续 11 年被评为市县先进工作者、劳动模范、优秀共产党员，先后立大功两次、二等功两次，升级奖励 3 次，中共湖北省委授予他全省党风建设先进个人称号。他领导的法庭连续 11 年被评为先进集体，连续 4 年被市县评为文明单位，两次荣立集体三等功。

〔吴志成·教授、蚁疗专家·在第十九届国际昆虫学大会宣读论文受赞誉〕 解放军南京政治学院所属南京金陵蚂蚁研究治疗中心顾问、教授吴志成，于 1992 年 6 月 28 日应邀到北京出席第十九届国际昆虫学大会，宣读了论文《蚂蚁保健医疗前景》，受到与会人员和学术界称赞。这篇论文被作为唯一的蚂蚁应用研究论文，收入大会论文集。

吴志成是全国蚂蚁药物攻关领导小组组长，潜心研究蚂蚁医疗保健已有 40 多年历史。他和攻关小组同志一起，跑遍全国各地，进入深山密林，寻找蚁源，收集蚁种。据称，蚂蚁生长已有一亿多年历史，全世界目前有 260 属、1 万 5 千余种，其数量在上百万种陆生动物中首屈一指。蚂蚁长期生活在潮湿的环境中而不得风湿病，也不得癌瘤和传染病，而且按身长、体重与生命期的比例计算，蚂蚁还是生物界的寿星，一般蚂蚁能活三年以上，蚁后长达 20 年。科学实验证明，经挑选的野生良种蚂蚁是一种微型营养库。它含有人体所需 50 多种营养成分，28 种氨基酸和多种矿物质、化合物，其中含微量元素锌最丰富。药理试验表明，蚂蚁有抗炎、杀菌、抑菌、抑制癌细胞、镇痛、护肝和平喘等作用。

吴志成领导的南京金陵蚂蚁研究治疗中心会同全国 30 多家医疗科研单位联合攻关，对蚂蚁的营养成分和药理作用进行了系统研究，探索并形成了一整套提取蚂蚁有效成分，辅之以其他药物配方的独特的制剂工艺。使人们从直接捕捉蚂蚁食用、药用，进化到饲养、加工提取、配方制剂、科学服用的阶段。

五年多来，吴志成领导的南京金陵蚂蚁研究治疗中心先后治疗 30 多万名类风湿患者，总有效率达 97.9%，有 2 万多位瘫痪或半瘫痪病人神奇般地站立起来，如：我国著名播音员夏青、著名评剧表演艺术家新凤霞等，得到他们的治疗后又重新焕发青春。他们研制的"蚂蚁乙肝宁"治疗 4 万 5 千多例乙肝患者，有效率达 95%以上。与此同时，蚂蚁入药对抑制癌细胞、延缓衰老、治疗肺结核、阳痿、脱发、神经性官能症等课题研究，也获可喜进展。他们研究的蚂蚁类风湿灵Ⅰ号、Ⅱ号、Ⅲ号已通过鉴定，属国内首创。蚂蚁乙肝宁获国际传统医药大会优秀新药奖。他们还和浙江、山东等地合作生产出"宫廷蚁酒"、"玄驹壮骨酒"、"蚁王口服液"等 10 多种蚂蚁饮料和营养补剂，行销国内外。

吴志成，辽宁省昌图县人，1936 年 9 月出生，1949 年 5 月参加中国人民解放军，在部队刻苦学习科学文化，并进修中医一年，主要是自学成才。他在从事蚂蚁疗实践研究的同时，撰写出版了《蚂蚁与蚂蚁疗法》、《蚂蚁与类风湿关节炎》等4部专著及部分科普著作，在国内外报刊发表学术论文50多篇。现兼任中国中医研究院咨询专家、美国中国医学科学院客座教授、阿根廷中国文化中心中医教授、阿根廷中华针灸学会顾问等职。他是中西医结合治疗风湿类疾病专业委员会的领导成员，是当代中国蚂蚁疗法的开拓人。1992年8月，他撰写的《蚂蚁治疗一万余例类风湿病总结》，获全国中医药论文齐鲁杯一等奖。

〔吴志泉·临澧太平农工商实业总公司总经理·被评为全国优秀乡镇企业家〕　1992年初，湖南省临澧县太平农工商实业总公司总经理吴志泉，被评为全国优秀乡镇企业家。

44岁的吴志泉是临澧县太平村的农家子弟。1968年入伍，1973年退伍回乡，先后当过村党支部书记、公社副书记、乡长等职。1988年，当地农村实行家庭联产承包责任制后，农民生产积极性空前高涨，农村剩余劳力越来越多，经济收入却没有增多，甚至种粮越多越亏本；而乡村干部又觉得没多少实事可干，反而增加农民的负担，纷纷探索新的出路。身为乡长的吴志泉经过认真调查研究，向县委提出了8条建议，要求精兵简政，乡镇干部到村里去帮助农民治穷致富，并带头停薪留职回到太平村，帮助他们办企业，任农工商总公司总经理。他的行动成为当时全县、全省的爆炸性新闻，在社会上引起种种非议，也遭到家庭和亲友的强烈反对。但他改革之志不变，和党支部书记一起挨家挨户做说服工作，并带头把自家准备盖房的木料和砖瓦拿出来盖厂房，又从银行贷款7万元，用滚雪球的办法，先后办起了建筑材料、畜产品加工、化工等14个企业，还亲自设计了一条畜产品加工生产线，在工程技术人员的大力帮助下，完成了14项技术革新，提高了产品质量和经济效益。1990年太平农工商实业总公司工农业总产值就达6382万元，出口创汇600万元。1992年工农业总产值达到103亿元，利税1500多万元，成为“湖南第一村”。当年，他们又投资2亿元，引进德国先进技术设备，办起了中外合资的化纤厂，预计1993年4月就可投产，总产值将翻一番。现在全公司职工1500多人，比全村人口750人还多一倍。人均收入突破2000元，每户盖了一幢别墅式的小洋楼。孩子读书，群众医疗，上交提留，全部由村里集体企业负担。吴志泉说“乡村干部如果只自己富、大家穷，很难受；只有自己富在大家富裕之中，自己才有成就感，那才是精神享受。”

吴志泉先后被评为湖南省先进工作者、全国劳动模范、全国优秀乡镇企业家，是第七、第八届全国人大代表。

〔吴良镛·建筑学家·获亚洲建筑金奖〕
中国科学院学部委员、清华大学教授吴良镛，由于在主持设计北京菊儿胡同新四合院建筑群中取得的创造性成绩，获得亚洲建筑师学会1992年建筑金奖。这项金奖是1992年首次设立的，是亚洲建筑设计领域的最高奖励。评奖分为住宅建筑、公共建筑、工业建筑、古建筑保护四类。吴良镛获住宅类金奖，另三类金奖分别为日本、孟加拉、巴基斯坦的建筑学家获得。1992年10月在巴基斯坦召开的亚洲建筑协会第五次建筑师大会闭幕式上举行了颁奖仪式。

北京菊儿胡同新四合院建筑群工程是北京1988年开始的危旧房改造项目，第一期工程1989年底完工。这项设计立足于中国和北京的特殊条件，意义不仅在建筑的形式，首先在于从中国现实出发的探索，走综合解决居住问题的道路。

吴良镛，江苏南京人，1922年5月生。现任清华大学建筑与城市研究所所长。1944年毕业于重庆中央大学建筑系工学学士。1948—1950年在美国匡溪艺术建筑与城市设计系研究院，获工学硕士学位。1946年至1948年协助梁思成创办清华大学建筑系，1952年至1984年间历任该系副主任、主任。1984年主持创办清华大学建筑与城市规划研究所。在清华大学执教40年。他主持和参加过天安门广场和毛主席纪念堂的规划、北京饭店的设计。北京亚运会规划设计研究获国家教委科学进步一等奖，他和其他4位老专家共同设计的北京图书馆方案也曾获奖。

吴良镛兼任德国卡塞尔大学、香港大学、法国高等社会科学研究院、美国加州大学、保加利亚国际建筑学院客座教授。1987年当选为国际建筑师协会副主席；1989年，国际文化交流理事会向他颁发了荣誉证书，确认其“对人类艺术遗产的有价值的贡献”。1990年被美国建筑师学会提名为荣誉资深会员，誉为“新中国建筑与城市规划先驱者之一，杰出的建筑教育家”。

他主持编写了全国通用教学用书《城乡规划》，著有《中国古代城市史纲》、《广义建筑学》、《城市规划设计论文集》，1980年当选为中国科学院学部委员。

〔吴昌硕·已故近代国画大师·其学术研讨会在北京举行〕　1992年5月25日至27日，北京召开了吴昌硕、齐白石、黄宾虹、潘天寿四大家学术研讨会。由浙江省博物馆、北京画院、潘天寿纪念馆、炎黄艺术馆共同主办的吴、齐、黄、潘四大家画展，同时在北京炎黄艺术馆展出。

研讨会有40余位艺术理论家和画家参加，共收到论文38篇40余万字。与会代表对四大家的艺术成就进行了多角度的研究，并联系中西近代美术思潮和四大家之间，四大家与同时代画家之间的参照比较，又对他们的创作理论和创作实践进行了具体分析研究。重新审视和评价了二十世纪中国画的发展。四大家作为借古开今的一代大师，他们的艺术代表了中国近代和现代中国画的成就。尤其是他们在西方文化流入中国时坚持了传统中国画“自卫、自强、自省”的品格，使得中国画迈向一个新的高峰。值得充分肯定。

四大家中的吴昌硕先生，在以往几届《中国人物年鉴》中介绍不多，值得在此补充：吴昌硕（1844—1927），浙江安吉人，近代著名书画家，篆刻家，初名俊、俊卿，字昌硕、企石、别号缶庐、若铁。七十岁后以字行。清末曾任县令一月，后寓居上海。工诗和书法及篆刻，三十岁后始作画。以写意花卉、蔬果为主。山水、人物偶一为之。学徐渭、朱耷、石涛、李鳝、赵之谦诸家之长。他的艺术风尚影响极大。曾与同道在浙江杭州之西湖，创立“西泠印社”，并任社长。社内今设“吴昌硕纪念室”。有《缶庐集》、《缶庐印存》等传世。

〔吴学谦·国务院副总理·考察黑龙江〕
1992年8月3日至8日，中共中央政治局委员、国务院副总理吴学谦考察了黑龙江省哈尔滨、大庆、绥芬河、牡丹江等地。吴学谦在各地考察时强调，黑龙江的开放不仅要面向独联体国家、东欧各国和西方国家，对台经济工作也要放手大胆地去搞，要敢于利用台资，为吸引台资创造更好的条件。他说，现在许多台湾企业家想到大陆来，我们要热烈欢迎，同时要努力改善投资环境。

1992年内，吴学谦多次会见香港、台湾来大陆的客人。8月21日，吴学谦会见了台湾经济研究院院长刘泰英一行。他说，两岸产业科技的发展各有特点，如双方能多交流、多合作，这对两岸双方都有好处，有利于振兴中华民族。

吴学谦还多次会见日本客人。9月21日至27日，吴学谦率领中国共产党友好代表团访问日本。他在访问期间讲话说，国际形势错综复杂的变化，使得中日关系的重要性超出了两国的范围，它对亚太地区乃至世界和平、稳定和发展都具有重要的意义。

7月21日，吴学谦会见了联合国官员。

吴学谦，1921年生于上海。1939年加入中国共产党，在上海从事地下工作。建国后，任共青团中央驻世界青联代表、国际部部长，中央对外联络部处长、局长。1982年至1987年，任外交部第一副部长、部长，国务委员。1987年任国务院副总理。

〔附注：1993年3月26日，全国政协八届一次会议选举吴学谦为政协八届全国委员会副主席。〕

〔吴建欣·北京仿膳饭庄服务员·被授予全国最佳服务员称号〕　1992年9月15日，商业部在北京人民大会堂隆重召开建国以来首次全国饮食服务业最佳服务员表彰大会。北京市北海公园内仿膳饭庄服务员吴建欣，在大会上被授予“全国最佳服务员”称号。

吴建欣，满族，北京市人。1966年3月26日生。1985年9月以优异成绩毕业于北京市服务学校烹饪专业，被分配到仿膳饭庄作厨师。这本是个令人羡慕的职业，但他却主动选择作了服务员。因为他认为，随着改革开放的深入，北京搞饮食行业竞争激烈，除菜肴质量、色味特点外，要站住脚主要看服务水平。为此他虚心向老师傅求教，根据服务规范的要求，下班以后，从叠口布花、端托、摆台练起，常常练到深夜。经过勤学苦练，他能叠出百余种口布花，并独创了“百鸟朝凤”、“迎宾花篮”、“大鹏展翅”等花样。“罗汉大虾”、“一品豆腐”等300多种仿膳名菜点，他都烂熟于心。他还将仿膳有关典故编纂一起，灵活运用于服务之中，让顾客在就餐中欣赏到富有民族特色的饮食文化。他还刻苦学习英语，获得了大专单科毕业证书。他把有关仿膳的历史资料、名菜点的典故译成英文编成手册。现在他能用流利的英语与外宾交谈。吴建欣以高质量的服务，为仿膳争得了荣誉。1989年5月，台湾的郭婉容女士率团到北京参加亚行年会，在仿膳品尝满汉全席，吴建欣担任宴会服务，客人在听他介绍饭庄历史、菜品典故后，报以热烈的掌声。忽然餐厅电灯意外熄灭，吴建欣没有惊慌，镇定地说："非常抱歉，可能是线路出了故障，很快就会修好，不过请各位不要错过机会，正好体验一下当年宫廷用餐的情景。"他边说边点燃蜡烛，放在临窗的条案上，顿时，幽雅的柔光把宾客引入了发思古之情的意境，又引起一阵掌声。他在服务中能做到随机应变，游刃有余。在每次宴会之前，他都要详细了解主办单位情况和宾客国籍、身份、风俗习惯及忌讳等，做到心中有数。席间他注意观察宾客表情，揣摩宾客心理。1990 年亚运会时，中央电视台在仿膳宴请参加转播的亚太 27 个国家和地区的电视台长。吴建欣的英语大派用场，服务水平之高，令人惊叹。他被评为"亚运青年服务标兵"和 6 名亚运会最佳宴会服务师之一。

〔吴珊珊（女）·话剧演员·获第九届梅花奖〕　1991 年，成都话剧院晋京演出四川方言话剧《死水微澜》，该剧以其新颖的表现手法轰动了京城。吴珊珊在剧中扮演女主角邓幺姑，她把鲜明的地域色彩，传统戏曲表演的特点，有机地融进自己的表演中，进行了一次成功的探索。1992 年 10 月 4 日，在北京全国政协礼堂被授予第九届中国戏剧梅花奖。

吴珊珊，1971 年生，贵州人。她从小生得清秀美丽，并能歌善舞，15 岁考入贵州省六盘水市文工团学舞蹈，16 岁入省话剧团，17 岁进上海戏剧学院表演系，在校期间演过《雷雨》、《天国春秋》、《威尼斯商人》等话剧，还曾主演过电视剧《潘玉良》。在话剧《死水微澜》中，她把邓幺姑坎坷的命运、复杂的内心变化，表现得层次分明。如开始时表现人物追求幸福时的焦灼与渴望，继而表现人物与心爱的人在一起时的欢欣和满足感，及后来心爱的人被逼出走她不得不嫁给他人时的果决与悲凉。剧中有大段的台词和较大幅度的形体动作，吴珊珊都能够准确地处理，圆满地完成，从而使全剧增色。吴珊珊表演老道，扮相俏丽，属于较全面的青年演员。她扮演的邓幺姑是我国话剧舞台上近年来少见的具有独特审美价值的舞台形象。

〔吴思钟·台湾工商建研会理事长·率团访问大陆〕　台湾工商建研会理事长吴思钟以大陆经贸访问团身份率团访问大陆，参加 1992 年 10 月 26 日由中国工业经济协会与台湾工商建设研究会在北京共同举办的"一九九二年海峡两岸工商企业界经贸交流会"。吴思钟在此次经贸交流会上致辞表示，两岸经贸往来一定要朝互利方向发展。他说，目前国际区域经济整合已成趋势，海峡两岸应从长远角度考虑经贸合作，互助互利，充分发挥各自的优势，这样对中国未来的前途有利。该团 135 人中，不乏台湾著名第二代企业家，如孙道存、洪敏昌、陈田圃、沈庆京、刘山根等，有的已在大陆投资设厂。该团在大陆期间洽谈投资，参观访问。在京期间国务院总理李鹏、副总理吴学谦会见了吴思钟一行。

吴思钟，1954 年生，广东省五华县人。早年家境贫寒。台北工专电子工程科毕业。曾任校刊总编辑、台北工专青年社社长、幼狮通讯社记者。1976 年以海军少尉辅导长退役。踏入台湾工商界后，吴思钟富有创业精神，1976 年与人合资创办长江电子公司。后自办西陵电子股份有限公司，任董事长。该公司创办初期规模甚小，仅 20 多人，在他主持下事业蓬勃发展，员工增到上千人，营业额达数亿元。该公司主要从事电话产销。勇于创新的吴思钟，在台湾首先推出"按键式电话"，广受消费者欢迎，大部分产品外销世界几十个国家和地区，在台湾的电话公司中名列前茅。

吴思钟曾任台湾青年创业协会理事长。因艰苦自励，事业心强而当选为台湾第六届青年创业楷模。历任台湾工商建研会副理事长、台湾工业总会理事。他致力于发展两岸经贸关系，已在大陆投资设厂。

〔吴贻弓·电影导演·所导影片《阙里人家》获长春电影节银奖〕　上海电影局局长，上海电影制片厂一级导演吴贻弓 1992 年执导的新片《阙里人家》获长春电影节银奖。在此之前，他执导的《城南旧事》获第二届马尼拉国际电影节最佳影片金鹰奖、第三届中国电影金鸡奖最佳导演奖，第十四届贝尔格莱德国际儿童电影节最佳影片思想奖，新时期十年文汇电影奖最佳故事片奖和最佳导演奖。他执导的《巴山夜雨》获 1981 年文化部优秀影片奖，首届电影金鸡奖最佳故事片奖，第二届文汇电影奖最佳故事片奖和最佳导演奖。

吴贻弓，1938 年 12 月出生，浙江杭州人。1956 年高中毕业时，正值北京电影学院建院并首次在全国招生，他考取了电影导演专业，在这学术空气浓厚的环境里，他较系统地学习了有关中外电影的基础理论知识。1960 年，吴贻弓从电影学院毕业，分配到上海海燕电影制片厂任助理导演，先后在黔剧艺术片《秦娘美》、故事片《李双双》、《兄妹探宝》、《丰收之后》、《北国江南》中任助理导演。后为上影厂副导演、导演，上影厂厂长，1987年起任上海电影局局长。

粉碎“四人帮”后，电影出现兴旺景象，吴贻弓在担任《于无声处》影片副导演的工作后，1979年起开始执导了《我们的小花猫》（短片）《巴山夜雨》、《城南旧事》、《姐姐》、《流亡大学》、《少爷的磨难》等影片，《月随人归》、《十八岁的男子汉》等电视剧。吴贻弓是一位具有多方面才能的艺术家，他的作品风格各具，《城南旧事》洋溢着浓郁诗情，《少爷的磨难》是喜剧加闹剧，《姐姐》具有探索意义，他的新作《阙里人家》描写改革年代孔府后代几辈人的思想观念、感情的撞击，影片内涵丰厚，人物形象鲜明生动，手法流畅，具有浓郁的时代气息。公映之后，受到同行们的好评。

吴贻弓还是杰出的电影事业家、曾是全国人民代表大会代表、是中共十四届中央委员会候补中央委员。

〔吴修平、张毓茂·当选民盟中央副主席〕

1992年12月，吴修平、张毓茂在民盟第七次全国代表大会上新当选为民盟中央副主席。

吴修平，1928年生，福建省福州市人。现任全国政协常委兼副秘书长。其主要经历见1991年《中国人物年鉴》。

张毓茂，1935年生，辽宁盖县人。1960年北京大学中文系毕业后，先后在中国社会科学院拉丁美洲研究所、中共中央对外联络部研究所工作。后调入辽宁大学任教，从1973年起历任讲师、副教授、教授、校务委员、校学术委员会负责人，全国现代文学研究会理事，中国郭沫若学会理事，辽宁省现代文学会副会长，辽宁省鲁迅学会副会长。1984年加入民盟，历任民盟沈阳市副主委、辽宁省副主委，沈阳市人大常委。1989年3月当选为沈阳市副市长至今，主管文化、新闻、出版、民族、宗教等方面工作。写有《二十世纪中国两岸文学史》、《文学巨星郭沫若》、《萧军传》等8部著作，近300万字。

〔吴信泉·原解放军炮兵副司令员·在北京逝世〕 1992年4月2日，原解放军炮兵副司令员吴信泉在北京逝世，终年80岁。

吴信泉，湖南平江人，1927年参加平江农民赤卫队，1930年参加中国工农红军，同年加入中国共产党。曾任红3军团政治保卫局执行部部长。参加了中央革命根据地第1至5次反“围剿”和长征。到达陕北后，任红15军团75师特派员、师政治部主任。参加了东征、西征等战役。抗日战争爆发后，任八路军115师344旅688团政治处主任、687团政委。参加了晋东南反“九路围攻”。1940年任八路军第2纵队344旅政治部主任，随部东进冀鲁豫边区，任新编2旅政委。同年5月奉命率部南下华中，创建苏北抗日根据地。后任新四军3师8旅政委。先后参加高沟、杨口、阜宁、西淮等战役战斗。抗日战争胜利后赴东北，任新四军第3师独立旅旅长兼政委，东北民主联军第2纵队6师师长兼政委、纵队副司令员兼参谋长。参加了四平保卫战、东北1947年夏秋冬季攻势和辽沈等战役。1949年任第4野战军39军政委，率部参加了平津、衡宝、广西战役。1950年参加抗美援朝，任中国人民志愿军西海岸指挥部副司令员兼军长，参加了第1至5次战役。1953年回国后，任东北军区副参谋长，沈阳军区参谋长。1957年入军事学院学习。后任解放军炮兵副司令员。1955年被授予中将军衔，获二级八一勋章、一级独立自由勋章、一级解放勋章。1988年7月获一级红星功勋荣誉章。

〔吴冠中·著名画家·应邀在大英博物馆和日本三越美术馆举办个人画展〕 当代著名画家吴冠中，1992年3月25日至5月10日在英国伦敦大英博物馆举办了以《吴冠中——一位二十世纪的中国画家》为题的展览。展出吴冠中水墨画25幅，油画11幅，素描8幅。其中包括《高昌遗址》、《小鸟天堂》、《乐山大佛》等较有影响的代表作。所展作品大部为主办者从世界各地收藏家手中征集到的精品。大英博物馆为举世闻名的艺术殿堂，为中国画家举办个人画展，尚属首次。

同年11月17日至25日，为庆祝中日邦交正常化20周年，新华社新华书画院与日本三越百货店在东京三越美术馆举办《吴冠中个人画展》共展出吴冠中彩墨、油画、速写40余幅，其中包括曾在大英博物馆展出的《长城》、《劳山松石》等代表作。

吴冠中毕生追求着在中西艺术间架起一座相互理解之桥。三十年代他随潘天寿、林风眠学传统国画。四十年代赴法国留学。他是一个如饥似渴汲取中西艺术营养的“混血儿”。50年代学成回国，为建成理解之桥，进行了半个多世纪的努力。

他的油画，具有西方绘画丰富的表现力，又饱含着民族的感情；他的国画，有传统绘画的笔墨意趣，更充满着时代的精神。这就反映出他已将中国传统绘画的意境美和西方绘画的形式美融会贯通了。

他长期的画题是风景，如江南水乡的清秀，西藏高原的粗犷，黄山松石的空灵，高昌遗址的雄浑，都是自然的赞歌。他的画又饱含着对土地的热爱之情，他几十年间跋涉于祖国的天南地北，画就是他感情的熔铸。

他独特的画风，是通过点、线、面的艺术构成来体现情感、气韵和意境的。色彩斑斓的点，象跳动的音符；纵横交织的线，似豪放的旋律；浑然一体的面，是恢宏的乐章。

他的风景画，善于借景写"境"——画家思想之境，内心情景和美的意境。如他的《长城》不是着力于对客观的山、石、屋顶、墙面作外在的描摹，而是作者通过对自然的体悟，把握整体态势，充分发挥其想象力和表现力，挥写出长城在群山间龙腾虎跃般的神韵和奔涌向上的境界。既有丰富，生动的视觉美感，又具博大奇诡的精神内涵。

〔吴祖泽·放射医学专家·胎肝研究成就被评为1992年中国医药科技十大新闻之一〕　中国人民解放军军事医学科学院放射医学研究所所长、研究员、博士生导师吴祖泽，和他的同事们在胎肝研究中的一系列重要发现，为利用胎肝医治白血病、重症肝炎、急性放射病开拓了广阔的前景。他们的研究成就，被评选为1992年中国医药科技十大新闻之一。

吴祖泽，1935年10月出生，浙江镇海人。1957年毕业于山东大学化学系物理化学专业。曾任军事医学科学院放射医学研究所实习员、助理研究员、副研究员、副所长。

早在1978年，吴祖泽就在国内率先开展了胎肝造血干细胞性能与移植的实验研究，发现在妊娠5个月的胎肝中含有最丰富的造血干细胞，从而为胎肝移植治疗白血病、急性放射病等提供了理论依据，达到国际先进水平。1980年，他们与解放军307医院合作，获得了世界首例胎肝移植治疗急性重度骨髓型放射病的成功病例。1984年和1986年，吴祖泽两次应邀参加了国际胎肝移植会议，他的研究报告被收入美国出版的《胎肝移植最新进展》一书。吴祖泽和他的同事，还系统地研究、阐明了胎肝细胞输注可以治疗重症肝炎的疗效机理。近年来，他们又发现了一种从胎肝中提取的"低分子抑瘤物"。它具有选择性杀伤肿瘤细胞的特性，却不伤害正常细胞的生长。将其应用于骨髓的体外净化，并在净化后的自体骨髓移植治疗急性白血病中取得了可喜的疗效。

吴祖泽在国内外杂志上发表了150余篇论文，著有《造血细胞动力学概论》，并主编了《造血干细胞移植基础》、《血液生理》等专著。曾获国家自然科学二等奖。1988年被选为国际辐射研究协会首任中国理事。1990年7月，获国内第一批高级知识分子的政府特殊津贴。同年，国家人事部授予他"有突出贡献的中青年专家"称号。

〔吴桓兴·已故著名肿瘤学家·铜像落成〕

1992年10月7日，为纪念我国已故著名肿瘤放射治疗学家吴桓兴教授诞辰80周年，中国医学科学院肿瘤医院、肿瘤研究所为其举行半身铜像落成典礼。

吴桓兴，祖籍广东梅县，1912年生于毛里求斯。1936年毕业于上海震旦大学医学院，获博士学位。1937年在比利时布鲁塞尔医学院进修，获放射医学、肿瘤学毕业文凭。1940年在英国皇家医学院进修。1942—1946年，在英国伦敦大学医学进修学院教学医院任放射科副主任。1946年回国后，历任上海镭锭医院院长、江苏医学院放射系主任、教授。1952年任中国人民解放军军事医学科学院放射生物所所长。1958年主持建立中国医学科学院肿瘤研究所肿瘤医院，先后任院长、名誉所长和院长。1986年10月30日逝世。

吴桓兴一生从事肿瘤学研究，功绩卓著。曾先后被英、美两国放射医学院授予"荣誉院士"称号、法国总统密特朗授予"骑士勋章"、比利时国王授予"王冠勋章"。他曾任全国人大常委会常委、中国抗癌协会主席，也是国际抗癌联盟唯一的中国理事。

〔吴振华（女）·武汉健民制药厂厂长·被授予优秀女企业家称号〕　1992年"三八"妇女节前夕，武汉健民制药厂厂长吴振华被中国企业管理协会女企业家协会、全国妇联授予"全国优秀女企业家"称号，并被全国妇联授予"全国三八红旗手"称号。

1986年就任厂长的吴振华，坚持改革，锐意进取，在全厂实行全面质量管理和各种模式的承包经营责任制，抓职工的素质和人才的培养，抓技术进步和固定资产更新，注意调动全厂职工的积极性，在上任的当年就使该厂扭亏为盈，如今则跃为全国中药厂中的“超级大国”。

吴振华，1950年9月生于湖北省汉阳市。1969年1月作为知识青年从武汉下放到孝感市道店农村。1970年进黄石东方红钢铁厂当机修电工。1972年加入中国共产党。1976年调至武汉健民制药厂后，曾任厂党委副书记、经营副厂长。1986年在药厂出现亏损，成为武汉市两家最大的限期扭亏企业之一的局面下，受命担任厂长，她实行厂长、副厂长、总工程师合并办公，形成一个决策互补、主意互通、高度协调、团结如一的领导集体，全面整顿企业管理制度，建立整套严格的质量保证体系，实行销售承包责任制，根据市场调研开发适销对路产品，在不到一年的时间内，使企业生产经营步入良性循环的轨道。她与技术人员一道开发、研制出的防治小儿佝偻病的中成药新产品“龙牡壮骨冲剂”，填补了中国以中药为主防治小儿佝偻病的空白，成为市场上的抢手货。它以质量好，疗效显著先后获武汉市、上海市、国家经委、国家科委和国家中医药局颁发的12项奖。自1987年起以她为厂长的健民制药厂连年被评为武汉市优秀企业、湖北省先进企业，1991年在省中药行业率先晋升为国家二级企业。

吴振华任厂长以来，每天都是天不亮就离家，天黑才回，几乎没有节假日，她一心只顾大家。所得的奖品、承包奖金，有的转交工会、幼儿园，有的划入职工福利基金帐上。她说，企业兴旺发达全靠大家鼎力相助，钱只能用在职工身上。吴振华曾于1986年起连续三年被授予“优秀企业经营者”称号，1989年被评为武汉市第二届“优秀企业家”，1990年以唯一女性列为市企业界十大新闻人物之一，1991年被评为市“十佳承包经营者”。还曾被评为“全国医药系统先进个人”。吴振华现为武汉市医药管理局党委书记。

〔吴海标·吴江盛泽镇农工商总公司董事长·获中国农村十大新闻人物称号〕 1986年以来，吴海标领导的盛泽镇经济迅猛发展，乡镇工业产值连年翻番，连续三年名列全国乡镇之冠，被誉为“华夏第一镇”。1992年吴海标被评为中国农村十大新闻人物之一。

吴海标，1949年生，江苏省吴江市人。他高中毕业后，留在生产队干过农活，当过乡农场场长，出任过乡管委会副主任、乡长、乡党委书记、镇党委副书记、镇经联委主任。现任镇党委书记、镇农工商总公司董事长。“为官一任，致富一方”这是吴海标1985年出任盛泽镇党委书记以来抱定的宗旨和目标。用他的话说：“我们坐在这个位置上，一定要为人民干出一番事业来。把经济工作搞上去，是对上级最大的尊重，对群众最大的负责。”吴海标通过对盛泽天时、地利、人和的解剖，确立了让丝绸优势更优的发展新思路，从而实施了“一镇一品”的发展战略，“热时不热，冷时不冷”，这是吴海标用来把握盛泽经济发展的“温度计”，无论社会上掀起哪一股“热”，他决不盲目地追求，而是头脑清晰因地制宜地做出决策。他认为：“办一个企业，上一个项目，首先看有没有这样的人才，有就办，没有就不办；有什么样的人才，就上什么样的项目”。几年来，他大胆起用有识、创新、务实的人才，正确处理多种经济并存与坚持社会主义方向的关系；发展工业生产与稳定农副业生产的关系；工业结构调整与发挥本地优势的关系。使盛泽经济全面发展，1992年，总产值达到55亿元，其中有乡镇工业产值36亿元。

〔吴湧乐·农业中专学校校长·获全国“五一”劳动奖章〕 福建省宁德地区农业学校校长、高级讲师吴湧乐，因在教学工作中作出突出成绩，1992年5月获“全国五一劳动奖章”，成为全国370多所农业中专学校中唯一获此殊荣的校长和教师。

吴湧乐，1945年4月生，福建省连江县人。1968年在福建省师范学院毕业后，先后下乡插队，下厂锻炼。1980年到福建省宁德地区农业学校任教，1984年任校党总支书记，1988年7月任校长。

面对全国农业中专学校学生“招不上来，毕业后分配不下去，分到农村后又留不住”的状况，吴乐大胆突破传统的招生分配制度，探索出农业中专学校学生不包分配的办学模式。他力主实行厂（乡）校挂钩，县（乡）校共管、定向到乡、定位到村，招生分配办法。培养了一批村级后备干部和农业技术员，走出了一条农业中专学校学生“招得来、下得去、留得住”的路子，使农村中初级实用科技人才从“飞鸽牌”变成“永久牌”。

他针对学校地处少数民族聚居区的特点，积极争取有关部门支持，创办了少数民族预备班，培养少数民族干部和农业技术人才，为发展少数民族地区农业经济作出贡献。他带领教师们挖掘办学潜力，走出校门，在校内外组织了多种类型的培训班

35期，培训农村急需的各类实用技术人才近千人次，使学校成为当地培训农民骨干、专业户、科技示范户，扶持村级集体经济，进行农业科技咨询、推广、服务工作的中心，被多家报刊誉为“闽东的‘黄浦军校’”、“农业教育战线的一面红旗”。

他在学校坚持实行集体领导，民主管理，建立健全了教职工代表大会制度，设立了“校长接待日”、“意见箱”等，增强广大师生的主人翁精神。他在学校推行的目标管理、岗位责任制、考核制与聘任制的经验，1991年在全省农业中专学校中推广。在他的带领下，学校先后40多次获部、省、地级表彰，1988年被农业部授予“加强实践教学，为当地农村经济服务先进单位”称号，1991年在全国农业中专学校办学水平评估时，被评为优秀级学校。

吴湧乐在担任学校领导工作后，一直坚持教学，并编写出《农业概率》等填补空白的教材，还撰写多篇论文发表。

〔吴常信·动物遗传学家·获二十世纪成就奖〕　北京农业大学动物科学系教授吴常信在动物遗传育种研究方面做出许多重要贡献，1992年10月，英国剑桥国际传记中心授予他“20世纪成就奖”，该中心主任卡埃在来函中说，获奖者是从全世界80多个国家的杰出科学家中筛选出来的，该年度只有少数几个人获此项奖励。

吴常信，1935年11月15日生于浙江省鄞县，1957年7月从北京农业大学畜牧系毕业后留校工作至今。他长期从事动物遗传和畜禽育种的教学和科学研究工作，是我国重点学科“动物遗传育种”的学科带头人。30多年来，他系统地研究数量遗传学理论、畜禽育种方法、动物品种资源的保存和利用等内容，在“数量性状隐性有利基因的选择”、“蛋鸡合成系育种的理论与方法”、“畜禽保种的群体遗传学理论与优化方案”等方面取得了有特色的创造性成果，有关的研究论文多次在国际学术会议上发表，受到国际动物遗传育种界的普遍重视。这些研究成果也推动和深化了我国畜禽育种工作。他主持的国家攻关课题“蛋鸡育种的理论与实践”获农业部科技进步二等奖；他参加的北京白鸡、中国美利奴羊、中国黑白花奶牛的育种项目，分别获北京市和国家科技进步一等奖。

吴常信具有系统的、扎实的基础理论和丰富的科学研究与生产实践经验，具有严谨求实、谦虚谨慎、勤奋好学和易于协作共事的良好学风，在学生中有很高的威望，多次被评为优秀教师。1984年，国家科委授予他“国家级有突出贡献的中青年专家”称号。1991年，国务院颁发给他“为发展我国高等教育事业做出突出贡献”的证书并发给政府特殊津贴。

〔吴敬琏·经济学家·发表《建议确立“社会主义市场经济”的提法》一文〕　国家计委经济研究中心研究员、著名经济学家吴敬琏近年来致力于社会主义市场经济的研究，对推动我国改革理论的发展以及确立我国经济体制改革的目标模式作出了积极的贡献。他在1992年发表的《建议确立“社会主义市场经济”的提法》这篇文章里指出：市场经济是具有一定社会化程度的商品经济。在市场经济中，市场是社会资源的基本配置者。我国经济体制改革的实质，就是用以市场机制为基础的资源配置方式取代以行政命令为主的资源配置方式。在这个意义上，社会主义经济可以叫做市场经济。

在1991年出版的《论竞争性市场机制》一书中，吴敬琏在汲取新古典经济学资源配置理论和社会主义经济改革理论的精华，总结国内外尤其是我国前十年经济改革经验教训的基础上，系统地阐述了社会主义市场经济理论和体制转轨的策略原则，提出了许多对我国当前和今后一个时期改革发展的政策建议。在这部著作里，他提出了只有竞争性市场机制才能解决我国经济中稀缺资源的合理配置问题的社会主义市场经济论，并且第一次明确地把我国经济改革的目标模式概括为建立社会主义的市场经济体制。1992年，吴敬琏又发表了《关于社会主义市场经济的若干思考》、《关于加快改革步伐的几点思考》和《建议确立“社会主义市场经济”的提法》等重要文章。

吴敬琏1930年生于江苏省南京市。其简历见1989年《中国人物年鉴》。

〔吴朝安·解放军教导员·被授予模范飞行大队教导员称号〕　空军某部飞行大队政治教导员吴朝安能文能武，是四种气象飞行员，三种气象教员和指挥员，担任飞行大队教导员潜心钻研政治工作，成为模范政治工作者。1992年9月19日，空军党委决定授予他模范飞行大队教导员荣誉称号、二级英雄模范奖章和功勋飞行人员金质荣誉奖章。

吴朝安，湖南省人，苗族，1962年2月生，1978年8月入伍，1981年4月加入中国共产党。历任飞行员、中队长、副大队长、射击主任、政治教导员等职。少校军衔。他当飞行员后，刻苦钻研军事技术，练就一身过硬本领，成为本部队空靶射击技术能手。1984年在上级组织的一次校阅比赛中，30发炮弹全部命中靶袋，获得曲线空靶第一名，平了空军的记录。此后又在航空理论比武中夺得军区空军岗位练兵竞赛第一名。由于工作成绩突出，曾先后6次荣立三等功。1988年组织决定他改任飞行大队政治教导员，他愉快地服从，积极主动地向有政治工作经验的同志请教，先后阅读钻研了上百本政治工作理论著作，作了近10万字的学习笔记，注意在实践中摸索飞行员思想变化的规律，有针对性地做好思想政治工作。他真诚待人，细心观察，及时找飞行员交谈，做到对每个飞行员知人知心。他发现了一名飞行员因相处三年的女友嫌飞行员风险大而与他分手产生了思想负担，及时启发引导，帮助这名飞行员消除了心理障碍，自觉地苦练精飞，成为同批飞行员中的技术尖子。他看到一名中队长星期天提前归队，躲在宿舍抽闷烟，经了解是因为家里住房渗水引起夫妻争吵，就及时找有关部门修好这个同志的住房，消除了他的烦恼。他细心分析，弄清了一名新飞行员每下达任务就血压升高，是担心自己飞不好单飞被停飞，心理压力过大，便及时采取措施，使这名新飞行员顺利放了单飞。3年来，他所在大队承担了3批29名飞行教学员的培训任务，有27名顺利完成改装训练，成才率达93%，在本部队名列前茅。他先后帮助5名飞行员克服了思想波动，坚定了飞行事业心；帮助7名飞行员解决了恋爱婚烟和家庭方面的实际问题。他在做好思想工作的同时，年年带头圆满完成飞行训练任务，对难度大、强度高的课目，他带头多飞，带头任教，成为四种气象飞行员，三种气象教员和指挥员。

〔邱少云·已故著名战斗英雄·牺牲四十周年纪念活动在兰州某部队举行〕　在伟大的国际主义战士，原中国人民志愿军一级战斗英雄邱少云牺牲40周年前夕，邱少云生前所在的兰州军区某部于1992年10月10日隆重集会，纪念邱少云壮烈牺牲40周年。中共中央总书记、中央军委主席江泽民，中央军委副主席刘华清分别为纪念活动题了词。

邱少云（1931～1952），四川铜梁人。1951年参加中国人民志愿军。1952年10月11日在朝鲜金化以西三九一高地的反击战中，邱少云所在连队奉命潜伏在敌人阵地前，等待部队发起进攻时，对敌阵地实施突袭。12日敌人向我潜伏地域盲目发炮。一发燃烧弹落在邱少云的身边，引起了茅草着火，烧着了邱少云的衣服。当时邱少云只要滚动完全可以将身上的火扑灭。但这就很可能暴露部队潜伏地域。为了不暴露部队，邱少云忍受剧痛，坚持不动，直至壮烈牺牲，敌人始终没有发现我潜伏部队，保证了战斗的胜利。战斗结束后，邱少云被所在部队党委追认为中国共产党党员，被中国人民志愿军领导机关追记特等功，授予“中国人民志愿军一级英雄”称号，并荣获“朝鲜民主主义人民共和国英雄”称号及金星奖章、一级国旗勋章。

40年来，邱少云生前所在的兰州军区某部坚持用邱少云精神育人，先后有370多名官兵被评为“遵纪守法标兵”，全师以纪律严明而闻名于世。

〔邱永汉·台湾工商企业家·率台湾工商团访问大陆〕　台湾著名工商企业家、《财迅》杂志社董事长邱永汉，于1992年8月11日率台湾工商考察团一行83人抵达北京。该访问团在天津、北京、上海等地参观访问，考察投资环境。1991年以来，邱永汉多次赴上海浦东考察。邱永汉旗下的香港友聪有限公司与上海黄浦区房地产股份有限公司联手开发浦东房地产，由双方合资建立的永华房地产开发有限公司、陆家嘴永华商贸综合大厦于1992年8月16日在上海开业奠基。以邱永汉为团长的台湾工商考察团参加了开业奠基典礼。邱永汉表示，上海是中国九十年代经济发展的重要地区，投资上海，可向周边地区乃至全中国辐射。邱永汉国际集团于1992年12月28日签署合同，投资一亿元改造成都旧城，这是该集团在内陆大城市投资的第一个大型项目。

邱永汉，原名炳南，1924年生，台湾省台南县人。台北高等学校毕业。后入日本东京大学经济系深造。1945年毕业返回台湾，曾在中学执教，在华南银行任职。1947年到香港从事贸易。五十年代初侨居日本，在日从事工商业，拥有多家公司，被称为“理财之神”。曾任“台湾独立联盟日本本部”中央委员等职。

1972年邱永汉脱离“台独”，返回台湾，并继续从事工商业，创办有永汉开发公司、永汉证券投资公司、国际兴业公司、司美设计公司等多家公司，均自任董事长，还在台南创办邱永汉工业区，设立财团法人永汉文化基金会，从事多种经营。他主持的永汉理财顾问股份有限公司1991年推出“永汉桃园开发计划”，与日商合作，在桃园建立高尔夫球场、百华公司、住宅大厦等。

邱永汉也是一位著名作家，其中篇小说《香港》1955年获日本文学奖“直木赏”奖，还创作有《女人的国际》、《台湾的故事》等小说。经常为日本、台湾报刊撰写经济评论文章，著有《邱永汉赚钱学》、《生财有道》、《财源滚滚》、《邱永汉选集》等。1979年曾撰文主张台湾与大陆通商，认为这对台湾经济发展有利。

〔邱复生·台湾两岸影艺协会董事长·率团访问大陆〕　台湾两岸影艺协会董事长邱复生，于1992年2月19日率该协会访问团抵达北京，其成员20余人，有著名电影演员柯俊雄、导演侯孝贤等。访问团就如何促进海峡两岸影视界的交流合作与大陆同行进行了探讨，并参观访问。邱复生认为此行收获很大。他希望海峡两岸“能一同协手迈向21世纪，为中华影视文化共创新世纪，使之不仅雄居亚洲，更能立足于世界”。

邱复生，1947年生，台湾省高雄人，祖籍福建诏安。1964年台湾政治作战学校音乐专修班毕业。以广告业起家，曾在台北市广告公司从事企划工作。1970年创办台北市大世纪事公司，任经理、总经理。1981年将其易名为年代影视公司，任总经理。踏入影视界后，邱复生致力于电视节目制作，录影带及电影的发行，如将香港无线电视台的戏剧节目制成录影带经销台湾，经营外国影片的发行放映。他曾获台湾“行政院新闻局”金钟奖，视听公会优良电视影片奖。1989年由侯孝贤执导的《悲情城市》在意大利威尼斯影展中获最佳片金狮奖，邱复生以三千万元资助此片的拍摄，功不可没。他还历任《你我他》杂志总经理、台北市Amigo餐厅总经理、视听制作公会理事长、台湾电视协会研究委员。

邱复生多次来大陆访问。1991年他发起筹组台湾两岸影艺协会，旨在消除双方交往中的隔阂，并于该会成立后出任董事长。

〔何韦·漫画家·入选英国剑桥《国际人物传记辞典》〕　英国剑桥国际人物传记研究中心，于1992年1月和2月通知何韦，已将他的传记资料列入《国际人物传记辞典》和《国际知识分子人物传记》。

何韦14岁开始发表漫画作品。他视野广阔，富于开拓精神，融传统国画手法于幽默之中；以辛辣、谐趣的笔调，表现生活，揭示普遍存在的弊端、不良习俗，喻世、明理，给人留下深刻印象。

其作品《衣裳架子》、《大蛋糕》，在1983年、1985年获《北京优秀美术作品奖》，《冷餐席上的热线》，1986年获《全国好新闻漫画奖》。1966年，他走上国际画坛，参加了“亚洲国家漫画展”，1984年参加“中日第二届水墨画展”，1987年参加南斯拉夫“国际漫画展”、新加坡“中国画展”。同年，何韦赴日本举办“中日劳动漫画展”和“何韦水墨漫画展”。这是中日两国漫画界首次大型交流活动，引起日本各界注目。为表彰何韦多年来对中日漫画交流所做的工作，日本工会向他授予了“笑的使者”奖杯和奖状。1988年，在日本大坂等5城市举办“中国戏曲小品画展”。他的戏曲人物水墨画，受到好评，后又获日本“漫画大宫”奖状。

1988年以后，他辞去了行政职务，潜心于创作、理论研究和国际漫画交流。1991年在日本《中日艺术研究》发表论文《漫画探源》，还同美国、德国、乌克兰进行漫画交流，在俄罗斯、蒙古和日本报刊上撰文介绍我国漫画。1991年，他邀请台湾11位漫画家参加《工人日报》漫画大赛，促进了海峡两岸漫画交流。

何韦，满族，别名赫舍里氏，1934年10月28日生，黑龙江省泰来县人。1949年任黑龙江省克山中学美术教师，1951年在沈阳东北鲁迅文学院美术系学习，毕业后任东北《劳动日报》美术编辑，1953年至今，在工人日报社任美术组长、美摄部副主任、主任，高级编辑。是中国美术家协会会员，中国美术家协会漫画艺术委员会委员，中国新闻漫画研究会常务理事，《中国漫画》杂志副主编。1985年北京市政府授予他“民族团结先进个人”称号，1988年荣获国务院颁发的“民族团结进步”奖章。

〔何鄂（女）·雕塑家·其雕塑艺术展在兰州举行〕　我国著名女雕塑家何鄂于1992年9月8日在兰州举办了她的个人雕塑艺术展，展出新作及历年重要代表作40余件，受到广泛称赞。雕塑家举办个人展的很少，而作为女雕塑家举办个人展，更是难能可贵。

何鄂别名岩石，1937年3月生，江苏金山人，1955年毕业于西北艺术学院美术系，任职于兰州艺术学院、敦煌文物研究所，后调至甘肃省工艺美术研究所任高级工艺师，副总工程师。

何鄂在敦煌莫高窟工作达12年之久，在多次临摹复制和修复古代塑像精品中，含英咀华，深入学习民族艺术的精华，而成就了她独具一格的民族艺术风格。她的代表作有《巨匠》、《和睦》、《黄河母亲》等，既包含着浓郁的汉唐风韵，又体现着鲜明的时代精神。作为一个女性艺术家，作品中却蕴含着充分的阳刚之气，大气磅礴，而又优雅感人。她面对激动的观众，深情地说："我是江南人，但我长期在大西北工作，我幸运能根植于民族文化的沃土，由此，才孕育和成就了我创作的生机。"

何鄂现为中国美协理事，全国城雕艺委会委员。

〔何大川（女）·高级工程师·被授予全国先进女职工称号〕　大连重型机器厂高新润滑剂研制开发公司副总经理兼总工程师、全国劳动模范何大川，1992年"三八"节前夕，又被全国总工会授予全国先进女职工称号。她应全国妇联之邀，参加"巾帼建功"报告团，在北京作了生动的演讲，受到听众热烈欢迎。同年10月，她作为正式代表参加了在北京召开的中国共产党第十四次全国代表大会。

何大川，1938年7月29日生，四川省开江县人。1958年毕业于重庆机器制造学校。1959年到大连重型机器厂工作。不久因受家庭成份影响，被迫离开机器制造专业，下放到最不起眼的一个破破烂烂的小油库工作。三年困难时期，街上的汽车背着沉重的煤气包缓缓爬行，而工厂用过的废油却不能回收再生，何大川看到大部分废油都浪费了，感到很心疼，决心从头学起，搞她从未学过的废油再生。她和润滑站的同志们花费了三年的时间，历尽无数艰辛，在茶杯和脸盆里做试验，终于成功地设计和建造了废油再生工艺设备和实验室。这项工艺通过鉴定后，很快在全国推广，取得了可观的经济效益。以前他们工厂每年用油量高达179吨，如今液压设备增加了三倍，而用油量只有80余吨，至1992年初，再生废油1200多吨，节约价值达140余万元。

中共十一届三中全会后，何大川如鱼得水，经过三年半试验，研制成功既不是油也不是脂的新型胶体润滑剂，解决了吊车漏油这一我国工矿企业中令人头疼的难题。这项成果已在全国推广，并受到国外专家的赞扬。她还研制成功了二百多种油品，为本企业和其他厂矿解决了进口设备缺乏替代用油问题，为国家节约了大量外汇，累积价值达700多万元。随着实践的不断积累和丰富，她写了《综合分析换油法》《设备润滑油消耗定额》《MCA治漏技术》等论文。她制定的《机械设备用油标准》获大连市科技进步奖，其中大部分内容被国家标准所采用。

何大川原是一个中专生，后来坚持读了5年工人夜大。她常想，一个国家要强盛和繁荣，需要有较高的科技文化水平，才能自立于世界之林；一个人尤其是一个女人，要自立于人前，需要有较高的科学文化知识和对事业孜孜以求的拚搏精神。她所获得的成功，都是自学、钻研、在实践中点滴积累的结果。

何大川，1987年6月加入中国国民党革命委员会，是民革中央候补委员、辽宁省委委员。1988年5月加入中国共产党。1984年以来一直被评为省、市劳动模范，1989年被国务院授予全国劳动模范称号和全国归侨侨眷优秀知识分子称号。还被评为全国十大科技标兵之一，获全国"五一"劳动奖章。

〔何玉铭·邢台市实用技术研究所所长·研制成"快餐粥"、"米思奇"系列食品风靡全国〕　军队转业干部何玉铭，主动放弃到外事部门工作的机会，白手起家，自己办起了民办邢台市实用技术研究所，先后研制成功"快餐粥"、"米思奇"系列食品，填补了我国食品行业的两项空白，为我国粮食转化增值、粗粮细作开辟了一条新的道路。从1990年5月到1992年，他已先后获得河北省科企成果等16次金奖。

何玉铭，现年29岁，河北省邢台市人。1981年高中毕业后，考入解放军南京外语学院英语系，1983年毕业，分配到总参驻天津某部任参谋兼翻译。1988年8月转业回到家乡邢台市。他毅然放弃了被分配到市政府机关从事外事工作的机会，白手起家创办民办科研所，成了邢台市第一名自谋职业的军转干部。按照有关规定，成立民办科研所必须具备三个条件：不少于8000元的注册资金；三名以上高级专业技术人员；厂房厂地办公地点。三者缺一不可。这一切何玉铭都要从零开始。经过四处张罗八方相助，何玉铭没花国家一分钱，把"邢台实用技术研究所"的牌子挂了出来。创业伊始，何玉铭带领一班人拚命干，他们自定计划，自立项目，先后研制出了"计划生育测试仪"、"新型倒锁螺栓"等7项技术成果，由于投资大、成本高、见效慢，都没能投入生产，却把一万元的血本花光了。恰在这时，市政府外贸办找他谈话，给他最后一次到办公室上班报到的机会。何玉铭还是谢绝了。他说："我是过了河的卒子，不能后退了。"

1988年9月，正当何玉铭陷入困境的时候，他偶然从《经济日报》上看到一篇话粥的文章。他想，粥食是我国的传统食品，做法简单，营养丰富，但熬制往往需较长时间，若能研制出一种"快餐粥"的生产技术，一定会深受大家的欢迎。经过市场调查，他又请有关专家进行论证评估，然后立项进行课题研制，"快餐粥"试制成功了。没过多久，他又研制成日产1吨"快餐粥"专利机械化生产线。1990年5月首次参加河北省第五届科技成果交易会获得了金奖，并当场与50多个厂家洽谈了技术转让合同，成交额达100多万元。二万多份技术资料被索取一空，人人交口称赞这种可与方便面相媲美的新潮食品。何玉铭成功了。这时有人劝他别卖专利技术，并答应贷款，提供厂地，让他自己扩建生产线赚大钱。但何玉铭想的是一心开发新产品。半年以后，何玉铭又研究开发了以大米、小米、玉米、糯米等十多种粮食为原料的系列"米思奇"方便食品，很快就风靡全国25个省市自治区，六十多个企业引进了这两项技术，已建成80多条生产线，年产值达2亿多元。科研所富了，但何玉铭始终牢记自己是军人出身，处处把国家利益摆在第一位。1991年8月，何玉铭转让的"米思奇"技术生产线供不应求。这时，许多用户纷纷抬价1万至2万元想尽快购买生产线。而何玉铭从不多收钱，反而降价保本售给老、少、边、贫、灾区。安徽灾区桐城县急需生产自救。这个县的食品厂厂长张胜华来到邢台找到何玉铭。何玉铭二话没说，不但降价15000元供给一套"米思奇"生产线，还派所里3名技术素质最好的人员赶赴桐城，义务帮助安装技术设备，并为该厂培训生产骨干，使这个食品厂只用37天，提前2个月生产出了合格的"米思奇"食品，为灾民生产自救创造了有利条件。为此，桐城县政府专门制作了一面"情系灾区、贵在创新"的锦旗，派人千里迢迢送到邢台实用技术研究所。

何玉铭领导这个技术研究所在没花国家和地方一分钱的情况下逐步发展壮大，工作人员已由7人发展到47人，其中有高级工程师4人。如今固定资产已达50多万元，年盈利70万元。何玉铭也先后获得"河北省十大杰出青年"、"河北省劳动模范"、"全国优秀企业家"、"全国模范军队转业干部"等称号。

〔何守文·小学美术教师·获韩国金泳三总统特颁水晶奖牌〕　何守文是黑龙江哈尔滨市兆麟小学美术教师，由于在美术教育工作中成就卓越，培养了大批优秀美术人才，而被哈尔滨市评为教授级的超高级小学教师。这在全国是少有的殊荣。近年来带领少儿书画代表团访问韩国，进行美术交流，1992年底获大韩民国总统金泳三特颁的水晶奖牌。

何守文，吉林德惠人，1935年7月生，1957年毕业于军械学校，1963年结业于哈尔滨职工业余艺术学院。1954年参加教育工作。1988年评为哈尔滨兆麟小学特级教师，后又进而评为哈市超高级教师。现为中国美术教育研究会会员，黑龙江省艺术教育委员会委员，哈市教育研究会副理事长，黑龙江美协会员。

1985年、1988两年先后两次率青少年书画代表团访问日本，进行展览和交流。在美术教育中，成果卓著，培养了大批优秀的美术人才。并撰写多篇美术教育论文和教材。

何守文在几十年的教学中，注重兴趣培养，在校内成立美术组，在社会上创立少儿书画同学会，成立家长绘画班，亲作辅导讲授，这种让家长带动儿童的办法，使学校、社会、家庭三结合的教学法为世所公认，取得了良好的效果。他的学生中，很多是当代著名的青年画家，桃李满天下，因而求学者甚多，名重哈市。

何守文酷爱书画，典藏丰富，精于鉴赏。他从石涛，"四王"入手，中年后，转攻马远、夏　，以古法参以写生，他的四君子画和山水，都别饶风韵，创立了自己的艺术风格。其艺术经历为《全国优秀教师名人录》、《全国教坛名人辞典》、《现代中国美术家人名大辞典》等辞书收录。

〔何志远·济南军区原顾问·在济南逝世〕

1992年9月11日，济南军区原顾问何志远在济南逝世，终年80岁。

何志远，湖南浏阳人，1930年加入中国共产党，1931年参加中国工农红军。曾任瑞金卫戍司令部警卫连政治指导员，赣南独立第3师3团政委，福建军区政治部宣传队队长。参加了中央革命根据地第1至3次反"围剿"。1934年10月中央红军长征后，任闽西南中共区委书记、代理县委书记，坚持闽西南三年游击战争。抗日战争爆发后，任新四军第2支队3团副营长，第3支队5团政治处副主任。1941年皖南事变后，任新四军第7师19旅55团政治处主任，无为县总队副总队长，沿江支队政治部主任兼中共桐城县委书记，含和支队政委兼中共含和地委书记。解放战争时期，任山东野战军第7师21旅副政委兼政治部主任，华东野战军第7纵队19师政委、21师政委。先后参加了涟水、莱芜、孟良崮、淮海、渡江等战役。中华人民共和国成立后，任军政治部主任、军副政委。1954年毕业于军事学院。后任军政委，山东省军区政委，济南军区顾问。1955年被授予少将军衔，获二级八一勋章、二级独立自由勋章、一级解放勋章。1988年7月获一级红星功勋荣誉章。

〔何觉民·大学教授·主持“两系法利用小麦杂种优势研究”获重奖〕　由湖南农学院何觉民主持的“两系法利用小麦杂种优势技术研究”居国际领先地位。1992年5月，湖南省政府决定，给何觉民主持的课题组以262万元的重奖。

杂交小麦研究在国际上起步于五十年代，到目前为止仍停留在“三系法”的研究范围内。何觉民从1988年开始着手“两系法利用小麦杂种优势技术”的研究。“两系法”研究与“三系法”研究相比，可以缩短育种时间，减少制种程序，降低制种成本，有更为广泛的杂交优势。1988年，何觉民从小麦远缘杂交后代中，发现了一系列光温敏不育系。这些品系在短日照低温下表现雄性不育，在长日照下恢复可育。如果使这种小麦敏感期处于短照低温下，便变为雄性不育，这样便可与邻近小麦异交而产生杂种。由何觉民主持，戴君惕、邹应斌、张海清、周美兰、刘雄伦参加的6人课题组发奋攻关，又用一年多的时间，寻找到200多份不育材料。目前已选配出了三个两系法杂优组合，这些组合与一般小麦品种相比，可增产20%以上，而且品质好，营养价值高，抗病性强。

1992年4月14日，以中国农业科学院研究员、学部委员庄巧生和著名杂交水稻专家袁隆平等为首的20位专家教授对这一研究成果进行鉴定，一致认为，小麦光温敏不育材料的发现及其优良不育系的选育属国内外首创，为我国运用两系法配制杂交小麦、利用杂种优势开拓了新途径，对发展我国小麦育种理论和展示杂交优势利用的广阔前景具有重大意义。该项成果是小麦育种研究的重大突破，居国际领先地位。1992年5月，湖南省政府决定给该课题组以重奖：奖励科技实验楼一座，实验设备四台套，汽车一辆，奖金50万元，科研专项经费50万元，共计262万元，何觉民于1992年6月被破格晋升为教授。湖南农学院还给课题组人员各浮动一级工资。

何觉民，现为湖南杂交小麦研究中心主任，中国共产党党员。1952年8月生，湖南省新化县人。1973年入湖南农学院农学专业学习，毕业后留校任教。1982年又攻读该院遗传育种硕士研究生毕业。他在教学与科研工作中勤奋刻苦，其研究成果曾先后获湖南省农业科技进步二等奖、三等奖，院科技进步一等奖。

〔何鲁敏·科技企业家·获中国民办实业家金奖〕　清华大学工学硕士、原中国建筑科学院研究人员、北京亚都人工环境科技公司总经理何鲁敏探索出一条科研成果转化为生产力的成功之路，1992年11月，获得中国科协、中国民办实业家协会颁发的“中国民办实业家金奖”。

何鲁敏，1951年出生于保加利亚首都索非亚，后随父回到北京，1968年到山西插队，并在那里加入了中国共产党。1982年，他在清华大学取得工学硕士学位后，分配到中国建筑科学研究院工作。1985年被团中央派到日本研修。1987年初，他借款5万元创办了亚都公司的前身——亚都建筑设备制品研究所。

同官办研究所不同，何鲁敏力克旧科研体制的弊端，把科研重心从局限于研究、发明阶段迅速转入成果改进、完善、推广过程，在开发产品的同时，着力于开发市场，从单纯追求科研成果数量转向追求规模效益。正是在这种动力驱使下，亚都公司的主导产品超声波加湿器迅速占领了市场，走进了中央领导同志和普通市民之家。他们开发生产的系列人工气候及环境技术产品在北京亚运会工程、大秦铁路、十号重点工程、尼泊尔大会堂等项目中被广泛应用。主导产品超声波加湿器已发展为系列产品，年产量达30万台，并被评为北京市著名商标，获第二届北京国际博览会优质保健金奖、北京市科技进步奖、北京市新技术产业开发试验区拳头产品等称号。何鲁敏本人也多次受到表彰和嘉奖。

〔但召仁·青年农民个体劳动者·被追授全国先进个体劳动者称号〕　1992年1月17日，国家工商行政管理局和中国个体劳动者协会联合作出决定，追授湖北省荆州地区潜江市铁匠沟乡老河口村青年农民、个体工商户但召仁“全国先进个体劳动者”称号；同时决定在全国个体劳动者中广泛开展向但召仁同志学习的活动。

但召仁是湖北省潜江市人，1960年1月20日生，高中文化程度，生前在潜江市铁匠沟乡高口集镇经营个体饮食餐馆。1991年9月8日晚10时许，铁匠沟乡高口集镇发生一起重大纵火自焚案。纵火者将25公斤汽油洒在床铺、家具和自己身上，点燃了火柴。一个汽油桶被迅速蔓延的火苗引爆，掀开了房顶与后墙，烈焰腾空而起，直窜20多米高。离肇事地点仅10米，就是国家粮站储存的1000多万公斤稻谷，后面是一个贮有20多吨柴油的油库，不远处是供销社仓库，隔壁是存有200公斤烧酒的小作坊和储蓄额达60万元的信用社，周围居民家中还有50多个液化石油气罐，一旦发生连锁反应，后果不堪设想。但召仁闻讯后立即奔赴现场，奋不顾身冲入火海，救出一名两岁幼女，抢出遇热易爆的液化石油气罐，在全身烧焦、双目近乎失明的情况下，以惊人的毅力与妻子一起抢出另一只液化气罐，清除了爆炸源，避免了一场毁灭性的灾难，保住了价值2000万元的国家财产和1000多人的生命安全。然而，但召仁却由于伤势过重，经多方救治无效而壮烈牺牲。他的遗体从荆州医院运回家后，七八百人前来向他告别，六七十人为他守灵。他的灵车起程时，1000多人送出几里地，群众自发燃放鞭炮达100多万响。

但召仁生前多次见义勇为。他曾3次跳入滔滔洪流抢救妇女儿童，帮助教育10名落后青年转变为先进青年，在群众中传为佳话。他带领乡亲勤劳致富，改变了家乡多年来的贫穷面貌。据不完全统计，但召仁扶助贫困户50余户，借出现金达6000余元，并向集体和灾民捐款捐物计2350元。仅他所在的二组25户村民中就有15户受过他的接济和资助。他在养猪期间，低价赊销给村民仔猪160头，价值4000余元。村里搞冬季农业开发，缺少资金，他带头拿出1000元，并将自己准备盖房的1.5万块青砖献给了集体。他买卖公平，薄利多销，不仅饭菜份量足，而且价格总是低于当地同行业二至三成。碰上确有困难的人，他就不收钱。农忙季节，他每天烧满两大缸茶水，他的家成了免费茶水供应站。

但召仁牺牲后，潜江市委、市政府和荆州地委、地区行署先后作出决定向他学习。湖北省工商局、省个协追授他"先进个体工商户"称号。湖北省人民政府批准他为革命烈士，团省委追授他"湖北省新长征突击手标兵"称号，中共湖北省委追认他为中共正式党员。

〔余进仓、邢明月·河南宝丰酒厂厂长和总工程师·领导企业走科技振兴之路获显著效益〕
曾双双荣获全国"五一"劳动奖章的河南宝丰酒厂厂长余进仓和总工程师邢明月，领导该厂走科技兴业之路，使企业效益大增，1992年全厂产值达1.18亿元，实现利税3300万元，成为全国500家、同行业50家效益最佳企业之一。

宝丰县西依伏牛山，东瞰大平原，菽麦盈野，地涌甘泉，以其得天独厚的地理条件，成为中国名酒的发祥地之一，素有"千村立灶，万户飘香"的醉乡之称。北宋时即盛名于世，许多古代的文人骚客都在宝丰留下酒诗佳话。1973年，周恩来总理在洛阳设宴欢迎加拿大总理特鲁多时，点名以宝丰大曲款待贵宾。但多年来，由于工艺落后，产品单一，产量较低。改革开放后，厂长余进仓和总工程师邢明月，以科技振兴企业，大力培养和广揽人才，使企业走上经济振兴之路。十年前，全厂只有6名自学成才的技术人员，现在已经拥有酿酒、制曲、评酒等各类工程、科技人员628名。还投资兴建了高标准的酿酒科研所、实验车间，购置了许多先进的质量检测、分析仪器，并与大专院校和科研机构合作，承担研究项目。同时，推行以质量管理为中心的现代化管理，建立、完善"三质三保"体系，使产品质量不断跨上新台阶，品种实现系列化，并连获多项殊荣。现在宝丰酒已由原来单一品种发展到两大系列、9个品种、24个规格，曾先后获得国际金奖4个，国家级金奖8个，轻工部金奖5个，获国优、省优、部优产品25项，在河南省历届质量大赛评比中，均获最高奖。企业也先后获轻工部和省的质量管理奖，国家二级计量合格企业，省先进企业、省科技进步先进企业、红旗单位等荣誉，被中共河南省委、河南省政府命名为"文明单位"。

余进仓，1943年9月生，1959年5月参加工作，河南宝丰县人。中国共产党员。高级经济师。1968年以来，他先后任县煤矿、水泥厂、钢铁厂、玻璃厂的厂长或党委书记，都取得了显著成绩，在玻璃厂工作时，使该厂跨入全国轻工系统和省市的先进行列。他本人曾先后获省优秀企业家、市劳动模范、全国优秀企业管理者等荣誉称号。他不但善于企业管理，而且还是个以身作则、公道正派、关心群众、不谋私利的干部。厂里老职工患癌症，他驱车几百里，亲自陪送到省城住院，手术后，在病房守护三天三夜。出院时，他又亲自开车接回。但他对自己和家人要求却非常严格。在招工、入学、福利等方面，他都是坚持原则，先人后己，从不利用职权搞特殊。他常和职工同吃、同劳动，了解职工生产、生活情况，发现问题，及时解决，深受职工群众爱戴。许多职工说："老余是真共产党，对人对己绝不玩花活。"

邢明月，总工程师，1937年7月生于河南宝丰县。1958年参加工作，1980年任该厂副厂长；1988年晋升为高级工程师。他主管酒厂的科研工作，在产品创优和新产品开发方面起关键作用。他主持完成的"微波老熟白酒新工艺"，使微波处理一分钟的新酒，可与自然老熟8个月的酒相媲美，大大缩短了酒的贮存期。该技术已为25个省市的部分酒厂推广应用。他研制的"清蒸二次清"工艺，使酒实现了质的飞跃，在第三届全国评酒会上，63°宝丰酒一举成为国优酒。他主持承担的轻工部"新育产酯酵母在白酒生产工艺上的应用"等科研成果，使宝丰酒质量又跨上新台阶。1991年他主持完成的"ADY生物工程技术"，属国内首创，应用于生产，使宝丰酒和大曲酒的出酒率分别提高21.5%和5.5%，仅此一项，年净增经济效益1072万元。全厂职工称赞他是厂里"第一号有功之臣"。他本人曾先后获"全国轻工业科技先进工作者"、省市"有突出贡献的科技人员"、"专业技术拔尖人才"等多项荣誉称号。

〔余纯顺·上海教育学院学员·徒步六万里考察少数民族风情〕　被誉为"当代徐霞客"的上海教育学院学员、上海电器成套厂职工余纯顺，已经徒步行走6万多华里，沿途考察18个省、自治区、直辖市的少数民族地区，完成了他准备徒步12万华里、考察55个少数民族计划的一半。1992年5月4日新华通讯社、中央电视台以及《中国体育报》等对他的壮举进行了报道。

余纯顺，1951年12月5日生于上海市，原籍湖北鄂州市，中学毕业后在安徽省军垦农场当工人，1979年3月进入上海电器成套厂当职工，后考入上海教育学院中文系学习。自1988年7月1日起，他立志完成"徒步壮行全中国"的计划，其内容是：徒步走完31个省、市、自治区（包括台湾），访问55个少数民族；徒步进入川藏、青藏、新藏、滇藏四天险，成为第一个徒步走完"世界第三极"的人（现已走完川藏、青藏及新藏路一部分）；徒步抵达我国东、北、西、南四端（现已抵东、北、西三端）；徒步行程12万华里，创最新"吉尼斯世界纪录"；撰写"壮行全国"游记；沿途演讲作宣传，并声援北京申办2000年奥运会。

余纯顺已艰难跋涉4年零3个月，除冬天回上海休整外，其余时间均在征途。每完成一天行程就请当地邮局盖上邮戳，或请到达地点的群众与边防军人签名留念，他携带的3个小本子已盖上一千多个邮戳。他已穿烂40多双运动鞋，脚上先后打过78个水泡。已访问22个少数民族地区，写了近30万字游记、通讯，在《旅游博览》等杂志发表。他所到过的省、区、市、地区、县累计有200多家报纸、电台、电视台及杂志跟踪报道了他的活动。他在沿途应大中学校、机关、部队、企业邀请先后作了83场"壮行献给父母之邦"的演讲。抵达西藏时一位活佛赠给他一个藏名：格萨尔扎西——英雄吉祥，鼓励他继续前进。他现兼任《旅游博览》杂志特约记者。

〔余金辉·残疾人·小学高级教师·被授予全国优秀少先队辅导员称号〕　上海市青浦县小蒸乡南湾小学高级教师、大队辅导员余金辉，在1992年"五四"青年节前夕，被团中央、全国少工委授予全国优秀少先队辅导员称号。团中央特邀他赴北京参加全国青年"五四"大联欢，受到党和国家领导人接见。同月，他还被评为上海市劳动模范。

余金辉是一位残疾人，每个手掌上只有三个手指，其中两个还粘在一起，手臂明显短一节，不能弯曲，鸡胸，驼背，身高只有1.46米。他以惊人的毅力，克服了常人想象不到的困难，用两个手指夹起笔杆，写出了一手漂亮的粉笔字，学会了刻写钢板、弹风琴、吹号等。用他的话说："一个人身体的残疾不是自己的过错，心理的残疾才是可悲的。"他凭着这一信念，谱写着自己的人生之路。他高中毕业后，到南湾小学代课，同时担任校外辅导员。1988年，他从农村实际情况出发，改革本校的少先队组织，变单一的班级中队制为自然村班级中队双轨制，变少先队干部大队委员制为五部一室制。这一改革受到教育部门和有关专家的好评，并在全县推广。1991年以来，他在少先队活动中，开展了"学英雄，做好事，创红旗中队、优胜小队，争当红花队员"的系列活动。在校外成立为民服务队，为烈军属服务，慰问孤寡老人；宣传禁赌、交通法规；开展帮差、帮困难活动；组织读书读报、故事会、演讲会、游戏活动；还开辟了学农基地，学种菜，学养殖。在丰富多彩的活动中，对学生进行爱国主义、集体主义教育。1985年，他的妻子和刚出世的儿子，在几天之内相继去世。他绝望过，徘徊过，但他挺过来了，并以加倍的热情把爱、把生命投入到教育事业当中。在他家中住着8个学生，他们是父母不全、调皮捣蛋或离家很远的学生，余金辉和他们一起学习、一起生活，他们吃的、用的、穿的，凡是余金辉家里有的都是孩子们的。由于余金辉的努力，他教的两个班数学，1991年合格率达100%。

余金辉，1959年出生于上海市青浦县小蒸乡芦花村。1966年在练塘第一中心小学学习；1971年入三联中学求学；1973年到芦花中学；1976毕业后在芦花小学代课；1977年转回南湾小学代课，同时兼任校外辅导员。1978年被评为县群众体育先进个人；1979年、1981年两次被评为市新长征突击手；1980年被选为县人大代表；1983年在红领巾读书、读报活动中，被评为全国先进个人；1990年被评为市语言文字工作积极分子；1991年被授予市“五·四”青年奖章暨新长征突击手标兵称号。

〔附注：1993年1月，余金辉被评为小学高级教师，被选为共青团第十次全国代表大会代表。〕

〔余谱成·戏剧导演·获第二届文华导演奖〕

湖南省花鼓戏剧院推出的反映现实农村生活的大型现代湖南花鼓戏《桃花汛》，以其特有的艺术魅力，征服了不同层次的观众。该戏导演余谱成独创风格，荣获1992年文化部授予的戏剧界最高奖——文华导演奖。

余谱成，1932年9月出生于湖南省攸县。1950年由攸县简易师范学校参加攸县文工团，后辗转调入湖南省文工团。1953年5月湖南省花鼓戏剧团成立，成为该团首批从艺工作者。四十余年来，他先作演员，后作导演，较长时间兼任湖南省花鼓戏剧院副院长和湖南省歌舞团团长等领导职务。现兼任湖南省花鼓戏剧院调研员。在他的艺术生涯中，曾塑造过四十多个不同行当、不同性格的舞台形象；执导过三十多出各类题材的剧目。其代表作《打铜锣》由珠江制片厂拍成电影流传很广，风靡至今；《喜脉案》轰动京华，先后获湖南省1985年戏剧节一等导演奖和全国戏剧观摩演出导演奖；同时，由他担任艺术顾问的同名电视连续剧获1985年全国国庆电视展播奖和电视“飞天奖”。他应邀执导的江西采茶戏《牛二宝经商记》获江西省首届玉茗花戏剧节一等导演奖。作为广播节目新品种的两部戏曲广播剧《王木匠招亲》、《红杏》，前者被评为全国优秀戏曲广播剧；后者获湖南省戏曲广播剧一等奖。

《桃花汛》是他执导的新作。该戏是说一个叫虾仔的小伙子，因赌博欠债，女共产党员桃花动员他和集体一起搞水上运输，帮他克服了要钱恶习。这出戏没有大起大落的矛盾，也无扣人心弦的故事情节，却以其特有的艺术魅力征服着不同层次观众。首都评论家盛赞该戏，认为导演成功地实践出一条发展湖南花鼓戏的新路子——以民间歌舞演故事。这既符合传统戏曲“以歌舞演故事”的美学本性，又有别于搬用大剧种的传统程式，更不同于以外来歌舞作场面穿插，而是立足湖南民间的艺术沃土，运用戏曲“虚拟空灵、变形取神”的美学原则，对戏剧结构和动作进行系列艺术处理。全戏以优美、抒情的湖南民间小调贯穿，安排了序歌、尾声八段富有戏剧性情节的歌舞，并运用推陈出新的“地花鼓”作幕间歌舞，强化了花鼓戏的个性特色。使人感到戏在舞中演、情在歌中唱。基本上每个场景都是以形体、声音的双重造型手段传达人物情态和戏剧思想，并且在花鼓戏的节奏与风格中取得和谐。舞台上的一切既是歌舞的，又是戏曲化的，既散发着现代生活气息，又保持了花鼓戏的风韵。这种以民间艺术为基础，向戏曲本体回归，在歌、舞、剧三者结合的表演艺术形式上的创新，标志着戏曲现代戏在解决内容与形式的矛盾统一方面，逐渐从摸索趋向成熟。正由于导演余谱成在发展湖南花鼓上闯出了新路，该戏在全国连获三奖——1991年全国戏曲现代戏观摩演出优秀剧目奖和优秀导演奖，第二届文华新剧目奖和文华导演奖、中宣部“五个一工程”优秀戏剧作品奖。

〔谷善庆·任北京军区政治委员〕　1992年11月，中央军委任命谷善庆为北京军区政治委员。

谷善庆，1931年11月生，辽宁复县人。1947年参加东北民主联军，1949年加入中国共产党。参加了辽沈、平津、衡宝、广西等战役。1952年起，历任团政治处干事，第一政治学校教员，广州军区工程兵政治部宣传处处长，工程指挥部政委，湖南省军区军分区副政委、省军区政委，广州军区副政委，成都军区政委。是中共十四届中央委员。1988年被授予少将军衔，1990年晋升为中将军衔。

〔邸乃壮·国画家·首次在北京创制巨型“大地艺术”作品〕　国画家邸乃壮于1992年9月26日，在北京西郊八大处山上创制了两件巨型“大地艺术”作品：一曰《天泉》，一曰《山色》，震动了北京观众。人们说这是一次大胆的尝试。

邸乃壮，1953年12月生，河北人，从小酷爱艺术。他长期从事中国画创作，笔力雄浑，风格健峭，富有强烈的创新精神。后转入北京蓝岛广告研究所工作，把传统绘画和现代意念结合起来，进行了广告和媒体艺术的研究和创造。

1992年9月，他在有关机构的支持下，忽发奇想，在京西郊区八大处的山上创作了两件巨型“大地艺术”作品。作品《山泉》用五公里长的白布和绳索，加工缝制，结合山势起伏，蜿蜒，把布练分数条从海拔500多米高的虎头崖上垂挂而下，形同山泉倾泻，十分壮观；《山色》则用一万多把彩伞，复盖在两个山峰上，把两座山峰分别染成蓝色和红色，使人感到奇特诡异。据悉，这次邸乃壮的“大地艺术”作品的大规模展示，在中国尚属首次。

〔邹云超·解放军班长·被追授模范战士称号〕　1992年6月28日，解放军某部通信连班长邹云超因抢救落水女青年英勇献身。11月24日，广州军区党委追授他为模范战士。

1992年6月28日傍晚，解放军某部驻地附近的新艺明电工厂4名女青年坐在罗浮山白莲湖小桥上乘凉，其中两名不小心掉入三米多深的湖里，岸上的两名女青年惊呼救人。这时，请假到罗浮山取照片的邹云超正在附近，听到呼救立即奔向出事地点，跳入湖内将两名落水女青年抓住。由于两名女青年不会游泳，在水里盲目挣扎，三人又一同沉入水中。邹云超拚力将两名女青年托出水面，因岸边的水泥壁又陡又滑，难于攀抓，两名女青年又沉落水中。邹云超把个人生死置之度外，再次将两名女青年顶出水面，在闻声赶来的人接应下，两名女青年获救，而体力耗尽的邹云超却沉入湖底光荣牺牲。

邹云超，湖南省新化县人，1971年7月生，1990年3月入伍，上士军衔。他出生在国际主义战士罗盛教的故乡，自幼受到英雄事迹的熏陶，入伍前就曾奋不顾身地跳入河中救起一名落水儿童，并多次协助公安机关在集贸市场捉拿流窜犯。入伍后，他刻苦学习军事、政治和科学文化知识，两年多时间里读书100余册，写了近10万字的读书笔记，熟练地掌握了6种专业技术，军事训练成绩次次总评优秀。他自己家中生活比较困难，个人十分节俭，却先后5次给家里有困难的战友寄钱。外出时，两次帮助群众战胜歹徒。先后被评为“学雷锋先进个人”、“优秀团员”、“先进班长”、“优秀四会教练员”，8次受嘉奖。1992年8月，部队党委追认邹云超为中国共产党党员。

〔邹先明·德育副教授·获全国民航劳动模范称号〕　中国民航学院航空电子工程系德育副教授邹先明，热爱教育事业，孜孜不倦，用高尚的道德情操培养教育学生，做出了突出成绩，1992年4月，荣获全国“五一”劳动奖章和全国民航劳动模范称号。

邹先明，湖北省汉川县人，1939年3月生，1959年9月入湖北大学政治系学习，1963年9月毕业后分配到中国民航机械专科学校政治教研室任教员。民航机专改为民航学院后，继续任教，先后担任教员、指导员、教导员等职。他非常热爱教育事业，关心青年成长。他关心爱护学生，一是严格要求。他认为当今的大学生思想活跃，追求个性独立，喜欢创新，这是优点。但另一方面，也可能表现涣散盲动、集体观念淡薄。根据民航专业的特殊要求，他建议对学生实行准军事化管理，培养他们科学的态度、严格的纪律和严肃认真的工作作风，经过实践，收到了良好效果。二是关心理解。为了了解学生、培养教育学生，他十多年来与学生同吃、同住，他的办公室就设在学生宿舍楼。学生们把他看成尊敬的师长、知心的朋友，什么心里话都愿意向他诉说。学生们生了病、有了困难，他都像对待亲人一样热情照顾。有位女同学患严重关节炎，夜不能眠。他得知后，便寻医找药，并亲自煎熬，一连坚持了7个多月，终于使这位学生的病逐渐好转，学生们深受感动。为了跟学生家长共同配合对学生进行教育，他还多次利用到外地招生、开会和探亲等机会进行家访。他4次到西安出差，没有一次去游览大雁塔等名胜，空余时间都用于家访。有次到上海招生，从早跑到晚上，从市区跑到郊区，一天连访五家。招生结束，临到中秋节，他顾不得和在上海上学的女儿团聚，匆匆赶回学校与同学们共渡佳节。他和学生之间建立了深厚的友谊，许多刚刚走上工作岗位的学生，第一封信就是写给他的。有封信说：作为一位师长，你操的心太多了。现在播向全国各地的不仅仅是你的学生，而且也是你的儿女……。寥寥数语，表达了电子工程系所有同学的心声。

由于邹先明在教学和思想工作方面的突出成绩，1988年成为天津市30多所高等院校中首批聘任的两名德育副教授中的一位。十多年来，他曾先后被天津市、全国民航、国家教委授予优秀共产党员、优秀教师、模范教师、优秀政治工作者、精神文明先进个人、全国教育系统劳动模范等十多种称号，并获全国人民教师奖章。

〔邹家华·当选中共中央政治局委员·到大江南北各地考察·阐述发展第三产业的原则和措施〕

1992年10月18日，邹家华在中国共产党第十四次全国代表大会上当选为中共中央委员。19日，在中共十四届一中全会上当选为中央政治局委员。

1992年，国务院副总理兼国家计划委员会主任邹家华走遍大江南北，进行实地考察和现场办公。1月在上海考察了一批工厂企业和基础设施，举行了部分国营大中企业厂长座谈会。考察中，他强调要认真抓好机制的转换，把它作为国营大中企业深化改革的方向，把深化劳动工资分配制度改革作为转换机制的一个重要内容。在安徽马鞍山、铜陵、芜湖、巢湖、合肥等地考察了一些大中型企业和重点工程。3月，邹家华到国家重点工程天津无缝钢管工程建设工地现场办公。4月到唐山考察冀东地区钢铁工业发展情况。

5月，邹家华带领国务院10个部委组成的“国务院广东经济发展战略调查组”在广东了解改革开放以来取得的成绩和经验，研究探讨如何落实邓小平提出的广东要力争在今后20年内赶上亚洲“四小龙”的措施。6月在江苏、浙江、上海等地考察。在6月27日结束的长江三角洲及沿江地区经济规划座谈会上，他对如何推进这一地区经济更快更好地发展提出了5条基本方针：一是加快改革开放，建立新经济体制；二是加快市场开拓和提高经济效益；三是加快科技进步和智力开发；四是加快由粗放经营向集约经营转变；五是加快产业结构调整和产品结构升级。

7月，邹家华考察山东并到黄河三角洲现场办公，他强调在加快改革开放步伐、加快经济发展中，要狠抓能源交通基础设施建设。在8月的西北地区经济规划座谈会上，他要求西北各省区面向中亚市场，联合起来走向世界。遵循“统筹规划，优势互补，互惠互利，有分有合，西出东联，面向中亚，扩大开放，发展市场，联合协作，共同繁荣”的方针，搞大联合、大市场、大流通。

1992年6月16日，中共中央、国务院作出关于加快发展第三产业的决定。11月7日在首次全国加快第三产业发展工作会议上，邹家华阐述了我国第三产业发展的目标是，按照九十年代国民生产总值年均增长8%至9%，以及调整和优化产业结构的要求，初步考虑第三产业年均增长11%左右。到本世纪末第三产业发展的总体布局是，初步建立起适合我国国情的统一、开放的市场体系，包括发展和完善消费品市场和生产资料市场，积极培育和发展包括债券、股票等有价证券的金融市场，大力发展技术劳务、信息和房地产市场等；初步建立起比较健全的社会化综合服务体系，包括交通、通信服务业，城市市政公用业和社区服务业，信息、咨询、旅游、居民饮食服务业，使社会服务业具有开放型、多层次、多功能的特点；初步建立起比较合理的社会保障体系，包括建立待业保险、养老保险、医疗保险等社会保障制度，改善和完善社会福利和社会救济业。

在12月中旬召开的全国计划会议上，邹家华作了题为《以党的十四大精神为指针安排好1993年经济计划工作》的报告。

邹家华在9月份还曾到意大利、西班牙、荷兰等国访问。

邹家华生于1926年10月，上海市人。他是著名爱国知识分子“七君子”之一的邹韬奋之子。从少年时代就随遭国民党反动派迫害的父亲到处流亡。1944年参加新四军。1945年加入中国共产党。曾任山东省人民政府实业厅干事，中共宾县区委书记。1948年赴苏联，就读于莫斯科包曼高等工业学院机械系。1955年毕业回国，历任沈阳第二机床厂副主任工程师、厂长，第一机械工业部研究所所长、研究院副院长，国务院国防工业办公室，国防科工委副主任，兵器工业部部长，国家机械工业委员会主任。1988年任国务委员兼国家计委主任。1991年任国务院副总理。是中共第十一届中央候补委员，第十二、十三届中央委员。

邹家华工作精力充沛，每天早上8点准时步入办公室，有时带着快餐食品当午饭。学习勤奋，能讲一口流利的俄语，并略通英语。喜爱自己开汽车，经常让司机坐在一旁。

〔附注：1993年3月29日，八届全国人大一次会议第七次大会表决决定邹家华为国务院副总理。〕

〔邹德华（女）·高音歌唱家·任中国音乐剧研究会会长〕　经中华人民共和国文化部批准、民政部登记注册、具有独立法人资格的学术性社会团体——中国音乐剧研究会已正式成立，并于1992年4月4日下午在北京国际艺苑皇冠假日饭店举行成立大会暨新闻发布会。全国政协委员、著名歌剧表演艺术家邹德华任会长。

音乐剧是一种融话剧、音乐、舞蹈、美术以及其它诸多艺术表现手段于一炉的戏剧形式，在我国还是一个新兴剧种。早期音乐剧发源于美国和英国，是在古典轻歌剧及歌剧的基础上，融进现代和民间歌舞艺术而形成的新的艺术样式。它以多样的表现手段和自由的戏剧形式冲破了西洋大歌剧的束缚。一些优秀作品如《音乐之声》、《窈窕淑女》等风靡世界。近年，我国音乐剧创作也初见端倪，如《芳草心》、《搭错车》等都受到观众欢迎。1980年邹德华重访美国，从观摩正在上演的音乐剧《埃维塔》中感到了音乐剧的魅力。此后她陆续看了30多部音乐剧，考察了音乐剧的创作、排演及演员的工作和学习情况，认识到音乐剧与我国唱念做打俱全的传统戏曲有惊人的相似之处，二者如若结合，定可写出具有民族特色、为我国群众喜闻乐见的音乐剧来。曾把自己的艺术青春奉献给所钟爱的歌剧事业的邹德华，下决心将自己的艺术余生奉献给这一艺术理想。1987年，中央歌剧院在北京演出美国音乐剧《乐器推销员》和《异想天开》，邹德华出任中方艺术指导；1990年，中央歌剧院音乐剧中心创作、排演了音乐剧《日出》，邹德华出任艺术总监。

研究会的成立，将从宏观上统筹、协调我国音乐剧艺术的总体发展，团结有志于此的作家、理论家和表演艺术家参与我国音乐剧事业远景规划的制订和近期项目的实施，并为其进行多种艺术实践和学术探讨创造必要的条件。邹德华说，研究会将推进音乐剧的创作演出，推进中外音乐剧的艺术交流，并把我国的优秀剧目推向世界。

邹德华，江苏吴县人。1926年5月生。少年时期在香港参加过救亡剧《放下你的鞭子》和历史剧《明末遗恨》的演出。1942年至1945年入上海国立音专，师从俄藉教师沙利凡诺夫夫人。1946年至1950年入美国朱利亚音乐学院，从师女高音歌唱家德·吉亚尼尼夫人，并专修过歌剧表演。1950年回国，一直在中央歌剧院工作。1955年登上歌剧舞台，首演歌剧《草原之歌》中的依错加，后在《茶花女》、《望夫云》等中外歌剧中担任主要角色。她的演唱音色优美，明亮清脆，在艺术处理上，细腻感人，善于表现不同的人物性格。

现入中国民主同盟，并任民盟所属的中央文化委员会委员，是第七届全国政协委员，中央歌剧院艺术委员会副主任。

〔闵桂荣·卫星技术专家·当选中国科学院学部委员〕 航空航天部科技委副主任、卫星系列总设计师闵桂荣教授1991年底当选为中科院学部委员，1992年1月3日正式公布。

闵桂荣，1933年出生于福建省莆田县，1956年毕业于南京工学院动力工程系，1963年苏联科学院动力研究所研究生毕业，获苏联技术科学副博士学位。回国后从事航空航天技术研究，历任中国空间技术研究院热控制研究室主任、空间飞行器总体部主任等职。1985年至1991年任中国空间技术研究院院长。他还是中国科协常委，国际宇航科学院通讯院士。

闵桂荣在发展中国人造卫星热控制技术、卫星总体设计等方面作出了重大贡献。在空间热物理方面，1965到1975年领导和主持完成我国第一颗人造卫星及多种应用卫星热控制分系统的研究、设计和试验任务，圆满完成了各次飞行任务规定的指标；在缺少昂贵的太阳模拟器的条件下，创造性地提出红外加热模拟试验的理论和方法，研制了模拟太空外热流的红外加热器，解决了卫星平衡和热真空地面模拟试验，保证了卫星在空间安全可靠地运行；在国内外首次研究了卫星不稳定热试验理论和方法；领导研究了热管、百叶窗等卫星温控新技术，并领先于欧洲、日本，应用于我国的卫星上。在卫星总体设计方面，作为主要的技术负责人之一，领导和主持了我国第一颗人造卫星和返回式卫星的总体工作，解决了大量技术问题。1970年成功发射了“东方红一号”卫星，1975年我国第一颗返回式卫星发射成功，在空间完成大量拍照任务，并按预定计划返回我国地面，使我国成为世界上第三个有能力回收卫星的国家，大量遥感照片已用于国防和经济建设。1983至1990年担任摄影定位卫星总设计师，领导和主持了我国摄影定位卫星的研制和飞行试验，圆满完成了国务院和中央军委下达的设计任务所规定的各项技术指标，开创了我国空间摄影测量时代，所拍大量照片已用于国内外目标定位和测绘地形图。他还领导和组织开辟了我国返回式卫星微重力搭载试验任务，进行四次空间飞行，为我国、德国、法国科研机构的材料科学和生物科学提供了一百多种样品的搭载试验。他还发表了大量论文和报告，提出我国空间技术发展方向及有关空间政策的建议，在担任院长期间，他领导我国“七五”期间4种11颗卫星的研制和成功飞行试验，作出了重大贡献。由于成绩优异，他曾多次获奖；1980年和1985年两次被评为航天部劳动模范；1985年第一颗人造卫星和返回型卫星获国家科技进步特等奖；1986年被评为国家级有突出贡献的中青年专家；1990年摄影定位卫星获国家科技进步特等奖。

〔汪耕·电机设计与制造专家·当选中国科学院学部委员〕　1991年底新当选而于1992年1月3日正式公布的210名学部委员中，有一位来自企业的科学家，他就是上海电机厂高级工程师，成就卓著的电机设计与制造专家汪耕。

汪耕，1927年10月生，江苏省休宁县人，1949年毕业于上海交通大学电机工程系。1950年5月至今一直在上海电机厂从事异步电机、同步电机、汽轮发电机的设计、制造工作，现任上海电机厂副总工程师，并任上海交通大学兼职教授。他为我国电力工业发展作出了一系列开创性的工作。1958年担任世界第一台12MW双水内冷汽轮发电机设计科研小组组长，参与组织领导并具体参加制定该发电机的设计方案和关键部件的研制，同年10月试制成功，使我国成为第一个拥有双水内冷发电机的国家。此后，他长期从事双水内冷发电机的设计、创制、改进、发展工作，为我国双水内冷发电机的发展作出了重要贡献。目前，全国约有300台50MW—300MW总容量约为30000MW的双水内冷发电机组在电站中运行，占50MW以上国产水电机组的50%左右。1985年，汪耕因设计研制成功3000转/分双水内冷汽轮发电机获首届国家科技进步一等奖。

1972—1980年，汪耕担任了我国第一个受控热核聚变装置“中国环流器一号”强磁电源装置设计组的负责人。当时国内从来没有研究或制造过这种大型交流脉冲发电机组。他们研制的二套80MVA交流脉冲发电机组完全满足技术要求。1987年，中国环流器1号获国家科技进步一等奖，80MVA交流脉冲发电机同时获国家科技进步三等奖。

汪耕还主持研制了秦山核电站中的310MW主发电机，为我国第一座自行设计制造的核电站胜利发电作出了贡献。

汪耕于1986年被评为国家级有突出贡献的中青年专家。1989年被评为上海市科技结合生产重点工业会战先进工作者。1990年获英国剑桥国际人物传记中心颁发的“世界著名人士”证书。并被列入《国际有成就著名人士录》。

〔汪海·青岛双星集团公司总经理·宣布成立香港公司〕　1992年12月24日，双星集团公司总经理汪海，在香港举行的新闻发布会上宣布青岛双星集团香港公司成立。双星集团将把香港作为走向世界的窗口和桥梁，这是双星集团走向国际化经营的一个新举措。双星集团在连续4年出口创汇翻番的基础上，1992年1至11月，又创汇3240多万美元，比1991年同期增长164%，出口量占总销售量的60%。1992年10月24日，化工部长顾秀莲在接受记者采访时指出：党的十四大提出建立社会主义市场经济体制，青岛双星集团公司就是走市场经济之路的一个好典型。

“敢为天下先”，是全国劳动模范汪海的一个鲜明特点。1983年，当双星集团公司前身青岛橡胶九厂面临破产边缘，30年一贯制的解放鞋大量积压，职工发不出工资时，厂党委书记汪海，毅然带领全体职工摆脱了统购包销的桎梏，走上在市场图生存求发展的路。经历了由生产型向经营型，守旧型向创新型，战术型向战略型，封闭型向开放型的转换。产品由商业部门100%统购包销，转为年产4000万双100%自销。产品由单一品种向系列化转变，坚持皮鞋、布鞋、胶鞋、塑料鞋并举，现已拥有35个系列300多个品种，1000多种花色，实现了由低档向中高档的转变。双星公司的资产已由当时的1000万元增至2亿元。年均经济效益以33%的速度递增。双星已成为全国最大的制鞋企业，并跻身于世界制鞋企业强手之林。汪海被人们誉为“中国鞋王”。

汪海在多年的市场搏击中深刻体会到，走市场经济之路，首先要以市场为导向，全员更新思想观念。他要求全体职工明确树立“用户是上帝”、“市场是检验企业的最终标准”等思想，要求“人人参与竞争”。

以市场为前提，改造技术装备。从军队转业来的汪海，深知如同军队打仗需要精良的武器一样，市场竞争也要有一流的装备。他坚持以科技兴厂，增强企业实力，以技术领先，保证竞争领先。资金不足，他们便采取滚动发展的办法，先对老企业进行挖潜改造，搞“短、牢、快”式的技术改造项目，在汪海的带领下，厂里自己设计制造安装的年产800万双鞋的新型热硫化成型流水线，获国家专利；与国内机械制造厂家共同研制的冷粘生产线，被专家认定为国内最先进设备；从联邦德国引进的双色聚氨酯注射机，属于国际先进水平。

以市场为标准，变革内部机制。汪海认为，企业要在市场上取胜，就要“两眼盯在市场上，功夫下在管理上”。他们首先改变了单一的工资、奖金分配形式，把劳动成果同个人利益紧密结合起来，坚持做到多劳多得，不劳不得，调动了人的积极性和创造才能。接着，汪海又将竞争机制引入干部人事制度的改革中。从厂级到车间班组，一律实行聘任制。通过选举、组阁、自荐、招标等多种形式，不拘一格选贤任能。工人和干部的界限一打破，一大批人才脱颖而出。对能人，大胆启用；对不称职的人，坚决撤换。目前在600多名管理人员中，竞争上岗的工人占60%；140名中层干部中，竞争上岗的占72%；7名总经理助理中，有6名是从工人中选拔出来的。

汪海认为，“人是兴厂之本，管理以人为本”。“思想教育、经济手段、行政措施”要并重，“无情的纪律，有情的领导”结合，提倡从严治厂。“质量就是信誉，产品出厂要做到厂长安心，自己放心，用户称心。”

汪海，1941年10月25日生，山东微山县人。1959年到橡胶6厂当工人，1961年参军，历任战士、排长、指导员。1971年转业回到青岛，曾任橡胶9厂党委副书记、书记，1985年改任厂长，1988年成为青岛双星鞋业集团公司总经理；1992年任党委书记、总经理。1986年获全国“五一”劳动奖章，1988年被评为全国首届优秀企业家，1989年被授予全国劳动模范称号，1990年被评为全国有突出贡献的中青年管理专家，获全国思想政治工作创新奖特等奖。

〔汪家道·沈阳军区原顾问·在沈阳逝世〕

1992年3月27日，沈阳军区原顾问汪家道在沈阳逝世，终年76岁。

汪家道，安徽霍丘人。1930年参加中国工农红军，同年加入中国共产主义青年团，1932年转入中国共产党。曾任红25军75师通信排排长，军部手枪队指导员。红15军骑兵团政治处主任。参加了鄂豫皖革命根据地反“围剿”、长征和劳山战斗。抗日战争爆发后，任八路军115师344旅687团副营长，太行军区独立游击大队大队长，冀鲁豫军区新3旅8团副团长，教导7旅19团团长。参加了平型关等战斗。解放战争时期，任冀鲁豫军区第7纵队12旅副旅长，第11纵队31旅旅长，第2野战军17军49师师长。参加了鲁西南、淮海、渡江等战役。中华人民共和国成立后，任贵州军区兴仁军分区司令员。1952年于军事学院毕业。后任第13军副军长，第16军副军长，黑龙江省军区副司令员兼生产建设兵团司令员，沈阳军区副司令员兼黑龙江省军区司令员，中共黑龙江省委第一书记，沈阳军区顾问。1955年被授予少将军衔，获二级八一勋章、二级独立自由勋章、二级解放勋章。是中共九、十届中央候补委员。1988年7月获一级红星功勋荣誉章。

〔沙汀·著名现代作家·在成都逝世〕　中国作家协会副主席、“左联”老战士、著名作家沙汀因病医治无效，于1992年12月14日在成都逝世，终年88岁。这是继艾芜之后，又失去的一位诞生于蜀地的文坛巨匠。

沙汀原名杨朝熙，1904年出生于四川省安县。1921年在成都上学时接受“五四”进步思想，酷爱新文学，1931年他与艾芜一起共同研究小说创作，不久出版了第一个短篇小说集《航线》，使用“沙汀”为笔名。1932年加入“左联”，陆续创作了一批反映四川农村社会的现实主义作品，成为以鲁迅为首的“左联”骨干成员之一。1940年发表小说《在其香居茶馆里》，通过一个小镇上头面人物之间的明争暗斗，暴露出国民党政府的黑暗与腐败，被认为是沙汀的代表作。这部作品以及后来相继创作的长篇小说《淘金记》、《困兽记》、《还乡记》等，在中国现代文学史上占有重要地位，对中国当代文学产生了很大影响。

新中国成立后，沙汀仍以反映四川农村生活为主，以极大的热情歌颂社会主义农村新人，显示出旺盛的创作活力。于此同时，沙汀还担负许多行政事务工作，从1950年起，他曾任川西区文联负责人、西南文联副主任、中国作家协会创作委员会副主任、中国社会科学院文学研究所所长等职。

〔沙孟海·书坛泰斗、著名学者·在杭州逝世〕　当代书坛泰斗、著名学者、浙江省文物考古事业的奠基人、浙江博物馆名誉馆长、西泠印社社长、中国书法家协会副主席、浙江美术学院教授沙孟海，于1992年10月10日在杭州逝世，终年93岁。沙孟海遗体告别仪式10月15日在杭州举行。刘海粟在香港寄来挽联：“凭一片童心胸中丘壑皆入画七十年波澜壮阔；倩几多豪兴笔底龙蛇都成诗一辈子捭阖纵横。”

沙孟海，原名文若，号石荒、沙村、兰沙，

1900年6月11日出生于浙江鄞县沙村的一个中医家庭。幼承庭训，早习篆法。1911年起，先后就读于慈溪锦堂学校附小和浙江省立第四师范学校，后拜著名学者冯君木、陈屺怀为师，学习诗古文辞。旅居上海时，结识吴昌硕、况蕙风、朱疆村、章太炎、康有为、马一浮等文坛耆宿，请业问疑，在学术、书法、篆刻等方面均获得飞速的进步。艺术大师吴昌硕对他尤为青睐，并为之亲笔题诗，备加赞扬。1929年夏被聘为广州中山大学预科教授。1931年春，进南京中央大学任秘书。不久转入文化机构，仍从事学术研究工作。

沙孟海的书法创作，对中国书法界有着突出贡献。他的擘窠榜书海内无匹，被誉为"真力弥满，吐气如虹"，以其气势宏大、点划精到而富于现代感。他的篆隶楷草，尤其是工楷与行草书，代表了北碑雄强一路，成为当代书坛的高峰。在近现代书法史上占有突出的位置。

1963年，浙江美术学院潘天寿院长特聘沙孟海为国画系书法科教授。多年来，他还一直带教各国留学生以及研究生。当今活跃于国内外书坛的新秀很多都出于他的门下。从1979年起，沙先生接任西泠印社社长，他团结社内外广大金石画界同仁，在开展金石书画方面的学术研究、艺术创作、编辑出版、人才培养和对外文化交流等方面都作出了卓越的贡献，在国内外学术艺术界享有崇高声誉。书法作品流传于海内外，为世所珍，是人类极为宝贵的精神财富。已经出版的书作和论著，主要有《浙江新石器时代文物图录》、《兰沙馆印式》、《沙孟海论书丛稿》、《印学史》、《沙孟海书法集》、《沙孟海写书谱》、《中国书法史图录》，并主编《中国新文艺大系·书法卷》等。

1992年4月，沙孟海书学院在浙江鄞县建立。该书学院以陈列展出沙孟海翰墨生涯为主体，同时也是一个与海内外进行文化交流和学术研究的基地。各地书坛同仁，日本朋友及各界领导五百余人参加了成立典礼。沙老也专程从杭州回到家乡参加这次盛会。书学院展出了沙老捐赠的90幅书法精品及近百件珍贵的文献资料，同时也展出了海内外著名书画家、学者所寄赠的贺书贺画及贺函。并举行"沙孟海书学国际学术座谈会"。到会学者和专家对书学院成立给予了高度评价，赞颂这是中国书坛的一件盛事。

沙孟海十分关心祖国的建设事业，认真履行政协委员参政议政的职责，尤其在支持浙江文史资料工作和促进祖国统一大业方面，尽心尽力。曾先后担任过浙江省文物管理委员会常务委员、中国书法家协会浙江分会主席，浙江大学名誉教授、西泠书画院院长、中国书法家协会顾问、浙江考古学会名誉会长、浙江历史学会顾问、浙江省文学艺术家联合会第二届委员、第三届名誉委员、浙江省政协第4、5、6届委员、浙江省政协文史资料委员会副主任、中国民主同盟浙江省委员会委员。

〔沈今声·摄影艺术家·其舞蹈摄影作品展在北京等地举行〕　中国第一个以舞蹈摄影作品为主的《沈今声摄影艺术展》从1991年开始，先后在北京、南昌、银川、杭州、平湖、苏州等城市举办获得成功。其力作有《鹰》、《雀之灵》、《金色的孔雀》、《试嫁衣》、《追鱼》、《屈原》等。沈今声的部分作品还于1992年7月在第五届国际华人华裔舞蹈周中被展出。专家和舆论界均给予很高的评价，认为他的舞蹈摄影作品，能够充分地体现出舞蹈的艺术特点，善于捕捉到最能以形传神的精彩的瞬间，把舞蹈的动态美凝固在镜头画面之中。其艺术创作的鲜明特点是融舞蹈美、绘画美和诗意美于摄影的画面之中，可谓美不胜收。

沈今声，1934年生，浙江省平湖县人。1949年考入国立北平艺术专科学校，1954年于中央美术学院毕业后，在该院附属中学执教，其后日益酷爱摄影，1977年调至《舞蹈》杂志社，即与舞蹈结下不解之缘。10余年来创作发表了大量摄影作品，全国优秀的舞蹈家的瞬间美妙舞姿，几乎都曾出现在他的镜头中。学美术的他，利用手中的相机不但记录下了舞蹈者创造的一现即逝的美，而且用一种新的艺术形式，对舞蹈美进行再创造。无论是舞蹈的造型美、意境美还是舞蹈演员发挥技艺的美，都在他按动快门的一瞬间得到最佳的表现。沈今声是中国摄影家协会、中国舞蹈家协会会员。

〔沈志云·机车车辆动力学家·当选中国科学院学部委员〕　西南交通大学教授沈志云解决了我国铁路运输事业中的一些重大问题，1991年底当选为中国科学院技术科学部学部委员，1992年1月3日正式公布。

沈志云，1929年5月出生，湖南人，1952年毕业于唐山工学院机械系。1957年至1961年赴苏留学。1982年赴美以访问学者身分研究一年半。1983年8月，在车辆系统动力学第8次学术年会上，他和同事们一起提出了轮轨相互作用的力学模型，提出了轮轨相互作用的新理论及简易计算方法，被国际车辆动力学界称为“第四理论”，简称为“沈氏理论”。

沈志云于1984年回国后联合齐齐哈尔工厂、成都铁路局，开发出“追导向转向架”，解决了重载列车和高速列车发展的一个基础问题。

为了摸清新车动力学测算的规律，从八十年代后期起，他带研究人员开展新车平稳性及安全性与曲线通过理论的程序化计算工作，达到了国际先进水平，他主持的“牵引动力国家重点实验室”，开始了1∶1机车车辆滚动振动试验台的创建工作，这是国际最先进的平台试验装置，中国的高速机车将在这里接受测试。

为感谢他为国际机车车辆事业作出的贡献，第13届国际车辆系统动力学讨论会在成都召开，沈志云被推举为大会主席。

〔沈辛荪·火箭专家·指挥用中国长二捆运载火箭发射澳星获得成功〕　中国运载火箭技术研究院院长、研究员沈辛荪，在1992年4月第一次发射澳星受挫后，积极组织科技人员很快找出中止发射的原因，指挥全院科技人员与工人在100天内迅速生产出第二枚长二捆运载火箭，于同年8月14日将第一颗澳星准确送入轨道，为祖国赢得了荣誉。

沈辛荪，1935年1月生于江苏常熟，1956年毕业于上海交通大学，同年9月投身于我国的航天事业。先后担任技术员、工程师、工程师组长、总体设计部副主任、主任、院党委书记、常务副院长，1991年5月起任中国运载火箭研究院院长。

沈辛荪直接参加了我国第一代火箭系列的研制工作，从仿制工作中不断探索火箭设计的理论和方法，为我国自行设计创造条件。在远程运载火箭的研制中，他开辟了精度分析鉴定技术的新领域，使制导误差的主要误差系统的确定，主要误差系数的地面分离，根据飞行试验数据分离主要误差系数的实际数值，主要误差系数的天地变化规律，海上落区精度预测等高难度课题，取得了突破性进展，该制导误差分离技术初步形成了系统工程，为进一步完善和发展远程运载火箭奠定了基础。

1988年，他两次担任发射首区指挥部副总指挥，带领航天部试验队圆满完成了长征三号火箭发射通信卫星的任务。1990年又指挥亚洲一号卫星的发射任务取得成功。

沈辛荪多次立功受奖，1987年被选为中共十三大代表，1989年被评为航空航天部劳动模范，1990年被批准为有突出贡献的中青年科学家，1991年被批准享受政府特殊津贴。1992年被选为中共十四大代表，是十四大主席团成员之一。

〔沈国舫·著名林学家·入选《世界传记辞典》〕　1992年8月，沈国舫接到英国剑桥国际传记中心来函通知，他的传记已被载入《世界传记辞典》第22版，并被收入《世界名人录》。

沈国舫，1933年11月15日生于浙江省嘉善县。1950年毕业于上海市上海中学，1950—1951年在北京农业大学森林系学习，1951—1956年在苏联列宁格勒林学院林业系学习。1956年至今，在北京林学院工作，先后任助教、讲师、副教授、教授、教研室主任、副教务长、副院长。现任北京林业大学校长，中国林学会副理事长。

沈国舫长期从事林业教育和科研工作，主编教材《造林学》及《林学概论》，培养造林学硕士生14人，博士生8人，先后发表学术著、译作40多篇。1986年任北京林业大学校长后，为该校的恢复和发展作出了贡献。1992年主持国家攻关项目“太行山区干瘠山地造林技术的研究”及自然科学基金会重大项目“混交林中树种间相互关系的机制和调控技术的研究”。他的5项科研成果先后获国家级、部级和北京市科技进步奖。1987年被评为林业部优秀科技专家，1991年被评为国家级优秀科技专家，享受政府特殊津贴。他现在还是国务院学位委员会林学学科评议组组长、林业部科技委员会常委、北京市人民政府林业顾问组组长。

〔宋丽（女）·评剧演员·与杨龙双同获第二届文华表演奖〕　被誉为“金嗓子”的宋丽，与她的搭档杨龙双主演《山里人家》，1992年获得第二届文华表演奖。

宋丽，江苏省桐山县人，生于1960年12月15日。由于天赋佳嗓，14岁考入沈阳评剧院学员班，毕业后，辗转分配在沈阳评剧院一团。一团是以评剧韩少云韩派为主的剧团，由于作曲家王其珩和韩少云本人不断在发声、用声、吐字、行腔规律及表演上，给予指点和提醒，宋丽很快就得到评剧迷的欢迎。此次进京首演《山里人家》一炮打红。《山里人家》演的是秋凤与小伙子天业相爱，因为穷却嫁给了天业哥哥的故事。宋丽饰演的秋凤是个大胆泼辣的山里女人，又有东方女性的温柔多情。当过去的恋人天业回来以后，当丈夫意外的致残以后，当女儿因为穷又要走上自己当初的婚姻道路时，秋凤的感情世界受到一次次的冲击。要塑造这样一位有复杂情感的女性，对于年轻的宋丽来说，难度很大。但她紧紧抓住秋凤的性格特征，采用细腻传神的表演技巧，表现人物内心的斗争和痛苦。从表面上看，秋凤对二十年前的恋人天业冰冷如霜，语言如石似铁，而实际是字字如火、句句有情。宋丽于冷中显热、于刚中见柔，使得秋凤貌似无情却有情，从而显出秋凤特有的底蕴。

剧中秋凤的丈夫天成由杨龙双扮演。杨龙双是辽宁省沈阳市人，1946年生。他1960年考入沈阳评剧院少艺班，毕业后留在剧院。他的优长是表演真挚纯朴，演唱精巧，能充分运用自己宽厚的嗓音唱出人物感情，达到声到情足。1989年，他曾因饰演《风流寡妇》中齐老蔫一角，获国家级和省级的优秀表演奖、戏剧玫瑰奖。此次饰天成成功，是因为他出色地演出了天成的可贵品德。尽管天成与秋凤经过二十年共同生活，天成已经赢得了秋凤的心，但因他娶了弟弟的恋人，总有一种负疚感。杨龙双演出了天成这个山里汉子的正直、真诚、果断和顽强的性格。山里人穷，但天成用自己双手改变着贫瘠的大山，改变着山里人的生活，观众从杨龙双极为真实的表演中，看到了山里汉子的骨气，山里人的追求和希望。

该剧由评剧作曲家王其珩担任音乐顾问，何世钦、陈锦生、史德林、郑明四位作曲，他们继承了老一辈评剧作曲家的严谨、细腻，以情树人的风格，为提高评剧音乐的品位作出了新贡献。加之新院长徐培成坚持出"精品"，要求戏一改再改，致使这出戏才有今天这样振撼人心的艺术效果。

〔宋健·国务委员兼国家科委主任·当选学部委员·强调科技工作面向经济建设主战场〕

1992年1月4日《人民日报》公布了经国务院审查批准，210名成就卓著、品德优良的科学技术专家当选为中国科学院新学部委员。宋健当选为技术科学部委员。

宋健是控制论专家·现任国防科技大学、清华大学、哈尔滨工业大学、复旦大学兼职教授。1960年前后他在最优控制系统理论方面作出了一系列重要成果。从七十年代开始从事分布参数控制理论的研究，建立了由偏微分方程描述的受控对象与常微分方程描述的控制器的模型，解决了这类系统的稳定性、点观测、点控制的理论问题。他修订和扩充了钱学森"工程控制论"一书，对我国控制理论的进一步发展作出了重大贡献。1980年后他建立了"人口控制论"新学科，对我国人口计划具有重大现实意义。在国防科研方面，他在几个型号导弹控制系统设计和反弹道导弹的方案研究等方面作出了重要贡献。

宋健作为国家科委主任在3月14日闭幕的全国科技工作会议上讲话时强调，九十年代科技体制改革的重点任务是：必须从根本上解决面向经济建设主战场这个问题，建立科技与经济、计划与市场有机结合的机制和体制。他说，对各类科研机构，都要实行政策引导，坚决实行人才分流，拿出1／3到1／2的人才投入经济建设的主战场，开办高技术产业，努力扩大服务范围，开拓广阔天地促进科技成果商品化、产业化和国际化，到国内外市场的竞争中去求生存，求发展。高等院校也要分流出相当力量，进入高新技术产业开发区、经济技术开发区和经济特区，兴建校办产业。他认为对少数机构，包括部分基础性研究机构、重点实验室、社会公益性机构、工程技术研究中心等，国家将按照少而精的原则，努力保持一支精干的科学家队伍，在当代科学前沿拼搏，努力有所创新，有所前进。国家将择优给予重点支持，增强经费投入，保障科学事业的发展。

关于在新形势下如何进一步加强基础性研究问题，宋健于7月22日在攀登计划实施大会上讲话时说，在动员广大科技工作者更好地面向经济建设主战场，引导经济和社会发展的同时，要努力稳住和加强基础性研究和大力发展高新技术，攀登科学技术高峰，提高科技创新和自主开发的水平，增强科技实力和后劲，使科技在我国经济建设和社会发展中发挥更大作用。他还说，加强基础性研究要特别注意：强调创新，强调高水平；研究项目要精选；队伍要精干；要创造一个宽松、民主、有利于新思想产生和优秀人才脱颖而出的环境和条件。

关于科技界坚持良好科学道德和严肃科学作风问题，宋健于4月25日在中国科学院第6次学部委员大会上讲话时指出，近几年来，我国出现的把"成果鉴定"当商品广告，强迫签字，吹牛盛行，这些倾向必须坚决纠正。在科学问题中，吹牛和弄虚作假毫无用处，而且会对科学事业和社会风气造成危害。杜绝科学活动中的虚假行为十分重要，特别是在商品经济日益发展的今天，更要重视这个问题。他认为，科学道德也应包括大力发扬学术民主，贯彻执行"百花齐放，百家争鸣"的方针。要十分注意科学界各种学说、学派之间的团结合作。

关于农村科技体制改革问题，宋健于9月21

日在沧州地区农村科技体制改革试点工作验收会议上强调，建立和发展以科技为支柱、以供销社为依托的社会化服务体系，是促使科学技术进入农村，组织农民形成专业化、社会化大生产的有效形式，是促进农村商品经济大发展，实现我国经济发展战略目标的重要保证。

宋健作为国务院环境保护委员会主任，于6月上旬率领中国政府代表团赴巴西里约热内卢参加联合国环境与发展大会，他在大会发言中阐述了中国政府关于在环发领域建立新的全球伙伴关系的5项基本原则。

宋健还在2月底3月初率领中国政府科技代表团赴马来西亚和新加坡进行友好访问，并签署了中新科技合作协定。12月上旬，宋健率领中国政府科技代表团赴美国进行正式访问。这是自1989年以来中国政府科技代表团第1次应邀访美，以正式恢复两国的科技合作。

宋健，1931年12月生，山东荣成人。1947年加入中国共产党。1953年至1960赴苏联莫斯科包曼工学院学习。1960年回国。曾任七机部总工程师、副部长，国家科委主任。是中共十二届中央候补委员、中央委员，第十三、第十四届中央委员。

〔附注：1993年3月29日，八届全国人大一次会议第七次大会决定宋健为国务委员兼国家科学技术委员会主任。〕

〔宋丹丹（女）、英达·影视演员·主演电视连续剧《爱你没商量》〕　描写戏剧界文化人生活的大型电视连续剧《爱你没商量》于1992年初在中央电视台播出。剧中女主角周华由宋丹丹饰演，周华的恋人方波由英达饰演。该剧在中央电视台播出后，观众和评论界沸沸扬扬，褒贬不一，一时成为全国报刊和街头巷尾的热门话题。《爱》剧中主人公周华为某话剧院一位颇具才华的女演员，正当她事业上如日中天，生活处于热恋之中时，病魔却无情地夺去了她的艺术生命。周华双目失明后，她的恋人方波没能与她同舟共济，相反却爱上了另一个女演员。而出租车司机高强（谢园饰）真诚地表现出对她的挚爱，使周华战胜疾病，勇敢地生活下去。剧中宋丹丹饰演周华，她过去以演喜剧小品而出名，此番出演正剧。她的丈夫英达饰演剧作家方波，夫妻联袂登场，受到观众注目。

宋丹丹，1960年出生于书香门第，1981年高中毕业后考入北京人民艺术剧院学员班，1984年成为正式演员。宋丹丹天资聪颖，戏路宽，能演各种性格不同的角色。迄今为止，她因在话剧《红白喜事》中饰演一个善良软弱的农村姑娘，荣获1984年文化部表演一等奖。在大型电视连续剧《寻找回来的世界》中饰演的工读学生宋小丽，摘取了第六届电视剧"飞天奖"最佳女配角的桂冠。接着她又主演了《月牙儿》、《田野又是青纱帐》、《傻帽经理》等影片。1989年她在中央电视台的春节联欢晚会上表演小品《懒汉相亲》，开始崭露头角。第二年的《超生游击队》更是赢得满堂彩，从此成为家喻户晓的"喜剧明星"。但是，宋丹丹认为自己演影视剧的才华比小品更高。她先后参加过话剧《上帝的宠儿》、《纵火犯》、《芭芭拉少校》等的演出。1991年，在"人艺"排演的苏联话剧《回归》中她饰演一位80多岁老妪罗扎，她的精湛演技获得一致好评。之后，又在青年导演李少红所导的影片《四十不惑》中饰演一个性格文静、贤慧能干的女导游段京华。这部影片获得瑞士第45届洛迦诺国际电影节最佳影评奖。

英达，满族，1960年出身话剧世家，现为北京人民艺术剧院编导。父亲英若诚是北京人民艺术剧院的著名艺术家。英达中学时代就喜欢参加文艺宣传队的演出，考入北京大学哲学系后，仍念念不忘搞戏剧，因而被推举为学校的业余话剧社社长。取得心理学学士后，他又以优异的成绩考入美国密苏里大学戏剧系读导演硕士研究生学位，三年后归国。1988年在谢晋导演的《最后的贵族》中饰演一位美籍华人。1990年在根据钱钟书先生的名著改编的电视连续剧《围城》中成功地扮演了赵辛楣，得到观众和评论家的好评。后来又在《黄天厚土》里扮演了一位与他本人气质相差甚远的农民企业家。在电视连续剧《编辑部的故事》里扮演一个倒爷。在电影《四十不惑》中，扮演一位热心助人的现代青年、摄影记者孟克，电影《霸王别姬》中饰演戏园经理。目前，英达正在筹划编导兼主演一部六十集大型电视剧《大都市》：表现90年代的三个弄潮儿在大学毕业10年后，如何进行商场竞争和生活竞争。

〔宋兰珍（女）·成都保温瓶厂厂长·被授予全国巾帼建功标兵称号〕　1992年3月7日，在首都各界人士纪念"三八"国际劳动妇女节82周年的大会上，成都保温瓶厂厂长、党委书记宋兰珍，被授予全国"巾帼建功"标兵和全国"三八"红旗手称号。

宋兰珍，1952年9月30日生于四川省成都市。1969年在农村插队，1974年加入中国共产党。1971年起在成都红旗玻璃厂水瓶车间当工人、党支部副书记。1980年成都保温瓶厂建厂后，任该厂加工车间副主任、生产计划科负责人、加工车间主任。其间曾入成都大学“企业管理”培训班学习。1986年12月在该厂累计亏损238万余元，濒临倒闭并已被迫停产4个月的情况下，宋兰珍挺身而出，联合产、供、销7名中层干部组成招标承包小组，使本厂成为成都市首家实行招标承包的国营企业。她作为承包责任厂长兼党总支书记，依靠党、团组织和行政、工会等部门做好职工的思想政治工作，增强企业的凝聚力、向心力，对干部实行招聘制并改革企业的分配制度，建全一系列经营管理制度，不断开发新产品和大胆启用学有专长的年轻技术人员，使这个厂在不到半年的时间里就摘掉了亏损帽子，盈利5·9万元。承包第一年就创造了“产量”、“产值”、“销售收入”、“保温瓶胆一等品率”、“职工收入”五个历史最高纪录。1988年冬由于所在厂生产经营效益好而兼并了成都玻璃瓶厂。现保温瓶厂已具有生产保温容器、玻璃包装容器、玻璃微珠和反光材料等四大类、72个花色品种的能力，并成为中国名酒包装定点生产厂家。曾获四川省轻工业厅所授予的“调整产品结构先进单位”奖，被评为成都市先进企业。宋兰珍曾被评为四川省劳动模范，成都市劳动模范、优秀女企业家、“三八”红旗手，省改革闯将、“蜀都‘十佳’优秀青年企业家”等称号，是助理经济师。

〔宋克达·任沈阳军区政治委员〕　1992年11月，中央军委任命宋克达为沈阳军区政治委员。

宋克达，1928年7月生，江苏盐城人，1944年入抗大五分校学习。次年加入中国共产党。曾任新四军第三师团宣传队分队长，东北民主联军连指导员，第四野战军团宣传股副股长，参加了四平保卫战和辽沈、平津、渡江、广西等战役。1950年参加抗美援朝，在中国人民志愿军任团政治处股长，团后勤处教导员、团干部处副处长。回国后，任沈阳军区干部部科长、团政委、师政治部主任、师政委、军政治部主任、军政委、军区副政委。1985年任沈阳军区政委。是中共十三届中央侯补委员、第六届全国人大代表，中共十四届中央委员。1988年被授予中将军衔。

〔宋步云·著名艺术家、美术教育家·在北京逝世〕　我国杰出的艺术家、美术教育家宋步云在1992年3月7日在北京逝世，终年82岁。

宋步云生前任中央美术学院教授、中央文史研究馆馆员，是著名的国画家、水彩画家和油画家，是中国画坛成就卓然的艺术大师之一。

宋步云于1911年生于山东潍坊。从1930年起，他先后在济南爱美艺术师专、北平京华美术学院、杭州国立艺专学校就读，从师林风眠、李苦禅等名门大家。他1934年东渡日本留学，1937年毅然回国投身抗日大潮，以艺术之笔从事各种抗日救亡工作，并在重庆发起和组织了进步的“中华全国木刻家协会”。以后，他执教于重庆国立中央大学和重庆国立艺专，并多次举办画展。1946年，应徐悲鸿之聘，他与吴作人等接管并筹建国立北平艺专（中央美术学院前身）。他还会同徐悲鸿、齐白石等发起组织了“北平美术作家协会”。

作为美术教育家，宋步云数十年来悉心指点年轻一代，培养了大批绘画人才，其中许多人已成为我国艺坛各个方面的骨干。他治艺以诚，即使在长期蒙冤的岁月和近些年体弱多病的日子里，也依旧笔耕不辍，潜心光大和弘扬中华民族绘画的优良传统，用画笔歌颂祖国建设的成就，讴歌中华山河的壮美。1987年有关部门在中国美术馆为他从事艺术活动六十年举办了个人画展，他的家乡建立了“宋步云艺术馆”。

〔宋春丽（女）·电影演员·主演《风雨丽人》获得成功〕　宋春丽，八一电影制片厂著名演员。1979年从影以来，扮演了近40个影视银幕形象，曾因在故事片《鸳鸯楼》中的出色表演获第七届金鸡奖最佳女配角提名，因主演《奸细》及《家庭琐事录》获百花奖最佳女主角提名。她的表演朴实、自然，刻画人物细腻、真切。1992年在30集室内电视剧《风雨丽人》中扮演主角叶秀清获得很大成功，受到观众及影视评论界的赞赏。

宋春丽，河北冀县人，1951年2月生。13岁时进入广州军区战士歌舞团学员班，结业后在广州战士歌舞团及战士话剧团任演员。1979年在长影故事片《苦难的心》中饰演护士小乔引起注意，1980年调入八一电影制片厂演员剧团。她先后在电影《天山行》、《张铁匠的罗曼史》、《姐姐》、《家庭琐事录》、《哥们发财记》等影片及《便衣警察》、《风雨丽人》、《杀人街》等电视剧中饰演主配角。宋春丽对待表演非常认真，无论角色大小都认真研读剧本，琢磨角色，捕捉细节，乃至于服饰、化装、道具都做到一丝不苟，可以说她塑造的每一个角色都付出了很大的代价。

《风雨丽人》中的叶秀清是一个跨度长、心理性格变化大的角色。她从解放初期16岁的年轻姑娘到经历“反右”、“文革”，直至八十年代。宋春丽在扮演这个角色时十分重视调动自己的生活积累，她从自己大体相似的经历中，捕捉角色的感觉。如年龄感的处理：青年时代，她赋予角色的眼神永远带着问号“这是为什么？”对一切新鲜事物她想探索；对令她困惑的遭遇，她难以理解又希望得到答案；到了老年，她不仅注意把握人物动作迟缓、絮絮叨叨的外部特征，更注意通过呆滞的眼神来反映人物的心态。评论家们认为叶秀清是宋春丽创造的银幕形象中最出色的一个，宋春丽也认为这是她从影十几年来演得最得心应手的一个。

〔宋晓英（女）·电影演员·获《中国电影》金鸡奖最佳女主角奖〕　宋晓英1992年因在《烛光里的微笑》中成功地扮演了忠于教育事业、热爱学生的女教师王双玲而获第十二届《中国电影》“金鸡奖”最佳女主角奖。

宋晓英，1954年出生于长春，原来是一名吉剧演员，1973年在长影的彩色故事片《平原游击队》中扮演农村姑娘翠屏，从此由舞台走向银幕。以后相继在《金光大道》、《锁龙湖》、《萨里玛珂》、《大河奔流》、《丫丫》、《苦难的心》、《刑场上的婚礼》、《情天恨海》等十几部影片中饰演角色。1979年，25岁的宋晓英当选为中国电影家协会理事。

在角色的创作中，宋晓英注重生活积累，确信生活是创作的源泉。也正是这种积累，使她一步步迈上新的台阶。近年来，她先后在《夕照街》、《谭嗣同》、《十六号病房》、《鸳鸯楼》、《烛光里的微笑》等片中担任主要角色。1984年，她因在《十六号病房》中成功地塑造了一个身患绝症而仍对生活充满信念的下乡知青的感人形象而获第四届中国电影“金鸡奖”最佳女配角奖。1992年，宋晓英在电影《烛光里的微笑》中扮演王双玲获“金鸡奖”最佳女主角奖。片中她扮演的王双玲为改变四年级乱班的状况，象慈母一般尽力做好后进学生的转化工作，最后因心脏病突发倒在了教学岗位上，她的表演自然、感人。她表示，绝不因获奖而为自己划上一个句号，而要继续努力追求更高的标准。

〔宋清渭·任济南军区政治委员〕　1992年11月中央军委任命宋清渭为济南军区政治委员。

宋清渭，1929年2月生，山东陵县人。1945年参加八路军。同年加入中国共产党。曾任华东野战军连指导员。参加了济南、淮海、渡江、上海、福州等战役。1947年立一等功。建国后，任团组织股股长，福州军区政治部组织部副科长、团政委、师政委、福州军区政治部干部部部长、军副政委、军政委，济南军区副政委。1987年任济南军区政委。是第七届全国人大代表，中共十四届中央委员。1988年被授予中将军衔。

〔穷达·西藏日报印刷厂工人·获全国“五一”劳动奖章〕　西藏日报印刷厂藏族工人穷达，刻苦学习和提高印刷技能，掌握胶印技术，使西藏日报印刷质量名列西南地区六大报之首。1992年4月29日，穷达获全国总工会授予的全国“五一”劳动奖章，并在“五一节”期间，受全国总工会邀请，到北京参加全国“五一”劳动奖章、奖状授奖大会，受到党和国家领导人接见。

穷达，1957年生，1974年到印刷厂轮转机车间当工人，他文化程度不高，为了全面掌握轮转机的操作、维修、保养技术，坚持不懈地攻读钻研各种印刷知识，不懂就虚心求教他人。近几年西藏自治区党委为了加强宣传工作，要求西藏日报胶印机尽快上马。作为轮转机副组长的穷达，明知胶版印刷机械引进不久，要很快上马困难重重，但他未向领导说一个“不”字，默默地主动地挑起这副重担。他带领机组人员加班加点地安装调试。工人们对机器构造原理都不熟悉，一开始就遇到许多技术难题。穷达心急如火，一头扎进车间，几天几夜没出车间门，边看图纸边安装调试，终于克服了上版、调墨色和水路三大技术难关，把一张张图文清晰的《西藏日报》展现在读者面前。1991年《西藏日报》参加西南四省区六报印刷质量评比，名列第一。

〔迟浩田·任中共中央军委委员〕　1992年10月19日中共十四届一中全会决定，迟浩田为中共中央军委委员。

迟浩田，1929年7月生，山东招远人，1944年入伍。1946年加入中国共产党。1950年参加抗美援朝。1952年回国后，历任团政治处主任、团政委、师政委、解放军报社核心小组成员、北京军区副政委、人民日报副总编辑、人民解放军副总参谋长、济南军区政委。1987年任人民解放军总参谋长。是中共第十二、十三、十四届中央委员。

〔附注：1993年3月29日，八届全国人大一次会议第七次大会决定迟浩田为国务委员兼国防部部长。〕

〔张工·任成都军区政治委员〕 1992年11月，中央军委任命张工为成都军区政治委员。

张工，1935年7月生，山西崞县（今原平）人。1951年参加中国人民解放军。1961年加入中国共产党。历任北京军区后勤部政治部干事、秘书，北京军区司令部办公室副科长，北京军区政治部秘书处科长、副秘书长、组织部部长。1985年起任北京军区政治部主任、军区政委。是第七届全国人大代表，中共十四届中央委员。1988年被授予少将军衔。1990年晋升为中将军衔。

〔张山（女）·射击运动员·获第二十五届奥运会男女混合项目飞碟冠军〕 在1992年巴塞罗那奥运会上，张山以223中的佳绩战胜了来自世界39个国家和地区的59名选手时，国际射坛震惊，新闻界瞩目，因为女人打败男人这是奥运史上的头号新闻。从下届奥运会开始，飞碟射击将取消男女混合项目，因此张山也是这个项目中绝无仅有的女子冠军。

张山，生于1968年3月，四川省南充市人。读中学时喜欢跳高、跳远，曾在省少年田径比赛中获得过好名次，她还喜欢打篮球，曾是南充市少体校篮球队主力后卫。

1984年初，省射击教练到南充体校物色人才。张山头脑清醒、反应机敏，经过一系列特殊测试，终于入选。但是，双向飞碟射击对张山来说却是陌生的。

巴蜀奇女张山从小智力过人，很快掌握了射击各项基本技术，刚练1个月200靶就打中189靶，张山入队4周后首次参赛便获得第一届全国青少年运动会亚军。从此，她的成绩直线上升，1987年她获得全运会第5名，同年一次国际友谊赛，击中198靶，超过世界纪录一靶。两年后首次夺得全国冠军，并在世界飞碟赛上夺得个人冠军。从一个普通中学生到世界冠军，张山花了五年时间，她还多次在其它国际比赛上赢得荣誉：世界锦标赛团体冠军、亚运会个人和团体冠军等。

张山的事迹与简历参见1991年《中国人物年鉴》。

〔张旭·唐代著名书法家·偃师发现张旭书严仁墓志〕 1992年1月，洛阳市第二文物工作队和偃师县文管会考古发掘，在一座土洞式的唐墓中，发现唐代著名书法家张旭于唐玄宗天宝元年（公元742年）十月书绛州龙门县尉严仁墓志一合。据考证，这是截止目前发现的唯一张旭落墨写成的楷书墨迹。《中国文物报》对此作了报道。

严仁墓志，方形，青石质，志盖过顶，边长53厘米，盖中篆书“大唐故严府君墓志铭”。志边长52.5厘米，厚12厘米。楷书，21行，满行21字，计430字，志首行“唐故绛州龙门县尉严府君墓志铭并序。”志文“君讳仁，字明，馀杭郡人”。自称是东汉名士严光之后，“严夫子之遐裔也”。曾官“洪州达昌尉”，“绛州龙门县尉”。“天宝元年十月十七日遭疾，终于河南福善里（今洛河南茹湾村附近）第。春秋五十三，以十二月一日迁厝于土 东五里新茔礼也。”“前邓州内张县令吴郡张万顷撰”文，“吴郡张旭书”。

张旭，字伯高，号季明，吴郡（今江苏苏州）人。生活在唐玄宗开元、天宝年间（713—755年）。官金吾长史。楷法精深。尤擅狂草书，逆笔涩势，连绵回绕，体态奇峭狂放，是王羲之之后又一新风格，有“草圣”之誉。南宋陈思《书小史》载：“自言我见公主、担夫争道而得其意，又观公孙氏舞剑器而得其神。”生性嗜酒，往往大醉后呼叫狂走，然后挥笔写狂草，故人称“张颠”。《唐书》本传称：“后人论书，欧（阳询）、虞（世南）、褚（遂良）、陆（柬之）皆有异论，至旭无非短者。文宗时诏以李白歌诗、裴旻剑舞、张旭草书为三绝。”韩愈《送高闲上人序》称：“旭善草书，不治他伎，喜怒窘穷，忧悲愉快，怨恨思慕，酣醉无聊，不平有动于心，必于草书为发之。”怀素即其继承发展者，故有“颠张醉素”、“以狂继颠”之称。颜真卿曾向其请教。对后世影响巨大。相传草书《古诗四帖》墨迹为其手书，楷书有刻本《郎官石记》。

偃师发现的张旭书《严仁墓志》是弥足珍贵的书法文物。它弥补了张旭书法之阙。

〔张军·西北油漆厂厂长·被评为全国优秀经营管理工作者〕 甘肃兰州西北油漆厂厂长张军，1982年上任时，面对生产徘徊不前，效益持续下滑的严重局面，坚持走“科技兴厂”之路，领导全厂职工坚定不移地进行技术革新，经过7年苦干，1989年西漆跃居全国涂料行业冠军，名列全国500家最佳经济效益企业的第62位。至1992年，该厂全员劳动生产率已达人均11万5千多元，1992年4月29日，他被全国总工会授予全国优秀经营管理工作者称号和全国“五一”劳动奖章。

张军上任之初最感不安的是，已进入80年代，厂里大部分配方和设备还是四、五十年代的水平。他下车间、蹲班组，悉心调查，发现最大的问题是亏损产品一直被总盈利掩盖着。他下决心对1200个油漆产品逐个核算，找出赔钱的予以公布，同时发动群众献计献策。先后调整、优化配方300个，增加效益1838万元，同时不断开发新产品。10年来，先后开发新产品80项，产值6020万元。他曾两次出国考察，主持引进联邦德国石油钢管专用清漆，填补了国内空白。同时挖潜改造，扩大生产能力，先后完成丙烯酸、汽车维修漆、粉末涂料、聚氨酯木器漆、硝基漆扩大再生产、连续漂油等一系列技术改造项目，提高了生产能力。在美国加利福尼亚考察轿车漆项目时，他果断地聘用一名美籍华人专家为高级顾问，引进了该项目，现已投入批量生产。在引进丙烯酸树脂技术基础上，研制的丙烯酸氨基烘干清漆，经过消化吸收和改进，原料基本实现国产化。在日本考察后，他又果断引进了两条方便桶自动生产线，接着自己又设计创造了“三合一翻边起筋机”、“半自动滚轮缝焊机”、“自动喷桶机”等，已全部投入生产，销往全国。其中“三合一翻边起筋机”获北京国际包装展览会金奖，被化工部定为替代进口包装产品。

随着国家指令性计划的缩减，张军深深感到企业要在激烈的商品竞争中赢得市场，必须按市场导向，建立并完善内部经营机制。为此，他一方面教育全厂职工，树立竞争观念，市场观念，质量观念。强化信息系统，抓好信息的收集、处理和反馈，为生产经营决策提供依据，组织精兵强将抓销售，确定“立足西北、面向全国”的战略，把完全依靠商业经销改为工商联销，在西安、银川、成都、西宁等地开设了8个销售门市部、205个销售网点。根据市场需求，及时调整产品结构，提高产品质量，加强售后服务。他吃苦耐劳，身先士卒，哪里生产紧张，他就出现在哪里，哪里最脏最累，他总是坚持在哪里。

张军，陕西人，1936年11月生，1955年3月参加工作，1960年加入中国共产党，1963年毕业于北京石油学院炼制工程系炼油专业，曾在兰州炼油厂担任技术员、车间主任、研究所所长、书记。1989年被甘肃省政府授予“劳动模范”称号，1990年被评为甘肃省优秀企业家，1991年被中共兰州市委评为全市学习焦裕禄先进个人。

〔张迪（女）·柔道运动员·获第二十五届奥运会柔道铜牌〕 1992年7月30日，在巴塞罗那奥运会女子柔道比赛中，25岁的中国选手获得61公斤级铜牌。

张迪，1968年7月生，身高1米65，辽宁省沈阳市人。1989年获泛太平洋柔道锦标赛女子61公斤级冠军，1990年在北京亚运会上获61公斤级金牌。

张迪简历与事迹参见1991年《中国人物年鉴》。

〔张望·鲁迅美术学院原院长、著名版画家·在沈阳逝世〕 鲁迅美术学院原院长、版画教授张望，是在延安时期即已誉满全国的版画家。1992年6月28日逝世于沈阳，享年76岁。

张望别名致平、张抨，1916年2月生，广东大埔人。1935年毕业于上海美专。参加“左翼美术家联盟”。先后任教于海滨师范、神美艺校、陶行知育才学校。抗日战争期间，到延安，投身革命，任教于延安鲁迅艺术学院和华北联大。解放后，任教于东北鲁迅艺术学院。后鲁艺改组，任鲁迅美术学院院长、教授、辽宁省文联副主席、中国美术家协会辽宁分会副主席。

张望长期从事木刻，是鲁迅倡扬的新版画艺术运动的骨干作家。他的木刻富有强烈的时代感和斗争性。艺术处理手法丰富，刀法坚实。作品有《负伤的头》、《八路军是恩人》、《鲁迅与藤野先生》等。张望是我国研究鲁迅与新美术运动的权威理论家，有多篇有关这类问题的文章行世。

〔张滂·化学家·当选中国科学院学部委员〕

北京大学化学系教授、博士生导师张滂为我国有机合成教学、研究的发展做出了突出贡献，取得一系列独创性的成果，1991年底当选为中国科学院学部委员，1992年1月3日正式公布。

张滂，1917年8月25日生于南京市，1942年毕业于西南联大化学系，1949年在英国剑桥大学获博士学位后回国，在燕京大学、北京大学任教至今。作为我国老一代著名有机化学家，他长期主讲大学有机化学，特别是为新中国成立后建立的防化兵种创建了这一教学的基础。他首次在国内开设了以有机合成为主要内容的高等有机化学课，

1959年独立翻译了128万字的有机化学教材名著《有机化学》，对全国高等院校有机化学教学水平的提高和促进教学改革起了重要作用。多年来，他除了为我国培养了一批化学教员、硕士生、博士生外，还担任了中国化学学会常务理事、中国化学学会有机合成学术组长、北京化学学会理事长等重要工作，为推动学术交流做出了贡献。

张滂在有机化学基础理论研究方面也取得了一批独创性成果，在国内外权威期刊上发表了数十篇高水平的论文，其中包括以天然产物为中心的合成，新型化合物和试剂的设计和合成，以及合成方法的研究等，并发现了若干新的反应，其中突出的是天然芘醌的合成和取代的1·3一二甲氧基丙酮重排反应及其机制的阐明。

〔张骞·西汉外交活动家·大型歌剧《张骞》公演〕　由陕西省歌舞剧院歌剧团创作的大型歌剧《张骞》，1992年12月23日在北京民族文化宫剧场公演。

歌剧《张骞》由陈宜、姚宝瑄编剧，陈平导演。全剧主要描述了张骞第一次也是时间最长、经历最艰险的一次出使西域。作者编织一个情节简练、冲突强烈、感情起伏跌宕的富有浪漫色彩的故事，把爱与恨、私情和大义交织在张骞和匈奴公主阏云这一对男女主人公的命运中，较好地发挥了歌剧艺术的独特功能和艺术魅力。该剧曾在陕西省1992年“新剧（节）目展演”中获特等奖。

张骞(？——前114年)，西汉汉中成固（今陕西城固）人。西汉著名政治家、外交活动家。他先后两次出使西域，传播西汉王朝的经济和文化，加强了中原和西域少数民族的联系，发展了汉朝与中亚各地人民的友好关系，促进了经济、文化的交流和发展，是陆上“丝绸之路”的重要开拓者。第一次出使西域在建元二年（公元前139年），张骞奉汉武帝命出使大月氏，相约共同夹攻匈奴。自长安启程，经陕西，途中被匈奴扣留，单于将张骞留在匈奴十一年，并为他娶妻生子。后来逃脱。他越过葱岭，亲历大宛、康居至大月氏和大夏，归汉途中复为匈奴所得。元朔三年（公元前126年）方归汉，张骞把他到过的大宛、大月氏、大夏、康居和传闻其周围五、六个大国的地形民情向汉武帝作了详尽报告，被拜为太中大夫。

元朔六年，张骞跟从大将军卫青攻打匈奴，他因熟知地形，对部队作战取得胜利发挥了重要作用，被封为博望侯。元狩四年（公元前119年）张骞被天子拜为中郎将，又奉命出使乌孙，随带副使、随从三百余人。至乌孙后，派副使出使大宛、康居、大夏、月氏、安息（今伊朗）、身毒（今印度）等地。回朝，拜大行，一年后去世。

〔张澜·已故中央人民政府副主席、民盟中央主席·诞生一百二十周年〕　1992年4月2日，是已故中央人民政府副主席、全国人大常委会副委员长、全国政协副主席、民盟中央主席张澜120周年诞辰。首都各界和张澜先生家乡四川举行各种纪念活动，缅怀他为中国民主主义革命和社会主义建设事业作出的卓越贡献。

4月2日上午，首都各界300余人在人民大会堂举行张澜先生诞生120周年纪念座谈会。民盟中央主席费孝通主持座谈会，民盟中央名誉主席、原全国人大副委员长楚图南致词。中共中央政治局候补委员、书记处书记、中央统战部部长丁关根代表中共中央讲话，表达对张澜先生的深切怀念和崇高敬意。丁关根称张澜是“我国杰出的爱国主义者，著名的民主革命家、教育家、德高望重的国家领导人之一，中国民主同盟的创建者和领导者，中国共产党的亲密朋友”。他说：张澜先生一生经历了中国的旧民主主义革命、新民主主义革命、社会主义革命和建设的几个历史时期，从青年时代起就积极投身反帝反封建的斗争，不屈不挠。后接受和拥护中国共产党的政治主张，坚定不移地同中国共产党合作。在中国历史变革的一些关键时刻，敢于挺身而出，经受住严峻的考验。张澜先生为了中国的独立、自由、民主、和平，为了把中国建设成为一个社会主义强国，顽强奋斗了一生。他是中国民主同盟的光荣，是中国知识分子的光荣。

同日，《张澜文集》由四川教育出版社出版发行。此书收录了张澜从1911年四川保路运动以来至1955年逝世前各个时期的重要著述、演说、函札、文电、公牍和杂著190篇，共35万字。其中不少篇目是国内第一次发掘的珍贵手稿或鲜为人知的重要资料。

9月，张澜先生铜像在其故乡四川南充市北湖公园落成。铜像高2.4米，安立在1.5米高的黑色大理石基座上。先生身着布袍，手拄藤杖，长髯拂胸，目光炯炯，英姿宛然。基座侧后建有一道长3.2米，高2米的晚霞红大理石纪念壁，正面双勾镌刻着毛泽东主席、朱德总司令致张澜先生80大寿的祝词，背面刻着张澜先生的生平简介。

张澜，1872年生，四川南充人。早年留学日本东京宏文书院，因在政治上主张维新变法，被清政府视为“大逆不道”，派人押送回国。辛亥革命前夕，领导了四川人民的保路运动。护国战争开始后，在四川联络川军积极策应讨袁。后作四川省副省长，成都大学校长。抗日战争期间，被聘为国民参政会参政员。他拥护中国共产党团结抗日的主张，参加发起组织成立中国民主政团同盟，先任中央执行委员，继任中央主席。1945 年毛主席在重庆与国民党谈判期间，曾几次与他商谈。1946 年 1 月，作为民盟首席代表参加旧政协，与中共代表采取一致步骤。震惊全国的“李闻惨案”发生后，在成都举行的追悼会上，他大义凛然，怒斥国民党特务的法西斯暴行，被特务打伤。后拒绝国民党当局的利诱，被监禁在上海虹桥疗养院。1949 年 5 月经中共地下组织营救脱险。同年 9 月，赴京参加新政治协商会议，当选为第一届全国政协常委。新中国成立后，历任中央人民政府副主席、第一届全国人大常委会副委员长、第二届全国政协副主席、民盟中央主席。1955 年 2 月 9 日在北京病逝。

〔张震·任中共中央军委副主席〕　1992 年 10 月 29 日，中共十四届一中全会决定张震为中共中央军委副主席。

1992 年 12 月 2 日，张震与新的中央军委委员一起陪同中央军委主席江泽民到国防大学国防研究系座谈，听取学员对军队建设和改革的意见。学员们就加强部队教育训练和思想政治工作，搞好军队各项改革等，向军委提出了许多有价值的意见与建议。

12 月 5 日，张震在《解放军报》发表题为《执行党的决议和中央战略方针的典范——纪念刘伯承元帅诞辰一百周年》的文章。

12 月 29 日，张震主持中央军委举办的老干部迎新茶话会。中央军委主席江泽民在会上向老同志祝贺新年，并通报当前军队建设情况。刘华清、秦基伟、迟浩田、张万年、于永波、傅全有等领导同志出席茶话会。应邀出席茶话会的老同志有李德生、肖克、陈锡联、叶飞、李聚奎，以及罗荣桓元帅的夫人林月琴，贺龙元帅的夫人薛明等。

张震，1914 年 10 月生，湖南平江人。1928 年参加平江县青年反帝大同盟，1930 年加入中国共产主义青年团，同年参加中国工农红军并转入中国共产党。曾任红五军二纵队宣传员、团宣传队长、连政委、营长、团参谋长，参加了中央革命根据地反“围剿”、长征和山城堡战斗。1936 年入陕北红军大学学习。抗日战争爆发后，任八路军驻晋办事处参谋、科长、新四军第六支队参谋长、河南省委军事部参谋长、豫皖苏边区保安司令部司令员、八路军第四纵队参谋长、新四军四师参谋长兼十一旅旅长、第十一旅旅长兼淮北路西军分区司令员。参与开辟豫皖苏抗日根据地。解放战争时期，任华中野战军九纵队司令员兼政委，华东野战军二纵队副司令员、西线兵团参谋长，第三野战军、华东军区参谋长。参与指挥了睢杞、淮海、渡江、上海等战役。建国后，任总参谋部作战部部长。1953 年参加抗美援朝，任中国人民志愿军第二十四军代军长兼政委。1957 年毕业于南京军事学院战役系。后历任南京军事学院副院长、院长，武汉军区副司令员，总后勤部部长，解放军副总参谋长，国防大学校长、校长兼政委。是中共十一届中央候补委员、十二届中央委员、中顾委委员、中共十四届中央委员。1955 年被授予中将军衔，1988 年被授予上将军衔。

〔附注：1993 年 3 月 28 日，八届全国人大一次会议第六次大会决定张震为中华人民共和国中央军事委员会副主席。〕

〔张万年·任人民解放军总参谋长〕　1992 年 10 月 19 日中共十四届一中全会决定，张万年为中共中央军委委员。其后，中央军委任命张万年为人民解放军总参谋长。

张万年，1928 年 6 月生，山东黄县（龙口）人。1944 年参加八路军。次年加入中国共产党。曾任东北民主联军连副指导员，东北野战军通讯股股长。参加了新开岭等战役。1948 年在塔山阻击战中立大功。后参加了平津、广西战役，1950 年后，任团作战股股长、军作战参谋、副团长兼参谋长。1961 年军事学院基本系毕业。后历任团长、军区作战部副部长，师长、副军长、军长，武汉军区副司令员，广州军区司令员，济南军区司令员。是中共十二届、十三届中央候补委员、中共十四届中央委员。1988 年被授予中将军衔。

〔附注：1993 年 3 月 28 日，八届全国人大第一次会议第六次大会决定张万年为中华人民共和国中央军事委员会委员。〕

〔张广学·昆虫学家·当选中国科学院学部委员〕　中国科学院动物所昆虫学家张广学教授在蚜虫的研究方面，取得了巨大成就，曾多次获奖，1991 年底当选为中国科学院学部委员，1992 年 1

月3日正式公布。

张广学长期以来研究昆虫。世界上植物万千种，几乎无一不长蚜虫，只有分门别类认清它们，才能治理它们。为了收集蚜虫标本，张广学在国内率先用数值分类方法做蚜虫分类研究，从而将我国能够鉴定的蚜虫纪录由148种推进到1000种，占世界总数的25%，其中156种属世界首次报道。

更让国际蚜虫分类学家震惊的是，张广学大胆修正了沿袭多年的国际权威理论，澄清了国际上关于蚜虫的一些混乱认识。他的著作被大英博物馆专家推荐为东亚蚜虫鉴定的重要用书。过去，我国蚜虫标本需请外国专家鉴定，而今许多外国学者登门求张广学识别。至今，他已为美、日、澳等国专家鉴定蚜虫标本4000余号。

张广学除了撰写21部专著获得十几项国家、省、部、院级成果奖外，还参与编写了5部科教电影，并获金鸡奖、童牛奖、银河奖、华沙国际电影节纪录片一等奖。此外，他还兼任国家发明奖评选委员会审查员、中国植物保护学会常务理事、中国昆虫学会理事等职。

张广学，1921年1月生，山东省定陶县人。其主要经历见1990年《中国人物年鉴》。

〔张弓者·青年书法、篆刻家·作品获“全国奖”〕 自1987年以来，张弓者已几十次在国内外书画篆刻大赛中获奖。在1992年中国书法家协会举办的《全国四届中青年书法展》中获优秀作品奖；在《第五届全国书法展》中获“全国奖”。在“1992东京国际文化交流展”中获“优秀奖”。

张弓者，满族，1967年2月出生于辽宁兴城。1985年毕业于锦州市第一师范学校。当过四年半教师，1990年元月调入兴城市文联工作。现为中国书法家协会会员。他于1982年开始学习书画艺术，1985年春正式学习篆刻。书法初学唐楷，继学魏碑、行草篆隶。绘画喜欢石涛、八大山人、吴昌硕、黄宾虹等大师的作品。篆刻从清人起步，而归于汉人。作品讲究气氛，追求清新气息。

张弓者认为，书画篆刻在具备一定笔墨功夫后而最终能否成为一位艺术大师的关键在于修养。修养包括个性、知识、气质、品质、阅历、眼力等诸方面。书画印三者，书最为关键。书法高下决定着其画（国画）、印的成就。一个杰出的画家、篆刻家首先应是一个杰出的书法家。欲成“神”，先要认真地努力做好人。有人评张弓者作品，清新高雅，注重神韵与物质精神世界的表现，讲究笔墨韵律，不俗不匠。如他收的对联“烟波渺渺梦中雨，风月悠悠心上云”表现尤为突出。

张弓者作品曾入选首届中国新书法大展，首届现代篆刻艺术展，全国第二届篆刻艺术展。有作品被台湾、日本博物馆收藏。

〔张小冬（女）·帆板运动员·获第二十五届奥运会银牌〕 在1992年巴塞罗那奥运会比赛中，中国选手张小冬获得奥运会新设的女子390型帆板比赛的银牌。

张小冬，1964年生，广东省湛江市人，16岁开始从事帆板运动。她在1984年底到1985年初举行的第4届世界帆板锦标赛中，曾连夺两项冠军。

1990年，在第十一届亚运会帆船比赛中，张小冬再次显示其雄厚的实力，夺得女子390级帆板金牌。1992年1月，张小冬又一次参加了世界帆板锦标赛，但成绩一般，获得女子奥林匹克帆板比赛的第四名。

张小冬简历与事迹参见1991年《中国人物年鉴》。

〔张子扬·电视编导·获第六届电视“星光杯”最佳导演奖〕 1992年，青年导演张子扬因执导中央电视台《祝福明天——1992元旦文艺晚会》获全国第六届电视“星光杯”最佳导演奖。

张子扬，1956年6月24日生于黑龙江省哈尔滨市，1984年毕业于中央戏剧学院导演系，获文学学士。调入中央电视台任文艺部编导后，短短数年，多次获奖。1986年他导演的《1987年英语新年晚会》获当年全国对外电视宣传一等奖，1988年编导的中央电视台对外专题片《雪顿、西藏》、《关于西藏》，分别选送澳大利亚、德国、英国，参加国际电视节展播。1989年执导的中央电视台《跨入九十年代、1990年元旦晚会》、获全国第四届电视“星光杯”一等奖，1990年执导的《黄河入海流》文艺晚会获全国第五届“星光杯”二等奖。此次由他执导的中央电视台《祝福明天——1992元旦文艺晚会》获全国第六届电视“星光杯”最佳导演奖。

张子扬在此次晚会中总体构思新颖，画面极其讲究。1991年特大水灾给祖国带来灾难，他考虑到在党领导下各族人民和海外赤子风雨同舟的深情，特为晚会题名为《祝福明天》，充分表达了亿万同胞的共同心愿，以此设计了晚会重心，由56

个民族表演的第一个节目大福大喜舞蹈，节奏欢快，气氛火热。特别是巧妙地运用了民族风情展览的现成场景拍摄，将丰富多采的地域特色和各民族的特异风情融为一体，给观众以身临其境的真实感和艺术审美享受。他1990年的元旦晚会《跨入九十年代》也很有新意。以前的大型文艺晚会多以通俗歌星招徕观众，他冷静分析了当时通俗歌曲走下坡路、相声也拿不出好段子的创作态势，决定以喜剧小品为晚会重心的总体构想，潜心在小品既要贴近生活又要精心提炼上狠下功夫，终于使这台晚会推出的四个小品，有三个成为精品。《超生游击队》、《卖鞋》、《大米、红高粱》都是生活气息浓郁、艺术品味较高又各具特色的佳作。特别是《超生游击队》，经多次重播仍为广大观众叫好的保留节目。就连晚会的序曲“让昨天走进历史，把新的一页翻开”和结尾曲“在二十世纪的最后十年，去争取新的太阳”，也是与晚会的主题《跨入九十年代》遥相呼应，使晚会总体结构严谨和谐。

张子扬的成功，除与他的勤于探索有直接关系外，与他的博学多才也是互为因果的。这些年，他除了执导电视文艺外，还在报刊上发表了报告文学、文艺评论、学术论文多篇以及美术摄影作品多幅。他特别精于摄影，1988年摄影作品《萨迦人象》入选《龙的故乡》全国摄影展；同年10月《张子扬西藏摄影展》在中国美术馆展出。

他是中国电视艺术家协会、中国戏剧家协会、中国摄影家协会、中国藏戏学会会员。。

〔张元济·商务印书馆创办人之一·商务印书馆创建九十五周年纪念在京举行〕 1992年2月11日，是中国历史最悠久的出版社——商务印书馆创建95周年。来自香港、台湾、新加坡、马来西亚各地商务印书馆的代表与北京商务印书馆同仁和文教、出版等界人士欢聚一堂，畅谈盛世事业，决心为弘扬文化事业作出更大努力。同时深切缅怀从1902年起主持该馆编务的爱国进步人士、已故著名出版家张元济，本着“开启民智、振兴华夏”的精神，兢兢业业，刻苦经营，为将该馆办成蜚声海内外的现代化大出版社所作出的重要贡献。同年4月下旬，商务印书馆主办的张元济学术思想讨论会，在张元济的家乡浙江海盐举行。到会50多人，交流学术论文30篇，内容包括张元济的出版思想、改革精神、求真精神、人才观以及与同时代人康有为、梁启超、蔡元培、陈独秀、王云五等人的交往。

张元济，字筱斋，号菊生。1867年生，浙江海盐人。1892年（清光绪壬辰）中进士，选入翰林院为庶吉士，曾任刑部主事、总理各国事务衙门章京等职。他参与变法维新运动，戊戌变法失败后去上海，主持南洋公学译书院，以重酬出版了严复所译的斯密著《原富》，是资产阶级理论著作最早的中译本。1902年，应聘进商务印书馆主持编译所。在光绪、宣统年间，清政府一再起用张元济，但他绝志仕途，坚辞不就，而以出版事业为终生职业。

“商务”是以编印教科书发展起来的。彼时正值废科举、兴学堂的时期。旧有的《三字经》、《千字文》等蒙童课本已不再适用，需要新式教科书。张元济与高梦旦、蒋维乔、庄俞四人，搜集了市场所有的启蒙课本，进行研究分析，然后拟订编写体例；在编写中字斟句酌，每编一课，必经四人一致同意才定稿。他们编印的《最新教科书》，是我国最早出版的新式教科书，由于编排符合教学原理，风行全国。之后，在张元济主持下又编印了《共和国教科书》，又从小学教科书发展到中学、大学、师范、职业补习学校各种学年各种对象的教科书。《共和国教科书》中的国文课本，一印再印，几年之内印了2560多个版次。到辛亥年初，出版各种课本、教授法、参考书和文学作品1000多种。

1914年起，张元济开始编辑和影印大部头古籍丛书，直到抗战爆发后，编印了《涵芬楼秘笈》、《续古逸丛书》、《四部丛刊》（分初、二、三编，二千多册）、《百纳本二十四史》、《四库全书珍本》初集等。他对影印各书撰有大量校跋和校记。他主持编辑影印的古籍丛书共5000册10000多卷，其数量之多，选本之精，以及动用藏书之多，是丛书编印史所仅见。相当数量的罕稀古籍和手稿因他的辑印而得以保存流传。1926年退休后，一直担任商务印书馆董事长。直到晚年，他没有停止对古籍的整理工作。

1948年，中央研究院举行由胡适主持，蒋介石参加的首次院士会议，应邀到会的张元济，第一个站起来发言，反对国民党进行内战，使在座的国民党要人相顾失色。全国解放后，他被选为全国政协特邀代表，以82岁高龄到北京出席第一届中国人民政治协商会议，并为“商务”的公私合营积极奔走。后因中风卧床多年，直到1959年93岁时逝世。临终前亲自撰写告别诗：维新未遂平生志，解放功成又一天。报国有心奈无命，泉台仍盼好音传。

〔**张云逸·已故人民解放军大将·诞辰一百周年**〕　1992年8月10日是无产阶级革命家、军事家、人民解放军大将张云逸诞辰一百周年。8月9日，《人民日报》发表张爱萍、张劲夫、莫文骅写的题为《中华民族精英，共产党人楷模》的纪念张云逸大将诞辰一百周年的文章。

张云逸，1892年8月10日生于广东省文昌县（今属海南省）。1908年入广东陆军小学堂，后在广东陆军速成学校毕业。先后加入中国同盟会、中国国民党，参加过辛亥革命和护国战争。曾在粤军许崇智部任旅长。1926年加入中国共产党，参加北伐战争，在国民革命军张发奎部任师参谋长。

1927年大革命失败后，在广州、香港从事秘密工作。1929年奉中共中央指示到俞作柏、李明瑞的广西省政府中任警备第4大队大队长，掌握部队，准备武装起义。同年12月1日，与邓小平等领导百色起义。创建了右江苏区，任中国工农红军第七军军长、参谋长。1930年10月与邓小平、李明瑞等率部离开右江根据地，转战于桂、黔、湘、粤、赣边界地区。1931年春任河西总指挥部参谋长。7月率部东渡赣江，在江西兴国与第一方面军主力会合，参加了中央苏区反“围剿”斗争。同年冬调任中央革命军事委员会副参谋长兼作战局局长。1933年任粤赣军区司令员，后任红军总司令部兼第一方面军司令部副参谋长和作战部部长。参加了长征。1936年12月任中央革命军事委员会委员。

抗日战争初期，他受中共中央派遣，往返于广州、香港等地，在国民党上层军政人员中做抗日民族统一战线的工作。1938年春任新四军参谋长兼第3支队司令员。翌年5月兼任新四军江北指挥部指挥；统一领导新四军江北部队，挫败了日伪军的多次“扫荡”，巩固和发展了淮南抗日根据地。皖南事变后，任新四军副军长兼第2师师长。1943年11月陈毅代军长赴延安后，他负责新四军军事工作，同时兼任抗日军政大学第八分校校长。1945年6月被选为中共第七届中央委员。

解放战争时期，先后任新四军副军长兼山东军区副司令员、华东军区副司令员兼山东军区司令员、华东军政大学校长等职。1947年国民党军对山东解放区进行重点进攻时，他指挥地方部队就地坚持斗争。后兼中共华东后方工作委员会书记。

中华人民共和国成立后，任人民革命军事委员会委员、中共广西省委书记、广西省人民政府主席、广西军区司令员兼政治委员、中共中央华南分局第二书记、中南行政委员会副主席。他是第一、第二、第三届国防委员会委员。1955年被授予大将军衔和一级八一勋章、一级独立自由勋章、一级解放勋章。1962年任中共中央监察委员会副书记。曾被选为中共第八至第十届中央委员。1974年11月19日病逝于北京。

〔**张艺谋、巩俐（女）·电影艺术家·获数项国际国内电影奖**〕　1992年是张艺谋与巩俐的丰收年。由张艺谋执导、巩俐主演的影片《大红灯笼高高挂》获意大利全国奥斯卡奖“大卫奖”最佳外语片奖，巩俐获最佳外语片女主角提名；意大利米兰电影协会颁发的观众评议本年度外语电影第一名大奖；美国第64届奥斯卡金像奖最佳外语片提名；洛杉矶影评人协会最佳摄影；全评电影评议会92格里菲斯电影奖“最佳外国影片奖”第2名；比利时电影评论协会92优秀影片大奖；第11届香港电影金像奖十大最佳华语影片之一。《秋菊打官司》获第49届威尼斯国际电影节金狮奖，巩俐获该奖的最佳女演员奖“伏尔比杯”奖；意大利《电影文化杂说》评选的“青年与电影最佳影片奖”；联合国国际儿童基金会奖；天主教影评人协会“评委会特别奖”；加拿大温哥华92国际电影观摩展“最受欢迎影片”奖。《菊豆》获上海电影记者奖的“最好影片”奖。巩俐还获得上海电影记者奖的“最有光彩女演员奖”、哈尔滨电影节的观众最喜爱的十位影星的首位。

1992年在国内放映的他们合作的三部影片：《秋菊打官司》、《菊豆》、《大红灯笼高高挂》放映效果都名居前列，受到观众欢迎。

张艺谋、巩俐简历均见1989年《中国人物年鉴》。

〔**张太恒·任济南军区司令员**〕　1992年11月，中央军委任命张太恒为济南军区司令员。

张太恒，1931年3月生，山东广饶人。1945年参加中国人民解放军，1948年加入中国共产党。曾任华东野战军排长。参加了济南、淮海、渡江、上海等战役。立一等功两次。1952年后，任华东军区连长，南京军区营参谋长、营长。1961年毕业于军事学院基本系。后历任团长、师副参谋长，副师长兼参谋长、师长、军参谋长、军长。1985年起任成都军区副司令员、司令员。是第七届全国人大代表。1988年被授予中将军衔。

〔**张友渔·著名法学家·在北京逝世**〕　全国人民代表大会法律委员会顾问、中国法学会名誉会长、国际宪法学协会执行委员张友渔，1992年2月26日在北京逝世，终年94岁。

张友渔，1898年生于山西省灵石县。青年时代曾参加“五四运动”和“五卅运动”。1927年毕业于国立北平法政大学，同年加入中国共产党，任中共北平市委委员兼秘书长，主办《国民晚报》并任该报社长兼总编辑。此后根据党的指示，长期以文化人和教授的身份，做国民党上层军政人员、文化界上层人士以及民主党派的统战工作。1928年，他以天津特别市政府科长的合法身份营救了大批革命同志。1931年“九一八”事变后，他先后在中共北平市委特科、华北联络局工作，任联络局北平小组负责人。他多年担任《世界日报》主笔并在北平多家大学任教。1937年“七七”事变后，先后任我党山东联络局书记、豫鲁联络局书记，南方局统战委员会成员，香港文委成员，南方局文委委员兼秘书长，重庆工委候补委员兼政策研究室主任。他还受党派遣，先后任国民革命军第十军团政治部长、国民政府战地党政委员会设计委员，并任《时事新报》和香港《华商报》总主笔，救国会领导成员及该会重庆生活书店总编辑。解放战争时期，历任国共谈判中共代表团顾问，中共南方局统战委员会政治组负责人，《新华日报》代总编辑、社长，中共四川省委副书记兼宣传部长，中共中央后委城工部领导小组成员，晋冀鲁豫边区政府副主席兼秘书长和中共中央华北局秘书长。

1949年后，张友渔先后任北京市党务副市长，中共北京市委常委，副书记，书记处书记，中国科学院哲学社会科学部副主任、法学研究所所长，兼任中国政法学会副会长，中国社会科学院副院长，顾问，兼任中国大百科全书总编委会副主任，国务院学位委员会委员，中国法学会会长、名誉会长，中国政治学会会长、名誉会长和国际宪法学协会执行委员。他还是第一、二、三、六届全国人大代表，第六届全国人大常委会委员，第一、二、三、四、五届全国政协常委。

张友渔是我国社会主义法制建设的积极推动者。早在1954年就参加了第一部宪法的起草工作。1979年任全国人大党委法制委员会副主任，1980年9月任宪法修改委员会副秘书长，1983年6月任全国人大法律委员会副主任委员，1988年改任顾问，1986年6月任香港特别行政区酝酿法起草委员会委员。他为制定1982年宪法和一系列重要法律倾注了全部心血，做出了卓越的贡献。

张友渔是在国内外享有盛誉的知名学者。他精通法学、政治学、新闻学，知识渊博、学术深湛，是杰出的马克思主义法学家。几十年来，他撰写了许多具有真知灼见的专著和论文，主编多部有价值的著作，在国内外有重大影响。

张友渔生平事迹参见1991年《中国人物年鉴》。

〔**张仁和·声学家·当选中国科学院学部委员**〕　中国科学院声学所研究员张仁和足迹遍及东海、南海和北海及太平洋，完成海上实验70余次，取得大量具有重要科学意义与应用价值的水声资料。他于1991年底当选为中国科学院学部委员，1992年1月3日正式公布。

张仁和，1936年11月5日生于重庆市，1958年11月从北京大学物理系毕业后便在声学所工作至今。他长期以来研究声波在海里传播的规律。南至西沙群岛，北至太平洋的千岛群岛，他都去考察研究过。他在国际上领先发表了简正波衰减与群速的普遍表式，完善了射线简正波理论。他对我国浅海与深海水声物理规律进行了系统研究后，发表了60多篇论文，曾获得“竺可桢野外科学工作奖”、国家自然科学二等奖、中科院自然科学一等奖等十几项成果奖，成为“国家级有突出贡献的中青年专家”。

张仁和的成就奠定了他在国内外的学术地位。他被任命为“声场声信息国家重点实验室”主任，其名字被《世界杰出人物名人录》、《国际知识分子当代名人录》、《国际传记辞典》等5种世界权威名人录收录。

〔**张文义·陕西彩色显像管总厂厂长·为企业发展作出重要贡献受到广大职工赞扬**〕　1992年12月，陕西彩色显像管总厂建成投产十周年庆祝活动，在陕西咸阳隆重举行。这个被评为国家一级企业的工厂，十年中为全国60多个电视机厂提供了1350万只不同规格的彩色显像管，实现利润13亿元，其中80%的利润交给了国家和地方财政。人们在回顾十年历程时，对于1988年3月任该厂代厂长、1989年任厂长的张文义为企业发展所作的贡献给以很高的评价。

张文义1946年12月8日生，山西省侯马市人。1966年加入中国共产党。1970年于清华大学毕业后，一直在电子行业工作。1983年4月到陕西彩色显像管总厂，先后任办公室副主任、总装分厂厂长等职。1989 年 3 月他被正式任命为总厂的第四任厂长时，工厂正面临着前所未遇的困难：资金、能源、材料，样样欠缺，企业负债经营；而得天独厚的几家合资彩管厂又步步紧逼，蚕食着企业的独家市场。在险峻的低谷中，张文义没有低头，发誓要杀出一条"血路"。

他根据电子工业飞速发展的形势，制定了"大集团、小伙伴、多方位、高效益"的战略，不失时机地提出了四大战略转变的方针。一是由单一生产型向生产经营型转变，使工厂变为生产、贸易、技术三位一体的经济实体；二是由单一生产彩管向以生产彩管为主的多产品转变，使主产品系列化，副产品多种化，新产品高精化；三是由单一内地办厂向内地、沿海和外商联合办厂转变，使工厂不断向外延伸，开拓新领域，占领新市场；四是由单一工厂化向多元化的企业集团转变，使工厂能够尽快跻身于世界大公司的行列。为实现这一战略方针，他又大胆地提出了成立"彩虹集团"的构想。

为此，他推行了一系列深化企业内部改革和加强企业管理的措施。在全面推行厂长负责制的同时，大胆地推行各种经济责任制。工厂内部与各生产厂签订了经济责任承包合同；并层层分解承包，使企业自上而下做到了层层有责任，人人有指标，充分调动了职工的生产积极性。并打破干部与工人的界限，不拘一格选拔人才。使一批政治思想过硬，既有专业知识又懂现代化管理的中青年干部走上各级领导岗位，形成团结协调的指挥系统。同时，加强新产品的开发，其中 14"中分辨率显示管填补了国内电子工业的一项空白。过去一直靠进口红粉，经过他们两年多的研制终于在 1992 年生产出新红粉，为国家节省了大量外汇。

如今，彩虹集团已发展成为以"彩虹牌"名优产品为龙头，以高技术、外向型为先导，形成跨地区、跨行业、跨体制形式的工、技、贸、金融相结合，进出口相结合的多方位生产经营的紧密型经济联合体。张文义积极推进技术进步，发展高科技产品，有 19 项科研成果获得国家及部、省科技成果奖。

从 1985 年以来，张文义两次被评为厂级优秀党员、机电部企事业单位优秀领导干部、咸阳市重合同守信用先进厂长和文明市民。1989 年被国务院授予全国劳动模范称号。

〔张文裕·著名物理学家·在北京逝世〕

著名物理学家、中国科学院学部委员、中国高能物理学会名誉理事长、研究员、中国共产党优秀党员张文裕，于 1992 年 11 月 5 日在北京逝世，享年 82 岁。

张文裕，1910 年出生于福建省惠安县，1931 年毕业于燕京大学物理系，1935 年赴英国留学，后取得博士学位。毕生从事高能物理事业，在放射性同位素、宇宙线大气簇射和奇异原子研究，以及多丝火花计数器的发明方面，做出了开创性的贡献，在国际科学界享有盛誉。他积极促进南落雪山宇宙线实验站的扩建，与肖健先生共同创造了当时世界最大的云雾组，作出了高水平的物理工作，培养了一代宇宙线的研究者。

张文裕是第二至六届全国人大代表，第四至六届全国人大常委会委员。

〔张玉法·台湾"中央研究院"近代史研究所研究员·当选"中央研究院"院士〕

台湾著名史学家、"中央研究院"近代史研究所研究员张玉法，于 1992 年 7 月 9 日当选为台湾"中央研究院"第十九届人文组院士。台湾学者同时当选为人文组院士的还有"中央研究院"研究员兼第四组主任、清华大学教授杜正胜，他是新当选的人文组院士中唯一的台湾省籍人。

张玉法，1936 年生，山东省峄县人。1959 年台湾师范大学史地系毕业，1964 年政治大学新闻研究所毕业，1970 年美国哥伦比亚大学历史研究所毕业。曾任陆军少尉排长，基隆中学史地教员。后任台湾"中央研究院"近代史研究所助理研究员、副研究员、研究员。1983 年任该研究所副所长，1985 年任所长，兼台湾师范大学、政治大学、台湾大学历史研究所教授。现任"中央研究院"近代史研究所研究员。专长中国近代史，研究范围主要是辛亥革命史及中国现代化的过程，也就是十九世纪中到二十世纪初的中国。著有《先秦时代的传播活动及其对文化与政治的影响》、《清季的立宪团体》、《清季的革命团体》、《民国初年的政党》、《中国现代史》、《中国近代现代史》、《历史学的新领域》、《中国妇女史论集》、《山东省》、《现代中国政治史论》等。与李又宁博士合编有《清季革命运动期刊叙自选辑》、《近代中国女权运动史料》。撰写有关近代史现代史论文六十余篇。先后参与《新知杂志》、《山东文献杂志》等编辑工作。

张玉法曾多次到大陆探亲或参加学术活动。1990 年赴大陆参加在孙中山先生故乡广东翠亨村举行的“孙中山与亚洲”的国际学术讨论会，表示自己要推动海峡两岸的学术交流。

〔张本敬·著名“葡萄大王”·培育成功高级葡萄新品种“寿光1号”〕 我国著名“葡萄大王”、山东省寿光县果树研究所所长张本敬，把日本巨峰葡萄和山东当地葡萄杂交，通过5年的培育、筛选，1992年夏，高级葡萄新品种“寿光1号”诞生。该品种果粒最大达25克，色泽红中透紫，鲜美异常，糖度17—20，产量亩产4000—8000斤，是目前国内罕见的色、品、味俱佳的高级生食品种，可与欧美的优质葡萄相媲美，这是他近7年潜心研究巨峰葡萄所取得的四项新成果之一。

张本敬，山东省寿光县人，1942年9月出生。1960年3月入潍坊交通学校学习，1961年9月毕业后，先后在潍坊汽车运输公司青州市、寿光县车队任售票员、文书、会计、调度组长。1985年元月他创办山东寿光县果树研究所任所长至今。他因引种巨峰葡萄获大面积成功而成为国内著名“葡萄大王”。巨峰葡萄原产于日本，是一种世界优良品种。但这种葡萄落花落果严重，特别是在我国南方种植，因冬春开花常遇低温阴雨，光照不足，落花落果更为严重。张本敬经过长期研究观察，发现落花落果的根本原因是开花坐果期间树体和花果所需营养物质不平衡，特别是缺少某种元素。从1990年起，他在巨峰葡萄开花坐果期喷施多种营养物质，用多种配方进行对比试验350多次，终于取得5种元素合成的最佳配方——保果宝。试验表明、在同样的环境条件下，喷洒保果宝的葡萄坐果率达80—100%，未用药的坐果率仅10—30%。1989年，他应聘去广西武鸣华侨农场指导种植数十亩巨峰葡萄，经使用保果宝，结果累累，亩产达1200公斤以上，使巨峰葡萄不仅在北方引种成功，在广西又冬植夏熟，成熟季节比北方早一个多月，大大提高了经济效益。现在，张本敬研制的保果宝已先后在广东汕头、广西南宁、贵州遵义、湖南会同和黑龙江肇源等南北各省区推广试用，均获成功。黑龙江省已于1992年8月举办全省葡萄保花保果优质高产现场学习班，邀请张本敬现场传授保果技术，拟在1993年全省大范围推广。

与此同时，张本敬还试验推广了葡萄早熟技术和无核技术。巨峰葡萄在寿光正常成熟期为8月下旬，使用早熟技术后，可在7月上中旬成熟，经济效益可提高一倍，使用无核技术后，葡萄无核果率可达90—100%，同时不降低产量和质量，张本敬认为，科技成果是不断更新发展的，巨峰葡萄技术今后还要不断创新，而创新就必须实干，搞出样板，拿出看得见，摸得着的东西给大家看，让大家亲口品尝，取得群众信服，才能得到推广，取得实效。

〔张乐平·著名漫画家·在上海逝世〕 被誉为“三毛之父”的我国著名漫画家张乐平，1992年9月27日在上海病逝。终年82岁。

张乐平，1910年生，浙江海盐县人。从三十年代开始，他在《时代漫画》等刊物上发表漫画。抗日战争时期，参加抗日漫画宣传队的活动。1946年创作连环漫画《三毛从军记》，1947年至1948年，创作长篇连环漫画《三毛流浪记》。他所塑造的三毛的艺术形象，走进千家万户，产生了广泛而深刻的社会影响，被人们誉为“三毛之父”。中华人民共和国成立后，画有《三毛迎解放》、《二妹子》、《父子春秋》、《三毛学雷锋》、《三毛爱科学》等。他的作品深受中国几代读者喜爱。

张乐平生前曾任全国政协委员，全国文联委员，中国美术家协会常务理事、顾问，《漫画世界》主编等职。

〔张立兰（女）·党总支书记·获全国优秀工作者称号〕 中国民航湖南省管理局运输专业处党总支书记张立兰，一心为公，苦干实干，在平凡的工作岗位上做出突出成绩，1992年被评为全国民航劳动模范，并被全国总工会授予“五一”劳动奖章和全国优秀工作者称号。

张立兰1968年从民航天津机械专科学校毕业后，在几个机场候机室当了7年服务员。她干一行爱一行，处处以身作则，把方便让给别人，把困难留给自己。她到哪里，哪里的面貌就改观，就有一种奇异的向心力和凝聚力，大家团结得像一个人一样，奋力工作。因而她工作过的几个单位，曾多次被评为四好班组和先进班组。1980年，她任省局团委书记后，认真抓理想、信念教育，深入开展学雷锋活动。在她的培养帮助下，暮云油库团支部成为全国民航系统第一个由团中央命名的“学雷锋先进团支部”。一些后进青年在学雷锋活动中，工作精神、工作面貌有很大转变，有的还被评为省局范围的先进工作者。1985年她调省局旅客服务中心任党支部书记，团结一班人，深入生产现场，苦干实干，使公司内部形成了一种巨大的凝聚力与吃苦耐劳、奋发向上的风气，公司的各项工作与效益连年登上新台阶。她非常关心职工疾苦，全力进行帮助。几年来，她从自己有限的收入中拿出千余元，帮助和慰问有困难的职工，深受群众赞誉。1990年，她调省局运输专业处任党总支书记后，仍然坚持把工作岗位放在生产第一线，并做细致耐心的思想政治工作。她创造性地制定和实行“三包一保”制度，使该处被省管理局评为“先进单位”与“迎亚运先进单位”。1991年她又将“三包一保”制度量化、深化，实行“四表一薄”，进一步促进了党风与行业风气的好转。全处124人次拒收和上交旅客钱物1万多元，收到表扬、感谢信192件。

张立兰，1944年6月生，1968年6月参加工作，山东省文登市人，中国共产党党员。先后当过服务员、副指导员、团委副书记、党支部书记、党总支书记等。1985年以来，被民航省局以上领导机关授予“三八”红旗手、优秀党员、先进工作者，学焦裕禄标兵、先进女职工、精神文明先进个人等称号多达13次。

〔张百发·北京市副市长·揭短自罚〕　张百发是北京市主管城建工作的常务副市长，他从群众来信中得知安慧里二区十八号楼工程质量差，市质量监督部门没有严格把关，施工单位一直拖延返修日期，致使楼房建成一年零八个月却住不上居民的情况后，在北京市政府常务会议上主动作了自我批评，提出扣罚自己一个月工资，并于1992年1月18日召开了市城建系统“自我揭短”现场会。

这一天，张百发冒着严寒，在安慧里二区18号楼前露天主持了现场会。市城建系统的一百多名局、处级干部首先观看了18号楼的工程质量，发现装修质量粗糙，部分卫生间渗漏，室内顶棚墙面开裂，墙皮脱落，门窗不严等严重质量问题。张百发说：18号楼修成这个样子，是对人民严重不负责任，如不严肃处理，无法向人民交代，无法向党和国家交代。为此决定，扣罚市建委主任施宗林一个月工资；责成市建设工程质量监督总站站长写检查，并扣罚一个月工资；撤销质量监督二分站，将分站站长撤职，并给予行政降级处分；将承建单位市住宅一公司经理撤职，并给予行政降级处分；对负有直接责任的队长、工号主管工长也要严肃处理。张百发表示，今后这样的事出现一起，就要严肃处理一起，建委不处理，我们处理建委。安慧里的一些住户纷纷赶到现场，感谢市政府的关心，称赞张百发对工作主动“自责”、认真“下责”的负责精神。市城建系统表示，春节前对全市近年竣工的住宅进行质量大检查，确保住户暖暖和和、干干净净过春节。

张百发，河北香河人，1934年出生。1954年加入中国共产党。历任北京市第三建筑公司一工区青年突击队队长、公司党委副书记、公司副经理，北京市建工局副局长，国家建委副局长、副主任。1955年曾被评为全国青年社会主义建设积极分子，1959年被评为全国劳动模范。1982年起任北京市副市长。是中共十大至十四大代表，第四届全国人大代表，第五届全国政协委员。

〔张达志·原解放军炮兵司令员·在北京逝世〕　1992年1月15日，原解放军炮兵司令员张达志在北京逝世，终年81岁。

张达志，陕西葭县人。1927年加入中国共产主义青年团，1929年转入中国共产党。1930年被派到国民党军86师做秘密工作。1933年起任中共陕北特委特派员，中共葭县县委书记、陕北特委委员，陕北红27军84师政委，红15军81师和87师政委，军团政治部民运部部长。1936年参加东征战役后，入红军大学学习，后任独立一师政委。抗日战争爆发后，任八路军120师警备6团政委、骑兵支队政治部主任，绥蒙军区副司令员兼副政委，中共绥蒙区党委书记，参与创建雁北和大青山抗日根据地。1945年出席中共七大。解放战争时期，任陕甘宁晋绥游击司令员，绥德军分区司令员，陕北军区司令员。参加了晋中、太原战役。后任第1野战军4军军长，参加了兰州战役。中华人民共和国成立后，任西北行政委员会公安部部长，西北公安部队司令员兼政委。1954年毕业于军事学院。后任兰州军区司令员，中共中央西北局书记，解放军炮兵司令员。1955年被授予中将军衔，获一级八一勋章、一级独立自由勋章、一级解放勋章。是第一、二、三届国防委员会委员，中共第八、九、十届中央委员，第四届全国人大常委会委员。第五届全国政协常务委员。1982年、1987年被选为中共中央顾问委员会委员。1988年7月获一级红星功勋荣誉章。

〔张光宇·已故著名工艺美术家·《装饰》杂志推出《纪念张光宇特刊》〕　由于国际学术界对张光宇及三十年代中国新文化运动中的美术现象日益关注，中央工艺美院选定专门课题来研究张光宇及其装饰学派。《装饰》杂志1992年第四期以

“纪念张光宇特刊”形式发表了夏衍、叶浅予、张仃、华君武、黄苗子、丁绍光、韩美林等著名文艺界人士的回忆与评论，并集中地刊载了张光宇的水粉、插图、动画设计、舞美设计、服装设计和标志设计等近百件。并计划在近期举办“张光宇及装饰学派”国际研讨会。

张光宇，1900 年 8 月生于江苏无锡，逝世于 1965 年。是我国三十年代中国新文化运动中美术界的先驱者。他以毕生精力从事插图、装饰艺术和各种美术设计工作，在装饰和工艺美术方面，取得了卓越成就，是当代著名的工艺美术家。青年时从画家张聿光为师。他多年从事舞台美术设计，对京剧等传统艺术，作过深入研究。1920 年，从事印刷美术工作。早期在《世界画报》、后在南洋兄弟烟草公司、英美烟草公司等处从事美术编辑和广告宣传工作。1934 年筹组时代图书公司，在《三日画报》、《上海漫画》、《时代画报》发表作品。从三十年代到四十年代，他创作了大量装饰画。代表作有《民间情歌》等。之后又创作了《西游漫记》、《水浒人物志》（与孟超编文合作）。形成了自己完整而饶有新意的装饰画风。解放后，他由香港回到北京，从事教学工作。并对中国传统艺术与民间工艺进行深入研究，他精心设计的动画电影《大闹天宫》，受到了中外观众高度肯定和赞誉。他的装饰画在变形、夸饰和色、线的运用方面精益求精，形成了独特的艺术表现意趣。插图处理，变幻无穷，不受任何程式的约束，把中国传统民间艺术和当代艺术意蕴，完整地结合在一起。对目前日臻成熟和发展的中国装饰风格，影响至巨。

〔张先敏（女）·舞蹈教师·在京举行儿童舞蹈作品晚会〕　1992 年国庆期间，中国舞蹈家协会、北京舞蹈家协会、中国儿童艺术剧院和北京市少年宫联合举办了“张先敏少儿舞蹈作品晚会”。这是一台丰富多彩、充满童真、童趣的演出。它展示了张先敏近些年来创编的部分获奖少儿舞蹈作品，参加演出的百余小演员均是她的学生。那构思新颖、别致的《钓鱼》，夸张得体、韵味独特的《北京小妞》，寓意深长、细腻的《放风筝》和各具特色的独舞《弹月琴的小姑娘》、《小小和平鸽》、《牛背上的小姑娘》等，不仅显示了小演员艺术才华和训练有素而且更表现了张先敏编导的坚实功力。

张先敏，满族。1946 年 3 月生。安徽省合肥市人。1960 年 3 月入解放军艺术学院舞蹈系，1965 年于艺术学院毕业后，调至原武汉军区政治部文工团任舞蹈演员兼教员。1970 年初由部队转业回到北京从事群众文艺宣传工作。1973 年 4 月起，先后在北京市东城区少年宫、市少年宫担任舞蹈教师。在儿童舞蹈教学中，她认真掌握儿童心理、生理特点，在教学中强调科学性与趣味性相结合。在她寓教于乐的教学宗旨下，所创作编导的一整套带有游戏性质的能训练全身各个部位的基本功小组合，使孩子们饶有兴味地在提高舞蹈技能、技巧的同时也增强了他们的艺术感觉。她的舞蹈多功能训练法，将形象思维、想象力、创造力融汇在一起，不仅使孩子们能在即兴表演中灵活运用所学的舞蹈技巧，而且还能适应各种演出如影视、时装表演等艺术活动的需要。张先敏在儿童舞蹈这块园地上，已劳作了 20 个年头，近年来她创作编导的 50 多个少儿舞蹈作品，大部分在全国、地区及北京市的儿童舞蹈比赛中获奖；有 40 多个节目分别由中央电视台、北京、太原和兰州电视台播出；1991 年，她带领自己的学生承担了纺织工业部举办的全国《万紫千红》童装设计比赛的全部儿童时装展示表演，引起轰动。她先后撰写的 10 余篇少儿舞蹈教学、创作等学术论文和创编的儿童集体舞被登载在有关刊物上，其中集体舞《娃哈哈》曾被文化部、共青团中央定为优秀作品而向全国推广普及。经她培养出的“小舞蹈家”，有的已进入地方或军队的艺术院校或团体。此外，由北京市电化教育馆、中国儿童艺术剧院音像出版社分别录制发行了“张先敏示范教学”、“张先敏儿童舞蹈”录像片。她曾连续 5 年被北京市教育学会评为优秀工作者。自 1984 年以来，几乎年年分别获有全国、地区、市、区性的嘉奖、荣誉证书和奖励。她是市少年宫一级舞蹈教师、中国舞蹈家协会会员、市舞协儿童委员会副主任，中国儿童歌舞研究会理事，国际人学研究所艺术教育部主任和兼职副研究员，北京市中学生金帆艺术团艺术指导、市小学生银帆艺术团副主任和市教育局校外舞蹈教研组组长。

〔张延生·助理工程师·获第三届青年科技奖〕　陕西省宝鸡有色金属加工厂助理工程师张延生，在“秦山核电站用锆材研制”课题中，创造性地采用金属氧化物等，解决了合金元素加入的难题，使锆—4 合金铸锭的质量达到国外先进水平，为加工出高技术管材开辟了通道。这项课题 1990 年曾获国家科技进步二等奖。1992 年 10 月，中国科学技术协会决定授予张延生第三届青年科技奖。

张延生，1964年6月生，河南省人。1984年8月毕业于沈阳冶金机械专科学校铸造业，同年分配到宝鸡有色金属加工厂的熔铸分厂工作。为了在实践中锻炼充实自己，他积极要求在生产一线和工人一起倒三班生产。经过一年的实践，他基本掌握了生产实践技术。

随着我国核能事业的发展，1985年工厂承担了“七五”国家重点科技项目“低温供热堆”和国家重点工程“秦山核电站燃料组件包套”用锆—4合金材料的研制任务。开发和生产这项高新技术材料，是一场艰巨、复杂的科技攻关战。张延生在和其他技术人员进行“锆—4合金铸锭熔炼工艺研究”中，学习和查阅了大量的国内外技术资料。他利用制取锆—2合金锭用的四元合金豆技术，研制出适用于锆—4合金豆作中间合金，解决了锆、锡熔点悬殊而形成的锡偏析难题。他在研究中，创造性地在国内外首次采用接近锆熔点的金属氧化物，代替传统的以二氧化锆作为氧的添加剂方法，既消除了二氧化锆不熔的危险，又解决了合金元素的加入，而又有效地将氧含量控制在0.09—0.16%标准范围内。这项研究成果，在国内外锆—4合金研究和生产还是首创。在科技攻关中他还采用新工艺解决了铸锭的组织杂质含量高等一系列技术关键，提高了铸锭的化学成分均匀性，使锆—4合金铸锭的质量达到国外先进水平。“秦山核电站用锆材研制”的完成，为我国核能用材国产化奠定了基础，同时为国家节约投资1473.6万元，新增利税424.3万元，每年可节约外汇上千万美元。

张延生不仅在科技进步的风浪里勇于拼搏，而且还具有高尚品德。在试验航空用高强高韧Ti—1023钛合金的试样制备中，他用左臂阻档了60公斤的钛冒口从1.5米高的汽车上下滑，防止了发生更大事故，他受伤的左臂缝合了多针。

〔张全义·发明高温不燃防辐射电缆获国家发明专利证书〕　人民解放军81054部队锦州自控电工仪表成套设备总厂厂长、高级工程师张全义发明的“DYFB不燃烧电缆”，使用温度850°C，不燃性能居国际领先地位，曾于1990年获国家发明专利、第二届国际专利新技术新产品展览会金牌，1991年连获全国专利新技术新产品、军转民新成果交易会金奖、第六届全国发明展览会金牌。在此基础上，他将高温不燃产品系列化，于1992年发明高温不燃防幅射电缆，同年8月19日获国家发明专利证书。

张全义，1939年1月生，辽宁新民人。1961年毕业于鞍山钢铁学院。曾任锦州市劳动局工程队工长、锦州市第三中学校办工厂管委会主任。自六十年代起踏上科技创业之路，30年来先后创办16个企业。其中热工仪表元件厂，原有资金1万元，现已达年产值1000万元，一跃成为国家二级企业。1986年创办81054部队锦州自控电工仪表成套设备总厂，建厂时仅有资金20000元，现已拥有固定资产200万元。他一直坚持“科研带生产，创新求发展”的建厂方针，6年来推出的新产品有：E型高温补偿导线，使用温度517°C，国际标准为200°C；RTTVZP温度变送铂电阻，使用标准为500，国际标准为200，出口美国、加拿大等国；H401低温段加热器，罐口温度500°C，代替丹麦专利；DYFB不燃电缆，先后获两项专利、6块金牌，并定为国家重点新产品。该厂有5项新产品填补国内空白，2项为国际领先。1992年发明的高新产品——高温不燃防辐射电缆，性能超过美国MI型同类产品。现在，他正在研究不燃烧油毡纸等新产品。

张全义在实践的基础上，先后撰写了《企业科研之管见》、《KX—HA—FB型高温补偿导线及其应用》、《高温补偿导线及其应用》等科技论文。他还以该厂为龙头，由5个厂家组成“辽西特种电缆实业公司”，将发明与高新科技迅速转化为生产力。他还为全国96个大中型企业提供配套产品，为全国136个国家重点工程研制了9种替代国外进口产品，节省外汇达1000多万美元。由于在科技创业方面取得的成就，他曾先后被评为辽宁省科技实业家、省优秀厂长、东三省优秀企业家，获第二届全国科技实业家创业奖银奖、优秀论文一等奖等。1991年立一等功。

〔张庆云·农民·撰写传记文学作品《郑王朱载堉》出版〕　1993年2月，由张庆云父子六人撰写的《郑王朱载堉》，由河南中州古籍出版社向国内外公开出版发行。

张庆云1933年6月出生在河南省沁阳市山王庄盆窖村的一个普通农家。朱载堉为明宗室郑恭王厚烷之子，是世界著名乐律学家、历数学家，其封地在今河南沁阳，死后葬于沁阳。张庆云少年时即深受有关朱载堉故事的深刻影响，酷爱音乐，善唱各类题材的山歌小调。几十年来，无论农活多么繁重，无论生活多么艰难，他始终坚持民间文化艺术的宣传与创作活动，为了让民间艺术发扬光大，代代相传，张庆云从1986年起带领自己的子女、亲戚及同乡民间文学爱好者，农闲时走村串巷，广搜博征，撰写文章。经过几年的呕心沥血，由张庆云主编，他们自己设计、插图、装饰、摄影、题字的12万多字的传记文学作品《郑王朱载堉》一书终于问世。书中收集了明代布衣王子、科学文化巨星朱载堉从事乐律学、历学、算学等方面研究，从而取得世界6个第一的49个故事及其世谱简表、生平简介等等。

多年来，张庆云父子6人除完成了《郑王朱载堉》的采写出版外，还先后发表了10多段相声、20多篇民间故事、60多首民歌、300多条谚语等，成为受人尊敬和爱戴的“民间艺术之家”。现在他们又开始《何塘传奇》、《草木之人》等民间文学集子的搜集整理工作。

〔张庆勤·贵州农学院教授·小麦育种研究获重大成果受重奖〕　贵州农学院教授张庆勤及其助手们潜心研究小麦育种14年，以非小麦族材料为亲本的小麦远缘杂交育种获得成功，这是我国小麦远缘杂交育种研究取得的重大突破。1992年5月25日贵州省政府在北京发布这一信息，并宣布重奖张庆勤等有功科技人员。

长期以来，国内外小麦远缘杂交研究，基本是在小麦种属间进行。张庆勤敢于突破樊离，于1978年在黑龙江通北进行小麦夏繁时，用当地的野燕麦与小黑麦杂交成功，随后又用8年时间摸索出通北野燕麦的扬花习性，于1986年重复杂交成功，将其抗病性、适应性等优良性状导入小麦。以后他又先后用节节麦、野生二粒小麦、硬粒小麦、斯卑尔脱小麦、黑小麦等与通北野燕麦杂交成功，育成野燕麦细胞质的“黔型小麦雄性不育系”，1992年6月24日经中国专利局授予发明专利。我国著名小麦育种专家庄巧生等评价这项居国际领先水平的重大科研成果时指出，这项科研突破不仅揭示出小麦的起源进化与燕麦有关，丰富了小麦遗传基础，更重要的是将对小麦的起源演化理论和小麦育种理论产生重大影响，为小麦杂种优势应用于生产开拓了新的途径。

张庆勤，1933年3月出生，浙江省东阳县人。1953年毕业于浙江金华农校，同年入浙江农学院植保系学习。1955年9月至1960年6月就读于原苏联哈尔科夫农学院植保系。1960年9月到贵州农学院，历任助教、讲师、副教授、教授。主要从事小麦抗病育种和小麦远缘杂交研究。曾于1962年在国内外首次提出“小麦白粉菌无性世代在自生麦苗上越夏”的见解。1968年育成抗白粉病的小麦品种“大山洞1号”和“大山洞7号”，在全国最早提出“小麦多抗育种”的观点，先后育成150多个小麦抗源。他于1987年用簇毛麦与硬粒小麦杂交成功，育成条锈、秆锈和白粉病免疫及抗叶锈的贵农20、21、22号，大面积推广生产，显著增产。此外，通过小黑麦与通北野燕麦杂交，育成一批可用于生产的小麦品种（系），其增产幅度比现行推广种高出30—130%，其高强抗条锈病、赤霉病和白粉病的性状，为解决当前世界小麦抗源贫乏问题提供了有效途径。

张庆勤现任贵州农学院麦作研究中心主任、教授、西南农大、湖南农学院兼职教授。于1984年被国务院授予有突出贡献的中青年专家称号，1989年因支农、扶贫和为农林生产服务成绩突出，由国家教委、农业部和林业部授予荣誉证书。1991年获国务院授予的政府特殊津贴。

〔张克辉·当选台盟中央副主席〕　在1992年12月23日至28日于北京举行的台湾民主自治同盟第五次全国代表大会上，张克辉新当选为台盟中央副主席。他在当选后说，中共十四大以后，我国改革开放和现代化建设事业进入了一个新的发展阶段，海峡两岸关系也将出现新的发展，艰巨而光荣的任务摆在我们面前，我们要认真学习、贯彻中共十四大精神，发挥台盟的特点和优势，积极投身于改革开放和现代化建设事业的实践，使台盟工作迈上新台阶。

张克辉，1928年生，台湾彰化人。1949年肄业于厦门大学。曾任中共福建省委常委、省委统战部长、省政协副主席。现任全国政协委员，全国台湾同胞联合会会长。

〔张连生·北京市政工程总公司总经理·作为先进单位代表参加全国“五一”奖章奖状授奖大会〕

北京市政工程总公司在总经理张连生的领导下对北京市的市政基础建设作出了突出贡献。1992年4月29日，北京市政工程总公司获得全国“五一”劳动奖状。张连生受全国总工会邀请作为全国先进集体的代表，参加了1992年全国“五一”劳动奖章和奖状授奖大会。

张连生，河北省涿县人，1937年7月生，1960年6月加入中国共产党，曾就学于北京建工学院中专部，1959年7月于北京市政五公司一工区工作。1983年任北京市市政工程总公司经理。在他的组织领导下，总公司先后建成了北京东厢工程、亚运会市政配套工程和具有国际一流水平的西厢工程等一大批重要市政设施；其中包括大型立交桥30座，各种道路1160万平方米，各种地下管线2100多公里；打通和扩宽了东外二环路、西外二环路、南三环路等一批城市重要干道；建成了田村山、城子、第九水厂等几个新的自来水厂，极大地缓解了首都城市交通紧张和供水不足状况，取得了明显的经济效益和社会效益。已建成的东厢工程，每年可获直接经济效益6000多万元。实现了北京市政府为缓解首都交通问题而制订的“打通两厢，缓解中央”的战略部署，使北京市第一次按总体规划要求有了一条全长33公里沿线没有一处红绿灯的畅通无阻的二环路。

在张连生的主持下，近十年来，总公司先后有137项科技项目获奖。其中排水管径向挤压工艺，居国内同行业领先地位，达到国际先进水平。自行研制的铜模板钢支架、填补了国内空白，获北京市科技进步奖。861混凝土外加剂、多功能接管机分别获得国家发明银奖和国际尤里卡发明金奖。总公司的生产能力也有了很大提高，年施工产值由1984年2.2亿元提高到现在的7.9亿元。

〔张连忠·任人民解放军海军司令员〕 据1992年11月中央军委任命，张连忠仍为人民解放军海军司令员。

张连忠，1931年6月生，山东胶县人，1947年参加中国人民解放军。次年加入中国共产党。参加了胶东保卫战和济南、淮南、渡江、漳厦等战役。建国后，任排长、连长。1958年毕业于汉口高级步兵学校。后任营参谋长。1965年毕业于海军潜艇学校。后任海军舰艇艇长，海军舰艇支队副支队长、支队长。1980年军事学院毕业。后历任海军舰队副参谋长，海军基地司令员，海军副司令员。1988年起任海军司令员。是中共十三届中央候补委员、十四届中央委员。1988年被授予海军中将军衔。

〔张希春·青岛飞龙工艺品公司总经理·获全国乡镇企业家称号〕 张希春没要国家一分钱投资，创建青岛飞龙工艺品公司，经过20年拚搏，1992年公司创产值3·3亿元，利税1050万元，张希春被评为全国乡镇企业家。

1973年3月，张希春带领十多个庄户人，从一个废弃的窑厂起步，没要国家投资一分钱，他贷款十万元，搞起了废渣加工，供外贸部门出口。起早贪黑，不怕脏累，风风雨雨，经过二十年的拚搏，建起一个拥有职工4000多名、固定资产积累3900万元的集团公司。1992年，青岛飞龙工艺品公司创产值3·3亿元，实现利税1050万元，为国家创汇1800万美元。公司的产品有球帽、曲曲发，假发、皮革服装、玩具等十大系列百余种，全部出口美国、加拿大、日本、韩国、东南亚等国家和地区。1988年产品获得经贸部、农牧渔业部出口创汇“飞龙”奖和新产品开发“青龙”奖；公司在1989年和1991年两年被农业部评为“贸工农生产基地企业”。

张希春具有典型山东大汉的性格。从1985年第一次与香港客户合作创建帽厂以来，以其坦诚和热情，结识了近百家国外客户，吸引了越来越多的外商洽谈合作事宜。1988年成立了外经科，自行与客户接触洽谈。全公司到1992年底已上马4家合资企业、12家“三来一补”企业，这不仅扩大了公司的集团规模，增强了企业的应变能力，而且还解决了八千多名农村剩余劳动力的就业，走上共同富裕的道路。

在瞬息万变的商品大潮中，企业没有一定的规模不行，没有质量一流的产品更不行。张希春始终坚持质量第一。1987年青岛飞龙工艺品公司设立了全面质量管理机构，公司下属的分厂从厂长、技术员、验质员到工人，实行层层考核制，严把质量关，使产品质量不断提高，公司所有产品出口均达“免检”标准。生产的“丽吉娜”牌假发于1987年被评为部优产品；1988年球帽被美国的《商业周刊》评为“质量信得过”产品。

张希春，1936年1月生，山东胶州市人。高级经济师。他1953年参加抗美援朝，1955年12月加入中国共产党。1988年被评为青岛市劳动模范，获山东省“富民兴鲁”劳动奖章，1989年被评为山东省优秀共产党员。1992年被评为全国乡镇企业家，获中国改革功勋纪念奖章。

〔张谷年·浙江省出版总社校对·在首届全国优秀校对竞赛中夺冠〕 1992年11月10日，浙江省出版总社校对张谷年在首届全国优秀校对培训与竞赛活动颁奖大会上，捧走了冠军杯。他在《知识测验部分》和《通读操作部分》考核中，对“逻辑事理判断”，“运用校对符号”改正语言用词不当，改正和补缺成语及熟语中的错、漏字，以及标字体、繁化简体、音序标拼、查字部首、运用四角号码、书写英语单词音节等课目，都能对答如流，以高分获得第一名，被人们誉为当代“校对状元”。

张谷年，浙江杭州人，1948年出生，1969年上山下乡到黑龙江北大荒插队劳动，一干就是十年。过了10年的农村生活后，他重返杭州，开始当印刷厂工人，以后在浙江省出版总社当炊事员。在做炊事工作的同时，他潜心学习文化知识，考上了中央电视大学汉语语文系。社里看他好学上进，汉语基础知识扎实，决定调他当校对。从此他一头钻进校对业务技术中，在干中学，在学中干，边干边学，不断提高。如今在校对岗位上已干了10年。10年来，他每校一部书稿，都要把易误解、易错漏的字、词、句和成语典故、人名地名等记下来，从中找原因，总结经验，日积月累，终于悟出了一些带有规律性的校对诀窍，校对质量不断提高，凡经他校对的书稿，差错率都在万分之二以下，有的书稿，几乎找不出差错。

张谷年对校对工作十分热爱。他认为，校对是书稿出版的最后一道关，把好了这道关，就能保证书稿的质量，造福于读者；疏忽大意，放过错、漏，就会影响书稿的质量，贻害读者。因此，校对决不是单纯技术性的工作，必须有满腔热情、高度的政治责任感和良好的业务素质才能干好。他的校对工作量十分惊人，每天平均校对书稿在2·5万字以上。从1983年到1992年底，他校对书稿已达9000万字。经他的手出版的书籍都以质量高、差错少为出版界所称道，其中许多图书成为在全国影响较大的畅销书。

〔张序三·任军事科学院政治委员〕　1992年11月，中央军委任命张序三为军事科学院政治委员。

张序三，1929•年2月生，山东荣成人。1945年加入中国共产党。1947年参加中国人民解放军。曾任胶东军区连指导员。参加了胶东保卫战和淮海、渡江等战役。建国后，任海军副舰长。1954年毕业于苏联海军高级专科学校。同年回国。后历任海军舰长，海军舰艇大队大队长，海军基地参谋长，海军司令部军训部部长，海军副参谋长，海军学院院长，海军副司令员兼参谋长，海军司令员。是第七届全国人大代表。1988年被授予海军中将军衔。

〔张劲夫·中顾委常委、国务委员·撰文谈证券市场〕　中顾委常委、国务委员张劲夫在1992年7月《证券市场周刊》创刊号上发表文章：《加强信息服务　完善证券市场》。文章说：“今天，人们终于在社会主义可以建立证券业这一点上达成了初步的共识。从1990年12月起，上海、深圳先后建立了证券交易场所——全国证券交易自动报价系统。”“证券市场是社会经济生活发展到高级阶段的产物。”“证券市场的发展已有二三百年的历史了。历史的经验已经证明，社会公众的参与是证券市场的根本。在我们这样一个社会主义国家里建立证券市场，保护广大群众的投资热情，就更加重要。当前必须尽快建立起一套完备的法律、经济和行政保障监督体系，其中包括必要的信息公开披露制度。”文章最后指出，“在我国的证券市场建设中怎样体现社会主义特色，怎样使证券市场更好地为社会主义的市场经济服务……我希望《证券市场周刊》在这个新的试验中能做出积极的贡献。”

张劲夫，1914年6月生于安徽肥东。1935年在上海加入中国共产党，从事抗日救亡运动。曾任新四军第五支队政治部主任、四旅政委。建国后，曾任杭州市委副书记、副市长，中科院副院长兼国家科委副主任，财政部部长，安徽省委书记、省长，国务委员兼国家经委主任，是中共第十、十一、十二届中央委员。

〔张国基·全国侨联名誉主席·在北京逝世〕

全国侨联名誉主席张国基于1992年8月30日在北京逝世，享年99岁。这位被誉为海内外侨界一代风范的老者逝世的消息传出后，在北京前往吊唁的人络绎不绝。香港侨界人士成立了“香港侨界悼念张国基老师委员会”，于9月5日在旅港福建商会会所隆重举行追悼仪式。他在海外的学生纷纷从美国、印尼、新加坡、泰国等地打来电话表示悼念，许多人委托亲友送来鲜花、花篮、挽联，一幅长长的挽联上写着：百岁享遐龄高尚品德传中外，一身留正气光辉典范照乾坤。

张国基，1894年3月10日出生于湖南省益阳县，1918年加入毛泽东发起的“新民学会”，1920年赴新加坡道南学校任教，1926年12月回国参加北伐战争。1927年2月，接受毛泽东邀请，到武汉中央农民运动讲习所任教。同年4月，由毛泽东等介绍加入中国共产党。不久，他投笔从戎，参加著名的“八一”南昌起义，担任中央独立第一师师长。1929年再度出国到印尼，继续从事华侨教育工作。

新中国成立后，张国基当选为第一届全国人大代表。1958年10月，他离开印尼回国，继续致力于教育工作。从1959年至今，历任北京华侨补习学校校长、名誉校长。1985年以来担任北京燕京华侨大学董事长。他从事教育工作长达半个多世纪，学生遍布世界几十个国家和地区。1974年以来，张国基先后任北京市文史研究馆馆长、北京市侨联副主席。也是第一至第七届全国人大代表。生活简朴，廉洁奉公，不谋私利，两袖清风。从1958年回国后一直住在两间一套的普通居民公寓里，有关部门几次要给他调整住房，都被他婉言谢绝了。他说，北京现在还有三四口人住一间房的，我住两间已很不错了。等大家居住条件都改善了，再来调整我的住房吧！他唯一的儿子现已七十多岁，一直在湖南家乡务农。1983年他90寿辰时，把国外华侨学生汇集的生日礼物10万元人民币全部捐献给家乡，用以兴建水电站。他还提出，将海内外学生为他九十五岁和百岁大寿汇集的百万余元港元的寿礼，用于奖励品学兼优的学生和在教学工作中作出成绩的教师。为此，其海内外学生已成立张国基文化教育基金会筹委会，以实现张老遗愿。

〔张宝申·编剧·其创作的评剧获三项戏剧奖〕　1992年5月，张宝申创作的评剧《黑头儿与四大名蛋》连获三项国家级戏剧奖——中宣部首次“五个一工程”优秀戏剧奖、文化部第二届文华新剧目奖及中国戏剧家协会第六届全国优秀剧本创作奖。

中国评剧院推出的反映工业现实生活的大型现代评剧《黑头儿与四大名蛋》，在京华引起轰动。先后有20多家报刊发表赞许文章。该戏自中央电视台向全国转播后，已有评剧、川剧、京剧等十余家剧团移植上演。向戏坛献上这一绚丽花朵的，是中国评剧院中年编剧、回族剧作家张宝申。

张宝申，1944年生，山东省宁津县人。他在故乡读完小学，14岁进北京618厂当学徒，在工厂21年。六十年代初，开始业余文艺创作，发表了大量反映工人生活的诗歌和小说，成为北京市工人出身的作家之一。1979年，调入中国评剧院任专业编剧后，仍多次到工厂深入生活，与工人们共同品味着改革的甜酸苦辣。党的十一届三中全会后，他反复探索、实践如何使评剧艺术表现时代的主题。在《黑》剧的创作中，他以精益求精的态度，多次到工人中去征求意见，历时两年，十易其稿，三度修排，终于使这一贴近生活、贴近时代、贴近群众的好戏，成为首都舞台上的一朵奇葩。

《黑》剧通过主人公“黑头儿”——车间主任黑永春，这一改革时代的社会主义新的人物，与绰号“花蛋”、“浑蛋”、“懒蛋”、“笨蛋”四个青年工人发生的冲撞，产生的一系列颇具时代特色的矛盾冲突，表现了党的干部以公仆身份，满腔热忱地把受种种精神束缚的人解放出来。有的评论家著文指出，该剧的创作成功，为八十年代以来，人们都在寻求最佳答案的一个热点问题，打开了新的思路：在改革开放中，如何做人的思想工作，打开人的心扉，勾通人与人之间的心灵？如何发挥每个人的聪明才智，让每个人都更高的实现自己的价值？剧作家避免了公式化、概念化，塑造了典型、写出了人物性格，并以幽默风趣的喜剧风格，拨动了观众的心弦，产生了心理对位效应。该戏曾在北京市（1989年—1991年）新剧目调演中，获编剧一等奖，演出一等奖及导演、音乐、表演等八项十二个奖。同时，北京市委和北京市政府特授予张宝申本人“深入生活奖”。

〔张弥曼（女）·古脊椎动物学家·当选国际古生物协会主席〕　1992年9月在日本京都举行的第二十九届国际地质科学联合会大会上，中国科学院学部委员、著名古脊椎动物学家张弥曼当选为国际古生物协会的第十四任主席。国际古生物协会是一个联系全球古生物学家的大型国际组织，成立于1933年。这个协会历任主席都是各国最优秀的地层古生物学家。张弥曼女士是第一位担任这个协会主席职务的中国学者，也是这个协会第一位女主席。

张弥曼，1936年4月生，浙江嵊县人。1960年毕业于苏联莫斯科大学。1982年在瑞典斯德哥尔摩大学获哲学博士学位。现任中国科学院古脊椎动物与古人类研究所研究员。她长期从事比较形态学、古鱼类学、古生态学等方面的研究，是当前国际上著名的古鱼类学家及脊椎动物系统学家。她对泥盆纪总鳍鱼类、肺鱼化石和陆生脊椎动物起源的研究所得出的结果，对传统的看法提出了质疑，受到国际学术界的重视。在中一新生代含油地层鱼化石的研究中，探明了这一地质时期东亚鱼类区系演替规律，在学术上和实际应用上都有重要价值。由于在上述研究中所作出的贡献，她于1985年获中国科学院重大科技成果一等奖，1987年获中国科学院科技进步二等奖。

〔张香山·外交家·为发展中日友好作出重要贡献被日本授予最高勋章〕 1992年11月16日，中国人民政治协商会议全国委员会常务委员张香山，在日本驻中国大使馆接受了日本大使桥本恕代表日本天皇和政府授予的"勋一等瑞宝章"。这是日本授予外国人士的最高勋章。在中日邦交正常化二十周年之际，日本天皇和政府共给予五位中国人士这种荣誉，以表彰他们为发展中日友好作出的重要贡献。

张香山，1914年生，浙江宁波人。天津中日学院肄业。1933年任天津左联书记。1934年入日本东京高等师范学习。曾参加东京左联分盟的活动。1937年回国，1938年加入中国共产党。后任八路军一二九师敌工部副部长，太行军区敌工部部长，晋冀鲁豫军区敌工部部长，北平军事调处执行部中共方面新闻处副处长。中华人民共和国成立后，历任中共中央马列学院一分院教务处处长，中共中央对外联络部秘书长、副部长，中国亚非团结委员会副主任，中日友好协会副会长，外交部顾问，中央广播事业局局长，中共中央宣传部副部长，中共中央对外联络部顾问，中日友好二十一世纪委员会中方委员，中国国际交流协会副会长，中国记协主席。是第五至第七届全国政协常委。

〔张保和·曲艺演员·在全军文艺会演中获表演一等奖〕 1992年6月，解放军兰州军区战斗歌舞团曲艺演员张保和，在全军第六届文艺会演中演出方言故事《山野的呼唤》，获表演一等奖，创作二等奖。

张保和，1953年生。祖籍山西太原，生于陕西西安。1961年起在宁夏中卫读书，后曾下乡插队当过农民，后又当过工人。1970年参加人民解放军，1973年加入中国共产党。先后当过饲养员、炊事员、卫生员、护士、放映员、干事等。1981年调兰州军区战斗歌舞团任曲艺演员。1987年曾入解放军艺术学院进修。他天资聪颖，勤奋努力。探索并发展了西北方言快板。1990年在全军文艺调演中，他曾获得创作、表演双奖。同年，《张保和快板》录音磁带出版，达45万盒。

1989年以来，他多次参加中央和十几个省市电视台举办的大型晚会，声名大噪，被誉为"西北笑星"，影响扩大到全国乃至海外。

张保和现为战斗歌舞团副团长，是中国曲艺家协会会员，甘肃省曲协副主席。

〔张迺更·原解放军防化兵部主任·在北京逝世〕 1992年3月5日，原解放军防化兵部主任张迺更在北京逝世，终年78岁。

张迺更，河北平泉人。1935年参加"一二·九"运动，1937年毕业于燕京大学，同年参加八路军，1938年加入中国共产党。曾任晋察冀军区军政干部学校政治教员，军区教导团营副教导员，团教育股股长，团政治处副主任、主任。参加过百团大战。解放战争时期，任晋察冀军区工业部副政委，教导师团政治处主任、团副政委、团政委，华北军政大学第一步兵学校政治部主任。参加了张家口保卫战、平汉路破击战、正太战役等。中华人民共和国成立后，任华北军区第36军106师政委，第20兵团政治部秘书长，化学兵学校校长兼政委，防化学部部长，防化学兵部主任，军政大学政治系政委，总参谋部防化学部部长、顾问。1961年晋升为少将。曾获二级独立自由勋章、二级解放勋章。是第六届全国政协委员。1988年7月获二级红星功勋荣誉章。

〔张恭庆·数学家·当选中国科学院学部委员〕 北京大学数学研究所所长张恭庆教授在临界点理论方面独树一帜，取得很多成果，1991年底当选为中国科学院学部委员，1992年1月3日正式公布。

张恭庆，1936年5月29日生于上海市，1959年8月毕业于北京大学数学力学系。他研究的临界点理论是从整体上研究变分问题的一个数学分支。宇宙万物的运动，无不遵从变分原理。张恭庆的贡献在于，他系统地建立和发展了孤立临界点无穷维莫尔斯理论，并把许多临界点定理纳入这一新理论中，使几种不同理论在这里汇合、交织，形成一个强有力的、统一的理论体系，犹如一座设计精美的大厦。由此，他又发现了好几个新的重要的临界点定理，并使过去的许多结果的证明大为简化，新得的结果也更为精确。尤其是他成功地运用这些理论研究了不稳定共边极小曲面等多个国际基础数学领域热点问题，取得了一系列世界一流成果。他曾获1978年全国科学大会奖，陈省身数学奖，两次全国自然科学奖，并获全国科技著作一等奖。

〔张爱珍（女）·戏剧演员·获第九届梅花奖〕 1992年4月，张爱珍以演《杀妻》、《两地家书》等上党梆子摘取了第九届梅花奖桂冠。

张爱珍，1959年出生于山西高平县一偏僻山村，自小爱唱，13 岁入高平县青年文艺培训班。18 岁毕业后，成为高平县上党梆子剧团演员。她学唱表演艺术家吴婉芝的唱片《皮秀英打虎》，达到以假乱真的地步。并演唱这出戏于 1981 年相继获山西省电台举办的优秀青年演员好唱段奖及山西文化厅举办的全省优秀中青年演员评比一级优秀青年演员奖。另外，1984 年她应中国唱片公司之约，重新录制《皮秀英打虎》，由于她刻意创新，演唱更加符合皮秀英这个既泼辣又羞涩的少女心态。新老观众称她的唱腔为“爱珍腔”。

张爱珍善唱，传统上党梆子以高昂粗犷为其特色，婉约细腻不足。而“爱珍腔”激越中见婉约，慷慨中见缠绵，声茂情长。有些原本不喜欢上党梆子的青年人，象学流行歌曲一样学她的腔，因而在上党地区她的唱片曾经一时脱销。去年，张爱珍进京献演《杀妻》、《两地家书》等剧，一炮打红。

《杀妻》说的是新朝驸马吴汉为报国仇家恨杀妻明志的故事。此剧结尾是吴汉妻得知驸马原是父皇王莽的宿敌，为壮夫志，自杀以身殉情。张爱珍出色地塑造了这个深明情理集真善美于一身的悲剧人物形象。她在音乐设计人员帮助下，吸收评剧、曲艺乃至民间歌曲等艺术之长，运用科学发声方法，融轻声、气声于戏曲声腔之中，打破千篇一律地以〔四六〕、〔七板〕为核心的组腔格局，并在演唱上运用了轻、重、缓、急、抑、扬、顿、挫等技巧。如《杀妻》中“炭火熔融情一片，恩爱夫妻似蜜甜”唱段，她着重用气声唱出了王玉莲深夜为夫煎药时的含情脉脉。尾句“原来是秋风阵阵戏门环”她用了一个低回腔，并在“戏”字上停顿、重复，把个贤德的王玉莲盼夫早归的心情表现得细致入微。然而丈夫吴汉面带杀机回家，向她诉说 15 年前的冤仇后，王玉莲犹如五雷轰顶，张爱珍运用两节腔〔叫板〕由低到高，由轻到重，一声“哎”的拖腔呼天抢地，唱得荡气回肠。紧接唱腔突然翻高，如异峰突起，穿云裂石，而后运用低回的〈吟板〉以颤音演唱，与前句形成强烈对比，充分展现出了善良的王玉莲身心所遭受的巨大震动。特别是以响彻行云的〔叫板〕“无辜人”，深刻表达出无辜承担父辈造成恩怨的内心不平。一段长达 50 句的大唱段，张爱珍运用〔垛板〕的不同构句方式，吸收评剧、曲艺的特点，运用气息控制和不断变化音色的演唱技巧，将人物的感情层层推进，直至尾句犹如大江之水一泻千里，使观众心灵为之震撼。

〔张高甫·北京动物园饲养员·繁殖小虎一百只被誉为中国第一养虎人〕 1992 年春，北京动物园的雌虎“丽达”，在 1989 年以来连年繁殖成活虎崽后，又产下 3 只虎崽，这使动物园大型食肉类猛兽饲养班长张高甫实现了自己毕生的夙愿：在人工饲养下繁殖成功 100 只小老虎。经他的手繁殖的这 100 只虎崽，有东北虎 98 只，华南虎、苏门答腊虎各 1 只，如今这些小老虎正生活在世界各地和中国各省市动物园中，张高甫也因此成了一位传奇式人物，被人们誉为中国第一养虎人。

张高甫，1934 年 7 月出生于山东烟台福山区门楼村，1946 年小学毕业后在家乡务农。1954 年到北京动物园任饲养员至今。因一直饲养老虎，对“虎性”摸得熟透，跟这些“山大王”建立了深厚“感情”。1969 年，猎手们在黑龙江珍宝岛的丛林中套住了一只斑斓猛虎，钢丝套紧紧地箍住了虎的腰部，由于它拚命地挣扎，皮开肉绽，鲜血淋淋。送到北京动物园后，张师傅昼夜精心护理它，用药水给它冲洗伤口，又敷生机散，涂云南白药，上紫药水……渐渐地，伤口愈合了。张师傅给这头雌虎取名“花儿”。他不仅操心“花儿”的吃喝拉撒睡，也操心它的“婚事”，几经奔波，最后在济南动物园给它招来个“如意郎君”。“花儿”第一胎就生了 4 个仔；次年又生了两个仔。不料，1978 年“花儿”得了白血病，在它已经厌食多日行将死去的情况下，张高甫精心地给它挑了一块嫩鸡肉，送到它的嘴边。“花儿”哀婉而深情地凝视着张师傅，把这块鸡肉吃了下去。几天后，在解剖“花儿”的遗体时发现，那块鸡肉还完整地保留在它的胃里。医务人员说，那是“花儿”在它的胃已经完全失去消化能力的情况下，为报答和安慰张师傅尽最后气力而吞下的。

张高甫常说，老虎是有灵性的，特别是对“爱情”看得很重，非要“自由恋爱”后才能安然同居，人为地硬性配对会打得你死我活。这就要求饲养员细心反复观察，看哪一对老虎之间有情愫，有时还要想方设法为它们“培养感情”。比如“丽达”开始对“阿顺”不太中意，张高甫先调整兽舍让它俩做邻居，并时时把两舍间的铁门拉开一条缝，使双方能够互相窥视，经常让它们互换兽舍以熟悉对方的气味，还把一方的尿涂抹在另一方的身上，使双方互相认可与接受对方的气息。如此这般折腾了一个多月，发现它们互相有感情了，才让它俩合笼“同房”。于是一桩好事成功，“丽达”连生“贵子”，四年产下了 14 只小虎崽。张高甫就这样从给老虎们婚配到怀孕、生产、养育幼虎，一天天干着这一件件细小的事。他放弃了无数的休息日与虎为伴，有多少个除夕之夜他没有与家人团圆，却守着老虎们过年。

由于张高甫精心繁殖幼虎成绩卓著，1990 年国家建设部授予他劳动模范称号，1991 年被评为北京市优秀共产党员，1989、1990、1991 三年连续被评为北京市爱国立功标兵。

〔张培刚·经济学家·张培刚学术思想讨论会在武汉举行〕　1992 年 10 月，武汉华中理工大学召开了"张培刚学术思想研讨会"，来自国内外的一百多位著名专家学者，在会上展开热烈讨论，对世界"发展经济学"的创始人张培刚的学术成就给予充分肯定，并一致决定成立"张培刚发展经济学研究基金会"，以资助和鼓励中国年轻学者深入开展发展经济学的研究。

张培刚，湖北省武汉市人，1913 年 7 月生，现任华中理工大学经济管理学院名誉院长、经济学教授兼经济发展研究中心主任，中国外国经济学说研究会副会长。1929 年入武汉大学文科预科，1934 年毕业于武汉大学经济系，1940 年考取清华大学留美公费生，入哈佛大学工商管理学院经济系学习，先后获硕士、博士学位。四十年代中期担任联合国亚洲及远东经济委员会顾问、研究员。1949 年 3 月回国后，执教于浙江大学农业经济系。新中国成立后，被任命为武汉大学校务委员会常委、总务长兼经济系主任，武汉市人民政府委员、财委委员。他长期从事外国经济学说和农业工业化问题的教学与研究，特别是在发展经济学研究方面卓有成就。著有《农业与工业化》、《中国的农家经济》、《熊彼特的创新理论》、《社会主义人口规划与中国人口问题》、《发展经济学往何处去--建立新型发展经济学说》等、与人合作主编了《政治经济学辞典》一至三卷，同厉以宁教授合著了《宏观经济学和微观经济学》。曾被邀请到国务院为财经委员会讲授《微观经济分析》。

张培刚在国际经济学界享有盛誉，智利大学两位教授曾专程赶到中国，寻找张培刚请教关于发展经济学的一些新问题。1979 年，瑞典皇家科学院宣布当年诺贝尔经济学奖授予美国经济学家刘易斯，表彰他在发展经济学上的杰出贡献，可是后来人们惊异地发现，刘易斯提出的"二元经济结构"和"农业劳动力转移"等理论主张，早在 1945 年已见诸于张培刚所著《农业与工业化》一书之中。

〔张曼玉（女）·香港电影演员·获四十二届柏林影展最佳女主角奖〕　香港著名女电影演员张曼玉，因在电影《阮玲玉》中成功地扮演二十年代在上海红极一时的女影星阮玲玉，而于 1992 年荣获 42 届柏林影展最佳女主角奖。这是在四大国际影展中首位获此荣誉的中国女电影演员。1991 年，张曼玉因主演此电影片获台湾第 28 届金马奖最佳女主角奖。

张曼玉是位多产的女电影演员，近年多次获各种奖誉，1989 年以《三个女人的故事》获台湾第 26 届金马奖最佳女主角奖。1990 年以《滚滚红尘》获台湾第 27 届金马奖最佳女配角奖。1990 年以《不脱袜的人》获香港电影金像奖，同年以《爱在他乡的季节》获意大利都灵国际影展特别评审团颁发的最佳演技奖。1991 年获得香港艺术家联盟、香港市政局联合举办的"艺术家年奖"1991 年银幕演员奖。

张曼玉原籍上海，1964 年生于香港。自幼能歌善舞。曾在英国生活多年。返港后成为名服装模特儿。1983 年参加香港小姐选美活动，获得亚军。后踏入影视界，成为影视名星，参与演出的影片有《青蛙王子》、《缘份》、《黄色的故事》、《月亮星星太阳》、《玫瑰的故事》、《警察的故事》、《汽水炸弹》、《客途秋恨》、《阿飞正传》等，其中《警察的故事》获第五届香港电影金像奖。

1992 年大陆将上映的电影《新龙门客栈》，是张曼玉与台湾著名影星林青霞、梁家辉联手演出的新风格武侠片。在此片中张曼玉扮演客栈女老板金镶玉，她一反昔日风格，将一位淫荡且颇具侠气的古代女人演得栩栩如生，活灵活现。此片在香港上映时，备受观众喜爱，在香港创下最高票房记录。

〔张景荣·扶余华孚制药厂厂长·获全国第三届科技实业家创业奖银奖〕　吉林省扶余县华孚制药厂厂长张景荣，致力于将科研成果转化为高技术产品，连续开发"851 营养口服液"、"人参生命源口服液"，取得巨大经济和社会效益，于 1992 年 10 月 23 日经科技实业家评审会议评审，获全国第三届科技实业家创业奖银奖。

张景荣，吉林省扶余县人，1947 年生，中学毕业后在县机械厂当徒工，以后历任车间主任、厂长、县工业局长、扶余制药厂厂长。1984 年 5 月调任扶余糖果淀粉厂厂长，当时这个 162 人的厂子贷款 162 万元，一年亏损 23 万元。张景荣带领职工打翻身仗，到 1986 年一举甩掉了亏损帽子，当年盈利 1 万余元。张景荣看到，吉林全省淀粉厂已有19家，淀粉生产很快就将过剩，他一方面在厂内通过科技挖掘生产潜力，把淀粉厂的生产能力扩大到年产3000吨，使厂子在第二年盈利超过100万元；另一方面将目光瞄准市场，随时准备转产。一个偶然的机会，他了解到闻名国内外的“851营养口服液”的发明研制者杨振华教授正在全国各地物色生产厂家，以便将这项科研成果投入生产领域大批量生产。这种口服液具有抗癌、防癌、抗衰老及治疗消化、神经和心血管系统疾病的作用，曾获第三十六届布鲁塞尔世界发明博览会尤里卡金奖，日本学者称之为“生物导弹”。张景荣感到这是一个千载难逢的良机，决心把这个项目拿到手。经过几个月打听、奔波，终于在江苏无锡找到了杨振华。当时杨教授正与无锡的几个厂家商谈合作办厂事宜，未能谈妥。也是杨教授慧眼识英雄，看出眼前这位东北小厂的厂长是位既尊重知识、尊重人才，又有精明商业头脑的企业家，当即决定与张景荣合作，于1987年4月正式签订生产合作协议。经过张景荣四处奔走，八方求助，硬是筹足了300万元资金。全厂职工进行了大规模的技术和设备的改造，使“851营养口服液”于1988年8月8日正式试车投产。由于疗效高，在国内外十分走俏，当年获利税90万元。1990年产品远销日本、美国、新加坡、泰国，利税猛增到300万元。

“851营养口服液”一炮打响后，张景荣决心开发更多的高技术产品。经多方搜集信息，得知我国著名人参药理学家、吉林省中医中药研究院张树臣教授主持的课题组，早在1982年就利用人参果研究成功了一种抗衰老药物——万寿灵，并获得国家卫生部甲级科技成果奖和布鲁塞尔国际发明博览会银奖。张景荣三次专程登门请教，使张教授十分感动，很快协商达成了在“万寿灵”配方基础上研制开发“人参生命源”的合作协议。张景荣在协议书上专门写道：“‘人参生命源’的研制无论成功与否，经费均由厂方支付。”以表全力支持。经过张树臣教授及其科研小组两年多的紧张研制，几百次的试验，“人参生命源口服液”终于比原计划提前两年研制成功。这种以东北大豆制剂为溶媒，加入人参的有效成分及大枣等多味中药精制而成的新药，在治疗糖尿病、抗癌、抗衰老等方面具有显著疗效，1990年获第二届国际专利及新技术新产品展览会金奖，年底又获第三十九届布鲁塞尔世界发明博览会尤里卡金奖。1992年6月，“人参生命源口服液”正式投产，当年实现利税500多万元。张景荣仍不满足，最近又与成都中医院合作成立了“华夏医药开发研究所”，他先后拨出科研经费140余万元，研究所很快拿出了四个新品种，其中“乾坤补坎液”、“风叶咳喘平”即将投产。

〔张福学·传感器专家·入选美国《世界名人录》〕 北京信息工程学院传感器电子学研究所所长张福学教授由于在传感器研究中做出突出贡献，1992年入选美国《世界名人录》。

张福学，1939年生于云南省宣威县，1961年毕业于云南大学物理系。曾在四川压电与声光技术研究所任高级工程师、副所长等职。后转入北京信息工程学院传感器电子学研究所，任所长、教授。并兼任四川省委和省政府科技顾问，北京市人民政府专业技术顾问，中国电子学会和国际电气电子工程师学会（IEEE）高级会员。

张福学长期从事惯性技术、传感器技术及可靠性理论的研究，在这些领域中取得了多项突破性成果，先后获国家发明奖和科技进步奖5项，部委级科技进步奖20项，在我国、美国、英国获发明专利10项，其多项传感器成果广泛应用于机械、电子、汽车、导航及军事方面。多年来，他还在国内外35种刊物上发表论文224篇，出版著作15本，其中上下册的《压电学》被评选为全国优秀图书。又培养研究生多名。由于在科研中成绩优异，1978年被全国科学大会授予“全国科技先进工作者”称号，1979年被国务院授予“全国劳动模范”称号，1984年被国家人事部授予国家级“中青年有突出贡献专家”称号，1991年又获国务院给予的政府特殊津贴。

〔张蔚飞·摄影记者·新闻照片《稀客光顾大商场》获第十二届全国新闻摄影作品评选金牌奖〕

上海解放日报摄影记者张蔚飞以一幅邓小平南巡时光顾商场的新闻照片，获得了1992年度，即第十二届全国新闻摄影作品评选金牌奖。

1992年2月，邓小平南巡来到上海，在先后视察了南浦大桥，闵行开发区等地后，于18日晚8时，和夫人卓琳兴致勃勃地来到中百一店“逛商场”。照片的画面上是这样一个细节：在文具柜前，小平同志掏出钱来为他的小孙孙购买铅笔、橡皮。张蔚飞摄下了这掏钱购物的瞬间，记录了中国改革开放的总设计师、发展社会主义市场经济的倡导者平凡而伟大的风采。照片本身的构图用光都比较平，也许正是如此，造就了《稀客光顾大商场》初看不奇，细看隽永的特殊魅力。

张蔚飞，1950年出生，上海市崇明县人。1968年参加中国人民解放军，从部队走上了摄影生涯，1981年起任《解放日报》记者。1988年任上海市新闻摄影学会理事。主要作品：《拨动心弦》入选1982年全国新闻摄影展；《小丑的归宿》获1981—1985年上海市新闻摄影作品评比一等奖；《中美合作生产的第一架客机》入选1987年全国新闻影展。

〔张德馨·数学家·在长春逝世〕　原东北师范大学副校长、教授张德馨，1992年10月25日在长春逝世，享年88岁。

张德馨，山东黄县人。1905年3月生。早年就读于北京师范大学数学系。1931年赴德国留学，1937年毕业于柏林大学，获博士学位。学成回国，先后任教于西北联合大学、西北师范学院，从事基础数学的教学和科研工作。代表性著作有《整学论、"以质数P＝4n+1为模的二次同余式的解法"等。1947年任长春大学代理校长，1949年9月任东北大学副校长。他是第一至七届全国人大代表，曾任吉林省政协副主席。

〔张薰华·经济学家·主编的《社会科学争鸣大系》（社会主义经济理论卷）出版〕　经济学家张薰华教授主编的《社会科学争鸣大系》（1949—1989）（社会主义经济理论卷）1992年由上海人民出版社出版。这部书系统地介绍了新中国成立后40年间我国理论界在社会主义经济理论方面开展学术争鸣的情况，颇有参考价值。

张薰华，1921年12月出生于江西省九江市。曾就读于苏州工业学校，1945年复旦大学经济系毕业后留校任教。1947年加入中国共产党。解放后曾任复旦大学党委常委、校工会主席。1962到1984年任复旦大学经济学系主任。现任中国《资本论》研究会副会长、上海市经济学会会长、上海社会科学联合会常务委员、上海市体制改革研究会、金融学会、价格学会顾问。

张薰华曾师从著名专家王学文教授钻研《资本论》，并在复旦大学长期从事《资本论》的教学和研究工作，是我国《资本论》研究领域公认的权威之一。1976—1982年出版了他撰写的《资本论》理论部分三卷提要。1981年，他撰写了《资本主义中的再生产理论》，用几万字的篇幅介绍了三卷《资本论》的主要内容。1987年，他撰写了《资本论脉络》一书，偏重从方法论角度，按照《资本论》的逻辑顺序，将原著要点作了阐述与发挥，使人感到《资本论》的确"是一个艺术的整体"。

张薰华还运用《资本论》的基础理论，探索社会主义建设中的理论问题。1985年他撰写的《论社会主义商品经济中地租的必然性》受到中央有关部门的重视。他主编的大陆第一本《土地经济学》，为我国改革开放中的土地有偿使用提供了理论根据。1990年，他又主编了国内第一本《交通经济学》。

张薰华在教学方面也颇有成就，他主讲的《政治经济学研究》课程，1988年被评为教育优秀奖；1989年他被国家教委评为全国优秀教师，荣获奖章。

〔张耀明·玻璃纤维专家·获国家发明奖二等奖〕　南京玻璃纤维研究设计院第三研究所所长、教授级高级工程师张耀明主持研究的"20孔双坩埚光纤拉丝工艺和TG—I型特大双机头拉丝机"，获1992年国家发明奖二等奖。

张耀明，1943年12月9日生于江苏省无锡市，1965年毕业于上海同济大学数理力学系，同年进南京玻璃纤维研究设计院工作。1983年任特纤室副主任，1984年任第三研究所所长。他1979年主持研究的"单孔双坩埚拉制光学纤维的工艺和设备"获江苏省科技进步二等奖，1984年主持研究的"高数值孔径高强度光学纤维"获江苏省科技进步二等奖。他本人1986年获南京市优秀科技人员称号。1989年他参加的"18芯模头拉制塑料光纤及制品"获国家建材部科技进步三等奖。他本人1990年获国家建材局中青年专家称号，1991年获南京市劳动模范称号，同时获国家特殊贡献专家称号，享受政府特殊津贴。

〔陆诒·著名新闻记者·参加纪念"一·二八"淞沪抗战六十周年活动〕　1992年1月28日是淞沪抗战60周年，当年在战地采访的记者陆诒，重游淞沪战斗最激烈的宝山区庙行无名英雄墓遗址，参加了宝山区政协组织的纪念活动。

陆诒，1911年生于上海市上海县。在上海民治新闻学院学习期间，于1931年8月派到《新闻报》画刊编辑室实习。"一·二八"淞沪战事爆发后，他主动要求去前线采访，身揣两只信鸽与另一记者同行。在枪林弹雨中，他以出色的工作博得报馆同人赞誉，被任命为正式记者。1933年日寇侵入热河，他奔赴承德采访，在战地写的《热河失陷目击记》，受到读者重视。在八年抗战中，他约有四年在战地奔波采访。1938年4月在台儿庄战役中，他和范长江在战斗进入决定胜负的关键时刻，到达距台儿庄仅三里的前线指挥所，目击当时我军全线反攻的激战情况。第二天清晨，又目睹敌军狼狈溃退，他们欣喜若狂，冒着敌机轰炸，通过运河上军用浮桥，踏进了余烬未熄的台儿庄，遍访当地军民，用亲眼目睹的真切、详尽的事实报道了台儿庄战役的经过。1938年5月中旬徐州被日寇包围，陆诒随军突围后转战十天，亲身体会到战士的生活、老百姓的喜怒哀乐和抗战军民之间的鱼水关系。

陆诒从《新闻报》到《大公报》，又于1938年初进汉口《新华日报》。多年来，用一篇篇朴实无华、真切翔实、具有感染力的战地通讯及时向读者报道，也为中华民族的反侵略战争留下一个个生动感人的镜头和一页页珍贵的史料。1939年到1940年，他从重庆《新华日报》出发，渡黄河北上，进入中条山，到太行山和晋东南，然后再从河北平原转到晋冀察和平西等抗日根据地，报道八路军在华北敌后战场上军民奋战的光辉业绩，增强了全国人民抗战必胜的信念。

太平洋战争爆发时，陆诒正在新加坡。他报道了中国远征军参加滇缅边境战役的经过。抗战胜利后，又报道了国共谈判和民主运动；直到1949年的开国大典、人民英雄纪念碑奠基和新政协会议的召开，他的足迹和笔触始终与人民革命斗争息息相关。

陆诒是上海市记协顾问、第七届全国政协委员和上海市政协委员。虽已八十多岁，仍常为报刊写稿。已出版通讯集有：《热河失陷目击记》、《前线巡礼》、《战地萍踪》等。

〔陆莉（女）·体操新秀·获第二十五届奥运会女子高低杠金牌和平衡木银牌〕 1992年8月1日晚，在西班牙巴塞罗那举行的第25届奥运会女子高低杠决赛中，中国选手陆莉以精彩的表演让6名裁判毫不犹豫地都打出了10分——满分，夺得了冠军。10分钟后，她又登场参加平衡木决赛，为中国队又添1枚银牌。

陆莉在高低杠比赛中，以“向前大回环转体360度成扭臂，接反吊回环再接分腿前空翻”这一目前世界上绝无仅有的高难上法组合开始，到“直体后空翻两周下”，一气呵成，十全十美，没有丁点失误。国际体操联合会已准备以她的名字命名这一上法为“陆莉动作”。

陆莉，身高1米38，体重30公斤。1976年8月30日出生在湖南长沙的一个工人家庭里。5岁那年，陆莉的父母就把她送进了长沙市业余体校的体操班。她的启蒙教练叫周小玲，也是我国好体操名将陈翠婷的启蒙教练。陆莉9岁时被选送进湖南省体操队，又遇到了良师熊景斌，就是他为陆莉设计了这套举世无双的高难度动作。

1989年，陆莉13岁那年获第二届全国青运会高低杠冠军。1990年，她夺得了全国青少年体操锦标赛高低杠冠军。1991年4月，她获罗马尼亚国际体操赛高低杠亚军、个人全能第四名和平衡木第五名，7月获李宁杯体操赛个人全能亚军，11月摘取了全国体操锦标赛高低杠的桂冠。连续三年获得三个冠军，陆莉在1991年12月从长沙来到北京，进了国家集训队的大门。不到半年，1992年4月赴巴黎参加世界体操单项锦标赛，在高低杠比赛中预赛名列第三、复赛第一、决赛因落地不稳而退居第四名。

陆莉性情和顺，平时话不多，但训练很刻苦、踏实。她在奥运会前从来没有想到会夺金牌，但经常梦见“我落地时站稳了！”

〔陆孝彭·著名飞机设计师·获国家航空金奖〕 1992年12月23日，航空航天部举行授奖仪式，向十位有突出贡献的专家颁发航空金质奖章，并授予荣誉证书，颁发10万元奖金。著名飞机设计师、强5飞机总设计师、南昌飞机制造公司科技委主任陆孝彭获此殊荣。

陆孝彭，祖籍江苏常州，1920年8月出生于上海，1937年以优异成绩考入重庆中央大学航空工程系，苦攻飞机设计。1945年，陆孝彭远渡重洋，先后在美国圣路易麦克唐纳飞机厂、英国格罗斯特飞机厂实习。1949年祖国大陆解放，陆孝彭毅然回国，投身新中国的航空工业建设，被分配到华东军区航空工程研究室工作，后调北京南苑飞机修理厂任工程师。1956年，陆孝彭被调到沈阳，任第一飞机设计室总体气动组组长，后任歼教一飞机主管设计师，主持设计了新中国第一架自行设计的飞机··喷气式教练机歼教一型，该机于1958年8月首飞成功。

随后，航空工业部门决定研制发展中国的强击机，试制任务由南昌飞机制造公司承担，陆孝彭被调去任强五主管设计师。新型强击机必须具备良好的低空飞行性能，能上能下，能高能低。陆孝彭把自己"软禁"在设计室里，闭门谢客，冥思苦想，翻阅了大量资料，和总体组的同志一起勾画了一幅幅草图。经过连续两个月的紧张工作，终于拿出了第一轮总体图。由于设计新颖大胆，别出心裁，受到一致赞扬。随后，陆孝彭和设计室的同志仅用一年时间，便完成了全套飞机设计图纸15000余幅。正当强五步入制造原型机的关键时刻，却遇上国民经济调整，强五试制面临下马停工。当时强五已完成80%多的零部件，成功在握。陆孝彭向公司党委大声疾呼。公司终于决定，成立以他为组长的强五试制小组，继续试制工作。经过两年多的顽强拚搏，他们克服了难以想象的困难，以惊人的事业心完成了任务。1965年6月4日，强五首飞成功。1966年3月10日，强五在北京南苑机场为中央首长做飞行表演，随后，中央军委和毛泽东主席亲自批准，强五投入成批生产。从此揭开了我国自行设计制造超音速喷气式强击机并大量装备部队的历史，填补了航空工业的一项空白。

由于陆孝彭为发展我国航空事业不断作出突出贡献，他出席了1978年全国科学大会并登上大会主席台。他的名字被登载在《中国大百科全书》航空卷中，连续当选为全国人大第四、五、六、七届代表。1985年获国家科学技术进步特等奖。于今，陆孝彭已步入古稀之年。他壮心未已地表示：人生在世，事业为重；一息尚存，奋斗不止！

〔陆颂善·飞机制造专家·获国家航空金奖〕

我国第一代飞机制造管理专家、西安飞机工业公司某工程总指挥陆颂善，在我国航空工业中辛勤耕耘近40载，参加和主持过11种型号飞机的研制工作，他坚持企业走内涵式技术改造的路子，受到国务院领导的肯定，被称为"西飞技术进步模式"。1992年12月23日，他被授予我国航空工业最高荣誉奖——"航空金奖"和十万元奖金。

陆颂善，1919年8月生于上海，1940年毕业于上海交通大学机械系，早年曾在美、英等国学习、工作。回国后长期从事飞机制造和管理工作。1958年调到西安飞机工业公司，历任副总工程师、总工程师、副总经理等职。早在60年代，作为总工程师的陆颂善，就力主从国外引进先进的技术和管理。1962年他在英国赫恩飞机厂考察了11个月，除了完成飞机的验收任务外，又引进了明胶板制模线和光学望远镜装型架两项新技术，使飞机制造的技术准备阶段缩短了30%以上。这在当时我国基本还处于封闭的情况下，是一惊人之举！

80年代初期，在军机订货大量下降，企业面临危困之际，他坚信中国的民族航空工业一定要发展，力主西飞军机与民机并举，坚决顶住了有人因运七飞机尚未设计定型生产前景不乐观而提出把运七厂房腾出来干别的压力，在民航的支持下，终于使运七飞机在西安起飞。现在，运七已成为我国民航的最大民机机群，填补了我国民机的空白；并正飞向国际市场！

在改革开放新形势下，军工企业普遍争相开发见效快的民品时，陆颂善从技术发展的战略高度，看到与国外协作生产的光明前景。极力主张转包生产，开拓国际市场。通过转包生产引进和消化了国外先进技术和质量管理。1980年他们与美国波音公司协作生产，只用一年时间，就按波音公司的技术条件完成了12条生产线的改造，并通过了波音专家鉴定，获得了生产许可证。走出了一条花钱少、效果佳的企业内涵式技术改造路子，受到国务院领导的肯定，被称为西飞模式。西飞这一起步，比国内航空系统的兄弟厂家早了3至5年！现在，西飞的航空零部件出口有了很大发展，总金额达8000多万美元，并正朝着制造整架飞机的技术水平发展。

陆颂善是位谦虚谨慎，廉洁奉公、作风正派的共产党员。他把国家每月发给他的100元补帖费全部作为党费上交。几年来，他主动多交党费和向残疾人捐款达2600元。1978年，他出席全国科技大会，被授予全国科技先进工作者称号。1986年以来连续5年被评为西飞的优秀党员。

〔陆熙炎·有机化学家·当选中国科学院学部委员〕 陆熙炎在有机化学研究中作出重要贡献，1991年底当选为中科院化学部学部委员，1992年1月3日正式公布。

陆熙炎，江苏省苏州市人，1928年生。1951年毕业于浙江大学化学系。后一直在中科院上海有机化学研究所工作，现任该所研究员，并任北京大学和兰州大学兼职教授，《化学学报》、《有机化学》、《中国化学快报》编委，《中国化学》副主编。

陆熙炎早年曾从事链霉素化学及磷型有机萃取剂的研究。目前正在研究从金属有机化合物的基元反应发展新的有机合成反应。

陆熙炎曾获国家自然科学二等奖一次（参加者），国家发明二等奖一次（参加者），发表论文近百篇。

〔**阿曼·油画家·其画集出版**〕 新疆伊犁草原上的牧民之子，中国哈萨克族第一代著名油画家阿曼，1992年出版了他的第一本反映新疆牧区生活的油画专集《哈萨克画家阿曼》，获得了广泛的称誉。

阿曼又名阿不都拉曼，1937年11月出生。1956年他在中央民族学院学习，1963年考入中央美术学院油画系，先后得到董希文、罗工柳、李天祥、林岗等著名画家的教导。毕业后，回新疆自治区文化厅创作组。他深入牧区写生、访问，创作了大量反映新疆少数民族风情的人物画和风景画。他刻苦作画，每年都有新的作品问世。他的作品曾多次参加全国性美展，并获奖，有的还被国家美术馆等收藏。还有一些作品被送到日本、澳大利亚、英国和土耳其等国展出。从1981年始，阿曼调任新疆画院油画研究室主任。他现在是新疆美术家协会副主席、高级美术师。

阿曼的家乡那拉提是伊犁河上游最美的草原，他对那里纯朴的牧民以及草原的绮丽风光，作了最动人的描绘。在他的画里，雪山、溪流、羊群、毡房，都洋溢着一种诗意之美。作品有《天山牧场》、《前哨》，特别是新作《承包之后》，从另一个侧面表现了牧民走向富裕生活的主题，体现了鲜明的时代特色，而被选入1990年《全国油画精品大展》。

〔**陈涵·中学生·获第二十三届国际物理奥林匹克竞赛金牌**〕 1992年7月上旬，在芬兰首都赫尔辛基举行的第23届国际物理奥林匹克竞赛中，广东省江门市第一中学学生陈涵，获个人总分第一名。

参加这次比赛的有来自37个国家的277名选手。我国选出的5名选手全部获得金牌，居金牌总数第一和总分第一。我国自1986年参加国际物理奥林匹克竞赛以来，这次是继1991年后第二次获得总分第一。在前6届的比赛中，我国共夺得8枚金牌。在这次竞赛中，我国共派出5名选手，其他4名选手及成绩分别是：河南开封高中的石长春，获个人第3名；湖南师大附中的李翌，获个人第4名；湖北潜江江汉油田广华中学的张霖涛，获个人第7名；湖南沅江一中的罗卫东，获个人并列第11名。按比赛章程规定，获总分前13名的参赛者均可得金牌。

陈涵，广西玉林人，1975年8月生。1981至82年，在贵州盘江矿务局子弟小学读书；1982至1986年，在上海市长乐路一小学习；1986至1991年，在广东江门市捂岗小学、第一中学学习。1991至1992年，在北京大学附中全国高中物理试验班学习。参加奥林匹克竞赛后，陈涵于1992年9月入清华大学计算机系深造。陈涵1988年获广东省初中英语竞赛一等奖；1989年获广东省初中化学竞赛一等奖；1989年获全国数学联赛广东省一等奖；1990年获全国第三届力学竞赛广东省二等奖；同年还获得广东青少年计算机程序设计竞赛高中组三等奖；1991年获第八届全国中学生物理竞赛省一等奖、全国三等奖。由于陈涵品学兼优，1988年他还获得江门市文明学生称号和江门市市直级三好学生称号；1991年获《半月谈》中学生奖学金；1989—1991年，获江门市单细胞生物工程基地颁发的“未来科学之星”奖学金。

1992年7月21日，江门市政府为陈涵举行了庆功会，号召市教育战线全体同志向他学习，并奖给陈涵一万元；香港著名实业家、江门市教育促进会名誉会长黄球先生奖励陈涵及其老师1、5万元港币；江门市科协也奖给陈涵一万元，并邀请他参加市科协第六次代表大会。

〔**陈楚·外交家·为发展中日友好作出重要贡献被日本授予最高勋章**〕 1992年11月16日，中央外事工作领导小组顾问陈楚，在日本驻中国大使馆接受了日本大使桥本恕代表日本天皇和政府授予的“勋一等瑞宝章”。这是日本授予外国人士的最高勋章。在中日建交正常化二十周年之际，日本天皇和政府共给予五位中国人士这种荣誉，以表彰他们为发展中日友好作出的重要贡献。

陈楚，1917年生于山东荣成。1932年起在济南先后就读于山东省立第一乡村师范、山东省立第二师范。1936年转入北平私立山东高中，在校参加抗日爱国活动。1937年“七七”事变后，赴延安受阻，返回山东，在胶东黄山参加抗日武装起义，同年入伍，1938年1月加入中国共产党。在八路军山东纵队先后任连政治指导员，61团总支书记、政治处主任，第二支队、第三支队政治部主任，第三旅政治部副主任，清河军区政治部主任。1943年起在山东军区政治部宣传部、中共山东分局宣传部任科长，后任山东大众日报社副总编辑、总编辑。1945年抗日战争胜利后，赴东北工作，先后任安东日报社社长，辽东日报社社长，东北日报社副社长。1949年起任长江日报总编辑、社长，中共中南局宣传部副部长。1954年调入外交部工作，首任苏联东欧司司长、驻苏联大使馆公使衔参赞、国际关系研究所副所长、西亚北非司司长、驻加纳大使（未赴任）、新闻司司长。1971年中国恢复在联合国合法席位后，出任中国常驻联合国副代表（大使衔）。1972年中日邦交正常化后，出任首任驻日本国大使。1977年任中国常驻联合国代表（特命全权大使）。1980年任国务院副秘书长（分管外事工作），后任中央外事领导小组成员兼秘书长，1988年任外事小组顾问，1989年6月任国际战略基金会会长。

〔陈大任·香港企业家·在港逝世〕　香港明报报业有限公司及《明报》杂志有限公司总经理陈大任，1992年2月28日在香港病逝。

陈大任，1946年生于香港。毕业于香港中文大学。曾获日本庆应大学研究院商业硕士学位。1979—1980年任港日经济合作委员会首任秘书长，对港日经济合作及日本在港投资作出贡献。陈大任曾服务于新鸿基证券及新鸿基中国有限公司；担任过优利电脑系统的首席代表及驻北京分公司总监。

陈大任于1988年加入明报集团，主持明报报业有限公司及《明报》杂志有限公司的发行业务，并兼任生产与发行部门主管。在职期间，曾策划“中国新面貌”的特辑，在《明报》上连载。特辑中访问了中国许多部门领导，采写了他们开拓主管业务的现状及前景。这一特辑汇编成书，成为当代中国新貌的珍贵资料。

陈大任曾任香港报业公会义务秘书及主席。

〔陈大羽·著名画家·八十寿辰·江苏举办陈大羽师生展〕　陈大羽，原名汉卿，广东潮阳人。1912年生。他自幼酷爱美术，后入上海美术专科学校国画系，毕业后从事中学美术教育。1944年被齐白石收为门徒，又曾师承刘海粟、吴昌硕、赵之谦诸名家，画艺日见精进。白石老人为他更名为陈翱，字大羽，寓意为雄鹰展翅，振羽翱翔，预示着他的艺术进入一个新的境界。

陈大羽，惯画花鸟，也画山水人物。青年时代画苍松翠竹，飞翔小鸟，精神飒爽，脱俗清奇。而在六十岁以后则是笔墨老练，于浓墨重彩之间，含天真稚朴之气，同时透出雄浑，高古，豪放之风，令人叹为观止。刘海粟曾评为“得含蓄于豪辣之中，求真率于霸悍之外。”这评价是十分确切的。

陈大羽的花鸟画，一是取材广泛，二是重在写意。如画“鸡冠”的血红艳丽，象征欣欣向荣的时代风采。画“万年青”的充满生机，象征祖国的繁荣昌盛。画“苦瓜”则寄寓着他与他的夫人有青年时代共同生活的苦况，并题诗云：“先苦后甘悟真谛，老妻启我作瓜图。”

他的花鸟画，对形式美的要求也很高。其章法布局，很讲求气势，常采用顶天立地构图，虽大，大而不空；虽小，小而不塞；虽少，少而不疏；虽多，多而不乱。下笔疾中求稳，稳中善变。他的运墨，为求总体艺术效果，不拘一枝一叶之微妙变化，而着眼于整幅墨色韵律的铺写。浓淡得宜，枯湿互济，虚实相生。他的用色，墨与色并重，互相辉映，对比强烈，妍而不甜，艳而绝俗。从而使章法与笔墨色获得完美和谐的统一。

陈大羽的花鸟画，以“大公鸡”最为出名。人称“画鸡大师”。他笔下的公鸡高视阔步，得其神似。他以老辣的浓墨重彩，表现雄鸡的威武斗姿，炯炯的眼神，犀利的嘴喙，矫健的利爪，威武的顶冠，特别是那硕长飘扬的尾羽，一见而给人以非凡的力，而幻成雄强气势。其他花鸟鱼虫草木藤萝，都一反纤巧柔细，而饶有热烈奔放的律动和英爽遒劲的力，以柔化刚，以细显巨。这就是陈大羽的艺术特色。

陈大羽还集书、画、印于一体。相互贯通，相得益彰。他能把书、印韵味融入画面，反过来又将画的意境和法度，渗透于书法、印章的创作中。

他也是一位当代有名的美术教育家，现任南京艺术学院中国画硕士研究生导师、书法篆刻专业硕士研究生导师。

1992年5月，是陈大羽先生的八十寿诞，他自治画印：“人书未老”，以示其健。江苏省美术界和南京艺术学院联合举办了《陈大羽师生作品展》。同时江苏美术出版社出版了《陈大羽国画作品选》。都引起海内外的轰动。

陈大羽还是一位颇有影响的社会活动家，曾先后两次应邀赴日本，去年一次恰逢中日和平友好条约缔结十周年之际。日本爱知县日中友协特为他主办《中国著名画家陈大羽作品展》受到日本画界的赞誉。大羽善属文，论著有《扬州八怪的艺术风格》，出版有《陈大羽画集》等。

〔陈子荷（女）·乒乓球运动员·获第二十五届奥运会女子双打银牌〕　1992年在西班牙巴塞罗那举行的第25届奥运会乒乓球女子双打比赛中，陈子荷与高军合作，夺得女子双打亚军，为中国队赢得了 1 枚银牌。

陈子荷，1968 年 2 月 28 日生于福州，身高 1 米 66，体重 58 公斤。她 11 岁进入福建省集训队，1985 年被选进国家集训队。1986 年曾参加过亚洲少年乒乓球锦标赛，不仅与队友一起为中国女子少年队夺得团体冠军，而且与高丽娟合作获得女子双打冠军，她还与马文革配对在混合双打比赛中名列第三。1987 年，她第一次参加世界大赛——第 39 届世界乒乓球锦标赛的单打比赛，成绩不理想。但她在当年的第六届全运会上却一鸣惊人，战胜了何智丽和耿丽娟两位世界冠军以及陈静等名将。

1988 年，对陈子荷来说是喜获丰收的一年。她参加了美国、朝鲜、南斯拉夫和法国的公开赛或邀请赛，共获得 7 枚金牌和 3 枚银牌。其中，她 8 月在平壤击败朝鲜名将李粉姬，获得女单冠军；12 月在法国公开赛囊括了女子团体、单打、双打和混合双打 4 枚金牌。

1989 年，陈子荷第二次参加世乒赛——第四十届世界乒乓球锦标赛。首次参加团体赛，结果不负众望，为中国女队第九次夺得团体冠军——考比伦杯作出了贡献。此外，她还赴香港、匈牙利和苏联参加了国际比赛，又夺得 7 枚金牌和 1 枚银牌，特别在 11 月举行的匈牙利国际乒乓球赛上，又包揽了团体、单打、双打和混双 4 项冠军。

陈子荷 1990 年和 1991 年参加了第一届和第二届世界杯乒乓球团体赛，均是女子团体冠军中国队的主力队员。1990 年，她在第十一届亚运会上是获得女子团体冠军的中国队成员，并与高军合作夺得女双铜牌。

她 1991 年第三次参加世乒赛——第四十一届世界乒乓球锦标赛，获得 1 枚金牌和两枚银牌。她与高军合作获女双冠军，与谢超杰合作获混双亚军，并且是女子团体亚军中国队的成员。这一年，陈子荷还在匈牙利、瑞典和芬兰的公开赛中获得 6 枚金牌、1 枚银牌和 1 枚铜牌。

陈子荷文静端庄，性情温和。她右手直握长胶球拍，属两面不同性能换板近台快攻打法，球路多变且有怪异的旋转，是中国队中有名的“怪球手”，被认为是欧洲选手的克星。

陈子荷简历参见 1991 年《中国人物年鉴》。

〔陈天生·科技实业家·创办我国第一个民办高技术开发区开发高科技项目获四项金奖〕

1992 年 4 月，在北京举行的中国新产品新技术博览会上，陈天生领导的广东智力高技术产业发展研究中心开发的“生物饲料添加剂——强力酵素”、“TK20 型多功能可视电话”、“天生牌肥力高”、“新型燃料及液气两用灶具”均获金奖。

陈天生，1953 年生于湖北省蒲圻市，毕业于武汉大学经济系，曾担任过光明日报记者、武汉大学教师、《科学与人》杂志主编。1984 年初，他和另三位朋友，率先提出了创办内地特区和高技术开发区的构想，受到国务院有关部门的重视。1986 年 10 月他南下广州，聚集了一批中青年知识分子，白手起家，艰苦奋斗，开发了一批高科技项目。1989 年 9 月，他依仗积累的经验和部分资金，创办了全国第一个民办高技术开发区——广东鼎湖科技实业城。1990 年 7 月，他又创办了民办科技机构——广东智力高技术产业发展研究中心，并将中心与开发区合署办公，既有科研开发队伍，又有生产发展基地，初步形成了一个以实业为主体、以高技术为特色的企业集团，先后开发出十多项具有重大意义的高科技项目。其中可视电话、草纤维薄膜、生物菌肥、生物饲料添加剂、新型液体燃料和灶具、新型节电发热材料等，均已进入国际市场。

陈天生，现在担任广东智力高技术产业发展研究中心主任、广东鼎湖科技实业城管理委员会主任、广东金鼎可视电话有限公司总经理、广东天生肥力高联合开发公司总经理。

〔陈从军·解放军班长·被授予爱民模范称号〕　1992 年 1 月 7 日，人民解放军海军某部班长陈从军为抢救落水渔民英勇献身。3 月 26 日，海军党委决定授予陈从军爱民模范荣誉称号。

1992 年 1 月 7 日，经部队批准停靠在普陀山海军一号码头的浙岭 3225 渔船受伤的渔民陈夏头，到邻近的海军 641 艇要水喝，该艇班长陈从军接待了他。当晚正值普陀山海区天文高潮日，港内风大浪高，码头上漆黑一片。21 时 30 分，陈从军主动护送陈夏头回渔船。当陈夏头转身上渔船时，由于船体晃动不慎跌入海中。在这紧急关头，陈从军一边急呼救人，一边奋不顾身地跳入海中抢救。在与风浪搏斗中，他抓住陈夏头拚命往上托，连续几次才把陈托出水面，使他双手抓住渔船碰垫。就在陈夏头脱险得救时，一个浪头扑来，陈从军再也没有浮出水面，献出了年轻的生命。

陈从军，浙江省温岭县人，1967 年 10 月生，1985 年 10 月入伍，1989 年 12 月加入中国共产党，1990年12月转为志愿兵，历任战士、班长，专业军士军衔。他上初中二年级时，就曾在公路上救起一位70多岁的老人，自己被车撞倒。他从上学时起，就主动照料本村一位80多岁的孤寡老人，为老人挑水砍柴，送米送面，入伍后还经常给老人捎带礼物，直到老人去世。他待战友亲如兄弟，自己生活十分节俭，却把5年中积蓄的400元钱支援了战友。他被分配担任炮手后，每次射击都取得好成绩，被评为射击标兵。1991年8月，部队组织海上实弹射击时，突然出现哑弹，情况十分危急，陈从军从炮长的位置上跳起来，一把推开身边的战友，以熟练的技术迅速排除了哑弹，避免了一场事故的发生。

〔陈文秀（女）、张艺（女）、姜芸（女）·杂技演员·在意大利金色马戏节上获艺术家大奖〕

1992年1月，中国重庆杂技团演员陈文秀、张艺、姜芸，参加在意大利罗马举办的第八届金色马戏节，她们表演的《击鼓蹬技》获得艺术家大奖。

陈文秀，1941年生。1954年考入重庆杂技团学习，1960年起为该团演员。她长期从事蹬技表演，1988年起，经过苦心钻研，大胆创新，创作了《击鼓蹬技》，并在1990年第三届全国杂技比赛西南区预赛中与张艺合作表演这个节目，获优秀节目奖。张艺，1946年生。1954年考入重庆杂技团，表演过《飞叉》、《排椅》等。她们都曾多次随团出国演出。姜芸，1980年生。四川武胜县人。1990年考入重庆艺校杂技班。她在配合陈文秀、张艺表演《击鼓蹬技》中，不畏艰险，动作稳健，得到好评。

陈文秀为国家二级演员，四川省杂技家协会理事。

〔陈文煌·武警莆田市支队原支队长·一生清正廉洁誉满警营内外〕　1992年6月15日，在福建省福厦公路上，陈文煌等人乘坐的小卧车突然遭遇一辆满载瓷器违章占道的客货车，在避之不及惨祸即将发生之际，陈文煌毅然果断命令司机向左打方向盘，使自己乘坐的副驾驶位置首当其冲。随着一声巨响，他的头上、身上多处受伤，血流满面，后经抢救无效不幸牺牲。他用自己的宝贵生命，换来其他3人和对方车上的3人生还。8月4日，中国人民武装警察部队政治部批准陈文煌为革命烈士。8月18日，《人民日报》以“卫士忠魂”为题宣扬了他的事迹。9月25日，武警总部发布命令，给陈文煌烈士追记一等功。10月4日，中共福建省委、福建省人民政府授予陈文煌“人民武警好干部”称号。

陈文煌1948年9月出生于莆田市涵江区。1969年12月入伍来到江西萍乡中队，当兵未满一年就加入中国共产党，入党后第2年当选为江西省军区第4届党代会代表，还被评为萍乡市劳动模范。曾多次被评为优秀党员，十多次受到部队嘉奖。1972年提升为干部后，年年被评为先进工作者。他任中队指导员6年，中队连续6年被评为萍乡市政法系统先进单位。1985年调到莆田市支队后，所在单位又都成为先进集体，支队首批跨入全国武警部队先进行列。他曾说：“为官一任，建树一方，不创一流，愧对壶公山（该山是莆田的象征）”。

莆田是著名侨乡，美丽而富饶。涵江又是在改革开放后莆田首先富起来的地区。但令人难以相信，生于斯、又效力于斯的陈文煌——一个上校警官牺牲后，竟遗留下万余元的欠帐单。他家有不幸：父亲患精神分裂症，青光眼几近失明；母亲多年肺病，整天病病殃殃；妻子在长女夭折后，精神受到刺激，忧伤成疾。偏偏又遇两次火灾，修房花了6000元。钱，对于他是太需要了！可是不义之财他分文不沾，守身如玉。一对两地分居十多年后由陈文煌帮助办成调动手续的夫妻，怀揣1000元送到他家，他坚决谢绝；一名战士的妹妹在陈文煌帮助下通过合法渠道到澳门做工，回家探亲时送他2000元港币和一架照相机，他原封未动让拿了回去；一个包工头想承包支队的一项工程，悄悄塞给他一个红包，他把钱退了，包工头也给辞了；支队有一台上海牌小轿车要处理，一个个体户托陈文煌的亲戚说合，只要把车卖给他，给“好处费”5000元，陈文煌一句话就把人家顶了回去……象这样罢礼拒贿的事有多少，已无从统计。仅在他牺牲后领导上调查他的事迹时，就了解到18个当事人在他那里碰过“壁”。他牺牲前给妻子的最后一张留言条，是让把两桶涂料退回去。那是承包支队工程的包工头送给他家粉刷墙壁的，他发现家里多了东西，立即问清原由，临去总队参加学习班时嘱咐妻子退还的，不想成了他的遗嘱，也成了一个党员干部一生清白的写照。他的家里没有彩电，没有冰箱、收录机，没有象样的家具，唯一的“奢侈品”是1990年买的那台洗衣机。尽管自己经济拮据，陈文煌却乐于助人。他经常照顾一个叫刘菊英的孤寡老人；带头给有特殊困难的战士卜延水捐款 100 元；为 1991 年安徽、江苏水灾捐款 300 元；为“希望工程”捐款 300 元……陈文煌说过:“党员干部站着要留下正直的影子，躺下得留下一身清白。”他的所作所为无愧于自己的诺言。

〔陈书舫（女）·川剧表演艺术家·舞台生活六十年〕 1992 年 9 月 7、8 两日，川剧表演艺术家陈书舫舞台生活六十年展览演出及艺术研讨会在京举行。

陈书舫，现任四川省川剧院名誉院长。她 1924 年出生于河北省辛集（今束鹿）县。父母均系京剧艺人。他自幼随同父母所在的京班入川，7 岁拜泸州河老旦月中红为师，改习川剧，先后参师川剧名旦阳友鹤（艺名筱桐凤）、阳云凤，主攻闺门旦，18 岁演出刘怀叙时装新戏，声誉鹊起，享有“川剧皇后”之美誉。在参与改编的《啼笑姻缘》中，前饰大鼓艺人沈凤喜，后饰豪门千金何丽娜，面目酷肖而性格迥异。她还演出过《茶花女》、《悭吝人》等外国名剧。

陈书舫出生京剧世家，但能向川剧前辈虚心求教，善于从生动活泼的四川口语中汲取营养，融汇京剧与川剧的精髓，丰富和发展了川剧生、旦两行的演唱艺术。1952 年 12 月参加第一届全国戏曲观摩会演，演出《柳荫记》，荣获演员一等奖。陈书舫亦生亦旦，宜古宜今，会戏极多，素享盛誉。1958 年主演现代戏《丁佑君》，被青少年引为学习榜样，他们将她称作丁阿姨。1959 年 10 月随中国川剧团出访东欧四国，演出《秋江》等戏，备受推崇。在大演现代戏浪潮中，她饰《红灯记》中李奶奶、《杜鹃山》中的杜妈妈，均获得很大成功。1981 年春，她应中国唱片社邀请，录制生平杰作《下游庵》，一人兼唱两角，一个是年已四旬的尼姑，一个是潇洒飘逸的学士，一嗓多用，转换自然，母子两代，栩然如生，令顾曲者击节赞赏，并于 1989 年 10 月荣获首届金唱片奖。在长达半个多世纪的粉墨生涯中，陈书舫塑造了一系列妇女形象和书生形象，为川剧事业作出显著成绩和突出贡献。此次为纪念她舞台生活 60 年，台北四川同乡会暨汉音文化剧团与陈书舫的老搭挡及得意弟子联谊演出了《望娘滩》、《秋江》、《柳荫记》等剧，受到川剧界朋友和观众的欢迎。

〔陈可冀·中西医专家·当选中国科学院学部委员〕 1992 年 1 月 3 日，中国科学院正式公布了新当选的学部委员名单。中国中医研究院西苑医院，老年医学研究所研究员陈可冀教授，当选为生物学部学部委员。同年，他的《老年医学在中国》一书，获全国优秀图书二等奖。“平安丹抗运动病及对前庭功能影响”研究，获中国中医研究院成果奖。

陈可冀，1930 年 9 月出生，福建福州人。1954 年在福建医学院毕业后，任福建医学院内科助教、医师。1956 年后，历任中国中医研究院住院医师、主治医师、副研究员、研究员、科主任、副院长、博士生导师。1972 年加入中国共产党。

陈可冀在中西结合治疗心脑血管病上取得显著成就。他根据中医传统活络化瘀和芳得温通理论，研究证实活血化瘀冠心 2 号复方及宽胸气雾剂抗心绞痛及抗心肌缺血的作用。在冠心 2 号的基础上，以该组成药提取物研制成精制冠心片获新进展。他是益气活血复方治疗急性心肌梗塞的主要设计和研究者之一。首先应用川芎嗪治疗缺血性脑血管病获得显著临床效果，并研究证实了其抗血小板机理。是用附子 1 号治疗病态窦房结综合症主要研究者之一。他继承整理了著名老中医岳美中的经验，编著《岳美中医话集》、《岳美中医案集》。他倡仪并组织整理研究清代宫廷医药原始档案，出版了《清宫医案研究》等书。他由于在中西医结合方面取得突出成就，多次在国内外获奖。1978 年获全国科学大会奖，1979 年获北京市科技成果奖，1980 年至 1985 年获卫生部甲级成果奖，中国中医研究院成果奖，1989 年获爱因斯坦世界科学奖状。

陈可冀兼任国务院学位委员会中西医结合医学评议组组长，中华医学会老年医学会副主任委员，中国中西医结合学会副理事长，世界卫生组织传统医学专家咨询团顾问，欧洲中医研究中心顾问等职，并被聘为美国加州中国医科大学及圣塔芭芭拉东方医学院客座教授。

〔陈令智（女）·香港电影演员·主演《浮世恋曲》获第二十九届台湾电影金马奖最佳女主角奖〕 香港影坛新人陈令智，在 1992 年 12 月第二十九届台湾电影金马奖评选中，以其在影片《浮世恋曲》中的平实内在的表演而夺得本届金马奖的影后称号。

陈令智，1962 年 10 月出生。其祖父是早年追随孙中山投身革命的陈策。其母是英国人。她自小兼受中西文化的薰陶，9 岁开始学习跳舞，12 岁时赴英国皇家芭蕾舞学院主修芭蕾，同时还学习了音乐、戏剧表演等课程，6年后回到香港任香港芭蕾舞团首席舞蹈员。曾客串过影片《最佳拍档》及舞台剧《远大前程》、《我的香港》等。1986年婚后停止跳舞。后应邀在影片《舞大班》中饰演舞蹈演员一角。由于她艺术根基扎实，舞姿优美动人、气质高雅独特，加之又有过拍片实践，故而在片中表现十分出色，受到同行好评瞩目。也因此为曾是影评人和记者的香港旅美青年导演陈耀成一眼看中，邀请她主演自己执导的第一部影片《浮世恋曲》。

《浮世恋曲》是一部以香港"九七"来临为背景，体现政治思想、社会观念与爱情对香港浮世之男女影响的影片。陈令智在其中饰演的是一个杂志女编辑。陈令智不负重托，将片中女编辑的心理情感诠释得十分生动、自然、真切，把那位中、英文俱佳，却对去留香港感到傍徨不知所措的女子的心态刻划得丝丝入扣。由于她的表演平实、内在、含蓄，加之她那独特的外在条件，因而荣获最佳女主角奖，并在此之前还在葡萄牙"仙特拉浪漫主义电影节"上也夺得了最佳女主角奖。

〔陈贞坤・电化学工程师・获第二十届日内瓦国际发明与新技术展览会金牌奖〕 1992年4月10日，在第二十届日内瓦国际发明与新技术展览会上，中国发明家陈贞坤研制的"FZ—91高浊点耐高温光亮镀锌添加剂"，以其主要技术指标大大超过美国、日本和台湾等同类先进产品，居国际领先水平，荣获金牌奖。

陈贞坤发明的FZ—91高浊点耐高温光亮镀锌添加剂，在标准的氯化钾镀锌溶液中，浊点大于100°时，仍清澈透明而不浑浊；能在5—65°C范围内得到结晶细致、光亮性好的锌沉积层。它比氰化、碱性锌酸盐镀锌节电50%以上，比铵盐镀锌降低生产成本40%以上，也解决了铸件、淬大件难镀锌的技术难题。其主要技术指标超过国内外同类产品，解决了国际电镀界的技术难点；无公害，镀锌废水处理极易且费用甚微；适用于世界炎热地区每天连续不停的镀锌生产，是当今国际电镀界无铵氯化物光亮镀锌技术的重大突破。

陈贞坤，1944年5月生，福建省福州市人，1962年毕业于福州工业学校无机物工艺专业，现任福得印制电路版有限公司经理。电化学工程师。长期从事表面处理技术工作，曾有三项电镀方面新技术发明获省部级发明奖。撰写和发表论文多篇，其中《影响化学镀铜液稳定性的因素探讨》获全国表面处理与环保技术交流会优秀论文奖。曾被评为全国国防工业职工技协先进个人，多次获省"五一"劳动奖章等奖励，并被收入《中国发明家大辞典》。现为中国发明协会会员、中国环境科学学会会员、福州电镀涂饰技术协会理事长、福州海峡发明科技中心助剂研究所所长、福州表面工程技术学会副理事长。

〔陈兆初・乐凯胶片公司总经理・获第三届全国科技实业家创业奖金奖〕 中国乐凯胶片公司总经理陈兆初，是在电影胶片生产萧条的情况下，于1980年出任胶片厂厂长的。上任伊始，他毅然转向，率企业开发新产品和进行技术改造，经过短短几年的艰苦奋斗，彩色胶卷和彩色相纸获得国家科技进步和国家优质产品银奖，达到国际水平。如今，乐凯胶片厂已成为全国规模最大、品种最多、产量最高、经济效益最好的感光材料生产企业。该厂已有26种产品远销美、日等30多个国家和地区。1991年出口创汇1848万元。1992年12月11日，陈兆初获得第三届全国科技实业家创业奖金奖。

陈兆初常说，作为企业当家人要每时每刻念念不忘为国家精打细算。面对80年代初掀起的引进浪潮，他在默默地思索：在我们这个"家底"还欠丰厚的国家，如何在引进中结合自己现有的科技和工业基础，使引进与自主开发相结合，找到一条发展民族感光材料工艺的快捷之径？经过调查研究深思熟虑之后，他提出的发展路子是：引进关键设备，工艺技术立足自己开发，原材料国内解决，辅助设备国内配套，设计、安装本厂自己搞。这条路不仅可为国家节约大量外汇，而且有利于消化吸收引进技术，进而向更高的层次开发与提高，向广大消费者提供物美价廉的产品，进而打入国际市场。1986年，经过四个半月的安装，一条具有世界水平的彩色胶片涂布生产线投入生产，投资只相当于全套引进的十几分之一。使我国成为除美、日、德、苏外第五个拥有彩卷彩纸开发生产能力的国家。

陈兆初时刻把群众的冷暖挂在心头。他认为党的干部就应该全心全意为人民服务，以不断提高群众生活水平为己任。从厂区食堂的饭菜、生活区澡堂到职工家属的"菜篮子"、小孩子，无处不浸透着陈兆初的心血。他主持投资83万元兴建了一座新液化站，确保了职工的生活燃料。生活区住宅楼安装了暖气，厨房安装了换气扇，单身宿舍标准化。

幼儿园、职工医院、主副食加工……以及冬季职工室内的温度，他都亲自过问。

行为的感召力是巨大的，乐凯胶片厂广大职工在厂长陈兆初的影响下无不奋力进取，在市场疲软、资金紧张、原材料涨价的情况下，乐凯胶片厂新产品开发捷报频传，经济效益大幅度提高，居国内同行业之首。1990、1991年连续两年被评为全国500家最佳经济效益企业。1991年陈兆初被评为全国化工劳动模范。

〔陈兆复·岩画专家·出席澳大利亚国际岩画会议宣读论文受赞誉〕　1992年8月下旬，中国岩画专家陈兆复教授应邀赴澳大利亚凯恩斯出席国际岩画会议，在会上宣读了论文《澳门岩刻和中国东南沿海岩画》，他的论文和学术成就在会上受到各国专家的赞誉。

陈兆复，浙江瑞安人，1933年8月出生，1959年毕业于浙江美术学院中国画系，毕业后分配到中央民族学院艺术系美术专业任教至今。现任中央民族学院少数民族文学艺术研究所研究员，兼任联合国教科文组织国际岩画委员会执行委员（为世界岩画组织五名执委之一），中国国家重点项目《中国岩画全集》主编，中央民族学院"八五"重点科研项目《中国少数民族美术史》主编，他是中国美术家协会会员。

陈兆复长期从事美术和岩画研究，卓有成就。他曾深入广西、云南、福建、内蒙古、宁夏、甘肃、新疆等省区的高山密林，考察数十个岩画点，行程四万里，餐风宿露，历尽艰险，取得了丰富的第一手资料。先后撰写出版了《中国史前岩画》（英、意、法、德四种文本）和《中国岩画发现史》（中文版）两本专著，主编了大型画册《中国岩画》（浙江摄影出版社出版，获浙江省图书一等奖）。上述专著在国内外发行产生了巨大反响，改变了中国发现和记载岩画已有一千多年历史而国际岩画组织却知之不多的情况，填补了国际岩画研究中有关中国部分的空白。据调查统计，中国岩画分布遍及16个省区、90个以上县旗地区，最早的年代可推断到一万年以前，它纪录了人类和中华民族生存发展的历史。国际岩画委员会主席阿纳蒂评价陈兆复的专著说："这本著作的发表，无疑是一个里程碑，又像是拉开了一个研究新领域的序幕。"1987年7月，陈兆复在联合国教科文组织国际岩画委员会的年会上，当选为该委员会的执行委员，是亚洲唯一的一个。1988年8月，在澳大利亚召开的国际岩画会议上，他与澳、美、法、印度、加拿大等8个国家岩画团体的负责人共同发起成立国际岩画团体联合会。1991年10月，他在银川主持召开了91国际岩画委员会年会暨宁夏国际岩画研讨会，有14个国家的100多位专家学者出席会议，并获得成功。

在美术研究方面，陈兆复出版的主要著作有：《中国画研究》、《剑川石窟》、《中国古代少数民族美术》等。并担任作为国家"七五"重点词书、国家民委系统协作科研项目《中国少数民族艺术词典》美术分支主编，中央民族学院"八五"重点科研项目《中国少数民族美术史》主编。他有一系列美术作品参加多种全国性展览，并曾在国外举办画展。曾多次赴意大利、法国、西班牙、瑞典、澳大利亚等国从事美术研究和学术交流活动。

〔陈庆振·科技企业家·获第三届全国科技实业家创业奖金奖〕　1992年12月12日，北京科海高技术集团公司总裁陈庆振获第三届全国科技实业家创业奖金奖。

陈庆振，1940年10月生，河北省新乐县人。1960年考入南开大学化学系，1965年毕业后分配到中国科学院物理所从事研究工作。1978年因从事1号任务曾获全国科学大会奖、中科院院级重大成果奖，并被评为中科院先进工作者。

1983年5月，陈庆振带领6名科技人员，靠10万元借款和三间平房，创办了科海高技术公司。他清楚地看到，绝大多数成果在推广过程中成功几率很小，一方面是企业对技术吸收能力差，另一方面是实验室成果距工业生产尚有一段距离。于是，他一方面组织科技人员深入工厂，为企业培训技术人员，另一方面致力于科技成果的二次开发，使实验室成果经过中间实验等熟化处理，直接投入商品生产，转化为生产力。10年来，科海成功地走出一条以市场为导向，技工贸一体化的成功之路，共开发、转让、推广250多项成果。这些成果和产品涉及计算机系统、电子技术、生物工程、工业自动化控制、农业技术、医疗器械等许多领域，为国家创造了大量经济效益。科海也不断发展壮大，成为有500多职工、16个子公司、3个合营企业、两个工厂、一个培训中心的高技术企业集团。1991年，科海集团的总收入达2.41亿元，已开始形成规模经济。

科海集团特别注意面向国民经济主战场，促进高新技术进入大中型企业。他们与首钢、鞍钢、石化公司等十几家大型企业建立了技术合作关系，为他们提供了一批成气候、有水平的技术改造项目，大大促进了这些企业的技术进步。

陈庆振1987年获北京市科技成果二等奖，1988年获全国首届科技实业家创业银奖，1992年又获科技实业家创业金奖。

〔陈守云（女）·福建省保险分公司总经理·被授予全国“三八”红旗手等称号〕　1992年3月8日，全国妇联授予福建省保险分公司总经理、高级经济师陈守云“全国三八红旗手”称号；与此同时，全国企业家协会还授予她“全国优秀女企业家”称号。

陈守云，江苏省人。1933年11月生。1949年6月参加革命工作，1958年加入中国共产党，长期从事财政财务工作，1981年后任厦门市保险公司副经理、经理，1987年任福建省保险分公司副经理，后任经理、党组书记，兼任中国公关协会理事、福建省公关协会副主席。

陈守云在福建省保险分公司工作5年，使福建省的保险事业迈出5大步。从1986年到1991年，业务收入从1.15亿元跃进到7.76亿元，增长速度在全国名列前茅。开办的保险品种从80个增加到267个，1987年后为省代办的四大险种累计上交财政3.05亿元，为支援地方经济建设做出贡献。在陈守云的领导下，福建省保险业务由财产险向人身险发展，由城市向农村延伸，由集体向分散拓开，到1992年，全省保险系统共开办包括财产、人身、责任、保证四大体系在内的近300个保险险种。随着改革开放的深入，陈守云首创了我国厂长、经理、新闻记者、工商税务、计划生育干部人身意外伤害综合保险的新险种，中国人民保险公司已向全国推广。为配合劳动用工制度改革，陈守云积极探索职工养老保险，在省政府的支持下，首创了集体企业和私营企业养老保险办法，目前福建全省已有4000多个企业的24万职工参加了这项保险，有6万多名退休职工每月向保险公司领取养老金安度晚年。这一做法得到了中央和地方各级领导的充分肯定。5年来，陈守云几乎放弃了所有的节假日，每年有三分之一的时间下基层调查研究，现场办公，抢险救灾，慰问群众，无论哪里发生自然灾害，她总是最快赶赴现场。1989年南平、宁德地区发生特大洪灾，她连夜赶往灾区，及时组织赔款1008万元，群众高呼“保险公司是活菩萨”。1991年福建遇百年罕见大旱，陈守云带领保险干部深入田间地头，组织查勘定损，兑现赔款，全省共支付赔款5000多万元，有力支援了抗旱救灾斗争。陈守云曾先后获厦门市、福州市劳动模范、全国金融系统劳动模范、全国金融系统文明优质服务标兵、省优秀企业家、省劳动模范、全国保险系统“百朵金花”之一、全国“五一”劳动奖章等多种荣誉。

〔陈安玉（女）·教授·其人工种植牙科研成果被卫生部列为医药卫生十大推广项目之一〕　华西医科大学教授、卫生部口腔种植科技中心主任陈安玉，率先在我国主持研究人工种植牙获得成功，并在千余名患者口腔中“生根安家”，这标志着我国在口腔医学尖端领域已进入世界先进行列。这项科研成果被卫生部列为1992年医药卫生十大推广项目之一。

我国约有2亿人患牙齿缺损缺失。牙齿缺损缺失，影响咀嚼功能，降低消化能力和对营养的摄取，损害健康。传统的办法是用假牙修复，但总不如真牙利索，说话、吃饭、刷牙等都有不少麻烦。

陈安玉领导科研人员，对人工种植牙进行了十年艰辛研究，终于获得成功。他们在种植材料的筛选，牙种植体的研制，以及生物安全性和生物相容性等的检测中，经过动物反复实验后才应用于临床。

人工种植牙是医生根据患者牙齿的缺损缺失情况，选用合适的牙种植体植入颌骨内作为人工牙根。人工牙根植入后可作暂时牙冠，3个月后即可换作恒久牙冠。恒久牙冠是用烤瓷制作，质地坚硬、舒适美观，使用起来轻松自如。只要同真牙一样注意口腔卫生，注意保护，就可享用终生。除严重高血压、糖尿病、骨质疏松症和心脏病患者外，大多数缺牙患者都可作人工种植牙。据千余病例的临床应用证明，人工种植牙的成功率在95%以上。其主要优点是，咀嚼能力直接传导给骨组织，功能恢复好，美观、舒适，没有一般传统义齿所造成的麻烦和苦恼。

陈安玉，四川开江县人，1923年5月生，1949年7月毕业于华西协和大学牙学院，同时获美国纽约大学牙医学博士学位。毕业后即留校工作。曾任该校口腔矫形教研室主任、系主任、口腔医学研究所所长，附属口腔医院院长，现为博士研究生导师，国务院学位委员会临床学科评审组成员，华西医科大学中德口腔种植学会主席，国际牙科研究学会会员、口腔修复学组副组长，中国医学科学院及协和医科大学学术委员会特邀委员。她还担任全国9种专业杂志的副主编、编委等。她在口腔修复学方面勇于开拓，积极进取，有很高的造诣和丰富的临床经验。专家们认为，近十年她在口腔种植学领域取得的显著成绩，是我国口腔修复学的一场新技术革命。卫生部决定在华西医科大学建立“卫生部口腔种植科技中心”，并任命她为该中心主任。根据该项科研成果拍摄的科教片《人工种植牙》已在全国发行。由于她在人工骨和人工种植牙方面的突出成绩，曾先后获部、省、市劳动模范、先进工作者、全国“三八”红旗手等称号。她主编和参编全国性高校教科书、参考书五部，发表论文30余篇。完成研究课题16项，5项获省级、部级和国家级重大科技成果奖。

〔陈运泰·地球物理学家·当选中国科学院学部委员〕 1992年1月3日，中国科学院正式公布了新当选的学部委员名单。国家地震局地球物理研究所所长、研究员陈运泰名列其中。

陈运泰，广东省潮阳县人，1940年8月生。1962年毕业于北京大学地球物理系，后考入中国科学院地球物理研究所攻读研究生，1966年毕业。先后在中科院地球物理研究所和国家地震局地球物理研究所工作，曾任研究实习员、副研究员、研究员、室主任、副所长、所长等职。他还是《地震学报》等多种学术刊物的主编或编委。

陈运泰从七十年代初起，比较系统地研究了地震震源过程的一些重要理论问题，并把理论研究成果应用于由地震波资料、“震频”资料和重力等地球物理资料提取震源过程信息的分析研究，在地震波传播理论和地震震源理论等方面取得了有意义的成果。从1971年至1990年，他共发表论文和著作58篇，译校了英国、俄国的论文和著作44篇(部)，约240万字。他的多篇论文得到国内外同行专家学者的重视、引用和好评。他与傅承义、祁贵仲合著的《地球物理学基础》一书，是国内及出国留学研究生的重要教材和参考书，获得国际同行的好评。

〔陈希同·当选中共中央政治局委员〕 1992年10月18日，陈希同在中国共产党第十四次全国代表大会上当选为中共第十四届中央委员会委员。19日，在中共第十四届一中全会上当选为中央政治局委员。12月17日，在中共北京市委七届一次全体会议上，当选为北京市市委书记。

陈希同，1930年6月生，四川安岳人，1949年12月加入中国共产党，1948年10月参加工作，北京大学中文系肄业。1948—49年，在北京大学学习并参加“中国民主青年同盟”。1949—53年，任北京市西单区街道工作组组员，市公安局内二分局十二派出所副所长，内二分局人事股副股长、文书股股长、秘书。1953—63年，任中共北京市第二书记刘仁的秘书，北京市第一机床厂车间党支部副书记。1963—66年，任北京市昌平县委农工部副部长、县委副书记。1966—71年，在“文化大革命”中受冲击，下放劳动。1971—73年，任北京市昌平县十三陵公社（农场）革委会副主任、马池口公社党委书记。1973—79年，任北京市昌平县委副书记、县革委会副主任、县委书记、县革委会主任。1979—81年，任北京市副市长。1981—83年，任中共北京市委书记（常务）、副市长。1983—88年，任北京市委书记、市委副书记、市长。1988年起，任北京市委副书记、市长、国务委员。是中共第十二、十三届中央委员。

陈希同身材矮小，讲一口浓重的四川话。头脑敏锐，喜欢中国古典文学，能背诵许多古诗。

〔陈其人·经济学家·发表《自然条件在社会发展中的作用——马克思论东西方发展的一个原因》〕 陈其人近年学习马克思有关论著，潜心研究自然条件与社会发展的关系，他在1992年发表的《自然条件在社会发展中的作用——马克思论东西方发展的一个原因》一文中，阐述了自己研究的体会。

陈其人，1924年10月生，广东新会人。1947年毕业于中山大学经济系，1952年结业于教育部主办的政治经济学研究院。从1951年起，一直在上海复旦大学任教。现在是复旦大学教授、博士生导师，综合性大学《资本论》研究会理事、美国经济学会理事。

早在1946年，陈其人就着手研究亚细亚生产方式、中国先秦时期的土地制度以及中国封建社会的发展等理论问题。他继承和发展了著名经济学家王亚南教授的“地主型封建制理论”。在对中国封建社会长期发展迟缓的解释方面，不仅当时曾经引起学术界的重视，今天也还有参考价值。1954年，陈其人开始研究经济思想史，特别是马克思政治经济学的主要理论渊源——英国古典经济学，在商品价值量、工资与物价的关系、货币理论等领域都取得了令人瞩目的成果。1985年出版了他的研究专著《大卫·李嘉图》，得到学术界颇高的评价。此外，他还出版了《帝国主义理论研究》、《帝国主义经济政治概论》等多部专著，完成了《帝国主义和殖民地理论文集》、《南北经济关系及其理论研究》等多部手稿。近年来，在改革开放的新形势下，他比较注意研究经济改革中出现的理论问题，如工资理论、货币理论、社会主义计划经济与商品经济的关系等。1990年出版了《布哈林经济理论》一书。

〔庞其方、陈银瑞、杨君兴·在云南石林发现和鉴定世界新鱼类〕 同济大学顾问、教授、病毒学与环境工程专家庞其方，在云南石林著名风景区考察时，发现一种世界新鱼类，经中国科学院昆明动物研究所陈银瑞、杨君兴鉴定为云南石林盲高原鳅。它的发现对地质及鱼类进化等研究，具有重要科学价值。1992年9月16日《中国海洋报》载文介绍了发现及鉴定经过。

1991年3月，庞其方教授对云南石林著名风景区进行考察时，在路南彝族自治县路美邑乡100米深的地下恒温暗河中，发现了一种罕见的鱼，它长约8公分，体尾细长，前体呈圆形，后部侧扁，头吻尖长，通体透明，内脏清晰可见，色素消失，眼睛退化，但触须发达，鼻瓣伸成须状，背鳍7根，尾鳍14根。地下河为海拔1700多米。中国科学院昆明动物研究所副研究员陈银瑞、杨君兴鉴定为石林盲鱼，属条鳅亚科鱼类，这是在我国发现的第四种世界新条鳅亚科鱼类。我国目前已发现的无眼平鳅、鸭嘴金线鲃、驼背鲃等条鳅亚科鱼类都属于高原鳅属，过去在云南和湘西武陵源有过发现。盲鱼是鱼类在黑暗环境中长期演化的结果，是珍贵的自然遗产。石林盲鱼的发现，对研究地质变迁、生态环境以及鱼类进化等，提供了重要的活标本资料。这一研究成果是庞其方教授与陈银瑞、杨君兴副研究员共同取得的。

庞其方教授，现为同济大学顾问，北京人，1923年2月生，1950年毕业于同济大学医学院，1957年赴苏学习，获病毒研究副博士。曾任中国医学科学院病毒研究所室主任，中国医学科学院生物学研究所所长，世界卫生组织病毒学顾问。现在担任中德——德中医学协会上海分会副会长，中国微生物学会病毒专业委员会委员，中国微生物学会对外联络委员，美国肝炎协会会员。他在病毒学研究方面有一定造诣，是我国甲型肝炎病毒、婴幼儿腹泻轮状病毒、星状病毒的首次发明者之一，也是我国病毒性腹泻治疗特效药的发现者之一，曾在国内外学术刊物发表论文多篇。

陈银瑞，中国科学院昆明动物研究所副研究员，福建省莆田人，1939年11月生，1960年毕业于福建集美水产学校，从事鱼类分类学与养殖学的研究。主要论著有《云南鱼类志》、《鳗鲡养殖技术》、《我国洞穴鱼类研究》、《云南石林盲高原鳅的发现及其分类地位的讨论》等，曾获优秀科普奖9项。作为我国洞穴鱼类最先发现者之一，他的名字被收入1990年《中国科学院科学家人名录》。

杨君兴，中国科学院昆明动物研究所副研究员，广东省廉江县人，1960年11月生，1983年在广东湛江水产学院毕业后，到昆明动物研究所攻读硕士、博士研究生，毕业后留该所工作。曾发表学术论文13篇，参与撰写专著5部，其中一部获中国科学院颁发的自然科学二等奖。

〔陈其羽、徐恭爱（女）·副研究员·主持湾鳄人工繁殖和扬子鳄南移驯养首获成功〕 在我国绝迹千年的湾鳄，已由广东珠海市白藤湖旅游农渔业研究所所长陈其羽和副所长徐恭爱夫妇人工孵化成功。由他们夫妇承担的湾鳄人工繁殖和扬子鳄南移驯养这两个课题，1992年4月28日已经通过广东省科委组织的鉴定，认为这两项科研成果均达到国内领先水平。1992年8月20日《科技日报》等10家报刊报道了陈其羽夫妇的研究成果。

鳄鱼是恐龙的亲属，是地球上最古老的爬行动物，有"活化石"之称。目前鳄鱼在我国现存的只有扬子鳄，属一级保护动物。湾鳄在我国早已绝迹，人们对其知之甚少，更未有人工繁殖成功的先例。湾鳄是鳄类中最大的一种，性情凶残，长可达10米，重2吨，号称爬行类"王者之族"，它不仅在研究生物进化中具有重要的地位，而且在医药、工业等方面也有很大的应用价值及观赏价值。陈其羽夫妇在珠海白藤湖旅游区，为增加旅游特色，引进三条泰国湾鳄（一雌两雄），开辟鳄鱼岛，供游人观赏，并进行开发研究保护、驯养、繁殖试验。据资料，野生鳄在繁殖期若受过多干扰，卵不能按正常产于巢里，更不能孵化。因此，人们认为在白藤湖旅游景点内进行湾鳄人工繁殖，其成功率是微乎其微的。陈其羽率科技人员模拟湾鳄的生态环境，掌握其与繁殖有关的生理特点，采取一系列有效措施，以及解决湾鳄开发旅游观赏中人为干扰等问题。饲养一年后，成功地促成母鳄产卵，并在人工控制下进行孵化试验。经过70多个日夜观察护理，身带褐色花纹的4条雏鳄终于破壳而出。湾鳄人工孵化在国内首获成功，使这一珍稀动物绝迹千年之后，又重返故里，填补了我国湾鳄人工繁殖的空白。1991年11月，这一成果在全国“七五”星火计划成果博览会上荣获优秀奖，并先后参加1992年北京“中国首届农业博览会展”、“全国沿海开放城市改革开放成就展”及“广东省改革开放十周年成就展”。他们在成功面前没有止步，而是总结经验，继续攀登。1992年又对母鳄产出的47枚卵进行人工孵化，除9枚无精卵外，38枚卵孵出雏鳄35条，孵化率为92·1%，其技术达世界水平。幼鳄在他们的精心培育下，体格健壮，生长良好，成活率达100%。

同时，陈其羽、徐恭爱还开展扬子鳄南移驯养的研究。扬子鳄性情温顺，仅产于长江，由于它对气温、栖息环境及食物等条件要求严格，很难易地驯养。为开发鳄鱼资源和增加旅游项目，该所于1990年从安徽引进幼鳄70条，进行南移驯养，这在国内尚属首例。南移后扬子鳄出现多种疾病，有关专家根据当时的生态条件预计，这批扬子鳄最少要死亡20—30%，多者要死亡50%以上。他们迎难而上，在扬子鳄的饲养、越冬、疾病防治及管理等方面进行了有效探索。经两年的驯养试验，幼鳄发育良好，已长至一米以上，存活率达98·6%。现在白藤湖鳄鱼岛拥有大小鳄鱼116条，走出了一条科研、生产与旅游业相结合的道路，每年接待游客80多万人，取得可喜的经济、生态、社会效益。

陈其羽、徐恭爱夫妇主持的湾鳄人工繁殖和扬子鳄南移驯养两项课题双双首获成功，不仅为我国珍稀野生动物繁衍、驯养、保护等项管理积累了有益的经验，同时还为发展、利用鳄鱼资源提供了科学的依据。

陈其羽，福建省漳州人，1932年4月生，1955年毕业于厦门大学生物系，曾在中国科学院水生生物研究所工作。几十年来在淡水贝类和底栖动物及渔业生物、生态等研究领域取得一系列研究成果，是我国淡水贝类生态研究的带头人，曾十多次获奖，其中获中科院科技进步一、二、三等奖5次，发表学术论文30多篇。1987年受聘到珠海市旅游农渔业研究所，从事开发名特优水产品及珍稀濒危动物，做出了突出成绩，被评为广东省星火科技先进工作者。现任中国贝类学会常务理事。珠海市政协常委。

徐恭爱，福建省南平人，1934年8月生，1956年毕业于厦门大学生物系，先后在山东大学和中科院水生生物研究所工作。30多年来，从事鱼类养殖和鱼病防治及鱼类寄生甲壳动物的研究，并成功地解决了危害鱼类较大的几种常见病药物，效果显著。曾获中科院科技进步奖3项及其他奖励多项。参加过《鱼病防治手册》、《鱼病彩色图谱》等书的编写工作，发表学术论文20多篇。被评为珠海市巾帼科技工作者。

〔陈宝元·宝鸡宝丰农工商总公司经理·获全国乡镇企业家称号〕 陈宝元，出生于1943年，宝鸡县阳平镇人，大专文化，任宝鸡县阳平镇宝丰村党总支书记、宝丰农工商总公司经理。他在1987年被评为当代中国优秀农民企业家，1992年被评为全国乡镇企业家、省劳动模范。

陈宝元1979年任宝丰村综合厂厂长，1981年任工商业公司总经理。他一心想办企业，刹一刹穷神的威风，长一长乡下人的志气。十一届三中全会以来，陈宝元率领本村群众办企业，已经干了十多年，成绩十分可观。1992年，全村工业总收入达三千三百万元，上缴利税四百八十五万元，村民人均收入达2247元，村民住宅条件明显改善，农户房翻新一遍，40%的农户住上了两层楼房；洗衣机、收录机、电视机等家用电器基本普及，其中彩电已占到一半，电冰箱、录相机等高档家电以及汽车、摩托车、电话等也进入部分家庭。宝丰村社会公益事业得到蓬勃发展，村上先后建起了影剧院、敬老院、教学楼和其他公益基础设施。近年来，全村8条主干街道全部水泥铺设，电视播转台、程控电话等现代设施相继投入使用。宝丰村已成为远近闻名的物质与精神文明建设的先进村。

陈宝元不仅有一套办企业的本领，而且处处关心群众。1983年，他为剩余劳力找出路，办了2个沙石专业队，安排了40余名剩余劳力；61户村民办起了家庭草帘厂，为60多名妇女找到了生财之道。还给10多名年老体弱、生活困难的村民在企业里安排了力所能及的工作。对中小学生上学实行免费，考上大、中专学校的还分别给予奖励。为了减轻群众负担，给所有农户办了麦场保险、家庭财产保险。为解决农村干部的后顾之忧，给44人办了幸福养老金，18人发放了养老补助费。

〔陈宗明·宁国县耐磨材料总厂厂长·研制开发新一代耐磨铸球产量跃居全国同行业首位被誉为

“中国钢球大王”〕　安徽省宁国县耐磨材料总厂厂长陈宗明，从一个只有6个人的乡村小油坊起步，依靠科学技术，逐步把古老作坊改建成拥有由电脑监控的连铸连轧生产线的现代化企业，钢球产量1988年达1.1万吨，跃居全国同行业首位，晋升为国家二级企业，1991年挤进全国500家最大工业企业及行业50家行列。1992年产量超过了万吨，这个退伍兵成了响当当的“中国钢球大王”。

陈宗明，安徽宁国县石口乡人，1939年出生。1957年初中毕业后参军入伍，1961年退伍回到家乡，被安排进总共才6个人的乡油坊工作。他和几个战友一起，凑钱在这个古老作坊基础上办起了粮油加工厂，1976年，又改建成铸造维修结合的农机修造厂。但由于工艺和技术落后，加上常挨极左大棒的敲打，企业很难有所作为。直到改革开放的春风吹来，陈宗明经过广泛研究各种外来信息后，认准了一步险棋，决心在本厂生产国外号称耐磨材料王牌、国内无人问津的铬合金耐磨材料。凭着军人具有的那股不屈不挠的拚劲，开始了艰难的攻关。他们想方设法，通过中国耐磨材料学会，托人购买日本、德国、意大利、丹麦、比利时等国的有关资料，向国内一些工科大专院校、科研单位的专家求教，行程数万里，花了“学费”12万元。陈宗明为消化、吸收新技术，夜里在家苦读，白天在车间研试。功夫不负苦心人，在几个受聘专家的帮助下，陈宗明和他的战友们终于在1985年秋成功地研制出我国第二代研磨体——低铬合金铸球，夺得了全国“七五”星火计划成果奖。

随后，他接连在铸球生产工艺上实现了一次又一次的突破：把单个铸模改成为一次浇铸四五个铸球的模具；为延长模具寿命，他创造性地提出模内装上球碗，碗换模不动，产量高成本低，这种连专家都不敢点头的改进，他做了，钢球组织不但没受影响，而且更加细化耐磨。有一段时间，铸球因半边硬半边软被退货。陈宗明跟班研究，熬尽心血，经一个多月反复研制测试，终于找出了加热点不合理的毛病，重新设计了生产工艺，使铸球质量得到进一步提高。

人们称赞陈宗明真“神”了。但他却说，自己的成功无非是敢于下海，多学多闯多试。现在，这位原来只有初中文化水平的山里人，写出的论文《低铬白口铸球在粉碎磨矿中的地位》获全国重大发明奖。他本人于1992年7月又获安徽省优秀专业技术工作者奖。厂内生产的低铬球吨水泥破碎率低于日本球的标准，细度提高10度；低铬段吨水泥磨耗达到意大利和丹麦水平，1991年在全国双双获得新产品金奖。陈宗明光荣地当选为七届全国人大代表、全国乡镇企业家和中国粉碎工程学会副理事长。目前，他开始了许多大动作：投资3000万元，兴建一条由电脑监控的连铸连轧生产线，可将年产量提高三倍，产品质量达到国际先进水平。

〔陈宜瑜·鱼类学、动物分类学家·当选中国科学院学部委员〕　中国科学院水生生物研究所所长、研究员陈宜瑜在鱼类学研究中做出重要贡献，1991年底当选　为中科院生物学部学部委员，1992年1月3日正式公布。

陈宜瑜，1944年4月22日出生于福建省仙游县，1964年毕业于厦门大学生物系。现还担任中国动物学会副理事长。他长期从事鱼类学研究，曾多次参加青藏高原和横断山等地区综合考察及省区鱼类资源调查，对鲤科和平鳍鳅科鱼类进行过系统的分类研究，发现了5个新属30多个新种；对鲤亚科间和平鳍鳅科科下类群提出了新的分类系统，并被国内外同行所引用。他强调生物进化与地球进化的同步性，与其他同行合作，通过对裂腹鱼类的起源和演化的分析，探讨了青藏高原隆起的时代、幅度和形式，证明青藏高原在第三纪晚期以后曾经历过三次急剧上升和相对稳定的交替阶段，并推测了隆升的幅度；在对泸沽湖和程海鱼类区系调查的基础上，提出了可用于解释云贵高原某些湖泊区系起源的同域成种的进化模式，及边域快速成种的实例。他在研究水生生物资源保护对策的同时，领导开展了湖北洪湖水体生物生产力综合开发及湖泊优化的研究，运用生态学原理进行了渔业——环境优化对策分析和一系列科学试验示范，推广围圈养殖技术，创造了半堤半网兼顾调蓄、渔业、灌溉的养殖模式，建立了自然养殖放流增殖站，取得了明显的经济效益和社会效益。

陈宜瑜在1991年被评为国家级有突出贡献的中青年专家。

〔陈建生·天文学家·当选中国科学院学部委员〕　中国科学院北京天文台研究员陈建生在观测宇宙学方面做出一系列突出贡献，1991年底当选为中国科学院学部委员，1992年1月3日正式公布。

陈建生，1938年7月8日生于福建省福州市，1963年7月从北京大学地球物理系天体物理专业毕业后，一直在北京天文台工作至今。

宇宙是如何起源的？它又是怎么演化成今天这个模样的？陈建生研究的就是这个课题。宇宙中离我们地球最远的天体，即使以光的速度走，也要100亿年之后才能到达，它叫类星体。陈建生的工作就是通过对类星体及其吸收线的研究，来了解宇宙早期的演化历史，这是目前国际天体物理研究的前沿和热点。

陈建生最重要的贡献是在世界上先期证明了在早期宇宙的星系际空间分布着无数金属丰度很低的原始氢云，这种氢云现在已为国际天体物理界所公认。这种云的存在及其演化，对早期宇宙的研究有重大意义。

此外，陈建生还筹建了类星体巡天的实验室，他率领科研小组新发现的类星体数目，占世界类星体总表（1989年版）中的10%左右。

由于成果卓著，陈建生曾两次被特邀在大型国际会议上做类星体吸收线的专题评论报告，被国际权威杂志邀请撰写专题评论文章。至今，他的学术论文已被国际同行引用不下200篇次，他还担任了国际天文联合会星系科学组组织委员。

〔陈春明（女）·营养学专家·获联合国粮农组织荣誉证书〕　中国预防医学科学院原院长、科技顾问、研究员陈春明，因在食物营养研究领域做出积极努力和突出贡献，1992年10月16日，被联合国粮农组织授予“成就贡献荣誉证书”。同年1月她出席亚太地区世界营养会议准备会时，被选为会议主席。12月出席世界营养会议，被选为大会副主席。

陈春明，1925年9月出生，江西石城人。1949年3月加入中国共产党。同年9月于前国立中央大学农业化学系毕业后，在前中央卫生实验院营养实验所从事研究工作，1965年任副研究员。1982年7月后历任中国医学科学院卫生研究所营养系副主任、副所长、所长，卫生部卫生防疫司司长、中国预防医学科学院筹备组长、院长、研究员。1992年10月，被聘为中国预防医学科学院科技顾问。

陈春明从80年代初对我国食物营养工作展开广泛研究，组织了第二次全国营养调查，其数据成为我国制定农业发展的主要参考依据。为推动我国公共营养及营养监测工作，促进营养工作为经济发展服务及维护城乡人民健康做出了突出贡献。她曾担任过六年的联合国营养委员会顾问小组成员，与联合国各机构积极合作，宣传中国营养工作经验，争取国际合作，推动我国营养工作。在1992年12月的世界营养大会上，他与同行合作总结了我国40年来营养改善的经验，作为案例报告分发，获得好评。

〔陈荒煤·著名作家、文艺评论家·“荒煤文艺生涯六十年”研讨会在北京举行〕　1992年12月18日，“荒煤文艺生涯六十年”研讨会在北京举行。研讨会历时三天，300多名首都及各地赶来的文艺界人士聚集一堂，称赞这位长期奋战在我国文艺战线上的老战士。行年八十的陈荒煤自喻是“荒野中的战火”，以示老愈弥坚的壮志情怀。

陈荒煤，1913年生人。他的父亲是同盟会员，因参加辛亥革命而遭通缉。受父亲影响，他少年时代起就参加革命活动。1927年，读高小时加入共产主义青年团。1932年加入武汉左翼戏剧家联盟。同年秋，在上海加入中国共产党。1933年参加上海左翼戏剧家联盟，1935年转至中国左翼作家联盟。1938年，他离开国统区，奔赴延安，先后在延安鲁迅艺术学院戏剧系、文学系、文艺工作团任教和负责工作。1946年后在晋冀鲁豫边区文联、北方大学文艺研究室工作，主编《北方文化》。新中国成立，他主要担任文化行政、组织工作，曾任中南军区文化部长，文化部电影局局长，文化部副部长，中国社会科学院文学研究所副所长，中国作协副主席，书记处书记，《文艺报》副主编等职。

1934年，陈荒煤在北平《文学季刊》发表了他的第一篇短篇小说《灾难中的人群》，此后又相继出版了短篇小说集《忧郁的歌》和《长江上》。在延安期间，他曾率鲁艺文艺工作团赴前线采访，并写出《陈赓将军印象记》、《刘伯承将军印象记》等报告文学，后结集为《新的一代》。1942年在参加延安文艺座谈会后，他深入农村、部队采访，编写了独幕剧《我们的团指挥部》、多幕剧《粮食》等。建国后，他的文艺评论文集《为创造新英雄人物的典型而努力》问世。八十年代，《荒煤短篇小说选》出版。文艺界老前辈夏衍为“荒煤文艺生涯六十年”研讨会发来的贺词称赞他说：“从书生到作家，从小说家到新中国电影事业的领导者，荒煤同志在文艺界辛勤工作了60年，作出了重大的贡献。”

〔陈重光·台湾电视公司董事长·率团访问大陆〕　台湾政坛工商界名人、台湾电视公司董事长陈重光，于1992年9月4日率台湾文化经济大陆访问团48人赴大陆举办经贸研讨会，考察投资环境。在北京期间，国务院副总理吴学谦会见了陈重光、康宁祥一行。陈重光主张大陆丰富的自然资源和充足的人才资源与台湾的资金和海外行销管道结合起来，开展经贸合作，共同开发世界市场。他希望在有生之年看到这个梦想成真。

陈重光，1913年生，台北市人。早年就读于台湾成渊中学，后毕业于日本成城中学。23岁时到大陆东北经商，足迹东北、华北、华中、华南等地。抗日战争爆发后在上海参与创办通华商业银行，任常务董事，并兼任通华企业公司、益重煤业公司总经理，上海清华中学董事会董事长。

1948年陈重光回到台湾，参与创办帆布、煤矿、钢铁、贸易公司，历任永和煤矿公司常务董事兼总经理、台湾钢铁公司总经理、台湾帆布公司董事长、台北银行董事、台凤银行常务董事。1968年任协荣航业公司董事长。1979年任台湾养乐多股份有限公司董事长迄今。

在台湾政坛上，陈重光是一位活跃人物。1947年“二、二八”事件发生后，曾到南京参加请愿活动，是该事件处理善后人员之一。1990年又出任台湾“行政院二、二八事件”8人研究小组召集人。曾任台湾省、台北市议员，以敢言著称，著有《议会八年》。善于交际，有“江湖侠义”之风。90年代后，经常斡旋于朝野之间。1990年曾安排国民党、民进党主席会晤沟通，以化解抗争。

在台湾工商界陈重光也颇有影响，经常向台湾当局反映工商界的意见、呼声。历任台湾工商协进会理事、台湾省纸业公会理事长、台湾省航联理事等职。

陈重光还历任台湾高尔夫球协会理事长、台北奥委会副主席、台湾省政府顾问、军人之友社总社理事长。

〔陈复礼·港澳摄影协会会长·倡办华人华裔摄影家艺术研讨会〕 华人华裔摄影家艺术研讨会于1992年1月在香港文化艺术中心举行。此次研讨会是由著名摄影家、港澳摄影协会会长陈复礼及港澳摄影家协会倡办的。来自大陆、台湾、新加坡、马来西亚、泰国、文莱、美国的50多位摄影家，以及港澳摄影协会所属的20多个摄影团体的摄影家数百人，就摄影艺术的创新、民族化，如何看待沙龙摄影、现代主义摄影等问题，各抒己见，畅所欲言。研讨会内容还包括学术讲座，幻灯欣赏、18位摄影家作品展览。陈复礼及香港著名人士霍英东、徐展堂等出席开幕典礼并主持剪彩。

陈复礼，1916年生，祖籍广东省潮安。早年曾在现在的佛山师范专科学校读书。20岁离开故乡辗转海外，在泰国、越南生活过。后旅居香港，从事摄影艺术工作50多年，潜心钻研，出版刊物。摄影作品独具一格，饮誉海内外，获200多个国际摄影沙龙金像、金牌、奖金。1957年至1961年连续5年被美国摄影协会列为世界十大摄影家。1964年获英国摄影学会高级会士F.R.S名衔。1990年被收入《群星璀璨——广东文化名人录》一书中。历任香港摄影学会会长，港澳摄影协会会长，中国摄影家协会副主席，潮州市摄影协会名誉主席，全国政协委员。

陈复礼摄影作品多次在海内外参展。1979年曾在北京美术馆举办个人摄影展，也是香港摄影家在北京举办的首次个人展，有评论认为此次影展的作品题材广泛，表现形式多种多样，千姿百态，生动活泼，情趣横生，具有写实与画意浑然一体的风格。出版有《陈复礼摄影集》、《中国风景线》等。自六十年代起，他步履黄山，足迹江南，深入川北高原，旅游东北长白山，驰骋塞外边陲，拍摄了大量山水、风景、人物艺术作品，表现了中国大自然之美，有评论称不仅有中国画的品味，甚至可以说再现中国画的神韵，流露出典雅而又清新的气息。

〔陈俊生·国务委员·提出中国农业将走优质高产高效之路〕 1992年3月第七届全国人民代表大会第五次会议和第七届全国人民政治协商会议第五次会议期间，陈俊生提出，今后农业发展必须走“优质高产高效”的路子。这是农业上新台阶的重要内容，也是中国农业发展的一个新思路，意味着中国农业发展面临着重大的战略转折。

陈俊生接受《瞭望》周刊记者的采访时说，改革开放以来，中国经济之所以能发展到今天这个水平，首先是因为农业这个国民经济的基础比较稳固，农业是基础产业，又是改革开放中保其他基础产业的基础。哪个产业也离不开它。实践证明，在中国改革、发展、稳定相协调这个大局中，农业发挥了关键作用。中国的国情也决定了任何时候都不能忽视农业。一是中国人均耕地资源在减少，人增地减已成不可逆转的趋势。现在人均耕地面积仅一点四亩，巨大的人口压力使得我们丝毫不能放松农业。二是中国粮食总体上看并不太多。现在中国人均占有粮食不到四百公斤，在相当长的时期内不能说粮食多了。三是粮食改革还没有完全放开。粮食真正放开之后，粮食转化将大量增加，那时就会更加感到粮食不足。

他说，农业要走“优质高产高效”的思路是根据目前中国农村经济和农业发展进入到一个新阶段而提出的。一是广大农民开始由温饱向小康过渡，没有农民的小康就没有全国人民的小康，这是战略问题；二是农村改革在已有基础上继续深入，今后要有新进展，逐步建立和完善适应社会主义有计划商品经济的机制；三是由传统农业向初步现代化农业过渡。以上三个特点表明中国农村工作进入了一个新阶段。他指出，种粮食经济效益不高，是因优质米不多，低质米过剩，卖不动，必然影响农民收入。过去粮食困难时期，没有数量不行，现在只有数量没有质量也不行。现在许多地方的实践已经提出要走“优质高产高效”的路子。这是农村改革和发展的必然选择，是增强综合国力、提高农业综合生产力、使广大农民从温饱向小康过渡的需要，也是贯彻中共中央基本路线的具体体现。

陈俊生提出，根据现有经验，走“优质高产高效”路子的途径有：一、因地制宜，合理调整农作物结构，发展优质米；二、增加复种指数，实行深度开发；三、发展瓜果、蔬菜、花卉；四、发展水产品；五、搞好粮食加工转化；六、进行农副产品深度加工；七、坚持两条腿走路的方针，大力发展畜牧业；八、大力发展持续农业和庭院经济；九、有条件的地方要积极发展创汇农业；十、积极发展乡镇企业。

关于发展优质高产高效农业应创造什么条件，采取哪些配套措施，陈俊生说，首先，关键是要建立市场机制。他认为，今后农村这一块应基本上实行市场经济，以市场调节为主，国家宏观调控抓住几个重点就可以。其次，要健全农业生产社会化服务体系。第三，要增加农民收入，坚决抵制乱收费、乱摊派，减轻农民负担；稳定生产资料价格；扩大就业门路，吸纳农村剩余劳动力。他指出，发展优质高产高效农业，将改变以往中国农村生产结构单一，市场狭窄，流通不畅，科技推广难，农民增产不增收的被动局面，从而形成大农业、大市场、大流通、大科技、大服务的良性循环。

陈俊生，1927 年生，黑龙江桦南县人。1947 年加入中国共产党。曾任桦南县区委书记，克山县委书记，黑龙江省委秘书长兼哈尔滨市委书记，黑龙江省委书记，国务院秘书长。1988 年后任国务委员。中共十三、十四届中央委员。

〔附注：1993 年 3 月 29 日，八届全国人大一次会议第七次大会决定陈俊生为国务委员。〕

〔陈洪绶·明代著名画家·逝世三百四十周年〕　陈洪绶（1598—1652）字章侯，号老莲，浙江诸暨人，是明末独具艺术风格的人物画家。1992 年是他逝世 340 周年，浙江诸暨的“陈洪绶纪念馆”和全国许多艺术院校和艺术社团，纷纷举办画展，出版画集，举行学术报告会，来纪念这位愤世嫉俗，爱国爱民的伟大画家。

陈洪绶出身官宦之家，青年时从刘宗周习画。明末赴京任国子监舍人，专替宫廷摹绘历代帝王像。以此得窥内府藏画，绘艺精进，与北方人物画家崔子忠齐名，人称“南陈北崔”。明末，鲁王监国，召为监察御史，不赴；明亡，不幸为清兵俘虏，拒不屈服，险为所杀。后剃发为僧，决不为清廷所用。所作诗画，皆寓亡国之恨和愤世嫉俗之情。晚年卖画，郁悒而终。

陈洪绶天才卓绝，但一世坎坷。青年时，慷慨任事，与东林党中那些反对腐败，究心国是的师友相交往，复同情下层民众，凡有求画者，都予应命，而对豪贵有势者，则抗不予片纸寸楮。他受业于山水画家蓝瑛，获益很多。又从临周昉、徐熙、李公麟诸人名作，取精用宏，因而在人物、山水、花鸟、走兽诸科，均大有成就，在博采众长中，形成了自己独特的艺术风格。他作画线色精妙，形神皆备，在极为精绝的描绘中，略作夸饰，不落常道。所以张浦山称赞他“力量气局，超拔磊落，在仇（英）、唐（寅）之上，盖三百年无此笔墨也。”

陈洪绶在人物画上，成就特大，他借古喻今，寄托情怀，所作《水浒叶子》，就大胆地表达了对英雄人物的敬仰，他十九岁时创作的版画组画《九歌图》，就有感于心地歌颂了屈原这位伟大爱国诗人的形象，至今人皆以为它是冠绝古今的珍贵力作。他的儿子陈字，亦传其艺，清代的“四任”（任熊、任薰、任颐、任预）就远承了他的绘艺。鲁迅、郑振铎都十分推崇他的艺术。

陈洪绶除绘画以外，书法、诗文，亦皆精妙。有《宝纶堂集》行世。

〔陈素真（女）·豫剧表演艺术家·重得无价宝〕　1992 年初夏，“豫剧皇后”陈素真获悉失去四十余年的 128 帧照片和刻有“忠于艺术”、“意志坚定”的一块“素贞”金牌，在台湾有了下落，老艺术家为重得此宝，热泪盈眶。

陈素真，原名王若喻，1918年生于陕西省富平县，自幼随义父陈玉庭学戏，后改名陈素真。1926年，她拜名老艺人孙宴德为师，攻旦行。两年后在河南开封相国寺同乐戏院登台，以清脆的歌喉和俊俏的扮相赢得赞誉。陈素真多才多艺，富于革新精神，她在多年的艺术实践中，广泛吸收了京剧、昆曲、河北梆子等兄弟剧种的技艺，对豫剧的唱腔、表演、服装、舞台美术等进行了革新，并创建了具有浓郁的祥符调特色的陈派声腔及表演艺术流派。她曾长期与豫剧改革家、教育家、编剧和导演樊粹庭合作，排演了樊粹庭编导的《汉江女》、《霄壤恨》、《巾帼侠》等一批优秀新编豫剧剧目和《三上轿》、《梵王宫》、《宇宙锋》、《拣柴》等传统戏。由于她杰出的艺术造诣，使她成为豫剧中第一位被灌制唱片的演员。遗憾的是1957年“反右”时，被迫脱离舞台，直至二十余年后复出。前几年，满头银丝的陈素真应邀在首都为戏曲界示范表演《梵王宫》片断时，许多后起之辈才得一览当年“豫剧皇后”、“梆子大王”之风采。

如今74岁高龄的陈素真很幸福，家居天津安度晚年。今年初夏，她突接台湾老友来函，读后，热泪盈眶。原来1940年陈素真随樊粹庭先生组建的“狮吼旅行剧团”到西安演出，她精湛技艺使古城观众倾倒，一出《三上轿》在易俗社的广场公演，竟卖出六千余张票。陈用这场戏所有包银，打了一个足有五两重的金牌作纪念，牌呈鸡心型，一面刻有“忠于艺术”；一面刻有“意志坚定”和“素贞”（注：金匠误将“真”刻成“贞”）的字样。1948年她落难宁沪时，将装有金牌和其它金饰以及近二百余帧剧照的箱子，存放在开封老乡胡翕如先生家中。谁知待她返汴取物时，开封解放，胡已携夫人黄氏迁居台湾。陈素真在自己的回忆录《情系舞台》这本书里写道：“……金银财物我不在乎，我心痛的是我自1934年至1948年在杞县、开封、北平、商丘、洛阳、西安、重庆、南京、上海等地所照的戏装和便装像片，这些照片都装在箱子里。黄金有价，光阴无价，这些东西，我纵有金山银海也买不回来了！”这种万分遗憾之情，流露于书中的字里行间。凑巧的是这本回忆录正好被台湾老友胡翕如先生看到。陈素真接到的信正是胡老先生的来信。写信人是胡的继配夫人盖明文，胡之原配黄夫人于1972年作古。胡先生现已76岁高龄，身患瘫疾，卧床十余年。给陈的信系用工笔小楷撰写，字迹清秀而飘逸。他们在信中写到“……我和翕如是在您回忆录《情系舞台》里得知您的近况的。翕如手捧惠书，热泪簌簌，大作如良方妙药，使卧床十余载的他竟精神大振，展现出自病以来少见的喜悦。我们选择了1992年3月5日，农历二月初二‘龙抬头’的日子，给您写了这封信（注：1928年农历二月初二，陈素真是作为开封伶界第一位女演员出现在舞台上的）。金牌完好如初，照片我们仔细查找一下，现仍有128帧……”胡氏夫妇还在信中赞誉陈素真道：“您不仅技艺超群，举世无双，而且慷慨好义，重气节、讲信义，并带侠气，颇有大丈夫气概。”他们在信中最后说道：“这样具有历史文献价值的珍宝，托人捎带，怕万一有差失，后悔莫及。或您来，或我们去，总有一天会让它完璧归赵……”陈素真得此信，感慨万千，急盼早日与老友相会。

〔陈晋宇·洛阳国旅社导游·在全国旅游系统职工服务技能大赛中获导游（法语组）第一名。〕

1992年12月，全国旅游系统职工服务技能大赛在旅游名城桂林市举行。这是我国旅游行业最高水平的竞赛。在法语导游组的激烈角逐中，一位来自河南的小伙子出人意外地力挫有雄厚实力的京、沪等队选手，摘取了第一名的桂冠，他就是洛阳中国国际旅行社的法语导游陈晋宇。

陈晋宇，山西晋城人，1962年出生，1983年毕业于西安外语学院法语专业，1986年以第一名的成绩被昆明工学院英语研究生班录取，1988年进入洛阳国旅担任法语导游。陈晋宇在这次全国大赛中夺取第一，付出了比别人更多的辛苦。赛前，河南省旅游局组织参赛选手进行全封闭训练，而在这最关键的时刻，陈晋宇的妻子却因难产住院。守候在医院的20多天里，在妻子的病床边，陈晋宇完成了参赛的全部资料准备。他的精神让医生护士都为之感动。12月7日，陈晋宇离洛赴赛，其时他的妻子和孩子仍未出院。在大赛的自选项目中，陈晋宇选择了他非常熟悉的龙门石窟。他运用多角度、多方位、中西方文化对比等手法将中国的石窟艺术和佛教文化讲述得既通俗易懂，又深刻入微。在规定项目中，他从景色的生动化、拟人化、立体化、景观对比和虚实结合四个层次对桂林伏波山进行了有声有色、富有新意的讲解。使得桂林当地的导游都啧啧称赞。比赛中，陈晋宇一口标准、优美的法语更是令人倾倒。平时陈晋宇所接的法国团，每次都有人问他是否在法国学习过，有些法国客人评价他的法语具有优雅的气质。这次大赛后，法语组副裁判长顾永新副教授这样评价陈晋宇：“他将法国语言韵律的节奏美发挥到了极致。”

〔陈润生·东北农学院教授·主持中国猪种国际学术讨论会〕　1992年8月11日，中国肉质研究领域的学术带头人、东北农学院教授陈润生在哈尔滨市主持召开了中国猪种国际学术讨论会，并在会上宣读论文，介绍中国肉质研究的成就，引起到会的美国、英国、法国、日本、澳大利亚、加拿大等十几个国家三十多位专家和国内一百多位专家的重视。

陈润生，安徽省亳州市人，1931年6月出生，先后毕业于东北农学院畜牧专业和研究生班。1956年7月加入中国共产党。历任东北农学院助教、讲师、副教授、教授，兼任中国畜牧兽医学会理事兼养猪学分会理事长、农业部教材指导委员会畜牧学科组专家、《养猪》期刊主编、黑龙江省科技、经济顾问委员会畜牧专家组专家、东北养猪研究会副理事长等职。他从事畜牧专业养猪学研究近40年，获得一系列科研成果，成为国际知名的养猪学家。他与课题组的同事一起用十年时间完成了“瘦肉型三江白猪新品种培育”，结束了中国没有自己的瘦肉型猪种的历史，并创造了世界猪育种史的新纪录。此项成果获农牧渔业部技术改进一等奖、国家科技进步二等奖。他主持的另一课题“中国主要地方猪种质特性研究”获农牧渔业部科技进步一等奖，“2000年中国农牧业科学技术发展预测研究”获国家科委科技情报成果三等奖。他先后对三江白猪、民猪、哈白猪、长白猪、杜克洛猪及其他杂交猪的肉质进行了系统研究，摸索出一整套评定肉质的指标和方法，并在此基础上主持拟定了“瘦肉型猪肉质评定方法”（国家标准）。他研制的“肌肉颜色和大理石纹评分标准图”已成为国内通用标准。由他主持研制的“肌肉嫩度计”填补了国内空白，并已大量推广。他主编了《肉质研究参考资料汇编》，成为国内一些高等院校开设“肉类科学”的重要参考教材。主编和校定的《中国猪种国际讨论会议论文集》（英文版100余万字），已发行到英、法、美、日、加、澳大利亚等十多个国家。在英文版“世界畜牧科学”系列丛书中负责撰写“中国养猪生产”专卷。还参与了中国大百科全书农业卷有关养猪条目的编写与审定。在国内外学术刊物发表论文70余篇，其中英文等外文版学术论文10余篇。先后多次被评为黑龙江省优秀科技工作者，1989年获全国教育系统劳动模范称号和黑龙江省特等劳动模范称号。

〔陈祥兴·杭州笕桥镇党委书记·为发展城郊乡镇经济作出重要贡献〕　杭州市笕桥镇党委书记陈祥兴领导笕桥镇农民一心一意奔小康，获得巨大成功。改革开放14年来，笕桥镇经济发展以每年平均40%的速度递增。1992年，全镇完成总产值7·1亿元，销售收入4·7亿元，利税4000万元，农民人均收入2100元，各项经济指标名列杭州市乡镇前茅。1992年5月，陈祥兴应邀参加了在北京召开的全国亿元乡镇经济发展研讨会，中央人民广播电台突出地宣传了他的事迹。

陈祥兴，1953年4月出生，浙江省杭州市人。1970年12月参加工作，1972年10月加入中国共产党，1984年2月起任杭州市四季青乡党委副书记，1987年2月起任笕桥镇党委书记。笕桥镇地处杭州市郊，如何利用这一地理优势，找到一条振兴笕桥之路，这是陈祥兴上任后积极探索和追求的主要问题。在他的倡导下，镇党委制订了“服务城市，富裕农村”的指导方针，把发展蔬菜及副食品生产作为近郊经济发展的主攻方向，经过多年的努力，笕桥镇已成为杭州市最主要的蔬菜和副食品基地，拥有1·2万亩菜地及一批副食品基地，每年向市场提供的蔬菜和副食品占全市总量的40%以上，极大地丰富了市民的“菜篮子”。

除积极发展蔬菜生产以外，陈祥兴十分重视发展乡镇企业。如今笕桥镇的乡镇企业从无到有，由小到大，已在杭州市占有重要地位。全镇已拥有企业222家，集体固定资产1·5亿元，职工13000人，基本形成了轻纺、机械、电器、食品、建筑等五大骨干行业，创建了部级先进企业2个，省、市级先进企业15个，花园村和笕桥绸厂分别成为亿元村和亿元企业。全镇第三产业也得到了长足发展，杭州汽车配件市场仅用5个月时间建成投入营业，1992年成交额近亿元，是华东地区最大的“汽车配件城”。宾馆、出租车队、旅游服务、仓储业等正在向规模型、集团化方向迈进。更好地为杭州这个国际旅游城市服务。

〔陈娟红（女）·时装模特队员·获世界超级模特大赛第一名〕　1992年7月16日，在美国洛杉矶举行的、有33个国家选手参加的’92世界超级模特大赛会上，中国姑娘陈娟红荣获本届“世界超级模特”的桂冠，这是迄今为止中国模特在国际上获得的最高荣誉。

陈娟红，浙江省桐乡县人，1969年5月生，高中毕业后，考入杭州喜得宝丝绸公司模特队，经过艰苦的训练，练站、练走、练转身天天无间断，坚持跑步，从每天几百米直至3000米、5000米，有了耐力，有了潇洒的举步和自然的微笑，因而充分发挥她身材的优势，提高了气质素养。1990年9、10月间她曾和队友一起应邀到北京参加为第11届亚运会举办的时装模特表演，受到好评。1991年10月29日，在北京中国大饭店她参加了世界超级时装模特大赛中国选拔赛暨第二届中国最佳时装模特表演艺术大赛，在参赛的21支模特队40多名佳丽中，她以自然大方，气度高雅而技压群芳，获得表演第一名、最佳上镜奖、最佳现场印象奖，成为1991中国十大名模之冠。陈娟红在洛杉矶参加世界超级模特大赛表演时，评委之一、美国福特经纪公司创始人、现任总经理艾莲·福特女士说："陈小姐各方面素质都令人满意，她获世界超级模特桂冠当之无愧。"曾是法国皮尔·卡丹公司首席时装模特的斯芭女士称赞："陈小姐仪态高雅，表演优美，是一个好模特。"

〔陈梦熊·水文地质学家·当选中国科学院学部委员〕　1992年1月3日，中国科学院正式公布了新当选的学部委员名单。地质矿产部科技高级咨询中心高级顾问陈梦熊名列其中。

陈梦熊，浙江上虞人。1917年10月12日生。中共党员。1938年至1942年在昆明国立西南联合大学理学院地质地理气象系（地质专业）学习，毕业后获学士学位。曾在重庆（后迁南京）中央地质调查所任技佐，技士，兰州西北分所任技士。1949年起先后任中国地质工作计划指导委员会工程师，地质部宝成线工程队队长、主任工程师、地质部水文局副总工程师、柴达木水文地质队队长，地矿部科技顾问委员会委员，教授级高级工程师。1990年起任地矿部科技高级咨询中心高级顾问。他还是中国地质学会水文地质专业委员会荣誉委员、国际水文科学协会（IAHS）中国国家委员会副主席，国际水文地质协会（IAH）中国国家委员会委员和水文地质图委员会（ICHGM）委员，中国科学院第四纪研究委员会委员。

陈梦熊从50年代起，就专门致力于水文地质学的研究，并长期担任全国地矿系统水文地质专业的技术指导，是我国水文地质事业的重要创始人之一。他足迹遍及全国，不仅具有丰富的实践经验，而且紧密联系实际，系统深入地开展理论研究，在区域水文地质、水文地质编图，以及地下水资源与地下水系统研究等方面，均有突出成就。他提出了许多重要报告和有关专著，发表论文100多篇，其中国外发表的论文十余篇。曾先后获得全国科学大会奖，国家科技进步奖，地矿部科技成果奖等多项奖励。

〔陈跃玲（女）·田径运动员·获第二十五届奥运会女子十公里竞走冠军〕　在1992年第二十五届奥运会女子10公里竞走比赛中，中国选手陈跃玲以44分32秒的成绩夺得金牌。这是一次重大突破，结束了中国选手在奥运会田径比赛中金牌数为零的历史。

陈跃玲，1969年12月24日生于辽宁省法库县，身高1米59。1990年她在第十一届亚运会上，以44分47秒的成绩获得女子10公里竞走冠军。1991年在第三届世界田径锦标赛上，以44分41秒获得女子10公里竞走第八名。在第十六届世界大学生运动会上获得这个项目的银牌。

陈跃玲简历与事迹参见1991年《中国人物年鉴》。

〔陈涵奎·物理学教授·归国服务四十年庆祝会在上海举行〕　著名无线电物理学家、我国微波能应用的开拓者、国际上运用几何绕射理论进行反射体天线研究的首创者陈涵奎教授归国服务四十周年庆祝会，1992年10月26日在上海华东师范大学举行。

新中国成立后，陈涵奎在美国冲破重重阻力，于1951年8月回到祖国。40多年来，他在科学、教育事业中特别在微波、天线、电磁场理论等领域作出重要贡献。五十年代，在他指导下，制成了我国第一台三公分微波测量仪器，为我国微波技术的发展提供了必要的实验条件，并协助上海亚美电器厂建成我国第一个微波仪器专业工厂。七十年代，在他指导下，我国第一套微波加热干燥设备投入生产，从此，微波能的应用在全国蓬勃发展，并逐步走向世界。1963年，周恩来总理在上海接见了他。陈涵奎在天线研究上，提出测量天线三维方向图的方法；提出关于平面导电板上槽形天线的互阻抗与互补天线的互阻抗之间的正确关系；指出在天线辐射场的计算中有磁流的忽略。在国际上，他是第一个把几何绕射理论应用于研究反射体天线的人。

陈涵奎，1918年11月8日出生于江苏省武进县夏溪镇。1929年入县立中学。1935至1939

年，在国立中央大学电机系学习，获工程学士学位。1943 至 1946 年任资源委员会技术室技士。1946 年至 1951 年，先在美国密歇根大学电讯工程系学习，获科学硕士学位，后入伊利诺大学电讯工程系工作和学习，获哲学博士学位，任该大学研究员，1951 年 8 月回国后，历任沪江大学、交通大学、中国人民解放军军事工程学院、华东师范大学教授、博士生导师等职。1964 年起任全国政协四至七届委员；1983 年任国务院学位委员会（理学）学科评议员；1989 年起任上海市微波技术应用协会名誉理事长；1991 年被英国剑桥传记中心选入（Who's Who in Australasia and the Far East）名人录。主要著作：主编《无线电电子学》（三册），（人民教育出版社）；合著《无线电基础》（人民教育出版社）；《纪念赫兹》（华东师范大学出版社）。

〔陈琮英（女）·红军老战士·度过九十岁生日〕　老革命家任弼时的夫人、1926 年参加革命的老红军陈琮英，1992 年 12 月 29 日在人民大会堂高兴地度过了她 90 岁生日。她头戴红五星、八角帽，站在她的同时代战友和众多年轻人中间，接受深情的祝福。老战友杨尚昆、肖克、王首道等，紧紧握住她的手，祝她健康长寿，人大常委会副委员长陈慕华和她久久拥抱，身着军装的迟浩田、张万年将军向她行庄重的军礼；国务院总理李鹏也特地打电话向"陈妈妈"祝寿。

陈琮英，湖南长沙人，1902 年生。12 岁到任弼时家当童养媳。1916 年到长沙，进袜厂当工人，将微薄的工钱积攒给任弼时作学费。1926 年到上海与任弼时结婚，同年加入中国共产主义青年团，担任秘密交通工作。1928 年至 1929 年间曾组织营救被捕的任弼时。1931 年被捕，后经中共组织营救出狱。1932 年到中央革命根据地，并转入中国共产党。在中共中央局机要科、湘赣省委、湘鄂川黔省委从事机要工作，曾任机要科科长。从 1940 年起任任弼时的机要秘书。中华人民共和国成立后，曾任中共中央办公厅一局机要处长。她还曾任第四届全国政协委员，全国妇联执行委员、常务委员。

〔陈登科·著名作家·创作生涯四十五周年研讨会在合肥召开〕　由安徽省作协和安徽文艺出版社共同发起的"陈登科创作生涯四十五周年研讨会"，于 1992 年 11 月 25 日至 26 日在合肥召开。

陈登科是我国当代著名作家，他于 1919 年出生于江苏省涟水县一个贫苦农民的家庭。1940 年投身革命，成为我苏北抗日游击队的一名战士。这年他才开始学文化。1945 年 5 月调《盐阜大众》报社任工农记者。1948 年秋，调任新华社合肥支社任记者，后任《皖北日报》记者。1950 年调中央文学研究所学习，从此进入文艺界。曾为中国共产党第八次代表大会代表，第三、五届全国人民代表大会代表，中国作家协会会员。1979 年出席中国文学艺术工作者第四次代表大会，被选为中国文联委员、中国作协理事、作家权益保障委员会委员。现任安徽省文联副主席，作协安徽分会主席。他在 45 年的漫长文学生涯中，深入生活，辛勤笔耕，写出了五百多万字的文学作品。他的主要作品有：报告文学《铁骨头》、短篇小说《离乡》、《黑姑娘》、《第一次爱情》和《在巨浪中》。长篇小说有《活人塘》、《风雷》、《雄鹰》。电影剧本有《柳湖新颂》、《卧龙湖》、《风雪大别山》、《柳暗花明》、《淝水大战》等。他的具有广泛影响的长篇小说《活人塘》、《风雪》、《破壁记》，在中国当代文学史上留下了浓重的一笔。

为期两天的研讨会发言十分踊跃。与会作家和评论家，从不同角度不同侧面回顾了陈登科的生活道路和创作道路，充分肯定了他的创作思想、创作成就，并从深入的研讨中受到了很多启示。

中共安徽省委副书记杨永良、省人大副主任应宜权给研讨会致贺信。中国作协、中华文学基金会发来了贺电，省文艺出版社社长梁长森向会议赠送了登科同志长篇新著《三舍本传》。

〔陈新民·施甸县公安局副局长·被评选为中国十大杰出民警之一〕　1992 年 1 月 10 日，由中宣部、公安部和新华社、人民日报社、中央人民广播电台、中央电视台等新闻单位联合举办的"中国十大杰出民警"评选揭晓，云南省施甸县公安局副局长陈新民荣获"中国杰出民警"称号。同年 5 月，全国总工会授予他全国"五一"劳动奖章；10 月，他出席了中共第十四次全国代表大会。

陈新民，祖籍湖南省汇毕县，1957 年 7 月生于云南保山，大专文化程度，1975 年 9 月中学毕业后下乡插队，1982 年调入施甸县公安局缉毒侦察队，1984 年加入中国共产党，并任缉毒队副队长，1988 年毕业于云南省公安专科学校，1991 年 5 月任施甸县公安局副局长。他从事缉毒工作 9 年，打入到贩毒集团内部 50 余次，带领全队破获贩毒案件223起，抓获贩毒分子426名，共缴获海洛因26万多克，鸦片67万多克，手枪4支，手榴弹4枚，以及价值80余万元的赃款赃物和运输工具，使境外毒贩闻之丧胆，被人民群众誉为“毒犯克星”。

陈新民所在的施甸县，距中缅边境百余公里，是毒品由境外流向内地的主要通道之一，缉毒任务十分繁重。陈新民置生死于度外，风里来雨里去，与贩毒分子展开了一场又一场的惊心动魄的殊死斗争。施甸县公安局侦破的多起武装走私毒品案件，大多数是他上第一线，装扮成四川、甘肃等地的毒品老板，出没于贩毒分子活动的地方，与之周旋而破获的。面对荷枪实弹的毒犯，他机智勇敢，将他们一个个捕入法网。1989年8月，他带领战友侦破一起特大走私毒品案件，正在两名毒犯兑货、点钱之际，他们突然出现在面前，一毒犯迅速伸手向腰部，企图拉响已开盖的手榴弹，陈新民奋不顾身猛扑上去，紧紧扭住罪犯双手将其制服。1989年12月，公安局了解到一贩毒集团已将毒品运入我国境内，藏在山坳中，急于找买主。陈新民扮演了要买“货”的大老板，打入贩毒集团内部侦察。贩毒集团头目对他产生怀疑，掏出手枪顶住他的太阳穴。陈新民沉着冷静，巧妙周旋，终于取得对方信任，在引诱毒犯进入伏击圈后，又将对方的手枪智取在手，在战友的协助下一举歼灭贩毒团伙，一次缴获海洛因22395克。1990年12月，陈新民准确地掌握了一贩毒团伙的情况，并巧妙地控制住对方的武器弹药，在毒犯必经之地设置伏兵，将其一网打尽，一次缴获海洛因42000多克。施甸县公安局缉毒队在陈新民的领导下，在禁毒斗争第一线创造了突出的成绩，多次受到上级嘉奖，荣立集体三等功两次。他们共截获境外贩毒集团精制毒品数十万克，以毒品交易价计算，价值达数千万元。国外一些贩毒头目对陈新民恨之入骨，悬赏60万元买他的头。陈新民没有丝毫的胆怯和退缩，更加热爱缉毒这一行。他曾8次被评为先进工作者，3次荣立三等功，一次荣立二等功，1991年被云南省委表彰为优秀共产党员，1992年4月被评为云南省社会治安综治先进个人，5月又被授予云南省特等劳动模范称号。

〔陈慎言、曾健培、朱学三、赵小宝（女）、刘芳桥·抗战时期营救美国飞行员的五位中国老人·应邀出席美国首次轰炸日本本土五十周年纪念会〕 1992年3月13日，一架美国西北航空公司的大型客机徐徐降落在美国明尼苏达州明尼阿波利斯机场，机上载有在抗日战争中营救美国飞行员的五位中国老人：陈慎言、曾健培、朱学三、赵小宝和刘芳桥，他们是应美国杜利特尔轰炸机协会的邀请，前来出席美国首次轰炸日本本土五十周年纪念会。

1942年4月18日晚10时，由杜利特尔中校率领的美国远程轰炸机队从“黄蜂”号航空母舰上腾空而起，直飞日本本土，接连轰炸了日本东京、神户、大坂、名古屋等城市。日本军队还未反应过来，轰炸机队已经飞离日本，飞向中国东南沿海。美军首次空袭日本本土取得胜利，极大地振奋了美国人民反侵略的斗志。罗斯福总统对这次“东京上空30秒”行动给予了极高的评价。当时参加空袭行动身负重伤被中国人民营救的飞行员劳森回国后不久写了一本自传体小说《东京上空30秒》，详细描写了“4·18”攻击日本本土的事迹，轰动了美国，后被好莱坞改拍成同名电影，名噪一时。杜利特尔及其轰炸机队的队员因此成为美国人人皆知的英雄。四十七年后，美国总统布什于1989年7月6日将美国的最高职奖——总统自由奖授予92岁的四星上将杜利特尔，称他为美国英雄。然而，当年杜利特尔轰炸机队在飞出日本本土后却遇到了意外，机队飞抵中国东南沿海后，由于与地面失去了联系，机上燃油已经耗尽，杜利特尔命令弃机跳伞。16架B—25轰炸机除一架迷航降落在原苏联的海参威外，其余都在中国浙江、安徽、江西境内坠毁。75名飞行员，除3人身亡，8人被日军俘获外，其他64人跳伞着陆后，得到了当地中国人民的营救，这一义举在半世纪前谱写了中美人民患难之交、谊深情长的历史篇章，也才有了今天陈慎言等5位中国老人应邀访美的当代佳话。

陈慎言，浙江天台人，1912年出生。早年毕业于上海东南医学院，曾先后在杭州广济医院、江西29军医院及黄岩县军医处行医。1942年4月18日夜，杜利特尔轰炸机队七号机坠落在三门县大沙村的外海岩礁区，机上5名飞行员4人身负重伤，当地渔民将他们救上岸后紧急护送到三门卫生院抢救。由于卫生院设备简陋，他们向临海恩泽医院求援。当时恩泽医院院长为陈慎言的父亲陈省儿。陈省儿闻讯后，急派长子陈慎言星夜赶到百里之外敌占区的三门县将5名飞行员接回。在陈慎言一家和美国随队医师华特的精心护理下，特维伯、麦克罗、克罗文的伤势很快稳定，劳森因开放性骨折感染炭疽杆菌，生命垂危，陈慎言又与华特一起，成功地做了锯腿手术。后来，陈慎言与华特一起护送他到昆明回国。分别时，他们三个拥抱在一起，热泪横流。华特医师特向重庆美军总部写信说："这位中国朋友是我们的救命恩人！请代表我们的祖国向这位中国医生致敬！"1945年3月，陈慎言应美国国务院邀请赴加利福尼亚州大学留学，到达华盛顿后，受到了当时的美国副总统杜鲁门的接见。解放后，陈慎言先后任浙江省嘉兴医院外科主任、台州医院副院长等职，1973年退休。

曾健培，广东南海市人，1911年7月出生。1935年毕业于上海圣约翰大学，1937年以后在江苏省邮政管理局工作，现为嘉兴市邮局退休职工。1942年初，曾健培在浙江军邮督导处工作。4月18日晚，杜利特尔轰炸机队11号机坠落在兰溪的崇山峻岭中，有两名美军飞行员经军邮员魏汉民等人救助送到歙县。曾健培闻讯后立即前往探望，请医生为他们包扎伤口，又派车找到同机的另外3名飞行员，将他们5人送过长达180公里的日军封锁线，安全送到黟县。1989年7月，他突然从《参考消息》上看到布什总统给杜利特尔将军颁奖的消息，勾起了对往事的回忆。精通英文的曾健培给杜利特尔写了一封长信，询问被他们营救的美国飞行员的下落，不久就接到杜利特尔和飞行员波尔茨热情洋溢的复信。自此中美两国的三位老人续上了中断47年的友情。

现年68岁的朱学三是上海市粮食局的退休职工。当时他在浙江临安茗云区当小学教师。杜利特尔轰炸机队1号机就坠毁在这一山区。飞行员波特、勃莱茂和莱纳德被村民发现后，找到粗通英语的朱学三了解了他们的身份。朱学三一家对他们热情照顾，并护送他们到当时的浙西行署所在地的潘庄，在那里与跳伞后遇救的队长杜利特尔和领航员考尔会合。临别时，波特将自己身份的铂质腕章，送给朱学三作为纪念。1990年波特随调查团来中国查找当年救助美国飞行员的中国朋友时，在临安与朱学三重逢，又见到了这只珍藏了48年完好无损的纪念物，他不禁热泪滚滚，紧紧地把朱学三抱起。

现年68岁的赵小宝是浙江三门县大王宫村渔民。杜利特尔轰炸机队7号机当年坠落在大王宫村附近海面，机上4名飞行员上岸后摸黑进到她家的猪栏里，赵小宝和她的丈夫麻良水（已故）把他们请到屋里，煮了鸡蛋给他们充饥。第二天清早，又把同机的另一名飞行员找到。晚上，麻良水找来一条小舢板，载上化了装的美国飞行员趁黑夜穿越过经常有日军舰艇游弋的南湖港，平安到达三门县。1992年赵小宝访美时，与遇救的飞行员威廉斯在明尼苏达州雷德蒙市重逢。威廉说："50年前，我们第一次相逢是在你家的猪栏里，现在我们第二次相逢是在全市最高级的圣詹姆斯宾馆，虽然如此，也报答不了中国人民救命之恩。"

现年84岁的刘芳桥是浙江遂昌县山区的农民。当年，杜利特尔轰炸机队3号机领航员奥苏克跳伞后落入遂昌山区，被当地村民发现，由刘芳桥护送出山。当时奥苏克负伤，身体虚弱，刘芳桥且扶且背，步行了整整一天，终于将奥苏克安全送到县城。

杜利特尔轰炸机队成员被中国人民营救之后，陆续回到了美国。一部分飞行员重新投入了反法西斯的战斗中，有些人在战争中捐躯。第二次世界大战结束后，杜利特尔轰炸机队的战友们重新会聚在一起，45名幸存者成立了杜利特尔轰炸机队协会。这个协会如今已成为美国人民心目中威望极高的社会团体。他们每年三、四月间，都要从全国各地来到当年组建轰炸机队的哥伦比亚举行纪念活动。每次聚会的一个重要话题，便是缅怀中国人民的救命之恩。久而久之，中国人民营救美国飞行员的故事在美国家喻户晓。这个协会在筹备轰炸日本本土50周年纪念会时，强烈希望找到当年的救命恩人来美参加纪念活动。为此，他们组织了一个5人调查团于1990年9月来到中国，前往浙江沿海一带寻找中国恩人，并确定了赴美参加1992年50周年庆典活动的人选。

1992年3月13日，5位中国老人来到美国后，受到杜利特尔轰炸机队协会及美国各界人士的热烈欢迎。为保证五位老人身体健康，100多位医生组成了志愿者队伍，随时为老人提供服务。几位美国老太每天一早便赶到中国客人的下榻处，为中国朋友烹饪可口的早餐。在中国老人的居住地，时常有人打电话来询问：能不能上我家住宿？能不能让我为你们驾车？……3月22日，举行了首次轰炸日本本土50周年纪念会，中美老朋友重逢，全场一片欢腾，互相热烈拥抱，明尼苏达州副州长宣布授予五位中国公民为明尼苏达州荣誉公民的称号，并向他们颁发了荣誉证书，这是中国五老继接受罗彻切斯特市荣誉市民称号后的又一个州级荣誉称号。美国总统布什发来贺信，贺信中说："我们也向中国善良的人民致敬。由于他们人道主义的努力，这些轰炸机队的成员得以重获安全。为此，我们永远不会忘记中国人为自由和正义的事业做出的杰出贡献。”飞行员特维伯拉起裤脚，指着小腿上的伤疤说，这腿伤就是在中国浙江恩泽医院治好的，我们不会好了伤疤忘了恩人。3月23日，美国国防部长切尼在五角大楼会见了5位中国老人和被他们营救的8位美国飞行员。切尼对中国老人说：这些美国飞行员是英雄，你们救他们，也是英雄。当天下午，布什总统的亚洲事务特别助理帕尔在白宫代表布什总统会见了中国老人。会见结束后，5位中国老人来到国会大厦，明尼苏达州众议员拉姆斯特德为他们举行了记者招待会。

经过13天的访美会友，中国人民的民间使者、五位中国老人于3月26日平安地载誉归国。

〔陈慕华（女）·全国人大副委员长、全国妇联主席·强调妇女要在经济建设主战场发挥“半边天”作用〕　1992年3月7日，全国人大副委员长、全国妇联主席陈慕华在纪念“三八”国际妇女节82周年大会上讲话，号召全国各界妇女在祖国社会主义经济建设主战场上发挥妇女的“半边天”作用。她说：党的十一届三中全会以来，“经济建设是全党的工作中心，也是妇联的工作中心。”“近几年，在我国城乡普遍开展的声势浩大的‘双学双比’和‘巾帼英雄’竞赛活动，找到了妇联组织服从和服务于经济建设这个中心的好形式，活跃了妇女工作，并以其丰硕的成果，显示了中国妇女在经济建设主战场的‘半边天’作用。”

6月13日，陈慕华在首都各界妇女学习宣传《妇女权益保障法》的集会上讲话指出，《妇女权益保障法》的颁布，为妇女在国家经济建设中取得与男子平等的参与和竞争机会提供了重要的法律保障，必将进一步调动妇女参加社会主义建设的积极性，促进妇女在经济建设的主战场上发挥“半边天”的作用，从而推动我国经济的发展。

1992年4月19日至26日，陈慕华应邀访问乌干达和肯尼亚。5月17日至6月2日，她率中国人大代表团访问波兰、匈牙利和奥地利等国。

陈慕华，1921年6月生于浙江青田。1938年3月入延安抗日军政大学学习，同年6月加入中国共产党。曾任抗大第三分校训练部军事佐理员，延安警备第五团参谋等职。建国后，任铁道部政治部宣传组（处）副组长，对外经济联络总局成套设备局副局长，对外经济联络部部长，国务院副总理等职。是中共第十、十一、十二、十三届中央委员，第十一、十二届中央政治局候补委员。

〔附注：1993年3月27日，八届全国人大一次会议选举陈慕华为八届全国人大常委会副委员长。〕

〔陈肇雄·智能型计算机专家·开发成功居世界领先地位的智能型英汉机器翻译系统创巨大经济效益〕　中国科学院计算所研究员、年轻的陈肇雄博士主持研制成功居国际领先地位的“IMC／EC—863智能型英汉机器翻译系统”，1992年与香港权智公司合资生产，其产品畅销香港、台湾，年销量达30万台左右，价值近6亿港元，成为目前我国计算机主题创汇最多的项目之一。

陈肇雄，1961年出生于福建省莆田县，1982年毕业于华东工学院计算机系，1986年获中国科技大学硕士学位，1989年获中科院计算机研究所博士学位。现为中科院计算所机译研究开发中心负责人、同香港权智公司合资的公司总经理。

1988年陈肇雄担任“863”高技术研究发展计划之一的“智能型英汉机器翻译系统的研究”课题组带头人。这一课题由中科院计算所牵头，由中国科技情报所、中国科健公司、北京科技大学、北京联大自动化工程学院、解放军后勤学院、总参第61研究所等全国十几个单位的几十名机译专家和技术人员参加。在陈肇雄主持下研制成功的“IMC／EC—863智能型英汉机器翻译系统”，经中科院学部委员戴汝为为主任的鉴定组鉴定认为：该系统总体上已超过国内外同类系统，处于国际领先地位。

1991年底陈肇雄代表该所与香港权智公司合作，1992年10月代表中科院计算所机译开发研究中心正式与权智公司开办合资公司，并任总经理。他们制造出的智能型袖珍电子翻译机器，只要输入一个英语句子，就会显示出相应的中文文字，并可以用英语、汉语读出声音。有了它，外国人到中国来旅游、购物、做生意就很方便了。该翻译机器1992年在港台畅销，其销售量达30万台左右，价值约6亿港元。据国家“863”计划联合办公室主任林泉曾称：智能型机译课题是“863”计划中的模范项目，也是计算机主题中目前创汇最多的项目。

〔邵华·著名话剧表演艺术家·逝世一周年〕

著名表演艺术家邵华，因病医治无效，于1991年8月26日在北京中日友好医院逝世，终年72岁。1992年在他逝世一周年之际，话剧界的朋友和广大观众深深怀念这位受人尊敬和爱戴的老艺术家。

邵华，祖籍浙江定海，1919年生于哈尔滨。

1937年高中毕业到上海环球打字所学打字，业余演戏。1938年加入了唐槐秋领导的上海中国旅行剧团，成为一名职业演员。在旧社会的戏剧舞台上，他历尽了艰辛坎坷。1942年当他随“中旅”到北平公演时，曾被日本宪兵队以莫须有的罪名关押。这一经历使他痛感丧权辱国的屈辱。到新中国成立前夕，他先后参加了近80部戏剧的演出和10多部电影的拍摄，剧目涉及古、今、中、外许多名著，如《日出》、《雷雨》、《原野》三剧中的男性角色，他几乎全都演过；《阿Q正传》中的假洋鬼子、《林冲夜奔》中的高俅等，都是他的成功之作；他还参加过电影《杨乃武与小白菜》、《洪宣娇》、《马路天使》等的拍摄；在上海改编、导演了《妇女心》、《白毛女》、《九件衣》等八、九出沪剧。

建国后，他举家北上，于1949年12月参加了中国青年艺术剧院。从1950年到1964年，在35个剧目中，塑造了37个神采各异的角色，其中有多年来被人称道的《钦差大臣》中的勃布钦斯基、《法西斯细菌》中的秦正谊、《抓壮丁》中的姜国富、《家》中的五老爷、《上海屋檐下》中的黄父。从1976年到1985年退休，他又出色地塑造了《曙光》中的刘雨斋、《东进东进》中的欧阳紫石、《猜一猜谁来吃晚餐》中的瑞恩主教、《红鼻子》中的彭孝柏等各具特色的艺术形象。他的表演向来以认真刻苦、细致刻划人物而著称，他从不计较角色的主次，除《西望长安》中的栗晚成是主角之外，从艺50年，他演了近70个配角，被人们称为甘演配角的艺术家，而他则说：“在我们这里，何止我一个配角，一台戏里‘主角’毕竟是少数，更多的人则以自身的光作为映衬，在默默地扶植、烘托着他们，我的同辈以及年轻的同志们都在这样做着。”几十年来，从地主、特务、法西斯军官、神甫、资本家到医生、教授、牧民、工人、炊事员……这些职业不同，性格迥异的人物，他都演过，起到了绿叶扶红花的作用。

他参加过10部影片、5部电视剧的拍摄，有《林家铺子》、《风暴》、《南征北战》等，在电影《青春之歌》中他所扮演的魏三大伯，虽然只有几个镜头的一场戏，却成功地刻划了一个催人泪下的老贫农形象。更为突出的是，他于晚年在受到广播电影电视部、中央电视台嘉奖的电视连续剧《四世同堂》以及《家、春、秋》中，塑造的祁老人和高老太爷的艺术形象，蜚声艺坛，赢得了海内外各界观众的一致好评，为他的艺术创造写下了更加辉煌的一页。

〔邵宇·著名画家、书法家·在深圳逝世〕

中国书法家协会主席邵宇，1992年6月4日因心脏病突发，在深圳逝世。终年73岁。

邵宇，1934年入沈阳小河沿美术专科学校，1935年入北平美术专科学校，专攻西洋画。1936年参加革命，1938年加入中国共产党。曾任区工委书记，地委宣传部长，后从事新闻工作。皖南事变后曾被囚于上饶集中营，越狱回到革命根据地后，任新华社苏中分社副社长等职。全国解放后，任新闻摄影局副秘书长兼美术创作室主任、《人民日报》社美术组长、《人民画报》社总编辑。1950年参与主持筹建人民美术出版社的工作，并先后任副社长兼总编辑、社长兼总编辑等职。五十年代曾出版素描画册《上饶集中营》，水墨画《万水千山》和《首都速写》等。1984年兼任《中国美术全集》编辑委员会主任，主持《中国美术全集》的编辑出版工作。1988年又任《中国美术分类全集》的总编辑，主持这项出版工程的规划编辑工作。1955年至1981年任中国美术家协会常务理事、书记处书记。1990年起任中国书法家协会副主席、主席。

邵宇是第三届全国人大代表。第四至第七届全国政协委员。

〔邵华泽·任人民日报社社长〕　1992年11月，中共中央任命人民日报社总编辑邵华泽为人民日报社社长（仍任总编辑），高狄不再担任人民日报社社长职务。

邵华泽，1933年生于浙江省淳安县一个偏僻的农村。1951年1月由一名高中学生参加中国人民解放军，到上海军医大学学习，后入第二政治干部学校学习马克思主义理论。1954年起任军医大学政治理论教员。1957年加入中国共产党。1958年至1960年在中国人民大学哲学系研究班学习，获辨证唯物主义和历史唯物主义专业研究生毕业证书。1960年至1964年在第二军医大学任哲学教师。1964年5月调解放军报社工作，曾任编辑、副主编，1981年任解放军报社副社长。1985年2月任人民解放军总政治部宣传部部长。1988年被授予少将军衔。1989年6月被中共中央任命为人民日报总编辑。曾被选为第四届全国人大代表，中国共产党第十三大、十四大代表，第十四届中央委员会委员。职称为高级编辑。现为中华全国新闻工作者协会副主席，中国人民大学新闻学院、南京政治学院新闻学兼职教授，第二军医大学兼职哲学教授。著有：《生活与哲学》（上海人民出版社1983年出版），《新闻评论写作漫谈》（长城出版社1986年出版），《历史转变中的思索》（解放军出版社1989年出版），《新闻评论学概论》（人民日报出版社1992年出版），还主编了《辩证唯物主义方法论》等书。

邵华泽为中国书法家协会会员，书法作品在日本、新加坡和国内多次展出，为一些展览馆、博物馆收藏。

〔范巨灵·国旅总社导游·在全国旅游系统职工服务技能大赛中获导游（日语组）第一名〕

1992年12月，在'92全国旅游系统职工服务技能大赛中，中国国际旅行社总社日语导游范巨灵摘取了导游（日语组）的金牌。

范巨灵，1963年9月出生于陕西岐山，1986年7月毕业于大连外国语学院日语系旅游专业，1986年8月进入国旅总社担任日语导游。这次参赛前，范巨灵随大型访日团到日本一个多月，直到距大赛开幕的前三天才回到北京。回京的当晚，他只匆匆观摩了一下其他选手的练习，自己只来得及做一次即兴演练，第二天确定自选项目，只用了半天时间查找资料和草拟提纲，第三天即直飞桂林。尽管是这样的仓促上阵，范巨灵却靠自己平日打下的厚实业务基础，以娴熟的日语、丰富的知识、高超的导游技巧，一举夺魁。同行们赞叹："范巨灵真灵！"其实，范巨灵能在这次大赛中取胜，并不单纯是靠自己的聪明。这位来自陕西的农村孩子，十分珍惜来之不易的学习机会，付出了艰辛的努力。在学校时他的成绩总是名列前茅；到国旅后，他把全部精力都用在学习和工作上。他住在单身宿舍，别人休息时，他常常坐在一边看业务书籍。每次接团，他都注意向游客学习新的词汇，获取新的知识，给自己的导游增添新的内容。同事们说，和范巨灵在一起，不用带字典，凡是问他的日文字词及有关资料，他能张口就来。他的日语发音字正腔圆，大赛日语组裁判长、原我国驻日文化参赞王达祥说："简直听不出范巨灵和日本人讲话有何差别。"此次大赛中，范巨灵的规定项目是远瞰象鼻山，他把景点分成远、中、近，层次分明，层层讲解，使人犹如欣赏一幅幅由远而近的画面，被称为具有艺术水平的导游。

〔林杉·电影剧作家·在北京逝世〕　新中国电影艺术创作的开拓者之一、中国电影家协会主席团成员、中国电影文学学会会长林杉，1992年2月5日在北京逝世，终年77岁。

林杉，浙江省慈溪县人。1930年初加入反帝大同盟，同年5月参加中国共产主义青年团，1931年转为中国共产党党员。1932年初，他经党组织介绍到上海浦西青年会小学任教，并在左翼剧联领导下，组织青虹剧社，任副社长，开始了他60年的艺术生涯。

1939年，林杉到达延安，旋即被派往晋西北解放区工作，直到全国解放。这期间他先后担任晋西文联剧协主任兼文联剧社社长，晋西大众剧社社长，七月剧社副社长，西北艺术学院戏剧系主任等职。在毛泽东《在延安文艺座谈会上的讲话》精神鼓舞下，他积极创作了秧歌剧《以毒攻毒》、眉户剧《渗沙》、山西梆子《刘保成》、《重见天日》、《买卖婚姻》、话剧《中华儿女》等以反映晋西北人民抗日救国斗争和解放区生活为主要内容的作品。

1947年，他参加了山西崞县的土地改革运动，任土改工作团秘书。1949年8月，他奉调到中央电影局剧本创作所工作，开始他的电影创作生涯。由他担任编剧的描写抗美援朝战争中震惊中外的上甘岭战役的影片《上甘岭》，是我国社会主义银幕上不朽的英雄诗篇，在我国当代电影史上占有重要的地位。他编剧的影片《党的女儿》，也曾在全国引起轰动，后被改编为歌剧。他担任编剧和参与创作的电影作品还有：《吕梁英雄》、《刘胡兰》、《丰收》、《复试》、《风从东方来》、《再生记》、《试航》、《冬梅》、《在三年的日子里》、《两家人》等。他还根据自己的创作实践，对电影艺术的许多方面作了深入的理论研究，出版有《一个电影编剧的探索》。

新中国成立后，他历任中央电影局艺术委员会秘书长，长春电影制片厂艺术副厂长，中国电影家协会常务理事、书记处书记兼《大众电影》杂志主编，并曾任中国文学艺术界联合会委员。

林杉一生坎坷，多次遭受不白之冤，"文化大革命"期间，又深受极左路线的迫害，但他信仰弥坚，初衷不改，表现了一位老共产党人的高风亮节。

〔林莉(女)·游泳名将·获第二十五届奥运会一项冠军两项亚军并打破一项世界纪录〕　在1992年巴塞罗那奥运会上，中国游泳队的"五朵金花”之一的林莉，夺得女子200米个人混合泳冠军、女子400米个人混合泳亚军、女子200米蛙泳亚军，并打破女子200米个人混合泳世界纪录。

林莉，1970年生于江苏南通，她7岁开始学游泳，9岁进江苏青少年业余体校。由于她有从事游泳运动的天赋，柔韧性好、爆发力强、心肺功能远远超过同龄的女孩，被选入省游泳队。林莉主攻项目是混合泳。教练张雄描述她：能吃苦、为人忠厚、作风朴实、有一种内在的力量；比赛风格好、拼劲足，勇敢善战，每次大赛几乎不“掉”成绩。

1987年是林莉运动生涯的一个转折点，4月夺全国冠军，11月夺全运会金牌，破亚洲纪录，开始“走向世界”。1988年奥运会上她获得两个第七名。1989年泛太平洋地区锦标赛上，夺得1金1银。

1990年亚运会她大放异彩，1人夺得4金1银。1991年珀斯第六届世界锦标赛中，她连拿2项混合泳冠军。

林莉的事迹与简历参见1991、1992年《中国人物年鉴》。

〔林一帆·上海工程技术大学教授级高工·被选入英国剑桥国际传记中心编纂的《世界名人录》〕　上海工程技术大学教授级高级工程师林一帆，发明具有导电性能和屏蔽性能的导电布，在第15届日内瓦国际发明展览会上获得大奖、各国专家评审团祝贺嘉奖、金奖三项殊荣。1992年，他被选入英国剑桥国际传记中心编纂的《世界名人录》和《世界名人词典》。

林一帆，上海市人，1939年1月生，1960年7月毕业于华东纺织工学院，先后在国家纺织工业部、保定化学纤维联合厂、上海第二丝绸印染厂任助理工程师、工程师等职。1980年1月至今，在上海工程技术大学纺织学院工作，现担任该院应用化学研究所所长、教授级高级工程师。他长期从事多功能织物的研究，单独完成的科研成果《导电布制造新工艺》，获国家发明二等奖。《反射型导电布》、《吸收型导电布》获浙江省优秀科技成果奖；最近又发明研制成功具有持久防静电效果的“防静电织物”及具有广谱杀菌功能和电磁屏蔽性能的“多功能织物”，已通过鉴定并投入生产，引起国内外科技界的关注。

导电布是造福人类、有广泛的民间和军事用途的特种织物。林一帆研制的导电布，具有良好的导电功能和屏蔽功能，对微波的屏蔽隔离效果比国际同类产品好，能有效地保护微波工作人员免受电磁波的伤害，并赋予电子设备以优良的抗微波干扰性能，减少电磁波环境污染。它还能用于雷达搜索目标、军事伪装、救生寻找遇难者，以及作低电压加热材料和软性导电材料等。他研制的导电系列织物，已获得国家优秀新产品证书，并已出口美国、加拿大等国。他在报刊上发表学术论文10多篇。曾被评为上海市优秀教育工作者、劳动模范，1990年12月被国家科委、国家教委授予全国高等学校先进工作者称号，并享受国务院颁发的政府特殊津贴。

〔林大全·教授·主持仿真辐照体模研究获全国优秀科技情报成果二等奖〕　1992年5月在成都市召开的“92国际组织替代物、医用体模及医学影象研讨会”上，国内外专家对成都科技大学仿生工程研究室主任、生物医学工程教授林大全主持的中国人仿真辐照人体模型的研制成果给予高度评价，认为这项研究与开发已达到国际先进水平，是对世界体模发展的一大贡献。同年9月，林大全完成的“中国人仿真辐照体模发展趋势及开发方案研究”，获国家科委颁发的全国优秀科技情报成果二等奖。

林大全，四川省内江市人。1940年11月出生，1958年毕业于重庆南开中学，1963年毕业于四川大学生物物理专业。1986年前在四川省医科院从事放射物理、探测仪器、劳动卫生及放射防护管理工作，1987年调入成都科技大学从事组织替代物和仿真人体模型的研究、教学与开发。

近十余年来，他主持完成了科研项目30个，获各级科技成果奖励40余项次。其中，“中国男性非均匀体模的研究”获1985年卫生部医药卫生重大科技成果二等奖，使我国成为继美、日（仅仿制）之后第三个研制生产体模的国家。“中国女性盆腔辐照体模的研制”为国内外首创，主要技术指标达到国际先进水平，获1989年第四届全国发明展览会金牌奖，1991年获国家发明三等奖，其体模系列产品1992年被国际辐射剂量单位和测量委员会命名为成都剂量体模。

林大全撰写和发表的“中国人男性辐照体模及其在辐射剂量监测中的应用”，“中国女性盆腔体模及在放射治疗中的应用”，“头颈部腔隙体模及其在鼻咽癌放射治疗中的应用”，“组织替代物的设计与合成研究”等论文，曾获国际会议、省、市优秀科技论文奖。

中国人仿真辐照体模的研究较好地解决了人体内外三维空间辐射剂量的实测与计算难题，被专家们誉为　“万死不辞的人体替身，是实现放射诊断、治疗、防护最优化的实验工具”，促进了我国放射医学和辐射剂量学的研究和发展。林大全在体模的总体设计、材料设计与合成、等效性测试、特种性成型工艺、临床应用等方面作出了创造性的贡献，为我国医学物理和生物医学工程开拓了新的领域，为组织替代物和仿真人体模型的研究与开发开拓了广阔的前景。

林大全兼任四川仿真体模研究开发中心副理事长、四川省科技顾问团高新技术顾问等职。

〔林少宏·少年“书法状元”·被列入英国《世界名人辞典》〕　1992年3月，福建泉州市高中三年级学生林少宏，被英国剑桥国际传记中心列入《世界名人辞典》(第10卷)。

林少宏，1974年生于福建泉州。他9岁开始学习书法，10岁在全省书法赛上夺魁；12岁时在首次“品段级”书法评定中，成为全国少年组最高级别即“妙品”的唯一得主，被誉为全国少年“书法状元”。近年来，林少宏的书法作品先后9次获全国和国际书法大赛一等奖，蝉联六届福建省学生书法比赛冠军，其作品多次被选送到全国各地及日本、美国、新加坡、菲律宾、南朝鲜等国展出，被多家博物馆、艺术院收藏，或刻入碑林，受到海内外书法界的注目。林少宏品学兼优，兴趣广泛。曾十多次在全国和省、市级的数学、物理、作文、诗歌、英语等竞赛中获奖。

〔林甘泉·历史学家·发表《郭沫若与中国传统思想文化》一文〕　1992年第2期《历史研究》杂志，发表了中国社会科学院研究员林甘泉撰写的《郭沫若与中国传统思想文化》一文。文章指出，郭沫若的卓越成就，得益于他对中国传统思想文化的素养有深厚的根柢。中国传统思想文化对郭沫若早年的世界观和人生观，以及对他的史学思想都有重要的影响。

林甘泉，福建石狮人，1931年11月20日生。1949年厦门大学历史系肄业。曾任中国人民大学研究部干事，《历史研究》编辑部编辑，中国社会科学院历史研究所研究室主任、副所长、所长。现担任博士生导师，国务院学位委员会历史学科评议组成员，国务院古籍整理出版规划小组成员，中国史学会理事，中国秦汉史研究会顾问，第七届全国政协委员。

林甘泉治史领域比较广泛，其主要研究方向是秦汉史与中国封建社会经济史。他在研究工作中注意把马克思主义的基本原理与中国的历史实际相结合，并且形成了自己对中国古代社会形态的一些独到见解。如在《对西周土地关系的几点新认识》一文中，作者根据陕西岐山董家村新出土的一批青铜器铭文，指出早在西周中叶土地已经可以用来交换贵重的物品，且有一定价格。又如在《中国封建土地制度史》第一卷中，作者认为商周时代的所有制形态具有马克思所说的亚细亚生产方式的特点；春秋战国时期，土地所有制和阶级关系发生了激烈变动，农村公社土地所有制瓦解，土地日益私有化，在这基础上形成了封建生产方式。

林甘泉的著作还有《中国古代史分期讨论五十年》(合著)、《中国史稿》第2、3卷(合著，郭沫若主编)，又主编《中国历史大辞典·秦汉史卷》、《郭沫若与中国史学》等书。先后发表的学术论文有《亚细亚生产方式与中国古代社会》、《古代中国社会发展的模式》、《中国古代土地私有化的具体途径》、《历史主义与阶级观点》、《关于史论结合》、《论秦始皇》等30余篇。

〔林占熺·高级农艺师·获第二十届日内瓦国际发明展大奖〕　1992年4月9日，第二十届日内瓦国际发明展评选结果揭晓，参展的30项中国发明获28块奖牌，其中林占熺发明的菌草代木代粮栽培食用菌新技术，以其生态效益好、经济效益高、应用范围广和实用性强等特点荣居首位，赢得发明展大奖。

林占熺，福建连城人，1943年12月出生。1968年毕业于福建农学院，后长期在基层工作。1975年调回福建农学院，现任该院菌草研究室主任。他自七十年代初开始了用野草代粮代木栽培食用菌的研究，经过许多次实验，发现芒萁、类芦、斑茅、芦苇、五节芒等野草含有丰富的蛋白、脂肪、氮、磷、钾、镁，是食用菌的优质培养料。经反复试验比较，他组成了76个不同的野草培养基配方，分别用香菇、黑木耳等40个菌种进行交叉接种试验，最终成功地栽培出香菇、木耳、猴头、云芝、竹荪等多种食用菌。这项技术大量地节约木材、节省粮食、降低成本，被称为利国、利民，经济效益、社会效益、生态效益显著的发明。福建省有类芦、五节芒等野草山地1亿亩以上，仅用其中

5%面积的野草栽培香菇，可产干香菇16万吨，产值可达32亿元，能够节省250万立方木材的消耗。省政府算清这笔帐，把这项技术作为扶贫措施之一在全省迅速推广。据不完全统计，1992年福建全省推广此项技术后增加产值3.327亿元。目前，该项技术已在全国22个省、区、市的127个县市推广应用。

林占熺曾多次被评为先进工作者，获“五一”劳动奖章。曾获第二届国际专利及新技术新产品展览会金奖。发表有《毛木耳》、《野草栽培食用菌》、《菌草栽培食用菌》等专著。曾两次参加国际食用菌生物技术学术讨论会，先后发表学术论文20多篇。还受中国农学会委托，为全国22个省培训农技骨干2000多人，在福建省培训农村技术骨干1.3万余人。

〔林忠照·原福州军区政治部顾问·在福州逝世〕　1992年11月12日，原福州军区政治部顾问林忠照在福州逝世，终年81岁。

林忠照，福建龙岩人。1929年加入中国共产主义青年团，1930年参加中国工农红军，1932年转入中国共产党。曾任红12军36师政治部宣传队宣传员，红1军团1师3团机枪连指导员。1933年入瑞金红军大学学习。后任江西军区独立4团总支书记，红8军团21师62团代理政委，红1军团政治部巡视员。参加了中央革命根据地第5次反“围剿”作战和长征。到达陕北后，任红27军81师团政治处主任、师敌工科科长，红30军政治部副主任。抗日战争爆发后，任八路军后方留守处警备3团政治处组织股股长，陕甘宁边区留守兵团警备3团政治处主任，军政学院三队指导员。1943年入中共中央党校学习。后任留守兵团教导2旅供给部政委。解放战争时期，任热河军区热中军分区副政委，东北民主联军第8纵队政治部组织部部长，东北野战军第8纵队政治部副主任，第四野战军45军政治部副主任。参加了辽沈、平津、衡宝等战役。中华人民共和国成立后，任中南军区军政大学湖南分校政治部主任，粤东军区政委，江西省军区政委，福州军区炮兵政委，福州军区政治部副主任、顾问。1955年被授予少将军衔，获二级八一勋章、二级独立自由勋章、一级解放勋章。1988年7月获一级红星功勋荣誉章。

〔林春华·高级工程师·研制、推广电刷镀技术创经济效益二十亿元〕　曾获国家科技进步一等奖的铁道部戚墅堰机车车辆工艺研究所高级工程师林春华主持研究开发的电刷镀技术，从八十年代初向全国推广应用以来，至1992年，已创直接经济效益20亿元，成为我国工业领域技术推广工作的一个成功范例。

电刷镀技术是电化学沉积金属的一种特殊工艺。用这种技术，能迅速修复、强化各种机械零部件的易损、超差部位，改善金属表面的耐磨性、耐蚀性、抗电磁干扰性、抗射频干扰性以及对金属表面进行装饰等，设备简单，操作方便，应用范围很广，被誉为机械零部件的“起死回生术”。哈尔滨汽轮机厂大型透平转子轴加工超差，如果换新的，需要27万元，他们用电刷镀技术，只花96元的材料费，用两个小时就修复了。常州冶修厂数吨重的工件加工超差，在过去只好报废，但用电刷镀技术，只花10%的代价，挽回了99%的损失。电刷镀技术适应了我国家底薄，各类机械设备都须尽可能延长使用寿命的需要，被国家经委连续列为“六五”、“七五”、“八五”期间重点推广的技术项目。

为使这一高新技术尽快推广，转化为生产力，戚墅堰机车车辆工艺厂的技术人员采取示范表演、上门服务、新闻传播、技术培训等方法，取得显著效果。十年来已培训专业技术人员数万名，并建成了覆盖全国的电刷镀技术协作交流网络。1985年首次在香港一家造船厂作示范操作表演获得成功，使电刷镀技术很快打入国际市场，创造了几十万美元的效益。现在这一技术已出口到二十多个国家和地区。他们在技术推广过程中，还注意不断发现新问题，使研究开发与推广应用相互促进，不断深化、提高。现在电刷镀工艺由原来单一的工艺形式发展到流镀、珩磨镀、脉冲刷镀、复合刷镀、无电解刷镀等多种形式，镀液也发展到百余种。

林春华，辽宁省大连市人，1940年8月生，1960年9月考入大连铁道学院，1965年分配到铁道部戚墅堰机车车辆工艺研究所工作，现任该所所长，高级工程师。他在中国科学院上海有机化学所的协作下，率领课题组，在消化吸收国外研究成果的基础上，积极创新，经过两年的艰苦努力，研究开发出的电刷镀这一高新技术，又经历十多年的不懈努力，在全国各有关部门开发和推广。这一成果获1985年国家科技进步一等奖和1986年国防专用国家科技进步三等奖。林春华本人三次分别获得国家、江苏省、铁道部授予的有突出贡献的中青年专家称号。著有《电刷镀技术问答》、《电刷镀技术便览》及多篇论文。

〔**林荣三·当选台湾“监察院”副院长**〕 1992年2月20日，台湾“监察院”补选副院长，林荣三竞选获胜，出任此职。

林荣三，1938年（一说1939年）生，台湾省台北市人。开南高级商工职业学校毕业。1967年创办联邦建设企业公司，从事房产建筑业，后任董事长，以此起家。历任开南商工职业学校、清传高级商业职校校董，国际青商会三重市分会副会长，林玉裕粮行负责人，太裕窑业公司、联邦染整公司董事长。1978年任台湾《民众日报》董事长。

1975年当选增额“立法委员”。1977年申请加入国民党。1980年当选增额“监察委员”，1986年竞选获连任，曾任国民党“监委”党部委员，财政委员会召集人。1991年任国民党中央政策会副主任委员。

林荣三于1992年7月9日出资创办“财团法人林荣三基金会”，致力于社会福利慈善事业。

〔**拉吉·西藏聂拉木边防检查站站长·被评选为中国十大杰出民警之一**〕 1992年1月10日，由中宣部、公安部和新华社、人民日报社、中央人民广播电台、中央电视台等新闻单位联合举办的“中国十大杰出民警”评选揭晓，西藏聂拉木边防检查站站长拉吉荣获“中国杰出民警”称号。

拉吉生于1942年，藏族，原籍西藏定结，1959年参加工作，1965年4月加入中国共产党，曾任边防派出所所长、边防检查站站长等职。西藏和平解放前，拉吉从8岁起就当了小奴隶，受尽煎熬。是共产党派来的解放军使他获得了新生，并使他成为新西藏第一代知识分子。1962年，毕业于中央政法干校的拉吉，放弃留城工作的机会，坚决要求到边防一线去，来到了被人们称为生命禁区的西藏仲巴县里兹边防派出所工作。这里海拔4500米，高寒缺氧，吃不上青菜，看不上电影电视和报纸，派出所只有5个人，要管辖300公里边境线，20个大山峡谷和24个可以通行的边界山口，有的山口海拔高达6500米。西藏平叛后，边境地区仍然时有小股土匪入境抢劫边民财产。为了保境安民，拉吉经常风餐露宿，和战友们在边境上巡逻，大部分时间都是在马背上度过。每年10个月的降雪期间，外出巡逻的坐骑驮不动帐篷和被褥，他们就只能露宿在风霜雨雪中，常常是天亮后发现整个身子被冰雪覆盖着。如遇到马被狼群惊跑，他们就只能一路吆喝一路踏雪前进了。暴风雪来临时，雪沙漫天飞，四周不见人烟。就在这样的恶劣环境中，拉吉生活了整整25个春秋。一次他经过周密侦察，指挥战友一举歼灭了中尼边民所痛恨的一伙土匪，将他们掠夺的300多头牛归还给群众。这次战斗极大地震慑了残存的土匪，他们管辖的300多公里边境秩序从此安定下来。拉吉多次立功受奖，但从不居功自傲，部队先后3次为他办理家属随军手续，他都把机会让给了别人，至今妻子和孩子仍在农村生活。

1986年，拉吉被调到聂拉木边检站任职。身为边检站领导，总有不少违法出入境人员找上门，送好烟好酒、彩电、收录机，有的干脆送大把的人民币、外汇券、美钞，求他开方便之门。拉吉总是以一身正气，将送礼者拒之门外。共拒收各种贿赂上百次，价值5万多元。1991年，江苏、安徽特大洪灾的消息传到西藏，拉吉不顾自己身患多种疾病，将一个月的全部收入543.5元捐给了灾区。他总是默默地为战友、为群众忙碌着。为解决吃菜问题，他带头开荒种地。他主动让出套间住房，改建成医务室，自己搬进一间矮小的平房。组织考虑在市区为他建一套退休房，让他安度晚年，他却坚决要求退休后回到家乡去，再为家乡建设作一点贡献。拉吉曾被授予“战斗英雄”、“优秀共产党员”、“全国民族团结先进个人”等称号。

〔**尚钺·已故著名历史学家·诞生九十周年**〕 1992年1月6日，是已故著名历史学家尚钺90周年诞辰。在数十年的历史研究与教学工作中，尚钺十分强调马克思主义理论对历史研究的指导作用，十分注意对历史规律的探索。他常说：“没有马克思主义，历史是躺着的；有了马克思主义，历史就站立起来了。”

尚钺，字健庵，原名仲吾、宗武，1902年3月生，河南罗山县人。1917年就读于开封省立二中，1921年考入北京大学预科，受李大钊等人的影响，开始学习马克思主义，逐渐倾向革命。1927年蒋介石发动“四·一二”反革命政变，在全国一片白色恐怖中，尚钺毅然加入了中国共产党。入党后，他受命回到河南罗山、光山一带发动秋收起义，组织工农革命军，建立苏维埃政权。1938年春，他在郭沫若主持的国民政府军事委员会政治部第三厅任中校科长、图书资料室主任。从这时起，尚钺开始了他的历史研究工作。1946年8月，他经上海到达山东解放区，先后在山东大学、北方大学、华北大学任教，并担任史地系主任等职。1950年到中国人民大学任教，兼任中国科学院哲学社会科学部历史研究所学术委员、北京市历史学会副会长等职。

新中国成立初期，为了改革教学内容，培养以马克思主义、毛泽东思想为指导的历史研究和教学队伍，尚钺编写了一部近200万字的《中国通史讲义》，培养了80余名研究生。1954年，他主编的《中国历史纲要》出版。这是一部简明晓畅的中国通史，它的出版引起了史学界的重视。1956年，他撰写的《先秦资本主义关系发生及演变的初步研究》和《先秦生产形态之探讨》等论著相继出版或发表，引起了广泛的讨论。

中国古代社会性质即古代史分期问题和中国封建社会内部的资本主义萌芽问题，是尚钺用力较多的两个研究领域。他是较早提出魏晋封建说的学者和主要代表。他认为，从西周到春秋，中国社会还没有完全脱离原始公社的脐带。从战国到两汉，则是中国奴隶制从发展到没落的阶段。西汉初期已产生了封建关系的萌芽，直到魏晋，中国才进入了封建社会。

1982年1月6日，尚钺因病逝世。

〔易开基·钢琴教育家·八十华诞〕　1992年11月，是我国优秀的专业钢琴教育家、中国第一代钢琴家之一的易开基教授八十寿辰。为庆贺在近半个世纪中，他为我国专业钢琴教育的发展与成熟做出的突出贡献，中央音乐学院钢琴系为易开基举行了祝寿会。与会者回顾过去，祝他健康长寿，祝他倾心开创的钢琴事业更加兴旺发达。

易开基，四川省万县人。1912年11月生。少时在万县读书。1927年，就读于四川省立第四师范的易开基，得到曾在上海艺术大学学过音乐的任瑞轩的指导，正式开始学习钢琴。1930年考入上海国立音乐专科学校，师承俄籍教授查哈罗夫。1935年毕业后，曾在上海、成都等地工作，同时继续进修钢琴。1940年起历任重庆青木关国立音乐院讲师、副教授、教授，并兼中国第一位钢琴系主任等职。1946年迁院南京，仍任原职。新中国成立后，任中央音乐学院教授兼钢琴系主任。现退休。早年，他曾在上海、北京、重庆、南京、天津等城市举办过钢琴独奏音乐会，参加各种形式的演出活动。

易开基献身钢琴教育事业近半个世纪，对钢琴艺术严肃认真，一丝不苟。他科学、系统、严谨的教学方法，培养出一大批具有深厚音乐教养、良好的音乐感觉、必要的心理素质和全面的专业技能的钢琴教学和演奏人才，如应诗真、沈灿等，现正在全国各音乐院校、各艺术团体起着重要的作用，为新中国钢琴音乐艺术的发展做出了重大贡献。他重视中国作曲家钢琴作品的创作与演奏。1961年，受文化部委托主持编选《高等音乐院校钢琴曲选》五集。他是第一批以有突出贡献的专家学者而获政府特殊津贴证书者。

易开基历任北京市第三、四、五、六届政协委员。他是中国音乐家协会会员。

〔固辉·任南京军区司令员〕　1992年11月，中央军委任命固辉为南京军区司令员。

固辉，1930年10月生，辽宁盖平（今盖县）人。1947年参加中国人民解放军。次年加入中国共产党。曾任第四野战军营部书记。参加了辽沈、平津等战役。1950年参加抗美援朝，在中国人民志愿军任团作战训练参谋。回国后，任团作战训练股股长、团副参谋长。1961年毕业于军事学院基本系，后历任师作战训练科科长、团长、副师长，广州军区军政干部学校训练部副部长，师长、军长。1985年起任济南军区副司令员，南京军区司令员。是中共十三届中央候补委员，十四届中央委员。1988年被授于中将军衔。

〔罗兰（女）·台湾作家·著作权案胜诉〕
台湾著名女作家罗兰于1988年将其全部27部作品委托中华版权代理总公司全权代理。但在1990年大陆市场上出现了未经授权出版的《罗兰人生小语》，版权页载明卓越出版公司出版。1991年5月中华版权代理总公司向大陆法院提起诉讼。1992年6月北京市朝阳区人民法院判决认定卓越出版公司和书商构成了侵犯著作权的行为。当时卓越出版公司不服判决，上诉北京中级人民法院。同年11月29日北京中级人民法院驳回上诉，维持原判。据报道，此案是伯尔尼公约和世界版权公约在华生效后大陆审结的首起涉台版权案，也是中华版权代理总公司第一次代理台湾作者起诉并胜诉的侵权案。此案在审理过程中引起海内外的广泛关注。

大陆读者喜爱罗兰的作品。1992年深秋罗兰应海天出版社和吉林省新华书店之邀参加了在长春市重庆路新华书店的售书活动，并为数百名读者签名，给首位读者的题字是“服务为快乐之本”。书店两个小时就销出《罗兰小语》、《罗兰散文》近三万册。

罗兰，原名靳佩芬，河北省宁河县人，1911年出生。1937年天津女子师范毕业后正值抗日战争爆发，于是到天津市立五十一小学教音乐。抗日战争胜利后，一度在天津电台任职，不久考进河北女子师范学院音乐系。到台湾后在台湾广播电台工作。长期任广播电台音乐节目主持人、编辑。因主持台湾警察广播电台“安全岛——你怎么办”有功而于1981年获台湾新闻局颁奖。

罗兰长于写作，文笔亲切流畅、清新、富有哲理。作品还有《生活漫谈》、《访美散记》、《诗人之国》、《给青年们》及小说《花晨集》、《罗兰小说》、《绿色小屋》、《飘雪的春天》、《西风古道斜阳》等。《罗兰散文》曾获台湾“中山文艺奖”。

故土情深，罗兰在台湾一直怀念家乡。近年多次来大陆，并致力于海峡两岸的文化交流事业。1991年深秋，出席了首次在北京举办的“海峡两岸妇女读物与妇女形象研讨会”。后游览了泰山，参观孔庙后挥笔写道：“做一个中国人实在幸运”。

〔罗工柳·美术家·画展获成功〕　著名的木刻家和画家、中央美术学院副院长、教授罗工柳传世之作《地道战》，被举荐参加1992年元月举办的《二十世纪·中国》美术作品展，5月罗工柳参加了延安老画家画作联展，都获得成功。

中国美术馆举办的《二十世纪·中国》美术作品展巡礼，将本世纪中国美术珍品荟萃一堂，以徐悲鸿、王式廓、董希文、罗工柳等老画家的原作示人。近600幅作品全部出自中央美院几代教师之手。展品中的历史部分几乎是本世纪中国美术的最重要的原作。

罗工柳的画可谓妇孺皆知。五十年代创作的《地道战》和《整风报告》是中国油画史上的优秀代表作。《地道战》不仅被选入了小学课本，还长期陈列在革命博物馆。六十年代的《前仆后继》吸取了木刻黑白艺术的手法，创造了震撼人心的艺术效果。罗工柳的近作新作，更明显的表现出作者的艺术追求，它是向东方的中国美学体系的回归，也是向更宽广的审美领域的扩展。如新作《黄河》已超出对黄色大河的具体描绘与刻画，而是对黄河作为民族摇篮的强大生命力的崇敬与歌颂，他所追求和表现的已不单是黄河的色彩与气势之美，而是追求一种内涵崇高的精神力量，一种历史感，命运感。罗工柳绘画艺术的成绩卓然，为世人瞩目，但更多的人却不知道这位艺术大师流传最广的作品竟是亿万中国人手里都有的人民币。新中国的第一套钞票是1948年发行的。罗工柳设计新人民币的工作是从1951年第二套人民币开始的，接着第三套（有侯一民、陈若菊、邓澍等参与设计）、第四套人民币设计都是由他亲自参加并最后经他定稿完成。

1978年，罗工柳患心脏病、直肠癌等多种重病，为了设计人民币，仍行程万里，遍访10个少数民族。回京之后，又紧张劳累的工作了四五个月，罗工柳终于在急救室里休克了。经过抢救苏醒过来之后，在医院急救室旁边的一间小病房里，罗工柳经过医生特允，破例修改了第四套人民币整套大样，这套钞票是由他审定，这才最后开机付印。罗工柳是用坚强的毅力和满腔的心血，及至生命，设计了亿万人民手中都拥有的人民币。

近年来，罗工柳仍以惊人的努力创造了许多新作。他信心百倍地说：“1996年我80岁，也是我从事艺术创作60周年，那时，我要在北京最大的一个展厅搞个画展——全部都展出我的新作品……”

〔罗光男·台湾光男企业股份有限公司董事长·投资开发长沙桔子洲头〕　罗光男是台湾光男企业股份有限公司董事长，该公司将综合开发湖南省长沙市桔子洲头及附近四个小岛60公顷土地，经营期限50年。为此，罗光男在不到一年的时间内五次访问长沙，对投资长沙桔子洲头满怀信心，于1992年5月与长沙市政府有关人士签订了独资综合开发桔子洲头项目的协议。该项目计划在桔子洲头兴建商业、消闲、娱乐、体育、办公、旅游等设施，大部分工程在五年内完成，桔子洲是流经长沙市的湘江中的一个沙洲，人口约三四千人。毛泽东青年时代在长沙求学时，经常到桔子洲头水域游泳。1925年毛泽东所写的《沁园春》词中有“独立寒秋，湘江北去，桔子洲头”之句，后桔子洲头闻名全国，成为长沙市风景旅游胜地。

罗光男，1944年生，台湾省台中县人。台中市立三中初中毕业。早年立志成为“拔尖的企业家”。1969年服完兵役，与人合资创办光男公司，制造羽毛球拍。两年后该公司由罗光男独资经营。他不相信没有自已的名牌，决心创造拳头产品。1977年，罗光男向国际市场推出光男牌网球拍，因质量上乘，来自世界各地的订单日增，光男企业公司在国际市场上有了立足之地。后又推出“肯尼士”网球拍，颇受美国、日本市场欢迎。光男企业公司被誉为“网拍王国”。该公司不断推出一系列新产品，其中有运动服、鱼竿、球杆等等。罗光男还历任台湾健力体育用品股份有限公司董事长、罗氏实业股份有限公司董事长，是建新企业集团的核心人物。光男企业股份有限公司是该企业集团的重要企业，是台湾生产体育用品的大公司之一。

罗光男曾于1982年被选为台湾第五届创业青年楷模。是国民党第十三届中央候补委员。

〔罗希文·中医典籍翻译家·将八部中医经典著作译成英文填补国际医学界空白〕　中国社会科学院英语培训中心主任罗希文博士，穷20余年之精力，迄1992年已将8部中医经典著作译成英文，计200余万字，其中有《伤寒论》、《金匮要略方论》、《黄帝内经》等，被国家科委命名为有突出贡献的中青年专家。英国著名科技史专家李约瑟博士为罗希文的译著《伤寒论》作序称："我认为到目前为止，我们还没有一部以任何欧洲语言译出的这部在中国医学史上占有重要地位的经典著作译本"，"这将对全世界的学者更好地理解中国医学史做出贡献"。

中医经典著作是我国宝贵的文化遗产，许多西方学者多年梦寐以求并不断努力，力图窥其堂奥，然而由于语言的隔绝，古文的艰深，西方翻译家至今未能将中医经典著作的任何一部全文译成西方文字。罗希文全文翻译并注解的《伤寒论》、《金匮要略方论》英文本均为世界上的第一本。罗希文本人不是学中医的，他本科学的是英语，研究生读的是新闻系。他受其岳父影响，对中医学产生兴趣，拜岳父为师，业余苦读中医经典，观摩临床诊断。1985年，他在美国与针灸学院的一位朋友"侃"起中医来，他的渊博中医知识使这位朋友折服，于是罗希文应邀到针灸学院进行了"中医经典著作"为题的计划外讲演，为期14周。美国中西医科大学由此发现了这位中国人的才华。随后，一篇资料翔实、见解独到的《黄帝内经研究》，使罗希文成为第一个在美国拿到"东方医学哲学博士"学位的中国大陆学者。

1986年，罗希文回国后利用自己学兼"中西"，古文根底扎实的优势，译注出一部部严谨翔实的中医学经典著作，为此付出了艰辛的劳动。那诘屈聱牙的古文，他必须一句一句弄懂弄通，再用流畅的英文表达出来，并为译文加上大量详尽的注释和周全的附录。罗希文译出的中医典籍在国际上颇具影响，他对中医方剂、病症、草药等名称的译法已被广为引用。美国夏威夷大学、密西根州立大学、英国剑桥大学都邀请他前往讲学，开展对中医理论的研究与探讨。目前，他正在筹备全译《本草纲目》，现已完成药物索引。

罗希文，北京人，1945年6月出生。1968年毕业于北京对外贸易学院英语系，1968年至1979年在天津纺织品公司工作，1979年入中国社会科学院研究生院新闻系攻读硕士研究生，1982年获硕士学位。1982年至1984年在中国社会科学院研究生院外语教研室任教。1986年任中国社会科学院英语培训中心主任。

〔罗坤山·沈阳军区原顾问·在沈阳逝世〕

1992年4月2日，沈阳军区原顾问罗坤山在沈阳逝世，终年75岁。

罗坤山，湖北汉川（今沔阳）人，1931年参加中国工农红军，1934年加入中国共产党。曾在红2军团任排长。参加了湘鄂西、湘鄂川黔革命根据地反"围剿"和长征。抗日战争爆发后，任八路军120师358旅特务连连长、第5团营长，晋绥军区雁北支队支队长、塞北军分区副参谋长。1944年入延安中央党校学习。解放战争时期，任西北野战军第一纵队358旅715团团长，第一野战军一军一师副师长。参加了大同、集宁、延安保卫战和青化砭、蟠龙、扶眉等战役。中华人民共和国成立后，任第一兵团师长。1954年毕业于军事学院。后任第38军副军长兼参谋长，吉林省军区副司令员，沈阳军区副参谋长、军区副司令员，昆明军区副司令员，沈阳军区顾问。1955年被授予少将军衔，获三级八一勋章、二级独立自由勋章、二级解放勋章。是第六、七届全国政协委员。1988年7月获一级红星功勋荣誉章。

〔罗叔章（女）·社会活动家·在北京逝世〕

中国妇女界杰出代表，著名的社会、政治活动家，中国民主建国会卓越领导人，全国工商联名誉副主席罗叔章于1992年1月30日在北京逝世，终年93岁。

罗叔章，1900年生于湖南岳阳。青年时代即向往自由与光明，在长沙参加了反对袁世凯复辟称帝的示威游行。1919年爆发的"五、四"运动给她以深刻影响，她开始把个人的命运与国家、民族的前途紧密联系起来。1923年，经陶行知、黄炎培介绍，去南洋婆罗洲（现印尼加里曼丹岛）的华侨中学任教。她不断地向华侨学生介绍祖国的悠久历史和灿烂文化，启发他们的爱国热忱。1928年回到上海，入暨南大学攻读政治经济学，同时主动接近爱国民主人士，接受进步思想。“九、一八”事变后，她满腔热情地投身抗日救亡运动，参加了全国各界救国联合会，任上海妇女救国会组织部长，到处宣传抗日救国思想，培养了一批抗日爱国积极分子，1934 年 11 月加入中国共产党。1938 年 5 月，经邓颖超推荐，出任湖北均县第一保育院院长。1942 年，与沈钧儒、章乃器等创办了重庆第一制药合作社，并担任经理。1946 年秋。到哈尔滨参加巩固东北根据地的工作，先后担任哈尔滨市裕昌面粉厂经理、佳木斯东北制药厂厂长、中华医疗股份有限公司副经理、沈阳东北医药总公司经理等职。在极其困难的条件下，她团结职工，迅速恢复和发展生产，为解放区军民提供了大批宝贵的军需物资和生活用品。

1949 年 3 月，罗叔章在第一届全国妇女代表大会上被选为全国妇联常委兼生产部副部长。同年 6 月参加新政协的筹备工作，并出席了中国人民政治协商会议第一届全体会议。中华人民共和国成立后，历任中央财经委员会委员，中央人民政府办公厅副主任，劳动部、食品工业部、轻工业部副部长，全国政协副秘书长，全国工商联副主任委员，中国民主建国会中央常务委员。是第一、二届全国人大代表，第三、四、五、六届全国人大常务委员会委员，第五届全国政协委员。

〔罗荣桓·已故中华人民共和国元帅·诞辰九十周年〕　1992 年 11 月 26 日，是无产阶级革命家、军事家。人民解放军创建人和领导人之一、中华人民共和国元帅罗荣桓诞辰九十周年。在罗荣桓的家乡湖南省衡东县，举行了纪念罗荣桓元帅九十诞辰暨铜像揭幕仪式，《罗荣桓同志诞辰 90 周年》纪念邮票首发式也在衡东县举行。《人民日报》、《解放军报》在 11 月 22 日同时发表了《罗荣桓传》编写组写的《学习罗荣桓元帅关于我军政治工作的论述——纪念罗帅诞辰 90 周年》。文章指出：罗荣桓“在中国革命战争和人民军队建设的长期斗争中，特别在人民军队政治工作方面，罗荣桓同志建立了丰功伟绩。他从 1926 年参加秋收起义开始，即从事我军政治工作。他是三湾改编时七个红军连队的党代表之一。以后历任红四军政治委员，红一军团政治部主任、八路军第一一五师政治部主任、政治委员兼代师长，山东军区司令员兼政治委员，东北民主联军副政治委员，东北人民解放军政治委员，第四野战军第一政治委员。新中国成立后担任人民解放军总政治部主任。”

文章从以下几个方面阐述了罗荣桓元帅关于我军政治工作的论述：第一，始终坚持中国共产党对军队的绝对领导，重视政治工作和部队基层建设；第二，指导学习和运用毛泽东建军思想，坚持对毛泽东思想的科学态度；第三，强调实事求是，一切从实际出发，是政治工作的基本原则；第四，把民主的方法，群众路线的方法，说服教育的方法，作为政治工作的基本方法；第五，坚持任人唯贤、公道正派、五湖四海的干部工作路线。

罗荣桓，1902 年 11 月 26 日生于湖南省衡山县鱼形镇南湾村（今属衡东县），1963 年 12 月 16 日病逝于北京。

〔罗益锋·全国劳动模范·应邀参加全国“五一”劳动奖章、奖状授奖大会〕　北京合成纤维实验厂、化工部特种纤维情报站高级工程师罗益锋，在合成纤维研究方面取得显著成果。在担任第七届全国人大代表期间，先后协助有关单位解决了上百个难题。1992 年“五一”节，他作为全国总工会重点宣传学习的 20 名劳动模范之一，应邀参加全国“五一”劳动奖章、奖状授奖大会，受到党和国家领导人的接见。

罗益锋，1937 年生，浙江鄞县人。1957 年从印尼回国。1958 年考入北京大学化学系，毕业后分配到北京合成纤维研究所从事科研工作。他首次领导完成的科研课题是化工部下达的改进睛纶耐热性和染色性，提出了六种共聚单体，经合成、共聚和纺丝，其综合性能远远超过英国，达到日本依克丝兰纤维的最高水平。其后，一直从事以高技术领域为主的科研情报工作。他根据各个时期的科研和生产任务，开展国内外合成纤维、特种合成纤维及其应用的情报调研工作，先后为全国有关部门、高等院校、科研和生产单位提供重要服务 200 多项。1985 年以来，他先后应国家计委、国防科工委和化工、纺织、冶金、航天等部及有关省、市科委的邀请，作为特邀专家参加了国家级、部级科技进步奖、国家发明奖的评审和对国家“七五”攻关、重要引进项目等的评标、可行性研究报告的评审、论证；参加了国家“七五”复合材料大项目和“863”高技术项目的年度科研进展情况的评估、检查。撰写发表了重要的调研报告和大量学术论文。

1988 年起他被选为全国人大代表。他经常深入群众，听取意见。积极参政议政、协助政府为人民排忧解难。如北京朝阳门外八里庄地区近 20 万居民最为关心的红领巾公园污染问题，朝阳区代表曾连续八年联名呼吁，一直未能解决。他在全国人大七届一次会议上，直接向委员长汇报并提出提案，受到重视，北京市政府很快制定出解决方案，不到一年时间，污染全部治理完毕，红领巾公园变成了美丽的儿童雕塑公园。又如垂杨柳二小的教学主楼自唐山地震后，产生裂缝，校长打了10年报告也未得到解决。他向市长和教育局长汇报后很快解决了问题。

1977年以来，他连续三次被评为北京市劳动模范、特等劳动模范，两次获全国"五一"劳动奖章，两次被评为市优秀党员。1989年被国务院授予全国劳动模范称号，还获得全国科技情报系统先进工作者、全国化学工业劳动模范称号。

〔罗锦辉·摄影工作者·作品《彩泉》获国际环境摄影比赛冠军〕　1992年6月初，中国云南的摄影家罗锦辉登上了在巴西里约热内卢市举办的国际环境摄影展览的领奖台，捧回了专业组冠军的奖杯，同时获得了2000美元的奖金，这是中国摄影家在国外获得奖金最高的一次，也是我国摄影界在联合国举办的大型国际摄影比赛中第一次获大奖。这次比赛是由联合国环境规划署举办的，主题为《拍下您的世界》。得奖照片在巴西里约热内卢市1992年6月3日至14日举行的联合国环境发展会议期间展出，供到会的各国首脑及代表参观，尔后到世界各大城市巡回展出。

《彩泉》描绘的是云南藏族同胞在温泉中沐浴的情景，男女老幼共浴于一池，其情依依，其乐融融。透出质朴的民风和浓郁的民族风情。

罗锦辉，1947年出生，云南省维西县人。白族。中共党员。1963年参加中国人民解放军。1987年毕业于武汉大学摄影专科，同年起在云南迪庆藏族自治州群艺馆任馆员。1983年加入中国摄影家协会云南分会。

〔罗豪才·当选致公党中央副主席〕　罗豪才在1992年12月15日至20日于北京举行的致公党第十次全国代表大会上新当选为致公党中央副主席。他在当选后说，作为新当选的致公党中央副主席，我愿与大家一起，继承和发扬老一代与共产党密切合作的优良传统，为祖国的和平统一和繁荣富强作出最大的努力。

罗豪才，1934年生于新加坡华侨家庭，祖籍福建安溪县。1952年回国。1960年毕业于北京大学法律系并留校，先后任副教授、教授。1984年—85年在美国哥伦比亚大学法学院进修。1986年起任北京大学副校长。1992年加入致公党并任九届中央常委。曾任北京市人大常委，全国侨联副主席、北京市侨联主席，中国法学会副会长。主编了《行政法论》、《行政法学》、《行政诉讼法学》等，合著有《西方国家的司法制度》等书。

〔岱天荣·摄影记者·获第二届中国摄影艺术节金像奖〕　1992年10月，岱天荣以10幅黑白军事题材摄影作品获第二届中国摄影艺术节金像奖。这10幅作品以深沉的影调，宏大的气势征服了评委。

在1992年8月建军65周年全军摄影艺术展览中，他拍的一组反映边防军人高尚情操的组照《乃堆拉哨所的婚礼》获一等奖。

岱天荣，1958年出生于山西省运城市解州。1978年3月参军，1980年始在部队从事摄影工作，1984年调解放军画报社任摄影记者至今。十几年来，岱天荣在解放军画报上发表了近百组专题摄影作品，多次在国内外影展影赛中入选、获奖。1987年获"大庆杯"全国工业新闻摄影大赛银、铜牌，1988年在第二届"可爱的中华"摄影比赛中获最佳工业奖、1991年获第十六届全国影展银牌奖。

作为军事摄影记者，岱天荣常年深入基层连队，边防海岛，越是艰苦的地方越是要去，始终把镜头对准火热的军营。1992年，他从东北边防到东海前哨，从海拔最低（-154米）的吐鲁番盆地到海拔最高（4500米以上）的阿里高原、喀喇昆仑山采访、拍摄了《鹿铃回荡的地方》、《在-40℃的天地里》、《喀喇昆仑筑路兵》、《黑牛战友》、《葡萄熟了，心醉了》等专题作品，发表在解放军画报上。在摄影实践中，岱天荣善于用慢速度快门表现军事行动中的运动瞬间，形成了强烈的虚实对比，给人以强烈的动感冲击；用长镜头凝固军人龙腾虎跃般的神态、形态和动态，使军人的阳刚之美产生震人心魄的视觉效果。

〔金永·中学教师·参加全国优秀大学毕业生先进事迹报告团〕　四川省重庆市41中语文教师金永，1991年6月和1992年5月两次参加中共中央宣传部和国家教委组织的全国优秀大学毕业生先进事迹报告团。他在十几个城市的高校和中学做了汇报演讲，受到师生们热烈欢迎。

参加1992年“全国优秀大学毕业生先进事迹报告团”的共有十二人。除金永外还有1981年毕业于西安交通大学，现任西安交大教授，被授予“有突出贡献的回国留学人员”称号的侯义斌；1982年毕业于江汉石油学院，现任胜利石油管理局某钻井队队长，被团中央和国家计委命名为“共和国青年功臣”的廖永远；1986年毕业于同济大学，现任上海建筑机械施工公司土方工程处助理工程师，被评为全国合理化建议积极分子的黄燕苓；1986年毕业于南京农学院，现任江苏省洪泽县黄集乡农技站农技员的王金雨；1988年毕业于南京航空学院，现在江苏常熟市稀土合金厂工作的郑权；1986年毕业于华中工学院研究生院，现任天津工业泵总厂高级工程师的周永旭；1989年毕业于黑龙江大学中文系，现任大庆石油管理局采油一厂党委宣传部干事的黄丽娟；1983年毕业于上海交通大学，现任上海交通装卸机械厂“桑塔纳”轿车座椅骨架国产化办公室副主任的叶永青；1982年毕业于河北师范学院，现任河北师院音乐系副主任的尹铁良；1982年毕业于南京工学院，现任“远望一号”测量船计控部门长的刘炳华；1982年毕业于中国矿业学院，现任开滦矿务局信息中心工程师的何晓群。这12名代表，以“理想、奋斗、成才”为主题，用自己的亲身实践，生动地讲述了他们在大学毕业后，胸怀报效祖国、振兴中华的志愿，与工农结合、勇于实践，艰苦创业，实现自己的理想和人生价值的生动事迹。

金永，1954年生于湖北武汉。1983年毕业于重庆师范学院，后分配到重庆巴蜀中学（原41中）当教师。他刚任教师，所带的班学生学习成绩差，多数在派出所挂过号，他因材施教，进行家访，组织各种活动，使学生的思想品德和学习成绩很快提高，并全部顺利毕业，其中9人考上大学。他在教学中不断总结经验，发表文章十余万字。1984年他被评为“重庆市为人师表先进教师”；1988年被评为“重庆市优秀中队辅导员”；1989年被评为“全国优秀教师”；1991年被中宣部、国家教委授予“全国八十年代优秀大学毕业生”称号；1992年5月被授予“重庆市八五计划立功奖章”和证书。

〔金曼（女）·女高音歌唱家·获第九届中国戏剧梅花奖〕　1992年10月4日晚，第9届戏剧梅花奖颁奖大会在北京政协礼堂隆重举行，歌剧演员中获奖者共三名。在为纪念建党70周年而复排演出的歌剧《江姐》中饰演女主角江姐的空军政治部文工团女高音歌唱家金曼，因其对人物内在个性把握的得体、演唱上的优美流畅、表演上的从容大度并富有激情和优美舞台形象，赢得了评委的高度赞扬，而荣获本届梅花奖歌剧演员第一名；曾在1991年举办的首届“文华奖”8名歌剧演员获奖者中获第二名的江苏省歌舞剧院青年男高音歌唱家顾欣，本次以在歌剧《木棉花开了》中的出色表演，再次荣获第二名；大连歌舞团的唐德君荣获第三名。

金曼，朝鲜族，原籍朝鲜。1959年11月13日生。青少年时期，其艺术天赋为牡丹江地区东京城林业局第一小学音乐老师张富贵发现，在长期悉心培育下，使其得到良好发展。1976年考入黑龙江艺术学校牡丹江分校。1979年毕业后考入延边艺术学校，老师是朝鲜族声乐教育家、教授郑英淑，为她打下牢固的声乐技巧。1981年，金曼以独唱演员的身份考入空政文工团。之后，曾长期得到文工团戏剧表演艺术家黄寿康和冷永铭的严格培训，并在排戏实践中得到及时指点，日积月累，其表演水平日臻完美；在声乐技艺上，得中央音乐学院声乐教育家王秉锐和总政歌舞团女高音歌唱家王苹年的指导，亦有长足进步，演唱更趋成熟。她的音乐会演唱代表曲目有《金梭和银梭》、《红梅赞》、《祝你一路顺风》、《卖花姑娘》等。曾出有《卖花姑娘》等盒式录音带。中央人民广播电台曾对她做过专题介绍。1990年，金曼与佟铁鑫一起在京举办过独唱音乐会。曾先后到美国、日本、西班牙、泰国、韩国和香港地区进行访问演出。1980年，在“全国少数民族文艺调演”中，其独唱获“优秀表演奖”；1989年在朝鲜举行的“第十三届世界青年联欢节”上，她的演唱荣获金奖。金曼现为中国音乐家协会和中国戏剧家协会会员。

〔金日光·高分子化学家·被授予全国化工系统有重大贡献的优秀专家称号〕　北京化工学院教授金日光由于在高分子化学的科研中成就卓著，1992年5月被授予全国化工系统有重大贡献的优秀专家称号，并获重奖一万元。

金日光，朝鲜族，1933年9月11日生于吉林省图门市，1956年毕业于吉林大学化学系，1957年师从吉林大学唐敖庆作副博士研究生，并于1960年研究生毕业。1961年至今在北京化工学院任教。他还担任了国务院学位委员。

金日光在高分子化学的研究领域中有许多创新

成果。1992年，他成功地倡仪和主持了在中日倡导下召开的国际流变学学术会议，并在会上发表了他独创的“线型和非线型群子统一理论在高分子合金中的应用”论文，受到各国同行的高度评价；同年8月在比利时布鲁塞尔召开的国际流变会议上，他又发表了“关于流变本构方程理论”和“群子理论在流变学中的应用”两篇重要论文，均具有独创性，受到与会者的极大关注。同年3月在湖南省轻工业厅主持下通过了他研制成功的“ABS工程塑料填充专用料”的鉴定，7月在浙江省科委的主持下通过了他研制成功的“聚烯烃促流材料”的鉴定，这对国民经济建设均有重要作用。

他的研究成果曾多项获奖，自1984年至1990年仅获部级以上二、三等奖六个。其中“APP无规聚丙烯高分子材料改性剂开发”获1984年国家科技进步二等奖，“填充流动剂”获1989年国家发明协会金质奖，“PVC流动改性剂”获1990年国家发明奖三等奖。1991年，他研究成功的“多层次包复填充材料”获北京国际博览会金杯奖。他本人1985年获国家级有突出贡献的专家称号。

〔金有景·语言学家·创立中国拉祜语言地理学〕　中国社会科学院民族研究所研究员、中国管理科学研究院教授、语言研究室主任金有景，经过5年艰苦努力，完成了一部有较高学术价值与史料价值的语言地理学著作——《中国拉祜语方言地图集》，1992年6月由天津社科院出版社出版，从而创立了中国拉祜语言地理学。

金有景在语言学研究上有很高的天赋与悟性。他完全靠自学掌握了20多种语言，其中有四、五种语言达到熟练翻译程度。他在汉语音韵学、方言学界颇有影响。他是迄今已发行2000万册的《现代汉语词典》的主要编者，还是1992年6月出版发行的《中华字典》和《当代汉语词典》的首席顾问。金有景为了研究拉祜语，不顾年近花甲，从1986年起，连续三次深入云南拉祜山乡作调查，历时13个月，在1988年11月6日云南澜沧耿马大地震中，他冒着强烈的余震，坚持调查。有时为了调查一个点，翻山越岭步行几十里。为了早日完成调查任务，他每天坚持工作十多个小时。经费困难，他自己掏出两三千元。直到1991年6月，他家里还没有彩电、洗衣机、电冰箱。金有景献身民族文化的精神，受到当地政府和人民的高度赞扬，澜沧拉祜族自治县民委，于1989年8月15日授于他“拉祜族名誉公民”称号。金有景经过5年努力，完成的《中国拉祜语方言地图集》，有80余万字、369幅图。这部著作受到语言学界的重视，认为它不仅填补了我国语言学研究领域的一项空白，也为编著《全国汉语方言地图集》积累了经验，为中国语言学界作了一项国际性的贡献。

金有景除了进行语言学研究外，从1967年开始还业余研究中药治癌，迄今已治愈一批癌症患者，其中存活10年以上者有十余人。完成医药治癌专著4部共170万字。他于1980年参与我国也是世界上第一部“潜科学”刊物的创办，1991年担任主编。

金有景，1931年5月生，浙江省义乌市人。自幼勤奋好学，兴趣广泛。1951年元月在浙江金华中学高中部参加军事干校。在部队自学外语和语言学。1954年调入中国社会科学院语言研究所。先后任研究实习员，助理研究员。1978年任社科院研究生院语言系方言专业导师。1982年调入社科院民族研究所，研究民族语言，先后任副研究员、研究员。

〔金光群·被英国剑桥国际传记中心收入《国际名人录》〕　原北京出版社编审金光群，因在出版工作中作出杰出贡献，1992年被英国剑桥国际传记中心收入该中心编辑出版的第15版《国际名人录》，并授予二十世纪成就奖状。

金光群，1921年生于安徽省全椒县。1946年在复旦大学新闻系毕业后，任南京《新民报》记者、总管理处特派记者。这期间，他采写了大量新闻和通讯，是当年在南京采访国共和谈活跃的记者之一。1949年4月，解放军渡江前一日，他因披露国民党江防部队准备向对岸开炮壮胆的“首都今晚可闻炮声”的新闻，受当局警告，并被列入黑名单。解放后，历任南京、北京《新民报》记者、读者来信组负责人。1952年参加《北京日报》工作。他爱好寻访北京风景名胜，利用业余时间搜集资料，与人编写了《北京游览手册》。

1956年调入新建的北京出版社，全力投入编撰反映北京的旅游图书。1957年，他与人合编的《北京游览手册》出版后，受到各方重视，曾译成英、法、德、日、俄和西班牙六种版本，广为发行。之后，经他编辑出版了《北京城区主要街道图》、《北京交通图》、《北京游览图》（中英文版）；并和他人编印了《颐和园》等折叠式导游图、明信片等10多种及画册、北京丛书等系列图书。

“文化大革命”后，金光群再次编撰中外文画册、导游图（文字部分）、街道图、交通图、明信片、幻灯片解说词等近百种。并应邀为十几个省市编辑旅游图、画册、明信片等。他还著有：《北京》、《江山多娇丛书》、《北京十六景》、《北京名胜简介》、《旅京便览》、《北京园林探胜》等。

金光群在古稀之年，仍笔耕不辍，为发展北京旅游事业孜孜不倦。

〔金吕夏·书法家·获“中国东海杯文艺创作选拔赛”书法特等奖〕　1992年，金吕夏的书法作品入选《全国第四届中青年书法篆刻展览》、《92′怀素书艺研讨会草行书展》（均编入“作品集”）和《第三届中国艺术节书画名家邀请展览》。同年，获“中国东海杯文艺创作选拔赛”书法特等奖，并出版毛泽东诗词钢笔字帖。

金吕夏，笔名小厦，半痴人，号慎独楼主。1944年生，浙江临海人。他书法师事卢乐群先生，艺事益进，先后得沙孟海等名家指点，毕业于杭州勇进艺校书篆科。所作行书，善于吸收新的表现手法，力求作品富有新意，许多作品被加拿大、日本、香港、马来西亚等国家博物馆、图书馆及友好人士收藏。书法作品先后参加了“世界邮踪展览”、“全国部分书画家作品邀请展”、“纪念朱德诞生一百周年全国书展”、“全国扇面书法展览”、“中国民族文化博览会书画大展”等。作品曾在《书法》、《书法报》等刊物发表，并相继在“全国银牛书法竞赛”、“全国电视书法比赛”、“建党七十周年全浙书展”等获奖。其艺术成就被载入《中国当代书法家辞典》、《当代书画篆刻家辞典》、《中国书法家人名辞典》。

1987年，金吕夏出资6000余元，以个人名义举办浙江省朝晖书赛，对所有征稿者不收参赛费及任何费用，给101位书法获奖者颁发证书和奖品，为书法事业作出了贡献，受到浙江省文化厅的嘉奖。《浙江日报》、浙江电视台等新闻单位报道了他的事迹。1992年10月，举办朝晖书法展览，向群众赠送已装裱的书法作品180余幅。

金吕夏现为中国书法家协会会员，中国硬笔书法家协会理事，浙江临海市政协委员，中国民主促进会会员，浙江台州朝晖书法艺专校长。出版编著有《唐诗行书字帖》、《常用对联墨迹》、《行书钢笔字帖》、《朝晖书艺专辑》、《朝晖书赛选》等。

〔金鲁贤·天主教上海教区主教·当选中国天主教爱国会副主席、主教团副主席〕　中国天主教爱国会第五届代表会议于1992年9月14日至19日在北京举行，上海教区主教金鲁贤当选为中国天主教爱国会副主席、主教团副主席。

金鲁贤，上海市人，1916年生。1937年任上海徐汇中学法文教员，后在徐家汇耶稣会初学院、主心修院教授拉丁文。1942年任江苏淮阴类恩小学校长，后在苏北传教。1946年毕业于上海徐家汇天主教耶稣会神哲学院。1947年后，赴法国、英国、瑞士、奥地利、西德、意大利等国求学，1950年获罗马额吾略大学神学博士学位。1951年回国后，历任徐汇总修院院长兼耶稣会上海区代理会长、中国副巡阅使，天主教上海教区辅理主教，中国天主教爱国会常委，中国天主教教务委员会副主任，上海教区主教，上海天主教教务委员会主任、爱国会主任，中国天主教佘山修道院院长。上海市政协委员，第七届全国政协常委。

〔金福长·劳动模范·总结一生经验的专著《车刀绝技》出版〕　1992年11月27日上午，在沈阳举行的“刀具大王”金福长的《车刀绝技》出版发行新闻发布会上，70岁的金福长手捧《车刀绝技》一书激动地说：“我多年的愿望终于实现了！”

金福长退休前是沈阳重型机器厂副总工艺师、辽宁省劳动模范。从青年时代起，他就潜心钻研技术，练就了一手车削绝活，被誉为“刀具大王”，曾在30多个城市做过现场表演，许多企业推广过他的车刀绝活。70年代，华罗庚来辽宁讲学，建议金师傅把技术总结出来，写成书，传给更多的人。1980年金福长退休后，为了把技术传给青年一代，开始动手整理资料，完成华老交给的任务。他只有小学五年级文化程度，要把积累的经验用通俗的文字表达出来，真是难于上青天。一句话思来想去才能落笔，一段文字要花上几天几夜才能琢磨通顺。一天天、一月月、一年年，经过八个寒暑，一部35万字、200多幅刀具视图的技术书终于脱稿。为了出书，他多处奔波，然而久久不能如愿。1991年5月16日，中国机电报以《大王们的心酸泪》为题，道出了金福长等人的苦衷。7月15日，工人日报在一版头条位置，以《刀具大王的心酸泪》为题，报道了金福长献艺报国无门的窘况。这些报道在社会上引起强烈反响。全国各地群众纷纷给金福长和报社写信，对金福长表示同情和支持。前中顾委委员、曾任辽宁省委书记的黄火青给全国总工会主席倪志福写信，建议全总帮助身怀绝技的老工人解决出书难的问题。倪志福对此十分关心，要求大力发掘职工群众的聪明才智。在全总、辽宁省总、沈阳市总、各级职工技协和各方面的关心和支持下，金福长的《车刀绝技》才得以由工人出版社出版。

〔周干峙·城市规划专家·当选中国科学院学部委员〕　清华大学教授、国家建设部副部长周干峙在长期从事我国城市规划的理论研究及实践工作中贡献突出，1991年底当选为中国科学院技术科学部学部委员，1992年1月3日正式公布。

周干峙，1930年6月28日生，江苏省苏州市人。1947年9月—1951年12月就读于清华大学建筑系，毕业论文未来得及做完就先后担任了当时教育部成立的北京大学、清华大学、燕京大学三校建设委员会的材料科长、工地主任，直接参与了新校园的建设工作。继而又被国家调往西安、上海，参与两个重点城市总体规划的编制工作，成为我国城市规划事业的开拓者之一。

五十年代末起，他先后在国家计委、建委、建工部城市设计研究院、国务院环保办公室任职。1958年下放农村时曾帮助农村规划建房。1976年唐山大地震后，他主持了唐山、天津两市的城市规划重建工作，为百万灾民及早安顿作出了贡献。

1983至85年，他出任国家城乡建设部城市规划研究院院长，开始研究旧城改造，特区城市建设等问题，在他指导下设计的深圳特区城市规划方案获国家优秀设计一等奖。

1985年起，他担任建设部副部长，又着手研究住宅制度和大、小城市交通及城市规划改革问题，主张建立广义、多层次的、综合的城市系统规划；在住房建设方面提出了“高密度，适用标准”的原则；在城市交通方面提出了多种交通工具条件下的综合治理原则；在旧城改造方面提出了“分类分期，保护风貌”的原则；并主持起草了第一部《中华人民共和国城市规划法》。

周干峙在国内外刊物和学术会议上发表论文和报告57篇。1989年12月28日，在国际城市人类学讨论会上，他的《城市化进程要保障人类身心健康的永续发展》报告，受到与会专家的高度评价。他还是国际建筑师协会理事。

〔周云鹏·杂技艺术家·在南宁逝世〕

1992年7月12日，国家一级演员、中国杂技家协会颁发的最高荣誉奖“百戏奖”获得者周云鹏，在广西南宁逝世。

周云鹏，1912年生。祖籍四川邻水，生于湖北宜昌。他出身于杂技世家，5岁开始学艺，后随家人参加马戏团，在湖北、安徽、山东、河南及西南地区演出。1938年，与兄周云程率家属、艺徒组织重庆周氏兄弟艺飞马戏团，为支援抗日战争进行了捐献义演和前线慰问演出，颇有影响，田汉曾题字“龙马精神”相赠。抗战胜利后，应邀去香港、澳门等地演出，1948年谢绝美国马戏班的重金聘请回到内地。1952年他组织成立了南宁市和平健身技艺团。1955年主动申请将该团改为广西省杂技团，并将团内全部设备无偿献给国家。他历任该团的团长、顾问等职，他重视继承和发扬杂技艺术遗产，积极地创作新的杂技节目，精心培养杂技艺术的接班人，为杂技团的创建和发展做出了重要贡献。1982年广西壮族自治区文联、区文化局等，曾联合举办周云鹏从事杂技艺术事业65周年的庆祝活动。

周云鹏底功厚实，技艺全面，并精于少林武术及硬气功等。他经常演出的节目有《三台九碗》《扛竿》《吊子》《大武术》《中国马术》《驯虎》《斗牛》《汽车过身》等。他十分关心杂技事业的发展，自1956年起，先后多次向有关部门倡议建立全国性的杂技协会，为1979年中国杂技家协会的创立作了极大努力。

周云鹏于1986年加入中国共产党。他是南宁市第二、三、四、五届人民代表，广西第二届政协常委。他还是中国杂技家协会第一、二届常务理事及第一届顾问委员会副主任。

〔周日贵·晋华宫煤矿党委书记·创造企业党务工作成套经验被誉为“点子大全”〕　山西省大同矿务局晋华宫矿党委书记周日贵有三句“行话”，在统配煤矿系统很有影响：一半靠做出样子，一半靠出好点子；一半倾心抓队伍，一半发动队伍抓；一半凭心地公道，一半凭脚下功夫。三句话概括起来，就是他常挂在嘴边的“正己才能育人”。在矿上，周日贵要大家干的，正是他已经和正在干着的；他要大家不干的，自己从来不破规矩。《人民日报》1992年6月5日登载了他的事迹和经验。

周日贵，1942年4月生于著名煤乡大同，50年来与煤结下深情厚缘。少年时期在煤矿中学读书，1962年参加工作后，一直在大同矿务局下属矿中供职，先后当过团支部书记、宣传干部、办公室主任。1982年底担任四老沟矿党委副书记，两年后任现职。身为党委书记，他严以律己，宽以待人，换来领导班子的团结和群众的信任支持。矿党委多年连续被局、市、国家煤炭部门评为先进集体，他本人60多次获得局、市、省授予的优秀党委书记等荣誉证书。在10年党务工作实践中，他刻苦学习马列主义、毛泽东思想，写出读书笔记100多万字，在各级报刊上发表理论文章上百篇。1991年，他与矿长李万主编出版了7万字的《思想政治工作方法论》，为企业界政工同行奉献出成套的思想政治工作“点子大全”，使昔日这块被人视为“空洞乏味”的领域充满新意。

煤矿的安全一直是令人揪心的大事。周日贵要求大家围绕经济建设出点子，他自己就有一项“发明”。一次，在同井下工人和家属座谈中，他蓦然发现一个“安全新大陆”：把矿工的妻子儿女组织起来，干部的几张嘴不就变成万张嘴了！于是“三关心、四叮咛、五过问”的安全联防活动，在全矿开展起来。娃娃们利用课余到坑口唱“提醒歌”，夫妻间订立“安全合同”，这项活动真顶了大事，全矿安全一年好似一年，被全国煤炭系统普遍学习推广。周日贵要求干部关心工人，自己首先做到体察入微。洗澡时他发现有的刚上井的工人双脚黑里透白，像被水泡过。一问，才知是水靴磨破渗水。于是，第二天他带上工具蹲到坑口，为工人补水靴。不管刮风下雨，补水靴成了该矿干部每月参加劳动的“保留项目”。他要求党员、干部同工人保持血肉联系，自己早就踏遍上千户矿工门槛。有个矿工负伤，他几个昼夜守候在医院；冬季矿区供暖不足，他多次半夜巡察锅炉房，同司炉工一起找原因、想办法，终于把温暖送到千家万户；农协工王月林上有瘫痪母亲，下有两个幼子，妻子偏偏在1991年2月病故了。在这“破船又遇打头风”之时，周日贵关照下面：“一定要帮王月林处理好妻子后事，这是对待矿山主人翁的问题。”于是，党员、干部带头，群起为王月林捐款理丧。感动得王月林跪在地上哭道：“我3月份就到期了，矿上对我这样好，我要报答，我不要工资，给口饭吃就能干活！”

周日贵主编的《思想政治工作方法论》一书，共10篇、72“法”，大多数是他的经验结晶。比如，他根据正己的体会，在选配干部中创造了“十子育才法”：坚持原则，选准苗子；加强教育，多种法子；搞好交流，交换位子；磨练才干，敢压担子；以老带新，结成对子；台阶递进，打好底子；民主评议，勤照镜子；体察关怀，搭好梯子；定规考核，引好路子；上岗再帮，出好点子。从1984年至今，该矿从工人中选拔、使用队长以上干部371人，其中121人已成为科区级干部，矿处级以上领导干部（包括向外输送的）23名。这个成绩不全属于周日贵，但作为一只“暖蛋的母鸡”，他亦以此为荣。

〔周世忠·原武汉军区司令员·在北京逝世〕

1992年10月9日，原武汉军区司令员周世忠在北京逝世，终年74岁。

周世忠，湖北黄安（今红安）人。1930年参加中国工农红军，1932年6月加入中国共产主义青年团，1935年10月转入中国共产党。曾任红25军75师223团团部司号长。参加了鄂豫皖、鄂豫陕革命根据地反“围剿”和长征。1936年任红15军团73师218团连指导员。参加了劳山、直罗镇、东征、西征、山城堡等战役。抗日战争爆发后，任八路军115师344旅687团连指导员、营长，689团副团长。参加平型关、广阳、町店等战斗。后随部队南下华中。1941年入抗日军政大学第四分校学习，任区队长。1942年起任新四军第4师11旅32团副团长，旅副参谋长，11旅兼淮北军区2分区参谋长，淮北军区第3军分区参谋长。参加淮北1942年冬季反“扫荡”和华中抗日根据地大反攻。抗日战争胜利后，任华中野战军第9纵队73团团长，华东野战军第2纵队4师副师长，第3野战军21军62师政委。参加了莱芜、淮海、渡江等战役和解放舟山群岛作战。中华人民共和国成立后，任第21军参谋长。1952年入军事学院学习。毕业后任该院高级兵团教授会副主任、主任，高等军事学院合同战术教授会主任。1959年起任福州军区参谋长、副司令员，解放军通信兵主任，武汉军区副司令员、司令员。1955年被授予少将军衔，获三级八一勋章、二级独立自由勋章、一级解放勋章。是中共第十二届中央委员。1987年被选为中共中央顾问委员会委员。1988年7月获一级红星功勋荣誉章。

〔周永旭·二十九岁的高级工程师·研究开发双螺杆泵获突出成就〕　天津市工业泵总厂螺杆泵研究所副所长周永旭，从1987年开始研究开发双螺杆泵，取得一系列优秀成果，1992年被评为天津市“十佳”科技先锋，“十佳”青年工人，并获得天津市第二届青年科技奖和共青团天津市委颁发的“金钥匙奖”。

周永旭，1963年11月生。1976年在湖南省溆浦县一个农村小学毕业。1980 年在县第二中学毕业后考取了华中工学院。1986 年以优异成绩提前一年于华东工学院研究生院毕业，获硕士学位。他没有到条件优越的科研单位工作，甘心到天津工业泵总厂这个不起眼的小厂，接受了研制新型双螺杆泵的任务。几年来，他没有白天黑夜，没有公休假日地工作，每天干十多个钟头。功夫不负有心人，他接受任务两个月后，就完成了双螺杆泵的结构设计，接着又主动承担了双螺杆型线设计的加工方法及加工刀具的研究，终于在 1987 年 11 月完成双螺杆泵研制任务。1990 年，他又承担市科委下达的“双螺杆泵系列产品开发研究”课题。两年时间，先后完成两大基本系列和变型系列共 25 个规格的产品设计，样机试制，主要性能指标接近或达到西德 AWR 公司 80 年代同类产品水平。油耗仅为老式往复泵的 1／6，被机电部评为第十一批节能推广产品，填补了我国螺杆泵研究技术上一项空白。

1988 年，他还承担了三螺杆泵引进技术中关于螺杆型线的消化工作，不仅弄清了其型线的数学方程和铣刀计算原理，同时，采用新的计算模型，编制了新的计算程序，把计算时间由国外的 12 小时缩短到 6 分钟，提高了 160 倍。这一成果，为今后进行螺杆铣刀磨损引起误差的深层次研究，奠定了一种快速高效的基础手段。

周永旭总结了理论研究和产品开发的经验，写下 20 多篇有关双螺杆泵学术论文和研究报告。关于型线的修正理论及一把刀同时完成三个螺旋面的加工理论，达到 80 年代末世界先进水平。

1991 年，周永旭 28 岁时，被破格提升为高级工程师，成为天津市最年轻的高级工程师，曾任天津工业泵总厂技术科副科长、设计科科长等职。

〔周永军·计算机软件专家·获国际电脑与信息技术展览会杰出软件国际大奖〕　昆仑电子印刷技术公司总工程师周永军设计开发的 919C 高档轻印刷系统，在新加坡举行的 1992 年国际电脑与信息技术展览会上获唯一的杰出软件国际大奖。

周永军，1964 年生于青岛市。1982 年进入北京大学计算机系统学习，毕业后成为王选教授所带的硕士、博士研究生，为了根据自己的新思路去开发新产品，在尚有一年即可拿到博士学位的情况下，毅然离开了老师和北大，于 1990 年 6 月来到昆仑电子印刷技术公司，从事新产品的研制开发工作。后任该公司副总工程师、总工程师。

周永军于 1991 年 6 月研制成功 919A 自动办公排版系统。该系统采用批处理和交互式相结合的结构，用曲线轮廓处理汉字，独具前后台可同时工作、可高速输出等特色，因而当年在新加坡举行的 COMTEC 国际展览上获得了唯一的杰出软件国际大奖，成为我国办公自动化领域中的一支劲旅。一年后，周永军及其伙伴们又开发出 919C 高档轻印刷系统，1992 年再次获得上述国际大奖。该系统打破了以往印刷系统走专用芯片之路，其寻址以字阶为单位的惯例，实现了计算机界人士以汉字为寻址单位的夙愿，使系统对汉字的处理速度由原来的每秒 650 个字一跃达到 2000 个字，同时具有版面排版块和直观易学的优点。

〔周同惠·药物分析学家·当选中国科学院学部委员〕　1992 年 1 月 3 日，中国科学院正式公布了新增选的学部委员名单。中国医学科学院药物研究所分析室主任、研究员周同惠，被增选为化学部学部委员。周同惠的科研成果《兴奋剂检测方法的研究与实施》，1992 年获国家科技进步一等奖。同年，他还获得全国“五一”劳动奖章和首都劳动奖章。

周同惠，广西桂林人，1924 年 11 月生。1944 年毕业于北京大学化学系，1952 年获美国华盛顿大学分析化学专业博士学位。他从事药物分析工作三十多年，建立了几十种合成药和植物药成分的分析方法，在将电化学分析和各种色谱技术用于药物分析方面起了开拓性作用。他建立了山道年等的极谱分析方法，研究了电极反应机理，对棉酚在丙酮底液中的极谱行为提出解释，进行了植物药中生物碱的安培滴定，糖类等的库仑滴定等研究，研制了辛可宁等的离子选择电极。他先后将纸、薄层、气相色谱应用于麦角、洋地黄、香薷等成分的分析，建立了多种方法，解决了科研及生产中许多问题。自 1986 年起，他负责筹建中国兴奋剂检测中心，领导建立了国际奥委会（IOC）禁用的五大类 100 种药物的 GC、HPLC 及 GC／MS 的检测和确证方法。于 1989 年顺利通过 IOC 的 3 次预考和正式资格考试，成为世界上第 20 个、亚洲第 3 个合格的兴奋剂检测实验室，填补了我国空白，并达到国际先进水平。1991 年曾获国家体委科技进步特等奖。

周同惠的简历与事迹参见 1991 年《中国人物年鉴》

〔**周仲涛、王丹（女）、赵薇娜（女）·杂技演员·在第六届“未来”世界马戏节获金奖第一名**〕

1992 年 2 月，中国沈阳杂技团演员周仲涛、王丹、赵薇娜参加在法国举行的第六届“未来”世界马戏节的比赛，他们表演的《三人顶碗》技精、形美、情浓，艺惊四座，荣获马戏节金奖第一名——巴黎市奖。

周仲涛，1972 年生，河北人。王丹，1977 年生，河北人。赵薇娜，1978 年生，辽宁人。他们都于 1985 年入沈阳市艺术学校杂技科学习，由陈焕、张业庆二位教师执教。经过三年的训练和排演，他们早在 1988 年 11 月全国“新苗杯”杂技比赛中就表演了《三人顶碗》，获金奖。但他们没有满足于已取得的成绩，在两位老师的指导下，继续磨砺雕琢，不断提高节目质量，先后练出了一个又一个高难技巧动作。1989 年他们的这个节目，在朝鲜第七届“四月之春”艺术节上获最高奖——优秀节目奖；同年又获沈阳市政府颁给的“振兴杯”奖，周仲涛还被共青团沈阳市委授予“优秀团员”称号。1991 年 5 月，这个节目在第三届全国杂技比赛中，又荣获“银狮奖”。

〔**周克玉·任人民解放军总后勤部政治委员**〕

1992 年 11 月，中央军委任命周克玉为人民解放军总后勤部政治委员。

周克玉，1929 年 1 月生，江苏阜宁人。1944 年入射阳县抗日干部学校学习。次年加入中国共产党。曾任射阳县区青年联合会主任，县青年联合会常委。1947 年参加中国人民解放军。曾任苏北军区连指导员，第三野战军军政治部干事。参加了淮海、渡江战役。建国后，历任解放军第八十一速成中学干部处副处长、军干部科科长，团政委、师政治部副主任、师副政委，济南军区宣传部副部长、组织部部长、军政委，总政治部主任助理，总政治部副主任，总后勤部政委。是中共十二届、十三届、十四届中央委员，第六届全国人大代表。1988 年被授予中将军衔。

〔**周秀骥·大气物理专家·获国家科技进步一等奖**〕　国家气象科学研究院院长、中国科学院学部委员、研究员周秀骥，因完成国家“七五”重点科技攻关项目“灾害性天气监测和短时预报系统”，获 1992 年国家科技进步一等奖。

周秀骥的获奖项目“灾害性天气监测和短时预报系统”是发展现代化天气监测技术的科学系统，涉及学科多，技术难度大。其总体功能和技术水平达到了八十年代中期的国际先进水平，与美国的 PROF 预报相当。准业务化预报结果表明，该系统业务能力强，反映速度快，可靠程度高，社会效益大。

周秀骥，1932 年 9 月生于江苏省丹阳县，1961 年以研究生身份毕业于苏联科学院应用地球物理研究所，并获苏联科学院数理科学副博士学位。其主要经历见 1990 年《中国人物年鉴》。

〔**周作亮·潜江幸福集团公司董事长兼总经理·获全国优秀乡镇企业家称号**〕　1992 年对周作亮及其领导的幸福集团公司来说，真可谓好戏连台，喜事一桩接一桩：年初，周作亮被评为全国优秀乡镇企业家；年中，省委书记为他们幸福村题词：“争创湖北第一村”；年末，合资企业幸福出租汽车有限公司在武汉开业，名扬全国。周作亮还被评选为 1992 年中国农村十大新闻人物之一。

周作亮，1940 年 6 月生，湖北省潜江市人，八届全国人大代表，中国乡镇企业协会副会长。

人们可能没有料想到，名扬全国业绩辉煌的周作亮，原是个残疾人，他九岁患骨结核，家境贫寒不得医治，造成终身残疾，身高不过四尺，左腿盘曲，右腿萎缩，走路时两腿横位，每一步都要费很大劲。就是他，领办了一个幸福服装厂，开始只有 7 名职工和几台缝纫机，年利润 300 元；如今，职工有 2000 名，设备有 36 条先进生产流水线，年利税 900 万元，年产值超亿元，产品多次获省优、部优称号，内销 20 多个省、市、区，外销欧美亚十多个国家和地区，晋升为国家二级企业，还先后在深圳和香港办起合资企业“深圳永福制衣有限公司”和“香港永福服装公司”。

周作亮善于捕捉机遇，勇于开拓进取。在带领幸福服装厂实现跳跃式发展以后，就提出进行村级体制改革，走工农贸一体化道路。他以幸福服装厂为依托，成立了幸福集团公司，下设农业开发公司、商业贸易公司和若干工业企业。以商业贸易为纽带，分工分业，集约经营，协调发展，形成了内地、深圳、香港“三点一线”宏大的商业贸易网络。1992 年邓小平发表南巡谈话，举国上下又一次涌起了改革开放的大潮。在这种形势下，周作亮审时度势，大胆地提出了“争创湖北第一村”的设想，在巩固和发展现有骨干企业的同时，制定了逐步建立五大产业支柱经济体系的远景规划，使幸福集团公司成为拥有服装制造业、交通旅游服务业、建筑器材业、医药化工业、立体生态农业的大型经济实体，决心把幸福村早日建成“湖北第一村”。

〔周国泰·科技企业家·获全国科技实业家创业奖金奖〕　人民解放军总后勤部军需装备研究所副所长、科技开发部总经理周国泰，1992年获第三届全国科技实业家创业奖金奖。

周国泰，1949年8月生，吉林省镇赉县人。1975年从中山大学化学系毕业后，一直在总后军需装备研究所工作，先后任技术员、助理工程师、工程师。在科研工作中曾取得多项重大成果。他和战友们承担的“热熔粘结絮片生产工艺及热熔粘结机”项目，1985年获国家科技进步一等奖和军队科技进步一等奖。由他任项目副组长的“中国人民解放军冬服保暖标准”，是我军服装保暖方面第一个国家军用标准，获军队科技进步二等奖。

1988年，总后军需装备研究所科技开发部正式成立，周国泰出任总经理。他带领开发部全体人员积极开拓，闯出一条科研与生产结合、军队与地方结合的科技开发新路子。他们以研究所为后盾，先后开发出54式防弹背心、90防刺背心、油田抗油拒水防护服装等几十种具有国际一流水平的新产品，并以最快速度投入生产，创造了显著的社会、经济效益。如周国泰主持研制的抗油拒水防护服，从根本上解决了老式工作服透水、渗油问题，几年来在各大油田试穿近一百万套，深受广大石油工人的欢迎。他担任项目组长的防弹背心，其性能达国际同类产品先进水平，已批量装备军队和武警、公安等执法人员。他参加研制的防刺背心，1991年获军队科技进步三等奖。

在周国泰带领下，科技开发部由原来只有七、八个人、两台旧缝纫机的科研小组发展到现在拥有100多人、2400万元资产的科技开发实体，其产值连年大幅度增加，1988年创办当年产值就达1700万元，1991年增加到1.3亿元，1992年达1.5亿元。

周国泰1990年获全国科技实业家创业银奖，1991年总后勤部批准给他记二等功一次。

〔周忠明·黄石纺织机械厂厂长·获全国“五一”劳动奖章〕　中国纺织机械工业总公司黄石纺织机械厂厂长兼党委书记周忠明，在社会主义经济市场发展、竞争中，以战略家的眼光提出：“找米下锅”为当前、超前开发为今后的经营指导思想，带领企业在困境中拼搏，在低谷中奋起。该厂被纺织工业部命名为“双文明企业”，跨入国家二级企业行列，成为全国纺织机械行业学习的标兵。1992年4月29日，周忠明被全国总工会授予“五一”劳动奖章。

拥有2000多职工的黄石纺织机械厂，是我国生产印染机械的重点厂。1987年后，治理整顿措施相继出台，国内印染机械市场更加疲软，使企业陷入严重困境之中。周忠明带领全厂职工一不向上伸手，二不等待观望，用半年时间调查59个城市，摸清了沿海大城市和边远地区对纺织机械的不同需求，调整产品结构及服务方向，提出了企业要形成以经销为龙头，以产品为后盾，以质量作保证的整体经营体系，不断拓宽市场，提高经济效益。1991年在企业面临生产任务严重不足、资金紧缺、原材料紧张等一系列困难情况下，周忠明亲自抓市场。带领厂级领导分赴各用户厂家，上门促销，落实销售合同9300万元，当年完成工业总产值7043万元。1992年，周忠明进一步转换企业经营机制，顺应社会主义经济市场的规律，大力调整产品结构，前9个月实现利税1078万元，比91年同期增长17·6%。

近年来，周忠明在以市场为导向，狠抓产品结构调整同时，坚持科技兴厂，提高高技术产品开发能力和高技术产品制造能力。引进国外先进技术合作生产同时，结合我国国情开发具有自己特色的新产品，初步形成了以丝光机、圆网印花机、高速平幅退煮漂联合机、绳状练漂机四大产品支柱为代表的近百个品种，拓宽了市场，稳定了经济效益。1992年又投资1200万元进行技术改造，为企业增添了发展后劲。

在强化企业管理上，周忠明以独辟蹊径的胆识，推行了“动态管理”；在编制作业计划的时候，留有一定缺口，以随时满足用户的需求，打破了传统的产品生产模式。

周忠明始终坚持“两个文明一起抓，两个成果一起要”，在全厂开展“抓三百（共产党员），带两千（职工）”和“党员责任区”活动，把思想政治工作渗透于生产经营全过程，使全厂形成一个团结拼搏的战斗集体。

周忠明，1933年8月出生于上海。1952年参加工作，1965年加入中国共产党。函授大专毕业。历任黄石纺织机械厂车间主任、副厂长、主任工程师等职。1982年当选为厂长。高级经济师职称。1989年至1991年，先后被评为黄石市优秀企业家，机电工业优秀企业家，纺织工业劳动模范、优秀思想政治工作者等。

〔**周荣生·青年工笔画家，在台湾举办画展**〕

1992年11月，青年工笔画家周荣生在台湾举办画展。展览期间由台湾艺术股份有限公司出版了大型精装画集《周荣生画集》。

周荣生画展正值台湾艺术博览会开幕，观众踊跃，反映强烈。台湾主要艺术刊物《艺术家》、《雄师美术》和《中央日报》、《时报周刊》等报刊，对周荣生的画做了大量宣传和专题报导。画展在台北、台中巡回展出，历时两月，获得成功。

周荣生，1950年10月出生于河北抚宁。1987年毕业于北京师范学院美术系。曾任内蒙古《大兴安岭日报》社美术编辑，国家二级美术师，内蒙古呼伦贝尔盟美术家协会副主席，中国美术家协会会员。

周荣生长期生活在我国最北部——内蒙古呼伦贝尔盟，他对那里的大草原、大森林有着浓厚的感情，他观察和描绘了北方冻土地带的牧人和马群，山川与河流，笔墨间蕴藏着深沉和力量。在他的《神圣的敖包》、《草原之梦》、《天地敬》、《日之蚀》、《天界》、《红衣女与白马》等作品中，能使人体验到一种被净化的，近乎宗教神灵的意境。他的工笔画以前所未有的凝重、雄浑的面貌展现于中国画坛，从一个方面拓展和推进了现代工笔画的进程。

周荣生的作品曾参加第六、七届全国美展，第二届全国青年美展和第一届、第二届全国当代工笔画学会大展。1989年以来，在日本、美国、苏联、新加坡、马来西亚、香港、台湾等国家和地区举办过展览。1991年还参加具有世界影响的法国秋季沙龙展。他的多幅作品由中国美术馆和国外收藏。他的作品还被收入《现代中国美术》、《中国工笔画》、《当代中国画1979—1989》、《当代大陆工笔画选》等国内外大型画集。他的艺术传略和简历收入《中国美术家辞典》、《中国美术辞林》、《中国当代国画家辞典》等多种辞书。

〔**周思聪（女）·画家·大型画集出版**〕被美术界赞誉为标志着传统绘画、尤其是传统写意人物画在当代的水准的周思聪画集，1992年由天津人民美术出版社出版。

周思聪，河北宁河人，1939年1月出生，小时曾在北京少年之家学画。1955年考入中央美院附中，1963年毕业于中央美术学院中国画系。她在大学期间从师于蒋兆和、叶浅予、李可染、刘凌伦诸名画家。她的代表作有：《长白青松》、《山区新路》、《敬爱的周总理我们永远怀念您》。获奖作品有：中国画《万山一角》，获第七届世界联欢节银质奖章；《人民和总理》获1979年建国30周年全国美术作品展览一等奖和北京市美展一等奖。

周思聪是我国建国后培养出来的卓有成就的女画家。她的画风清新劲健，意蕴深沉，饶有阳刚之气。她在学习中刻苦用功，奠定了坚实的绘画基础。在创作中又肆意变法，刻意求新，使娴熟的写生技法和丰富的笔墨技巧，有机地结合在一起，成就一种独特的艺术风范。她长期病魔缠身，仍坚持作画，且谦和纯朴，她的为人作画，都感人至深！

周思聪是中国美术家协会北京分会副主席、中国美术家协会副主席。

〔**周恩来·纪念馆在淮安落成·《周恩来展》在日本东京举行**〕　1992年1月6日，中共江苏省委、省人民政府在周恩来的故乡淮安隆重举行周恩来纪念馆落成典礼。邓小平题写馆名。江泽民、杨尚昆、李鹏、李先念等为纪念馆题了词。江泽民的题词是："学习周恩来同志的高尚品德，全心全意为人民服务"；杨尚昆的题词是："人民的好总理周恩来"；李鹏的题词是："学习周恩来同志对革命事业无限忠诚，对人民无限热爱的崇高品德"；李先念的题词是："学习周恩来同志，全心全意为人民服务"。中共中央政治局委员、国务委员李铁映为纪念馆落成剪彩。江苏省党政领导、在周恩来身边工作过的老同志、周恩来亲属的代表、周恩来祖籍绍兴市的代表、淮安市领导及群众代表共一千余人出席。

1986年2月，中共中央批准在周总理的家乡淮安建立周恩来纪念馆。1988年3月5日为周恩来诞辰90周年纪念日，纪念馆奠基仪式在淮安市桃花垠举行。同年6月，邓颖超在中南海西花厅接见淮安来的乡亲时说："纪念馆要建开放型的，让群众可以自由出入。恩来生前就不愿把他和群众分开"。经过一年半的建设，由著名设计大师齐康教授担任主体设计的周恩来纪念馆，于1991年12月3日正式竣工，共占地30多万平方米，其中70%是水面，坐落在绿水环绕的人工半岛上。全部建筑分主馆、副馆和附属设施三个部分。主馆建筑面积1918平方米，分为三层。基座为梯形，墙体呈外四方内八角。一层为陈列厅，展出周恩来青少年时代、大革命时期、土地革命、抗日战争、解放战争时期以及社会主义革命和建设时期等八个方面图片199幅，文字资料和珍贵实物48件，较为全面地反映了周恩来一生的主要生平事迹。二层为纪念厅，正面安放着5米高的周总理汉白玉坐像，总理左手持卷，右手扶膝，沉静、专注，神情似若有所思。三层为观景平台。副馆建筑面积1317平方米，底层为名人字画厅，收藏海内外名人书画300余幅。二层为音像厅，主要放映反映周恩来生平事迹的影视片。主馆西侧的湖心岛上，建有白色的四角石亭——怀恩亭。周恩来纪念馆落成后，前往瞻仰的群众络绎不绝。自1月6日至2月底接待观众20余万人。1992年3月5日是周恩来诞生90周年纪念日，这一天纪念馆接待群众近5000人。

在1992年，一批有关周恩来的事迹和研究专著先后出版。1月，由南开大学历史研究所周恩来研究室编著的《周恩来研究概览》一书出版，此书总结了周恩来研究工作的历史和现状，分专题综述已有的研究成果，介绍有关的重要论著和资料、重要的研究机构及国外研究动态，并附有国内外周恩来研究论著的中英文索引。2月，根据30多位曾在周恩来身边工作过的老同志的回忆整理而成的《周恩来和他的秘书们》一书出版，这部三十四万字的著作向读者介绍了周恩来平凡的日常生活中的珍闻轶事。3月，一套反映周恩来丰功伟绩的新闻图片《一代楷模——周恩来》出版。7月，《周恩来与艺术家们》、《周恩来与日本朋友》由中央文献出版社出版。10月4日，由世界知名的英籍华裔女作家韩素音撰写的《周恩来与他的世纪1898—1998》首发式在北京举行，韩素音及其丈夫陆文星出席。韩女士1956年与周恩来第一次见面，长谈两小时，以后又十多次与周恩来交谈，她都保存着详细笔录，并从多种渠道收集了许多珍贵史料，全书分了3部26章，共40余万字。

1月7日，影片《周恩来》在香港首映。9日，在澳门首映。这部史诗性巨片轰动了港澳，上座率创近年大陆片在港澳放映新纪录。

9月23日至10月18日，《周恩来展》在日本东京日中友好会馆举行，这是纪念中日邦交正常化20周年最重要的活动之一。早在1991年12月，日本各界人士500人就发起成立了实行委员会，开始进行筹备。这次展览由日本《周恩来展》实行委员会和中日友好协会、中国革命历史博物馆联合举办。展览共分“为中华腾飞而学习”、“献身于中华民族的解放”、“人民中国的总理”、“周恩来与中日邦交正常化”、“平凡而伟大的人”六个部分，展出了大量珍贵历史图片、文献资料及周恩来当年用过的实物，反映了周恩来78年光辉的人生历程。周恩来总理一直关注中日两国关系，积23年之努力，终于和日本有识之士一道，于1972年实现了中日邦交正常化，使中日两国友好关系不断发展。他的远见卓识和高风亮节，赢得了日本各界人士无限尊敬与爱戴。展览吸引了大批日本观众久久驻足，不愿离去。他们说：周恩来总理1919年从日本回国之后，再也没有来过日本，可是今天他来了，他将永远留在日本。

周恩来，原籍浙江绍兴，1898年3月5日生于江苏淮安。1917年在天津南开学校毕业后赴日本求学。1919年回国入南开大学，在“五四”爱国运动中成为天津学生界的领导人，并与运动中的其他活动分子共同组织进步团体觉悟社。1920年去法国勤工俭学。1921年加入中国共产党。1922年和赵世炎等组织旅欧中国少年共产党（翌年改为中国社会主义青年团旅欧支部），后任中国社会主义青年团旅欧支部书记、中共旅欧支部领导人。1924年秋回国，正值国共合作，在这一期间曾任广东黄埔军校政治部主任，国民革命军第一军政治部主任、第一军副党代表等职，并先后任中共广东区委员会委员长、常委兼军事部长。1927年3月在北伐的国民革命军临近上海的情况下，领导上海工人第三次武装起义。同年5月在中共第五次全国代表大会上当选为中央委员，在五届一中全会上当选为中央政治局委员。同年7月12日中共中央改组，周恩来任中共中央政治局临时常务委员会委员（共五人）。国共全面分裂后，他同贺龙、叶挺、朱德、刘伯承等一起于8月1日在江西南昌领导武装起义，任中共前敌委员会书记。1928年在中共六届一中全会上当选为中央政治局常委。后任中共中央组织部部长，中央军委书记。

1931年12月，周恩来离开上海到位于江西省南部和福建西部的中央革命根据地，先后任中共苏区中央局书记、中国工农红军总政治委员兼第一方面军总政治委员，中央革命军事委员会副主席。1933年春和朱德一起领导和指挥红军战胜了国民党军队对中央革命根据地的第四次“围剿”。1934年10月参加长征。1935年1月在遵义会议上继续被选为中央主要军事领导人之一。

抗日战争期间，周恩来代表中共长期在重庆及国民党控制的其他地区做统一战线工作，并先后领导中共中央长江局、南方局的工作。在1945年的中共七届一中全会上当选为中央政治局委员、书记处书记。1946 年夏全面内战爆发。此后他任中央军委副主席兼代总参谋长，协助毛泽东组织和指挥解放战争，同时指导国民党统治区的革命运动。

1949 年中华人民共和国成立后，周恩来一直任政府总理，曾兼任外交部长，并任中国人民政治协商会议全国委员会副主席、主席，中共中央副主席，中央军委副主席等职。1976 年 1 月 8 日在北京逝世。

〔周铁农、童傅、程志青（女）、胡敏·当选民革中央副主席〕　1992 年 12 月，周铁农、童傅、程志青、胡敏在民革八届一中全会上新当选为民革中央副主席。他们表示要继承和发扬民革老一代同中共风雨同舟、密切合作的光荣传统，团结并带领广大成员认真学习中共十四大精神，进一步解放思想，实事求是，增强坚持“一个中心、两个基本点”的基本路线的自觉性和坚定性，努力使新时期民革的工作继续沿着正确的方向开拓前进。

周铁农，1938 年生，吉林洮南人。1960 年北京大学数学力学系毕业后，历任哈尔滨工业大学动力系助教，东北重型机械学院讲师、副教授，齐齐哈尔市副市长、黑龙江省省长助理。现任黑龙江省副省长，全国政协委员，民革黑龙江省主委。

童傅，1936 年生，江苏宜兴人。1957 年北京大学数学力学系毕业。先后任紫金山天文台人造卫星组课题组长、行星研究室课题组长、理论天文研究室副主任、天文台副台长、台长，研究员，国务院学位委员会学科评议组成员。历任民革江苏省代主委、主委，七届全国政协委员，江苏省政协副主席，省台联会会长。与人合著有《人造卫星的观测与运动》，获国家科技进步一等奖一项、二等奖一项。1989 年被国际传记中心列入世界名人录。

程志青，女，1934 年生，湖北云梦人。1954 年留学苏联，1959 年自列宁格勒大学化学系毕业。任中国科学院化学所实习研究员，助理研究员。1982 年赴美国犹他大学化学系进修两年。1984 年后，历任广东测试分析所副研究员、研究员、副所长，广东省科委副主任兼测试分析所研究员。历任民革广东省副主委、主委，民革中央常委，七届全国政协委员，广东省科协副主席，省妇联执委。曾获全国科学大会奖两项，国家发明奖一项，农牧渔业部科技进步奖一项。

胡敏，1931 年生，四川万县人。1952 年上海交通大学土木工程系毕业。历任北京煤矿设计公司、北京煤炭设计研究院工程师、高级工程师、副院长，中国煤炭勘察设计协会副理事长，全国煤炭系统高级技术职称评审委员会委员。历任民革中央委员、中央常委，六届全国政协委员、七届全国政协常委。译有《矿山工程建筑物》等书。

〔周培源·被推举为九三学社名誉主席〕
在 1992 年 12 月 26 日至 30 日于北京举行的九三学社第六次全国代表大会上，周培源被推举为九三学社中央名誉主席。他在大会开幕词中说，这次大会要认真学习、贯彻中共十四大精神，继续发扬我社的优良传统，发挥我社科技人才密集的优势，动员全社同志积极承担起加快改革开放和现代化建设的历史重任，充分发挥参政党的作用，在以江泽民同志为核心的中共中央领导下，为促进经济体制改革，加速经济建设，为振兴中华，实现祖国和平统一贡献力量。

90 高龄的著名物理学家、全国政协副主席周培源教授，近年来仍孜孜不倦地致力于引力论和湍流理论的研究。在他的指导下，这两方面的研究均获重大进展，受到出席北京国际流体力学和理论物理科学讨论会的中外科学家的高度评价。《人民日报》为此于 1992 年 6 月 4 日专门作了报道。

半个多世纪来，周培源主要致力于爱因斯坦广义相对论和引力论及流体力学中湍流理论的研究和教学。他研究的这两个领域，被公认为物理学基础理论中最困难、也是最活跃的领域。自 1916 年爱因斯坦发表广义相对论以来，理论物理学家们一直对其中某些观点有不同看法。一种认为，物体运动的规律和可度量的物理参数与坐标的选取无关；另一种认为坐标具有物理意义。由此派生出求解爱因斯坦方程的两种方法，即坐标变换法和引入谐和条件法。周培源是“坐标有关论者”。他认为谐和条件是物理条件。在求解爱因斯坦方程时，只有引入该附加约束条件，所得到的解才具有可度量的物理意义。为证实该理论，他提出并亲自组织了地球引场中光速各向同性检验的实验，即在地球表面上检测沿水平方向和垂直方向的光速之差。在他的指导下，高能物理研究所李永贵等人经过 10 年努力，最近把测量精度提高到 10^{-11} 量级，证明了在这一量级上光速仍呈各向同性。与会的物理学家们认为，这项检测是半个多世纪来世界上成功的引力实验之一。

周培源在湍流理论方面颇有成就。最突出的是，他从湍流平均运动与脉动两种运动方程中，推出了脉动、速度关联所满足的方程，从而奠定了湍流模式理论的基础。他根据湍流是由许多小旋涡叠加构成的现象，提出了湍流的涡旋结构理论。早在四十年代，他的这一理论研究成果就已在苏联、美国被广泛引用，并得到发展，被称为这一理论的"第一代"。该成果于1982年获国家自然科学奖二等奖。1985年，他发表的《关于准相似性条件与湍流理论》论文，在原有理论系统下开拓了新的研究方向。他的这一理论最近被北京大学教授黄永念的一项研究所证实。在他的指导下，黄永念等人对充分发展的湍流流动作了大量研究，提出了湍流计算的最新方法——逐级迭代法。这种方法被认为是湍流理论研究中的一大创举。

周培源，1902年生，江苏宜兴人。1924年毕业于清华大学。1926年赴美留学，先后获硕士、博士学位。1947年回国，任清华大学教授。建国后，任北京大学校长，中国科学院副院长等职。是第五、六、七届全国政协副主席，九三学社第五、六、七届中央副主席。他于1959年2月加入中国共产党。1991年11月，他曾回到母校——上海实验小学（原万竹小学），向获得首届周培源奖励基金的18位教师颁奖，勉励他们为祖国培育更多的英才。

〔周淑兰（女）·哈尔滨市飞机制造公司技师·获全国巾帼建功标兵称号〕　1992年3月7日，在首都各界纪念"三八"国际劳动妇女节82周年的大会上，哈尔滨市飞机制造公司磨工技师周淑兰，被授予全国"巾帼建功"标兵和全国"三八"红旗手称号。

周淑兰，1947年生。辽宁省复县人。1963年初中毕业后，到哈尔滨市飞机制造厂当工人。近30年来，在平凡的岗位上默默奉献，早上工、晚离厂，既苦干又巧干，不仅保质保量安全地完成生产任务，而且常有小改革与合理化建议。曾连续9年被评为公司先进生产者、"双文明"标兵，同时又是市"优秀共产党员"、"三八"红旗手、劳动模范和首届"巾帼杯"竞赛标兵。最近她连续两年年均完成五年半的工作量，且产品合格率达100%，提前跨入了廿一世纪。她虽中年丧夫，自己患有肾炎、风湿、高血压等疾病并独自带着两个孩子生活，但一直坚守在生产第一线，出勤率100%。作为车间党支部委员，她关心群众胜过关心自己，无论谁有了困难都真心实意相帮，车间职工交口称赞周淑兰是大家的知心人、贴心人。曾被评为航空航天工业部劳动模范。

〔周维垣·水电专家·获国家科技进步一等奖〕　清华大学水电系教授周维垣，因完成"高坝坝基岩体稳定性评价及可利用岩体质量的研究"，1992年获得国家科委颁发的科技进步一等奖。

周维垣长期从事高坝结构及岩基稳定分析技术学科的研究。曾参加我国龙羊峡、东江、紧水滩、东风、二滩、李家峡、拉西瓦、三峡等高坝工程稳定研究。1985年，其"地质力学模型试验技术在水工中的应用"获国家科技进步二等奖；1987年，其"拱坝分析实验技术"获国家教委科技进步二等奖；1990年5月在伊朗德黑兰第三次国际混凝土力学学术会议上获"显著贡献奖"；1991年，其"高坝坝基岩体稳定性评价及可利用岩体质量的研究"获能源部科技进步一等奖。1993年，周维垣被英国剑桥国际名人传记中心列入"20世纪有贡献的科技人员"。

周维垣，1928年11月20日生于河南开封。1948年加入中国共产党。1951年毕业于清华大学土木系。之后，在清华大学任党委常委、组织部长，人事处处长，土木系总支书记等职。1980年后，在水利系任副主任、副教授、教授等职。先后担任岩石力学、岩土数值方法、程序设计、有限元方法、水土建筑物设计、水工模型试验等教学课程；并担任硕士生、博士生指导工作。1985年后，任中国岩石力学与工程学会第三届常务理事，第二届岩石物理数学模拟专业委员会主任委员，中国岩土中心顾问，国际岩石力学学会会员及灌浆委员会委员，第二届太平洋计算会议顾问等职。主要著作有《拱坝坝肩岩体稳定分析》（1983年贵州人民出版社）；论文有《空腹坝坝踵应力的非线性有限元分析及实验研究》、《拱坝坝肩岩体渐近破坏及可靠度分析》、《芦理岩体的损伤断裂力学模型及工程应用》等近200篇。

〔周湘荣（女）·残疾人运动员·获第九届残疾人奥运会金牌〕　1992年9月7日，在西班牙巴塞罗那第9届残疾人奥运会上，中国选手周湘荣在女子S6级100米仰泳中，以1分36秒78的优异成绩获得金牌，并刷新了这个项目的世界纪录。

周湘荣，1965年生，湖南省岳阳市人，大专文化程度，现为岳阳市制药一厂工人。1975年，她因车祸失去左臂左腿，为二级肢体残疾。1984年以来，她参加省级以上国内和国际残疾人运动会7次，获金牌14枚，包括游泳赛12枚，跳远、乒乓球单打各1枚。1987年7月参加在法国巴黎举行的第二届国际残疾人运动会，获女子A6级50米仰泳金牌，成为亚洲该级别、该项目第一个世界冠军。她曾被授予湖南省“三八”红旗手、新长征突击手称号。

〔周湘基·江阴长泾镇经济实业总公司董事长·在全国率先与港商联办工业经济开发区〕
江苏省江阴市长泾镇经济实业总公司董事长周湘基，带领全镇人民真抓实干，1992年全镇在产值、利税、固定资产、外贸收购额等方面实现了八个翻番，并在全国率先与港商联办工业经济开发区。

周湘基，1942年生，江苏省江阴市人。现任江阴市长泾镇党委书记、长泾镇经济实业总公司董事长。在邓小平南巡谈话精神的鼓舞下，周湘基带领全镇人民，解放思想，真抓实干，1992年在产值、利税、固定资产、外贸收购额等方面实现了八个翻番。长泾镇夺得了多项全市“第一”：工业产值实现12.34亿元，利税总额达到1.25亿元；资产增值1亿多元；合同利用外资3000多万美元。在全国第一个与港商何氏实业有限公司联办工业经济开发区，开办了香港、韩国、新加坡的四家合资企业，总投资5670万美元。在全国是第一个组团赴香港举办招商会的乡镇单位。

现在长泾镇的工业小区内已建起工业企业30家，其中合资企业11家，合同利用外资达2623万美元。在建中外合资企业中，周湘基把住认真考察和谨慎决策两个关，提出“三合三不合的原则”，一般只同实业家合资，不同设备推销商合资；只同现汇出资商合资，不同设备出资商合资；只同出资比例高的外商合资，不同出资比例低的外商合资。长泾镇在1992年办的15家合资企业中，有11家企业，外商是现汇出资的；有10家企业，外商出资比例在40%以上，最高的达72%。有9家企业产品能返销50%以上，其中有5家外商返销产品80%以上。

长泾镇的许多方面在全国名列前茅：国家建设部在这里成立了“中国村镇建设新技术推广服务站”，农贸市场连续四年被评为全国文明市场；镇工商所被命名为全国先进工商所；镇中心小学少先队大队部被命名为全国的红旗大队部；燃料物资公司被命名为全国乡镇企业供销先进集体。长泾镇还被评为江苏省的爱国卫生先进镇、体育先进镇、群众文化先进镇、教育先进镇，这都有周湘基的心血。他正努力使长泾镇在经济总量、企业规模、科技进步、合资企业和第三产业等方面再上新台阶。

〔周翠娣（女）·书坛新秀·作品获国际中华书画艺术临摹大展一等奖〕　由国务院文化部中国艺术研究院主办的“国际中华书画艺术临摹大展”，于1992年9月4日在山东淄博开幕。这次大展共收到来自中国、日本、新加坡、台湾、香港、美国、加拿大等国家和地区的5400余件书画作品，从中评出入展作品和获奖作品410件。周翠娣的草书临摹获一等奖。

周翠娣，1955年生于上海，祖籍江苏连云港。1977年参加工作。曾参加上海青年宫开办的书法学习班，受到多位书法老前辈和著名书法家的指教，书艺大进，引起不少名家的关注和栽培。她视写字为每日必修之课，有时一天写六七个甚至十多个小时。1988年考入上海师大书法大专班，1991年毕业。近年来，她以激情创作，临帖和静心思考相结合的学书方法来拓展自己的学艺新路。并在传统和文化素养上下功夫。为此，她曾遍游祖国名山大川，黄山的烟云变幻，华山巉岩绝壁，三峡的惊波激流……都给了她无比丰富的滋养，激发了她的创作热情。

周翠娣喜用长峰作大字，亦能悬腕作蝇头小字。其作品看似随意轻松，却蕴含着多年深研的功力。顿挫分明，疾徐有节，一点一画意态纵横，流畅老练，讲究墨色枯湿浓淡渗透的变化和线条的流畅。颇有男子气概。其作品曾参加全军书法展和上海朵云轩、上海工人文化馆展出。

〔庞国钟·书法家·作品获“全国奖”〕　中国书法界关注的“第五届全国书法篆刻展览”，于1992年6月30日开始，在沈阳展出15天。庞国钟的书法作品“书法龙门廿品，印宗西泠八家”具有鲜明的北碑书风，使不少观众驻足凝视，并给予很高评价。此作获本届书法大展“全国奖”。这是庞国钟继获“兰亭书法大赛”、“黄河杯书法大赛”一等奖之后，又一次获重大奖。

庞国钟，海南人，1948年2月生。学书初从唐碑颜真卿《多宝塔》、欧阳询《九成宫》入手，后从佛山著名书法家林君选专攻北碑《张猛龙》、及《二爨》、《石门铭》、《龙门廿品》，汉《西狭颂》等，追求北碑之较疏朗俊逸一路，融合各碑之长，逐步形成自己的书风。书法作品曾在《书法》杂志、《书法报》、《人民日报》等报刊发表，并有专题报道；曾收入《千家诗四体书法艺术》、《唐诗三百首四体书法艺术》等专集，翰园碑林、崖山碑林、爨碑碑林收入镌刻；曾入选全国二、三、四届中青年书法篆刻作品展览，全国三、四届书法篆刻作品展览，《国际书法展览》、《国际临书大展》、《当代大陆书法精英展》（台北）等重大展览。《书法》杂志举办“书苑撷英”评比，庞国钟被评为优秀作者之一。在广东书坛，凡提及《张猛龙碑》，自然会提及庞国钟。著名书法家欧广勇评价他的书法：“融会各碑之长，逐步形成以沉着爽劲，奇肆宕逸的书风。天翁称其书作：“章法疏朗清润，整体感很强”。孙伯翔赠书赞曰：“孕南帖，胎北碑、熔汉隶、陶钟鼎，合一炉而冶之，南海之能也。”

庞国钟现为中国书法家协会广东分会会员，广东佛山南方电子音像公司工艺美术师。

〔郑页·中学生·获国际中学生化学奥林匹克竞赛金牌〕 1992年7月21日，第24届国际中学生化学奥林匹克竞赛在美国华盛顿闭幕。北京市第四中学学生郑页在竞赛中获得金牌，并且在参赛的132名各国选手中获得个人成绩第一名。与郑页同时获得金牌的另外两名中国选手是：上海华东师范大学二附中的沈珺、合肥市六中的汤志浩。山东实验中学的林熹晨获得银牌。中国队名列团体总分第一名。

郑页，1974年生，北京市人。他的父亲郑仰华是机械电子工业部自动化研究所的一名高级工程师，母亲李大妹也是一名电子工程师。李大妹认为“父母应该给孩子一个自由成长的空间”。郑页从小就喜欢无线机，10岁那年便自己做成了第一台收音机。化学队领队、北京医科大学的程铁明教授说：“郑页与众不同之处在于他学习时精力特别集中，考试成绩非常稳定。”郑页自己也承认，他唯一的学习方法是无论上课还是自修都非常专心致志。他对化学的兴趣主要是由他所遇到的几位出色的教师培养起来的。例如北师大二附中的顾润英老师、北京四中的金弟老师。郑页说：“那生动的教学方法和他们的个性魅力，使他们的化学课充满了吸引力。”郑页业余时间喜欢摆弄电子游戏，还喜欢看电视、打篮球和旅游。进入高中后，他几乎每个暑假都和几个好朋友到外地旅游。郑页从美国比赛归来后免试直接升入北京大学生物化学系学习。

沈珺（女），1974年1月3日出生于浙江省德清县。1980年—86年在上海市南市区永宁街小学上学；1986年—92年在华东师大二附中上中学。在中学阶段，她每年都被评为校三好学生或区三好学生，1986年7月被评为“上海市优秀少先队员”；1989年1月获1988年度上海市初三数学竞赛一等奖；1989年4月获全国初中数学联合竞赛三等奖；1991年12月获上海市中学生化学竞赛一等奖；1992年1月，在中国化学会1992年全国化学冬令营化学竞赛中获一等奖。1992年从美国比赛回国后，8月12日加入中国共产党，9月入复旦大学生物化学系学习。

汤志浩，1975年4月生于安徽省繁昌县。1980年—85年，在合肥灯泡厂子弟小学就读；1985年—86年，在合肥市育新小学就读；1986年—92年，在合肥六中就读，这期间从初中免试直升高中。1992年从美国比赛归来后，被保送到中国科技大学学习。1991年获中学生化学竞赛安徽省第一名;1992年获全国冬令营化学竞赛一等奖。

〔郑少秋·香港电影演员·主演电视连续剧《戏说乾隆》受到内地观众热烈欢迎〕 郑少秋，香港著名电影演员，由他主演的电视连续剧《戏说乾隆》在大陆播映。因该剧情节跌宕曲折，人物性格鲜明独特而掀起了一个不小的热潮。作为该剧的男主角，他更以自己自然、洒脱、幽默、诙谐的表演赢得了广大观众的热烈欢迎。老百姓亲昵地戏称郑少秋为“乾隆爷”。

郑少秋，原名郑创世，广东人，1947年出生。虽家系世代书香，父亲是香港中文大学教授，他却自小对读书兴趣不浓，而喜好逗乐嬉戏。16岁时，立志从艺，先后考入大喜、同文、南国、邵氏等演员训练班，并在荔园话剧团演戏，吸取了不少表演经验。曾因主演《手足情深》获得香港街坊福利会举办的话剧表演比赛最佳男主角奖，且因此踏入影界，在《黑煞星》、《文素臣》等影片中担任配角。以后他又一度改行到歌厅演唱。由于他的演唱字清音正，风格独特故而被聘为无线电视台《欢乐今霄》的节目主持人。再度涉足演艺界后，主演了武侠连续剧《书剑恩仇录》，一举成为无线电视台的“当家小生”，与汪明荃等合演了《倚天屠龙记》《柴钗记》等片。尽管如此，“戏运不佳”的阴影却一直缠绕着他，令其承受了很大的心理压力。

郑少秋影视明星地位的真正确立，是在他因劳累患肝炎痊愈后复出主演了无线电视台根据古龙的武侠小说改编、拍摄制作的电视连续剧《楚留香》。该剧宣扬忠孝节义，剧情发展悬疑诡秘、高潮迭起，场面豪华，颇投合一般观众的欣赏情趣，加之郑少秋扮相清丽，表演潇洒，令人着迷，在台湾上映更轰动一时，受到狂热欢迎。

郑少秋多才多艺，能歌善武。他拍戏认真，为人随和，谈吐幽默，颇具表演潜质，目前他除了正在拍摄《戏说乾隆》续集外，前一时期还应邀在台湾著名武侠片导演胡金铨拍摄的《画皮》中主演了太原王生的角色。

〔郑汉涛·国防科工委原顾问·在北京逝世〕

1992年12月3日，国防科工委原顾问郑汉涛在北京逝世，终年77岁。

郑汉涛，浙江宁波人。1933年毕业于北平大学工学院。曾任上海长城机制砖瓦公司工务主任。1937年入云阳青训班、陕北公学学习。1938年加入中国共产党。后任中央军委军事工业局科员，八路军总部军工部工程科长、处长，晋冀鲁豫军区工程处处长，晋冀鲁豫边区工业局生产处处长，华北兵工局副局长，为发展兵工生产、培训兵工干部做出了贡献。中华人民共和国成立后，任中央兵工总局副局长兼华北兵工局局长，第二机械工业部二局副局长、计划司司长、部长助理，第一机械工业部计划财务司司长兼动员计划司司长，第三机械工业部副部长，国务院国防工业办公室秘书长、副主任，国防科工委顾问。1962年被授予少将军衔。1988年7月获独立功勋荣誉章。

〔郑成功·民族英雄·逝世三三〇周年纪念活动在福建南安县举行〕　1992年6月8日是民族英雄郑成功逝世三百三十周年纪念日，来自海内外的各界代表二千多人参加了在郑成功的故里福建省南安县举行的隆重纪念活动。日本、菲律宾、新加坡和香港等国家和地区以及台湾省有关人士也应邀参加了纪念会。此后在郑成功的家乡石井镇“郑成功纪念馆”旁又举行了郑成功碑林奠基仪式，与会代表参观了《碑林墨宝展室》。海外嘉宾和当地各界代表1000多人，到位于南安县水头镇覆船山的《郑成功陵墓》前谒陵，并敬献了花圈。

郑成功（1624—1662）本名森，字大木，福建南安人。郑芝龙之子，据清史稿记载，郑成功的母亲是日本人。明隆武帝赐姓朱，时称为“国姓爷”。永历帝封延平郡王。隆武二年（1646年），郑芝龙降清，郑成功极力反对，曾在南澳（今属广东）起兵，从事抗清活动。后以金门、厦门为根据地，连年出击粤、江、浙等地。永历十三年（1659年）与张煌言合兵，进入长江围攻南京，因误信清总督郎廷佐的诈降计，在南京城外战败，被迫撤退。当时台湾为荷兰殖民者所侵占，台湾人民不断起义反抗。永历十五年（1662年），郑成功率将士数万人，自厦门出发，经澎湖，于台湾禾寮港（在今台南境）登陆，围攻荷兰总督所在地赤嵌城，击溃敌人从巴达维亚派来的援兵，经过八个月的战斗，康熙元年（1662年）2月1日，荷兰总督揆一投降，台湾重回祖国怀抱。他在台湾建立行政机构，制法律，定职官，兴学校，招漳、泉、惠、潮等各州流民集台湾，推行屯田，促进了台湾社会经济的发展。他在收复台湾五个月后病死，年仅38岁。子郑经嗣位，后举台湾归清，为统一祖国作出了贡献。

民族英雄郑成功驱夷复台，丰功伟绩，彪炳史册。为发扬郑成功爱国御侮和开拓进取精神，激励后人奋进，南安县于1991年春成立了“郑成功碑林筹建委员会”，全国人大常委会副委员长叶飞应聘为名誉主任。这个碑林用地共92亩，碑林首期工程计划资金200万元，方案设计得到我国著名园林设计专家、同济大学建筑学教授陈从周的热心指导。各项筹备工作进展顺利，截止目前，筹委会已收到来自全国各省市及台、港、澳和国外各界名人名家题赠的墨宝400余幅，盛赞郑成功建立的功业。

〔郑庆斯（女）·老年病专家·获世界卫生组织雅克奖〕　中国预防医学科学院流行病与微生物学研究所所长、研究员郑庆斯，由于在老年人的卫生行为与健康状况的研究领域取得了突出的成就，于1992年5月8日在日内瓦举行的第45届世界卫生大会上，获世界卫生组织雅克奖。这项奖励是世界卫生组织表彰成绩卓著的医务工作人员的几项主要专门奖之一，每两年颁发一次。

郑庆斯，1940年9月出生，广东潮州人。1957年考入湖南医学院医疗系，1960年选调北京协和医科大学学习流行病学微生物学。1962年毕业后到北京市卫生防疫站工作。1965年12月加入中国共产党。1983年7月赴加拿大渥太华大学医学院进修流行病学微生物学，获理学硕士学位。1986年1月调入中国预防医学科学院流行病学微生物学研究所后，历任流行病学研究室副主任、社会医学研究室主任。

郑庆斯多年来注重研究老年人的健康状况及与此有关社会经济及行为危险因素，为摸清老年人行为和健康之间关系，确定有关的危险因素，从而有效地制定对策，帮助老年人预防疾病，科学地介入健康和社会活动作出了贡献。她的研究计划与已取得的研究成果，博得了世界卫生组织和各国医务界人士的高度评价。并曾获卫生部科技成果三等奖，北京市科技成果二等奖、三等奖。郑庆斯还兼任卫生部政策与管理研究专家委员会委员、国家预防和控制艾滋病专家委员会委员、卫生部与世界卫生组织热带病研究联合科研管理委员会委员、中华预防医学会社会医学会委员等职。

〔郑秀琴（女）·芗剧演员·获第二届文华表演奖〕　1992年5月23日，郑秀琴以其在芗剧《戏魂》中的出色表演，获文化部第二届文华表演奖。她是唯一一位获此殊荣的芗剧演员。

郑秀琴，福建省龙海县人，1946年生。其父亲、哥哥都是二胡手，她自幼是歌迷，常随二胡清唱。7岁，父亲亡故，便由其父好友收为养女，迁居漳州。1959年，13岁的郑秀琴考入漳州芗剧团，攻青衣、闺门旦。一年后主演《苏三起解》；两年后主演《梁山伯与祝英台》、《钗头凤》、《孔雀东南飞》等大戏，在漳州、龙海、厦门一带崭露头角，被誉为“十五岁旦”。粉碎“四人帮”后，她相继主演了《白毛女》、《江姐》、《洪湖赤卫队》、《刘胡兰》、《蝶恋花》、《情海歌魂》、《蔡文姬》、《琵琶记》、《溢关恨》、《李三娘》、《戏魂》等，积累了丰厚的演剧经验。而此次获奖的《戏魂》则使她的艺术才华得到了尽情的发挥。《戏魂》是描写六十年代初期，台湾新美园歌仔戏班主章月娇为了戏曲艺术，在困境中求生存、求发展，最终使歌仔戏走出低谷的故事。郑秀琴饰章月娇，她通过成套的唱腔表达了这个人物励志改革坚贞不渝的心态。她音质纯、音色美、真假声结合自然，并在芗剧传统唱腔的基础上，大胆将京剧慷慨激昂的音调、越剧的委婉细腻和潮剧的缠绵悱恻的旋律，融合于自己的唱腔里，还将美声唱法与民族唱法熔于一炉。因而她的清亮甜美、幽雅清丽的演唱和传情的表演无不令观众折服。戏中最后一场，章月娇面对满墙的锦旗牌匾，追思往昔，愁肠百结，真是甜酸苦辣，千言万语一起涌上心头，这里有段几十句的长唱腔，郑秀琴唱得委婉悲凉，如泣如诉。每每演出至此，剧场观众先是鸦雀无声，随着唱腔高潮的出现，掌声不断，此起彼伏。值得回顾的是饰演章月娇正好是郑秀琴在芗剧舞台上塑造的第一百个艺术形象，她以此荣获国家级奖励，也是人民对她长期勤奋钻研芗剧表演艺术所给予的嘉奖。此外，郑秀琴还曾先后获得省首届武夷之春音乐会演员奖、省青年优秀演员奖、省地方剧种唱腔会演一等奖、省第十四届戏剧会演演员奖、省第十八届戏剧会演演员奖。

郑秀琴在国外也享有盛誉，1983年，她曾随漳州市芗剧团首次出访新加坡，她以演出《李三娘》轰动，《南洋·星洲联合早报》曾载文赞曰：“名旦郑秀琴拥有一副金嗓子，声中有情，唱工出色，她把李三娘这个典型的古代妇女刻画得鲜明、生动，演出感人至深。”新加坡湘灵音乐社还专门为她的演出谱写了一首南曲“一出《李三娘》，满场落衣襟。”此后，她以“唱不倒的金嗓子”享誉东南亚。

〔郑国仲·海军原副司令员·在北京逝世〕

1992年1月11日，海军原副司令员郑国仲在北京逝世，终年78岁。

郑国仲，湖北黄安（今红安）人，1929年参加中国工农红军，同年加入中国共产党。曾任红1军3团排长，红4军10师30团连长、师政治部交通队队长，红4军10师28团营长、团长。参加了鄂豫皖、川陕革命根据地反“围剿”和长征。抗日战争爆发后，任八路军129师385旅769团营长、副团长、团长。参加了夜袭阳明堡、响堂铺战斗，在百团大战中获二等奖章。1943年后任太行军区第3军分区副司令员。日本投降后，任太行纵队第3支队支队长，晋冀鲁豫军区第3纵队9旅旅长、纵队副司令员，第2野战军11军副军长。参加了上党、邯郸、淮海、渡江、西南等战役。中华人民共和国成立后，任海军青岛基地副司令员。1958年从海军军事学院毕业后，任海军训练基地司令员，东海舰队司令员，海军副司令员。1955年被授予少将军衔，获二级八一勋章、二级独立自由勋章、一级解放勋章。是第六、七届全国政协委员。1988年7月获一级红星功勋荣誉章。

〔郑易里、郑珑（女）·父女共获北京国际发明展览会金奖和北京市市长特别奖〕　曾以主编《英华大词典》而闻名中外的著名文字学家郑易里教授，一生在翻译、文字研究领域里取得丰硕成果，1992年10月，他和他的女儿、高级工程师郑珑合作完成《字根编码输入法及设备》，这一发明，获得北京国际发明博览会金奖和北京市市长特别奖。

郑易里，1906年8月生于云南省玉溪市，1928年毕业于日本国立农业大学。1936年在上海创办了读书出版社，并与艾思奇合作翻译了《新哲学史大纲》即《辩证法唯物论》。1950年翻译出版了《自然辩证法》，主编出版了《英华大词典》（这词典于1985年作为国家礼物赠送给来访的英国首相撒切尔夫人）。郑易里1950年调入中国农科院工作直至1988年离休。他的女儿郑珑，1940年4月生于上海，1958年从北京航空工业学校毕业后留校任教。1955年，曾在全国青少年科学和工艺作品展览会上获一等奖。1975年完成航空油泵异形涡轮叶轮设计和研制，为航空工业的油泵发展做出特殊贡献，受内部奖励。现在中国科协工作。

早在二十年代，郑易里就初涉汉字检索领域，即使在词典编撰、翻译工作最繁忙时，也未放松过对汉字笔画的研究。当国外计算机风起云涌，有人宣称汉字进不了计算机时，郑易里却深信：计算机的二进制就来源于七千年前我国的易经、八卦，汉字必能降服计算机！1985年他完成了《2N电脑汉字26键拆根编码方案》，获得次年农牧渔业部唯一的科技进步一等奖。

为了使编码更完美，年届八旬的郑易里仍坚持研究。这时，他的女儿郑珑也加入到这项工程中来，运用系统工程进行了几十次优化处理。终于，两代人辛勤努力的重大发明“郑码”诞生了。1992年4月，中国标准技术开发公司等6家单位建成了字量超过世界上任何一部汉字字典的6万大汉字库，检索采用的就是“郑码”，操作员只用4键，就能从6万个汉字的浩瀚海洋中迅速调出所要的任何一个汉字，专家连称奇迹。1992年9月在海峡两岸电脑输入赛上，“郑码”输入速度创下了历届全国比赛的最高记录。一个月后，在北京国际发明博览会上，郑易里和郑珑发明的“字根编码输入法及设备”在参展的1300多项发明中脱颖而出，获得发明金奖和北京市市长特别奖。全国汉字输入方案评测办公室的专家们认为，这是目前海内外最优秀的形码方案。

〔郑洞天·电影导演·所导影片《人之初》在长春电影节获银奖〕 1992年，由郑洞天导演的反映聂耳青年时代的影片《人之初》，由于制作精细，构思新颖，获长春电影节银奖。

郑洞天，现任北京电影学院导演系副教授，教研室主任。1944年5月生，河南罗山人。1961年考入北京电影学院导演系，开始了比较系统地攻读电影专业知识和广泛探讨中外文学史、美术史及艺术理论的大学生活。1966年毕业，1973年至1976年在上海电影制片厂工作。1976年后调回北京电影学院任教，除了担任教学任务外，1977年与谢飞联合导演了故事片《火娃》，与王心语、谢飞联合导演的故事片《向导》获文化部1979年优秀影片奖。通过在校内外的教学和讲座会，郑洞天对电影的创作和理论进行研究，并写出一批探讨性的文章。郑洞天关注的是我们的电影怎样赶上时代，如何反映出普通人内心深处的真善美。他与徐谷明联合导演的《邻居》,正是他解决上述课题的初次实践。《邻居》获第二届中国电影“金鸡奖”最佳影片奖，并获最佳导演提名，1982年再获文化部优秀影片奖。1987年和1988年分别导演了故事片《鸳鸯楼》、《秘闯金三角》，1986年导演了6集电视连续剧《命运》（获第一届全国电影制片厂电视剧评奖连续剧三等奖）。郑洞天现为中国电影家协会理事，主席团委员。

〔郑根海·海洋贝类收藏家·收藏的微型海螺破吉尼斯世界纪录〕 由海洋贝类收藏家、交通部上海救捞局拖轮船队管事郑根海收藏的一枚微型海螺，经专家鉴定和电子显微镜扫描测量，螺体直径仅为0.31毫米，打破了1991年由英国人创造的0.51毫米微型海螺的吉尼斯世界纪录。这枚目前世界上最小的海螺是郑根海在南沙群岛发现的，要放在百倍以上的显微镜下才能看清它的真面目，而且要屏息静气，否则不小心呼一口气，就可能把它吹得无影无踪。1992年12月28日，郑根海已经收到了英国伦敦吉尼斯总部颁发的微型海螺吉尼斯世界纪录证书。这是中国收藏界第一个荣获吉尼斯世界纪录者。

郑根海，上海市人，1934年3月生，1951年9月参加工作。他与海洋打了几十年交道，而收藏海洋贝类只是近5年的事，人们戏称他“50岁学吹打”。虽然郑根海收藏历史不长，但已拥有海洋贝类藏品600余种。其中有斑核螺、蜘蛛螺、锥笋螺、龟甲螺、虎斑宝贝、带凤螺、纯梭螺、园珍贝、长琵琶螺、暗乳玉螺、山猫眼宝贝……，千姿百态，五光十色，令人眼花缭乱。特别是他拥有世界上极为珍贵的2只鹦鹉螺壳体标本，它的外壳倒过来，活像鹦鹉，色彩斑斓十分好看。其中一只是他1988年参加联合国教科文组织在南沙群岛建立海洋观察站工程时，在一个人迹罕见的珊瑚礁丛中钓到的。他和同伴吃了海螺肉，留下美丽的外壳。第二天被同船的专家发现，才知道它叫鹦鹉螺，是当今地球上存活的最古老的头足类动物，素有“活化石”之称。据有关记载，当今世界上只有澳大利亚和日本各有一只活标本。他很懊悔没有“口下留情”。也懂得了收藏需要知识。回到上海，便多次登门向上海自然博物馆和上海水产大学的专家学者请教。此后，他便潜心收集海螺新品，沙里淘金般地筛选。有次，他在报纸上看到一条短讯，说有个菲律宾人断言，世界上不存在左旋螺，所有海螺都是自左向右开口的。他抱着试一试的心情，拿着一柄高倍放大镜，冒着高温，在白色珊瑚沙中左翻右寻，终于发现了罕见的3枚左旋螺。世界上贝类有10万5千多种，中国有4千多种。与之相比，郑根海的藏品并不算多。但其总体收藏品位较高。他的藏品中有7种奇贝异螺，在中国近年编著的《中国水生贝类原色图谱》中也没有。

郑根海的藏品，曾参加“91国际工人艺术交流”、“91上海民间收藏”首展与大展、“上海民间收藏珍品绝技表演展”、“92上海职工收藏工艺作品展示会”、上海大世界吉尼斯总部举办的“绝品、珍品展”等多次展出。他的海洋贝类藏品已被河北电视台拍成电视系列片“中国民间收藏大观”（第49集）。

〔郑逸梅·著名文史掌故作家·在上海逝世〕　以撰写小品、掌故逸闻、笔记随笔著称的老作家郑逸梅，1992年7月11日在上海逝世，终年98岁。

郑逸梅从1913年开始写作，在文坛躬耕了近80个春秋，出版著作60多种，一千多万字。他长于短篇，每篇数百字，适合填补报刊版面，深受读者喜爱，被誉为“补白大王”。他的文史作品形形色色，有正反面人物的趣闻轶事，有重要事件的秘闻异证，细至年月日，了如指掌，多凭记忆，兼以多年笔耕不辍，海外报刊称誉他是“用不坏的电脑”，推荐他入“吉尼斯世界之最”。

他的书房名为“纸帐铜瓶室”，是个亭子间。七八平方米，除了书桌、小床、椅子、米袋，就是书柜和大大小小的书箱，层层迭迭堆放着书籍画幅。藏品从书画、牍扎、铜瓶瓷盅、瓦当砚台、文镇竹刻、印拓笺纸、名片照相直至南国红豆，摆出来洋洋大观。有一回睡到半夜，一声巨响，书忽地翻倒下来，幸好是线装书，份量不重，但也压得他半晌不得动弹。

为了寻觅史料，郑逸梅的收藏往往出人意料：各式柬帖，尤其是讣告，他都保存，认为这是唯一正确的人物编年史依据，上面记载的出生年月、生平较为准确，属文献范畴。他藏有几大本笺纸，都是名人自制的，如王一亭绘制的赈灾笺，吴湖帆的梅花笺，翁同和的蜩翼居笺，柳亚子的南社笺等，更是研究文史的珍贵资料。可见郑逸梅之为“补白大王”，和他收藏丰富大有关系。

郑逸梅，本姓鞠，名愿宗，字际云，1895年生，江苏苏州人。在江苏省立二中读书时开始给上海民权报写稿，1920年起任申报、新闻报、时报等上海报纸副刊特约撰述。1927年在上海影戏公司任编剧，1932年任金刚钻报主笔，1933年在中孚书店任编辑，同时兼新华影业公司宣传主任。后转到中央书店，标点晚明秘籍，主编国学珍本丛书，还在多校任教。1950年起，为上海、香港等地报刊写稿，出版的代表作有：《南社丛谈》、《书报话归》、《清末民初文坛轶事》、《文苑花絮》、《花雨缤纷录》等，黑龙江人民出版社于1992年出版了《郑逸梅选集》。

〔郑绵绵（女）·台湾青年企业家·在福建杏林购地兴建亚洲工业城〕　台湾著名女企业家、亚洲世界国际集团总裁郑绵绵所主持的该集团香港机构中亚置业发展有限公司，以2.4亿人民币在邻近福建厦门沧海的杏林区购得二平方公里的土地使用权，在三五年内将其建成以外商投资为主的、由科技工业产业为主导的亚洲工业城，签约典礼于1992年6月27日在厦门宾馆明宵厅隆重举行。郑绵绵的父亲郑周敏及其女儿、中亚置业发展有限公司董事长郑琼琼一行专程前来参加签约典礼。

郑绵绵，福建省晋江人，1954年生于菲律宾。其父郑周敏，早年家境贫苦，后艰苦奋斗，成为菲律宾、台湾的工商业巨子。郑周敏对次女郑绵绵视若掌上明珠，但并不娇惯。郑绵绵15岁中学毕业后，白天在AIC（菲律宾农工发展有限公司）工作，晚上进菲律宾女子大学夜间部攻读商业会计。她在AIC公司曾任练习生、打字员、会计业务员，经过基层锻炼，积累了经验，又勤奋努力，逐步升至财务经理、副总经理、副董事长兼总经理，管理纺织、金融、投资、土地开发、国际贸易等20多家关系企业。1979年被推举为AIC集团总裁，亚洲世界集团副总裁。

1979年郑绵绵到台湾创业，主持投资百亿元兴建环亚世界，其中有台湾规模最大的国际观光饭店、百货中心等，员工数千人。其事业不断发展，名扬岛内外。郑绵绵还历任亚洲地产发展有限公司董事长、亚环饭店董事长、亚洲信托投资公司董事长、香港亚洲联合金融公司董事长、美国加州银行副董事长等职。

郑绵绵事业心强，精力过人，经营有方，有“国际女强人”之称。1984年被合众国际社选为世界十大最热门单身女郎。1986年台北《大人物》杂志曾在繁华闹市举办了一次不记名的问卷调查，请2600名市民选出其心目中的台湾最成功的女性，郑绵绵名列榜首。在台湾她早已被誉为“最杰出的青年企业家”、“天才女企业家”、“夜空中新生的明星”……。

〔宗怀德·天主教济南教区主教·当选中国天主教爱国会主席、主教团主席〕　中国天主教爱国会第五届代表会议于1992年9月14日至19日在北京举行，济南教区主教宗怀德当选为中国天主教爱国会主席、主教团主席。

宗怀德，山东桓台人，1917年生。1943年毕业于济南耀汉神哲学院。1943—46年在山东沾化、博兴、阳信县传教。1947年在济南洪家楼安墩小修道院任教。1948年在辅仁大学历史系学习。1949年后历任山东周村教区代理主教、主教，济南教区兼周村教区主教，淄博市天主教爱国会筹委会主任、爱国会主任，山东省天主教爱国会副主席、主席，中国天主教爱国会主席、主教团代团长、教务委员会代主任，中国人民争取和平与裁军协会副会长，中国和平统一促进会常务理事。是第五届全国政协委员，第六、七届全国政协常委。

〔郎泰富·离休干部·举办“中国古钱币展览”〕　海军后勤部离休干部郎泰富，于1992年在北京云居寺举办了为期二个月的“中国古钱币展览”。这次共展出他经过40多年苦心搜集、没有断代的古钱币精品2000余枚。其中有燕国的涿字钱、刘备钱（直五百铢）、赵匡胤钱等珍品。展品是按照货币的演进过程，分为物化货币、重量货币、通宝货币序列展出的，它从一个侧面反映了上始战国时期下迄民国初年的政治、经济、文化概况。文物专家史树青赞誉他：“泰富藏泉世所无，先秦文字不模糊；他年编校成新谱，胜读丁家全部书。”

郎泰富早在1952年就怀着一个强烈的愿望，即用古钱币这个历史的见证物，编一部特殊的史书，以弘扬民族文化。从此开始收集古钱币。几十年来，他几乎跑遍了大江南北，出差时常常是啃着馒头就咸菜，把省下的钱买古钱币。一次，为得到一枚“战国布币”，竟花了50元钱。他不仅收藏，而且还对古钱币精鉴细考。北京图书馆、北京大学、中国书店、文物出版社等处，不知留下他多少足迹。他还不遗余力，到处登门求教。日积月累，郎泰富收集的古钱币越来越多，他也逐步成为一位古钱鉴赏家。只要向他出示一枚古币，他就能鉴定出此古币铸制于何朝何代，并能根据古币上的不同地名、官名，讲出与之有关的轶事遗闻或历史故事。在古钱币展出前后，中央人民广播电台、中央电视台、北京电视台均进行了专题报道。

郎泰富，1921年生，河北省唐山市迁安县人。1944年参加八路军。1946年加入中国共产党。曾任冀东军区后勤部会计，纵队后勤部、军后勤部副科长，中南军区海军后勤部科长。1955年入解放军后勤学院学习，毕业后留校任教。1966年起，任海军油料研究室主任、研究所科技处处长。海军学术研究员。1982年离职休息。他参与编著、撰写的《东山古钱集》、《战国布钱丛话》，体现了郎泰富潜心研究古钱币的成果。最近他又收集到了始于新石器后期的货币始祖贝钱。他是中国钱币学会河北分会会员、北京东方收藏家协会会员。

〔屈武·全国政协副主席·在北京逝世〕　中国人民政治协商会议第七届全国委员会副主席、中国国民党革命委员会名誉主席屈武，1992年6月13日在北京逝世，终年94岁。

著名爱国民主人士、政治活动家屈武，于1898年7月生在陕西省渭南县下邽镇一个贫民家庭。1919年“五·四”运动中，他作为陕西学生联合会会长，被推为陕西学生代表赴北京请愿。6月3日，他和北京学生代表面向北洋军阀政府总统徐世昌提出“外抗强权，内除国贼”的要求，他慷慨陈词，据理力争，以头撞壁，血溅总统府。此后，他受陕西学生联合会指派，赴上海出席第一次全国学生代表大会，并晋见孙中山先生，面聆教诲，坚定了投身民主革命的决心。1920年，屈武考入南开中学高中，开始接触马克思主义。他同陕西在津的进步学生创办《贡献》杂志，宣传新思想、新文化，提倡革新教育，改造社会。1922年4月，他与于右任先生长女于芝秀结婚。同年夏考入北京大学，不久加入进步组织共进社，并任常务主席。在北京，他直接受到李大钊的教育和帮助，对马克思主义有了进一步的认识。1923年春，加入中国社会主义青年团，担任北京大学团支部书记、团北京地委候补委员，1925年初转为中国共产党党员。

1924年，北京建立由李大钊领导的国共合作的国民党北京特别市党部，屈武是党部核心成员之一。同年，受李大钊指派到国民二军任参议。孙中山北上到天津时，屈武代表李大钊前往问候。孙中山委派他赴陕西宣传国民党第一次全国代表大会精神，争取陕西地方实力派支持革命。之后，他又受李大钊指派，与冯玉祥的代表一起赴库伦，联系苏联援助国民军的军用物资。1926年1月，在国民党第二次全国代表大会上，屈武当选为中央候补执行委员。同年赴苏联中山大学学习。毕业后，又到伏龙芝军事学院学习军事。1927年"四·一二"反革命政变后，由宋庆龄领衔的国民党中央委员，包括其中的共产党人，联名发表著名的《中央委员宣言》，痛斥国民党反动派背叛革命，决心坚持孙中山的三大政策，继续斗争。屈武虽远在苏联，也名列其中。

抗日战争时期，屈武于1938年回国，历任国民党军事委员会顾问处处长、立法委员、少将参议、中苏文化协会秘书长、陕西省政府委员兼建设厅厅长等职。他衷心拥护中共的抗日民族统一战线，积极从事抗日民主活动。1941年皖南事变后，在周恩来领导下，他和王昆仑、王炳南、许宝驹等在重庆建立中国民主革命同盟，团结国民党民主派和其他爱国民主人士，坚持抗战、反对投降，坚持团结、反对分裂，坚持进步、反对倒退，维护第二次国共合作。1945年10月，屈武作为国民党中央赴新疆和谈代表团成员随张治中去新疆，后任新疆省政府委员兼迪化市（现乌鲁木齐市）市长。在新疆，他按照周恩来的重托，在张治中的安排下，设法营救出被盛世才关押的马明方、杨之华等131名中共党员，平安返回延安。1949年初，蒋介石被迫下野，李宗仁接受中共建议，派出以张治中为首的和谈代表团，屈武作为代表团的顾问，赴北京参加和谈。国民党当局拒绝在《国内和平协定》签字后，屈武取道上海回新疆，全力投入促成新疆和平解放的工作，做出了重要贡献。

中华人民共和国成立后，屈武曾任西北军政委员会委员、新疆迪化市市长、政务院副秘书长兼参事室副主任、对外文化联络委员会副主任、第一届全国人大常委会副秘书长、中苏友协会长、孙中山研究会名誉顾问，并当选为第一、二、五届全国人大代表，第三、四、五届全国政协常务委员，第六届全国政协副主席。1950年重新加入中国共产党。

"文革"期间，屈武曾受林彪、江青反革命集团迫害，他始终保持坚定的共产主义信念。后经毛泽东、周恩来亲自干预，得以恢复自由。中共十一届三中全会以来，他衷心拥护党的基本路线，把自己的晚年毫无保留地奉献给社会主义现代化建设事业。通过在台湾和海外的广泛社会关系，积极开展促进祖国统一的工作。

屈武是国民党革命委员会的卓越领导人，为民革组织的巩固和发展，为中共与民革的团结合作做出了重要贡献。

〔孟丽昭（女）·上海市公共汽车售票员·获全国优秀女职工称号〕 1992年"三八"国际劳动妇女节前夕，全国总工会首次表彰了500名全国先进女职工和一批女职工工作先进集体与个人。上海公交第一汽车公司115路车队售票员孟丽昭名列榜首，获"全国优秀女职工"称号。

1991年10月23日晨，一辆外地卡车与孟丽昭所在的115路公交车相撞。在油箱起火烈焰腾起，车厢浓烟滚滚的紧急关头，孟丽昭忠于职守临危不惧，立即开启"生命之门"，一面疏导慌乱的乘客下车，一面拍打乘客身上的火焰。当车上电路设备被大火烧成短路车门突然紧闭后，孟丽昭不顾自己浑身是火苗，忍受双手灼伤的巨痛，奋力打开气泵，再次疏散困在车里的乘客，而她的脸部、双手都被烈火严重灼伤。后门售票员张建解冲上前车厢将她搀扶下车时，孟丽昭的双手已无法动弹。她以无私奉献的自我牺牲精神，谱写了一曲舍己救人的壮丽凯歌。她的事迹被评为上海市"1991年精神文明最佳10件好事"之一。

孟丽昭，1952年6月10日生于上海。1974年在上海杨浦区集体事业管理局工作时，曾被评为先进生产者。1989年到第一汽车公司115路车队工作。她工作勤勤恳恳，任劳任怨，处处为乘客着想，曾多次受到乘客的表扬。在被烧伤住院抢救治疗期间，上海市委、市政府、公交总公司、第一汽车公司的领导曾多次前往探望。国家建设部部长侯捷，代表建设部向她表示感谢和慰问。1991年12月孟丽昭加入中国共产党。1992年3月4日她在参加上海市文联组织的本市部分著名作家、艺术家和企业家迎“三八”主题联谊会上说，我作为一名售票员，只是尽了自己应尽的职责。然而，党和人民却给了我很高的荣誉。今后我只有刻苦学习，勤奋工作，无私奉献，才能不辜负党和人民的期望。著名电影表演艺术家白杨动情地对她说，你恪尽职守、舍已救人的英勇行为，使我们看到了当代妇女伟大的人格力量和奉献精神，你值得我们每一位中华儿女好好学习。

〔孟繁兴、陈国莹（女）·高级工程师·攻克木结构古建筑的抗老化、易燃难题〕　河北省古代建筑保护研究所高级工程师孟繁兴、陈国莹夫妇，经过10年的艰苦研究和探索，攻克了一项世界性技术难题——木结构古建筑的加固与阻燃。应用这项新技术对长期风化腐朽的木结构古建筑进行处理，可以使表面腐朽的古木材的物理性能基本达到新生木材程度，使易燃木材变成难燃材料，从而为木结构古建筑文物的保护创出一条新路。这一成果1991年12月16日通过国家文物局组织的技术鉴定，属国内首创。1992年2月16日《光明日报》在头版头条位置予以报道。

木结构古建筑的抗老化与防火问题一直是世界性技术难题。由于许多古建筑大多分散在远距城镇和水源的边远地区和深山峡谷，管理不善，自然老化严重，一旦发生火灾，难于扑救。因此，许多古建筑及文物常因火灾而损毁。世界各国的古建保护专家为此进行了长期探索，未获理想的解决办法。

为研究解决木结构古建筑的保护问题，孟繁兴、陈国莹作了长期艰苦的努力。他们原在山西省古建筑保护研究所工作，参加了著名的山西应县释迦塔的抢险加固工程，对木塔的消防等问题进行了研究，使用阻燃剂、灭火剂、水幕设计以及感光、感温、感烟等科学警报系统，均未获得满意效果。1980年4月，他们承担国家文物局下达的“木结构古建筑消防技术研究”课题，开始了艰苦的探索。在有关专家和技术人员的协助下，他们把项目分解，作为系统工程实施：在不更换原材料、不能刨磨的情况下，如何解决木古建筑表面的腐朽层？如何使易燃的木材变为难燃的材料？经过十年的反复试验，终于攻克了这一世界性难题。它的技术要点是，首先对木结构古建筑喷涂特制的加固剂，使腐朽古木本身的物理性能基本达到新生材程度；然后用特制的阻燃剂覆盖加固层，使易燃木材变成难燃材料；最后加封护层，增强抗老化能力。经专家鉴定，用同一木材的完好芯材和保护处理后的朽木作对比试验：其顺纹抗压强度为芯材的74%，顺纹抗切断强度为芯材的82%，横纹抗切断强度为芯材的111.1%，全部抗压强度为芯材的105%，局部抗压强度为芯材的110.8%。经过阻燃加固处理的木古建筑，不仅可以防火，而且可以减轻雷击的受害程度。一次处理后至少可维持十年。这项成果对那些远离城市、水源，没有消防设施的木古建筑文物的保护，具有特殊意义，对寺庙、民居、厂房等木建筑的保护也有一定的实用价值。

孟繁兴，现任河北省古代建筑保护研究所所长，河北省唐山市人，1936年12月生，1956年在北京文化部古代建筑修整所参加工作。陈国莹，现任该所研究室主任，北京人，1937年4月生，1956年在北京文化部古代建筑修整所参加工作。他们夫妇从事古建筑保护研究工作几十年，有丰富的实践经验，工作勤奋、学习刻苦，都是在工作岗位上培训锻炼、自学成才的高级工程师。

〔赵宇·小学三年级学生·发明双色演示算盘获全国青少年发明创造一等奖〕　年仅9岁的辽宁省锦州市劳保小学三年级学生赵宇，发明双色演示算盘，在1992年8月举行的第三届全国青少年发明创造比赛和科学讨论会上获得一等奖。这项成果还获得1992年度茅以升青少年科技奖。赵宇是获得这项奖励的年纪最小的一个。

赵宇学习成绩虽不突出，但凡事好动脑筋，想象力丰富。他是个近视眼，视力不好，每次上珠算课时，清一色的黑算盘珠在黑板前拨来拨去，他感到拨动的算珠与剩下的算珠距离太近，看不清楚。一天，有位女同学穿件新衣服，前后两种颜色，一转身衣服变了色。他灵机一动：如果算盘珠也采用两种颜色，让运算的珠子变成另一种颜色多好呵。他在研制过程中，又从日常吃的麻花中受到启发。

在科技辅导员孟祥贵和当工人的爸爸帮助下，赵宇将圆算盘杆换成扁杆，半腰象做麻花那样拧曲180度。这样，下边算珠上推时，到拧曲处顺走向自然旋转180度，运算的黑珠便可以变成红色珠，红珠下拨，到拧曲处又还原成黑色。加减乘除一目了然。这项成果已申请了国家专利。

〔赵熔·原华北军区后勤部副部长·在北京逝世〕　1992年2月7日，原华北军区后勤部副部长赵熔在北京逝世，终年93岁。

赵熔，云南宾川人。1924年在滇军任参谋。1926年入朱德创办的国民革命军第3军军官教导团任副官、书记长。1927 年加入中国共产党。参加了南昌起义和湘南起义。曾任中国工农红军总部军需员，红 12 军经理部会计科科长，红一方面军总供给部会计科科长，红 9 军团供给部部长，红四方面军供给学校校长，红 32 军供给部部长。参加了中央革命根据地第 1 至 5 次反“围剿”和长征。抗日战争时期，任八路军 120 师供给部副部长，冀热察挺进军供给部部长，晋察冀军区供给部副部长、部长。参加过 1940 年平西区春季反“扫荡”和 1941 年晋察冀边区秋季反“扫荡”。抗日战争胜利后，任晋察冀军区驻涞源办事处主任、兵站部政委，华北军区后勤运输部政委。参加指挥青沧、太原战役中的后勤保障工作。中华人民共和国成立后，任华北军区后勤部副部长。1955 年被授予中将军衔，获一级八一勋章、一级独立自由勋章、一级解放勋章。是第三、四、五届全国政协委员。1988 年 7 月获一级红星功勋荣誉章。

〔赵大年·作家·小说集《公主的女儿》获首届中国满族文学作品一等奖〕　首届中国满族文学奖于 1992 年 5 月 28 日在北京颁奖。赵大年的小说集《公主的女儿》获作品一等奖。

赵大年，满族。1931 年 11 月 14 日生。北京人。解放前在天津南开中学读书。1949 年参加中国人民解放军，任军文工团戏剧队队员。1950 年参加湘西剿匪及土地改革运动，同年发表第一篇小说，从此开始了业余写作。1951 年至 1954 年参加抗美援朝，为志愿军文工团团员。1955 年至 1958 年在部队任文化教员、宣传助理员，写过一些歌词、鼓词、短诗、独幕话剧等，在部队汇演中多次得奖。1959 年转业到北京农机研究所，在《新港》、《长江文艺》等刊物上发表各种形式的作品约一百多篇，其中有长篇叙事诗《冰山卓玛》、短篇小说《副排长的日记》等。1977 年后，主要从事电影文学剧本创作，写有《琴童》、《并非一个人的故事》、《玉色蝴蝶》、《车水马龙》、《当代人》、《模范丈夫》，其中，峨嵋、潇湘电影制片厂拍摄了《并非一个人的故事》、《模范丈夫》。此外还写有中篇小说《公主的女儿》，短篇小说《推销员》、《四十九只母鸡》，散文《忆老舍二、三事》等。1979 年加入中国戏剧家协会。1981 年加入中国电影家协会。现为北京市文联专业作家。

〔赵之中·金书艺术家·创作金书陆羽《茶经》作为国礼赠日本国明仁天皇〕　1992 年 10 月，日本国明仁天皇和美智子皇后首次访华之际，中华人民共和国主席杨尚昆向日本国天皇赠送了一部金书陆羽《茶经》。这部金书出自著名金书艺术家赵之中之手。同年，赵之中将创作的金书《孙子兵法》，作为献给中国人民解放军建军 65 周年的一份厚礼。

赵之中曾以赤金书写了佛教的《金刚般若波罗蜜经》、道教的《道德经》和儒家学派经典《论语》等长卷而享誉国内外。继而转入金书《茶经》的创作。《茶经》是中国唐代茶神陆羽撰写的中国第一部关于茶及饮茶的专著，全书三卷十章，共 6350 字。为书写《茶经》册页书卷，赵之中专程赴浙江普陀山览其佛山仙境，拜见妙善大法师，品尝佛茶，追寻创作《茶经》之灵感。经 20 天的全身投入，终于创作完成，耗金 30 克。每字约 10 毫米见方，用笔匀净遒劲，自然天成。将金书陆羽《茶经》册页书卷通篇展开来看，使人感到苍老中有秀润之气，质朴中有俊雅之美，完成了赵之中为弘扬中华茶文化的夙愿。

金书陆羽《茶经》采用宋代宣和款式装璜，展开云套锦函，书卷面为金丝楠木，翻开书卷，内页衬以白色素绫，托起金光溢彩的真金小楷，字字铁笔银钩，金光灿烂。一些史学家、茶文化专家见后，称赞其为中国文化艺术之珍宝。溥杰先生为长卷书写了题端“花生犀角三篇具，金艳茶经七碗香，得快齿牙原有自，个中源远汇流长。”程思远先生赞其为“书道奇葩”。1992 年适逢中日邦交正常化 20 周年，明仁天皇访华是日本天皇首次访华，日本又称茶道之国，将金书陆羽《茶经》赠送明仁天皇具有深远的历史意义，明仁天皇非常喜爱这一珍贵的礼品，仔细地欣赏了册页长卷，并奉为御藏。

1992 年 5 月，赵之中又创作了一部金书《孙子兵法》，耗金达 29 克。他以王羲之、王献之的小楷帖为法度，涉猎众家之长，参考木刻版本的章法布局。装璜以宋宣和册页款式，用极上乘的稀有原材料，精心装帧。即采用特殊的绀纸，白绫子以寿字图案，金丝楠木做封面，真丝黄绸包裹，翻阅时用的经拨子，装入云套锦函，为了防蛀外加樟木盒，金丝楠木面上和樟木盒上集清吴熙载小篆刻字，其章法布局各异。樟木盒外，套一锦囊（取锦囊妙计之意）锦囊正面用纯金线绣上古文篆书六字：“金书孙子兵法”，背面的图案以长城为背景，突出战车，以纯金线绣成。达到“奇中有正，正中有奇”，相得益彰，其妙无穷，给人以更高的艺术享受。8 月 1 日，在庆祝中国人民解放军建军 65 周年之际，赵之中敬献了这份厚礼。“以表达对中国共产党及其领导下的中国人民解放军的赤子寸心”，他的全部激情“已熔铸于每个点划之中矣”！这部金书《孙子兵法》现被中国人民革命军事博物馆收藏。

赵之中，法号觉中居士，1932 年 4 月生，河北怀来人。现为中国书法家协会会员。

〔赵小梅（女）·铁矿炮头工·获全国“五一”劳动奖章〕　江苏省镇江市韦岗铁矿系车间炮头工赵小梅扎根矿山 22 年，连续 20 年被评为先进生产者；入党 7 年，连续 5 年被评为优秀党员。1991 年她被评为江苏省劳动模范后，全省 20 万冶金系统职工开展了向她学习的活动。《冶金报》连续介绍她的事迹，开展赵小梅现象讲座。1992 年 4 月 29 日，全国总工会授予她全国“五一”劳动奖章。一本书名为《矿山红梅》的介绍赵小梅事迹的书（书名由冶金部领导题写）于 1992 年出版。

1970 年，赵小梅来到镇江韦岗铁矿当上了一名矿工。那时正值建矿初期，生产条件十分艰苦，她与男职工一样，住草棚、睡地铺、干重活，抡大锤，扒土，运矿，样样都干。男工们个个都服了。1973 年，她从塘口工段调到措施井从事炮头加工工作。炸药库在距离井口三、四里路以外的山上，没有公路、全靠人挑，50 多公斤的担子压在肩上，脸跌肿了，腿跌破了，手跌青了，是常有的事，但她咬咬牙，从不叫一声苦。她的主要工作是加工炮头。每加工一只需经过 16 道工序，稍有差错就会造成瞎炮。她总是全神贯注，一丝不苟，脱导火线上的塑料时，她嫌手钳慢，脱皮质量不理想，就用牙齿咬。如今上下四颗门牙都被磨出好几个三角槽。18 年来，经她加工的炮头上百万支，从来没有一支次品，工人们称她是“放心大姐”。

韦岗铁矿经济困难，年年亏损，赵小梅觉得“企业有困难，职工有责任”。国家规定每次放完炮，允许 15%的洒落率，可她感到心疼，她用手把碎矿石搅在一起，药粉撸出来，手被尖利的矿石割出道道血口，药粉烧脱一层层皮肤。可她却从不停止。有一次她用两个月的时间，将要报废的散装炸药一袋一袋装好用于二次爆破，为国家节省 7000 多元。为给矿里节约钱，她用井下通风的废旧风带给大家制作工具包，一干就是 16 年，仅这一项就给矿里节约一万多元。

赵小梅对工作舍已忘我，无私奉献，对他人血脉相连，患难与共。矿里不管谁生病，只要她知道必定花 8 元 10 元地去登门看望，而且从不接受回报。退休工人姚本善无儿无女，从老人退休那天起，她就担起照料老人的担子，一直到把老人送终，而且分文不取。爆破工蒋福和被一次意外事故炸成血人，赵小梅到医院精心护理 11 个日日夜夜，未离开半步。赵福和出院后跪在赵小梅面前哭道：“姐姐，你是我的亲姐姐呀！”

赵小梅，1944 年生，江苏丹徒县人，1970 年到镇江韦岗铁矿工作，1985 年加入中国共产党。

〔赵少康·前台湾“环保署”署长·最高票当选台湾“立法委员”〕　前台湾“行政院环保署”署长赵少康于 1992 年 12 月 19 日以 23 万张选票当选台湾二届“立法委员”，所获选票在全台湾独占鳌头，台报称赵少康与另一位当选“立委”王建煊是“旋风狂飙”，“横扫群雄”。

赵少康原任台湾“行政院环保署”署长，因对台湾社会和政治环境不满，于 1992 年 10 月底提出辞职，角逐台湾二届“立法委员”。是自行参选没有政党财团的支持。以反对“金权政治”，主张社会正义，多替弱势选民讲话为其政治祈求，因而获得众多选民的支持。当选后表示不会令选民失望。

赵少康，1950 年生，河北省涉县人。1972 年台湾大学农业工程学系毕业。留学美国，1975 年获美国南卡罗来纳州立克雷蒙逊大学机械工程研究所硕士学位。美国管理学会高级管理研究班结业。1976 年任台湾“经济部国际贸易局”专员，兼任台湾大学农业机械工程系副教授。1981 年当选台北市“议员”。1986 年、1989 年高票当选台湾增额“立法委员”。1989 年任国民党文化工作会副主任，同年 6 月辞职，8 月参与组织“立法院”问政团体“新国民党连线”，是该组织的核心人物。1991 年 5 月任“行政院环保署”署长。曾任财团法人环境品质文教基金会董事长、财团法人民意调查文教基金会董事、财团法人“消费者文教基金会”环境委员、“中国机械工程学会”理事长。在美留学期间，曾参加“反共爱国联盟”，任克雷蒙逊大学同学会会长。

赵少康在台湾政坛上十分活跃，颇有影响，有“政治金童”之称，被视为将来竞选台北市长成功有望的人物之一。主张国民党放弃“三不政策”，发展两岸关系，反对“台湾独立”，要求加速党政革新，实行民主政治。

著有《机械预防保养》、《台北地区饮用水品质侦测之研究》、《二硫化钼及他种固态润滑剂应用之八年研究》、《与你同行》等。

〔赵仁恺·核技术专家·当选中国科学院学部委员〕　中国核工业总公司科技委副主任、研究员赵仁恺，1991年底当选为中国科学院技术科学部学部委员，1992年1月3日正式公布。

赵仁恺，1923年2月生于南京市，1946年毕业于四川重庆国立中央大学机械工程系。1946年7月至1953年10月在南京永利宁厂设计科任技术员、工程师。1953年10月至1956年6月在北京化工部化工设计院任主任工程师。1956年7月至1957年12月在二机部原子能研究所从事重水堆的建设和调试工作。1958年1月至1958年8月被派往苏联参加军用生产堆设计工作。1958年9月至1961年9月在二机部原子能研究所负责潜艇核动力的研究设计工作，任该所十二室副主任。1965年10月至1984年3月在二机部第一研究设计院从事潜艇核动力的研究设计及研制工作，任副院长兼总工程师。1979年9月至今任国防科工委潜艇核动力总设计师。1984年4月至今任中国核工业总公司科技委常委，1990年任科技委副主任。

赵仁恺参加了我国第一座军用钚生产堆的研究设计和试验，为核潜艇的顺利研制成功作出了重要贡献。他是核潜艇陆上模式堆的研究设计和调试运行的主要技术负责人之一，为我国潜艇核动力的发展和海军潜艇部队的安全运行提供了完整的实践经验。他作为潜艇核动力设计师和研究设计总负责人，主持完成了陆上模式堆的全寿期运行试验考核及开盖卸料的全过程，取得了完整的成套经验。

赵仁恺1985年获国家科技进步特等奖、一等奖和三等奖，1988年获国家科委、计委和经委的联合表彰奖。

〔赵玉芬（女）·清华大学教授·被授予全国巾帼建功标兵称号〕　1992年3月7日，在首都各界纪念“三八”国际劳动妇女节的集会上，清华大学化学系教授赵玉芬，被授予全国“巾帼建功”标兵和全国“三八”红旗手称号。

赵玉芬，1948年12月11日生。河南省淇县人。1971年在台湾新竹清华大学获化学学士，后赴美国入纽约州立大学石溪分校化学系，从事有机磷和金属有机化合物的研究。1975年获该校有机化学博士学位，留校继续从事博士后研究。她关心祖国大陆建设和科技进步，拥护祖国统一，遂于1979年回国定居。在中国科学院化学所先后任副研究员、研究员，并取得博士导师资格。1988年调入清华大学化学系任教授。赵玉芬回国后，在学术研究上，表现了很强的开拓能力和创新精神。她最先实现的“磷酰氨基分子内傅氏反应”及“有机磷化物亲电诱导环化反应中间体跟踪监测”等实验方法已为多位外国学者采用。其崭新的学术观点受到国际上同行的重视。她的研究工作达到国际先进水平。近几年，在人才培养方面，也作出了优异的成绩，先后指导、培养了三位博士后、九位博士、八位硕士。共发表论文66篇，其中54篇在国外著名杂志上发表。曾获中国科学院科技进步二等奖，申请专利一项。自1983年以来，曾多次出国参加国际学术会议，应邀前往德、法、美、日、巴西等国访问讲学。与巴西军事理工大学化学系的合作研究课题“新型有机磷农药”被列入中国——巴西科技交流协定项目。因她在学术科学研究上取得的突出成就以及在培养高层次人才方面做出的贡献，于1991年被增补为中国科学院化学科学部委员，是该年新增补的最年轻的学部委员。她还是全国政协委员、全国青联委员。

〔赵世中·舞蹈演员·在北京举行独舞晚会〕

东方歌舞团一级演员赵世中于1992年11月下旬在北京举办中国舞蹈界第一个男子外国舞独舞晚会，演出了缅甸古典舞蹈《男偶》，阿拉伯舞蹈《阿拉伯之声》，日本舞蹈《和大海打交道的汉子》、《人生路》，墨西哥舞蹈《墨西哥风采》，马来现代舞蹈《庄严与欢快地延续》，印度民间舞蹈《穿裟丽的女人》，尼泊尔舞蹈《山地情》，黑非洲舞蹈《非洲的心灵》等7个独舞和2个双人舞。赵世中对这些多彩多姿、风格迥异的世界舞蹈艺术作品，有独到、深刻的理解，能用他的形体、心灵，尽情地发挥，自如地表现各国男性的气质与风采，产生震撼人心的力量，引起了观众热烈的反响。

赵世中，1941年10月19日生于贵州省贵阳市。1957年考入北京舞蹈学校东方舞蹈班，经过了严格、系统的东南亚古典舞、芭蕾、中国古典和民间舞的学习、训练，打下了坚实的基本功和良好的舞蹈基础。1962年1月东方歌舞团成立时，即成为该团的主要舞蹈演员。同年在参加芬兰赫尔辛基第八届世界青年联欢节舞蹈比赛中，以表演《文狮》中的笑和尚而获金质奖章。数十年来，他孜孜不倦地刻苦学习过40多个国家的舞蹈，掌握了外国的民族舞蹈200多个。并先后到泰国、马来西亚、菲律宾等国考察学习舞蹈，收集有关的资料。他曾到缅甸、日本、印度、埃及、阿尔及利亚、摩洛哥、墨西哥、德国等 20 多个国家进行访问演出。在缅甸古典双人舞中的维妙维肖的表演，使他获得中国“缅甸王子”的美称。他与埃塞俄比亚访华艺术团的舞蹈家同台共演非洲舞蹈《贺耶伽》时，那形神兼备的领舞获得了全场轰动效应。1986 年被尼泊尔皇家学院聘为研究员。在长达 7 个月的时间里，赵世中对尼泊尔的舞蹈进行了全面的考察、学习和研究，积累了大量宝贵的文字、图片和录相资料，被誉为“文化大使”和“国际级的舞蹈家”。曾发表过学术论文、小说，并喜爱书法。

〔赵世堂·农民·创办技术研究所在全国获优秀项目奖〕　1992 年 9 月，在郑州召开的全国新产品、新技术交流交易会上，河南省卫辉市七星技术研究所创办者、大罗召村农民赵世堂七兄妹精心研制的 7 项专利产品，有 5 项获得优秀项目奖，引起了关注。

赵氏七兄妹中最大的赵世堂 50 岁，最小的 30 岁，都是土生土长的农民，最高的文化程度是初中毕业。但他们人人爱钻研技术，不怕吃苦。早在 30 多年前，赵世堂和老二赵世义，原来是打制菜刀和小农具的。他们制作的菜刀，切削锋利，经久耐用。特别是在刀背上加 6 厘米长的斧刃的双刃菜刀，不仅使用方便，而且能砍切骨头、木材等硬质东西。他们创办了“七星技术研究所”以后感到有很多东西要学习，便买了《锻工工艺学》、《热处理》等书籍，刻苦钻研，反复琢磨，并向专家求教，技术一天比一天提高，对新事物接受也很快。老三赵世良，有独到见解，别人的新产品，往往看上几眼，便会仿制，并经常有创新。老五是拖拉机手，夏天坐在拖拉机车座上，开起车来不仅颠簸，且臀下出汗，易患褥疮。他就和大家一起研究怎样解决这个难题。他们 7 兄妹集思广益，很快研制出“减震调温车座”，安在拖拉机上，不仅减震效果好，而且能吹风调温。这种新型车座备受拖拉机手们的欢迎。

〔赵朴初·被推举为民进中央名誉主席〕
赵朴初在 1992 年 12 月 11 日至 18 日于北京举行的民进中央第七次全国代表大会上被推举为民进中央名誉主席，并兼任民进中央参议委员会主任。大会还推举谢冰心继续担任民进中央名誉主席。许嘉璐等九人为副主席，陈益群为秘书长。

赵朴初在大会开幕词中说，民进这次代表大会的任务，就是要认真学习、贯彻中共十四大精神，以邓小平同志建设有中国特色社会主义理论为指导，总结民进六大以来的工作，确定今后五年的任务。通过这次大会，我们要更好地团结全会的力量，紧紧围绕经济建设这个中心，努力发挥参政党的作用，加强自身的思想建设和组织建设，解放思想，实事求是，为建设有中国特色的社会主义多做贡献。

11 月 16 日，赵朴初在日本大使馆接受了日本大使桥本恕代表日本天皇和政府授予的“勋一等瑞宝章”。这是日本授予外国人士的最高勋章。在中日邦交正常化 20 周年之际，日本天皇和政府共给予赵朴初等五位中国人士这种荣誉，以表彰他们为发展中日友好所作的重要贡献。

赵朴初，1907 年生，安徽太湖人。早年从事佛教和社会救济工作。1936 年后，参加抗日救亡运动。1945 年参与发起组织中国民主促进会。1949 年后，历任华东军政委员会民政部副部长，中国作家协会理事，民进中央副主席等职。是第一至第五届全国人大代表，第六届全国政协副主席。现任全国政协副主席，宗教委员会主任，中国佛教协会会长。

〔注：1993 年 3 月 26 日，全国政协八届一次会议选举赵朴初为政协八届全国委员会副主席。〕

〔赵廷箴·台湾华塑集团总裁·投资于大陆苏州地区〕　台湾石化巨子、华塑集团总裁赵廷箴投资五千万元人民币的苏州 PVC 石化原料厂，于 1992 年 10 月进入试车阶段。他同时又投资二千万元人民币在该市西河新区经济工业区兴建三个化工塑料项目。赵廷箴在苏州投以巨资，令人瞩目，其中 PVC 石化原料厂将年产六万吨 PVC 石化原料。

赵廷箴，1915 年生，江苏省吴县人。上海大学毕业。在大陆时期从事营建业，颇有成就。1946 年到台湾，起初经营木材生意。1954 年与台湾著名企业家王永庆合资创办台湾塑胶公司，任总经理。后脱离该公司，引进外国资本与技术，创办了一系列与塑胶工业有关的企业，生产塑胶原料、塑胶玩具、塑胶加工品等。曾任华夏海湾塑胶公司、台达化学工业公司、亚洲聚合公司、美宁工业公司、华玉工业公司、友宁工业公司、台湾氯乙稀公司、华渊电机工业公司董事长。1988 年后，因台湾调整产业结构，劳资纠纷日增，环保抗争事件迭起，使其企业处境艰难，于是赵廷箴所主持的企业走向国际化，投资于美国、菲律宾、马来西亚等地区。1989年任华夏、台达、亚聚三个企业集团总裁。还投资于台湾华泉工业公司、福聚公司、大德昌石油化学公司、华京工业公司等。现为华塑集团总裁。该企业集团是台湾的大型财团之一。

赵廷箴还历任台湾区塑胶制品工业同业公会理事长、台湾苏州同乡会理事长等。懂英语、日语及多种方言。

〔赵含章·养猪专家·为发展瘦肉猪作出杰出贡献〕 中国农业科学院畜牧研究所研究员赵含章为发展瘦肉猪作出杰出贡献，1992年享受政府特殊津贴。

赵含章，1932年生于山西省浑源县，1956年毕业于北京农业大学畜牧系，1961年获捷克斯洛伐克农科院养猪所副博士学位。回国后在养猪专家李炳坦等指导下工作。他在参加四川荣昌猪和主持内江猪选育中，经过研究试验猪的头型与生产性能间的关系，发现二者不存在因果关系，从而解除了人们对内江猪在品系选育和杂种优势利用中的分歧和顾虑，推动了养猪科研和生产的发展，获四川省重大科技成果奖。他“六五”期间参与主持“商品瘦肉猪生产配套技术和繁育体系的研究”，“七五”期间从事“中国瘦肉猪新品系”的研究，和课题组同志一道研究出适合我国国情的瘦肉猪的饲养、饲料配方、环境控制、胴体和肉品质分析，以及生化指标测定等多项配套技术。上述项目的一些成果已应用于我国商品瘦肉猪生产和开发工作，取得了明显的社会效益和经济效益，获得农业部奖励。

八十年代后期，赵含章主持研究和编制“中国瘦肉型猪综合标准（国家标准）GB8466—8477—87”，于1988年编制完成后，由国家技术监督局发布在全国执行，有力地推动了我国瘦肉猪的生产。该《标准》获1990年国家技术监督局二等奖和1991年国家科技进步三等奖。1992年他继续主持“八五”重点课题“中国瘦肉猪新品系选育与配套研究”，并作出重要贡献。

赵含章是农业部和北京市人民政府畜牧顾问团成员，北京市畜牧兽医学会常务理事和全国养猪协会副秘书长。中共党员。他还主持编写了中国农业百科全书的《养猪分支》，积极参与中国养猪行业协会等社会活动，促进了中国瘦肉猪的科研和生产。

〔赵其国·土壤学家·当选中国科学院学部委员〕 赵其国研究员对我国土壤的研究作出重要贡献，1991年底当选为中国科学院地学部学部委员，1992年1月3日正式公布。

赵其国，湖北省武汉市人，1930年2月25日出生，1953年毕业于华中农学院农学系。1983年至今任中科院南京土壤研究所所长、博士生导师、南京大学兼职教授、中国土壤学会理事长、中国科学院农业研究委员会主任、国际土壤学会盐渍土分委员会主席和国际土壤学会东南亚土壤协会副主席。他是我国土壤地理与土壤资源学科的带头人，尤其对热带土壤（包括红黄壤）的发生分类、资源评价进行了深入的研究。

他首次提出我国红壤具有古风化过程和现代红壤化过程两种对立统一的特征，与此同时，指出了红壤元素迁移的顺序和红壤化过程目前仍在进行的论据，以及红壤相对与绝对年龄的范围。此外，他指出运用红壤渗透水组成、游离铁等作为红壤化过程指标的重要性，对红壤的发生研究及定量分类提出了新的途径和具体区分的标准。

他总结了以橡胶为主的热带作物的开发利用与土壤分布、土壤性质的相互关系，首次提出了以热量条件、土壤性质为标准的热带作物利用等级的评价方案，为制定热带作物发展规划与布局提供了可靠的依据。他作为土壤地理专家参加的橡胶在我国北纬17°以北种植的研究项目，1982年获国家发明奖一等奖。

他提出了我国东北、华南、华北等地土壤资源开发的具体布局。1973—1980年他在黑龙江70万平方公里的野外考察中，查出荒地3000万亩，经过开发已取得巨大经济效益。近年来他参加“黄淮海豫北地区中低产田综合治理开发”的研究，对8个县近13万亩盐碱、风沙、洼涝地进行治理开发，成绩显著。

赵其国共发表论文30篇、专著9本，其中《中国红壤》、《江西红壤》、《中国红黄壤改良利用区划》，先后获国家科技进步三等奖和中科院自然科学奖一等奖，以及中科院自然科学奖二等奖、三等奖；《黑龙江省与内蒙古自治区东北部土壤资源》、《中国土壤》、《中国土壤图集》、《中国土壤及土壤资源》等著作，分别获国家科技进步二等奖、中科院自然科学奖一等奖（两个）、中科院和省级科技进步奖。他曾帮助古巴建立土壤研究所，并完成1：25万古巴土壤图及《古巴土壤》一书。还先后赴22个国家访问、讲学，曾获国际奖一次（道库恰耶夫奖章），竺可祯奖一次。1986年被批准为“国家级有突出贡献的专家”。

〔赵南起·任军事科学院院长〕 1992年11月，中央军委任命赵南起为军事科学院院长。

赵南起，1926年4月生，吉林永吉人。朝鲜族。1945年入东北军政大学吉林分校学习。1947年加入中国共产党。曾任中共延边地委总务科科长，中共吉林省委政策研究室研究员，东北军区司令部参谋。1950年参加抗美援朝，任中国人民志愿军后勤司令部科长。1955年毕业于后勤学院指挥系。后曾任吉林省军区分区政治部主任，分区政委，省军区政治部主任，省军区政委，吉林省副省长，中共吉林省委书记，总后勤部副部长兼副政委、部长。是中共十二届、十三届、十四届中央委员。1988年被授予上将军衔。

〔赵洪恩·养鲍专家·获全国第三届科技实业家创业奖银奖〕 大连水产研究所所长、高级工程师赵洪恩为发展我国养鲍事业作出突出贡献，先是成功开发了“大规模、高密度鲍鱼人工育苗”新技术，随后又领导建成了我国第一个、也是世界上规模最大的养鲍工厂，实现了工业化养鲍，达到世界先进水平，被国内外誉为“中国鲍鱼王”，于1992年10月23日经权威机构评审，获全国第三届科技实业家创业奖银奖。

赵洪恩于1981年作为我国最早一批研修生，去日本仙台市专修养鲍技术，回国后一直没有间断过小规模养鲍试验，逐步积累了经验。1986年他看到近年来由于鲍鱼味道鲜美、营养丰富，在国际市场上价格飞涨，达到了对虾的60倍，决定平掉所里的对虾苗场，改成鲍鱼苗场。但是，当时所里只有赵洪恩是唯一的内行，从设计育苗池，订购育苗器材到制定工作规范、培训技术人员，都落在他一人头上。日夜忙碌，赵洪恩终于累倒了！医生检查他同时患有心脏病、糖尿病、眼底微血管瘤等七种严重疾病，不住院治疗，有生命危险。可是赵洪恩知道，一旦自己住院，鲍鱼育苗计划必将流产。他谢绝人们的规劝，说服洒泪阻挡的妻子，毅然搬到了潮湿的育苗池边。他说：“我就是死，也要死在鲍鱼苗的旁边！”医生们被感动了，破例同意他的病床设在研究所里，按时来人给他打针、吃药。鲍鱼的习性是昼伏夜出，所以采苗人员有时几天几夜不能合眼。而当时所里的技术人员和工人都是生手，只能由赵洪恩带着干。经过6个月的艰难苦战，这项被称为“大规模、高密度鲍鱼人工育苗”的新技术终于成功了。共采苗9批，出苗2.7亿头，平均每立方水体出苗7750头，比日本的最高纪录高出一倍。曾经教过赵洪恩的日本老师到实地看过后也连称：“真是奇迹，奇迹！”

从日本报纸上，赵洪恩看到一条不到300字的小消息，说到有人在陆地上试养鲍鱼。这使赵洪恩受到启发。如果鲍鱼在陆地上以工厂化的形式养，就可以加速鲍鱼生长，缩短养殖周期；可以投喂人工配合饵料；可以避免海上风浪袭击和人为盗窃；还可以像塑料大棚种植蔬菜那样均衡上市，带来更大经济效益。这本身就是新技术革命中的一项生物工程技术。赵洪恩不失时机，终于争取到了农业部的“七五”重点攻关课题：“工厂化养鲍技术研究”。他设计了养鲍厂的升温设备、上下水管道、养殖水槽，亲自带领十几名工人昼夜加班加点，安装内部设备。1989年5月，设备齐全、工艺先进、建筑面积5400平方米的养鲍工厂大楼落成。他们当年就把壳长2.8厘米的幼鲍50万头移进工厂试养。在一年多的时间里，赵洪恩和工人们及时调整密度，控制水温，合理投饵，使幼鲍在良好环境里成长。1990年11月，国家农业部组织了鉴定，实测显示出鲍鱼成活率为90、6%，产值达50多万美元（后来实际收入为68、2万美元）就是说，一头鲍鱼虫收获一美元。专家们的结论是：鲍的养殖规模、单位面积产量、个体规格和养殖周期，均达到世界先进水平。赵洪恩在国际国内名声越来越大，很多外国人想打探赵洪恩的技术诀窍和工艺奥秘，从月薪1.5万美元到全家出国定居，讲什么条件的都有。但赵洪恩始终守口如瓶。

赵洪恩，山东省莱阳县人，1937年1月出生。1955年毕业于大连水产专科学校后，先后任大连水产养殖公司技术员、助理工程师、工程师、1984年任大连水产研究所所长，1987年兼任大连水产局总工程师、水产技术推广总站站长。因开发养鲍技术成绩突出，曾获省、市科技进步一、二、三等奖6次，被评为省市劳动模范、优秀共产党员。1990年被评为全国农业劳动模范，获全国“五一”劳动奖章。1992年被评为辽宁省特等劳动模范。

〔赵晓苏·获第十四届日本读卖国际漫画大赛最高奖〕 第十四届日本读卖国际漫画大赛于1992年12月18日在日本东京揭晓，开封日报美术编辑赵晓苏摘取本届大赛的桂冠。同日《读卖新闻》以《来自中国的新星》为题，在显著位置刊登了介绍赵晓苏的专访文章和照片。

日本《读卖新闻》创办的读卖国际漫画大赛，是当今世界上规模最大的漫画大赛，被称作“漫画奥林匹克”。本届大赛共有64个国家和地区的12884件作品参加角逐。赵晓苏的《无题》以饱含哲理的艺术构思和独特的构图形式，赢得了评委一致赞誉。由于本届大赛大奖空缺，赵晓苏获得的“近藤日出造奖”是唯一最高奖。

赵晓苏，1952年生于河南开封。1980年毕业于洛阳师范专科学院美术科，1984年调入开封日报社任美术编辑。1987年开始漫画创作，6年来在报刊发表漫画近千幅，在国内漫画大赛中10多次获奖。

〔赵望云·已故国画家·其绘画艺术研讨会在北京举行〕　1992年8月13日，由赵望云的高足、当代国画家黄胄主持，在北京炎黄艺术馆召开了赵望云绘画艺术研讨会。

赵望云（1906—1977），河北束鹿人，曾入北京艺术专科学校学习。“五四”时期，因对学校教育不满，离校自学国画，1930年被聘为《大公报》特邀旅行写生记者，曾出版《农村写生集》、《塞上写生集》。1935年应冯玉祥邀请，合作出版了《泰山社会写生诗画石刻集》。抗日战争期间，与老舍在武汉创办《抗战画刊》。1949年以后出任西北美术工作者协会主席、中国美协西安分会主席、陕西文化局副局长等职。五六十年代，深入西北及陕南秦岭山区，三门峡水库工地写生，曾出版《黄河写生册》、《林区写生册》等。是长安画派的代表画家。这次研讨会就赵望云先生的绘画艺术成就、道路、风格和在当代美术史上的地位、作用等发表了意见。与会者一致认为赵望云先生是国画艺术的一代宗师。他面向实际，面向人民群众的创作倾向，使国画艺术推广到社会现实生活中去。他不辞辛劳地深入到西北高原的农村中，反映黄土高原的风貌和勤劳朴实的农民形象。其作品不仅有新鲜的时代气息，又有黄土高原的泥土芳香。可以说他是画黄土高原的第一人，并起着一种“酵母”作用，培养出一大批西北画家。他不仅是绘画艺术家，而且也是西北文物工作的有力领导者之一，对西北文物工作的开展有较大贡献。如西安半坡博物馆，就是在他亲自领导下建立起来的。

〔赵超构·杰出的新闻工作者和杂文家·在上海逝世〕　从事新闻工作近60年，始终笔耕不止的新民晚报社长赵超构，1992年2月12日在上海病逝。

赵超构，原名景熹，笔名林放。1910年生于浙江文成县龙川村（前属瑞安县）。1934年在上海中国大学大学部政经系毕业，受聘于南京朝报任编辑记者，并开始撰写新闻评论。1938年进重庆新民报任主笔兼国际新闻编辑。

1944年春，他作为新民报特派员，参加中外记者访问团去延安，归来发表长篇通讯《延安一月》，十余万言，在报上连载数月。他生动地勾划出延安解放区的轮廓，具体介绍了边区人民在被封锁状态中艰苦奋斗、自力更生的精神风貌，真实地报道了一些著名作家和艺术家的生活状况，使那些颠倒黑白、混淆是非的谣言一攻即破。《延安一月》连载后，随即出版单行本。是继《西行漫记》后，中国记者写的第一本反映延安风貌的力作。

抗战胜利后，新民报一度获得较大发展，设有上海、南京、北平、重庆、成都五个分社八张日、晚报，赵超构先后任副总主笔、总主笔，并主持上海新民报（晚刊）工作，兼任总编辑，解放后继续主持上海新民报社（后改名新民晚报）工作。

赵超构从30年代初开始，先后以史锋、沙驼、林放等笔名撰写杂文和时评，总数近万篇。他善于从街谈巷议中了解群众舆论，撷取思想材料，发为评论，多切中时弊，被誉为“林放式杂文”，深受读者喜爱。赵超构是我国晚报界的先趋，被誉为中国晚报的一面旗帜，对新闻改革作出了不可磨灭的贡献。

赵超构在生活方面甘于淡泊，勤劳俭朴，不脱书生本色。解放后，他在上海一所石库门旧式民房住了40年，组织上多次为他调房，他一次次谢绝。他每天在家必看的近10份报纸都是自己花钱订阅。他一贯克己奉公，清正廉洁，非份之物一芥不取；对有些人以权谋私、搞特殊化深恶痛绝。

赵超构简历参见1991年《中国人物年鉴》。

〔赵惠和（女）·舞蹈编导·参与编导的舞剧《阿诗玛》夺优秀剧目演出奖魁首〕　云南省歌舞团舞蹈编导赵惠和参加编导的大型民族舞剧《阿诗玛》，在沈阳举办的“1992年全国舞剧观摩演出”中，勇夺优秀剧目演出奖第一名。同年2月在第三届中国艺术节中，它以其立意新、手法新、台风新而轰动了昆明城。它具有鲜明的民族特色，浓郁的抒情风格，充分利用舞蹈本身的特性，采用全舞蹈化的结构、无场次的表现方式，用黑、绿、红、灰、金、蓝、白等七个完全舞蹈化的色块等手段，简洁但意蕴深邃地概括舞剧人物的行动与主体情绪，不仅给大陆观众留下了难以磨灭的印象，而且也得到了香港、台湾同胞的赞赏，被称为是民族舞剧的一朵新葩。为创作、导演《阿诗玛》一剧，赵惠和有 10 个多月基本上没过过假日，曾两次病倒，仍带病工作，发烧跌倒，爬起来又接着干。她与同伴们用汗水和心血换来了成功。

赵惠和，1946 年 9 月 26 日生于云南省通海县。1959 年考入云南省歌舞团。次年入云南艺术学院附中舞蹈系学习。1966 年毕业调省歌舞团任演员。曾担任过中国现代芭蕾舞剧《白毛女》、《红色娘子军》和民族舞剧《收租院》等剧的主角。1987 年开始从事舞蹈编导工作。她编导和参与编导的彝族舞剧《咪依鲁》、哈尼族僾尼舞蹈《大地·母亲》、景颇族舞蹈《土地》，分别在省首届艺术节和第二届全国舞蹈比赛、首届全国少数民族单、双、三人舞蹈比赛中获优秀剧目奖和创作二等奖。她编导的《搓错》舞获省首届文学艺术创作一等奖，并被《舞蹈》杂志选为优秀节目向全国推广。1989 年在参加第二届中国艺术节演出中，因担任“云南民族民间歌舞晚会”的总编导而获创作荣誉证书。此晚会先后应邀赴法国、西班牙、泰国、新加坡演出，受到各国政府和群众的热烈欢迎和高度赞扬。赵惠和编创的 20 多个少儿舞蹈节目，分别在全国、省、市会演中获奖，其中部分节目被中国儿童艺术团选到美国、加拿大、日本等国演出。此外，她编导的少数民族舞蹈《佤山风情》、《吉祥水》、《玛樱花开》、《五彩的线》等，分别在云南省第一、二届民族舞蹈会演中获一、二、三等奖。1988 年、1990 年还为云南电视台春节晚会大联唱编舞。1985 年、1992 年先后被授予省少儿先进工作者和劳动模范称号。是中国舞蹈家协会、云南省舞蹈家协会会员。

〔赵鹏大·中国地质大学校长·获国际克伦宾奖章〕　中国地质大学校长赵鹏大教授，1992 年 9 月荣获国际数学地质协会授予的克伦宾奖章。

克伦宾奖章是国际数学地质协会设置的最高荣誉奖章。这个以美国著名数学地质学家、国际数学地质先驱克伦宾教授命名的奖章，每年经过广泛提名和国际评奖委员会评审、投票，授予一名在数学地质学科领域做出突出贡献的科学家。赵鹏大教授是获得此项殊荣的第一位亚洲数学地质学家。

赵鹏大从五十年代初起，即致力于地质学与数学学科的交叉渗透研究，开拓定量地质学的研究方向。他先后考察研究过亚、欧、美、澳四大洲的几十个矿区，并先后在国内许多省区进行不同比例尺的矿床统计预测及数学模型在矿床勘探中的应用研究，均取得了重要成果。在此基础上，他建立了比较完整的科学找矿的概念和矿床统计预测的基本理论、方法及准则，创造性地进行了“地质体数学特征”及“地质异常理论”的研究，并将其应用于矿产勘查及预测工作。这些成果不仅填补了我国矿床统计预测的空白，而且大大丰富了数学地质学的内容。

赵鹏大，1931 年 5 月生，辽宁省清原县人，满族。中国共产党党员。1952 年毕业于北京大学地质系，后分配到北京地质学院任教。1954 年入莫斯科地质勘探学院攻读研究生，获地质矿物学副博士学位。此后曾在北京地质学院、武汉地质学院任教。1980 年晋升为教授。1983 年起任武汉地质学院院长，中国地质大学（武汉）校长兼党委书记。他是七届全国人大代表，国务院学位委员会委员，全国矿产勘查专业委员会副主任，全国数学地质专业委员会副主任，国际数学地质协会会员，国际地质数据委员会亚洲地区代表，担任国际数学地质协会主办的《计算机与地球科学》、《不可再生资源》等英文杂志的编委与顾问等职。曾在国内外发表过 70 篇学术论文和《矿床统计预测》、《矿床勘查与评论》、《地质勘探中的统计分析》等专著三部，有的获得过地矿部科技成果奖。由于在地质科学领域里的显著成就，1988 年被授予《国家级有突出贡献的中青年专家》称号。

〔赵耀东·台湾“国策顾问”·率团访问大陆〕

台湾“总统府国策顾问”赵耀东于 1992 年 5 月 12 日，率“台湾大陆经改前景及投资机会考察团”访问大陆，考察参观了北京、西安、上海等地。他对大陆改革开放和经济顺利发展印象深刻，认为海峡两岸经济合作是未来两岸经济发展重要的一环，希望加强海峡两岸的交往。

赵耀东，1915 年生，江苏淮阳人（一说上海人）。1940 年武汉大学工学院毕业。曾任昆明机器厂助理工程师。1943 年赴美国留学，获麻省理工学院硕士学位。1946 年进资源委员会任技正，后任该委员会天津机器厂分厂主任、总厂厂长。1949 年去台湾任台湾中本纺织公司总工程师，1953 年起代总经理。1959 年任越南纺织厂设计经理、越南纺织工艺公司设计经理。1964年任新加坡纺织公司设计经理。1967年任台湾利台纺织纤维公司副董事长。1971年任台湾"中国钢铁公司"总经理、董事长。1981年任台湾"行政院"政务委员兼"经济部"部长。1984年任台湾"行政院"政务委员兼"经济建设委员会"主任委员。1988年被聘为"总统府国策顾问"。是国民党十一届候补中央委员、十二届中央委员。现为中央评议委员。

赵耀东长于经济理论及经营管理，在台湾财经工商界是有影响的人物。在任台湾"经济部"部长、"经济建设委员会"主任委员期间，锐意革新，有"赵铁头"之誉。

〔郝寿臣·已故京剧表演艺术家、戏曲教育家·其铜像揭幕仪式在北京举行〕 继为梅兰芳、周信芳塑造铜像之后，又一位京剧表演艺术家郝寿臣的铜像，于1992年9月23日，在庆祝北京市戏曲学校40周年纪念会上举行了隆重揭幕仪式。

郝寿臣先生是北京市戏曲学校首任校长，为他塑造的是一座半身铜像，其底座背面用金色铜版刻印复制着启功先生书写的郝寿臣的简要生平。会上，学校的教师和老校友们，面对郝校长庄重慈祥的铜像，回首往昔，感慨万千。

郝寿臣，1886年生，1961年卒，河北省香河县人，幼年随父迁居北京，学习京剧。解放后，他从1953年任北京市戏曲学校校长，到1961年逝世止，前后8年，学校在他领导下，培养出了一批批的优秀毕业生。郝先生身为首任校长，克守已任，育才育人，为我国戏曲教育事业，做出了卓越的贡献。

郝寿臣不仅是位戏曲教育家，也是一位京剧表演艺术家。他自小学艺，7岁从吕福善习铜锤花脸，艺名小奎禄。倒呛后辗转演出于东北各地，远至朝鲜。曾从唐永常、朱子久、阎宝恒等学艺。嗣后唱功私淑金秀山，做功私淑黄润甫，熔铜锤、架子花脸于一炉；并在口鼻共鸣的发音基础上，运用"遏音"、"撒音"、"欸音"、"缀音"、"复沓音"等，唱念上自成一格，世称"郝派"。先后与杨小楼、梅兰芳、程砚秋、高庆奎、马连良、言菊朋等合作，提高了花脸行当的地位。郝寿臣艺术态度严谨，演戏十分认真，他一生曾在220多个剧目中扮演过160多个主要和次要角色。传统剧目《赛太岁》、《打龙棚》、《打曹豹》、《瓦口关》等，经他整理上演，得以流传；在新编剧目《荆轲传》、《野猪林》、《青梅煮酒论英雄》、《牛皋招亲》等剧中也有所创造。郝派艺术以气魄胜。唱念韵味浑厚，工架结实凝练，做戏全力以赴，表演浑然一体。且善于刻画人物，对架子花脸艺术有很大的革新创造。他改革了曹操的传统脸谱，创造了雍容阔面、细目修眉、轻施纹理的画法，以表现政治家的风度和狡诈、多疑的性格。他在《赛太岁》里塑造的李七，改变了传统中江洋大盗的简单形象，从愤世嫉俗，恩怨分明的复杂心情出发，表现出具有正义感的侠盗面目。他在《野猪林》中塑造的鲁智深，以螳螂眉、和尚眼、粉红双颊的脸谱、袒胸裸腹的扮相，突出了豪侠朴实的"花和尚"形象。弟子袁世海为郝派传人，樊效臣、王永昌、李幼春、周和桐、王玉让等均得郝派风范。有《郝寿臣演出剧本选集》、《郝寿臣脸谱集》、《郝寿臣铜锤唱腔集》行世。

〔郝进然·村党支部书记·被评为第三届全国十大杰出青年之一〕 1992年10月，以"群众先富我后富，群众富了我幸福"为座右铭的山东省博兴县郝寨村党支部书记郝进然，因带领群众脱贫致富成绩突出，被评为第三届全国十大杰出青年之一，并当选为八届全国人大代表。

1960年出生的郝进然，1980年就当了村党支部副书记，挑头承包村里不景气的砖瓦厂，当年盈利24万元，使贫困的郝寨村群众振奋了精神，坚定了脱贫致富的信心。第二年，他又带领队伍办起三处砖瓦厂，收入130多万元，村民欢欣鼓舞。但郝进然并不满足，先后同河北、吉林等外省联营，办起了10处砖瓦窑场，形成了纯收入420万元的生产规模，确立了全村经济发展的稳固基础。1988年，他又决定投资1000万元，办起现代化的万吨造纸厂，并把视野转向合资企业。他先后聘请60多名博士、工程师、经济师，5名扔掉"铁饭碗"的国家干部，帮助村里办起化工、食品、汽车修理等20多个合资企业，集体经济迅速发展。全村1991年工农业总产值达到8150万元，税利1500万元，人均收入1500元。1992年产值突破了1亿元大关，使贫穷落后的郝寨村变成了一个文明富裕的"明星村"。

郝寨村富裕了，郝进然这个带头人并没有成为腰缠万贯的富翁。相反，他始终坚持"群众先富我后富，群众富了我幸福"的信念，直到1990年，他才还清了家里的欠债。村里一半以上的人都住上了楼房，85%的人搬进了新居，郝进然还住在土坯房里，坚持拿低于企业负责人平均工资10%的工资，受到了群众的赞扬。

郝进然在实践中学习经济管理知识，进一步增长了才干，被评为经济师，又被提拔为乡党委书记。

〔荣毅仁·全国人大副委员长·谈工商联要成为党和政府联系非公有制经济的桥梁〕 1992年1月6日，全国工商联主席荣毅仁在全国工商联第六届执委会第四次会议上讲话强调，工商联作为中国共产党领导的人民团体和民间商会，要成为党和政府联系非公有制经济的一个桥梁，对非公有制经济代表人士进行团结、帮助、引导、教育，而不是象五十年代那样对他们进行社会主义改造。

荣毅仁说，坚持以公有制为主体，多种经济成份并存发展，既不搞单一的公有制，又不搞私有化，这是建设有中国特色社会主义的一项基本原则。非公有制经济面广人众，如同汪洋大海，如何通过他们的代表人士带动他们沿着社会主义道路健康发展，发挥有益的补充作用，做到爱国、敬业、守法、兴利抑弊，这是建设有中国特色社会主义的一个重大课题。党中央把这项历史使命赋予工商联，是对工商联极大的信任。

5月26日至6月2日，作为中国国际信托投资公司董事长的荣毅仁率领中国经济贸易代表团访问英国。访问期间，荣毅仁在伦敦英中贸易48家集团对华投资专题研讨会上对英国企业界人士说，改革开放使中国的经济建设蓬勃发展，还为中国利用外资促进中国经济建设提供了极好的机会。13年来，中国使用了近800亿美元的外国资金，其中包括外国政府、国际金融机构、商业银行提供的各种信贷。他指出，由于中国致力于投资环境的不断改善，越来越多的外国企业家有兴趣来华投资。目前对华投资外资企业的构成已由开放初期的服务型向生产型转化，从劳动密集型向技术密集型或高科技方向转化。荣毅仁还应邀在“英中贸易48家集团”年会上发展了讲话，与英国贸易大臣赫塞尔廷举行了会谈。他在访问期间共会见了250多位英国工商企业界人士。

荣毅仁，1916年5月生，江苏无锡市人。1937年毕业于上海圣约翰大学历史系，获学士学位。曾任无锡茂新面粉厂经理，上海福新面粉厂副总经理，上海申新纺织印染厂第二、三、五厂总管处总经理。1957年后，历任上海市副市长，上海市工商联副主任委员，纺织工业部副部长。是第五届全国政协副主席，第六届全国人大常委会副委员长。

〔附注：1993年3月27日，八届全国人大一次会议选举荣毅仁为中华人民共和国副主席。〕

〔胡仙（女）·香港星岛控股有限公司执行主席兼董事总经理·率团访问北京〕 香港星岛控股有限公司执行主席兼董事总经理胡仙，应国务院港澳办和新华社香港分社邀请，于1992年11月23日率星岛集团访问团抵达北京。胡仙年届90高龄的母亲胡陈金枝也随团同行。这是香港星岛集团高层领导首次到大陆内地访问。胡仙一行在京期间，党和国家领导人江泽民、李鹏分别会见了她们。

胡仙于1992年9月下旬被选为香港客属民间团体香港崇正总会第32届理事长，香港南源永芳集团董事长姚美良被选为该会会长。胡仙并被聘为福建闽西客家学研究会基金会会长。

胡仙是已故著名爱国华侨、“万金油大王”胡文虎之女。大陆改革开放之后，已纠正了由于历史的误会而对胡文虎不公正评价的错误，并将其生前在广东、福建等地房屋财产归还予胡文虎生前指定的合法继承人胡仙接管。胡文虎所建的虎豹别墅也列为福建省级文物保护单位。胡仙认为这体现了中国领导人实事求是的态度，表示要秉承其父“以天下之财，供天下之用”的精神，将国内落实政策归还胡家的资产，成立个基金会，用于国内的公益事业，为祖国做点好事。

胡仙，1931年生于缅甸仰光，福建省永定县人。香港圣保罗英文书院毕业。1951年及1961年在美国及哥伦比亚修读新闻专业。1954年胡文虎去世，胡仙继承了香港《星岛日报》及其他部分遗产。星岛报业在她掌管后不断发展，《星岛日报》、《星岛晚报》早已成为香港销量最大影响甚巨的报纸。1972年胡仙成立了星岛报业有限公司。她所主持的“星系”报刊行销世界一些重要的国家地区，《星岛日报》在纽约、温哥华、悉尼、伦敦等名城都有印发，成为面向世界的综合性大报。胡仙历任香港星岛报业有限公司总经理、香港报业公会副主席、世界中文报业协会主席。1970年被选为国际新闻协会主席，是首位出任此职的亚洲人，也是首位女性。胡仙被誉为“香港报业女杰”。

自七十年代后，胡仙开始从事多种经营，其中有房地产、印刷业、商店、出版公司、录音微缩公司、制药公司、医院、旅游业等。除香港外，在澳大利亚、东南亚也有不少资产，有“亚洲最富的女人”之称。据报道，胡仙已为香港十大富豪之一。香港政府曾授予胡仙“太平绅士”称号，英国女皇颁发胡仙O·B·E衔。

胡仙向往眷恋祖国，一直关注大陆的改革开放及现代化建设事业，对祖国的发展前景充满了信心。她所主持的星岛集团已在广州、东莞、深圳投资设厂，投资额达2亿多港元。还设想在北京、广州、上海、福州等地设立办事处，与内地展开主要侧重于经济和信息开发的各项合作业务。《星光月刊》就是与大陆国际文化出版公司合办的杂志。

〔胡钢·实达电脑股份有限公司总经理·获第三届全国科技实业家创业奖金奖〕　34岁的福建实达电脑股份有限公司总经理、高级工程师胡钢，原来是省计算机所研究室主任。1988年他带领15名科技人员创办实业，经四年半的艰辛创业之后，实达人迎来辉煌的收获，1992年产值达1.5亿元，人均产值近百万元，人均创利税15万元。1992年12月11日，胡钢在北京获得“第三届全国科技实业家创业奖”金奖。

“实达”是怎样飞速发展起来的？总经理胡钢说：“我们坚持以人为本的指导思想，始终把人的因素作为公司最重要的财富。公司关心员工一分，员工则热爱公司十分”。1990年夏季的一天，福州突遇强台风的袭击，大风折木，大雨倾盆，全市交通瘫痪，电讯中断。但是员工们冒着暴风雨，不顾生命危险准时走进公司大门。在共同的合作中，“实达”形成了一种团体力量和团队精神。1989年胡钢看好终端市场，决定开发研制STAR—500终端，课题组同志仅用90天就拿出了样机，请省工商行、银行用户和专家鉴定，认为离可用产品的性能相差太远。在进退维谷之际，胡钢召开了开发人员和业务人员联合会议，经过激烈讨论，取得共识，使大家明确了新产品不可能一开始就是完美的，用户的要求才是对产品的最好检验。于是他们带着样机到北京和青岛联机试用、修改、再修改，直到用户满意为止。现在他们开发的计算机系列终端，被评为火炬金奖，其产量、质量、销售量居国内首位。1991年公司被机电部列为终端定点生产单位。实达香港分公司、福建实达房地产投资公司等七家子公司已相继成立。实达开始朝产业化、集团化、国际化方向迈进。

〔胡绳·全国政协副主席、中国社会科学院院长·从历史发展角度阐述中国的改革开放〕

1992年第五期《求是》杂志刊载了胡绳于1991年11月13日在日本亚细亚大学的讲演《论中国的改革和开放》全文。他在讲演中从历史发展角度阐述了中国的改革是在社会主义制度范围内的改革，开放是在社会主义制度基础上的开放。他说：“五十年代后期，以毛泽东为代表的中国领导人决心抛弃苏联的模式是多么重要的决定。有了这个决定，才有以后20年的为寻求中国自己的社会主义建设道路的探索。”“从七十年代末到八十年代，以邓小平为代表的中国领导人很好地总结以往的正面和反面的经验，所以才能够从中国的具体情况出发，逐步提出通过改革和开放走中国特色的社会主义道路的一套方针、政策。”

胡绳说，十九世纪四十年代以后，中国的完全开放，是以丧失作为独立国家所应拥有的主权为代价的。“新中国初成立时，就准备在互相尊重领土主权和平等互利的基础上同世界各国建立外交关系，进行正常的贸易往来和其他经济联系。”但是，“美国政府当时采取了不承认中华人民共和国的政策。它通过朝鲜战争对中国实行武力威胁，通过台湾问题干涉中国内政，对中国实行封锁禁运，阻挠中国恢复在联合国中的合法地位，企图把新中国排斥在国际社会之外。美国政府的这种政策影响了其他许多国家。”“1971年10月，中华人民共和国在联合国中的合法地位冲破了各种阻碍得到恢复。”1978年以后实行对外开放政策，改革开放的步子逐步加大。社会主义使中国保持独立自主，对外开放又使社会主义能够更好地发展。

胡绳，1918年1月生，江苏苏州人。1938年加入中国共产党。1936年后，在武汉、重庆从事文化工作和统一战线工作，曾任《新华日报》社编委。1946年至1948年，任中共上海市文委委员。1949年新中国成立后，历任政务院出版总署党组书记，中央政治研究室副主任，《红旗》杂志社副总编辑，中共中央党史研究室主任，中国社会科学院院长等职。

〔附注：1993年3月26日，全国政协八届一次会议选举胡绳为政协八届全国委员会副主席。〕

〔胡小平（女）·服装设计师·率队赴泰国展出获好评〕　西安美术学院工艺设计系教师胡小平，1992年5月初率时装表演队，在泰国曼谷皇宫大酒店，展出她的21个系列86套服装，获得好评，曼谷报界称她是东方丝绸之路上的服装设计大师。

胡小平，1963年生，陕西省西安市人。1984年考入北京中央工艺美术学院。同年获两项省级和一项国家级服装设计奖。她怀着延续丝绸之梦的希望，带着新的知识、古老的梦，常回丝绸之路去采风，使梦境化为现实。1987年11月，胡小平设计的一套时装在巴黎参加国际青年时装大奖赛。当身着她设计的丝绸旗袍的法国模特走向舞台中央时，热烈鼓掌的评委竟一时忘了打分，观众则喊着“中国——丝绸；丝绸——中国！”就在这次大奖赛中，她为中国夺得了有史以来第一枚时装设计的国际金牌。1989年原西德多特蒙德市政府提供3000美元，请胡小平为法、德两国设计81套时装。1992年她与新加坡、泰国的时装商合作，准备将中国的丝绸时装推向欧洲市场。

〔胡正名·北京邮电学院教授·被选入《世界文化名人录》〕 北京邮电学院信息工程系教授胡正名长期从事信号分析、编码密码理论和应用数学方法及其边缘学科的研究工作，成绩卓著，1992年被收入英国剑桥国际传记中心的《世界文化名人录》，同年获美国传记协会颁发的杰出成就荣誉勋章。

胡正名应用Walsh函数、Hadamard矩阵和并元理论研究信号编码问题，在Walsh-Hadamard编码、码结构、等重码、并元码和并元理论等许多方面都取得了既有理论价值又有实用意义的成果，还开创了非常规分析方法和应用伪奇异变换扩充谱的模式，这些研究成果曾先后在有关国际学术会议及《电子学报》、《通信学报》、《电子科学学刊》、《系统科学》等学术刊物上发表。他编撰的专著《矩阵方法》已由人民邮电出版社出版。

1986年，胡正名在信息方面的研究成果“广义非正弦信号分析”获邮电部科技进步三等奖。1991年，他所从事的国家自然科学基金项目“非正弦函数在通信工程中的应用”获国家教委科技进步二等奖。目前，胡正名潜心研究的课题是信息编码与抗干扰编码以及广义谱在通信编码中的应用等项目，这些研究可以开创一条深化信号处理的途径，并应用伪奇异变换寻找理想化的单向函数，从而进一步从理论上探索密码体制的不可破译性和在综合通信网上的加密及计算机的抗干扰问题。

胡正名，湖北省沙市人，1931年3月出生，1953年毕业于天津大学电信工程系，1954年到北京邮电学院任教至今。1987年1月至1988年1月在美国波士顿大学电气与计算机工程系访问进修。现为邮电学院博士生导师，兼《通信学报》副主编。1984年参加中国国民党革命委员会，现任民革中央常委。1991年被授予北京市优秀教师称号，并获得国务院颁发的“政府特殊津贴”。

〔胡乔木·中顾委常委·在北京逝世〕 中共中央顾问委员会常务委员、中共中央党史工作领导小组副组长、中国社会科学院名誉院长胡乔木因病医治无效，于1992年9月28日在北京逝世，终年81岁。

胡乔木，1912年6月1日出生于江苏省盐城县鞍湖乡。1930年在北平清华大学读书时加入中国共产主义青年团。1931年“九一八”事变后参与领导北平学生的抗日救亡运动。1937年赴延安。从1941年2月起任毛泽东的秘书、中共中央政治局秘书，一直继续到1966年“文化大革命”爆发以前。1942年参加《关于若干历史问题的决议》的起草工作。1951年以后，先后参加《毛泽东选集》第1至4卷的编辑工作，参加起草1954年的《中华人民共和国宪法》和1956年党的第八次全国代表大会的主要文件。“文化大革命”中受到“四人帮”的迫害。1975年任国务院政治研究室主任，积极投入邓小平领导的全面整顿工作，主持修改《关于工业发展的若干问题》和关于科学院工作的《汇报提纲》等重要文件。“四人帮”粉碎后，胡乔木全力支持邓小平批评“两个凡是”的错误方针，支持关于真理标准问题的讨论。他列席1978年12月党的十一届三中全会，负责全会的文件起草工作。1980年至1981年，他在邓小平主持下，负责《关于建国以来党的若干历史问题的决议》起草工作，接着又负责起草十二大的重要文件。在此期间，他领导《毛泽东选集》第1至4卷第二版的修订工作，亲自编辑《毛泽东诗词选》新编本，协助邓小平审定《邓小平文选》等著作。

胡乔木是中共第八届、十一届、十二届中央委员会委员，第十二届政治局委员，第一届至第五届全国人民代表大会代表，第二届、三届、五届人大常务委员会委员，第一届全国政协常务委员。著有《胡乔木文集》和他的诗选等。

〔胡聿贤·地震工程专家·当选中国科学院学部委员〕 著名地震工程专家、研究员胡聿贤对地震的研究作出了杰出贡献，1991年底当选为中国科学院学部委员，1992年1月3日正式公布。

胡聿贤，1922 年 10 月 14 日生于湖北省武汉市。1941 至 1945 年先后在南京中央大学、重庆交通大学、上海交通大学学习，获硕士学位。后进美国密执安大学做研究生，先后获硕士、博士学位。之后在美国工作多年，先后任大学助教、桥梁设计公司结构工程师。1956 年回国后，在中科院任副研究员、研究员、副所长等。又去美国做几年访问教授后，先后在国家地震局工程力学研究所、地球物理研究所任研究员、所长等职。他还是大连工学院、清华大学、重庆建筑工程学院的兼职教授。

胡聿贤所著《地震工程学》一书集中反映了他在地震工程学方面的科研成果。该书致力于地震学与工程学的有机结合，介绍了国际最新的研究课题，既强调地震与工程的结合部位工程地震学，又强调地震工程的应用部分地震危险性和危害性，对震害经验、结构试验和现场观测作了大篇幅的介绍与分析。该书获第五届全国优秀科技图书一等奖。

胡聿贤取得的“场地条件对震害和地震动的影响的研究”、“断层对抗震设计影响的研究”两项成果，均获国家地震局科技进步一等奖和国家科技进步二等奖，并已被抗震规范采用，为工程设计提供了方便，为国家节省了资金，他取得的“地震危险性估计的综合概率法”成果，把我国考虑地震发生的时、空不均匀性的确定性地震预报方法与国际通用的地震危险性分析概率方法结合起来，考虑了多种不确定性的影响，是国际先进方法，已应用于我国新的地震区划图。他还有“渤海油田三个场地地震危险性及地震动估计”、“结构输入反演的研究”、“抗震设计概率基础研究”等多项成果获部级科技进步奖。并培养了硕士、博士研究生 20 余人。

〔胡阿寿·农民·雕制越塑《八十七神仙卷》〕　一幅被誉为中华瑰宝的古画——《八十七神仙卷》，由浙江绍兴农民胡阿寿重新临摹绘制，用花雕手法雕制成越塑浮雕，再现了这幅名画的风采。1992 年 2 月 21 日中国文化报和浙江日报分别报道了这一艺术创作。

《八十七神仙卷》是宋朝画家所作的一幅白描人物长卷。画面 87 位神仙，飘然聚会，优美的造型，遒劲的线条，展现了我国古代人物画的杰出成就。30 年代，徐悲鸿先生偶然从一个外国人手里发现此画，用重金赎回。从此，这幅国宝为世人瞩目。胡阿寿曾多次临摹这幅长卷，探索如何用绍兴民间工艺花雕手法仿制这幅画。他在劳动之余，埋头创作，奋战半年多，终于完成这幅越塑精品。浮雕长 240 厘米，宽 60 厘米，在棕色的祥云背景前，87 位裙袂飘拂的神仙，衣着华丽，气韵生动。细腻的刻画，流畅的线条，较好地体现了原作的线描功夫。浙江美术学院副院长，美术家宋忠元教授和杭州画院院长、美术家王伯敏教授称赞它是“中国传统绘画与雕塑结合的新成果，具有移植、创新的特色”。

胡阿寿，浙江绍兴人，1953 年 3 月生，曾参加人民解放军空军部队，复员回农村后拜师学画，国画《夏熟图》、越塑《史湘云》等曾发表于报刊。著名画家黄苗子、“红楼梦”学者冯其庸给他的绘画题过诗款。诗中有:“近世画工万千多，只知梦见张与仇。阿寿画笔迥且独，自向农村寄所托。我识阿寿是人杰，画史他年传君迹。”他擅长花雕技艺，在酒坛上绘制金陵十二钗、飞禽走兽，花卉山水，栩栩如生，成为绍兴农村一位受人欢迎的农民画家。

〔胡洪言、王火木·公安干警·被授予全国公安战线英模称号〕　浙江省武义县公安局正科(局)级纪检员胡洪言和柳城派出所副指导员王火木，面对持枪行凶的歹徒，临危不惧，殊死搏斗，胡洪言壮烈牺牲，王火木身负重伤。1992 年 2 月 20 日，公安部和浙江省委、省政府召开命名表彰大会，公安部追授胡洪言烈士“全国公安战线一级英雄模范”称号，授予王火木“全国公安战线二级英雄模范”称号；浙江省政府追授胡洪言“人民卫士”称号。同年 10 月，王火木出席了中共第十四次全国代表大会。

1991 年 11 月 6 日，胡洪言和王火木正在金华浙江东风萤石公司办理一起纪检案件，晚 9 点 40 分，群众向他们报告：发现两个可疑人员，身上可能带有枪支（事后查明，一人叫杜敏刚，另一人叫金效东）。具有高度责任感的胡洪言和王火木，一面打电话向局长报告，一面对可疑人员进行监控。当两名可疑人员到公路上拦车准备逃跑时，他们当机立断，冲上前将其阻截，并带到东风萤石公司派出所审查。进入会议室后，胡洪言在王火木的掩护下，先对身材高大的嫌疑人金效东实施搜查，没发现凶器，转身正欲对杜敏刚搜身时，亡命之徒杜敏刚突然抽出暗藏在身上的手枪，疯狂射击行凶。面对突如其来的袭击，胡、王二人与歹徒展开了英勇搏斗。王火木迅速出枪还击，击中杜敏刚的下腹部，自己也被歹徒射中右胸。胡洪言奋不顾身，猛扑上去夺歹徒手中的枪支，被歹徒击中腹部。在身负重伤的情况下，胡洪言仍紧紧抓住嫌疑人员金效东，将其压在身下，直到民警赶到将其制服。这时，已负重伤倒地的王火木见杜犯准备夺门逃跑，咬紧牙关，用胳膊支撑着连续向歹徒射击，击中杜的左右大腿。胡洪言因右腹腔主动脉被击中，流血过多而壮烈牺牲；王火木身中数弹被急转金华市中心医院抢救，医护人员竭尽全力把他从死亡线上抢救过来。公安干警和武警官兵经严密搜捕，发现行凶歹徒倒毙在离现场约 500 米的莹石矿洞内。事后查明，犯罪分子系劳改释放人员，负案在逃。

胡洪言是浙江省永康人，1940 年 4 月生，初中文化程度，1959 年 12 月入伍，1965 年加入中国共产党，1968 年退伍后当工人，1971 年起做公安工作。他在部队服役 8 年，年年被评为五好战士；穿上警服后当过派出所民警、副指导员、县公安局治安股长、内保科长和纪检员，无论在什么岗位上，干一行爱一行，恪尽职守，做出优异成绩。曾多次被评为先进工作者，多次受到嘉奖和表扬。

王火木，1952 年 11 月生，中共党员，1973 年入伍，历任战士、班长、排长、连长，曾两次荣立三等功，9 次受嘉奖。1988 年参加公安工作，由于他的努力，辖区治安状况大为好转，在不到一年时间里，两次受县局嘉奖，被评为先进工作者，并被提升为派出所副指导员。

〔胡焕章·中国青年旅行社总经理·获全国旅行社行业优秀经理称号〕　1992 年 6 月 9 日，由中国旅游协会和国家旅游局发起的“全国旅行社行业优秀经理”评选揭晓，中国青年旅行社总经理胡焕章获“优秀经理”称号，同时还被授予中国旅游协会名誉会员称号。

胡焕章，上海市人，1937 年 7 月 12 日生。1954 年 9 月参加工作，1959 年 6 月加入中国共产党。曾任中联部八局处长、团中央联络部处长等职。1980 年参加青旅的筹建工作，任中国青年旅行社副社长。1982 年起主持青旅工作，1984 年任青旅总社总经理。1988 年任中国青旅集团董事长。

1980 年初，李瑞环带领一批团干部筹建青旅时，胡焕章便参与其中。创建初期，一穷二白，困难重重。胡焕章带领广大青旅员工奋斗 10 年，使青旅一步步发展壮大，成为一个拥有 50 多家分公司、7000 多名员工，3 亿元固定资产、年外联组团近 16 万人，集多家宾馆、餐厅、商店、歌厅、汽车公司、贸易公司为一体的大型旅游企业集团，是当今中国三大骨干旅行社之一。

胡焕章熟悉外语，精通业务，能及时把握市场动态及行情，在激烈的市场竞争中不断推出具有青旅特色的旅游项目，使自己始终处于有利的竞争地位。1984 年，他就提出调整管理体制，实行逐级承包，加强核算，打破终身制，科处两级干部每年聘用一次。1986 年，经他倡议成立了较强的质检部门，使旅游服务质量大为提高。1987 年，台湾游客增多，又马上成立港台部。1988 年，韩国游客增多，随即成立亚大部。1990 年，他在旅游企业中率先实行二级核算和用经济指标考核各业务部门，与奖金分配直接挂钩。他十分重视职工培训工作，曾举办多期导游、外联、财务人员培训班，使职工素质大提高。从 1986 年到 1991 年，在旅游系统的各种评比中，青旅多次是全国和北京地区的先进企业。全国首届导游大赛评出 10 名“最佳导游”，青旅系统占 4 名，是获奖最多、评分最高的单位。

〔胡绳武·历史学家·发表《关于史学方法论的一些浅见》〕　中国人民大学教授、历史学家胡绳武在 1992 年创刊的《史学理论研究》杂志上发表了《关于史学方法论的一些浅见》一文，就如何发展马克思主义的史学方法论问题，发表了值得重视的意见。他认为，前几年在史学方法论的讨论中，不少研究者提出，马克思主义的阶级分析方法绝不是历史研究的唯一方法，马克思主义的史学方法论，是由多种方法组成的方法论系统，阶级分析方法只是其中的一种。但是马克思主义的史学方法论，除了阶级分析方法，究竟还有哪些方法？并没有人明确地提出来。因此，这个问题未能得到认真的讨论。例如，社会存在决定社会意识这一观点，既是唯物史观的根本原理，又是方法论。社会存在究竟指的是什么，除了经济基础，还包括哪些内涵，就是一个值得讨论的问题。

胡绳武，山东枣庄人，1923 年生。1948 年毕业于复旦大学史地系，留校任教，曾任该系中国近现代史教研室主任、系副主任。1975 年调北京文物出版社任副总编辑。1981 年转入中国人民大学清史研究所工作。

胡绳武用力最多、成果最丰的是辛亥革命史研究。早在 1955 年，他就在《复旦学报》上发表了 2 万余字的专论《论中国资产阶级民主革命派的形成》，比较全面地阐述了辛亥革命的主角——中国资产阶级民主革命派的阶级基础、社会历史条件、组织基础、思想基础、它的渐次形成过程及其纲领等重要问题。1957至1958年，他在《复旦学报》相继发表《孙中山初期政治思想的发展及其特点》和《孙中山从旧三民主义到新三民主义的转变》两篇论文，系统考察了孙中山思想的形成、发展和演变过程。

在研究工作中，胡绳武有一位亲密无间的合作者金冲及。自五十年代后期始，他们共同完成了《辛亥革命时期章炳麟的政治思想》、《论清末的立宪运动》、《孙中山革命思想的形成和兴中会的成立》等一系列专题论文，而最能集中体现其研究成果的，则当推1980—91年由上海人民出版社陆续出版的《辛亥革命史稿》。该书共分4卷，约150万字。在众多辛亥革命史研究论著中，是独树一帜的上乘之作。

胡绳武其他重要论文和著作还有：《鸦片战争》、《甲午中日战争》，参与编写的有《沙俄侵华史》，主编的《戊戌维新运动史论集》和《清史研究集》，还结集出版了他与金冲及合作的论文集《从辛亥革命到五四运动》。胡绳武对史学理论的研究造诣颇深，这方面的成果集中反映在他撰写的《唯物主义历史观的形成》一书中。

〔胡锦涛·当选中共中央政治局常委、书记处书记〕 西藏自治区党委书记胡锦涛于1992年10月19日在中共十四届一中全会上当选为中央政治局常务委员会委员、中央书记处书记。

胡锦涛在当选中央政治局常委后，于11月14日会见由中央政治局委员、国际部长弗朗西斯·乌尔茨率领的法国共产党代表团。在友好的交谈中，胡锦涛简要介绍了十四年来中国在邓小平同志建设有中国特色社会主义的理论指导下，在各方面取得的显著成就，以及当前全党和全国人民学习、贯彻中共十四大精神的情况，他表示，虽然世界社会主义事业遇到了暂时的挫折，“但我们对中国社会主义事业的前途充满信心，对世界社会主义事业的前途也充满信心。”

11月29日，胡锦涛在全国妇联第六届第五次执委会上讲话时提出，要用邓小平同志建设有中国特色社会主义的理论指导妇联工作，动员和组织全国广大妇女为加快改革开放和现代化建设服务。他要求各级妇联组织把学习、贯彻党的十四大精神这件大事抓紧抓好，首先要抓好文件本身的学习，全面准确地理解十四大精神，尤其对一些重点问题要真正弄懂弄通。要充分利用妇联的宣传阵地和活动阵地，采取各种有效形式，向广大妇女群众广泛深入地宣传十四大精神。要引导和帮助广大妇女克服对马克思主义某些原则的教条式理解，抛弃那些对社会主义不科学的甚至是扭曲的认识，把思想统一到邓小平同志建设有中国特色社会主义的理论上来；克服长期在高度集中的计划经济体制下形成的各种陈旧过时的观念，树立起与社会主义市场经济相适应的观念；克服在长期历史过程中形成的自卑依赖心理，树立起自尊、自信、自立、自强的精神。要鼓励广大妇女解放思想，实事求是，奋发进取，敢闯新路，积极投身到改革开放和现代化建设的实践中去。他希望各级党委高度重视妇女工作，进一步加强和改善对妇联工作的领导，高度重视培养和选拔妇女干部，帮助女干部更好更快地锻炼成长。

12月8日，胡锦涛在全国总工会第十一届第五次执委会上讲话，强调要用邓小平同志建设有中国特色社会主义的理论指导工会工作，动员和组织全国广大职工为加快改革开放和现代化建设作贡献。他指出，全面贯彻党的基本路线，是社会主义事业取得胜利的根本保证，也是做好工会工作的根本保证。各级工会要以党的基本路线为指导，紧紧围绕经济建设这个中心开展工作，把坚持改革开放和坚持四项基本原则统一起来，不断地提高增强贯彻执行基本路线的自觉性和坚定性。他说，工人阶级的历史地位和作用，决定了我们必须全心全意依靠工人阶级。当前我们面临着加快改革开放和社会主义现代化建设的繁重任务，只有全心全意依靠工人阶级，充分发挥工人阶级主力军作用，才能保证党的十四大确定的宏伟目标的实现。而改革开放和现代化建设的深入发展，尤其是社会主义市场经济体制的建立，必将引起社会生活各个方面的深刻变化。工会的工作领域、工作内容、活动方式、组织制度等也将发生相应的变化。这就要求各级工会组织要注意研究新情况、新问题，主动地适应并促进社会主义市场经济的发展，在新的历史条件下努力使工会工作迈上一个新台阶。

12月19日，胡锦涛在共青团十二届五中全会上讲话，要求各级共青团组织用邓小平同志建设有中国特色社会主义理论教育青年一代，努力培养千百万社会主义事业接班人。他指出，建设有中国特色社会主义的理论，是指引我们实现新的历史任务的强大思想武器，也是做好青年工作，培养和造就千百万社会主义事业接班人的强大思想武器，要引导广大团员青年学习好、掌握好、运用好这个理论。要重视和加强青年学生和青年知识分子工作，引导他们按照祖国的需要更好地成长。当前要突出对青年进行爱国主义教育。各级团组织和团干部要不断增强贯彻执行党的基本路线的自觉性和坚定性，紧紧围绕经济建设这个中心开展团的工作。要积极引导青年学习现代科学文化，学习市场经济，学习管理，努力成为本职工作的内行和能手，在改革开放和现代化建设的广阔舞台上充分发挥自己的聪明才智，大显身手，建功立业。

胡锦涛，生于1942年12月，安徽绩溪人，1964年4月入党，1965年7月参加工作，清华大学水利工程系河川枢纽电站专业毕业，工程师。1959—64年，在清华大学水利工程系学习。1964—65年，在清华大学水利工程系学习，并任政治辅导员。1965—68年，在清华大学水利工程系参加科研工作，并任政治辅导员（“文化大革命”开始后终止）。1968—69年，在水电部刘家峡工程局房建队劳动。1969—74年，任水电部第四工程局八一三分局技术员、秘书、机关党总支副书记。1974—75年，任甘肃省建委秘书。1975—80年，任甘肃省建委设计管理处副处长。1980—82年，任甘肃省建委副主任，共青团甘肃省委书记。1982—85年，任共青团中央书记处书记，全国青联主席，共青团中央第一书记，六届全国政协常务委员。1985—88年，任中共贵州省委书记，六届全国政协常务委员。1988年起，任西藏自治区党委书记。

是第十二届中央候补委员、委员，十三届中央委员。

〔胡蕴玉（女）矫形外科专家·从事骨关节损伤和骨移植研究成果累累〕　中国人民解放军第四军医大学全军骨科创伤研究所副所长、教授胡蕴玉，多年来在骨移植及相关免疫病理、骨诱导与骨形成蛋白（BMP）、关节软骨缺损修复及周围神经再生等方面，进行了深入系统的研究，取得一系列成果，曾获得十余次全国、全军科技进步奖。1992年，她的《自体骨膜移植修复关节软骨缺损系列研究》，获人民解放军科技进步二等奖。《重组合异种骨的临床应用》获第四军医大学西京医院医疗成果一等奖。

胡蕴玉，1932年12月生于江苏省常州市。1951年参加中国人民解放军。1955年毕业于第四军医大学医疗系。同年6月加入中国共产党。毕业后留校任军医、助教、主治医师、讲师、副主任医师、教授、副所长、博士研究生导师等职。

1985年，胡蕴玉在全军“七五”攻关课题中中标，并获得国家自然科学基金资助，开始向国际百年未解难题——异种骨移植进击。异种骨取自动物，来源丰富，易大量储存和商品化生产，作为骨移植材料具有巨大开发价值。但异种骨可引起强烈的免疫排斥反应，无法应用于临床。近百年来，国内外学者一直在探索既能消除异种骨抗原又能保留诱导成骨能力的方法，迄今未能成功。胡蕴玉经过长期努力，终于创新研制成“重组合异种骨”，既具有高效诱导成骨活性和修复骨不连、骨缺损的能力，又不引起机体免疫排斥反应，应用于临床获得显著效果。重组合异种骨便于储存和运输，特别适用于战争条件下处理大批伤员。此研究成果属国内外首创，填补了骨科研究领域的一项空白。1991年获全国第三届发明展览会金奖，全国妇联向胡蕴玉颁发了唯一专设的“中国发明奖”。

近年来，胡蕴玉先后获国家和军队科技奖18项，其中，全国科学大会奖2项，国家科技进步二等奖1项，军队科技进步一等奖2项二等奖5项。

胡蕴玉是全军医学科技委员会骨科专业组副组长、中国康复医学会理事和《中华骨科杂志》编委。著有《实用骨科学》、《最新临床诊疗常规》，《手术学全集（矫形外科卷）》等，在国内外期刊发表论文50余篇。10年来培养研究生25名，其中博士研究生8名。

〔柯良·画家，在日本三越美术馆举办画展〕

1992年11月，为庆祝中日邦交正常化20周年，日本经济新闻社主办的中国著名画家柯良画展，在银座三越举行。

日本东京银座，古时以铸造银币成名，今以其繁华居东瀛之首，画廊和艺术展厅亦声名远播。柯良画展开幕当天，日本首相宫泽喜一、前首相竹下登、海部俊树，以及日中友协、日中文化交流协会等特地送去花篮祝贺。竹下前首相还为画展题词：“相邻一衣带水，友谊地久天长。”一周展出，观众达四万人。画展展出了柯良近年来以敦煌、楼兰等为题材的丝绸之路组画以及描绘日本山水的中国画80余幅，既有高山大川，也有含蓄幽静的风花雪月，还有别具一格的书法。柯良的创作，注重心灵意境，师法自然。他跑遍了祖国的名山大川，“耳得之而为声，目遇之而成色”。经过多年反复探索，创造了“墨泅法”、“虚幻法”等绘画技法。用以描绘大海、风雪、云雾等。色彩丰富，深邃神秘，形成了自己的特色。许多评论家认为：柯良的作品，既有东方的线型美，也有西方的色彩美。日本绘画大师、日中友协会长平山郁夫在评论柯良的作品时说：“柯良集诗、书、画于一身的画风，显示了他较高的艺术水平，他独辟蹊径，开创了新的艺术境界。”

柯良，山东掖县人，1949 年 5 月出生。他生长的地方，依山傍水。他受祖国山水的熏陶，在作品中倾注着对祖国的爱。他说：“我热爱祖国，热爱艺术，中国数千年的文化和历史哺育着我的艺术，我愿把自己的一生，献给艺术事业。柯良三十五岁时，中国美术馆曾破例为他举行过个人画展。第二年东渡日本，先后在横滨、桥高岛屋、银座中央美术馆、三越等地举行过四次大型画展，都受到极高的评价。他现为中国美术家协会会员。作品有《万马奔腾》、《东海觅师》、《百虎图》等。

〔柯受良・香港影视特技演员・飞越长城第一人〕　香港影视特技演员柯受良于 1992 年 11 月 15 日成功地飞越了京冀交界处的险峻的金山岭长城，是飞越长城的第一人。当时他驾驶着雅马哈 250CC 型摩托车，从临时搭起的长 100 米、坡度 15 度的助跑台上启车，满怀信心地以 100 迈的速度从北向南腾空跃过长城烽火台上 30 米宽的豁口，然后落到宽 4 米、高约 20 米、长 50 米的无围栏接应台上，再狂风般冲进前方的防护栏里。数万观众在担忧惊叹之后，欢呼喝彩，人们还献上花环，与他共享胜利的喜悦。对柯受良来说，此举意义非凡，是他向祖国献技，也是他表演生涯的最后一次演出。多少年来，他虽作过多次特技飞行，但向雄伟壮观的长城挑战是他的夙愿。他曾表示，中国的长城要由中国人第一个飞越，现夙愿已偿，他深有感触地说：“中国是一个有五千年文明史的国家，长城是中华民族的骄傲，飞越长城理应由中国人来完成，我为能代表中国人首先飞越长城感到非常自豪，非常开心。”此次活动是由中国体育杂志社主办、超级特技香港有限公司协办的。

柯受良，1953 年生于浙江三门县（一说生于台湾）。1956 年迁居台湾。早年喜爱驾驶摩托车。16 岁时在台北踏入电影界，开始当一名临时场记，后成为武打演员，并向特技方向发展，摩托特技是他的拿手好戏。他置生死于不顾，在许多影视片中完成惊险的飞车特技。1974 年在台湾影片《英雄飞车夺宝》中，他驾驶摩托车飞越三辆轿车，后由四楼高处飞落大海，是台湾首位银幕飞车特技演员。1976 年获台湾摩托车障碍赛冠军。八十年代飞越过 80 米大峡谷、百余米香港码头、70 米双向高速公路。在香港拍摄的影片《最佳搭档》中，柯受良替代男主角，驾摩托从三楼冲破玻璃飞出大马路一举成功，名噪香港影视界。曾为香港著名武打明星成龙的替身，拍有《龙兄虎弟》等多部影片，被誉为“飞车特技王”。

近年柯受良主要从事导演工作。

〔钟山・火箭专家。获国家科技进步特等奖〕

研究员、航空航天部二院总设计师兼副院长钟山因在某型号火箭的研制中贡献突出，获 1992 年国家科技进步特等奖。

钟山，1931 年 1 月生于四川，1957 年毕业于军事工程学院。1958 年开始从事研制防空导弹，历任组长、室主任、副所长、所长、副院长、总设计师。1952 年在部队被评为工作模范，两次受到嘉奖。1960—1984 年期间在科研工作中立三等功三次。1988 年被授予优秀科技工作者称号、获“五一”劳动奖章及北京市的首都劳动奖章、奖状。1989 年被评为航天部劳动模范。

〔钟浩・话剧演员・获第九届梅花奖〕

1991 年，钟浩在中国儿童艺术剧院上演的话剧《之伢子》中扮演少年毛泽东，他把握住了少年毛泽东独特的个性和少年情趣，塑造了一个真实、丰富并有深度的少年毛泽东形象。1992 年 10 月 4 日，在北京全国政协礼堂被授予中国戏剧梅花奖。

钟浩，1964 年出生，广东人。他在湖南长大，14 岁考进中国儿童艺术剧院与中央戏剧学院合办的儿童剧演员班。5 年后毕业，来到中国儿童艺术剧院，先后在儿童剧《我要当冠军》、《13+1＝X》担任主角，并在电影《雷雨》、《穿校官服的女兵》、《党小组长》中扮演不同角色。在我国较早时期的电视剧《虾球传》中，钟浩扮演主角虾球，他那天真、倔强的性格和富于激情的表演，给观众留下了深刻的印象。

1986 年，钟浩通过成人高考，再次进入中央戏剧学院表演系干部进修班学习，两年后又回到了中国儿童艺术剧院。之后，他担任过挪威著名儿童剧《豆冠镇上的居民和强盗》及重排的《马兰花》的副导演。1991 年，他被选中扮演话剧《之伢子》中的主角少年毛泽东。他认真地钻研史料，深入生活，把握那个时代的社会状况，以及毛泽东少年时代所经历的家庭、社会生活，终于演出了少年毛泽东的独特个性。

〔钟夫翔·原邮电部部长·在北京逝世〕 钟夫翔因患心肌梗塞，经抢救无效，于1992年9月28日在北京逝世，终年81岁。

钟夫翔，1911年5月生于现广西壮族自治区玉林地区的北流县。1930年2月参加中国共产党领导的龙州起义，任中国工农红军第八军第一纵队第一营营部书记官、军需官，同年10月加入中国共产党。后随红七军转战进入中央革命根据地。曾作为红七军代表出席第一次全国苏维埃代表大会。曾任中央军委无线电三十分队队长兼政治委员，是党和军队通信事业的创建者之一。参加了长征。抗日战争爆发后，任八路军电台队长，后在开辟晋察冀抗日根据地和华北解放区的军事通信工作中做出了重要贡献。中华人民共和国成立后，历任广州军管会电信接管部部长，邮电部中南邮电管理局局长，邮电部基建总局局长。1973年7月后任邮电部党组书记、部长。其间，积极倡导和组织重大的通信科研和工程建设项目，领导了国际卫星地球站的建设和第一条中日海底电缆的建设，对我国通信的现代化建设作出了重要贡献。是中共八大、十一大代表，中共第十一届中央候补委员，第三届全国人大代表，第六届、第七届全国政协委员。

〔钟玉征（女）·防化工程学院教授·被授予全国巾帼建功标兵称号〕 1992年3月7日，在首都各界人士集会纪念“三八”国际劳动妇女节82周年的大会上，解放军总参谋部防化指挥工程学院教授钟玉征，被授予全国“巾帼建功”标兵称号。她作为“巾帼建功”演讲团的成员，在“三八”节前后，还向中央和国家机关、大专院校、部队等单位进行了巡回演讲。

钟玉征，广东省顺德县人。1930年10月生。1950年12月参加中国人民解放军。1953年大学毕业后，任北京大学化学系助教。1954年起，先后在解放军化学兵学校、军事工程学院、防化学院任教。1961年加入中国共产党。自入伍后，长期从事国防教学和科研工作。是解放军第一代防化兵和毕生致力于化学分析的学者。她开创了解放军毒剂侦检分析专业的教学和训练，系统地研究了毒剂侦检分析的理论，从试剂结构与反应性能关系上，提出了毒剂的各种分析方法，为部队侦检化验器材的研制提供了重要的依据和分析测试手段，对“亲核取代反应”等课题的深入研究，推动了军队防化科研工作的发展。她创造性地将现代化学理论研究的新成果应用于毒剂侦检分析的教学和实践，成为该学科的带头人。1990年和1991年，由她领导的专家组，代表国家参加联合国裁军委员会化学武器特设委员会组织的第二、三轮“国际化学裁军核查对比实验”。在时间紧，难度大，参试实验室多是世界“一流”的这种情况下，她带领全组成员攻克道道难关，以检出率最高，准确性最好，分析手段最全，取得名列前茅的优异成绩，受到联合国化学裁军委员会和国际防化界的高度赞扬。有关专家对钟玉征说，你们的仪器并非最先进的，但你们的工作是出色的。她多次参加国际学术会议并发表论文多篇。1985年在芬兰赫尔辛基举行的中——芬化学裁军技术学术会议上发表的“对芬兰化学核查蓝皮书的评述”一文，受到高度评价。1983年被评为全国“三八”红旗手，1989年被评为全国优秀教师，1990年被国家教委评为优秀科技工作者。1992年被中国人民解放军总政治部授予“全军巾帼建功先进个人”称号，同年12月15日中央军委主席江泽民签署通令，给钟玉征记一等功。

〔修晶双（女）·电影演员·获开罗国际电影节最佳女主角奖〕 修晶双，上海人民艺术剧院演员。1992年12月12日，因在上影厂故事片《留守女士》中扮演女主角而获第十六届开罗国际电影节“金字塔最佳女演员奖”。这是中国女演员在世界九大电影节中第二位获最佳女演员奖。

修晶双1962年10月出生于黑龙江省伊春市郊一个普通职工家，自幼喜爱文艺。她念完中学当农业工人、仓库保管员、会计时，仍挤出业余时间赶到百里之外一位毕业于黑龙江省艺术学院表演系的李老师家学艺，风雨无阻。一年后她考上了上海戏剧学院表演系，毕业后分到峨眉电影制片厂任演员，在峨影故事片《钢锉将军》中饰女主角林书痕，与李雪健饰演的钢锉将军配合默契，获得当年百花奖最佳女主角提名。后调往上海人民艺术剧院，在话剧《局部地区有雷阵雨》、《消失的雨点》中担任主要角色，在电视剧《角色竞争》、《都市风流》、《火种》等几十部电视剧中都有不凡的表演。

《留守女士》是修晶双主演的第三部影片，这是一部现实题材影片，反映中国城市今天面临的出国潮问题。修晶双自然、细腻地揭示出丈夫出外自己留守国内的年轻女性复杂多变的心态。她的表现不温不火，极有分寸感。开罗电影节的评委对她的评价是:“修晶双女士的表演平淡之中具有摄人心魄的艺术感染力。”

〔**俞大维·台湾“总统府”资政·在台庆九六寿辰**〕　1992年1月6日（阴历12月2日），台湾“总统府”资政俞大维在台北度过96岁生日。台湾政要李元簇、郝柏村、宋楚瑜、俞国华、陈履安等亲往其家中祝贺。

俞大维，1897年生，浙江省绍兴市人，曾国藩外曾孙。1918年圣约翰大学毕业。1922年获美国哈佛大学哲学博士学位。后进德国柏林大学深造。是知名的弹道学专家。

曾历任国民党政府军政部少将参事、参谋本部主任秘书、驻德大使馆商务专员。1933年任军政部兵工署署长。1945年任军政部次长。1946年任交通部部长、美援运用委员会委员。1946年左右曾在蒋介石与马歇尔之间翻译联络，是三人小组成员之一，参加与中国共产党的谈判。

到台湾后，1951年任“美援运用委员会”副主任委员兼“驻美大使馆”顾问。1954年任“国防部”部长。1965年专任“行政院”政务委员。1966年被聘为“总统府国策顾问”。1976年被聘为“总统府”资政。

俞大维96岁寿辰之日，他向前往祝寿的台湾党政要人强调，台湾的安定团结最重要。12月22日，他曾向李登辉提出12条言，表示支持李登辉为政治民主化、经济自由化、社会安乐和利……所做的一切努力。

俞大维主张一个中国，反对台湾独立。1992年11月间接受记者访问时表示，他深信中国一定统一，认为某些人主张“一中一台”全然是幻想，是一厢情愿的想法，是办不到的。他与蒋经国是儿女亲家。一生嗜书，藏书甚丰。喜欢京剧。台湾出版有《俞大维传》。

〔**俞云阶·著名画家、美术教育家·在上海逝世**〕　上海油画雕塑院顾问、上海交通大学文学系兼职教授、著名画家、美术教育家俞云阶，1992年5月8日逝世于上海，终年75岁。

俞云阶，1917年1月出生于江苏常州。青少年时，即酷爱美术，1937年毕业于苏州美专。抗战期间，曾从事抗日美术宣传工作，后又考入国立中央大学艺术系。1941年毕业于该校，即辗转于南方各城市，在大专院校教授美术。解放后，致力于油画创作，间亦挥毫作国画。他一生坚持艺术磨炼，1957年虽年已40岁，仍再次入学，毕业于中央美术学院油画训练班。

俞云阶作画造型谨严，风格质朴，画农民和工人形象深刻而颇富神彩。作风景和静物，亦清新爽利。他尤长于肖像，所作《巴金像》和《鲁迅像》很忠实地传递了这两位伟大文学巨匠的精神风貌。他一生坎坷，即使在逆境中，仍作画不辍，创作了大量的油画和水墨画。油画的代表作除前面提到的肖像以外，尚有《此时无声》、《炼铁工人》、《老科学家》等；中国画的代表作有《柏鹿图》、《飞燕舞东风》等。自1931年始，其作品曾多次参加国内外美术展览，并多次获一等奖。1942年，曾在重庆举办过个人画展。并有大量作品刊于全国各大报刊杂志上。俞云阶的多幅宣传画，是50—60年代大量发行的美术作品。《俞云阶油画辑》是他的油画作品结集。

俞云阶曾任国立艺专助教，苏州美专、上海美专教授。是中国美术家协会早期会员，曾为上海画院画师，上海油画雕塑院顾问，上海交通大学文学艺术系兼职教授。他的逝世，是美术界的损失。上海、北京的许多报刊杂志，都刊载了纪念他的专文和他本人的作品。

〔**俞寿朋·石油物探专家·入选1992年世界名人录**〕　中国石油天然气总公司地球物理勘探局研究院物探方法研究所所长俞寿朋，因在地震勘探方法研究和信号处理领域研究中，取得显著成绩，被英国剑桥国际传记中心收入1992年世界名人录。同年在由国家科委、中共中央宣传部、新闻出版署联合组织的全国科技期刊评审中，以俞寿朋为主编的《石油地球物理勘探》杂志获一等奖第一名。

俞寿朋，1930年11月出生于江苏省无锡市，1952年毕业于上海交通大学地球物理专业，同年分配到石油部门工作，历任技术员、工程师、研究队队长、主任工程师、高级工程师。五十年代，他在祖国大西北野外勘探第一线，在酒泉地区工作时，组织了我国首次对比折射法的试验，并对记录到的波性质进行了卓有成效的研究，指出其主要目的层T4波不是一次折射纵波，避免了当时可能发生的错误。在酒泉盆地西部区厚砾石复盖区，他对野外数据采集方法，提出了以组合为主的对策，使该地区的反射工作得到突破。六十年代到七十年代初，他在华北以及陕甘宁黄土高原工作时，首次把反射波的对比从依赖经验提高到建立在数学物理基础之上。他针对华北地区断块复杂的情况，研究了断层平面连结的数学问题以及断层面的反射波的解释方法，成功地解释了任丘的断面层，为任丘油田的发现做出了贡献。

七十年代到现在，由于计算机的广泛使用，俞寿朋的研究工作转到了信号处理领域，很快就成为这个领域的带头人。1981年他研究了频域插直问题，提出的复数插直公式比国外学者同类的研究早好几年。他提出的相位谱级数展开方法，验证了当时国外的几种方法不能获得的正确结果；尔后提出的多项式拟合方法，可用于解决动校正拉伸对叠加的影响，提高信噪比，以及用于道内插。其中提高信噪比方面已用来处理了数万公里地震数据，有显著的效果，我国很多数据处理中心都采用了这种方法。

1987年俞寿朋被评为“河北省劳动模范”、“全国优秀科技工作者”并获全国“五一”劳动奖章；1989年他被评为“能源部劳动模范”，并被人事部授予“有突出贡献的中青年专家”称号；1991年他以项目总负责人承担的“七五”国家重点科技攻关项目“高分辨率地震勘探技术”获国家科技进步二等奖。以俞寿朋为所长的物探方法研究所，1989年获能源部“先进集体”称号。

〔俞晓群·辽宁教育出版社副总编辑·被收入《国际知识分子名人录》〕　辽宁青年学者俞晓群，十年来编辑了许多在国内外很有影响的图书，多次获奖。1992年被收入英国剑桥国际传记中心出版的《国际知识分子名人录》（第10版）。

俞晓群，1956年生于辽宁省丹东市。1982年在沈阳师范学院数学系毕业后，即分配到辽宁教育出版社从事编辑工作。十多年来，他编辑的《世界数学名题欣赏丛书》（陈景润等著），《九章算术汇校本》（郭书春汇校），先后获第一、第二届全国优秀教育图书一等奖；《西方社会五大弊端》（陶远华等著），获第四届全国优秀图书金钥匙二等奖；《国学丛书》（张岱年主编），获第六届中国图书奖一等奖。

俞晓群对科学史、中国哲学史和文化史颇有研究，出版著作有《自然数中的明珠》、《数学发微》，与人合著《潜科学导论》、《今日数学中的趣味问题》、《数学的趣味》，俞晓群撰写的论文有：《数，一个神秘文化现象》、《论五行说与中国古代文化的联系》、《论“易数”与中国古代科学的联系》、《数在中国传统文化中的意义》、《论中国古代数学的双重意义》、《内算与外算》等。

1990年，俞晓群以论文《数在中国传统文化中的意义》，被英国剑桥大学李约瑟研究所列为第六届国际中国科技史大会发言人。并被约请参加在西班牙召开的1993年世界科学史大会和在日本召开的第七届东亚科学史大会。

〔施士元·著名核物理学家·八五华诞〕

1992年1月10日，江苏省物理学会和南京大学隆重聚会，庆贺我国核物理学的奠基人之一、南京大学教授施士元85华诞及任教60年。

施士元，1908年出生于上海市崇明县，17岁考入清华大学，1926年3月18日曾参加了李大钊领导的反对段祺瑞对日签订塘沽协议的学生运动。1929年，他赴法留学；同年底，进入巴黎大学镭研究所，在著名物理学家居里夫人指导下从事核谱学研究，攻读博士学位。他与居里夫人和罗森勃隆一起发现了阿尔法射线精细结构的一些能量和一些伽马射线的能量严格相等的现象，还发现和证明了多种核物理学中的一些重要现象。1933年春，由居里夫人、P·拜冷、A·特比扬等三位诺贝尔奖获得者参加的答辩会，对施士元的博士论文给予很高评价，居里夫人还专门为此举行了庆贺酒会。尔后，施士元谢绝了居里夫人的再三挽留，回到祖国，任教于前中央大学，年仅25岁就被聘请为教授。

施士元对我国的核物理学研究和发展作出了重要贡献，先后发表研究论文50余篇，出版论著和译著9本，并曾先后参加了三本物理学方面的词典编写。在60年的教学生涯中，他热诚奖掖后辈，培育英才，桃李满天下，其中有世界著名物理学家吴健雄教授等。在中科院学部委员中有12人是他的学生。

〔施耐庵·元末明初小说家·电视连续剧《施耐庵传奇》开拍〕　由大庆台、吉林市台等20家城市电视台联合组成的我国第一个民办电视剧制作单位——城星电视艺术中心，于1992年1月开拍第一部大型电视连续剧《施耐庵传奇》。

施耐庵，生卒年、故里及生平事迹未可考定。据零星记载，传其生于元成宗元贞二年，卒于明洪武三年（即1296—1370）。原名耳，后名子安，耐庵为其字。祖籍苏州，一说扬州。三十五岁时中进士，并出仕钱塘两年，因与当权者不合，弃官还乡，闭门著述。又传，曾参加元末在苏州起义的张士诚军，并与其部下元亨友善。他生当元末之际，目睹朝政腐败，社会不平，遂作《水浒传》以抒胸中之愤。

《水浒传》是施耐庵以北宋末年宋江为首的农民起义为素材，在民间故事、话本、杂剧等创作的基础上再创作而成的。它艺术地再现了梁山泊农民起义队伍的产生、发展和失败的过程，愤怒地揭露了朝政的腐败和官吏豪绅的罪恶，热情地歌颂了起义英雄的反抗斗争，也具体描述了起义军失败的悲惨结局。

“官逼民反”,“乱由上作”，这是导致梁山农民起义的直接原因。作者指出在宋徽宗的纵容下，高俅、蔡京等“贼臣”把持朝政，伙同他们的党羽，残害人民，播乱天下。各地的豪绅恶霸横行霸道，无恶不作，他们上下勾结，组成严密的统治罗网。人民备受迫害，无路可走，只能奋起抗争，“撞破天罗归水浒，掀开地网上梁山”。《水浒传》热情地讴歌梁山好汉的反抗斗争。成功地塑造了许多叱咤风云的英雄人物。作者总是把他笔下的人物放在尖锐的斗争之中，扣紧人物的身份和经历，通过人物的行动，展现人物的性格，很少有静止、冗长的描写，许多英雄人物形象既是来自对现实生活的高度概括，又是被理想化了的，具有传奇色采，如鲁智深倒拔垂杨柳、武松景阳冈打虎，体现了现实主义与浪漫主义创作方法的结合。《水浒传》的情节和结构，自具特色。全书故事性强，情节紧张生动，引人入胜，人物与情节的安排，主要采用单线发展的结构方法，每组情节既有相对的独立性，又是一环紧扣一环，互相勾连，完整地写出了农民起义的过程，表现了全书的主题。《水浒传》的语言，是在人民口语的基础上经过加工提炼的文学语言。由于说话艺人反复锤炼和作者施耐庵的创造性劳动，具有洗炼、明快、生动、丰富的特色。人物的对话，符合人物的身份和性格，有很强的表现力。因而这部著作在我国流传极广，与《红楼梦》、《三国演义》齐名。

〔施祖铨・国画家・在新加坡举办个人画展〕 1992年6月，浙江杭州国画家施祖铨在新加坡举办第二次个人画展，展出精品40多幅，受到各界人士好评，在展览签名册上，密密麻麻地留下了中、新、英、法、日等8国参观者的名字。在此之前，1991年7月，他曾在新加坡举办“施祖铨彩墨画展”，先后在北京、深圳和台北等地举办了个人画展，均获得成功。

施祖铨，浙江杭州市人，1933年2月出生，幼时酷爱书画，1952年拜义乌师范学校校长陈望平为师，后又经潘天寿、吴茀云、诸乐三、陆维钊等名师指导，深得其妙。他从事书画30多年，擅长花鸟，尤善画鸡，被誉为“钱圹鸡王”。仅1981年至1984年的四年间创作的4万余幅画中，即有三分之一以鸡为主角。他画的鸡形神兼备，不拘一格，千姿百态，各显其妙。画公鸡善用夸张手法，泼墨重笔，鸡尾高耸，英气勃发，富有神韵。他创作的20米长卷《百鸡图》，群鸡翩然入画，或争抢扑食，或格斗厮拼，或追逐嬉戏，或相依小憩，姿态无一重复，画面布局或聚或散，或张或弛，或实或虚，统一中包含着变化，含蓄隽永，耐人寻味。驰名中外的国画长卷《开国大典》作者、84岁老画家李丁陇教授称赞说：“祖铨老弟，善于丹青，尤以画鸡称著，出神入化，为中外人士所望，实为不可多得之人也。”施祖铨近年精选上百幅作品，在香港、台北分别出版了《施祖铨花鸟集》、《施祖铨水墨画集》，受到读者欢迎。他在台北举办个人画展时，展出作品100幅，受到书画名流和收藏家的高度评价，台湾各大报纸均进行了报道。

施祖铨重视深入生活，经常去海岛、边疆、乡村、部队、厂矿企业写生，乐于为人民群众和战士作画。他虚心向前辈画家学习，十分崇敬国画大师潘天寿，自刻篆体闲章称“寿者门下一卒”。他的画从构图、造型乃至笔墨情趣，均有潘公之风，但又自具个性。

施祖铨现任北京京华艺术学校客座教授、浙江钱塘书画研究社副社长，他是中国国民党革命委员会党员，是中国美术家协会浙江杭州分会会员。

〔施教耐・植物生理学家・当选中国科学院学部委员〕 中国科学院上海植物生理研究所研究员施教耐，为我国的植物生理研究作出了突出贡献，1991年当选为中国科学院生物学部学部委员，1992年1月3日正式公布。

施教耐，福建省晋江县人，1920年11月生，1944年毕业于浙江大学生物系。后留校任助教。1950年调中科院上海植物生理研究所工作。他长期从事植物代谢及其调节的研究，是我国植物碳代谢研究的学术带头人。在研究油料种子形成过程中，他证明油料籽实中HMP途径的增强、三羧酸循环和乙醛酸循环间的消长在脂肪合成中有重要意义，并首次报道了油菜籽实中有一内源抑制剂对HMP途径起调节作用。在光合碳代谢调节的研究中，他深入研究了PEP羧化酶的结构功能及调节特性，PEP羧化酶的化学修饰和可逆冷失活特性。其中关于半胱氨酸、精氨酸及赖氨酸等氨基酸与C4植物羧化酶催化和调节功能有关，以及关于PEP羧化酶具有多构象状态，酶活通过亚基的解离聚合及构象变化进行调节，光对酶有激活作用，又刺激酶蛋白的重新合成的工作，均处于国际同类工作的前沿，在国内外文献中被广为引用。上述工作先后获1979年中科院科研成果4等奖、1980年中科院科研成果3等奖、1988年中科院科技进步2等奖。此外，他筛选出两株纤维素酶高产菌株，曾获1978年全国科学大会奖。

〔闻一多·现代诗人、学者·闻一多基金会在武汉成立〕 闻一多基金会于1992年7月11日在武汉成立，来自北京、武汉等地的有关方面人士共60多人参加了成立大会。该会的宗旨是通过资金资助，推进闻一多的思想和学术研究，奖励对闻一多思想和学术研究有突出成绩的研究者，开展与海内外研究闻一多的学术团体与人士的友好往来和合作。湖北省委书记关广富、闻一多先生的弟弟闻家驷等为该会顾问，黎智任理事长。

闻一多（1899—1946），原名闻家骅，湖北浠水人，出身于“世家望族，书香门第”。六岁入私塾，十岁进两湖师范附属小学，爱好古典诗词和美术。1912年考取清华学校，对西方文学艺术发生了兴趣，曾任《清华周刊》和《清华学报》编辑，撰写诗文。1920年7月发表了第一首新诗《西岸》，从此跨入中国的诗坛。

青年时代的闻一多，就显示出可贵的爱国热情。1922年大学毕业，赴美学习美术，研究了不少西方名著。1923年9月，他的第一本诗集《红烛》出版，反映诗人对伟大祖国真挚的爱，对黑暗现实极端的恨，他把自己比喻为正在燃烧的红烛，宁愿牺牲自己，誓为他人造福。《太阳吟》、《洗衣歌》、《忆菊》等篇是闻一多先生留美时的诗作，矛头直接指向帝国主义的民族歧视和民族压迫，表现诗人的爱国热情和民族自豪感。

1925年7月，激于反帝爱国的义愤，闻一多毅然提前回国，先后任北京艺术专科学校教务长、武汉革命军总政治部艺术股股长。南京中央大学外文系主任等职。1928年1月，诗集《死水》出版，这是诗人的代表作。同《红烛》相比，题材广阔了，思想深沉了，技巧进步了。面对苦难的祖国、严峻的现实，他的爱国主义热情更加炽烈。而虚幻的唯美的成份减少了。从艺术形式和表现手法看，《死水》语言精炼生动，想象丰富多姿，浪漫主义气息浓重，加上形式工整，音调铿锵，读起来琅琅上口。

1928年以后，闻一多由于对现实社会失望，转向书斋生活，致力于中国古典诗歌的研究，著有《神话与诗》、《唐诗杂论》、《古典新义》等论文集。由于他治学严谨，常有新颖、深刻的见解，这些著作在学术上很有价值。

抗战八年，他一直在西南联大执教，国民党的腐败无能、人民苦难深重、祖国山河破碎的惨痛事实，使他思想受到很大的震动，开始怀疑自己逃避现实、深居书斋的生活。在地下党的帮助下，他认真学习了《共产党宣言》、《论联合政府》和延安整风文献，思想发生根本变化。1945年日寇投降，闻一多兴奋的剃去留了八年的胡子。“一二、一”惨案发生后，他在被害的烈士墓前发誓：我们要捉捕凶手，为死难烈士复仇！今天追不到，明天追；这一代追不到，下一代追！

1946年7月11日夜，民盟中央委员李公朴被暗杀，闻一多的生命也危在旦夕，但他毫不畏惧，挺身而出，主持李的追悼会。7月15日，在云南大学至公堂悼念李公朴的大会上，闻一多发表演说，义正辞严痛斥国民党特务，他大声问道：“今天，这里有没有特务？你站出来！你出来讲，凭什么要杀死李先生？……无耻啊！无耻啊！……李先生在昆明被暗杀，是李先生的光荣，也是昆明人的光荣！……我们要准备象李先生一样，前足跨出大门，后脚就不准备再跨进大门。”（著名的《最后一次讲演》）。这使国民党反动派胆颤心惊，当天下午闻一多在回家途中，在离家十步远处，被国民党特务暗杀。

闻一多从诗人、学者到民主斗士，艰难曲折地走完了自己的生活道路；他用生命和鲜血铸下了民主斗争的不朽丰碑。1946年7月17日，毛泽东、朱德同志在唁电中称赞他：“为民主而奋斗，不屈不挠，可敬可佩。”周恩来同志在悼词中写道：“心不死，志不绝，和平可期，民主有望，杀人者终必覆灭。”毛泽东同志在《别了司徒雷登》中说：“闻一多拍案而起，横眉怒对国民党的手枪，宁可倒下去，不愿屈服。……表现了我们民族的英雄气概。”

开明书店于1948年出版了《闻一多全集》，1951年出版了《闻一多选集》。人民文学出版社1955年出版了《闻一多诗文选集》。

〔**姜圣阶·著名核科学家·在重庆逝世**〕曾为我国化学工业和核工业、特别是为“两弹”事业作出卓越贡献的著名科学家姜圣阶，在赴外地执行公务途中，因心脏病突发抢救无效，于1992年12月28日在重庆逝世，享年77岁。

姜圣阶，1915年出生于黑龙江省林甸县。早年曾获美国哥伦比亚大学科学硕士学位，1950年回国。1956年加入中国共产党。他毕生追求科技兴国，1936至1962年间，主要致力化学工业，先后在四川永利川厂、南京永利宁厂、南京化学工业公司和华东化工研究设计院等单位工作，担任过总工程师、院长等职。1963年奉命参加“两弹”创业，担任过二机部副部长、核工业部科技委员会主任等职。

姜圣阶在无机化工和核化工领域有一系列创造性的重大科技成就。在从事化学工业期间曾因完成百余项化工技术革新而受到国务院的特别嘉奖。他曾作为技术总负责人，组织了我国第一座大型军用生产反应堆、第一座核燃料后处理厂的建造和运行，为“两弹”研制作出重要贡献。

姜圣阶是和平开发核能、发展核电事业的积极倡导者和实践者。他经常指导秦山核电站及其配套核燃料循环的研制和建设。为推动核科技在国民经济各个领域的应用，为培养造就我国的核科技人才，为促进国际核能合作发挥了重要的作用。他主持了国家核安全的组建工作并出任第一任局长，为建立我国的核安全管理体系做了许多开创性的工作。

姜圣阶曾获国家科技进步奖特等奖和国家发明奖二等奖，还曾荣获法国总统颁发的荣誉军团骑士勋章，是一位学识渊博，治学严谨的有威望的科学家。他还是中国科学院学部委员，中国核学会名誉理事长，国家核安全专家委员会主任，第六届、第七届全国人大代表。

〔**姜忠实·曲艺演员·在全军文艺会演中获创作一等奖**〕　1992年6月，在第六届全军文艺会演中，第二炮兵政治部文工团曲艺演员姜忠实创作的相声《告状》以及他和魏芝柱共同创作的快板书《逛新城》，获创作一等奖。

姜忠实，1954年生。北京人。读小学时即喜爱曲艺，在少年宫活动中曾得到曲艺演员的辅导。1970年参加解放军，为某基地宣传队队员。1973年拜著名曲艺演员高凤山为师，学习快板和相声表演。1980年调第二炮兵政治部文工团，为专业曲艺演员，曾先后入西安话剧院和解放军艺术学院进修。他善于借鉴其他艺术门类如话剧、戏曲等，改进和充实曲艺的创作和表演。近年来他创作和演出的曲艺作品如快板《巨龙畅想曲》、《长街壮歌》、《择优录取》、《月下情》，以及相声《定心丸》、《四产医院》、《一事无成》、《余热生辉》等，均获得好评，并先后在1985、1989、1991年全军的曲艺比赛、文艺调演中获得表演、创作双奖或创作奖。他还写过电视剧，并参加拍摄。他担任角色的电视剧有《成名之后》、《关公出世》、《五张彩照》、《三国演义》等。

姜忠实是中国曲艺家协会会员。

〔**姜泗长·耳鼻喉科专家·主持召开北京国际耳鼻喉科学术会议**〕　1992年12月1日，我国著名耳鼻喉科专家。中国人民解放军总医院一级教授、主任医师、解放军耳鼻喉研究所所长姜泗长，应邀出席了在香港召开的有60多个国家和地区代表参加的第7届亚太地区耳鼻喉科学术会议。他作为大会的两位贵宾之一登上主席台，并在会上讲了话。同月7日，他又作为大会主席，主持召开了北京国际耳鼻喉科学术会议。这次会议有一百多位外宾，三百多位专家、学者参加。姜泗长在耳鼻喉科领域取得的成就，受到国内外专家、学者的赞誉。

姜泗长，1913年9月15日生。天津人。1932年入北平大学医学院，1937年在该院本科毕业。1938年至1941年，任存仁医院医生。1941年至1943年，任中央大学医学院耳鼻咽喉科讲师代主任。1947年任中央大学医学院耳鼻咽喉科副教授时，得到美国援华助学金，赴美国芝加哥大学医学院进修。1948年12月回国任中央大学医学院耳鼻咽喉科主任、教授、院长。1954年任解放军总医院耳鼻喉科主任，1978年任解放军总医院副院长兼耳鼻咽喉科主任。1987年2月起，任解放军全军耳鼻咽喉研究所所长。

姜泗长教授近半个世纪在耳鼻咽喉领域取得国内外瞩目的成就。为发展我国的颞骨病理学、耳外科学、耳神经外科学做出了杰出贡献。40年代中期，他就在国内首先开展了颞骨组织病理学的系统研究。1950年在国内首例成功施行内耳开窗术，治疗耳硬化症，改进了顶盖造窗术，并在局部麻醉的条件下获得成功。1951年制做出国内第一套成人颞骨切片、一批人类的内耳标本。1961年又在国内首例完成镫骨切除手术治疗硬化聋症，之后陆续治疗此症有效率达到94.5%。1955年起，他在国内第一个开展耳神经学的临床工作，诊断救治了大批病人，并在国内首先开展内耳迷路电凝破坏术治疗“美尼尔氏病”顽固眩晕。随着耳神经学的研究深入，他先后主持建立了各种听功能检查室，1989年被选定为国家重点学科点，1986年成为全军耳鼻咽喉科中心。姜泗长教授几十年来进行了数十项专题研究，都取得了丰硕成果，尤其在传导性耳聋的外科治疗、爆震性耳聋、老年性耳聋、耳神经学等方面的研究成就卓著。近年来他指导学生首先在国内开展《Ap调谐曲线客观测试人和动物耳蜗频率选择、耳声发射、颞骨三维重建、内耳微循环、毛细胞离子通道》的研究工作，1954年为军队编写国内第一部《临床耳鼻咽喉科学》，并担任《中国医学百科全书·耳外科》、《耳鼻咽喉科手术学》、《现代耳鼻咽喉科进展》、《中国耳鼻咽喉科史》主编。1987年创建了全军第一个耳鼻咽喉科研究所。他曾获国家科技大会奖3项、国家科技进步奖2项、军队科技进步一等奖1项、二等奖8项、三等奖11项、四等奖4项。

〔姜宝林·画家·在“蒙特卡罗二十六届现代绘画世界大奖赛”中获大公政府奖〕　1992年6月，由“摩洛哥埃比尔大公基金会”主办的“蒙特卡罗第26届现代绘画世界大奖赛”中，姜宝林的白描山水《贺兰山一截》荣获大公政府奖。他是唯一获此荣誉的中国画家。

姜宝林，1942年出生，山东青岛市人。1967年毕业于浙江美术学院中国画系，1981年毕业于中央美术学院中国画研究生班。现为浙江画院画师，中国美术家协会会员。

一年一度的蒙特卡罗现代绘画大奖赛，是由摩洛哥大公国大公（国王）指导和赞助，并由大公王后卡洛琳亲自主持的。这次经过筛选具备参赛资格的有美、英、法、德、意、俄、日本等五大洲二十七个国家的一百位画家。经过以法兰西学院院士，法国国立博物馆艺术委员会主席雨戈为主席的十一人评审团的评选，共评出十一个国家的十一位画家，分获不同名的十一个奖。姜宝林的“大公政府奖”位居第三。通常大奖只奖布画，不奖纸画。但这次破例照顾中国纸本绘画传统。

姜宝林曾于1991年9月起，应德国外长根舍的艺术顾问、明斯大学教授赫伯特·曼纽什的邀请，又应法国巴黎曼沙特文化协会的邀请，在德国和法国讲学并举办画展。历时达三个月之久。波恩罗曼斯基兴出版社，出版文人画的签名画册系列，姜宝林有幸入选为第十五人。他为这些画册逐本签名。

由于姜宝林在德国和法国的讲学和举办画展，连续获得成功，影响扩大，随之就顺利获得蒙特卡罗大奖赛的参赛机会。姜宝林作品丰富，著名的有《雄鹰》、《牧归》、《山乡雨霁》等。

〔姜春云·当选中共中央政治局委员〕

1992年10月18日，姜春云在中国共产党第十四次全国代表大会上当选为中共第十四届中央委员会委员。19日，在中共第十四届一中全会上当选为中央政治局委员。

姜春云，1930年4月生，山东莱西人，1947年2月加入中国共产党，1946年7月参加工作，中国语言文学自修大学（函授）结业，大专文化。1946—49年，在山东省莱西县教师训练班学习，任县土改工作队队员，莱西县马仁区姜家泊小学教员、区委文书，莱西县委文书、秘书。1949—57年，任莱西县委秘书、县委委员兼办公室主任，莱阳地委生产合作部秘书科负责人。1957—60年，任中国土产出口公司青岛分公司副科长，山东省青岛市外贸局秘书科副科长。1960—66年，任中共山东省委宣传部指导员、一级巡视员、办公室副主任。1966—70年，在“文化大革命”中受冲击，先后下放农村和“五七”干校劳动。1970—77年，任山东省革委会办公室秘书组负责人、省革委会办公室党的核心小组成员兼秘书组组长、省革委会办公室副主任兼秘书组组长。1977—83年，任山东省委办公厅领导小组副组长，省委副秘书长、秘书长。1983年—84年，任中共山东省委副书记兼秘书长。1984—87年，任山东省委副书记兼济南市委书记（其间：1985—87年参加中国语言文学自修大学函授学习）。1987—88年，任山东省委副书记、代省长、省长。1988年起，任山东省省委书记、省委党校校长。是中共第十三届中央委员。

姜春云在当选中共中央政治局委员后，接受《瞭望》周刊记者采访时，就如何贯彻中共十四大精神，进一步解放思想的问题发表看法。他说，从多年实践来看，我认为，要学习掌握好马克思主义的实事求是原则，在实践中做到实事求是，解放思想，就要警惕右，主要是防止“左”。在当前，“左”仍然是禁锢人们思想、影响改革开放事业顺利发展的主要障碍。当前，思想解放主要抓好三个方面：第一，要在解放和发展生产力问题上进一步解放思想；第二，要在社会主义市场经济问题上进一步解放思想；第三、要在利用资本主义一切符合现代化经济发展规律的经验知识和运行方式等方面进一步解放思想。

〔**洪谦·著名哲学家·在北京逝世**〕　北京大学外国哲学研究所所长、著名哲学家洪谦教授，1992年2月27日在北京病逝，终年82岁。

洪谦，安徽歙县人，1909年生。早年从学于国学大师梁启超，曾在德国柏林大学、耶拿大学和奥地利维也纳大学学习。1934年，他在维也纳学派创始人M·石里克教授指导下，完成了题为《现代物理学的因果问题》的博士论文，批评了当时流行的新康德主义的因果观，取得哲学博士学位。在维也纳期间，他参加了维也纳学派。

三十年代末，洪谦回到中国，先后在清华大学、西南联大、武汉大学任教。新中国成立后，曾担任武汉大学、燕京大学哲学系教授兼系主任，北京大学教授兼外国哲学研究所所长，中国现代外国哲学学会名誉理事长，中国社会科学院哲学研究所兼任研究员和学术委员会委员。他还是英国牛津大学哲学会会员和日本东京大学的客座教授。

洪谦毕生致力于西方哲学的教学和研究工作，是研究休谟和康德的专家，也是现代西方哲学特别是分析哲学研究方面的著名学者。他的主要著作有《维也纳学派哲学》、《石里克和现代经验主义》、《论确证》等。他还和牛津大学麦克纳斯一道主编了《石里克论文集》英·德文版；主持编译了《西方古曲哲学原著选辑》、《逻辑经验主义》等。

洪谦在中外文化交流方面做了很多工作。1980年以来，曾参加国际维特根斯坦哲学讨论会、石里克——纽拉特百年诞辰国际哲学讨论会、还应牛津大学皇后学院、三一学院和奥地利格那支大学的邀请，参加研究和教学工作。1984年，维也纳大学特邀洪谦出席庆祝他获得博士学位50周年大会，向他颁发了荣誉博士证书，称赞他“在哲学上，尤其在维也纳学派哲学上作出了卓越的贡献。”

〔**洪国藩·生物化学专家·被国家聘为植物基因图谱专家组长**〕　中国科学院上海生物化学研究所研究员洪国藩1992年8月被聘为我国生物科学新领域——植物基因图谱专家组组长。此前，他被国家科委任命为国家基础性研究重大关键项目“共生固氮体系中最佳结瘤固氮控制模型的研究”的首席科学家。

洪国藩，1939年12月24日生于浙江省宁波市，1964年毕业于复旦大学生物化学专业。1979—83年在英国剑桥桑格实验室工作。曾任中国生物化学学会副理事长。现任《生物化学与生物物理学报》和《生命科学信息》杂志副主编，复旦大学和浙江大学兼职教授，英国SEQUENCE杂志编委，联合国UNESCO人基因研究科学委员会会员。

洪国藩负责的植物基因图谱研究主要研究水稻基因图谱。这项水稻基因组的研究计划是目前国际上仅次于人基因组研究计划的第二大全球性生物学研究计划，它的每一项突破性成果，都将为大幅度提高水稻产量和质量带来光明的前景。“八五”期间，我国将建立一个中心实验室和五个卫星实验室，该专家组的副组长为青年科学家陈章良。

洪国藩长期从事DNA结构和功能的研究，曾发表论文30余篇。他率先发现了核酸分子在梯度电场中的压缩现象；提出了DNA顺序测定的系统战略。他的另一项重要成果是有关固氮基因的研究。他与英国科学家合作，发现了固氮菌中控制结瘤基因群的核酸蛋白复合体。1979年以前，他曾研究过RNA结构并因此获中国科学院1980年科技成果二等奖。他对DNA的结构功能有深入的研究，1982年首先利用桑格的酶学法提出并完成了DNA顺序测定的系统战略，1987年发明了单键DNA双向测定方法，1979年提出并证明了电流密度梯度对核酸分子在电流中的压缩原理，并于1983年在英国与人合作将此原理成功地应用到DNA顺序测定中，结果显著地提高了对DNA顺序的阅读量，至今已被国际上普遍采用。以上成果为研究植物基因图谱准备了有利条件。

〔**洪学智·全国政协副主席·强调政协工作服从和服务于经济建设**〕　洪学智受第七届中国人民政治协商会议常务委员会委托，于1992年3月18日在全国政协七届五次会议上向全体委员报告政协七届四次会议以来常委会的主要工作。

洪学智在报告中说，解放和发展生产力，搞好经济建设是我国人民的中心任务，人民政协的各项工作都必须服从于和服务于这个中心。他提出，要围绕国家在发展经济，改革开放等方面的重大任务和措施，特别是注意抓住改革和建设中牵动全局的重大问题，认真履行政治协商、民主监督职能，巩固和发展最广泛的爱国统一战线，维护社会政治稳定；积极开展与台港澳同胞的联谊活动，为祖国统一创造条件；活跃人民外交活动；切实改进工作，团结合作，坚定信心，振奋精神，群策群力，有所作为。

洪学智，1913年2月生，安徽金寨人。1929年3月参加游击队，曾任红军师、军政治部主任，新四军三师副师长，东北野战军纵队司令员，第四野战军兵团副司令员。1950年参加抗美援朝，任中国人民志愿军副司令员兼后勤司令员。1954年后任总后勤部副部长、部长。1977年后任国防工办主任、总后勤部部长兼政委、中央军委副秘书长、全国政协副主席。是中共十一、十二届中央委员。

〔附注：1993年3月26日，全国政协八届一次会议选举洪学智为政协八届全国委员会副主席。〕

〔洪绂曾、金开诚·当选九三学社中央副主席〕　1992年12月，洪绂曾、金开诚在九三学社第六次全国代表大会上新当选为九三学社中央副主席。他们在当选后表示，作为与中国共产党通力合作的参政党负责人之一，深感责任重大，担子不轻。要学习、继承九三学社老一代领导人坚定不移地跟共产党走，与共产党亲密合作的光荣传统，以高度的责任感认真贯彻九三学社这次大会提出的方针，任务，使九三学社的工作再上一个新台阶，为夺取有中国特色社会主义事业的胜利，作出积极的努力。

洪绂曾，1932年生，安徽人。1953年毕业于沈阳农学院。曾任东北农科所实习研究员，吉林农科院助理研究员、副研究员、研究员、副院长、院长。1983年加入九三学社，曾任吉林省副主委。现任农业部副部长，全国政协委员。

金开诚，1932年生，江苏无锡人。1955年北京大学毕业后留校任教至今，曾任助教、讲师、副教授、教授，博士生导师，北京大学校务委员会副主任，《北京大学学报》副主编。1981年加入九三学社，历任九三学社中央委员、宣传部长、中央常委。是第六届全国政协委员、第七届全国政协常委，中央社会主义学院副院长。著有《文艺心理学论稿》、《楚辞选注》、《艺文丛谈》，与人合著有《离骚纂义》、《天问纂义》、《古代诗文要籍评解》等。

〔扁鹊·战国时期医学家·其纪念馆建成开放〕　战国时期名医扁鹊纪念馆，1992年9月1日建成开放。纪念馆坐落在陕西兵马俑博物馆以东原扁鹊墓遗址。馆内扁鹊墓用青砖砌表，树立青石碑三通。展厅为清代建筑风格。展厅布置以图片和文字为主，再现了扁鹊周游各地，深入民间治病，直到遇刺身亡的历史过程。正在铸造的一尊高2.5米的扁鹊铜像，将竖立在展厅门前。

扁鹊，战国时医学家，姓秦、名越人，渤海郡鄚（今河北任丘）人。少年时学医于长桑君。得其独传而成为名医。据《史记》载：扁鹊过虢，正遇虢国太子暴卒，虢君悲伤不已，国人均以为太子已死不能复生。扁鹊经过诊断，认为太子不过“气闭而不通”，形静如死状，实未死，施以针灸，服以汤药，经过二十天，太子病愈，“天下尽以扁鹊为能生死人”。扁鹊过齐，朝见桓侯，说桓侯病在肤里，桓侯不信，说自己无病。五天后，扁鹊再见桓侯，说桓侯病已深入血脉，桓侯又不信。五天后扁鹊又见桓侯，说桓侯病已深入到肠胃之间，桓侯还是不信不治。五天以后，扁鹊见到桓侯就退走。桓侯使人探问，扁鹊说，他的病已深入到骨髓，无法治了。果然五天后，桓侯病发而死。

扁鹊主张按医理治病，反对巫医治病，他曾总结病有六不治，即“骄恣不论于理，一不治也；轻身重财，二不治也；衣食不能适，三不治也；阴阳并，藏气不定，四不治也；形羸不能服药，五不治也；信巫不信医，六不治也。有此一者，则重难治也”。他深入民间，遍游各地行医，擅长各科。在为秦武王治病时，秦太医令李醯自知技不如扁鹊，产生妒忌心，使人刺杀扁鹊身亡。《战国策》载扁鹊传记及其病案，并推崇为脉学的倡导者。因时代久远，难以考证，有人认为扁鹊乃古代良医的称号，其记载的病案非出于一人之手。

扁鹊由于医术高超，其故事在我国民间长远流传，后人奉之为“药王”，其故里任丘鄚州古镇，在元代建有药王庙，明万历皇帝曾降旨命重修，清代康熙年间因香火过旺被焚。而后又重修，1945年毁于战乱。1992年市委、市政府决定重修鄚州大庙，计划三年建成，其中扁鹊祠主体工程已于1992年国庆节前竣工。

〔祝总骧·经络学家·用现代科技手段证实了人体十四条经络的存在〕　中国科学院生物物理、经络学专家祝总骧教授，同针灸专家郝金凯教授等人顽强奋斗20年，用生物物理方法，精确、科学地测定出仅为1毫米宽的人体的14条经络，而且这14条经脉的循行走向与《黄帝内经》和宋代铜人模型的经络描述基本吻合，第一次证明了人体14条经络的客观存在。祝总骧因此在国际上10次获科学博士等荣誉称号。1992年6月28日，祝总骧应邀赴台湾讲学，访问七个城市，报告十四场，受到台湾医学界高度赞扬。台湾国民党元老、93岁高龄的陈立夫，请祝总骧为其作腿部经络测试时，高兴地说："这个结果我等了几十年，终于有人做到了。"

经络系统不同于神经系统，是看不见、摸不着的，因此现代医学根本不承认经络系统的存在。70年代初，遵照周恩来总理的指示，中国科学院生物物理研究所成立了经络研究组，祝总骧和他的同仁们经过多年的探密，终于揭开了经络之谜，用现代科技手段证实了人体14条经络的存在，并首次发现，在截断的肢体上，也可以测出经络。不但人体上存在经络，一切动物体上都存在。不仅如此，在植物果实上也测出了经络。英国著名古代科学史专家李约瑟，在伦敦见到祝总骧时，第一句话就是："我曾预言，经络之谜终将由中国人自己揭开。"祝总骧和郝金凯等人，根据经络研究成果，创建了"实验经络针炙疗法"，治疗哮喘病和冠心病取得优异疗效。

祝总骧近年来多次赴英国、美国、法国、前苏联、匈牙利、日本、挪威、荷兰等国及台湾访问讲学，先后获世界相关医学会荣誉医学、科学博士等10次荣誉称号。他从事经络学20年，发表论文110篇，专著2册。他组织领导的研究成果，在国内10次获奖。目前，他正与同事共同完成用科学方法将人体经络定位，绘制出《现代科学经络图谱》，推广"三一二"经络锻炼法。

祝总骧，1923年2月14日出生，江苏吴县人。1943年毕业于北京中国大学化学系。1944—1969年，历任中国石油公司、北京医学院、中国协和医科大学工程师、讲师。1973—1993年任中国科学院生物物理所、北京经络研究中心副教授、教授、主任。1992年任中国管理科学院教授。

〔费孝通·再次当选民盟中央主席〕 民盟第七次全国代表大会于1992年12月22日至29日在北京举行，费孝通再次当选为民盟中央主席。中共中央政治局委员、国务院副总理田纪云在会上宣读的中共中央贺词称，中国民主同盟成立50多年来，同中国共产党风雨同舟，患难与共，走过了一条爱国、革命的光荣道路，为中国革命和建设事业作出了重要贡献。中共十一届三中全会以来，随着我国各项事业的发展和社会主义民主政治建设的不断加强，民盟在国家政治生活中的作用得到进一步发挥，同中国共产党的合作关系更加亲密。会议继续推举楚图南为民盟中央名誉主席。会议选出的民盟第七届中央委员会的十三位副主席是钱伟长、高天、谈家桢、陶大镛、罗涵先、马大猷、冯之浚、丁石孙、康振黄、孔令仁（女）、谢颂凯、吴修平、张毓茂，秘书长是俞泽猷。费孝通在大会开幕词中号召民盟全体成员发扬与中国共产党长期合作、风雨同舟的光荣传统，用邓小平同志建设有中国特色的社会主义理论武装头脑，紧密地团结在以江泽民同志为核心的中共中央周围，努力为祖国、为人民、为建设有中国特色的社会主义伟大事业作出新贡献。

费孝通是著名的人类社会学家，现任全国人大常委会副委员长。《瞭望》周刊1992年第3、4、5期连续发表了费孝通的考察报告《武陵行》，这是他1991年10月赴地跨湘鄂川黔4省的武陵山区考察21天，行程1100多公里，访问三省二州一地一市后写出的。他在报告中提出了靠山、吃山、用山、养山，启动内在动力，做到外助内应，加速山区脱贫致富，增强民族团结的方略。

1992年1月，费孝通应沧州地市负责人邀请，冒着漫天风雪访问了沧州，为沧州经济建设出谋划策。3月初，他重访南粤，对珠江三角洲城乡发展模式作追踪调查，写出《珠江模式的再认识》。他听说山东沂蒙山区近几年发展较快，已出现了年产值10亿元乡镇"山东第一镇——罗庄"，便于5月末到6月上旬前往沂蒙山区考察，写出《沂蒙行》，充分肯定了沂蒙精神，并提出"嫁接"市场经济新机制，使老区走上脱贫致富的思路，还建议在全省推广罗庄经验。在费孝通的带动下，民盟广大成员把扶贫支边，协助内地和边区发展经济当做自己义不容辞的责任。据不完全统计，自1983年以来，民盟为扶贫举办各类培训班近5000个，培训人才近40万人；承担扶贫项目近400个；盟员和联系的知识分子有4万多人次参加了支边扶贫工作。

1992年8月，宁夏人民出版社出版了《行行重行行——乡镇发展论述》一书，系统收集了费孝通从1981—91年深入农村、乡镇观察、思考的文章35篇。这本书所包含的内容已超出乡镇的范围，书中所阐述的诸多论点也远比乡镇发展本身更有意义。它反映出费孝通在社会主义建设新时期的劳绩，是他"志在富民"思想的真实写照。

费孝通，1910年11月生，江苏吴江市人。英国伦敦大学人类学博士。曾任云南大学、西南联大、清华大学教授，中央民族学院副院长，中科院民族研究所副所长，社科院社会学研究所所长，六届全国政协副主席，七届全国人大副委员长。

〔附注：1993年3月27日，八届全国人大一次会议选举费孝通为全国人大常委会副委员长。〕

〔姚芬（女）、林燕芬（女）·羽毛球国际级运动健将·一年夺得五次冠军〕　1991年下半年，姚芬与林燕芬刚开始搭档，就3次打人公开赛的半决赛。1992年是她们的丰收年。这一年的3月，她们在瑞典公开赛获得女双冠军，这是她们第一次在国际比赛中夺冠。接着，她俩又在全英锦标赛上力克群英，站在了最高领奖台上。5月，她们参加了尤伯杯比赛，作为中国队第一女双，为中国队第四次蝉联象征世界羽坛女子团体最高荣誉的尤伯杯尽了自己的力量。1992年8月，在巴塞罗那奥运会上，她们在女双半决赛中负于韩国名将黄惠英和郑素英，为中国代表团增添一枚铜牌。奥运会后，她们又马不停蹄参加了在广州举行的第十二届世界杯比赛，并一举摘走了女双金牌。然后，她们又参加了在吉隆坡举行的1992年大奖赛总决赛，在最后决赛中，她俩配合默契，打败了英格兰老将克拉克和高尔斯，给这一年划上一个圆满句号。

姚芬，1967年1月2日生于海南省三亚市一个印尼华侨家庭。身高1米66。林燕芬，1971年1月4日生于广州，1米63。11岁时，姚芬入选广东羽毛球队。林燕芬一直在广东队训练，曾入选国家青年队，1990年她应召进入国家队。1991年年初，姚芬8年的老搭档赖彩勤在夺得世界杯冠军后因身体原因而告别羽坛。此后，姚芬与林燕芬联手并很快成为中国队第一女双。她们球风以稳见长，战术以打多拍为主，靠对手失误和伺机进攻得分。其中，姚芬前后场技术全面，尤其是后场扣杀有力。林燕芬网前快，平抽球质量高。在巴塞罗那奥运会上，她们团结合作，顺利地打进半决赛，虽最后得了一枚铜牌，但真实地反映了她们的实力。

〔姚开泰·病理生理学家·当选中国科学院学部委员〕　1992年1月3日，中国科学院正式公布了新增选的学部委员名单，湖南医科大学肿瘤研究所所长、教授姚开泰，当选为生物学部委员，出席了中国科学院第六届学部委员大会。姚开泰长期致力于肿瘤研究，特别是把鼻咽癌的发病机理研究由整体水平、细胞水平、染色体水平推向DNA水平。1992年10月，他作为正式代表，出席了中国共产党第十四次全国代表大会。

姚开泰，1931年4月出生，江苏昆山人。1954年毕业于上海第一医学院医疗系后，历任青岛山东大学医学院病理科助教，湖南医学院病理生理教研组助教、讲师。1978年起任湖南医学院肿瘤研究室副教授、副主任，教授、主任等职。1984年加入中国共产党。1989年起任湖南医科大学肿瘤研究所所长、教授。1991年任湖南省科协副主席、国家教委科学技术委员会学科组成员。1992年任国务院学位委员会学科组成员。姚开泰率先研究了针刺镇痛时中枢神经系统中5—羟色胺导神经递质的作用。率先将电子计算机应用于肿瘤死亡率的地理分布研究，用趋势面分析研究了几种恶性肿瘤在湖南省的地理分布规律，发现湘西自治州有一鼻咽癌的相对高发区，并初步研究出其发病原因。对二亚硝基哌嗪诱发鼻咽癌的规律进行了深入研究，为国内应用二亚硝基派嗪诱发大鼠鼻咽癌的工作奠定了牢固基础。他还系统研究了人胚鼻咽上皮的培养、生物学特性和化学转化，率先用二亚硝基哌　转化人胚鼻咽上皮成功。并系统研究了人鼻咽癌癌变的分子生物学，对促瘤基因、转化基因等均作出了贡献。

姚开泰近几年来发表了多篇学术论文，曾获湖南省卫生厅一等奖、国家教委二等奖、卫生部三等奖。1983至1984年应邀担任美国国立癌症研究院病毒癌变实验室访问学者。1987年被评为湖南省“优秀科技工作者”，1988年被卫生部评为“有突出贡献的中青年科技工作者，”1989年被评为湖南省优秀教师、湖南省教育系统劳动模范、全国优秀教师。1991年被评为湖南省优秀党员。

〔姚文淮·淄川区检察院检察长·被授予全国模范检察长称号〕　山东省淄博市淄川区检察院检察长姚文淮，秉公执法，1992年5月，最高人民检察院授予他“全国模范检察长”称号。1992年10月，他又作为山东省政法系统的唯一代表，出席了中国共产党十四次全国代表大会。

姚文淮，山东淄博市人，1940年10月生，1958年6月参加工作，1973年6月加入中国共产党，大专文化程度，1975年3月任淄川公安分局侦察股副股长，1977年3月，任淄川区昆仑派出所所长，1981年3月，任淄川区检察院经济检察科科长，1987年4月，任淄川区检察院副检察长，1990年3月任现职。自1987年以来，他直接指挥查处了258起案件，其中大案要案62起，为国家挽回经济损失668万元，人们称赞他对待难案象“愚公”，对待不平象“济公”，对待说情象“包公”。1990年春，在查处一起重大经济犯罪案时，主犯是某执法单位的一位干部，与姚文淮有20多年的友情，许多亲朋好友为其说情，还有人送钱和黄金手饰。姚文淮对人情和金钱，一概拒绝，亲自带队核查事实，终将犯罪分子押上了审判台。1991年4月，姚文淮正查处一件贪污大案，罪犯是一名干部的孩子，有几个干部前来说情，要求免诉处理，又遭到姚文淮拒绝。之后，罪犯的父亲写信恐吓说:“我豁上40多年的党龄、70多岁的老命不要，和你做笔政治交易，只要你把我的儿子免诉出来，不然……”姚文淮坚定地说:“我决不拿党的原则同任何人做交易！”一周后，罪犯落入法网。1989年3月，某工商所长、副所长和某税务所长利用职权合伙收受贿赂，并串通一气，拒不交代罪行；作证的12名证人又伪造事实包庇罪犯，案情复杂，涉及面广，查处极为困难。姚文淮认为，作为检察干部，知难而退，就是向坏人让步，就是对人民不负责任。毅然带领干警深入群众，跟踪调查伪证活动，获得大量证据，使证人终于说出了事实真相，三个罪犯受到了应有的法律制裁。

姚文淮在注重破案的同时，还不断探索检察工作为经济服务的方法和途径。几年来，他和战友们给全区上百个乡镇企业提出580条以法治厂的建议，对58个案发单位进行跟踪服务，查处了17封泄私愤的举报信，先后救活了14个濒临倒闭的工厂，使29家企业扭亏为盈。检察院连续5年受到省检察院的表彰，他本人也先后荣立三等功3次，二等功2次，一等功1次，3次受晋级奖励，多次被评为模范共产党员。1990年6月，受到最高人民检察院通令嘉奖。

〔姚金兰（女）·北京市安德里居委会主任·被评为全国社会治安综合治理先进个人〕　在中央社会治安综合治理委员会于1992年12月19日召开的全国社会治安综合治理先进单位、先进个人表彰大会上，北京市东城区和平里街道安德里居委会主任姚金兰，作为先进个人而受到表彰。姚金兰认为做好社会治安工作，要从学雷锋抓起。在她的倡议下，居民们自发成立了会员达100余人的“学雷锋自愿者协会”，从而形成了一个行业互助、楼群互助、邻里互助的学雷锋网络，同时她与居委会的全体成员还注意抓失足青年的转化工作，以消除社会不安定因素，使安德里地区这个没文化的多、拣破烂的多、打架斗殴民事纠纷多的新居民区，成为社会秩序良好，居民生活安定和谐的地区。

姚金兰，1930年10月14日生于河北省定兴县。1953年到北京，1958年起在有色金属熔炼厂当工人，车间党支部副书记、车间副主任。1979年退休后，曾在本厂工会工作。1981年后，一直任安德里居委会主任、中共支部书记。她上任伊始，就带领全居委会人员边动手清理多年堆积的垃圾，边串户发动积极分子。她亲自动手，硬是用千斤顶一点点拱通了令人望而生畏的垃圾道。在姚金兰带动下，居民、驻军、职工和有关单位相互合作，先后砌起24个大花池，栽种了各种花草，修建了900米的护栏，使昔日这一“三不管”脏乱差的安德里地段，变成了干净、整齐、优美的街区。十多年来，姚金兰与居委会的成员们，在有关单位的支持、帮助下，依靠群众，兴办了各种便民服务项目。先后建立取奶站、托儿所、存车处、青少年活动站、老年活动站、家庭病床、老年人婚姻介绍所、红十字联合医疗站、哺乳室、小淋浴室，还成立了北京市第一家“家务计时入户服务”和“托老所”等18个便民服务项目。姚金兰筹集了30多万元资金，于1989年12月底建成了一座建筑面积有590平方米的安德里社区服务中心。被来参观的德国、法国记者称赞为是东方文明的体现。她曾先后获北京市青少年教育先进工作者、市红十字先进个人、首都绿化美化积极分子、市居委会工作先进个人、市人民调解工作先进工作者、首都精神文明建设奖章、市优秀共产党员、全国老有所为精英奖等20多项奖励和称号。她所在的居民区连续7年被评为市级先进、标兵单位。

〔贺诚·著名医学家、总后勤部原副部长·在北京逝世〕　1992年11月8日，人民军队卫生事业的开拓者、著名医学家、总后勤部原副部长贺诚在北京逝世，终年91岁。

贺诚，四川射洪（今属三台县）人。1922年考入北京大学医学院，参加反帝爱国学生运动。1925年加入中国共产党。1926年毕业后，被分配在北伐军中做医务工作。1927年大革命失败后，任国民革命军第4军军医处主任，同年12月参加广州起义，任工农革命军第4军军医处处长，转战海陆丰地区。1928年到上海，为保卫中共中央机关的安全进行秘密活动。1930年初奉命到武汉，组织建立中共中央军委长江五省总交通站。1931年初进入中央革命根据地，任中央军委总军医处处长，红军总医院政委，军委总卫生部部长兼政委，后兼中华苏维埃共和国临时中央政府卫生管理局局长，红军卫生学校校长。参加了中央革命根据地第2至5次反"围剿"和长征。1937年赴苏联，先后入苏共中央民族殖民地学院、共产国际远东局党校，苏联中央医师进修学院学习。1941年回国途中因太平洋战争爆发，被留在蒙古乌兰巴托从事医务工作。1945年7月起在苏军第17军做翻译工作。同年10月回国。1946年起，先后任东北民主联军后勤部副部长兼卫生部部长、政委，东北人民政府卫生部长，东北军区后勤司令部副司令员兼卫生部部长、政委。中华人民共和国成立后，任军委总后勤部副部长兼卫生部部长，中央人民政府卫生部副部长、部长。1956年入中共中央党校学习。1958年任军事医学科学院院长。同年被授予中将军衔。"文化大革命"中受到诬陷迫害。1975年得到平反，并出任总后勤部副部长。是中共十一届中央委员、第四、五届全国政协委员。1988年7月获一级红星功勋荣誉章。

〔秦牧·著名作家·在广州逝世〕　中国当代著名作家、散文家，广东省文学艺术界联合会主席秦牧，因心脏骤停抢救无效，1992年10月14日在广州逝世。

秦牧，原名林觉夫。原籍广东澄海，1919年生于香港。三岁时随父母迁居新加坡，1932年底回国。解放前曾在广州、桂林、重庆、上海参加过抗日救亡运动和民主运动，加入了中国民主同盟，担任过民盟机关刊物《再生》编委、中国劳动协会机关刊物《中国工人》编辑、粤赣湘边纵队教导营学习委员。中华人民共和国成立后，历任广东省文教厅科长、中华书局广州编辑室主任、中国作家协会广东分会副主席、《羊城晚报》副总编辑、博罗县革委会副主任、广东省文艺创作室副主任、中国文联委员、《作品》主编、暨南大学中国文学系主任、中国作家协会理事等职。

半个世纪以来，秦牧孜孜不倦地在文学沃土上勤奋耕耘，出版了大量作品。1947年上海开明书店出版了他的第一个杂文集《秦牧杂文》。为了表达他要推翻苛秦式的专制统治，在它的废墟上建设起田园牧歌式的崭新生活，采用了"秦牧"这个笔名。解放以后出版了杂文集《贝壳集》、《星下集》、《长街灯语》、《花蜜和蜂刺》、《晴窗晨笔》和散文集《花城》、《潮汐和船》、《长河浪花集》、《理想和幸福》、《北京漫笔》、《秋林红果》等。他还著有中篇小说《黄金海岸》，长篇小说《愤怒的海》，童话故事集《蜜蜂和地球》、《巨手》，儿童文学作品《在化装晚会上》，文艺评论集《艺海拾贝》、《语林采英》。四川人民出版社、广东人民出版社和春风文艺出版社，分别出版了《秦牧选集》、《秦牧作品选》、《秦牧文集》（第一集）。

秦牧驾驭文字的娴熟技巧，通晓古今的渊博知识，洞悉生活的敏锐观察，使他的文学作品尤其是散文创作独树一帜。他的作品把知识、哲理、形象、感情和文字融为一体，有着瑰异绮丽、含蓄蕴藉的艺术风格。他的《艺海拾贝》和《语林采英》更是独树一格，以谈天说地、娓娓道来的笔法，论述了文艺创作和艺术欣赏中的若干理论与表现技术，生动活泼，情趣盎然。他的作品在海内外有着广泛的影响，深受读者欢迎。

秦牧曾是中共十二大代表，第七届全国人大代表，广东省第一至三届人大代表。

〔袁守谦·台湾"总统府"资政·病逝台北〕　1992年10月4日，台湾"总统府"资政、国民党中央评议委员会主席团主席袁守谦因恶性黑色素瘤合并多处转移不治而于台北病逝。

袁守谦，1904年生，湖南省长沙人，黄埔陆军军官学校第一期毕业。历任国民党军队陆军营、团、旅长，军事委员会政训处处长，战区政治部主任，军事委员会政治部副部长、代理部长。1934年任军事委员会特别党部书记长。抗日战争胜利后任三青团常务干事兼副书记长。1946年任制宪国大代表。后任华中"剿匪"总司令部及东南军政长官公署政务委员兼秘书长。曾是国民党中央常务执行委员。

到台湾后，1950年任台湾"国防部"政务次长，代理"国防部"部长，国民党改造委员会委员兼第五组主任。1954年任台湾"行政院"政务委员兼"交通部"部长。1959年任"革命实践研究院"主任。1967年任"国家安全会议战地政务委员会"主任委员。1979年任"光复大陆设计委员会"副主任委员。1987年被聘为台湾"总统府"资政。他是国民党第七至十二届中央委员、中央常务委员。1988年任国民党中央评议委员会主席团主席。

袁守谦在台湾党政军界是位有影响的人物，曾得到蒋介石、蒋经国的倚重。1990年台湾"总统"选举期间，应李登辉之邀，斡旋国民党内"主流派"

与“非主流派”之间的权力之争。

〔袁运甫·壁画家·创作超大型锻铜壁画《祥和之都》受赞誉〕　超大型锻铜镀金壁画《祥和之都》，1992年5月10日在北京军事博物馆展出，受到观众和专家们的普遍赞誉。这幅壁画是中央工艺美术学院袁运甫教授精心设计，由北京市工艺美术品总公司应用技术研究所制作的，它将被运往尼泊尔首都加德满都，安装在我国援建的尼泊尔国际会议大厦的中央大厅。

这幅大型壁画，采用金属浮雕的表现方法。长17.3米，高3.46米，总面积近60平方米。壁画的正中为孔雀，寓意吉祥、幸福、和平；上下端分别为“智慧之眼”和加德满都的“四大名寺”，突出表现了尼泊尔的传统文化与宗教艺术特色；两侧雕以“金柱”与“文字图形”，寓意祝福昌盛繁荣；门的上端以日月图案装饰，象征“山国与日月同辉”。壁画设计使用规整而具变化、富有力度和建筑性的“开光”构成手法，立意深刻博大，工艺严谨精美。既有典雅的传统风韵和浓郁的宗教色彩，又有独具匠心的创造性与现代精神，是集现代艺术和民间特点于一体的有深刻艺术感染力的精品。它以喻意和哲理的设计观念，表现了尼泊尔人民的安祥幸福生活，把美好的爱和真诚的祝福凝聚于作品之中，充分展现了作者在深入理解民族民间艺术精华的基础上，融合新机兼容并蓄的艺术独创性和社会审美力。为完成这幅壁画的创作，设计者花费近两年的时间，查阅了大量尼泊尔文史资料，亲赴尼泊尔考察写生，调查访问。初稿设计后，多次征求尼泊尔政府官员和艺术家的意见，经过反复琢磨修改才定稿的。专家们认为，它是我国壁画艺术界和工艺美术领域新近出现的具有很高艺术价值的精品。

袁运甫，当代著名画家，现任中央工艺美术学院装饰艺术系主任、教授。1933年生于江苏省南通市，1954年毕业于中央美术学院。他还担任中国美术家协会理事，全国壁画艺术委员会副主任，中国工艺美协副理事长，北京市政府工艺美术顾问，全国邮票设计评委。他长期从事壁画、中国画、水粉画及壁挂艺术的创作研究，成绩卓著。1981年应邀赴美，在纽约举办了中国大陆画家首次水墨画个人展，获得空前成功，评论界赞称为“中西融合的现代水墨画展。此后多次在欧美各国和马来西亚、新加坡举办画展，均获普遍好评。新加坡著名艺术评论家陈学湘先生称，袁运甫教授艺术上贯通中西，兼收并蓄……，他在水墨画、水粉画、壁画及装饰艺术设计等诸多领域广展才华，触处生花，是一位享誉艺坛，取得卓越成就的艺术家。出版有《袁运甫绘画集》、《袁运甫壁画水墨画集》、《艺术壁毯集》、《装饰绘画散论》文集等。1991年他还主编了《中国当代装饰艺术》大型画集。

〔耿云志·历史学家·发表《胡适与梅光迪——从他们的争论看文学革命的时代意义》一文〕

1992年4月，中国社会科学院近代史研究所研究员、中国现代文化学会副会长耿云志，在《中华文化的过去现在和未来》（中华书局成立80周年纪念论文集）上，发表了《胡适与梅光迪——从他们的争论看文学革命的时代意义》一文。文章认为，胡适与梅光迪在文学革命问题上的争论，完全是学术思想见解不同。在文学革命问题上，胡适代表了历史前进的方向。这一年里，耿云志还在《抗日战争研究》第1期、《近代史研究》第2期和《历史研究》第2期上，分别发表了《七七事变后胡适对日态度的改变》、《收回利权运动、立宪运动与辛亥革命》、《胡适整理国故平议》三篇论文，在学术界产生了一定的影响。

耿云志，1938年12月生，辽宁海城人。1959年毕业于辽宁本溪市第一中学，同年考入辽宁大学哲学系，1964年毕业后进入中国社会科学院近代史研究所，历任助理研究员、副研究员、研究员，现为该所学术委员会委员，主持近代思想史的研究工作。

耿云志的学术研究成就主要在两个方面：一是在辛亥革命史研究方面，他是国内首先系统、深入而实事求是地研究清末立宪运动的学者，《中华国民史》第一卷的有关章节即由他撰写；他还发表了一系列论文，揭示了立宪运动的性质和作用。他认为，清末革命运动与立宪运动，同是以改变封建专制制度、发展近代资本主义为目标，是互相冲突而又互相激励、平行发展的资产阶级内部两个派别的政治运动。这一观点引起海内外同行的极大兴趣。二是在胡适研究方面，成绩更为显著。1979年以来已发表了几十篇论文。1985年出版的《胡适研究论稿》，是我国第一部系统全面地研究胡适的著作，大陆、台湾、香港及美国多种报刊都作了报道和评述，被认为是胡适研究的权威性著作。他的另一部著作《胡适年谱》，则以其新材料丰富而广被征引。

此外，他与人合作主编的《中华文化辞典》曾在广东省和全国图书评奖中获优秀奖。

〔**耿信笃·化学教授·被批准为国家级有突出贡献的专家**〕　西北大学化学系教授、研究室主任、博士生导师耿信笃，因在现代分离科学理论研究和应用研究方面取得一系列重大的创造性成果，首次提出了“反相液相色谱中的深质计量置换模型”，以及承担了国家“七五”科技攻关和“863”高科技项目等，1992 年被批准为国家级有突出贡献的专家。同年还被授予陕西省劳动模范称号。

耿信笃教授长期从事化学教学和研究工作，在基础理论和应用技术方面均取得一系列重大的创造性成果。他首次提出并系统地研究了液相色谱中溶质的计量置换保留原理，这一理论已被国内外著名色谱学家验证和承认。1983 年他与美国普渡大学瑞格涅尔教授合作，提出了反相色谱中蛋白质的计量置换保留模型，这一研究成果在国际学术界引起很大反响，国际《色谱学》杂志、美国《分析化学评论卷》都给予很高评价：认为“耿信笃所提出的模型，不仅是反相高效液相色谱中最好的一个模型，而且还可以统一其他模型，是几十年来最激动人心的结果”。世界上许多国家的大学已将该模型列入教科书中。他提出的蛋白质在疏水相互作用色谱中的保留机理，被第十三届国际液相柱色谱会列为大会中心发言，并作为大会论文集的首篇全文发表。他提出了适于全浓度、多组分流动相的二元体系、三元体系及多元体系液相色谱的统一的保留模型及其数学表达式，是迄今为止液相色谱中的第一个统一的溶质的保留模型。耿信笃建立了物理化学中液一固吸附体系定量模型并将其与液相色谱计量保留模型统一起来。国家教委专家组评价“此项研究提出的计量置换保留模型，是目前得到公认的最佳模型，在学术上、理论上均具有独创性，达到国际领先水平。他提出现代分离科学理论的骨架，全面系统地阐明了现代分离科学理论的最新进展，被认为弥补了我国色谱界理论进展较贫乏的缺陷。他对高效液相色谱分离和纯化生物大分子的研究，解决了基因工程产品与包涵体中杂质分离的生物工程中长期难以解决的问题，在国际上是首创。他建立了我国第一个从事生物大分子分离和纯化的研究室，世界银行贷款专家对该实验室考察后，认为“它可与世界上任何一个实验室相媲美。他首创了多孔环炉仪，提出了疏水栅栏环及自动持续冲洗技术，使我国在环炉技术方面居世界领先地位。

耿信笃，陕西省山阳人，1941 年 4 月 13 日生。1960 年毕业于西北大学化学系，后留校任教。1981 年——1984 年，先后在美国明尼苏达大学做访问学者和在普渡大学任客座教授。1986 年晋升为教授。1990 年被评为博士生指导教师。1988 年起任上海交大生物工程及技术系兼职教授。1990 年被国家教委和国家科委授予“全国高校先进科技工作者”称号。1991 年被国家教委和人事部评为“有突出贡献的回国留学人员”。主要著作有：《现代分离科学理论导引》。在国内外学术刊物上发表论文数十篇。

〔**聂凤智·南京军区原司令员·在南京逝世**〕

1992 年 4 月 3 日，南京军区原司令员聂凤智在南京逝世，终年 80 岁。

聂凤智，湖北礼山（今大悟）人，1928 年 4 月加入中国共产主义青年团，1929 年 1 月参加中国工农红军。曾在红 1 军和红 4 军任司号员、警卫员、班长、排长、连指导员，参加了鄂豫皖革命根据地第一至四次反“围剿”作战。1933 年转入中国共产党。后任红 4 方面军 9 军 27 师 81 团副营长、营长、营教导员、副团长，参加了创建川陕革命根据地的斗争。1935 年 5 月随军长征，长征中任红 31 军 93 师 274 团团长、279 团政委、271 团政委。1936 年 10 月到达陕北，1937 年 7 月入抗日军政大学学习。抗日战争时期，任抗日军政大学队长、主任教员、支队长、副团长、胶东支校校长，胶东军区 5 旅 13 团团长兼政委、东海军分区司令员、第 5 旅旅长。率部参加巩固、发展胶东抗日根据地的斗争和坚持敌后抗日游击战争。解放战争时期，先后任山东军区第 6 师师长、第 5 师师长，华东野战军第 9 纵队 25 师师长、纵队副司令员兼参谋长，第 9 纵队司令员，第 3 野战军 27 军军长，华东军政大学教育长。率部参加华东战场多次重要战役战斗和解放上海的作战。中华人民共和国成立后，历任华东军区空军司令员，中朝联合空军司令部代司令员、司令员，华东军区空军副司令员，南京军区空军司令员，福州军区空军司令员、福州军区副司令员兼空军司令员，南京军区副司令员兼空军司令员，南京军区副司令员、司令员。1955 年被授予中将军衔，获二级八一勋章、一级独立自由勋章、一级解放勋章。是中共第十一届中央委员。1982 年、1987 年被选为中共中央顾问委员会委员。1988 年 7 月获一级红星功勋荣誉章。

〔**聂荣臻·中华人民共和国元帅·在北京逝**

世〕　中共中央、全国人大常委会、国务院、中央军委于1992年5月15日发出讣告，沉痛宣告：杰出的、忠诚的无产阶级革命家、军事家，中国人民解放军的缔造者之一，长期担任党、国家和军队重要领导职务的卓越领导人聂荣臻同志，因病医治无效，于1992年5月14日在北京逝世，享年93岁。

根据聂帅生前交待，后事从简，不开追悼会，不搞遗体告别。5月26日上午，江泽民、杨尚昆、李鹏、乔石、姚依林、宋平、李瑞环、秦基伟、薄一波、宋任穷、刘华清、杨白冰、温家宝、迟浩田、赵南起等领导同志，在哀乐中缓缓走进中国人民解放军总医院小礼堂，为聂荣臻元帅送灵。他们向聂帅遗体行三鞠躬礼，并向张瑞华、聂力等聂帅亲属表示亲切慰问。首都天安门、新华门、人民大会堂、外交部于是日下半旗致哀。宋平、杨白冰、温家宝、迟浩田、赵南起陪同聂帅亲属，护送遗体到八宝山革命公墓火化。

根据聂帅遗愿和家属的意见，聂帅的一部分骨灰于5月26日撒放在八宝山革命公墓内的一棵松柏树下，另一部分骨灰于5月29日安放在酒泉卫星发射基地我国第一枚导弹、第一枚导弹核武器、第一颗卫星升起的地方。在聂帅骨灰安放处的花岗石立壁上，镌刻着中共中央总书记江泽民的题字："聂荣臻同志永远和我们在一起。"

长期在聂帅身边的工作人员沉痛回顾说，聂帅在最后时刻仍关心着国家和人民的事业，留下了感人的遗愿。聂帅说："我已经93岁了，入党70年，从没脱离过党的岗位，为党奋斗终生。我坚信党的改革开放政策十分正确，坚信走有中国特色的社会主义道路十分正确。我很想多看看几十年为之奋斗的社会主义事业兴旺发达的喜人形势，也很想多听听祖国科技事业振奋人心的好消息。我作为一位老共产党员，衷心地希望全党同志在党中央领导下，同心协力地为建设繁荣富强的社会主义而奋斗；衷心地希望全军同志在中央军委领导下，进一步巩固国防、保卫和平；我更希望全国科技工作者牢记科技兴国的重任，努力攀登世界高科技的崇山峻岭，为国争光。"聂帅毕生关心人民，始终与人民群众同呼吸、共命运。安徽遭受水灾，他闻讯后立即主动捐出2000元钱，衣物28件，其后，他经常惦记灾区人民的生活，直到得知政府已采取措施，灾区人民安全度过春荒，人民生活安定，春耕热情高涨的消息，才放下心来。作为北京市的老市长，聂帅对北京市老百姓的衣食住行特别关注。他在病重期间，还就北京市西单地铁工程建设问题，找北京市长陈希同谈了自己的看法。他从报纸上得知，今年5月1日的天安门广场大放异彩，新设的泛光照明和彩色喷泉使数十万游人流连忘返时，十分喜悦，见到周围的工作人员就问："你去看过吗？"

聂荣臻逝世后，全国亿万军民沉痛哀悼这位功勋彪炳天地的元戎。首都科技界于5月29日在人民大会堂集会，深切缅怀聂帅在极端困难条件下，呕心沥血，日夜操劳，组织领导科技攻关，倡导全国大协作，使我国在短短五年中，就研制成功导弹、原子弹、氢弹，并为研制远程火箭，人造卫星、核潜艇等高科技装备打下坚实基础，为我国尖端武器和航空、航天事业的发展建立的丰功伟绩。杨尚昆、肖克、杨成武、吕正操、魏巍等撰文赋诗深切悼念。张爱萍作词《长相思》一首痛悼聂帅："治国邦　卫国邦　尖端科技白手创　中华振兴国威壮　伟绩天下扬　事难忘　情难忘　白骨妖魔乱国纲　'翻案后台'我愿当　浩然正气张"，并注云："文革"后期"四人帮"掀起"反击右倾翻案风"，批判我们1975年整顿国防科技战线为"右倾翻案"，并狂叫"张爱萍的后台就是聂荣臻"，聂帅厉言"这个后台我愿当"。

42年前被聂帅从战火中救出的日本孤女美穗子，从新华社播发的新闻中得知聂帅逝世这一噩耗时，正值丈夫患脑溢血处于病危之中，不能前来北京悼念，她把不尽的哀思注入唁电之中："忽接父亲去世的噩耗，深感悲痛。从回国之日起至今天，我一直崇敬他为我心灵的依托……"美穗子父母在1940年8月"百团大战"的硝烟中相继离去之后，聂帅派人将年仅五六岁的她接到自己的指挥所，亲手给她喂稀饭、削水果，在百忙中用慈父般的心温暖着这棵饱受战争创伤的幼苗。后来在聂帅精心安排下，养好伤的美穗子几经周折回到了同胞之中。1980年，她应聂帅邀请，从日本来到北京，见到日夜思念的救命恩人，从此一直把聂帅视为再生父亲。以后，她三次来中国探亲，每次聂帅都要在繁忙的工作中挤出时间会见她，关心她的家庭和生活，勉励她为增进中日友好多做贡献。聂帅走了，美穗子买来鲜花和祭品，在家里设立了灵堂，按照日本传统习俗举行悼念仪式，表达日本女儿对父亲的特殊感情。美穗子居住地日本都城市市长岩桥辰也发来唁电说："聂将军虽不幸离开了我们，但他帮助日本孤儿的事迹作为中日两国之间的一个美好的故事将继续被传颂。"

聂荣臻亲自审定的《聂荣臻军事文选》于

1992年建军节由解放军出版社出版发行。文选收录了聂帅自1925年到1984年之间的重要文电、书信、讲话和论著共97篇。

聂荣臻1899年12月生，四川省江津县人，1919年赴法国勤工俭学。1922年加入旅欧中国少年共产党，次年转入中国共产党。1924年到苏联学习。1925年回国，任黄埔军校政治部秘书兼政治教官。1926年任中共两广区委军委特派员，参加北伐战争。1927年参加南昌起义，参加了第四、第五次反“围剿”作战和长征。抗日战争时期任八路军第一一五师副师长，晋察冀军区司令员兼政治委员，1948年任华北军区司令员，参加指挥了平津战役。中华人民共和国成立后任人民革命军事委员会代总参谋长。1955年被授予中华人民共和国元帅军衔。1956年任国务院副总理，后兼国家科委、国防科委主任。1959年起任中共中央军委副主席。在中共第七至十二次全国代表大会上均当选为中央委员，在中共八届十一中全会、十一届一中全会和十二届一中全会上当选为中央政治局委员。1974年至1980年任全国人大常务委员会副委员长。

〔聂奎聚·南京军区副司令员兼东海舰队司令员·在北京逝世〕　1992年7月2日，南京军区副司令员兼东海舰队司令员聂奎聚在北京逝世，终年66岁。

聂奎聚，山东益都人，1944年参加八路军，次年加入中国共产党。曾任鲁中军区警卫团班长，鲁中南纵队136团连指导员，第3野战军35军104师311团营副教导员。参加过莱芜战役。在淮海战役中率连在何庄完成阻击任务，立一等功，全连获“钢铁连队”称号。后参加渡江战役。中华人民共和国成立后，任华东海军广州舰政委、舰长，副大队长、大队长，参加了解放一江山岛等战斗。1960年于海军学院毕业后，任舰艇支队参谋长、支队长，海军基地副参谋长、司令员，海军副司令员兼东海舰队司令员。1980年向南太平洋发射运载火箭试验中，担任舰船混合编队副指挥员。是中共第十二届中央候补委员。1988年被授予中将军衔。

〔聂济峰·原军事学院顾问·在北京逝世〕

1992年2月1日，原军事学院顾问聂济峰在北京逝世，终年78岁。

聂济峰，河北晋县人，1938年参加八路军，同年加入中国共产党。曾任八路军冀豫游击支队团政治处技术书记，第129师385旅营教育干事、团政治处干部干事、师轮训队特派员、旅政治部保卫科副科长，太行军区第7分区政治部保卫科科长。抗日战争胜利后，任太行军区第7军分区政治部副主任、第5军分区政治部副主任、独立一旅政治部副主任，晋冀鲁豫野战军第9纵队25旅政治部主任，豫西第4军分区政治部主任，第二野战军15军43师副政委兼政治部主任。先后参加了豫东、淮海、渡江、广西等战役。中华人民共和国成立后，任第15军45师政委。1951年参加抗美援朝，任中国人民志愿军第15军45师政委，参加第5次战役。回国后，任军政治部副主任、主任，军副政委。1963年毕业于高等军事学院。后任军政委，军政大学副校长兼政治部主任，军事学院副政委、顾问。1964年晋升为少将。曾获二级独立自由勋章、二级解放勋章。1988年获中国人民解放军独立功勋荣誉章。

〔桂桑（女）·西藏登山队女队副队长·被授予全国巾帼建功标兵称号〕　1992年3月7日，在北京各界纪念“三八”国际劳动妇女节之际，西藏自治区体委登山队女队副队长桂桑，被授予全国“巾帼建功”标兵和全国“三八”红旗手称号。

桂桑，藏族，1957年生。中国共产党党员。1975年被选入由国家再次组织的攀登珠穆朗玛峰登山队。集训期间，刻苦训练，提高登山技术，为适应登高的需要，自觉加大运动量。她克服了生理上的困难，一举登上8600米的高度，当天气突变时她经受住了困难和危险的考验，在原地坚持了三天三夜，而后胜利返回。1977年7月她怀着对登山事业的执著追求，以坚毅的意志与男队员一起征服了海拔7453米的著名高峰“托木尔峰”。1986年5月她参加了中日联合攀登活动，在与其他队员一起胜利登上章子峰顶峰后，因完成任务出色，被国家体委授予运动健将称号。1990年按照中国、前苏联、美国三国商定的各国只限一名女队员参加的和平登山队的协议，桂桑被选入中国队参加此次攀登珠穆朗玛峰的国际登山活动。为增加身体的耐力，她严格进行行军训练并请求担负了运输和营建任务。在攀岩训练中，桂桑选择与男队员同样难度的线路。最后在正式攀登向顶峰冲刺中，虽数次受挫于大风口，经受着生死的考验，但终于战胜了暴虐的大自然，将世界最高峰——珠穆朗玛踏在了脚下，成为继潘多之后，中国第二个登上珠峰的女运动员。后被国家体委授予国际级运动健将，并获体育运动荣誉奖章。

〔**桂育鹏·全国劳动模范·完成四百五十项技术革新和发明创造**〕　两次被评为全国劳动模范、五次被评为北京市劳动模范的北京市技术交流站总工程师桂育鹏，从五十年代开始，与倪志福等劳动模范一起积极参加技术革新活动，截至1992年，共提出2300多项合理化建议，完成450项技术革新和发明创造。近几年来设计新产品16项，其中2项获北京市科技成果二等奖，8项获省、市优质产品奖，两项获全国优秀产品奖。他发明的交错齿式可转位面铣刀，获得北京发明展览会银牌奖后，在1992年北京国际发明展览会上又获铜牌奖。

桂育鹏第一次尝到革新的甜头是1952年。当时厂里推广高速切削法，推广苏联科列索夫车刀。他使用的是一台皮带车床，人称“老爷机床”，累得腰痛腿酸，还完不成任务。有一次，他偷偷地磨了一把科列索夫车刀，一用到机床上，嘟嘟地震动得很厉害，大家议论纷纷：“这哪是科列索夫车刀？简直是哆哩哆嗦夫车刀！”以后，他走路吃饭都在琢磨改进车刀的事。在老师傅的启发下，他改成一把综合式强力车刀，既能吃大刀又能走快刀，切削过程平稳，使生产效率一下提高2-6倍，10天的活3天就完成了。

1960年，厂里试制印刷用的铸版机，由于铸版的关键零件技术不过关，成为“拦路虎”，有4年之久使整机不能出厂。这项攻关任务交给了他。他组成了攻关小组，请教当时厂里的苏联专家。专家说：“我们都解决不了，你们还能够解决？”他听了，横下一条心：不靠天，不靠地，不靠神仙和上帝，只靠我们自己的力量和志气。锥孔加工有四道工序：钻孔、扩孔、锪锥孔、铰孔，关键在铰孔这道工序。有一天，他骑车到城里图书馆找资料，路过广渠门铁道爬坡时，突然路口落杆、火车一声长鸣，使他产生了创造灵感。他想，斜坡绕地球旋转就是一个锥体，如果在锥体上开三道槽，槽内装上滑块和油石，装进孔内，像火车箱沿火车道反复运动，锥体做旋转运动不就可以珩磨出锥孔表面吗？他赶紧调转自行车跑回家，连夜绘出图纸，第2天一早跟大家一齐动手加工零件，改装机床，不到一周终于加工出合格的锥孔。

进入80年代，在改革开放大潮中，桂育鹏继续在技术革新上发挥自己的聪明才智。他为江西云山刀具厂设计的定位环式可封位面铣刀，解决了国产瑞典式可封位面铣刀刀座窜动问题，使这个刀具厂由一个亏损企业成为省重点企业。他还同技术交流站的同事合作，先后为6个工厂开发新产品8项。并且发明了5项专利技术，按规定他应当多提取技术转让和技术服务费，少说也得上万元，但全部交给了技术交流站。

桂育鹏，1934年5月30日生，北京市顺义县人。清华大学机械制造专科毕业。1949年5月参加工作，1952年到北京人民机器厂历任工人、技术员，1974年到北京标准件总厂任副总工程师，后任北京市机械局工会主席、北京市机械配件公司副经理、总工程师，1985年任北京市技术交流站总工程师。1954年起，他曾5次获北京市劳动模范称号，两次获全国劳动模范称号，1991年获首都精神文明奖章。

〔**贾继·小学学生·其画作《龙狮起舞》获第二十二届世界儿童画展览金奖**〕　郑州铁路局职工第六小学六年级学生贾继创作的《龙狮起舞》，1992年9月在日本获第二十二届世界儿童画展览金奖。

贾继，原籍河南省封邱县，1979年10月生。他三、四岁时，就喜欢用彩笔画小象、小猴等动物形象。上小学后，更是画笔不离书包，做完作业，就开始画画。父母见他喜欢画画，就给他买了一些习画的基本知识材料。寒暑假送他参加美术班学习，在老师李桂梅的指导下，边学边画，步步提高。几年来，他练画的纸堆起来有一米多高。由于他认真努力，画技不断提高。他的画作曾获河南省少儿书画作品二等奖。他还获得过郑州铁路局授予的“赖宁式铁路小主人”称号。他在世界儿童画展上获奖的作品《龙狮起舞》，表现的是节日期间，人民舞龙玩狮的场面。画面以夜晚的黑色为背景，红色为主色调，以园形的火花为衬托，一条巨龙蜿蜒腾飞、左右回环，一头雄狮上下翻滚、追逐彩球，表现了群众兴高彩烈、喜庆欢乐的热烈气氛，整个画面构图简洁明快，龙狮造型富有生气。为创作这幅作品，他翻阅了许多图书资料，录看电视中舞龙弄狮的画面，吸收别人的表现方法，从不同角度挑选最佳的表现形态，积累了许多不同角度的龙狮动态资料，反复修改画稿，最后创作完成。

〔**贾丹兵（女）·二一一医院药剂科主任·被授予巾帼建功标兵称号**〕　1992年3月7日在

首都各界人士集会纪念“三八”国际劳动妇女节82周年的大会上，沈阳军区211医院药剂科主任、副主任药师贾丹兵，被授予全国“巾帼建功”标兵和全国“三八”红旗手称号。此前，她在解放军三总部举行的全军“巾帼建功”事迹报告会上作了发言。

贾丹兵，1955年10月9日生于河北省深县。从小立下当兵的志愿。1969年冬入伍。她的身体虽然单薄，但以其倔劲儿和毅力，克服了种种困难，在新兵结业考核中，取得门门名列前茅的优异成绩。1970年起在部队医务部门任班长、护士。1973年12月加入中国共产党。1975年入哈尔滨医科大学附属一院心电室进修后，在211医院心电室任技术员。1976年8月被推荐到上海第二军医大学药学系学习，面对生疏的元素符号，天书似的大学课本，她没有退缩而是努力拚搏，迎头赶上。学习的三年中，贾丹兵几乎将所有的节假日、课余时间都花费在教室和图书馆里。功夫不负有心人，终于以平均94·2分的成绩毕业。1979年起在沈阳军区211医院药剂科任见习药师、药师、副主任、主管药师、副主任药师、主任。她酷爱所从事的药学事业，对技术精益求精，先后获全军与省级科技进步奖10项，著书7本（约140万字），其中《临床实用新药指南》、《家庭用药指南》已出版、发行，发表论文、译文129篇。所领导的科室年生产产值，由1987年的50多万元，上升到1992年的277万元。她领导的药剂科连续两年被评为沈阳军区先进药剂科。入伍以来，几乎年年受到表彰、奖励。曾立一等功一次、二等功二次、三等功二次，被沈阳军区评为“两用人才先进个人”、“学雷锋先进个人”、“学习科学文化、民用技术标兵”、“先进妇女标兵”、“优秀共产党员”、“科技工作先进个人”。1990年被中国人民解放军总政治部评为“全军妇女先进个人”，同年经国家人事部、总政治部批准为国家级有突出贡献的中青年专家。1992年被总政治部授予“全军巾帼建功先进个人”称号。她是哈尔滨市药学会常务理事、药剂学会副主任委员、青年卫生工作者学会理事，中国药学会会员，解放军《药学实践》编委和第五届解放军医学科学技术委员会药学专业委员会中药专业组成员。

〔贾浩义·人物画家·举办画展及艺术研讨会〕　1992年8月和10月，贾浩义分别在江苏省美术馆、北京画院画廊和日坛公园松鹤堂举办个人展获得成功。

贾浩义，别名老甲，1938年9月26日生于河北遵化县鸡鸣村。幼爱画，常以树枝做笔，画健牛烈马。1954年赴京求学，节衣缩食，研习绘画，后退学回家当农民，任民办教师。不久考入北京艺术学院美术系，为首批本科生。后任职于北京朝阳区文化馆，编绘连环画《金盏村史》。1978年入北京画院工作，接着远涉甘南藏区、奔走九寨沟、三峡等地。将生活体验融化在画艺之中，谱出了他阳刚简洁境界的前奏。1982年作品打入加拿大，受到欢迎。1983年作品被选入《青年人物画家作品选》、《中青年花鸟画家作品选》。1985年15幅作品随《三山五岳，今古风情》展览在中国美术馆、香港和新加坡展出。1986年他的作品《巴尔特》参加中日联展。《春韵》和《套马》、《鸡》等分别在新加坡和布加勒斯特展出。

1987年贾浩义被评为一级美术师。1988年出版了《贾浩义画集》，获得中外艺术家的高度评价。尤其是他的憨牛烈马所得的口碑大大出乎本人意料。1989年后，贾浩义笔下的《人之初》，入选法国蒙特卡罗现代艺术大展。《草原行》被收入中学美术教材。多幅作品在美、法、俄、日、瑞士、香港、台湾等地展出并被收藏。1991年出版贾浩义画集第二集。

贾浩义的大写意国画，颇具动感、力度、哲理，具有独家之风，尤以马、牛见长。在北京画院举办的个人展，共展出作品120余幅。在这期间《中国画》编辑部又举行了《老甲艺术研讨会》。有30余位画家和画艺理论家出席会议，还有北京画院60余位研修生列席会议，会议对他的艺术道路，作品的审美特征及其在当代中国画坛的位置与影响等，进行了热烈讨论，给予了较高评价。

〔贾熟村·历史学家·新著《洪仁玕》出版〕

1992年5月，中国社会科学院近代史所研究员、全国太平天国研究会理事贾熟村的新著《洪仁玕》由天津新蕾出版社出版。洪仁玕是中国近代向西方寻求富强之道的杰出人物、太平天国后期的主要领导人之一。对于这个人物的研究著述不少，贾熟村的这本著作在材料方面和观点方面都有所前进。

贾熟村，又名兆稔，河南偃师县人，1930年生。1955年毕业于西北大学历史系，分配到中国科学院历史研究所第三所（现在的社会科学院近代史研究所）工作。他曾前往南京拜罗尔纲为师，专门研究太平天国史。1960年调回北京，与其他同志一起，协助郭沫若撰写《太平天国运动史》。1972年参加北洋军阀史的研究，准备续写范文澜的《中国近代史》下册。后来这本书的写作因故搁浅，贾熟村使用已经搜集到的资料，写了一本《曹汝霖传》，一本《北洋军阀时期的“交通系”》。

贾熟村的主要研究成果是在太平天国史方面。在这个领域里，他先后发表了《地主阶级经世派的崛起》、《关于杨秀清评价的争论》、《关于淮军初建的几个问题》、《祺祥政变研究》、《试论咸同时期清政府的应变力》等40多篇文章。1991年，他的专著《太平天国时期的地主阶级》一书，由广西人民出版社出版。他认为，中国的地主阶级是世界上“最丰满、最成熟、最高明”的；太平天国时期的地主阶级又是中国地主阶级集大成的高峰，具有突出的典型意义。他运用马克思主义经典作家研究资产阶级的立场、观点与方法，不仅对地主阶级做阶级分析，而且做阶层分析；不仅研究其整体，而且研究其形形色色、大大小小的集团，从而整理出29个派别不同、特点各异的集团，然后归纳为权贵派、经世派、洋务派、媚外派、骑墙派等，它们既有个性，又有共性。他认为正是这些派别的总和，构成了太平天国时期地主阶级的整体。

贾熟村曾经担任近代史研究所近代政治史研究室主任、北京太平天国史研究会会长和《太平天国学刊》编委。

〔贾冀光·曲艺演员·在全军文艺会演中获表演一等奖〕　1992年6月，解放军二炮文工团曲艺演员贾冀光，在全军第六届文艺会演中与魏兰柱合说相声《士气歌》，获得表演一等奖。

贾冀光，1939年生，河北徐水人。原为北京建筑设计院技术员，经常参加工人业余艺术团的学习和演出活动，曾受业于相声演员回婉华、王文禄。1972年拜相声大师侯宝林为师。同年参加解放军二炮文工团，成为专业曲艺工作者。他的创作态度严肃认真，对作品反复推敲修改，精益求精。他曾创作、发表相声作品二十余部，其中很多都是经过长期反复加工，从而提高了质量，获得好评。如《出口成章》，在继承传统表现手法上有所创新，曾多次为著名演员采用；《您说哪家好》中穿插了快板、快书、韵白等形式，这一创新手法取得了很好效果，得到观众和同行的肯定。在表演上，他台风稳健，潇洒大方，气口匀实，儒雅亲切。他的作品和表演在全国、全军的观摩、比赛中多次获奖。1991年曾作为侯（宝林）派相声艺术的代表，随中国北京电视艺术团赴新加坡，参加该国的华族艺术节活动。由于他坚持正确的文艺方向，满腔热情地为人民服务，为提高部队战斗力服务，曾受嘉奖八次，立三等功一次，1991年还受到二炮政治部通报表彰。

贾冀光现为国家一级演员、二炮文工团曲艺队副队长，中国曲艺家协会会员。

〔夏元辉·被誉为“矿山铁人”的全国劳动模范·当选中共十四大代表〕　在矿井下埋头苦干二十余年的甘肃省金川有色金属公司二矿区工区主任夏元辉，1992年作为正式代表，出席了在北京召开的中国共产党第十四次全国代表大会。

夏元辉，1948年10月生，山东荣成人。1968年3月参加人民解放军，1969年5月加入中国共产党，1971年到金川井巷公司当工人。他从事井下采掘工作21年来，没有迟到过一分钟，没有无故缺勤一天。在工作中，总是重活抢在先，险活干在前，安全让给他人，危险留给自己。撬顶是危险的活，只要他在场，就没有别人的份。一次撬顶中，他的胳膊被砸得鲜血直流，痛得发抖，硬是咬牙把顶撬完。1986年2月，在干709采场时，上盘上行井突然塌陷，把风、水、管和电线都压断了，采矿停产。夏元辉爬进人行井，硬是用头把一根根百十斤的园木顶向井内，支护塌方面，一干就是4小时，挽救了矿井，避免了更大损失。还有一次，井下充填支架倒塌，眼看几百米管道将要被水泥浆堵死报废，整个采矿就要停产。夏元辉立刻跳进1米多深的水泥浆中竖支架。水泥浆的碱质侵蚀着他的皮肉，痛得满头大汗，经过3小时的奋战，终于使充填工作恢复正常。然而，他的双腿却因烧伤感染住进医院，但他仅住了5天，又“逃跑”回到井下。

夏元辉一心扑在矿山上。几乎年年春节他都是在井下度过的。1986年春节，从除夕初二，人手紧，他一人顶二、三个人干，下了这一班，又上另一班。有一次，他4天3夜没离现场。领导把他锁在屋里，强迫他休息，不到5小时，他又借上厕所的机会下井了。

夏元辉在利益面前从不伸手。多次疗养机会，他都让给别人。他当班长10年，累计加班加点折合工日1000多个，他从未拿过一份加班费。工作中，他出力最大，流汗最多，但奖金，他从不拿最高的。矿上规定，班长可提取一定班长津贴，可他从来没有这样做过，单这一项，每月就少拿200

元。

夏元辉关心他人胜过关心自己。1987 年 6 月，金川地区发生特大洪水，夏元辉在 10 多里的山路中巡回，忙碌，背油毡、扛木料、盖漏房、支危墙，从东家忙到西家，摔了不知多少跤。而这时，他妻子从山东搬迁到金川落户，他都没顾得见一面。妻子埋怨他，他说："组里同志有了难，我怎能不去。"

由于夏元辉一颗火热的心，处处为同志着想，那些被称为"驴脾气""扎手货"的 5 名编外人员到他的组，个个都成了生产骨干。从 1986 年以来，他带领全班用四年时间干了七年半的工作量，超产矿石 5·6 万吨，并推行井下采掘标准化作业，创出了连续 2380 天安全、高效的优异成绩。

夏元辉，连续六年被评为金川公司劳动模范，1989 年被评为全国劳动模范，1991 年被评为甘肃省模范共产党员，被矿工们誉为"矿山铁人"。

〔夏雨田·曲艺作家·获"宋河杯"全国曲艺小品邀请赛节目一等奖〕　1992 年 4 月，由中国曲艺家协会、河南省曲艺家协会、河南电视台，河南宋河酒厂联合举办的全国曲艺小品邀请赛决赛在郑州市举行。夏雨田创作的相声小品《打电话》通过借用电话产生的矛盾讽刺了人际关系中那种私心重、爱心少的丑恶现象，揭示了人们在物质生活提高的同时，必须注重精神文明建设的道理。作品人物形象鲜明、情节生动，充满谐趣，获得节目一等奖。

夏雨田，1938 年生，河北涞水人。1953 年在武汉市第 33 中学读书时，开始业余演出相声。1960 年毕业于华中师范学院中文系，后在华中农学院附中任教，1962 年调到武汉市说唱团任演员，并从事曲艺创作。六十年代以来，他创作了大量曲艺作品以及小说、诗歌、散文、戏剧、评论等，先后发表约五百篇，出版过相声集《无限青春》、相声曲艺集《花花世界》。他编演的约八十段相声中，有半数以上是歌颂新中国、赞扬新人物的，如《女队长》、《公社鸭郎》、《无限青春》、《女排七十八号》等都受到观众的欢迎和行家的好评。他创作的《农老九翻身记》在 1982 年全国曲艺优秀节目观摩演出中获创作、表演双一等奖。他创作的湖北小曲《难忘的一课》，于 1981 年被评为全国优秀短篇曲艺作品一等奖。1981 年、1982 年他先后被评为武汉市特等劳动模范，湖北省特等劳动模范。《人民日报》《光明日报》《湖北日报》《曲艺》杂志等都曾报道他的先进事迹。1982 年任武汉市说唱团团长、市文联党组副书记；1985 年当选为全国曲协副主席；1987 年任中共武汉市委宣传部副部长，市文联主席、党组书记。1989 年后他因肝病住院休养。1991 年起他满腔热情地又投入创作，写出了十余万字的曲艺作品，其中不少作品已成为武汉市说唱团保留节目，如相声《归国记》、《说和道顺》、《我和莎菲亚》等。《归国记》于 1991 年曾被文化部选调晋京参加首都文艺界纪念建党七十周年的专场演出；1992 又应邀到北京参加纪念毛主席《在延安文艺座谈会上的讲话》发表五十周年的曲艺专场演出。1992 年，武汉市举行的大型文艺展演中，还用他在病床上创作的 12 个节目组成了两台晚会，鉴于夏雨田对艺术执着追求的忘我劳动精神，以及他在坚持文艺为人民服务、为社会主义服务中所取得的成就，中共武汉市委和武汉市政府特授予他《黄鹤文艺奖》个人奖，并号召全市文艺工作者向他学习。

〔夏祥贵·副总设计师·获全国"五一"劳动奖章〕　中国核动力研究设计院副总设计师夏祥贵长期从事核反应堆设计、科研工作，他和同事们一道集体攻关，在近 6 年中率领研制组完成了 60 余项课题，攻克五大难关，使我国终于拥有了自己的脉冲堆，从而实现了中国受控核裂变技术研究跻身于世界先进行列。1992 年 4 月 30 日，全国总工会授予他全国"五一"劳动奖章。

夏祥贵，广东省兴宁县人，1933 年 10 月生，1954 年 7 月毕业于大连海运学院轮机系。先后在大连造船厂、北京原子能研究院、北京 194 所任技术员、工程师等职，现为中国核动力研究设计院教授级高级工程师、副总设计师。他自 1959 年调入核工业系统以来，参与完成了一系列重要设计项目：参加了我国自行设计的第一座核反应堆的建造工作；主持了某某靶件的设计和辐照考验工作，该项目与其他相关的科研成果一起，曾获第一次全国科学大会奖；参加了我国第一座高通量堆的设计、建造工作，负责反应堆结构设计、换料与工艺运输设计、热室设计等，该项目获国防科工委重大科技成果一等奖，填补了国内空白；主持了我国第一座脉冲反应堆的设计、研究和建造工作，该堆已达国际先进水平，并打破了某外国独家垄断地位。目前，他正参与秦山核电二期工程 60 万千瓦核电站的设计工作，任副总设计师，主管重大设备的设计。并参与完成了 CO^{60} 治疗机、活性炭酸钙等民品开发与研制。30多年来，夏祥贵一直奋战在深山沟简陋的实验室和核工程工地上，默默奉献，义无反顾。由于在科研方面多次取得重大成果，近5年来曾荣获国家科技进步一等奖、部级科技进步一等奖、二等奖各一次，部级三等奖三次，在国内杂志发表学术论文6篇。

〔顾功叙·著名地球物理学家·在北京逝世〕

著名地球物理学家、中国科学院学部委员、国家地震局地球物理研究所名誉所长、全国人民代表大会代表顾功叙，于1992年1月14日凌晨在北京逝世，享年84岁。

顾功叙，1908年生于浙江省嘉善县洪溪村。1929年于上海大同大学理学系毕业后，任教于浙江大学。1934年赴美国学习地理物理勘探，1938年回国。在极端困难和艰苦的条件下，他辗转于云贵高原，进行矿产资源的地球物理勘探，为我国的地球物理勘探事业奠定了基础。

1949年后，顾功叙与老一辈地球物理学家一道，创建了中国科学院地球物理研究所；领导和指挥鞍山铁矿、包头铁矿、大冶铁矿等重要金属矿山及煤矿资源的地球物理勘探和研究工作，对发展新的矿产资源及扩大已知矿区做出了重大贡献。他指导开展的全国地球物理石油普查，尤其是松辽平原的石油勘探，对大庆油田的发现起了重要作用。

1966年邢台地震后，顾功叙领导中科院地球物理所把研究工作的重点转移到地震监测预报和深入探索地震本质的研究工作中，发展了以震报震、以磁报震，以及采取监测地电、重力、地声、地应力等预报方法，使我国的地震预测预报和科研工作跻身于世界先进行列。

顾功叙是中国地震学会的发起人之一，曾任该学会第一任理事长和《地震学报》主编。多年来，他为我国培养了大批地球物理和地震学研究人才，他的许多学生已成为我国地质矿产、地球物理和地震研究部门的栋梁和骨干。

〔顾阿根·银行信贷员·创人体耐低温纪录〕

1992年6月12日下午，在上海大世界游乐中心吉尼斯厅里几百名观众的注视下，“人体耐低温天下第一擂”擂主——农业银行崇明县支行信贷员、46岁的顾阿根，从室温摄氏31°走进超大型风幕式冰柜，作和尚打坐状。温度从0°C不断下降到零下17.5°C，他身着短袖衬衫，谈笑自如，历时一个半小时。当他走出冰柜时，与他一起放进冰柜的鱼同水冻成冰砣，而他双眉挂霜，脸色红润，一个微笑的招手赢得全场掌声和喝采。和他一起参试的应擂者——青岛气象局工作人员司继贤也获成功。他的这一耐低温纪录，据该吉尼斯办公室称，前所未有。《中国明报》、《中国农金报》、香港《文汇报》等十几家报刊都作了报道。

顾阿根，江苏兴化人，1947年12月生于上海一个工人家庭，1969年参加工作，大专文化，职称为经济师。他操习耐寒术始于5年前，借用于《黄帝内经》之医理。初起依气论，静卧习吐纳。3月余，忽有大动，嗣后其牙痛、头痛等痼疾自愈，迄今未犯，且自觉神清体爽。第二年，改静卧为桩功单盘腿静坐。不足二载，吃穿睡均减少而体健无恙。历夏越冬，均着单衣。1991年冬为上海数十年不遇之寒季，顾阿根依然单衣单裤往来于上海市区与崇明之间。他不但练就惊人的耐寒能力，而且随着医籍研读日进，渐至按“经络所过、主治所及”和人体穴位的“溢奇邪”、“通营卫”原理，自创气功疗法。他以指掌点按、拍打等法，施治跌扑内挫引起的气血瘀泄，伤筋等多种外、内、儿、妇科疾病，连连奏效，总有效率达85%。4年来，他义务为1000多位病人诊治，分文不取以自律，对社会一无所求。他唯一的愿望是在今后进一步探索人体奥秘，尽量挖掘人体潜能，造福人类，造福自然。

〔顾宝明·台湾电影演员·获第二十九届台湾电影金马奖最佳男配角奖〕 1992年12月，在第二十九届台湾电影金马奖评选中，台湾资深电影演员顾宝明以在《暗恋桃花源》中驾轻就熟地成功饰演了袁老板，而荣获最佳男配角奖。

顾宝明，生于台湾，现为华视的基本演员。在未进演艺圈之前曾做过货柜工、摆过地摊卖衣服，也曾在工厂做工。一个偶然的机会他考入演员训练班，从此便开始了演艺生涯，二十多年来，他演过话剧、主持过电视节目。更多的则是参加拍摄电影和电视剧。主要作品有《寒流》、《忘忧草》、《传奇人物廖添丁》、《寒山飞狐》、《上行列车》等，近年来拍摄的电视剧有《表妹吉祥》、《京城四少》及《书剑恩仇录》等。他戏路宽广，曾以饰演电视剧《他是我兄弟》中的弱智者获得过台湾电视金钟奖最佳男主角奖。

影片《暗恋桃花源》说的是两个剧团因安排错误而撞车，同时在一个剧场中彩排，其中一个演的是时装悲剧《暗恋》，另一个演的是古装闹剧《桃花源》。两个剧团抢夺舞台空间，亦扮亦演、一古一今、一悲一喜，交织出一个独特的电影故事。顾宝明扮演的是《桃花源》中的奸夫袁老板。由于他的表演诙谐逗趣、人物塑造生动，因而给观众留下了深刻印象。

〔顾美华（女）·香港电影演员·获第二十九届台湾电影金马奖最佳女配角奖〕　曾与斯琴高娃搭档主演了《似水流年》而令人刮目相看的香港电影演员顾美华，在1992年12月举行的第二十九届台湾电影金马奖评选中，因其在《浮世恋曲》中的出神入化的表演而荣获最佳女配角奖。

顾美华，1952年3月出生在上海。是一名进入香港演艺圈时间并不长、属于大器晚成的影视双栖演员。她的第一部作品即是《似水流年》，在这之前她是一名家庭主妇。由于她从艺的一开始所表现出来的艺术才华，使她在《似水流年》之后，接戏不断一发不可收，相继参加了影片《庙街皇后》、《人在纽约》、《滚滚红尘》、《不脱袜的女人》及《超级警察》等的拍摄。此外还演出过《狮子下山》、《香江岁月》、《龙的天堂》等电视剧。虽然她担任的角色多为贵妇、怨妇及同性恋者且多为配角，并且往往戏的份量不重，但她却能以独特的气质和精湛的演技，恰如其份画龙点睛地勾勒点染出每一个角色的神采。在影片《浮世恋曲》中，顾美华饰演的是一个婚姻失败的女性。虽然第二次她寻觅到了真爱，却又因男友比自己小十多岁而频遭非议，自己无以抗争只好怀着悲愤和无奈双双离开香港别走他乡。在这里，顾美华再一次以一个独特的怨女形象的成功塑造证明了自己表演潜力。

〔顾晓黎（女）、路华利（女）·赛艇运动员·获第二十五届奥运会赛艇铜牌〕　8月2日，名不见经传的中国姑娘顾晓黎和路华利，在巴塞罗那奥运会赛艇女子双人双桨项目比赛中，紧随德国和罗马尼亚选手之后，以6分55秒16的成绩第三个冲过终点线，为中国赛艇队夺得巴塞罗那奥运会唯一的一枚奖牌。

顾晓黎，辽宁选手，1971年生，21岁，身高1米77。路华利，陕西选手，1972年生，20岁，身高1米79。她俩曾获1991年世界赛艇锦标赛银牌。

参加巴塞罗那奥运会的中国赛艇队中，女子4人单桨项目是强项，曾获上届汉城奥运会银牌。然而，中国队选手在该项目比赛中因技术失误名落孙山。参加女子双人双桨比赛的顾晓黎和路华利实力并不强，又是一对年轻选手，第一次参加奥运会比赛。8月2日，在强项失利情况下，顾晓黎和路华利两位年轻姑娘，齐心协力，获女子双人双桨项目比赛第三名，为中国赛艇队夺得一枚铜牌。

〔晁楣·版画家·晁楣版画艺术陈列馆在山东荷泽落成〕　晁楣版画艺术陈列馆，1992年4月15日在晁楣的故乡牡丹之乡山东荷泽市（曹州）落成，并举行了揭幕仪式。这个陈列馆座落在著名的曹州书画院内，共分4个展厅，陈列着晁楣不同时期的代表作60幅。曾获意大利共和国总统奖的女雕塑家张得蒂为晁楣创作的一座青铜胸像，陈放在陈列馆正厅。在揭幕式上，荷泽市人民政府向晁楣颁发了荣誉证书和奖金二万元。晁楣当即将奖金捐献给当地政府，用于家乡的文化建设事业。

晁楣，1931年4月2日出生于荷泽市，1949年5月参加革命，长期在部队从事文艺工作。1958年转业参加“北大荒”军垦。1962年调黑龙江省美协为专业画家。致力版画创作。现为中国美术家协会理事，中国版协副主席，黑龙江省文联副主席，省美协主席。

晁楣作品，具有强烈的时代精神和个人风貌。所作版画多取材北大荒的雄浑莽原和北方的工农业建设场景，色彩深沉，气势开张，意象高朗，风格健拔。其中200余件为国内外美术馆、博物馆收藏。曾参加国内美展、版画展多次。且曾去60余个国家和地区展出。1979年以来，作品《松谷》、《春醒》、《路漫漫》、《新居》等，曾先后获全国美展、版画展的金奖或银奖。1988年获省优秀中青年专家特殊贡献奖，1990年获日本日中艺术交流中心贡献金奖。1991年经国务院批准享受政府特殊津贴。

1964年以来先后出版《晁楣作品选集》、《晁楣版画》等画集5种。多年来撰写专业学术论文50余万字。1988年出版论著《画境中的审美轨迹》。

晁楣是具有鲜明地域风格的北大荒版画学派的代表画家。他在黑龙江发展了创作，培养了人才，其影响扩及海内外。他的名字被列入英、美出版的两种《世界名人录》。

晁楣还是第三届全国人大代表。中共十二大和十四大代表，第五、六、七届黑龙江省人大常委。

〔晁华山·考古学副教授·甄别出大批摩尼教

洞窟〕 北京大学考古系副教授晁华山，1992年6月起主持“八五”国家重点科研项目《新疆摩尼教石窟寺的考察研究》，在新疆吐鲁番发现数十座摩尼古寺，使世界宗教之一的摩尼教考古工作取得重大进展。

摩尼教是世界古代主要宗教之一，公元3世纪产生于波斯（伊朗），以后向西传播到西亚及地中海沿岸各国，向东传入中亚、蒙古和我国，一直延续到15世纪。摩尼教传播后期，因受到其他宗教排挤，所以遗迹遗物很少。晁华山甄别发现吐鲁番摩尼教石窟寺，是本世纪全世界有关摩尼教遗迹遗物的第三次重大发现，在世界宗教考古学方面有开创意义。

晁华山发现的70多座摩尼教洞窟是从长期被认为是佛教石窟群中甄别出来的，这些摩尼教洞窟占当地宗教洞窟总数的1／3以上。晁华山的甄别工作是依据中亚与西方出土的古代写本，对这些洞窟的性质和分类、壁画题材和意义、分期和年代、寺院组成体制、民族归属及宗教传播进行论证的。此项研究成果不仅对世界宗教考古工作，而且对东西方文化交流也具有开创意义。

晁华山认为，吐鲁番的摩尼寺最早建于七世纪中叶，相当于唐太宗至武后临朝的那段时期。信徒主要是突厥语系各民族，也有少量的波斯人和粟特人。九世纪中叶，从蒙古迁来的回鹘人在这里建立了高昌王国，信奉摩尼教为国教，新建了一批规模宏大的摩尼教石窟寺，其数量超过了当地的佛教石窟。这是摩尼教的鼎盛时期。但到10世纪末这里的摩尼教洞窟陆续被封，壁画被剥被盖，大部分被改建成佛教洞窟，只在少数摩尼窟壁画因形式与佛教相似而得以保存。

晁华山，1939年1月生于西安，1963年毕业于兰州大学历史系。1978年考入北京大学考古系，攻读硕士研究生，1981年毕业后留校任教。1981—1983年由德国洪堡基金会赞助在西柏林印度艺术博物馆进行合作考古研究。此后，曾三次到英、法、美进行合作研究，两次到印度考察佛教石窟及四大圣地。1987年后开始在吐鲁番从事考察甄别摩尼教石窟工作，1992年取得初步成果。他与人合作撰写的《中国石窟·克孜尔石窟》三卷本，获1986年夏鼐考古学成果一等奖（全国考古最高奖）。与法兰西研究院三位专家合作撰写研究新疆石窟的专著，1987年以法文出版，获得有关学者好评。

〔晏军生·汽车司机·为救旅客英勇献身被追授人民的好司机称号〕 江西省吉安汽车运输公司莲花县分公司客车司机晏军生，1992年2月1日在驾驶客车从莲花县开往萍乡市途中，为保护车上28位旅客的生命和国家财产安全，临危不惧，奋不顾身地抱起歹徒放置的炸药包冲出车外，壮烈牺牲，年仅33岁。交通部决定授予晏军生以“人民的好司机”荣誉称号，全国总工会授予“五一”劳动奖章，江西省政府、省总工会作出决定，号召全省人民和广大职工向晏军生学习。

1992年2月1日上午10时，晏军生驾驶一辆东风牌客车，由莲花县开往萍乡市。这趟班车因为司机少，由晏军生顶班开车。车到萍乡境内的高坡岭时，有两个中年男子突然吵嚷着要下车。正当他们下车之际，乘务员发现他们座位下有个麻包直冒烟，刺鼻的硝烟味立即使当过兵的晏军生意识到导火索在燃烧，便大声呼喊旅客快下车，自己跃身跳出驾驶室，直扑边门，推开旁边的人，抓起麻袋迅速往车头方向前冲。突然“轰隆”一声，火光与浓烟冲天而起，晏军生被气浪抛上半空……。当硝烟散去，惊魂未定的28名旅客安全无恙，车辆也完好无损，但司机晏军生却倒在路边，脸上血肉模糊，呼吸微弱，嘴里还不住地喃喃询问：旅客怎么样？车子怎么样？当他被迅速送到医院后，终因伤势严重，抢救无效去世。许多旅客和群众都为晏军生这种舍己救人、英勇献身的精神所感动，一个姑娘大哭着说，如果没有晏军生，车上我们一家六口人都不会在世了!。

晏军生，江西省莲花县人，1958年生，1978年参军，1982年退伍，分配到莲花汽车分公司工作。他几乎当了10年的机动车司机，没有固定的班次和路线，一有任务就得立刻出车，而且“外快”少，奖金低，但他没讲过一句怨言，总是把好车、好路、好班让给别人。有个自小失去双亲的孤儿小乔，四处流浪，偷盗赌博，晏军生和他交朋友，讲述人生道理，帮他走正路，还送他400元种瓜、做生意。在晏军生帮助下，小乔改邪归正，生活日渐富裕，结了婚成了家。他还资助一个刑满释放青年120元，让他学技术，当上了护药员。他拾金不昧，曾经20多次将老农买牛的钱、干部丢失的公款、群众看病的医药费等共5千多元，分别送还失主。在遇到火灾、车辆事故的危急时刻，他总是冲在前面。1986年，几十辆汽车在坊楼煤矿口等待装车，突然有辆汽车油箱失火，火舌喷涌。又在山坳，公路狭窄，车辆疏散不开。如果引爆，马上会危及其他车辆和煤矿的安全，司机们纷纷奔车上山，唯有晏军生毫不犹豫地冲过去，用衣服紧紧捂住油箱口。火被扑灭了，而晏军生的眉毛、头发被烧焦，脸被烧伤。还有一次，一辆货车卡在拐弯处，司机下车察看时被下滑的车尾挤住，危在旦夕，晏军生立即跃进驾驶室调开了车，才使受伤的司机幸免于难。类似的事他经历过六七次，每次总是把生存的希望让给别人，把死亡的危险留给自己。

晏军生牺牲后，吉安地区举行了隆重的追悼会，江西省省长吴官正等领导人接见了晏军生的家属，并号召全省人民向晏军生学习。

〔钱红（女）·游泳名将·获第二十五届奥运会女子一百米蝶泳金牌〕　在1992年巴塞罗那奥运会上，人称中国游泳队“五朵金花”之一的钱红，战胜世界排名第一的美国选手和欧洲冠军及中国队友，夺得100米蝶泳金牌。

钱红，1971年生在河北保定胶片厂一个工人之家。五岁开始学习游泳，很快被河北游泳馆教练冯晓东发现，将自己未竟的夙愿倾注到钱红和一批小队员身上。竞技、心理、身体、素质训练，使钱红如虎添翼，钱红的身材在游泳选手中并不算“标准”，身高1米67，体重62公斤，和国内外一些优秀选手相比，要矮上一截。但她有一个颇长的腰躯，是蝶泳得天独厚的优势。

她进国家队的第二年，就参加了1986年的亚运会，获得两项冠军，100米蝶泳成绩排入世界前10名，成了三十年来中国第一个跨进世界先进行列的游泳运动员。1991年在珀斯第六届世界锦标赛中，钱红赢得100米蝶泳金牌。

巴塞罗那大赛之后，钱红成为集世界锦标赛冠军和奥运会冠军两项桂冠于一身的运动员。

钱红事迹与简历参见1989、1992年《中国人物年鉴》。

〔钱三强·著名科学家·在北京逝世〕　我国著名的科学家、原子能科学事业的创始人、中国科学院学部委员、中国科学院特邀顾问、中国科学技术协会名誉主席、七届全国政协常委钱三强，于1992年6月28日在北京逝世。遗体于7月4日火化。

钱三强，1913年10月16日出生于浙江绍兴，原籍湖州。1936年毕业于清华大学物理系，1937年赴法国留学，在约里奥—居里夫妇指导下从事原子核科学研究，获得重要研究成果，特别是发现铀核三分裂现象，深化了人类对核变的认识。1940年获法国国家博士学位。1948年回国，曾任清华大学教授、北平研究院原子学研究所所长。中华人民共和国成立后，参加中国科学院和中国科学院学部及我国原子能科学研究基地的组建，历任中国科学院近代物理研究所（后改名为原子能研究所）所长，中国科学院计划局副局长、局长，中国科学院学术秘书处秘书长，中国科学院副院长，浙江大学校长，国务院学位委员会副主任，全国自然科学奖励委员会副主任，全国自然科学名词审定委员会主任等职。曾先后当选为全国人大代表、全国政协委员、中国科协副主席、中国物理学会理事长、中国核学会名誉理事长等。

钱三强于1954年加入中国共产党。他毕生致力于科学技术事业，特别是为我国原子能科学事业的创立和“两弹”研制作出了卓越贡献。他从1951年近代物理研究所（原子能研究所）成立起，一直兼任该所所长，和副所长王淦昌、彭桓武等一起，艰苦创业。经过周密而细致的工作，这个所吸收了一大批有理想、有造诣、有奉献精神的核科学技术专家。钱三强知人善任，积极创造条件，使他们在各自的岗位上施展才华。全所人员上下一心，通力合作，攻克了一个又一个理论和技术难关，使我国第一个重水型原子反应堆和第一台回旋加速器先后建成；静电加速器、中子谱仪等近50台件重要仪器设备相继建成运行；随之，堆物理、堆工程技术、钚化学等研究工作先后开展起来，为我国实现原子弹爆破和导弹升天作出了重要贡献。

〔钱正英（女）·全国政协副主席·谈长江三峡工程〕　著名水利专家、曾长期担负我国水利领导工作的钱正英，是三峡工程论证领导小组组长。从1986年7月开始，她领导进行了5年多的紧张工作，对长江三峡工程的可行性作了大量论证。在国务院审查通过了根据三峡工程论证成果编制的可行性报告后，她谈了个人体会，《求是》杂志1992年第6期以《我对长江三峡工程的认识》为题予以发表。

钱正英认为，控制长江中游洪灾的关键措施是，运用现代科学技术，在三峡修建一座人工水库，以淹没几十万亩土地的代价，获得近400亿立米的容积，其中防洪库容200多亿立米。运用闸门控制水库蓄泄，其调控洪水的能力和可靠性将远远超过洞庭湖的自然分洪，并大大减少进入洞庭湖的洪水和泥沙，从而延长洞庭湖的寿命。依靠现代科学技术，可以控制水库的泥沙淤积，使其有效库容长期保留使用。依靠现代科学技术，可以开发三峡蕴藏的巨大水能资源，使水电的产出补偿投入，从而使水库建设不致妨碍航运，并适当改善航运。钱正英指出，纵观长江中游的自然和社会的发展历史，应当也只能求助于现代科学技术，在江湖演变中争得主动，为长江中游的人民解除心腹之患。这是修建三峡工程的最本质的意义。

钱正英说，各专家组共同通过了蓄水位设计方案：初期蓄水位 156 米，有利于移民安置，并可检验泥沙淤积的影响；最终蓄水位 175 米，可以全面满足防洪和航运的需要，也相应提高发电效益。她在分析了工程量和投资计算情况的基础上认为，在八十和九十年代，三峡工程建设符合我国国民经济的水平，并可以防止移民安置对生态与环境可能产生的影响，推进长江上游的水土保持。

钱正英还说，通过三峡工程论证，我们认识到，水利是人类适应、利用、改造、开发与保护水环境的事业，是国民经济的一个基础产业，是人口、经济和环境发展大系统中的一个重要子系统。对水利建设的不同意见，反映了系统的各个侧面。我们应当通过广泛吸取不同意见，力求认识比较符合实际，力求减少工作中的失误。

为保证三峡工程胜利建成，钱正英指出，这是一项跨地区、跨部门的工程，要求有关地区和有关部门一切从全局出发，高度发扬团结协作精神，决不可陷入任何形式的本位主义中。这是一项跨世纪的工程，要求各级领导加强法治，保证政策和计划的连续性，决不能政随人异，任意变更政策和计划。工程规模大、工期长，要求更加鼓足干劲，精心组织，提高效率，力争缩短工期，决不能松散拖拉，延误时机。这是全国重点项目，投资大、设备材料多，要求更加贯彻艰苦奋斗、勤俭建国的方针，决不许大手大脚、铺张浪费，要提倡为重点工程作贡献，决不许有吃大户的思想。工程技术复杂、影响重大，要求严格尊重科学，切实保证质量，要吸取国内外先进的技术和管理经验，决不许违反科学的蛮干和瞎指挥。

钱正英建议，要严格遵守基本建设程序，在国务院直接领导下，建立强有力的工程指挥机构，对整个工程建设和移民安置实行统一指挥。贯彻改革精神，建立奋发向上的机制，调动广大干部群众的积极性，明确建立各级领导责任制。以科技进步保证工程建设，通过建设促进科技进步。加强社会主义思想教育，加强精神文明建设，树立工程建设中的良好作风。

1992 年 4 月 3 日，第七届全国人大第五次会议审议并通过了国务院关于提请审议兴建长江三峡工程的决议案，决定列入国民经济和社会发展十年规划，由国务院根据国民经济发展的实际情况和国家财力、物力的可能，选择适当时机组织实施。

钱正英，1923 年 7 月生，浙江嘉兴人。1941 年加入中国共产党。上海大同大学土木工程系毕业。曾任淮北行署水利科科长、华东军区兵站部交通科副科长、山东省黄河河务局副局长。建国后长期担任水利部、水利电力部副部长、部长。七届全国政协副主席。中共第十、十一、十二、十三、十四届中央委员。

〔附注：1993 年 3 月 26 日，全国政协八届一次会议选举钱正英为政协八届全国委员会副主席。〕

〔钱伟长·著名科学家、全国政协副主席·《钱伟长文选》出版〕　1992 年 10 月 9 日，在上海举行了著名科学家钱伟长教授的《钱伟长文选》首发式暨钱伟长科研教育思想座谈会。这部文选精选了他在新中国成立后发表于报刊的 72 篇文章，全书 43 万余字，并刊有钱伟长在各个时期的照片多帧。

7 月 10 日，全国政协副主席、中国和平统一促进会执行会长钱伟长，在“中国和平促进会”和台湾“中国统一联盟”联合举办的“海峡两岸关系与和平统一研讨会”的闭幕式上说：“这次研讨会大家对当前的形势大体上取得了两点共识，第一，是当前形势有利于中国的和平统一事业；第二是两岸爱国人士和人民的努力，正在推动着两岸关系迅速发展。”

钱伟长，1912 年 10 月生，江苏无锡人。1942 年毕业于加拿大多伦多大学，获博士学位。1942 年至 1946 年任美国加州理工学院喷射推进研究所工程师。1946 年任清华大学教授。1949 年后任清华大学教授、教务长、副校长，中科院力学所副所长，上海工业大学校长，民盟中央副主席。第六、七届全国政协副主席。

〔附注：1993 年 3 月 26 日，全国政协八届一次会议选举钱伟长为政协八届全国委员会副主席。〕

〔钱君匋·著名装帧艺术家、书画家、诗人、

音乐家·钱君匋从艺七十年研讨会在上海举行〕 艺术奇才钱君匋，是我国杰出的装帧艺术家、书法家、篆刻家、画家、诗人、散文家、作曲家，同时，又是出版界的元老，和著名的艺术收藏家。1992年是他从艺70周年。是年10月10日，由上海美协、上海书协、上海文史馆、上海文艺出版社等联合主办了"钱君匋从艺七十年研讨会，杜宣、张承宗、沈柔坚、林曦明等各界人士300多人出席了会议，巴金、白杨也分别送来了花篮和贺词。与会人士一致肯定了钱君匋在多方面艺术上的卓越才能和杰出贡献。

钱君匋别名豫堂，又号午斋，1906年12月生，浙江桐乡人。早年，毕业于上海艺术师范。历任上海开明书店编辑、万叶书店总编辑、人民音乐出版社、上海音乐出版社副总编辑、西冷印社副社长、君匋艺术院院长、华东师大艺术系教授。他的音乐作品抒情、优美、极饶诗意，作品小而含蕴深；他的画善于汲各家之长，汇中西之美，自由抒发，感情洋溢。充分表现一种艺术的愉悦和乐观、进取精神；他的书法、篆刻，包含民族传统精神，又极饶新时代的特点，师古而不泥古，清新自如，潇洒有力，在西冷众多的作家中，是极有个性特点的艺术家，有人说他的音乐是流动的书法，而书法又是凝固的音乐。他设计的书籍数不胜数，是我国新文艺书籍装帧的开拓者和奠基者之一。70年来，他在这方面成就堪称全国之最，装帧作品不仅数量多，而且格调独特，有"钱封面"之誉，在这方面，他积累的经验，创造的风格，应该说是中国现代装帧艺术的宝贵财富。

钱君匋精于鉴赏，富于收藏。近年，他将一生精心收藏的陈洪绶、徐渭、陈白阳、石涛、金农、蓝瑛、赵之谦、吴昌硕等著名艺术大师的书、画、印和雕刻作品数千件，捐献给他的故乡桐乡县，在家乡建立了君匋艺术院。桐乡人民对这位杰出的艺术家都感到由衷的钦敬和感激，一致赞扬他的爱国主义精神。

在举行钱君匋从艺70年研讨会之际，有三本与此相关的新书出版发行。一本是上海书店出版的《钱君匋的艺术世界》，50多万字，收130多篇文章，多为各界专家学者对钱君匋艺术的研究和评介；另一本是上海书店出版的《春梦痕》，是钱君匋的诗、歌词、散文的结集；第三本是天津市古籍书店出版了《钱君匋精品印选》，是从他上万件篆刻作品中精选的284方力作的选本。

钱君匋一生辛勤耕耘，硕果累累，70年献身艺术，至今还在精力充沛地工作。他的绘画作品有《向日葵》、《古柏》等；篆刻作品集有《长征印谱》、《钱君匋作品集》；书籍装帧作品有《钱君匋装帧艺术集》等数十种。可以毫不夸张地说，钱君匋是艺坛一代奇才，一代英硕！王西彦先生称颂他："广"、"久"、"寿"，这是很有意义的总结！

〔钱其琛·当选中共中央政治局委员·为和平友好奔走全球〕 1992年10月18日，钱其琛在中国共产党第十四次全国代表大会上当选为中共十四届中央委员会委员。19日，在中共十四届一中全会上当选为中共中央政治局委员。

1992年将至之际，国务委员兼外交部长钱其琛接受《世界知识》杂志记者采访谈到中国外交将以什么样的姿态迎接新的一年时说："展望1992年，既有挑战，也有机遇。尽管存在许多困难和许多不可预测的因素，应该说世界和平是可以得到维护的，各国的共同发展也是有希望的。中国将继续奉行独立自主的和平外交政策，坚持在和平共处五项原则的基础上发展同世界各国的关系，为维护世界和平作出自己的贡献。"

1992年1月，钱其琛访问非洲马里、几内亚、塞内加尔、科特迪瓦、加纳、纳米比亚等6国，他说：当今国际事务更需要听到非洲的声音，同非洲国家团结合作是中国一贯的立场。2月，赴柬埔寨、越南访问，同越南外长签署了两国政府经济合作协定和互免签证协定。3月，访问英国、德国、欧共体委员会和比利时。钱其琛在向英国首相梅杰递交中国参加《不扩散核武器条约》（英、美、俄是该条约的三个保存国）加入书时重申，中国一贯主张全面禁止和彻底销毁核武器，不主张、不鼓励、不从事核武器扩散，不帮助别国发展核武器。

4月，钱其琛陪同中共中央总书记江泽民访问日本，他对记者发表谈话说：发展中日关系具有天时、地利、人和的有利条件。江泽民作为中国最高领导人对日本的访问，对推动中日关系向前发展起到非常积极的作用。

6月，钱其琛访问新西兰和澳大利亚。7月，访问文莱和菲律宾。访问菲律宾期间，钱其琛谈到南沙群岛问题时指出，中菲对南沙群岛部分岛礁存在争议，但两国领导人达成了很好的谅解，即搁置争议，共同开发，相信在有关国家共同努力下，不仅可以保持南海地区和平，而且可以发展广泛的互利合作。他在出席马尼拉第25届东盟外长会议，同东盟6国外长磋商时说，在南沙问题上同我们存在争议的国家都是中国的友好邻邦，我们重视同这些国家的友好合作关系，不愿看到因为存在分歧而发生冲突，影响国家间友好关系的发展和本地区的和平与稳定。我们提出“搁置争议，共同开发”的主张，愿意在条件成熟时同有关国家谈判寻求解决的途径，条件不成熟可以暂时搁置，不影响两国关系。钱其琛还就经济合作与地区安全问题阐述了我国的主张，建议中国与东盟签订经贸合作协定，与东盟科技委员会建立联系，支持建立东南亚中立区和无核区主张。

8月，钱其琛在上海举行的联合国亚太地区裁军和安全问题研讨会上作基调讲话，就全面推进地区裁军与安全，促进地区的和平和发展提出5点主张。还出席了在北京举行的发展中国家与国际法研讨会开幕式并发表讲话。

9月初，钱其琛率中国政府代表团出席雅加达第10次不结盟国家首脑会议，这是我国首次以观察员身份出席这一会议。他在会上发表讲话强调，不结盟运动的重要作用不容忽视，今后国际形势无疑还会有种种变化，但有一点不会发生变化，那就是：中国将永远是不结盟运动的真诚朋友。会议期间钱其琛广泛接触了不结盟运动各国领导人，增进友好关系。他在雅加达答记者问时指出，美国宣布向台湾出售F—16战斗机是一个很严重的事件，美国政府破坏了中美所达成的八·一七公报所确定的原则。9月中旬，钱其琛对泰国进行友好访问，并出席亚太经济合作会议第4届部长级会议。接着，对以色列进行了今年1月两国建交以来的首次访问。他在耶路撒冷说，中国反对任何国家向台湾出售武器。中国未实现统一的原因之一，是国际上一些势力加以阻挠设置障碍。9月下旬，钱其琛率中国代表团抵纽约出席第47届联合国大会。他在发言中阐述了中国政府对建立国际新秩序、裁军和军控、世界经济发展以及联合国改革等问题的立场和主张。会议期间，钱其琛会见了许多国家的外长或元首。他在美国外交政策协会为他举行的午餐会上发表演讲时指出，中美两国不应当对抗，而应本着互相尊重、平等相待、信守诺言、遵守协议的精神处理两国关系。

11月，钱其琛访问了独联体的乌兹别克斯坦、吉尔吉斯斯坦、哈萨克斯坦和俄罗斯4国，访问后接受记者采访时阐述了中国发展同独联体国家关系的原则。他说，中国一贯认为，意识形态、社会制度、以及价值观念、文化传统等方面的异同都不应该成为发展国家关系的障碍。国家间的关系应该建立在下列原则基础上：从政治上讲是和平共处、互相尊重、睦邻友好、互不干涉内部事务；从经济合作的实际交往来讲，应该是平等互利的。还说：今后我们同俄罗斯和其他独联体国家的关系就是：既不是结盟关系，也不是对抗关系。这才是正常的关系。

钱其琛，1928年1月生，上海嘉定人。1942年10月在上海大同大学附中学习时入党，并任党小组长、党支部书记。1945—49年，是上海《大公报》社职员并任上海地下党中学区委委员、徐汇区学生区委副书记。1949—53年，任中共上海徐汇、长宁、杨浦区区委委员，共青团徐汇、长宁、杨浦区委书记。1953—54年，任共青团中央办公厅研究员。1954—55年，赴苏联中央团校学习。1955—63年，任驻苏联使馆二秘、留学生处副主任、研究室主任。1963—66年，任高教部留学生司处长、对外司副司长。1966—72年，在“文化大革命”中受冲击，后下放“五七”干校劳动。1972—82年，任驻苏联使馆参赞，驻几内亚大使，外交部新闻司司长。1982—88年，任外交部副部长，党组成员、党委副书记。1988年起，任外交部部长、党委书记，国务委员。是中共十二届中央候补委员、委员，十三届中央委员。

钱其琛能讲英语、俄语，是一位有经验的谈判家。他在工作中信守“在决策前要三思而行，实行决策时要迅速有效”的原则。

〔附注：1993年3月29日，八届全国人大一次会议第七次大会表决决定钱其琛为国务院副总理兼外交部部长。〕

〔钱学森·著名科学家、全国政协副主席·提出中国率先开展第六次产业革命的思路〕 钱学森于1992年11月25日写信给国务院副总理田纪云，以一个科学家的高度责任感和敏锐眼光，富有创建性地提出了在社会主义中国率先开展第六次产业革命的想法。

钱学森给田纪云的这封信是他第三次写信向国务院领导同志报告他对发展我国社会主义的新的大农业的想法，已引起中共中央和国务院的重视。钱学森认为，我们正面临着一场新的产业革命、21世纪初的产业革命。产业革命是生产技术引起的生产力大发展，从而引起一场经济结构的大变化，最后导致社会结构的飞跃。第一次产业革命发生于大约一万年以前，人从采集、打猎为生变为靠种地放牧为生；原始公社的社会制度变为奴隶社会制度。第二次产业革命发生于中国大约3000年前，即奴隶社会后期，商品交换出现了。第三次产业革命也就是发生于18世纪末19世纪初的所谓工业革命。第四次产业革命发生于19世纪末20世纪初，帝国主义开发了世界市场，生产体系也大为改观，出现世界规模的市场经济。第五次产业革命是正在世界发展的又一次产业革命，是由电子技术引起的。

钱学森说，我们要有远见之明，看到21世纪，要注意现代生物科学技术的巨大发展，看到由此引起的又一次产业革命：第六次产业革命。我们要为在社会主义中国搞第六次产业革命作准备。他指出，我们的林产业、草产业、海产业和沙产业要赶上农业。这实际都是为第六次产业革命作准备。另一项为第六次产业革命作准备的工作是抓现在我国农村的先进典型：江苏江阴的华西村和河南的刘庄。他们都早已超过小康水平，都有强大的乡镇企业，年创巨额积累。他们是具备条件迈步走向第六次产业革命的。

钱学森，1911年12月生于浙江杭州。1959年8月加入中国共产党，1955年参加工作，美国加州理工学院航空系研究生毕业，获博士学位。曾任美国加州理工学院航空系研究员、副教授、教授、喷气推进中心主任。1955年回国后历任中科院力学所所长，国防部五院院长，七机部副部长，国防科工委副主任，中国科学技术协会主席、名誉主席。第六、七届全国政协副主席。中共第九、十、十一、十二届中央候补委员。

〔附注：1993年3月26日，全国政协八届一次会议选举钱学森为政协八届全国委员会副主席。〕

〔倪光南·电脑专家·获国家科技进步一等奖〕　研究员、联想集团总工程师倪光南主持设计的联想系列微机，获1992年国家科技进步一等奖。同年12月19日，中国科学院奖励倪光南50万元人民币，这是中科院首次重奖科技人员，倪光南表示要把这笔奖金用于支持社会教育事业。此外，联想集团奖励倪光南一套四居室的住房，以表彰他对发展我国计算机科学技术，促进科技进步作出的杰出贡献。

倪光南，1939年8月1日出生于浙江省镇海县。1961年毕业于南京工学院无线电系，同年到中科院计算所工作。曾参与我国第一台电子管计算机、晶体管计算机和集成电路计算机的研制，是我国最早从事模式识别和汉字信息处理研究的开创人之一。1981—1983年应邀作为访问研究员到加拿大国家研究院工作，进行先进图形显示系统研究。回国后，1984年加入中科院计算所公司（后来的联想集团）担任总工程师，主持开发联想式汉字系统和联想系列微机等产品，为发展我国的计算机事业作出了重要贡献。

七十年代初，倪光南负责研制的“手写文字识别机”被评为中科院重大科技成果二等奖。1974年，他负责的课题“111实验性汉字信息处理系统”获中科院重大科技成果二等奖。1984年他加入中国科学院计算所公司后，于1985年研制成功“联想式汉字系统”，被誉为“国内外汉字功能最强的系统”、“中国人在计算机汉化方面的杰出贡献”。该汉字系统获国家科技进步一等奖。根据市场的需要，目前，联想汉字系统已改了九种型号16个版本，并率先用芯片取代了汉卡，使汉字信息处理实现了从汉卡时代进入芯片时代的革命飞跃。如今，联想式汉字系统已遍布全国三十个省、市、自治区和香港地区，并远销东南亚和欧美等国，累计销售量十万套，产值近二亿余元。

在倪光南的主持下，联想系列微机也很快开发成功。1988年“联想286微机”在美国和西德举办的国际计算机博览会上一炮打响。紧接着相继推出联想386、486等14种微机机型。目前，联想系列微机正以每月五万套主机板和二十万块显示卡的数量销往欧美、东南亚等40多个国家和地区，分别占世界同类产品的2%和8%，从而使联想集团成为目前中国微机出口量最多的企业。

倪光南先后被评为北京市劳动模范、中科院科技开发先进工作者，并被国家人事部授予“有突出贡献的中青年专家”称号。

〔倪志福·全国人大副委员长、中华全国总工会主席·谈在改革开放中发挥工人阶级主力军作用〕　1992年4月29日，全国人大副委员长、中华全国总工会主席倪志福在庆祝“五一”国际劳动节大会上讲话指出，“工人阶级是国家的领导阶级，是先进生产力和生产关系的代表，是推动经济发展和社会进步最基本的力量。”“工人阶级是改革开放的实践者和主力军。”“要充分认识到改革代表着工人阶级的根本利益，进一步增强改革开放意识，同党和政府共同努力，将改革事业推向前进。”他还说：“中国工人阶级是社会主义物质文明建设的主力军，也是社会主义精神文明建设的主力军。工人阶级要自觉学习和宣传马列主义、毛泽东思想和党的基本路线，大力弘扬爱国主义、集体主义和社会主义精神，用工人阶级的先进思想去占领阵地。要加强职业道德建设，用我国工人阶级艰苦创业、无私奉献的优良传统和高尚的道德情操去影响和带动全社会。”

据《人民日报》7月16日报道，倪志福在全总主席团会上提出，改革要充分发挥职工积极性。他说：“职工是改革的主体，改革的动力，改革的积极参与者，而不是局外人，更不是被改造的对象。”“工会组织要把支持和参与改革同维护职工合法权益结合起来，做好调查研究，搞好参政议政，反映职工意愿，提出积极建议。”

8月19日至9月22日，倪志福率领中华全国总工会代表团访问了印度尼西亚、墨西哥、巴西、委内瑞拉和古巴。

倪志福，1933年5月生于上海川沙县。1958年加入中国共产党。曾在国营六一八厂当过钳工、工程师、总工程师、党委书记，担任过中共上海市委第二书记、革委会第一副主任，北京市委第二书记、革委会副主任，天津市委书记，中华全国总工会主席。第七届全国人大副委员长。中共第九至十四届中央委员，十届中央政治局候补委员、十一、十二届中央政治局委员。

〔附注：1993年3月27日，八届全国人大一次会议选举倪志福为全国人大常委会副委员长。〕

〔徐诚·青岛出版社总编辑·获“世界名人前500名”金质奖章〕 1992年，英国剑桥国际传记中心从25万世界名人中，评选出世界名人前500名，青岛出版社总编辑徐诚获得“世界名人前500名”金质奖章。

徐诚，1941年生，辽宁复县人。1966年毕业于内蒙古大学生物系。先在内蒙古日报任记者，1972年任内蒙古人民出版社科技编辑室副主任，现任青岛出版社总编辑。20多年来，他在出版工作岗位上，先后发掘了张颖清、王贤才、樊建修等颇有成就的人才，使他们的著作获得社会承认。如高中毕业回乡的知识青年张颖清，写了一本《生物体结构三定律》，徐诚认定很有价值，不计经济效益予以出版，由此，张颖清创立了被世界生物学界称为“张氏三定律”的全新生物学理论。张颖清被山东大学破格聘为教授，并专设全息生物学研究所，由张主持。1990年在新加坡召开的国际全息生物学会上，张颖清被推举为国际全息生物学会终身主席，徐诚也被选为理事。青岛医学院毕业生王贤才在“文革”中错判入狱，在铁窗下用十多年时间翻译了世界医学名著《希氏内科学》，徐诚冲破重重障碍，使这部470多万字的译稿问世，填补了国内的空白，王贤才也成为国家作出突出贡献的翻译家。包钢一名工人樊建修，写了一本《工业控制机的程序设计》，徐诚决定出版。但有关部门领导不相信樊能写书，并以其家庭历史复杂等借口不同意出版。徐诚做了工作才得以问世。以后，樊成为计算机软件设计专家，又出版了6部专著，被全国总工会授予自学成才奖。仅在内蒙古工作期间，因徐诚支持而出版的著作，得到社会承认，而获得中级以上职称的作者有30多人，其中多数是靠自学成才的。为此，1988年，内蒙古自治区人民政府授予徐诚“自治区出版战线伯乐”荣誉称号。老一辈无产阶级革命家陈云亲笔为他书写了“荣辱不惊”四个大字。

1988年，徐诚调青岛出版社。他以顽强拼搏、努力开拓进取的精神，出版了一大批好书，对青岛出版事业作出突出贡献。青岛市授予他“青岛市专业技术优秀人才”光荣称号，并根据他的成就，给他记大功、晋级，并推荐他为山东省专业技术拔尖人才。1992年1月他被英国剑桥国际传记中心收入《世界学者名人录》。

〔徐重·表面工程专家·获国家发明奖二等奖〕 山西省太原工业大学教授、表面工程研究所所长徐重发明了居世界领先地位的“双层辉光离子渗金属技术”，获1992年国家发明奖二等奖。

徐重，1937年8月生于江苏省宝应县，1960年毕业于太原工业大学，留校工作至今。1981—1983年去美国南卡罗来纳州立大学进修。1983年建立并领导表面工程研究所至今。1985年又前往美国建立柏劳公司。

徐重于1965年率先提出磁场热处理的设想，发表论文4篇，受到国内外学术界的重视。1974年开始研究离子氮化，并于1977年研究成功“钛离子氮化”及“钛氮碳三元离子共渗”新工艺，这两项成果均获得1978年全国科学大会奖。“钛离子氮化”被国家科委列为重点推广项目。“钛氮碳三元离子共渗”于1985年获得国家发明奖三等奖。

1978—1983年，徐重发明并完善了“双层辉光离子渗金属技术”，并于1985年获得了美国专利权，成为中国公民在美国获得的第一项专利。目前，该技术已获得美国、加拿大、英国、澳大利亚及瑞典等7国的专利。该技术在国外被称为“徐氏合金化法”（即XU—Tec)，获得美国竞争力极强的国防部及能源部两项无偿科研奖金。1985年在美国为此技术而成立了柏劳公司，并于1990年成立实验室，进一步推广发展该技术。“双层辉光离子渗金属技术”属国际首创，居世界领先水平。该技术被列入《中华人民共和国重大科技成果选集》，并获得1992年国家发明奖二等奖。

徐重先后发表论文40多篇，包括在国外学术会议和杂志上发表学术论文10多篇。他本人两次获山西省特级劳模称号及全国“五一”劳动奖章和全国优秀科技工作者称号，并被评为具有突出贡献的国家级中青年专家，获政府特殊津贴。

〔徐静（女）·毛主席纪念堂管理局局长·为毛泽东主席遗体保存贡献突出〕 1992年12月15日，毛泽东主席诞辰99周年前夕，《光明日报》“英才画廊”栏介绍了毛主席纪念堂管理局局长徐静博士为保存毛泽东遗体作出的突出贡献。

1976年9月，在北京协和医科大学任教的徐静，接到卫生部的指示，命她带科研人员对毛泽东遗体进行长期保存的防腐处理。在时间非常紧迫和复杂的情况下，她和两位同事凭着长期积累的技术知识与丰富经验，沉着、稳妥地对毛泽东遗体施行科学地基础防腐处理，为以后长期保存打下了可靠的基础。遗体长期保存是一项多学科的复杂科研课题。为此，徐静又参加了由中央卫生部牵头、中国科学院参加的毛泽东遗体保护科研委员会和领导小组，并任办公室主任，协助领导组织对遗体保护的科研工作，并付诸实施。徐静除进行全面的遗体保护科研管理工作外，还设计、参与了老年颜面皮肤各部位的形态结构特点和某些保护液对骨骼肌钙磷含量的影响等课题，对遗体长期保存提供了很有价值的资料，受到遗体保护科研委员会的好评与奖励。

15年来，在徐静和其他有关人员的精心管理下，毛泽东遗体保存状况良好，遗体的形态、肤色等都没有明显变化，仍如老人家临终时一样亲切、安祥。他们的科研成果和遗体保护措施，还应用于宋庆龄、叶剑英、胡耀邦等领导人逝世后遗体短期防腐和化妆整容，收到了良好的效果。全国解剖学会理事长、著名细胞学与胚胎学家薛社普教授称赞徐静：“在遗体长期保存的研究上，起了重要学术上和组织科研上的关键作用，为我国攻破遗体保存领域的科学关，做出了重要贡献，取得了重大成果”。

徐静，吉林省吉林市人，1931年4月生，1948年4月参加工作，中国共产党党员。1950年9月，毕业于沈阳中国医科大学，先后在母校和中山医科大学、北京协和医科大学任助教、讲师、副教授、教授。1956年赴莫斯科第一医学院攻读研究生，获副博士。几十年来，她一直从事组织胚胎学的教学与科研工作，学识渊博，经验丰富。早在赴苏留学期间，年仅26岁的徐静，发现了成年高等脊椎动物大脑神经细胞在皮层部分损伤的条件下能分裂和再生。她的这项成果在全苏解剖学会和在莫斯科召开的国际“再生”学术会议上发表后引起轰动，与会科学家赞誉她“这位年青姑娘的发现，启发我们对许多问题要重新认识”。1959年回国后她继续深入研究，取得了重要成果。她的发现与研究成果，具有很重要的理论意义：①有助于解决长期以来神经细胞能否分裂的争论；②用生理性刺激，可能使大脑皮层功能代谢发生变化，引发神经细胞的分裂。这样，大脑皮层功能的恢复、瘫痪病人早日康复等都将成为可能。

40年来，徐静的教学成绩突出，科研成果显著，在国内外发表论文18篇。曾先后被评为全国文教战线先进工作者，全国少年儿童校外教育先进工作者，两次被评为全国“三八”红旗手，三次当选为中共第12、13、14次全国代表大会代表，她的名字1989年被列入《中国当代医学家荟萃》。

〔徐小帆、海林·文艺编辑·获中国“建设杯”相声新作名家邀请赛一等奖〕 1992年11月，海峡之声广播电台文艺部编辑徐小帆、海林合作的相声《难言之苦》，在中华说唱艺术中心和中央电视台文艺部等联合举办的中国“建设杯”相声新作名家邀请赛中获得一等奖。

徐小帆，1953年生。江西南昌人。原为解放军福州军区政治部文工团曲艺演员，该团撤编后入海峡之声广播电台文艺部工作，先后任记者、编辑兼节目主持人，业余坚持相声创作和演出活动。他曾在省以上报刊上发表40余篇作品。在创作中，摒弃粗俗浅白的低格调，追求含蕴丰富的主题构思和幽默隽永的艺术风格。1988年在中央电视台举办的全国业余相声大赛中，他的《一家亲》获创作和表演双奖。1991年广州唱片公司还为他录制6盒磁带《笑话连篇》，有“笑话大王”之称。他在本职工作上也有出色成绩。他主持的“文艺大世界”专栏，在海峡对岸同胞中有一定声誉。海林，原为解放军某部创作员，80年代初转到地方文艺单位任编辑。长期从事曲艺创作，发表过许多作品和评论文章。徐小帆和海林合作的相声《老鼠夜话》，1991年在中华说唱艺术中心和中央电视台文艺部举办的中国"禹王亭杯"相声征文大奖赛中获二等奖，并在演出中得到广泛好评。

〔徐小明·香港电影导演·哈尔滨冰灯艺术节举办徐小明电影展〕　1992年哈尔滨冰灯艺术节，特地为两位著名影人举办个人电影展，即徐小明电影展及田华回顾展。徐小明是香港著名的电影导演，在影展中，放映了他执导的《霸王卸甲》、《海市蜃楼》、《木棉袈裟》、《中华英雄》4部影片。

徐小明，1954年生，祖籍广东省花县。14岁踏入香港影视界。他多才多艺，不仅歌唱得好，而且集影视演员、编剧、导演、总监于一身，是香港电影导演会执行委员。执导拍摄的电视剧千集左右，如电视连续剧《变色龙》、《天堂鸟》等。影视片《霍元甲》、《陈真》、《霍东阁》在大陆内地播放后很受欢迎好评，观众写给他的赞扬信上万封。《木棉袈裟》1985年获福州市颁发的鼓励奖。

1982年后徐小明在大陆内地拍摄的电影有七八部之多，数量在香港首屈一指，演员大都是大陆内地的，效果很理想。在大陆拍摄的电影有《霸王卸甲》、《水玲珑》等。他认为大陆影视人才济济，表示将一如既往到大陆搜集素材，拍摄电影在国内外发行。

1989年春，徐小明曾在贵阳为贵州儿童举办义演，声情并茂，含泪演唱《霍元甲》主题歌："昏睡百年，国人渐已醒……。"1990年底，他首次回到故乡，参加花县12项工程剪彩典礼，在联谊晚会上为乡亲演唱电视连续剧《大地恩情》主题歌："河水弯又弯，冷然说忧患。别我乡里时，眼泪一串湿衣衫……。"

〔徐文恒·王朝酿酒公司总经理·领导企业获国际最高质量奖〕　1992年7月，在第30届布鲁塞尔国际评酒会上，天津王朝酿酒公司的王朝酒再获金奖。王朝酒在国际评酒会上，已连摘4届金牌。布鲁塞尔国际评酒会委员会特授予该公司以"国际最高葡萄酒质量奖"的荣誉称号。为该公司的创建和发展倾注了全部心血的总经理徐文恒，1992年获全国"五一"劳动奖章。

布鲁塞尔国际评酒会，是被欧共体承认的重要国际评酒会。第30届布鲁塞尔国际评酒会，有来自世界各地150多个厂家的368个牌子的世界名酒参加竞评。天津王朝酿酒公司除获得本届"国际最高葡萄酒质量奖"外，其他参评的王朝半干白葡萄酒、王朝桃红葡萄酒、汉宫半干白葡萄酒和天宫桂花陈酒四种酒也获得金奖。至此，天津王朝酿酒公司的产品十年来已先后获得国际金牌14枚，国家级金牌7枚，成为国内酿酒行业中的佼佼者。

中法合营的天津王朝酿酒有限公司，是1980年天津第一家外商投资的企业。担任公司总经理的徐文恒，带领职工大胆探索，艰苦创业。他非常重视研究市场的千变万化，不断适应市场需要，不断开发新产品。同时，瞄准高起点，狠抓产品质量。现在他们的产量已由十年前的10万瓶增到945万瓶，原来单一的品种已发展到三大系列15个品种。产品享誉海内外，行销美、英、加、日等20多个国家和地区。这个只有130人的公司，已实现利税3291、75万元，人均创利税达25、32万元，经济效益一直占据全国同行业第一的显赫地位。1989年，公司被晋升为国家二级企业，1991年获农业部质量管理奖。

徐文恒，山东省阳谷县人，中国共产党党员，高级工程师，1958年参加工作，北京经济函授大学经济管理专业毕业。1980年担任王朝酿酒公司总经理。1988至1991年，连续三年获天津市授予的"七五立功奖章"。1990年获天津市劳动模范，1991年获天津市优秀企业家称号。他还担任中国外商投资企业协会理事，中国农垦葡萄酒协会副会长等职。

〔徐竹初·雕刻艺术家·在北京举办徐竹初木偶雕刻艺术展〕　1992年9月，由中国民间工艺美术协会举办的"徐竹初木偶雕刻艺术展"在北京工艺美术馆开展，展出《群英会》、《梁山伯祝英台》、《鼠丑》等近百件作品，动态美与静态美结合，形神兼备，受到工艺美术界好评。著名美术家王朝闻教授在《中国文化报》上撰文评介。

徐竹初，福建漳州人，1938年3月生，出身于木偶雕塑世家，十岁开始随其父徐年松学艺，读中学时雕制"老翁"、"花脸"、"孩童"三种木偶形象，荣获1955年全国少年儿童科学技术和工艺作品展览会特殊奖，受到当时中科院院长郭沫若的称赞，并被拍成电影纪录片《少年雕刻家徐竹初》。他14岁进入漳州木偶剧团，专职从事木偶的造型设计、雕制和粉彩。他继承父辈传统艺术风格，大胆创新，吸收和借鉴京剧脸谱艺术，生、旦、净、末、丑等角色一应俱全，使木偶艺术更具民族特色。他结合现代技艺，使木偶神情毕肖，富有动态美。以往偶身仅8寸长，他将其扩展到一尺半；以往偶身用布做，外观扁平，他加进塑料泡沫，使偶身丰满匀称，有肌肉感；以往木偶面部涂油打腊，表情呆板，他改为油彩定装，眼睛会转，嘴巴会动，形态逼真，辅以艺人精采表演，木偶能穿衣脱帽，品茗吸烟，摇扇舞棍，夺枪射箭，腾云驾雾等。他先后创作木偶形象400多种、1万多件，既有现代的工、农、商、学、兵，又有古典小说中各类人物、戏剧人物、神仙、魔怪等。木偶团在美、英、法、意、日本、俄罗斯、匈牙利、新加坡等国以及台湾、香港地区访问演出时，观众争先求索木偶，爱不释手。许多国家博物馆、美术馆及收藏家争购收藏。我国文化部还将徐竹初的木偶艺品作为礼物赠送外宾。

〔徐庆华·副研究员·发现早期人类祖先化石引起轰动〕 中国科学院古脊椎动物与古人类研究所副研究员徐庆华，1992年5月6日首次向新华社记者展示了他1月9日在云南保山地区发掘到的人类祖先下颌骨化石。专家们认为，这项重大发现，填补了古猿向人类进化的一个缺环，对人类起源及演化的研究具有重要意义。

人类起源与进化的全过程，国内外学术界普遍认为可分4个阶段，即从猿到人转变的过渡阶段、南方古猿阶段、直立人（猿人）阶段和智人阶段（包括现代人）。目前，后三个阶段大局已定，而过渡阶段目前众说纷纭，争论激烈，成为古人类学上的论战中心。在六、七十年代，腊玛古猿被认为是早期的人类祖先，是从猿到人的过渡型代表。但随着亚、欧地区更多新化石的发现与分子人类学的进展，到80年代初，腊玛古猿的早期人类祖先地位被推翻。我国云南禄丰发现的晚中新世古猿化石，因其具有很宽的眶间区、方形的眼眶等特征，被看作是向南方古猿演化的过渡型代表，是人类的早期祖先。但近年又受到希腊、匈牙利发现的晚中新期古猿化石的挑战，因为它们也具有南方古猿那样的宽眶间区和方眼眶的特点。因而到底哪种古猿是早期的人类祖先？成为当今人类起源问题激烈争论的焦点。徐庆华发现的保山古猿化石，在形态和大小方面，均与距今大约800万年前的云南禄丰古猿标本相近，它的下第三前臼齿也具有明确分化的大、小两个齿尖。这种双尖型齿是单尖型的古猿类向双尖型的人类演化的一种重要过渡性状。根据地质资料分析，保山古猿化石的地质时代为晚中新世到上新世，距今约800—400万年前之间。在系统进化关系上，它处于从猿到人转变的过渡阶段，是继禄丰化石之后在云南发现的又一人科早期成员。从以上特征分析，保山古猿比禄丰标本更接近于人类演化第二阶段的南方古猿。因此，保山古猿化石的发现不仅填补了人类进化的一个重要缺环，而且有力地增强了我国过渡型古猿在人类起源中的地位，对人类起源和演化的研究提供了可靠的形态依据。

徐庆华，浙江省宁波市人，1935年4月生，1962年7月毕业于上海复旦大学生物系人类学专业，随即分配到中国科学院古脊椎动物与古人类研究所，从事古人类学的研究。三十年来，深入实际，参与了多项发掘与研究，取得了丰硕成果。1978年12月，他带领的野外考察队，在云南禄丰石灰坝古猿化石地点，发现了世界上第一个距今约800万年前的古猿头骨，由于这个头骨具有一些相似于南方古猿的性状，因此1979年春消息发布后，引起了国内外强烈反响。日本《朝日新闻》把这一发现选入“1979年科学技术十大新闻”；《大分合同新闻》把这一古猿头骨称作“云南先行猿人”，放在人类进化的第一阶段，并誉为“人类起源的新光芒”。1988年，他与同事合作的《云南禄丰古猿化石地点的综合研究》获中国科学院科技进步三等奖。1989年，参与《中国远古人类》一书的研究与写作，该书获中国科学院自然科学一等奖。他还应英国皇家学会和美国国家科学院的邀请，进行学术访问与合作研究。他的人生哲学是创新。他发现晚中新世到上新世时期是世界古人类化石的空白区，便跋山涉水，不辞艰辛三次到偏僻的云南保山清水沟矿区调查发掘。成功来自科学的信念与追求。1992年1月9日，他终于在该矿区的煤系地层中挖掘到这一稀世珍宝。这是人类起源研究上的一个新突破，再次轰动国际学术界。

〔徐关祥·吴江盛泽印染厂厂长·获全国乡镇企业家称号〕 1992年，徐关祥三喜临门：年初被评为全国乡镇企业家；9月当选为中共十四大代表；10月出席全国军地两用人才表彰大会受表彰。

49岁的徐关祥是江苏吴江市盛泽镇一个农家孤儿。1964年入伍，同年入党，1966年退伍还乡，他先后担任过生产队长、大队长、党支部副书记。改革开放后，他带头办企业，先后当过乡农药厂、水泥制品厂等许多企业的主要负责人。他凭着高度的责任感和使命感，克服了文化低、缺经验的困难，刻苦钻研技术，认真学习企业管理经验，使企业取得了很好的社会经济效益。1985 年，他带着 74 名农民，靠 6 口染缸、11 间简易草棚和贷款，创办了盛泽印染厂。当时与他们一墙之隔就是一家国家印染大厂，群众嘲笑他是“在大饭店门前摆粥摊”。徐关祥却决心要把“小粥摊”变成上“星级”的“大饭店”，一定要“创大业，跨大步，发大财”。他带领全厂职工经过两年艰苦奋斗，全厂产值就突破了亿元大关，跨入了全国亿元产值的先进乡镇企业行列。1990 年产值达 4 亿多元，纯收入 4000 多万元，印染生产量突破 2 亿米，相当于绕地球赤道 5 圈。1992 年盛泽印染厂已发展到拥有 1300 余名职工，产值突破 8 亿元，税利 8000 万元，平均每两年翻一番，以这个厂为核心的企业集团已成为全国最大的丝绸印染基地。

近几年来，徐关祥为了提高产品在国内外市场的竞争能力，毅然投资 3 亿元从日本和德国引进先进的纺织设备，加快了老厂的技术改造；并与中银集团合作，开发高新技术的涤纶纺真丝原料——涤纶细弹异型长丝，以此推动了吴江县同类产品上了一个档次，真丝水洗产品填补了国内空白，并成为外商的专销产品，出口创汇连续三年超过 5000 万元。有人说：“乡镇企业是只鸡”，徐关祥却说：“乡镇企业应该成为一只鹰，鸡靠土里刨食，虽可生存，但永远飞不高，只有雄鹰才能展翅高飞！”。

〔徐志宇、刘益良·解放军战士·被授予爱民勇士称号〕　1992 年 1 月 15 日，人民解放军海军某部战士徐志宇、专业军士刘益良为抢救遇难乘客英勇献身。3 月 26 日，海军党委决定授予徐志宇、刘益良爱民勇士荣誉称号。

1992 年 1 月 14 日下午，徐志宇、刘益良和本部队战友付树林、谢春山等 4 人，从广东省汕头市乘坐夜班客车回家探亲。15 日零时 30 分，客车行至海丰县梅陇镇南山路段时，一辆卡车迎面高速驶来，司机为规避卡车，猛打方向盘，客车一下子冲过公路外侧的碎石堆，当即向左倾覆并随即起火。坐在客车前部的徐志宇和付树林猛地爬起来后，发现客车中部和前部都已燃起大火，乘客惊慌失措，车内秩序混乱。付大喊一声：“不要乱，听解放军的！”一把将自己挑行李用的扁担从脚下抽出，奋力捅碎车头挡风玻璃，打开了一条生路。在这危急关头，徐志宇、付树林置个人生死于不顾，全力救护群众，车前部大多数乘客在他们的帮助下脱险。他俩头发烧焦，身上着火，正艰难地准备钻出车头时，发现一名惊呆的乘客，付树林一把将他推了出去，自己也跌出车外。接着，徐志宇又将一名浑身着火的女乘客（她叫梅丽，河南郑州人）推到出口，付将她拉出车外。这时，车体已全部着火，司机在外高喊：“快闪开，车要爆炸了！”付树林立即扑上去，拉住了徐志宇的手，徐本可就此冲出车外，但突然发现还有一名乘客脚被卡住没有脱身，又去救这个乘客。“嘭”的一声，客车爆炸了，徐志宇英勇献身，付树林被气浪掀出十几米远，身负重伤。

客车翻车起火后，坐在车后部的刘益良和谢春山迅速爬到车尾，谢用右臂肘猛击后窗玻璃，由于用力过猛，随即跌出车外，他迅速站起，将广州海运局陈满驹等乘客拉出车厢。此时，刘益良紧靠出口处，只要向前一步即可脱险，但为了帮助群众脱险，他主动让出通道，自己留在最后，直到客车爆炸，英勇献身。

在徐志宇，刘益良等 4 人的奋力抢救下，车内 36 名乘客和司售人员有 31 人得以生还。他们舍已救人的崇高品质和英雄壮举在社会上引起了巨大反响。海军党委在授予徐志宇、刘益良爱民勇士称号的同时，给付树林、谢春山记了一等功。

徐志宇，河南省新蔡县人，1970 年 3 月生，1989 年 3 月入伍，1991 年 7 月加入中国共产党，上士军衔。刘益良，湖南省隆回县人，1964 年 7 月生，1985 年 1 月入伍，1987 年 12 月加入中国共产党，1989 年转为志愿兵，专业军士军衔。

〔徐怀中·现代作家·任影片《大决战》艺术指导获特殊贡献奖〕　1992 年 5 月 21 日，中国人民解放军总政治部隆重举行革命战争历史巨片《大决战》表彰会，向该片创作及摄制人员授奖。影片《大决战》荣获解放军文艺大奖，摄制组荣立集体一等功。该片艺术指导徐怀中、摄制指挥萧穆、总导演李俊、导演史超获“特殊贡献奖”。

《大决战》是在党中央、国务院、中央军委、各有关省市和军区及广大军民的关怀支持下完成的。同时也是文艺、电影、党史、文献工作者集体智慧的结晶。在前后六年的时间里，数以千计的电影工作者参加了摄制工作，许多党史、军史、文史等方面的专家、学者无私地奉献了他们的研究成果，该片艺术指导徐怀中对影片的成功做出了重要贡献。

为了保证影片的质量，遵照军委领导指示，总政文化部部长、著名作家徐怀中同志从工作岗位上抽出，直接领导并参与剧本创作。从1989年3月起，徐怀中即与编剧同志一起，查阅了大量史料、电报、文献，采访了有关人士，在剧本送审稿的基础上进行修改、润色，数易其稿，并由他完成最后的定稿。经三年多夜以继日的工作，徐怀中为《大决战》付出了大量的心血和精力。在他的领导与参与下，终于创作出一部思想性与艺术性都属上乘的文学剧本。评论界认为这部影片的成功与剧本"高品位的奠基"是分不开的。由于这部影片规模宏大，涉及很多重要的历史人物及历史事件，其摄制程序也不同于一般常规影片，在持续数年的拍摄中，徐怀中根据来自各方面的意见、建议，不断对剧本进行必要的修改补充，同时与摄制指挥及总导演和各位导演一起，随时研究调整，保证了摄制工作的高质量顺利完成。

徐怀中，1929年9月29日出生于河北省邯郸市峰峰矿区山底村。十二岁考入太行中学。1945年5月入伍，1946年入党。1947年随刘邓大军挺进大别山。1950年到1954年在西南军区政治部文工团任研究员。1955年任昆明军区政治部文化部助理员。1958年调《解放军报》任副刊编辑，1962年调总政文化部创作组从事专业创作。1969年因"文化大革命"的影响调离总政，1973年任昆明军区政治部宣传部副部长、文化部副部长。1979年调八一电影制片厂担任故事片编剧。1984年任解放军艺术学院文学系主任。1985年调总政文化部任副部长，1988年任部长。

徐怀中是一位热爱生活，富有激情的作家。在西南地区工作时，他经常到康藏高原深入部队，领略边疆少数民族地区的风土人情，他的处女作中篇小说《地上的长虹》及长篇《我们播种爱情》、电影文学剧本《无情的情人》等都取材于这一地区的生活。1979年徐怀中随部队到中越边境体验生活、采访，创作出著名的短篇小说《西线轶事》。这部作品荣获总政治部举办的"自卫还击，保卫边疆英雄赞"征文一等奖和文化部1980年优秀短篇小说奖。评论界认为这是军事题材文学创作的一个重要的突破，也是新时期文学具有开拓意义的作品。徐怀中的其他作品还有中短篇小说集《没有翅膀的天使》、《徐怀中小说选》、《徐怀中代表作》、及若干理论、评论文章。徐怀中现为中国人民政治协商会议第八届全国委员会委员，全国文联理事、党组成员，中国作家协会理事、主席团成员，北京国际笔会中心会员。徐怀中的名字已被收入伦敦欧罗巴出版公司出版的《国际名人录》中。

萧穆、李俊、史超事迹已载1992年《中国人物年鉴》。

〔徐叔云·药理学家·获美国"ABI终身成就科学院"成员金奖〕 安徽医科大学校长、著名药理学专家徐叔云教授，1992年7月获美国"ABI（美国传记中心）终身成就科学院"成员金奖。他还被该中心列入《1991年杰出人物》、《世界500名有影响的学术领导人》等名人录中。英国剑桥国际传记中心亦将徐叔云列入《世界有成就的杰出人物》中。

徐叔云，长期辛勤耕耘于教学园地，成果卓著。他治学严谨，善于把握科技发展的新动向，不断改革、丰富教学内容，改进教学方法，提高教学质量。几十年来，培养出一大批药理方面的师资和研究人才。在科研方面，他不断开创药理学的新领域，已成为我国临床药理学的开拓者之一。早在50年代，他就是国内药理学界两个有名的"小专家"之一。他研制的一种降血压药物，曾受到周恩来总理的赞誉。几十年来，他悉心钻研药理学，成果颇丰，主编、撰写、翻译的学术著作已出版24部，达一千多万字。在国内外发表学术论文150多篇。他取得的15项科研成果中，有6项获得国家、省市级的科技成果奖。

在多年研究工作的基础上，他首先提出"抗炎免疫是一个问题的两个方面，二者关系密切，不可分割，甚至互相重叠。"这个学术新观点，指出药理学中原来认为两个不相关的系统，有着千丝万缕的联系，使传统的药理学分类方法和研究方法需要作重要改变和重新组合。他的学术新观点在第10届国际药理学大会、第5届亚太和东南亚国际药理学大会介绍后，引起强烈反响，被认为开创了药理学研究的新领域。这一新观点，还从理论上解释了许多中医药治疗一系列慢性炎症性疾病的原理，为进一步防治威胁人类健康的一系列慢性炎症和免疫性疾病，提供了新的思路与途径，也为中医药跨入世界大门开创了广阔前景。他研制的抗炎免疫新药金丝桃甙、木犀草素、TGP等，经临床应用，都有明显疗效。他组织创建的安徽医科大学临床药理研究所，科研成果显著，被卫生部定为抗炎免疫与抗衰老药临床药理研究基地。

徐叔云，江西南昌市人，1931年9月生，

1953年毕业于江西医学院，1956—1959年在安徽医学院攻读药理学专业，获副博士学位后留校任教。1978年晋升副教授，1981年被破格晋升为教授。他现在还任中国药理学会副理事长、安徽省科协主席等职，曾多次被评为安徽省先进科技工作者，全国优秀教师，国家教委劳动模范，国家级有突出贡献的中青年科技专家，全国先进工作者、全国先进科技工作者。

〔**徐学纯·教授·获第三届青年地质科技奖金锤奖**〕　长春地质学院地质系教授徐学纯立足于变质地质学的前沿领域，开展了前寒武纪高级区变质作用演化PTt轨迹及其动力学机制的研究，取得突出成果，1992年4月获中国地质学会第三届青年科技奖的最高奖——金锤奖。

1980年，徐学纯在攻读硕士研究生时，就独立完成了“晋北恒山地区前长城系地质特征”科研项目，首次在该区发现了麻粒岩，并划分出角闪岩相和麻粒岩相两套变质岩系，成功地应用拓扑学原理，从理论上阐述了变质作用演化规律，被评审专家认为达到国内领先水平。

变质流体研究是当代地质科学研究的前沿，徐学纯率先采用先进的激光拉曼探针方法，研究了矿物气液包裹体的成分和物理化学性质，查明了内蒙古乌拉山区麻粒岩相变质岩系变质流体的演化规律，确定了该岩系变质流体演化的PTt轨迹及其动力学机制和大地构造体制。他的这一研究方法已向全国地质学界推广，并得到国家自然科学基金青年基金的资助。中国科学院地学部委员、著名岩石学家董申保教授等专家认为，这一研究水平可与国际同类研究并驾齐驱。其关于变质流体的研究，必将对我国这一领域的研究起到具有重要意义的推动作用。

徐学纯还作为编委之一参加了1：400万《中国变质地质图》的编制与研究。该项研究首次系统地总结了我国变质地质学和变质岩石学的研究成果，发展了变质地质学的基本理论和研究方法，被专家认为取得了达到国际领先水平的研究成果。

徐学纯，现任长春地质学院地质系副主任，吉林省公主岭市人，1954年2月生，1978年8月在长春地质学院毕业后留校任教，先后攻读硕士和博士研究生，均以优异成绩毕业。他在教学和科研工作中刻苦钻研，不断进取，取得了突出的成绩。曾主持和参加15项国家和省部级科研项目，取得一系列科研成果。先后获得多项奖励，1984年完成的“晋北恒山地区前长城系地质特征”科研课题分别获地质矿产部和山西省科技成果三等奖；1987年参加研究和编制的《中国变质地质图》及专著获地质矿产部科技成果一等奖和国家自然科学二等奖。1991年被国务院学位委员会和国家教委授予“有突出贡献的中国博士学位获得者”称号，同年被地矿部破格晋升为副教授，1992年又被破格晋升为教授。曾先后在国内外学术刊物上发表论著30多篇。

〔**徐桂珍（女）·齐齐哈尔市总工会女职工部部长·获全国工会先进女职工工作者称号**〕　从1979年专职从事工会女职工工作的徐桂珍，全身心地投入女工工作，甘愿奉献，努力当好六大员。即：不同时期女职工工作新课题的调研员；传递全市女职工工作信息的联络员；维护女职工合法权益的监督员；协调女职工工作争取社会支持的公关员；为女职工办实事的服务员；开展女职工工作的指挥员。实现了高层议政参与得上，低层难题解决得了。女职工们把市工会女职工部当做娘家，把徐桂珍当做知心朋友。1992年“三八”节前夕，徐桂珍被全国总工会女工委员会授予“全国工会先进女职工工作者”称号，并进京参加了全总召开的表彰奖励大会。

徐桂珍为了维护女职工权益，先后就如何解决编余女职工二次就业问题；租赁承包企业和不景气企业女职工劳动保护难以贯彻落实问题；女职工委员进入企业管理委员会问题；女职工干部职级问题等，在73个单位进行了大量调查研究，亲自撰写了报告、论文，积极提出可行性建议，得到市总工会、市委、市政府的重视和采纳。

徐桂珍带领各级女工干部，引导广大女工在经济建设中找到位置，开展业务、技术、技巧岗位练兵活动，参加者十万余人，还发动女工积极提合理化建议，直接创经济效益1780万元。

徐桂珍忘我工作，亲自受理女职工上访事件52人次。在盛夏酷暑，严寒的冬天，她多次虚脱在去上访单位的途中。为了使上访案件件件有着落，有回音，她不怕劳累，不顾时常遭白眼和讥讽，只要上访者满意，所在单位满意，徐桂珍自己也就满意了。

徐桂珍急职工所急，双职工中午回不了家，孩子的午餐、职工买米买菜、病人护理都拖累广大女职工。徐桂珍调查后，决定在比较集中的家属区开展职工家务服务工作，在全市建立了220个服务站，701个服务网点，开办了50多个服务项目，家务服务员达5000多人，解决了职工的后顾之忧，使她们更积极地投入经济建设。

徐桂珍的优异工作成绩得到肯定，1982年和1989年齐齐哈尔市政府两次给她记功，1986年黑龙江省总工会授于她优秀女工工作者称号。

徐桂珍生于1951年2月1日，齐齐哈尔市人。1969年入黑龙江生产建设兵团，1977年毕业于齐齐哈尔师范学院，1971年3月加入中国共产党。

〔**徐章元·党支部书记·被追授模范党务干部称号**〕　1992年8月29日，交通部党组决定，授予安徽铜陵长江港航监督处党支部书记徐章元以“模范党务干部”荣誉称号，并号召全国交通系统广大干部职工学习他的模范事迹。徐章元长期忘我工作，积劳成疾，在自知病情严重、不久人世的情况下，谢绝组织上的关心照顾，以超乎常人的坚强意志和乐观精神，坚守岗位，拼命工作，终因心力交瘁，于1991年7月23日倒在办公室，以身殉职，年仅39岁。

徐章元，安徽巢县人，1952年出生，1975年毕业于南京河运学校驾驶专业，1982年加入中国共产党。在学生时期他就是学校和公社最优秀的三好学生。参加工作后，克己奉公，勤奋工作，多次被评为先进工作者、长江航运系统优秀党务工作者，并获铜陵市“新长征突击手”称号。他担任铜陵长江港航监督处党支部书记后，始终以“党代表”的强烈责任感，忠于职守，忘我工作。1990年5月，因腹部剧痛，被送进医院，诊断为风湿性心脏病、心力三度衰竭、二尖瓣闭合不全、心源性肝硬化，脾、胆、肺也发生病变。入院半小时，医生就下了病危通知。徐章元得知自己的病情后，表现异常平静、乐观，还安慰妻子和来探望的领导与同事。住院三个月，病情有所控制，就要求出院上班。医生告诫他，你现在就象散了板的船，随时都有生命危险，出院后必须卧床休息。他觉得自己的时间不多，要求继续工作，领导不同意，他说：我在家里会憋死的，主任太忙了，我帮他看门，听电话也行。上班第一天的深夜，传来海事报案，他便带一名监督员，赶到现场调查、解决，使一大型船队及时恢复营运。1990年12月，国家重点工程铜陵公路大桥进行紧张的钻探施工，主航道由1000米压缩到200米。为保证施工、航运安全、正常进行，必须昼夜24小时监护监航。现场人手紧，他白天一人坚守在钻探船上，对每天来往的500多艘大型船舶在上下10公里范围内进行跟踪监测，指挥他们交会、避让，晚上回到处里值班。当时正值严冬，江上风大，滴水成冰，又无取暖设备，他的腿脚浮肿，连鞋都提不上，每天吃两顿开水泡饭，就这样带病坚持了40多天。在他的带动下，全处职工共同奋战，在未加一人一艇的情况下，提前80多天完成任务。1991年7月，连降暴雨，江水猛涨，主任出差，他又挑起防汛抗洪的重担。这时，他的病情急剧恶化，双腿肿得发亮，腹部鼓得连裤扣也系不上，还要支撑着随船巡视江面，向过往船舶通报水流情况，提醒应注意的问题。芜湖港党委得知他的病情，让他马上离开岗位去疗养。但徐章元还是想着工作：总结防讯抗洪工作、解决市区职工上下班车、联防经验要推广……，他又一次谢绝了组织的关怀。他预感生命快要结束，就越想用有限的生命为人民多做点事。1991年7月23日，他在值班室里，突然一头栽倒在地，口吐鲜血，再也没有醒过来。徐章元逝世后，港监处的职工群众无不为他舍生忘死、顽强拼博的工作精神所感动。他把满腔热血和宝贵的青春献给了港监事业，实践了“愿把一生奉献给人民”的誓言。

〔**徐惠滋·任人民解放军副总参谋长**〕

1992年11月，中央军委任命徐惠滋为人民解放军副总参谋长。

徐惠滋，1932年12月生，山东蓬莱人。1949年参加中国人民解放军，在平津战役中立大功。1950年加入中国共产党，同年参加抗美援朝，任中国人民志愿军连指导员。回国后，任团俱乐部主任、团副参谋长。1960年毕业于军事学院。后历任军司令部副科长、副处长、处长、师副参谋长、师参谋长、师长、军长。1985年任解放军副总参谋长。是中共十二届、十三届、十四届中央委员。1988年被授予中将军衔。

〔**翁石甸·青年篆刻艺术家·出版《邓小平革命足迹篆刻》**〕　1992年2月，翁石甸编刻的《邓小平革命足迹篆刻》一书，由中国文联出版公司出版，已被中国革命博物馆收藏。此书以文图并茂的印学语言，记录了邓小平的历史功绩，也是我国第一部以篆刻艺术记录无产阶级革命家的光辉足迹的巨著。同年5月，其作品入选《全国第四届中青年书法篆刻展》。

翁石匍，1968 年 12 月出生，江西弋阳人。从少年时开始醉心诗书画印，得钱君匋、刘江、韩天衡等名家言传身教。为了加强自我涵养，他广泛阅读多种书籍，尤其对佛教经典习悟更多，为了使印体更具有文化厚度，他将神秘含蓄、古雅静穆的佛家禅意融入印中；为了将身心溶入佛禅之中，而将禅意渗入印中，他常静坐在得助禅寺合十拜月。他热爱家乡，家乡那如诗如画的田园风情，那古老丰厚的乡土文化，都是他创作的源泉。他主张远师秦汉之精华，近取各家之琼英。渴望从博大精深的秦汉印和中华古典文化中开掘出一种能够适合于现代人口味的印风。钱君匋看了他的印作，称赞有种“土气味”和佛家禅意，并用其名作了一幅对联：“石中印花铁笔著，匋里文采妙手绘。”其作品获“屈原杯”海内外书画艺术大赛优秀奖，“海峡杯”大赛获二等奖，全国书画、篆刻精英奖，先后入选《当代书画篆刻名家作品展览》、《当代印社志》、《全国印社篆刻联展》、《全国首届现代篆刻艺术大展》、《全国第二届篆刻艺术展》。

翁石匍现任信江印社社长，石匍印馆馆长，是《信江印报》的创办者。出版印作还有《长江印谱》，编著《斋馆印大观》，编刻《古今印家造像集》。

〔栾淑荣（女）·民间剪纸艺术家·新作《百猴图》问世〕　1992 年 2 月，农历猴年伊始，民间剪纸艺术家栾淑荣创作的《百猴图》问世，受到人们的喜爱。

栾淑荣，1964 年生于山东栖霞县。现在是栖霞县文化馆专业创作员、中国民间剪纸研究会理事。栾淑荣儿时受家庭和邻里的熏陶，从十二、三岁便迷上剪纸艺术，经过十几年的刻意追求，她的剪纸艺术日趋精湛，达到了不起画稿、不用眼看即可创作的程度，被中央电视台摄入《中国一绝》系列片中。继完成《百龙图》、《百凤图》、《百狮图》、《百虎图》、《百猫图》之后，《百猴图》是她第六部动物剪纸系列创作。《百猴图》是猴子各种神态的艺术再现，一幅作品表现一种动作，一种情趣，数十幅作品构成一个十分生动有趣的场景。像《猴子摘桃》、《献桃》、《吃桃》等作品表现的是猴子庆寿的场面；《打鼓》、《敲锣》、《拉琴》等作品展现了猴子音乐会的场面；《抬轿》、《迎亲》、《惜别》等作品则表现了猴子娶亲嫁女的场面。

从 1981 年以来，栾淑荣先后有 500 件作品入选全国、省、市举办的展览，160 件作品获奖，9000 多件作品远销美国、日本、巴西等十几个国家和地区，80 余件作品被中央美术学院、中国美术馆、上海美术馆等单位收藏。

〔高军（女）·乒乓球运动员·获第二十五届奥运会女子双打银牌〕　1992 年在西班牙巴塞罗那举行的第 25 届奥运会乒乓球女子双打比赛中，高军与陈子荷合作，夺得女子双打亚军，为中国队赢得 1 枚银牌。

这位 1969 年 1 月 25 日出生的河北姑娘，身高 1 米 67，体重 64 公斤，由于父亲酷爱乒乓球，5 岁时就被送进了业余体校，11 岁进了河北省乒乓球集训队，1985 年 16 岁时又走进了国家集训队的大门。进国家队的这一年，高军名列全国少年女子单打亚军。她 1986 年 8 月与何志文配对在平壤国际邀请赛上获混双冠军，11 月在全国锦标赛上获女单第三名。

1987 年—1988 年，高军虽然身在国家队，并在国内外比赛中获得过女子单打、双打、混合双打的冠军和团体冠军，但并不出名。直到 1989 年，她才迎来乒乓球生涯的春天。这一年，她不仅在香港、匈牙利和苏联的国际比赛中赢得 6 枚金牌和 2 枚银牌，而且第一次参加世乒赛——第四十届世界乒乓球赛，获得女子双打和混合双打两枚铜牌。特别是在《苏维埃文化报》国际乒乓球赛，高军夺得女团、女单和女双（与陈子荷合作）三枚金牌。

1990 年，高军是第一届世界杯乒乓球团体赛女子团体冠军中国队的成员。在第十一届亚运会上，高军不仅是女团冠军中国队的成员，而且获得女子单打亚军，并与陈子荷合作获得女子双打第三名。

1991 年是她成名的一年。高军作为中国女队团体的主力队员，参加了第四十一届世界乒乓球锦标赛，由于首次担当重任，背上了怕输的包袱，结果两场单打皆负，使得中国女队第十次夺得女子团体冠军后获团体亚军。但她及时调整情绪，与陈子荷齐心协力，在决赛中战胜了上届冠军、队友乔红和邓亚萍，夺取了女子双打冠军。高军 11 月在巴塞罗那成为第二届世界杯乒乓球团体赛女子团体冠军中国队的成员。在国内，她 6 月参加中国乒协杯赛、10 月参加全国锦标赛，都闯进女子单打决赛，最后均负于邓亚萍而获亚军；在国外，她参加了日本、匈牙利、瑞典和芬兰的公开赛，共获得 5 枚金牌、3 枚银牌和 3 枚铜牌。

高军右手直拍，近台左推右攻打法，体质好、力量足，推挡比正手攻出色。她生情乐观、随和、文静，爱好文学，喜欢唱歌，是中国乒乓球队中有名的“歌星”。

〔高阳·台湾历史小说家·病逝台北〕　台湾著名历史小说家高阳，因多种器官衰竭及急性酒精性肝硬化并发败血症，于1992年6月6日病逝台湾省台北市。

高阳，本名许晏骈，字雁冰，郡望、高阳是笔名，1926年生，浙江杭州人，出身书香世家。因战乱未能大学毕业。曾入杭州笕桥空军官校服务。后随国民党军队到了台湾，任职冈山空军官校。1960年辞卸军职，踏入新闻界，历任台湾《中华日报》主笔、总主笔，《中央日报》特约主笔。五十年代初开始文学创作生涯，曾出版《霏霏》、《桐花凤》等中长篇小说。后专门从事历史小说创作，1966年完成第一部历史小说《李娃传》，共创作至少72部（91册）约两千多万字的作品，形成上溯秦汉下至北洋军阀的历史文学作品系列，尤以晚清小说最受称誉，深为读者喜爱，其中有《慈禧全传》、《瀛台落日》、《红顶商人》、《胡雪岩》、《乾隆韵事》、《曹雪芹别传》等。《高阳说诗》获台湾中山文艺奖。在大陆、香港均有其作品出版。在台湾被誉为“一代历史小说巨擘”、“著作等身的史学大家”、“当代独一无二的历史小说家”。

高阳是一位多产作家，生前以创作为主，时刻处于读书、思考、笔耕的紧张生活之中。他创作严肃认真，其历史小说不与史实相悖，细节皆作考据。嗜酒、好烟。1991年3月间就曾因肺疾数度昏迷。其家庭生活也不美满，50多岁得一女，与妻子分手已多年。1991年台湾联经、皇冠、风云时代三家出版社协议将其72部（共91册）作品集成浩大的《高阳作品集》精装本，但遗憾的是他未能亲眼见到，实现夙愿。

高阳生前，认为海峡两岸的文化交往绝对是一件好事。他曾为促进海峡两岸文学作品的交流尽力。1989年5月间首次访问大陆，应邀参加上海第四届港台文学暨海外华文文学学术讨论会，并祭祖探亲。他慨感万千，口占一诗“不须泪眼望山河，但得还乡福已多。我是瀛州吴自牧，梦梁心影竟模糊”。

〔高芸（女）·出纳员·为保护公款勇斗歹徒被授予全国先进女职工标兵称号〕　云南省禄丰县公路养路费征收稽查站女出纳员高芸，为保护公款，不顾个人安危，在头部被歹徒击伤后，与歹徒殊死搏斗，1992年8月被全国总工会授予“全国先进女职工标兵”称号。此前云南省交通厅、省工会、省交通工会等单位也授予高芸以“优秀征稽员”、“先进女职工”、“先进女职工标兵”、“巾帼建功活动先进个人”等荣誉称号。

1992年5月3日下午4时许，禄丰公路养路费征稽站出纳员高芸，带着征收的两万多元公款，准备存入银行。当她快到银行不远处时，突然身后窜出一个歹徒，手执钢管，猛击高芸头部，高芸头上被打开一条四公分长的口子，顿时鲜血直流。她很快意识到是歹徒行凶抢钱，便一手捂住伤口，一手紧紧按住钱袋。歹徒抢不到手，又用钢管狠击高芸头部。鲜血糊满了脸部，染湿了衣服。她头晕目眩，腿脚酸软。但死握住钱袋，一边支撑着身体奋力追击，一边大声呼叫：“抢钱了，抢钱了，抓坏蛋……。”面对如钢似铁的高芸，歹徒一时抢不到钱袋，心里胆怯，扔掉钢管，丢下自行车，仓惶而逃。禄丰钢铁厂职工杨俊琪听到呼叫声，便马上跑到征稽站报告。征稽站的人闻讯赶到，只见高芸仍半蹲半跪支撑着身体，紧握钱袋。当她透过血糊的双眼，看清楚是征稽站站长李琴时，才把钱袋松开。高芸被及时送医院救治，脱离生命危险。医生说，她的头部被钢管连击数下，多处裂伤、血肿，流了那么多血，仍强忍剧痛，与歹徒搏斗，真是一个奇迹！高芸为保护国家财产，不顾个人安危，与行凶歹徒殊死搏斗，这种大无畏精神，受到云南省各级政府和社会各界的普遍赞扬。

高芸，云南昆明市人，1947年2月生，1962年1月由昆明铁路技工学校毕业后参加工作。几十年来，她兢兢业业，勤恳工作。出纳员就她一人，每天要点收现金几万元，还要填表、记帐、送银行，十多年来，没出过一次差错，多次受到上级的表彰和奖励。她在平凡的岗位上做出了不平凡的事绩。1992年8月，高芸光荣地加入中国共产党，实现了她多年的夙愿！

〔高严·当选吉林省省长〕　在1992年3月举行的吉林省第七届人民代表大会第五次会议上，49岁的高级工程师、副省长高严当选为吉林省省长。同年10月，高严在中共第十四次全国代表大会上当选为中共第十四届中央委员。

高严，1942年生，吉林榆树人。1965年加入中国共产党。历任吉林热电厂团委书记，吉林省电力工业局副局长、局长。1988年起任中共吉林省委常委、吉林省副省长。

〔**高泉·油画家·大型画集问世**〕　军事博物馆美术创作室主任、著名油画家高泉，长于人物画和海景画。他的海景油画150余幅，由天津人民美术出版社于1992年结集出版，题名《海之歌》。由于高泉作品空灵跌宕，突兀雄奇，色彩瑰丽，结构壮美，在读者中引起强烈反响。

高泉，1936年生于安徽蚌埠。1956年考入中央美院油画系，1961年毕业，在董希文工作室留任助教。1962年底志愿入伍，先后在海军、总政治部任美术创作员、美术编辑，是副教授。1991年调入军事博物馆任美术创作室主任。三十余年来，创作百余幅作品，其代表作有：《八六海战》、《女气象员》、《毛主席在连队建党》、《心潮》、《艰苦的岁月伟大的友谊》、《母亲》、《过草地》、《中流砥柱》等。部分作品被美术馆、博物馆收藏，曾多次获奖和出国展出。1983年出国考察全景画，回国后即参加领导绘制了抗日战争纪念馆半景画《卢沟桥的战斗》和辽沈战役纪念馆画《攻克锦州》。高泉的画风严谨、朴实、细致，富有传奇色彩，超越了风光的时貌描摹和大自然的悦目留连，进入到物我感应，天人合一，构筑出自己心灵深处的海的世界，是中国传统的现实主义写实画家之一。

〔**高音·中国旅行社总社总经理·获全国旅行社行业优秀经理称号**〕　由中国旅游协会和国家旅游局发起的全国旅行社行业优秀经理评选活动，历时近一年，于1992年6月9日在北京揭晓，并在人民大会堂举行了隆重的颁奖仪式。中国旅行社总社总经理高音，在这次评选中获“优秀经理”称号，他同时还被授予中国旅游协会名誉会员称号。

高音，祖籍福建，1931年3月生。肄业于香港达德学院政治经济系。1949年5月从菲律宾回国后长期从事外事工作，1978年到中国旅行社总社工作，1984年9月任中国旅行社总社总经理，1990年7月任中国中旅（集团）公司董事长、总经理兼中旅总社总经理。

高音任中旅总社总经理以来，提出了本世纪内中旅系统发展规划和改革方案，在上级领导的支持下，于1985年将总社由事业单位改为企业；1990年2月成立了中国中旅（集团）公司，成为我国第一家全国性的旅游集团公司。他大力开拓客源市场，在不少国家和地区建立了自己的旅游公司。他还重视多种经营，围绕吃、住、行、旅、购、娱，开展多种经营活动，使中国旅行社发展成为以旅游为主，包括旅游饭店、旅游商贸、旅游汽车等多元化服务的大型旅游经济实体。在他的主持下，中旅率先实行了陪同导游培训、考核和颁发导游证的措施，制定了中旅社职工道德规范，纠正行业不正之风。他与全社职工共同努力，使中旅总社的经济效益逐年增长，1991年获得纯利比1984年增长18.3倍，连续4年荣获“首都旅游紫禁杯”先进企业称号。

〔**高敏（女）·跳水运动员·获第二十五届奥运会女子跳板跳水冠军**〕　被誉为“跳水女皇”的中国选手高敏，1992年在西班牙巴塞罗那举行的奥运会跳水比赛中，又以优异成绩夺得女子跳板跳水冠军。

高敏，1970年9月7日生于四川。自9岁起步上跳台至今已走过整整13个多年头。眼泪、汗水、鲜血凝结成一系列辉煌的成就：1988年获汉城奥运会跳水冠军；1989年获第二届友好运动会两项跳水冠军；1990年获亚运会两项跳水冠军；1991年获第六届世界游泳锦标赛两项跳水冠军。

高敏共获“国际级”以上的金牌40多枚，这位川妹子的崛起，使世界跳水界进入“高敏时代”。

当人们看到领奖台上微笑的高敏时，却不知她平日付出了多少艰辛。为练好“空中芭蕾”，“酷刑”绷直脚尖，坐“老虎橙”垫砖，膝盖受重伤，肘关节损伤，耳膜穿孔，吐血，腰伤。她不畏艰难，不屈不挠。四川人也是中国人的这些优秀品格在高敏身上得到了生动体现。

1991年初珀斯世界锦标赛期间，肩伤和两臂疼得难以合拢，但高敏毅然踏进赛场，咬牙忍痛，打上封闭针，硬是夺到两枚金牌。

在巴塞罗那奥运会上，高敏赢得最后一枚金牌，为她的运动生涯划下一个圆满的句号。奥运会后，高敏有三件大事：一是10月出席了中国共产党十四次代表大会；二是11月喜披婚纱；第三是11月29日正式告别体坛。最后高敏将拍卖一块金牌的款项捐给中国2000年奥申办，以及关心、支持她从事跳水事业的单位。

高敏简历与事迹参见1989年、1992年《中国人物年鉴》。

〔**高锟·香港中文大学校长·当选台湾“中央研究院”院士**〕　香港中文大学校长高锟于1992年7月9日当选为台湾“中央研究院”第十九届数理组

院士。

高锟，1933年生于上海，出身书香之家，祖父高吹万是清末民初革命文学团体南社的名诗人。高锟在上海度过了少年时代。五十年代初在香港圣约瑟书院读书。1953年赴英国伦敦大学攻读电机工程学，获理学士、哲学博士学位。1965年完成学业后，曾在英、德、美等国一些著名电讯工程研究室工作，任发展工程师，首席工程师等职。1970年返港后任香港中文大学电子系教授、系主任。1974年赴美国。较长时间在美国国际电话电报公司（ITT）从事研究工作，任科学总裁、电子显徽部门副总裁兼总工程师。1987年出任香港中文大学校长。

高锟是国际著名光学纤维通讯专家，长期不懈地努力将此门技术广泛应用于通讯传播，撰写编辑光导纤维技术专论书籍甚多，例如《介质纤维表面光频波导》论文等公诸于世后，在国际上引起广泛注意。他发展的光纤通讯系统，能够传送大量音波、录相和资料，获专利数项。因成就卓著在西方国家备受赞扬。

从1978年起，高锟在国际上获得众多奖誉，如获英国兰克奖、瑞典爱力生电信奖、美国贝尔奖、巴伦坦奖章、利布曼奖，光电子学奖金、日本电脑及电讯科技奖等。尤其值得称道的是1985年荣获联合国颁布的1985年度马克尼国际奖。此奖被视为电机工程界的诺贝尔奖，是为纪念“无线电之父”马克尼设立的。当时联合国秘书长佩雷斯·德奎利亚尔亲自在联合国向他颁发获奖证书，中国邮电部向他发了贺电。

〔高从增·海洋学专家·获国家科技进步一等奖〕　国家海洋局杭州水处理中心研究员高从増因在国产反渗透膜装置及其工程技术开发方面贡献突出，获1992年国家科技进步一等奖。

高从増，1942年11月生于山东即墨，1965年从山东海洋学院化学系毕业后，在青岛市国家海洋局一所工作。1967年7月至1970年2月，先后在中科院化学所和青岛中科院海洋所参加全国海水淡化会战。1970年调浙江省杭州市国家海洋局二所（今国家海洋局杭州水处理中心）工作至今。其间1982年至1984年曾作为访问学者赴加拿大滑铁卢大学进修。

高从増在海洋科技开发上成绩突出，多次获得各级奖励。1984年，他主持的CTA中空纤维RO膜和组器的研制获浙江省和国家海洋局科技进步三等奖；1988年主持的超滤膜及组件的研究获海洋局科技进步三等奖；1989年从事的荷电膜及其性能的研究分别获浙江省和国家海洋局科技进步三等奖；1991年从事的复合膜和非纤维素膜的研究获国家海洋局科技进步一等奖。1992年，从事的国产反渗透膜装及其工程技术开发获国家科技进步一等奖。该项目独创了反渗透膜液的组成，创新地革除了其中的有毒成份，简化了传统制膜工艺，探索出适合国产膜特性的相应膜工艺，解决了膜的增强和复合等技术难题，使国产反渗透膜的强度、选择透过性、使用寿命均达到国际先进水平。

〔高文亮、苏太德·民警·被追授全国公安战线一级英模称号〕　1992年11月13日，公安部追授在追捕死刑持枪在逃犯的战斗中英勇献身的公安干警高文亮、苏太德“全国公安战线一级英雄模范”称号。

高文亮，山西省岢岚县人，1963年4月生，初中文化程度，1979年12月入伍，1982年退伍到云南省砚山县公安局工作，1990年6月加入中国共产党，牺牲前为砚山县公安局缉毒干警。

苏太德，云南省马关县人，1955年11月5日生，中专文化程度，1974年12月入伍，1979年退伍到云南省马关县公安局工作，牺牲前为马关县公安局副科级侦察员。1992年9月12日被追认为中共正式党员。

近年来,由于云南平远地区少数不法分子与缅甸、香港、台湾等地贩卖毒品集团相勾结，建立毒品供销关系，境外毒品不断偷运进这个地区，使之成为毒品交易的“转运站”。1992年8月，云南省委省政府根据中共中央的指示，在平远地区开展了一次严厉打击贩卖毒品和枪支弹药的严重刑事犯罪分子的斗争。高文亮、苏太德积极响应，前往平远执行任务，负责捕捉死刑持枪在逃犯马某。该犯1989年因大肆贩毒被富宁县公安局抓获，一审判决死刑后越狱逃跑，在逃期间又多次持枪贩卖毒品，并以牟取的暴利建造了一幢带有防御设施的住宅，随时准备决一死战。8月31日凌晨，高文亮、苏太德和战友们包围了犯罪分子的家，在搜索过程中与罪犯展开激烈枪战。罪犯凭借夹墙、暗道等顽抗，并在屋内纵起大火。高文亮、苏太德在掩护战友时中弹，壮烈牺牲。

高文亮从事缉毒工作以来，经常与战友一起分析研究毒品犯罪的特点和活动规律，加强特情耳目建设，积极搜索犯罪线索，采取隐蔽监控与公开查缉相结合的方法进行堵流截源。他还潜心钻研，掌握了贩毒分子经常使用的黑话，国内外各地毒品的价格，以及毒犯的生活习俗，模仿他们的言谈举止，打入贩毒集团内部开展斗争，使一批批毒品犯罪分子相继落入法网。就在牺牲的前三天，他还打入贩毒集团内部，成功地破获了一起重大贩毒案。两年多来，他与战友们共查破各类贩毒案件 140 起，抓获毒品犯罪分子 193 人，缴获海洛因 33829·6 克，鸦片 31968.1 克，各种军用枪支 15 支，毒资 404565 元，以及大批违禁物品，在缉毒斗争中作出了突出贡献。

苏太德自幼就是一个品学兼优的学生。他在武警边防部队服役 5 年，曾 3 次受部队嘉奖，加入了共青团。参加公安工作 10 多年来，他直接办理刑事案件 100 多起，抓获各类案犯 300 多名，为国家挽回经济损失 20 余万元，办案质量受到上级高度评价。他不仅是破案能手，而且十分善于教育挽救失足人员，13 年中使 28 人从犯罪的深渊回到勤劳致富的道路。在马关县公安局工作期间，曾 7 次受县局党委嘉奖。

〔高好文、秦素梅(女)·农村夫妇·先后供养 115 名学生上学受嘉奖〕　河南省通许县邸阁村农村夫妇高好文和秦素梅，10 年来，先后无偿供养 115 名学生上学，被当地乡亲称赞为“雷锋夫妻”。1992 年获河南省五好家庭光荣称号，在全国五好家庭评比中获得银杯奖。

高好文和妻子秦素梅，靠在街头开日杂小店兼种七亩责任田生活，亦商亦农，家有余粮，手中有存款，又有儿有女，生活过得红红火火。10 年前的一天，高好文偶然听说附近的邸阁中学（现为县四中），有两名学生，因没有钱粮在学校搭伙，准备退学回家。他不由得想起自己读书时因家庭困难被迫辍学的经历，感到很痛惜，不忍心看着两个孩子失学，连夜找到学校领导说：“让这两个学生住到我家去吧，吃住我全包了，只要他们能继续读书。”

第二天，高好文夫妇腾出一间房，让两个学生搬到自己家中，同吃同住，如同一家人。两年后，其中一个学生考上开封师专，另一名回村当了民办教师，高好文夫妇象看到自己的孩子有出息一样高兴。

送走了这两名学生后，夫妇俩觉得家里似乎少了点什么。于是又接来了七个家境困难的学生。这时高好文靠党的农村政策，手里也有了几个活钱。他干脆盖了四间砖瓦房，做了几张新床，添制了新被褥，专门让学生住。从此，寒来暑往，年复一年，他家最多时住十五六个学生，少时也有四五个，时间少的住一两年，长的住三四年。有时吃饭就象开食堂似的。高好文夫妇俩深知这些学生家境贫困，不收他们一分钱、一斤粮，而自己却事事精打细算，省吃俭用，把节省下来的钱给学生们订了《数理化知识》、《半月谈》等杂志，买了外语磁带和书籍，为了方便学生们学外语，还买了台收录机。

十年来，在高好文夫妇家住过的 115 名学生，都个个成才了。其中有 13 人考上了大学，20 多人参了军，有的当了农村教师。

高好文，1946 年 10 月生于河南通许县邸阁村，1972 年高中毕业后返乡。秦素梅，1947 年 2 月生于通许县大岗李乡户岗村，1960 年小学毕业后回乡务农。1990 年，高好文被选为乡政协委员。连续两年，被县政府命名为双学先进个人，开封市先进个体户。现任邸阁乡个体协会副主任、县政协委员。

〔高信杰·解放军连长·被授予爱兵模范连长称号〕　1992 年 2 月 19 日，兰州军区党委决定授予为保护战士生命安全英勇献身的某部连长高信杰“爱兵模范连长”荣誉称号和二级英雄模范奖章。

高信杰，陕西省山阳县人，1963 年 1 月生，1982 年 11 月入伍，1985 年 5 月加入中国共产党。历任班长、排长、副政治指导员、连长等职。1985 年底参加边境防御作战，任部队总机班班长，带领全班多次出色地完成通信保障任务，被前线指挥部评为“优秀话务兵”，提升为排长。担任排长后，他勤奋工作，所在排连续两年被评为先进，荣立集体功，本人被上级树为“排长标兵”。他关心爱护战士，战士病了，他亲自照料，寻医煎药，端水喂饭，对文化低的战士，他手把手地教他们学文化，对有缺点的战士，他耐心细致地帮助教育，先后使 15 名战士改正了缺点，有了明显进步。1991 年 7 月 9 日，他组织全连进行手榴弹实弹投掷，新战士小曲由于心情紧张，不慎将拉了弦的手榴弹滑落在身后一米处，在危急时刻，高信杰奋不顾身地冲过去，把小曲推进掩蔽坑内，这时手榴弹爆炸了，小曲得救，他却身负重伤，经抢救无效，于 7 月 21 日牺牲。

〔高冠华·国画家·获国际书画展国际最高荣誉奖〕　1992 年 6 月高冠华的国画作品《飞雪

纷纷》荣获日本东京国际书画协会颁发的《国际书画最高荣誉奖》。

高冠华，江苏南通人，1915年9月生，中国写意花鸟画家。1940年毕业于国立艺专国画系，留校工作，为潘天寿入室弟子，历任天津大学、北京艺术学院、南京艺术学院副教授、教授。现为中国书画社社长，中央美术学院国画系教授。中国美术家协会会员，新华书画院院外画师。

高冠华作品丰富，多年来致力于国画艺术，风格潇洒透逸，选材丰富广泛，在笔墨上长期锤炼，而显得挥洒自如，近年虽已年过古稀仍肆力变法，成就颇高，名传海内。主要作品有《枯荷》、《纷纷飞雪夕阳红》、《依依透骨寒》、《秋色斑斓》等。

〔高晓宇·教授·主持创建中国第一个宇宙超高能γ源观测站〕　由云南大学和香港大学合作，在云南省昆明市近郊建成的梁王山宇宙线观测站，是我国第一个观测宇宙超高能γ源的高山观测站，1991年12月已通过云南省科委和国家自然科学基金会组织的验收。主持该观测站筹建和研究工作的是云南大学宇宙线研究所所长、观测站站长高晓宇教授。1992年8月4日，《科技日报》介绍了梁王山宇宙线观测站的情况，此后，香港《明报》、《星岛晚报》等也对该站的研究工作进行了报道。

超高能γ射线的观测研究是宇宙线物理和高能天体物理研究中的一个十分重要的前沿，梁王山观测站的建成将使我国进入这一重要的研究领域。该站由广延大气簇射粒子探测阵列、切仑柯夫光探测阵列和即将建成的150平方米簇射μ介子地下探测阵列组成，三阵列联合运转，探测超高能r点源及宇宙线超高能现象。目前，由37个闪烁体探测器组成的簇射粒子探测阵列，有效工作时间达1·4万小时，收集到80多万个事例；由19个空气切仑柯夫光探测器组成的阵列也探测到7千多个事例；μ介子探测阵列的第一期工程50平方米探测器的安装已接近完成。

1991年12月，由中科院学部委员、理论物理研究所专家何祚庥教授，中科院高能物理研究所顾问霍安祥教授，香港大学物理系主任周威彦教授等15位专家主持的验收认为，粒子探测器的主要性能指标已达到当前国际同等阵列水平；切仑柯夫光探测阵列是我国目前探测超高能簇射的唯一阵列，其拥有的探测器数量属当前世界上少数大阵列之一，它设计先进，布局合理，性能优良，对簇射方向具有较高的空间分辨本领，由于所处地理环境的优越条件，阵列的探测阈能比世界同等阵列低，可以获得有意义的物理结果。该站在国际同类台站的建设中，具有独特的优点和先进的水平，可以发展为世界少数几个重要的宇宙线研究基地之一。该站观测的初步结果，已写成13篇论文在国际上发表，引起国际同行专家的关注。现在，该站在国际、国内宇宙线物理及高能天体物理学界具有了相当的影响，已被国际宇宙线委员会列为世界上正在工作的14个重要台站之一。

高晓宇，云南昆明人，1938年7月生，1961年于云南大学物理系毕业后留校任教，先后主讲“高能粒子探测技术”、“数学物理方法”等10门课程。1978年起主要从事科研和研究生培养，对高能荷电粒子的水声效应及宇宙线广延大气簇射芯的声探测进行了一系列研究，获得了三个簇射芯的声事例，在国际上尚属首次，这标志着我国在此领域的研究已居国际领先地位。1988年以来，他发起并主持与香港大学合作建立具有国际水平的梁王山宇宙线观测站，由他主笔撰写的该站初步研究成果近10篇论文，已引起国际同行的关注和引用，成为该学科的学术带头人。10年来曾四次应邀出席在印度、美国、前苏联、澳大利亚举行的国际宇宙线学术会议。由于在宇宙线研究上的突出成就，先后5次获得研究基金，多次获得科研成果奖，被评为“云南省有突出贡献优秀专业技术人才”。现还担任中国民主同盟中央委员，民盟云南省委副主任委员。

〔高清愿·台湾统一企业股份有限公司副董事长·在大陆投资迅速发展〕　1992年11月29日，台湾著名企业家、台湾统一企业股份有限公司副董事长高清愿在香港参加了台湾统一关系企业集团与天津儿童食品示范厂合资创办天津统泰食品有限公司的签约式。这是统一关系企业集团在大陆的第六个合资项目。高清愿表示，该企业集团在大陆赚到的钱将会重新投资于大陆。近年，高清愿致力于发展两岸的经贸关系，积极向大陆投资。他所主持的台湾统一关系企业集团在大陆投资的其他五个项目是：北京即食面厂，新疆番茄厂，上海饲料厂，天津面粉厂，天津电池厂。投资数额近2千万美元。统一关系企业集团是台湾的大企业集团之一，大量投资于大陆在台湾是有“震撼力”的，台湾同行深受其影响。

高清愿，1929年生，台湾省台南市人。早年父亲病逝，与母亲相依为命。小学毕业后当童工赚钱，养家糊口。1943年到台南市新和兴布行当学徒工。1948年与人集资从事布行批发，任德兴布行经理。1955年任台南纺织公司业务部经理，奠定了事业的基础。1967年参与创办统一企业股份有限公司，历任常务董事兼总经理、副董事长。该公司主要产销面粉、饲料、食品、罐头……，七十年代已发展为台湾最大民营企业之一，执台湾食品工业之牛耳，有“食品龙头老大”之誉。他还参与创办其他企业，从事多种经营，涉及租赁、工商、金融、旅游等行业，形成统一关系企业集团，任该集团的总裁，现任统一租赁股份有限公司、统一超商股份有限公司、统一实业股份有限公司、统懋半导体股份有限公司、南联国际贸易股份有限公司、大统益股份有限公司董事长等职。

高清愿是一位奋斗有成的企业家。1974年被评为台湾十大企业家之一。1978年获台湾食品科学技术会第一届杰出食品企业家之称。1986年被视为台湾“最具魅力企业家之一”同年又被选为台湾十大企业楷模之一。他热心于社会福利慈善事业，如创设财团法人高清愿纪念慈母奖学基金等，多次获得奖誉。是国民党十三届中央委员。历任台湾区乳品工业同业公会理事长等职。

〔郭士持·中学教师·其家庭被授予全国优秀教育世家称号〕　四川省内江市第七中学教师郭士持从事教育事业30多年，其祖孙直系三代18人中有14人任教，其中一生从事教育工作的9人。截止1992年，他们累计教龄达307年。1992年8月，郭士持家庭被国家教委、全国教育工会、全国妇联和《家庭》杂志社联合授予“全国优秀教育世家”称号。

郭士持，四川省隆昌县人，1934年3月出生，1960年毕业于四川大学生物系。1955年从事农村农业教育。1961年7月起在北京农业大学任教。1966年起先后在内江二初中、内江第七中学、中央农业广播学校内江分校、内江教育学院、内江师范专科学校等处执教。曾6次被评为市、县的先进教育工作者。其父郭成熜从教近40年，有些著述，虽在“文化大革命”中被冲击、抄家，但忠诚于教育事业坚定不移，直至1968年病逝。逝世前曾以《无题》小诗勉励后代：“接下锄犁继耕耘，荒芜黄土必成荫；十年树木成林后，必谢当年植树人。”郭士持的叔父郭季咸长期从事中学教育，对古代文字颇有研究，曾参加《汉语大字典》的编写工作。郭士持的弟弟郭士政从教30余年，曾被评为四川省教育战线劳动模范。郭士持的女儿郭晓初、女婿杨志明、侄女郭轩宇也都先后走上了教坛。

〔郭汉城·戏曲理论家、剧作家、诗人·其学术成就研讨会在北京举行〕　作为戏曲理论家、剧作家、诗人的郭汉城，在文艺战线上耕耘了数十个春秋，成果颇丰。1992年4月，中国艺术研究院、中国戏剧家协会、中国艺术研究所、中国戏曲学会和《中国京剧》杂志社联合在京举办了郭汉城学术成就研讨会。与会者盛赞郭汉城的治学精神与做人之道：“谦谦君子犹风范，点点淡清皆华章”。阿甲的贺辞：“承继先辈兴后辈，不薄古人爱今人”，如实表达了对郭汉城功绩的评价。

郭汉城，浙江省萧山市人，1917年生。1938年赴陕甘宁边区入陕北公学学习。1943年加入中国共产党，曾任察哈尔省文化局副局长、察哈尔省文联主任、华北行政委员会文艺处副处长。1954年任中国戏曲研究院剧目研究室主任，后任中国艺术研究院副院长兼戏曲研究所所长等职。著有《戏曲剧目论集》，与张庚共同主编了《中国戏曲通史》、《中国戏曲艺术通论》、《大百科全书·戏曲卷》。著有小说《红珠》、《邬家崖风波》；诗《淡渍集》、《淡渍堂诗抄》；戏曲剧本《双飞蝶》、《听琴记》等。并培养了几代研究生，是一位深为戏剧界敬佩的老专家、老前辈。研讨会上，人们认为郭汉城的理论著作，坚持来自实践，反过来又给实践以指导。他和张庚共同主编的《中国戏曲通史》和《中国戏曲通论》，惨淡经营，从50年代到80年代，几经周折，方抵于成。这不仅体现了郭汉城和其他前辈戏剧家们坚韧不拔的治学精神，更反映了他们对历史、对当代人、对前人、对后世的高度责任感。《通史》从戏曲的起源与形成起，到清代戏曲勃兴、中国封建社会开始解体止，批判地吸收了前人研究成果，纵论我国古代戏曲剧种、戏曲文学和戏曲舞台美术的沿革，探索戏曲发展的规律，是我国第一部以马克思主义观点编写的古代戏曲历史专著。《通论》是一部以历史唯物主义和辨证唯物主义为指导，按照实事求是的原则总结前人经验“从客观实际当中抽绎出规律来”的戏曲理论专著，也属难度很大的开创性工作。郭汉城为《通论》撰写的《中国戏曲的人民性》一章，对历来争论很大的人民性的涵义及性质、古代戏曲的人民性、有关传统剧目人民性的几个问题，及当代戏曲的人民性作了精辟阐述。

他撰写的《戏曲剧目论集》是研究我国戏曲剧目的一本重要论集。书中第一章就鲜明提出他对剧目创作的一贯主张："坚决继承，大胆创造"，科学地阐述两者之间的辨证关系。结合实例，生动地论述了戏剧与时代、戏剧与生活、戏剧与观众及现实主义与浪漫主义、生活真实与艺术真实等一系列相互关系问题。人们还认为他的这些评论文章象他的为人一样，总是与人为善，诚恳坦率地评价作品。郭汉城的诗作造诣也很高，他的《淡渍集》、《淡渍堂诗抄》，其构诗之奇，遣词之雅，音律之美显示了他的诗词歌赋的才华。

〔郭良蕙（女）·台湾作家·作品研讨会在北京举行〕　台湾著名女作家郭良蕙作品研讨会于1992年12月3日在北京国际艺术沙龙举行。与会者来自首都文学艺术、新闻出版、社会科学、大专院校的专家、教授、学者及郭蕙良亲人近50人。此活动旨在加深海峡两岸的相互了解，进一步增强中华民族的凝聚力。郭良蕙在大陆一直沉浸于亲情、乡情及友情之中。

郭良蕙，1926年生于河南开封，山东巨野人，在四川长大。早年就读于四川大学，后毕业于复旦大学，攻读文学，兼习绘画、音乐。大学读书期间已才华横溢，常有小说、诗歌见诸上海报刊。1948年去台湾定居。五十年代从事小说创作，是台湾多产作家之一，作品近60部，其中不少是畅销书，有众多读者，在海内外具有广泛影响。1962年郭良蕙创作的小说《心锁》问世后，轰动一时，台湾当局以"妨害风化"之罪将其列为禁书。翌年被台湾"中国文艺协会"开除会籍。1982年才重新拿到该会会员证。1988年《心锁》也予以开禁。

郭良蕙文笔细腻，长于人物对白、心理描写。作品有《禁果》、《春尽》、《感情的债》、《遥远的路》、《我不再哭泣》、《我心、我心》、《记忆的深处》、《早熟》、《蚀》、《失落、失落、失落》、《缘》、《睡眠在那里》等。《台北的女人》刻画了台北各种女性，有的快乐，有的寂寞，有的上进，有的消沉……曾一版再版，并在美国被译成英文出版发行。其小说有的被改编成电影。她就主演过由其小说改编的《君子协定》。据台报称，她曾上过无数杂志的封面，有"最美丽的女作家"之称。除从事小说创作外，并致力于研究古代文物，收藏古陶瓷，撰写古物鉴赏文章。喜欢旅游，足迹遍及东南亚、美国、欧洲等地。

郭良蕙曾任香港新事业公司董事长，参与创办《音响世界》杂志。

〔郭其富·曲艺演员·在全军文艺会演中获创作、表演双一等奖〕　1992年6月，沈阳军区前进文工团曲艺演员郭其富，在全军第六届文艺会演中演出自己创作的评书，获创作、表演双一等奖。

郭其富，1953年生。辽宁大连市人。自幼酷爱曲艺说唱，读中学时就是业余文艺活动的骨干。1973年底参加解放军。1978年加入中国共产党。历任战士、排长、指导员、连长、干事、助理员等职。他长期坚持业余创作和演出活动，常年生活在部队基层单位，积累了丰富的创作素材；他重视歌颂先进思想、优美情操和反映崭新的人际关系，也敢于揭露时弊，批评讽刺消极现象。他曾考入辽宁大学中文系和西安政治学院政治工作两个函授班，提高自己的政治、文化水平；他利用各种机会向曲艺名家求教，向群众征求意见，反复加工作品，改进表演，做到精益求精。1990年国家民政部和解放军总政治部授予他"全国军地两用人才先进个人"的荣誉称号。

郭其富入伍以来参加了两千余场文艺演出，并多次在东北三省的电台、电视台以及北京电视台演播曲艺节目。1984年起，他在省、市以上和全军、全国的文艺比赛中先后获奖42次。其中，1989年他创作的故事《捉弄人的老鼠》等在"北戴河杯"、"南阳杯"全国故事大赛中均获表演一等奖和创作奖。1990年他首创的小品《超生游击队》获"南开杯"全国小品大赛一等奖，他演播的评书《关东魂》获全国电台评书演播一等奖。1991年他创作和演播的评书《心声》获全国评书大赛一等奖、创作三等奖，他演播的评书《皇太极演义》、《多尔衮演义》获全国电台评书演播赛和交流演播一等奖，他创作的评书《呼唤》获首届全国文艺演唱作品"群星奖"三等奖。曾先后荣立二等功四次，三等功五次。

郭其富是中国文艺家协会、中国曲艺家协会和中国故事家协会会员，辽宁省青年联合会委员。

〔郭味蕖·已故著名画家、美术教育家·郭味蕖故居陈列馆落成开馆〕　已故著名国画家、美术理论家、美术教育家郭味蕖故居陈列馆于1992年4月20日在山东潍坊市建成开馆。

郭味蕖（1908—1971），山东潍坊人，上海艺术专科学校西画系毕业。历任山东省立潍坊师范，省立潍坊中学美术教员，北京古物陈列所图画研究员，民族美术研究所助理研究员。解放后，经徐悲鸿介绍，到中央美术学院研究部工作，后又调徐悲鸿纪念馆工作。1961年起，任中央美术学院花鸟画科主任、讲师、教授。

郭味蕖是学贯中西的学者和富有创新精神的画家，他长期刻苦研究画理，从事创作和教育，是我国新花鸟画的开拓者和先驱。也是我国当代花鸟画最具代表性的画家之一。他在绘画史论、金石考据，书画鉴赏、创作技法理论、版画、年画研究，以及诗文、书法等方面均有成就。所著《宋元明清书画家年表》、《中国版画史略》、《知鱼堂书画录》、《知鱼堂鉴古录》、《殷周青铜器释文考略》、《写意花鸟画创作法六十讲》等上百万字的学术著作和大量新花鸟画，是他留给后人的宝贵财富。

在花鸟创作上，他首先提出花鸟画的革新观，创作了许多与前辈迥不相同的作品：《东风朱霞》、《大好春光》、《朝晖》、《惊雷》、《初阳》、《丽日》、《晨光》等，意态鲜妍，情趣高尚，技法上更突破了前人的藩篱。工写相兼，山水和花鸟结合，泼墨和重彩相揉合，是当时为传统中国画的革新和现代意念融和的可贵和成功的尝试。因而取得了令人瞩目的成就。

潍坊市政府在中央文化部、中央美术学院、中国美术馆和全国美协、徐悲鸿纪念馆、中国画研究院等单位和各方面的支持和帮助下，特别是郭味蕖夫人陈绮和子女亲属的积极协助、搜集作品，整理档案，提供屋宇，捐献书画，多年筹备，悉心擘划，终于于1992年4月建成了“郭味蕖故居陈列馆”。几十件郭氏的书画精品和大量图书、典籍充陈其间，使广大群众能对郭味蕖的艺术风范、学术宏谟有完整的了解和深入学习研究的机会。

〔郭沫若·已故著名文学家、历史学家、社会活动家·百年诞辰纪念活动在北京等地举行〕

1992年11月16日是郭沫若百年诞辰，为纪念这位科学文化巨人，北京举行“郭沫若与中国现代文化发展”国际讨论会，四川省各界千余人于郭沫若的故乡乐山市隆重聚会，重庆召开学术讨论会缅怀盛赞郭沫若在渝业绩。

由中国社会科学院主办的“郭沫若与中国现代文化的发展”国际学术讨论会于1992年11月14日在京举行。来自中国、美国、俄罗斯、意大利、德国、韩国、日本、越南、斯洛伐克、尼泊尔和台湾地区等海内外学者近100人出席了研讨会。研讨会共收到60余篇论文，从论文的选题看，侧重于郭沫若文化思想的研究，涉及郭沫若文化、学术、政治活动及其著作在海内外翻译出版情况等各个方面，基本反映了当前关于现代中国文化研究的动向。

1992年10月21日，四川各界千余人聚会于乐山市，举行郭沫若百年诞辰纪念活动。活动内容包括：举办有国内各界人士和日本百余名专家学者参加的“郭沫若与中国科学文化研讨会”；举办由上海市图书馆、北京市郭沫若故居和乐山市文化馆联合举办的“郭沫若生平事迹及著作版本展”和以郭沫若及其作品为主题的邮票和书画展；举行展现郭沫若生平、思想和成就并体现郭沫若家乡特色的综合文艺晚会；集中播出有关郭沫若的电影电视剧和电视专题片。坐落在闻名海内外的乐山大佛旁边，包括郭沫若铜像、诗词碑廊陈列馆和资料库等在内的郭沫若资料研究中心——沫若堂也于是日向游人开放。

重庆市文艺、学术界人士于1992年11月13日举行纪念郭沫若诞辰100周年大会暨学术讨论会，缅怀、盛赞这位新文化运动的旗手在重庆的业绩。重庆市文化界还举办多项活动纪念郭沫若诞辰100周年，市文化局组织专场演出根据郭沫若同名话剧改编的川剧《武则天》，市文联举办诗歌朗诵会，当年脍炙人口、激励人心的《屈原》剧中的“雷电颂”，再次回响山城。

此外，为纪念郭沫若诞辰100周年，北京史学界专家学者举行了纪念座谈会；首都文艺界举行了《凤凰赋》大型综合文艺演出；四川推出了郭沫若研究系列丛书。

郭沫若生平经历见1989年《中国人物年鉴》

〔郭定翠（女）·火葬场场长·应邀参加全国“五一”劳动奖章、奖状授奖大会〕　陕西省安康市火葬场场长、全国劳动模范郭定翠，冲破世俗偏见，甘愿把自己的青春年华献给殡葬事业。1992年“五一”节，她作为全国总工会重点宣传学习的20名劳动模范之一，应邀到北京参加全国“五一”劳动奖章、奖状授奖大会，受到党和国家领导人的接见。

1980年郭定翠从北京装甲兵部队复员，1983年初分配到安康火葬场当接尸整容工。在学校时，别人大吼一声她都心跳，而现在接触死人竟成了她的工作任务，这个变化对她来讲真是太大了。头一次她随灵车到丧家，进屋一看，顿时毛骨悚然，死者是一位服毒自杀的姑娘，面容已经变形，身体蜷曲在地，浓烈的敌敌畏药味呛得人难以忍受。但是老师傅全然不顾，仔细为死者整容，想尽办法让死者呈安然入睡的状态。此情此景使郭定翠深受教育，她决心向老师傅学习，决心在殡葬事业中，一点一滴地实现自己为人民服务的誓言。从此后，不管刮风下雨，酷暑严寒，按照丧家的要求，随叫随到，接尸整容，用自己温暖的双手，换来了成百上千死者家属的宽慰。

1988 年 5 月，郭定翠被任命为火葬场场长。她在场内推行承包制，实施一系列改革措施，根据工作性质的不同制定了各自的岗位责任制。改固定工资为浮动工资，实行责、勤、服务优劣三挂钩，有效地调动了职工的积极性，创出了好成绩。当年，全场超额完成了市民政局下达的各项节油、创利等承包指标。

她担任场长后，仍在第一线从事接尸、整容和火化，和大家一起干。1988 年经她手火化 72 具尸体，创造了单尸耗油量 12・5 公斤的最好记录。她总结的节油方法是：人不离炉，勤观察，勤操作，根据炉温变化调节油门。

多年来的接尸、整容、火化任务，给她带来肩周炎的痛疾，但她仍以身高 1・65 米，体重不足百斤的身躯操纵 20 多斤重的翻尸工具。她曾这样写道："应当正确对待人生，要追求高尚的信念和理想，当事业和个人生活不能两全时，应当把人民的需要放在第一位。"

郭定翠，1958 年生，陕西省安康人。1989 年被国务院授予全国劳动模范称号；1990 年被全国总工会选为劳模事迹报告团成员，在全国各地作巡回事迹报告，受到各地广大群众的热烈欢迎。

〔郭玲华（女）・获得五国证书的电焊工・获全国"五一"劳动奖章〕　大连造船厂船体车间电焊工郭玲华。从 19 岁进厂干电焊，整整干了 24 年。她几乎把全部心血都溶进了每道焊缝里，练出一手过硬的技术。从 1986 年以来，她先后获得美国 ABS 船级社证书、日本 TSGS 证书、英国劳氏船级社证书、中国 ZC 船级社三级最高证书、挪威 DNV 船级社Ⅱ类证书，成为大连造船厂"学位"最高的电焊工。1992 年 4 月，郭玲华获得全国"五一"劳动奖章。

电焊工是又苦又累的工作，一个女孩子要当个好电焊工就更困难。冬天，钢板沾手刺心凉；夏天，船舱温高 50℃；电焊的火花崩到脚上脚就肿得象萝卜，崩到手上马上会起大水泡，钻心地痛。但郭玲华没有退却，并立下了"道道焊缝让用户放心"的座右铭。她苦练多干，别人焊一道缝，她就焊二道、三道；别人休息了，她找块钢板继续练。功夫不负有心人，在进厂几个月的一次全厂焊接大赛中，郭玲华竟然与一位六级工老师傅并列第一名，但她没有沾沾自喜，止步不前。她学技术的劲头更足了，对自己的要求更严了。别人逛街她不去；别人调出挣大钱她也不动心，整天捧着电焊技术书痴心地读着，记着，工作中边操作边总结。人们笑她干电焊着了迷；她自愧没有尽到一个母亲、一个妻子的责任。就这样，20 多年来郭玲华焊接的成千上万道焊口道道合格，焊面成型光洁美观。人们称赞她焊的活就像一件精雕细刻的"工艺品"。

凭着高超的技术，她为工厂攻克了许多技术难关。1982 年船厂建造第一座自升式海洋钻井平台，难度大、质量要求高。外国船东不相信中国的电焊工能有这样高的技术，准备运到国外去干。这样，工厂不仅要花费十几万美元，而且有损中国电焊工人的形象。为了争这口气，郭玲华硬是爬到立柱顶部，干了四天四夜，按时保质地完成了主体焊接任务，保证了交船日期。

1986 年，厂里为挪威建造"六万九"船时，遇到许多困难，速度缓慢。外国船东以"罚款"、"弃船"等手段来要挟。为民族争气，为"大船"争光，郭玲华挺身而出，参加了焊接大会战，终于使当时我国最大的出口船胜利下水。外国验船师伸出大拇指说："真不可思议，中国的女电焊工有这么高的技术"。1991 年 5 月，郭玲华又带领全班出色地完成了我国首次自行设计建造的出口船"四万四"1 号的重点扫尾工程。她获得了大连市"明星主人"光荣称号。

近几年来，郭玲华再三谢绝了领导上因她身体不好对她的照顾，及送她上大学、提干的机会。她表示：要在电焊工岗位上干到退休的最后一天为止。

郭玲华，1948 年 11 月生，山东省牟平县人。初中毕业，1968 年参加工作，1988 年加入中国共产党，现为工人技师。多次被评为大连市劳功模范、"三八"红旗手。1991 年被评为辽宁省特等劳动模范。

〔郭超人・任新华通讯社社长〕　1992 年

12月16日新华社报道，郭超人被国务院任命为新华通讯社社长。

郭超人，1934年生，湖北广济人。1956年毕业于北京大学中文系新闻专业，随即分配到新华社西藏分社担任采访工作。入藏10多年间，他采写的一系列群众控诉西藏农奴制度的黑暗，讴歌西藏人民新生的通讯报道，在思想深度和写作技巧方面，受到读者好评。1960年和1964年，他两次随国家登山队，胜利完成攀登珠穆朗玛峰和希夏邦玛峰的报道任务。采写的长篇通讯《红旗插上珠穆朗玛峰》、《珠穆朗玛山中的日日夜夜》和《希夏邦玛征服记》，反映了“时代的最强音”。

1970年以后，他在陕西、四川等地对社会各领域进行了系统的专题调查，撰写了不少有参考价值的报告。粉碎“四人帮”以后，他根据在四川农村的调查所写的《扫除唯心的阶级估量》，深刻批判了林彪“四人帮”在农村工作上的唯心的阶级估量，真实反映了农村剥削阶级已经消灭的史实，受到思想理论界的重视。他所采写的长篇通讯《驯水记》，歌颂了中国人民在驯水斗争中可歌可泣的英雄业绩，受到水利战线广大职工的赞扬。他的作品已结集出版的有《万里神州驯水记》、《向顶峰冲刺》、《西藏十年间》等。先后在新华社西藏分社、陕西分社、四川分社任记者、记者组组长、分社副社长。后调总社任秘书长、副社长。他是第十三届、十四届中共中央委员。

〔郭富城·台港歌星·个人专辑在大陆发行〕

郭富城是迅速崛起于台港歌坛的新星，个人专辑录音带1992年3月28日起在北京、上海等地发行。此次在大陆发行的《郭富城独唱专辑》是由汕头侨森影音公司出版的。这说明台港与大陆的文化交流日趋密切。1991年郭富城获香港十大中文金曲“最有前途新人金奖”。台港乐坛专家及歌迷称他为“1992年的彗星”。

郭富城，1965年生于香港，广东东莞人。初中毕业。曾在香港无线电视台任舞蹈演员。后被台湾某广告公司物色为演员，以一则机车广告影片脱颖而出。之后，他踏入台湾流行乐坛，以如醉如痴、气势如虹的演唱，为继谭咏麟、张国荣、刘德华、黎明之后的又一新偶像，赢得无数歌迷。1991年最后几个月内，他的国语大碟在台港的销量已超过100万张（20张白金唱片），此记录是空前的。

台港影视界还不断邀郭富城拍片。他演技不凡，参与拍摄的电影有《五亿探长雷洛传》、《逃学英雄传》、《伴我纵横》、《花好月圆》等。还主演香港无线电视台的30集连续剧《武林启示录》。

〔郭殿生·解放军指导员·被授予模范指导员称号〕　解放军某部政治指导员郭殿生热爱战士，扎根连队，精心做好思想政治工作，带领连队连续四年集体立功。1992年8月11日，北京军区党委授予他模范指导员称号。

郭殿生，河北省涞水县人，1963年12月出生，1981年11月入伍，1983年12月加入中国共产党，大专文化。历任战士、打字员、司务长、学员、副连长等职，上尉军衔。他是一名爱战士、爱连队、爱事业的优秀基层干部。担任指导员后，虚心学习，认真钻研新形势下的思想政治工作，掌握了工作的主动权。他以“慈母心”、“兄长情”关心爱护战士，战士小鲁患了脱肛症，他亲自动手用温水把脱出的部分清洗干净，给小鲁做热敷，经过一个多月精心护理、使小鲁痊愈。老战士找对象困难，他主动帮忙牵线搭桥。少数民族战士不懂汉语，他买来识字课本，一句一句地教。对犯过错误，受过处分的战士，他不疏远不冷淡，而是诚心帮助，热情扶持，先后使4名后进战士变成先进。战士家庭发生纠纷，他帮助调解；战士家中遭灾，他带头捐款慰问。战士小张父亲中风瘫痪，他因事请假回家的第二天，专程赶到百里外的小张家，拿出自己的500元钱，安排小张的父亲住了院，又帮助小张家收割玉米，抢种了小麦。他虚心向干部战士请教，刻苦学习钻研军事技术，和连长一起带领全连苦练过硬本领；为了改善连队生活，他发动全连官兵开荒种菜，当年收获蔬菜5万斤。连队全面建设不断加强，连续四年集体立功。

〔席泽宗·天文史学家·当选中国科学院学部委员〕　中国科学院自然科学史研究所研究员席泽宗对我国天文学思想和中国古代宇宙理论等做了深入系统的研究，取得很大成绩，1991年底当选为中国科学院学部委员，1992年1月3日正式公布。

席泽宗，1927年6月生，山西省人。1958年毕业于中山大学天文系，先后在中国科学院编译局（即以后的科学出版社）和中科院自然科学史研究所工作至今。他提出了从史书中鉴别新星的七条标准和区别新星和超新星的两条标准，从中、朝、日三国的历史文献中确认出90个新星纪录，其中有12个可能属于超新星，并讨论了这12个超新星和当今观测到的超新星遗迹以及射电源的关系。他的《古新星表》以及同薄树人合作的《中朝日三国古代的新星纪录及其在射电天文学中的意义》，有英、俄文等多种译本。他提出木星的卫星不用望远镜也能看到，战国时期即已观察到木卫三，10年来经过国内外许多人的组织观测和提供线索，证实是可能的。他对马王堆出土的天文资料、敦煌卷子中的天文资料以及近30年中间新石器时期的考古发现都做了系统的研究。他对天文学思想和中国古代宇宙理论做了深入系统的研究，由郑文光和他合写的《中国历史上的宇宙理论》已被译成意大利文在罗马出版。

〔唐弢·著名作家·在北京逝世〕　著名作家、文学理论家、鲁迅研究家和文学史家，中国社会科学院文学研究所研究员唐弢于1992年1月4日在北京病逝，终年78岁。

唐弢原名端毅，笔名晦庵、风子等。1913年3月3日出生于浙江镇海县一个农民的家庭。早年因家境贫寒而辍学，考入上海邮局为邮政工人。30年代初开始业余创作，因其杂文抨击统治者当局而风格又近似鲁迅，被当作鲁迅杂文加以围剿，他也因此结识了鲁迅，并追随鲁迅从事革命文学活动。抗日战争爆发后，唐弢留在“孤岛”上海坚持秘密抗日救亡活动。他在这一时期的文学活动为推动民主进步的文化事业和迎接人民革命的胜利，发挥了积极作用。1945年参与发起中国民主促进会，同年与友人合作创办《周刊》，这是当时反内战运动中最早的民主刊物。

1949年以后，唐弢历任复旦大学、上海戏剧专科学校教授，上海市文化局副局长、《文艺报》副主编等职。1959年任中国科学院文学研究所研究员，1978年兼任中国社会科学院研究生院教授，硕士和博士导师。他是第四、第五届全国人大代表，第二、三、四、六、七届全国政协委员，中国作家协会理事。

作为中国现代文学史上重要的杂文和散文作家，唐弢的杂文继承和发扬了鲁迅杂文的战斗传统，又富于艺术的独创性。他的散文诗和散文凝练、自然而富于变化，在中国现代散文史上有着重要地位。其中有些文章长期以来作为中学课本的规定课文，对我国青少年产生了广泛的影响。

唐弢是鲁迅研究学科的奠基人之一和权威学者。他参加1938年版《鲁迅全集》的编辑工作。随后又独自一人以十余年时间辑录、考订鲁迅佚文，先后编就《鲁迅全集补遗》和《鲁迅全集补遗续编》。他一生节衣缩食，搜集购置各种典籍，尤其注意收藏“五四”以来的新文学书籍和报刊。从40年代中期起，他陆续写下“书话”200来篇，熔史料的缜密考证和史家的真知灼见于一体，他主编的三卷本《中国现代文学史》，迄今仍是高等学校通用教材，并获得国家教委优秀教材奖。以此为基础另行编定的一卷本《中国现代文学史简编》已译成日、法等外文出版。

唐弢为人正直，学识渊博，治学严谨，一生著述宏富，计有散文集、杂文集、论文集、短评史料集、儿童文学读物、教材等40余册。

唐弢逝世后，曾与他一起工作过的张思和严家炎分别在《光明日报》和《人民日报》上发表了题为《悼弢公》和《悼念文学史家唐弢先生》的文章以示纪念。

〔唐九红（女）·羽毛球运动员·获第十二届世界杯羽毛球赛女子单打冠军〕　1992年8月3日，第25届奥运会进行了羽毛球女单决赛。一心想拿下奥运会历史上第一枚羽毛球女单金牌的中国选手唐九红思想包袱沉重，发挥失常，只为中国代表团增加了一枚铜牌。唐九红在半决赛中面对韩国名将方铢贤，打得缩手缩脚，想以稳来拉垮对手。结果，进攻凶狠的方铢贤却掌握了全场主动权，唐则大失水准，失误频频，出人意外地以2：11和3：11败下来。

巴塞罗那奥运会后，中国羽毛球队一度处于不景气阶段。但时隔仅十余天，中国选手在广州迎来了第12届世界杯赛。在半决赛中，队友黄华击败奥运会银牌得主方铢贤。最后冠军决赛中，唐九红战胜黄华，在这项世界大赛上获得冠军。

同年3月，在全英锦标赛上，唐九红力克群英，第一次登上了该项历史近百年比赛的冠军奖台。同年5月，在吉隆坡举行的第十四届尤伯杯羽毛球团体大赛上，唐九红出任中国女队头号单打，为中国队连续第五次获得这项冠军立下大功。

唐九红，1969年2月14日出生在湖南安化县，其简历见1990年《中国人物年鉴》。

〔唐与山·农民企业家·参股创办航空公司〕

1992年9月28日上午，由山东省烟台市福山区东陌堂村农民参股兴办的中国长城航空公司烟台办事处的一架“运七”飞机，呼啸而起，直飞上海。国内外120多家新闻媒介很快将这消息发往世界各地，有人说：“这不亚于中国第一颗原子弹爆炸。”创造这个奇迹的人，就是粗壮身材，粗声大气，粗眉大眼的山东省烟台市东陌堂村党委书记唐与山。

1944年出生的唐与山从小就和穷困的东陌堂村人一起做过发财梦，但直到改革开放大潮涌来时，他才能和全村人慢慢园起了发财梦。1983年开始5年内，他带领全村700户人家，平均1亩苹果、1亩山楂、1亩多速生经济林、1亩旱涝保收粮田。但唐与山嫌富得慢，他与中国粮油进出口公司合资联办胶东最大的现代化肉鸡出口企业，几年间，迅速发展成为拥有固定资产4600万元，饲养商品鸡500万只，出口成品鸡4000多吨，创汇800多万美元。此后唐与山又把眼光转向村东南2公里的铁路小站——旺远，这个无发货能力的“死站”。他找到济南铁路局，商定他们合建车站货场。1989年底立项，次年一月动工，年底就建成第一条货运线和6万平米的货场，1992年又建成第二条货运线，年货物到发能力达100多万吨，车轮滚滚，财源茂盛。1991年底，东陌堂村工农业总收入突破1亿元大关，1992年达1.5亿元。

东陌堂这个小村开始走向世界，业务往来遍及五洲四海。唐与山看到村东不远的烟台市莱山机场，每天飞机起落，就想有了火车还要再搞飞机，为农民在航空事业再争一块地盘。经过4个半月的努力，唐与山同中国长城航空公司、中国航空器材总公司烟台民航站合股兴办航空事业，投资4500万元建油库，投资4000万元建机场综合大楼。现在他的胃口越来越大，又与中国西南航空公司烟台民航站合股办起航空旅客包机公司；与香港、深圳、烟台等地的公司合资，组建山东省首家中外合资的股份制企业——烟台集团股份有限公司。唐与山1992年初被评为全国乡镇企业家，年底并当选为八届全国人大代表。

〔唐仲璋、唐崇惕（女）·厦门大学教授·父女共同获十项科研成果奖〕　厦门大学教授唐仲璋、唐崇惕是父女俩，他们同是中国科学院学部委员，同为博士导师，共同完成的科研成果中有10项获奖。其中“阔盘胰吸虫和矛形双腔吸虫的流行病学和生物学研究”，获国家自然科学奖；“福建省寄生虫病生物学及流行病学研究”，获国家教委科技进步一等奖。他们的事迹在厦门市被传为佳话。1992年3月16日，上海《文汇报》以《励志笃学驱瘟神》为题，报道了唐氏父女的奉献。

在老学部委员唐仲璋教授指导下，唐崇惕曾率领调查组奔波于东北、内蒙古、山西、青海、新疆等牧区和寄生虫病流行区，开展调查与科研工作。在内蒙呼伦贝尔草原，她和同事一起发现了被当地人称为“二号癌病”的人畜共患的肝包虫多房棘球蚴病，其媒介主要是鼠类，便协助当地政府研究了控制和防治措施。1990年夏天，血吸虫病在湖南、湖北等五省死灰复燃，唐崇惕等心急如焚，立即率领科研组冒着酷暑赶到疫区，协助指导当地科技人员开展关于洞庭湖区钉螺生物及血吸虫病防治的研究和实际工作，取得了突破性进展。

唐仲璋，福建福州市人，1905年12月生，1931年毕业于福建协和大学生物系。1937年任北京协和医院寄生虫学研究员。后赴美国留学，1949年获美国约翰霍普金大学寄生虫学硕士学位。回国后，从1950年至1970年先后在福州大学、福建师范学院任教授、系主任、副院长。1971年至今任厦门大学生物系教授、副校长。1958年加入中国共产党。他同女儿唐崇惕教授合作撰写和出版关于寄生虫学专著一册（114万字）、学术论文35篇，他单独或与他人合作发表论文38篇。曾先后被授予“全国先进生产者”、“全国先进科技工作者”、“全国高校先进科技工作者”等称号。

唐崇惕，福建福州市人，1929年11月生，1954年8月毕业于厦门大学生物系。1957年至1970年先后在华东师范大学和福建师范学院任助教、讲师。1970年3月至1972年6月被下放到福建霞浦县农村做基层工作。1972年7月至今在厦门大学先后任讲师、副教授、教授等。她除了同父亲唐仲璋共同发表专著一册、论文35篇外，还单独或与他人合作发表学术论文33篇。曾被授予国家级有突出贡献的中青年专家、全国“三八”红旗手等称号，1992年被批准享受国务院颁发的政府特殊津贴，并被评为福建省优秀专家、“巾帼建功”先进个人。

〔唐国梁·丹东东港建筑防水材料厂厂长·发明三元丁防水新材料取得巨大经济效益〕　经过多年苦苦探索和努力，发明了三元丁防水卷材的唐国梁，为推广这一被定为国家级新产品的我国新一代建筑防水材料，1988年初自己承包民办企业丹东市东港建筑防水材料厂，没有要国家一分钱，1992年一年实现产值305万元，实现利税97万元。

建筑屋顶防水问题是我国建筑业久未解决的老大难问题。老式沥青防水，施工不便，性能差。国外“三元一丙”材料，性能虽好，但原材料紧张，价格很高，不适合我国国情。唐国梁经过三度春秋努力，历经无数次失败，终于用废旧轮胎、胶皮压制成新型高分子材料——三元丁。

这种制品体轻、拉伸强度高，耐高温（120°C不流淌、不粘），抗低温（-34°C对折不脆裂），2毫米厚可耐电压1400伏，耐老化达30年。用它铺盖屋顶，冷法施工，无毒无污染。每平米造价比沥青便宜4至5元。达到甚至超过“三元一丙”的性能指标。

唐国梁发明的三元丁防水材料，1988年1月获国家发明专利。1989年获全国星火计划成果适用技术展交会金奖，1990年获第二届国际专利及新技术新产品金奖，1990年获第二届国际专利及新技术新产品金奖、第五届全国发明展览银奖，1991年获全国适用技术新产品交易会金奖、全国专利新技术新产品、军转民新成果交易会金奖。

为推广、生产三元丁，唐国梁付出了极大的心血。他承包了一贫如洗的丹东市东港建筑防水材料厂。他投入自己积攒的10万多元，做为工厂的流动资金。他始终坚持在生产第一线，边干边指挥。别人劝他卖专利，一年也能收入万儿八千，何必受这累。他说：“我就想干点实事。人活一辈子总得有所作为，我们这一代人理当报效国家，为后代做个榜样。”我国每年大约有1000万吨废旧橡胶需要处理，如果将其加工成三元丁，将是一笔巨大的社会财富。

唐国梁，1950年1月出生于辽宁庄河，1968年参加工作，大学本科学历。1988年以来，他连续四年被评为先进科技工作者和区劳动模范，并被市人事局授于支援乡镇企业先进工作者称号。

〔唐跃志·矿工·其家庭获优秀矿工之家称号〕　1992年1月30日，大同矿务局召开劳动模范大会。局党委书记刘守仁和局长马杰把一块写着“优秀矿工之家”的大红金匾，授予雁崖矿老矿工唐跃志和他的妻子贾春芳及他们的五个儿子：唐加贵、唐加文、唐加民、唐加全、唐加顺，顿时全场掌声雷动，唐家两代人热爱矿山，扎根井下的动人事迹，深深打动了人们的心。

唐跃志现年70岁，他从18岁起就在雁崖矿当采矿工，是全矿出名的老劳模。妻子贾春芳热爱矿山，热爱矿工。他俩生育了五个男孩，老唐都把他们送到了井下。老大唐加贵第一次下井是往溜子里装煤，班长特意让他少装两节溜槽的煤。唐加贵干了一会浑身就直冒大汗。一个班下来，腰就像断了似的，手心起了三个大白泡，坐在地上就再也不想起来。唐跃志心疼儿子，但不是让他往回撤，而是鼓励他迎着困难上。唐加贵在父母的鼓励下，第二天硬把5节溜槽全装上煤。老三唐加民下井第一天，队长分配他扛支柱，巷道又低又窄，脚下磕磕碰碰，一根支柱50公斤重，扛在肩上像是压了一座小山，三趟下来，他便被压得喘不过气来。下班回到家里，唐加民摸着肿得发亮的肩膀，忍不住哭了起来。唐跃志一边烫上毛巾给加民热敷，一边耐心地开导他：当煤矿工人就得能吃苦。加民不哭了。第二天一大早就爬上后山，凿了个20多公斤重的石锁，用它锻炼自己的臂力。半年后，肌肉炼得硬梆梆的。下井后，50多公斤重的支柱，左右开弓，一手挟一根。100多公斤重的溜槽往背上一放，拔腿就走。

唐氏五兄弟不但干活个个是好样的，而且认真学习现代化采煤技术。老大唐加贵自当上综机泵站维修工后，便成了泵站迷。现在不但能根据液压支架的工作情况掌握泵站的运转状况，就是听听机组泵站的声音，也能立即判断出是否运转正常，故障出在哪里，成了矿里矿外赫赫有名的泵站技术“大拿”。四个弟弟也像加贵一样，成了各自行当里的行家里手。

如今，唐跃志已因年老退休在家。他的五个儿子个个都是好样的。老大唐加贵，是矿上唯一的一名液压泵站技师，曾五次夺得全矿泵站维修竞赛第一名，多次被评为局、矿的劳动模范；老二唐加文，精通各种掘进生产技术，现在是掘进一队党支部书记，连续18年都是局、矿的劳模；老三唐加民，现在是普采区维修工，连续15年是矿上的劳模；老四唐加全，是通风区的洗尘工，下井头一年，就被评为矿劳动模范，以后每年的劳模榜上，都有他的名字；老五唐加顺，1991年参加工作，在采煤三队当工人，到1992年底还没休息过一天，仅半年，工人们就推他当了采煤副班长，下井才一年，就以出色的工作表现被推荐为矿劳模。

〔唐翔千·香港半岛针织有限公司董事长·捐资兴建上海科大图书馆〕　香港著名实业家、香港半岛针织有限公司董事长唐翔千捐资400万元人民币兴建的上海科技大学图书馆，于1992年7

月 17 日破土动工。该图书馆计划 1993 年 10 月竣工，取名为“联合楼”。

唐翔千因对新疆的经济建设有特殊贡献，于 1992 年被授予乌鲁木齐市荣誉市民称号。多年来，他不仅自己带头，而且鼓励港商到新疆投资设厂。1979 年，他与内地合资创办的新疆天山毛纺织品公司已拥有资产一亿六千万人民币，至 1991 年连续四年被评为全国十佳合资企业，1988 年被国际羊毛局检测批准为西北地区首家挂纯羊毛标志的企业。1992 年，他又捐款五十万元人民币，支持筹建乌鲁木齐市电视台维吾尔语频道。

唐翔千，1923 年生，江苏无锡人，生于纺织世家。1946 年上海大同大学毕业后，即赴美国进伊利诺大学攻读经济学。毕业后不久，于 1950 年到香港创业。必须成功是唐翔千的创业精神。他经营有方，事业不断发展，已有数十家企业，除香港外，还分布在新加坡、泰国、马来西亚，英国、毛里求斯等地。历任香港棉纺织业同业公会主席、香港工业总会主席、香港总商会副主席。现任香港中南纺织有限公司总经理、半岛针织有限公司董事长、亚非集团公司董事长、天山毛纺织厂总经理、联沪毛纺厂总经理、香港中文大学校董、新亚书院副董事长等职。

唐翔千爱国情殷，积极支援大陆内地的经济建设事业。1979 年大陆改革开放后，他是最早到内地投资办厂者之一。已与内地的广东、上海、新疆等地合资创办多家企业，其中上海联合毛纺织集团公司也曾被评为中国十佳合资企业。

1987 年唐翔千被推选为全国政协委员，现为政协常务委员。曾任香港特别行政区基本法咨询委员会执行委员会委员。1992 年被聘为港事顾问。

〔唐稚松·计算机科学和软件工程专家·当选中国科学院学部委员〕　中科院软件研究所研究员唐稚松在计算机软件研究方面贡献突出，1991 年底当选为中科院学部委员，1992 年 1 月 3 日正式公布。

1952 年毕业于清华大学哲学系研究生的唐稚松，从六十年代中开始从事计算机理论的研究，曾证明计算机转移命令的许多结构性性质。其中最重要的一个结果为转移命令可用循环代替。此项结果与被称为结构程序基本定理的 Bohm-Jacopi 工作具有相同涵义，却比 Bohm-Jacopi 定理早一年。七十年代中期，他从事结构程序设计与结构语言的研究，推动了国内这方面工作的开展。近些年来，他在计算机软件的形式方法、编译理论、分层语言等方面又有新的开拓性研究。从 1982 年开始（历时 8 年）研究的以时序逻辑为基础，适应多种程序设计方式的通用工具与软件环境系统（包括 10 万条语句），简称为 XYZ 系统，将时序逻辑理论与软件工程技术有机结合了起来，大大提高了软件开发自动化水平及其生产率。他研究成功的时序逻辑语言 XYZ／E 是世界上第一个可执行的时序逻辑语言。

唐稚松，1925 年 8 月生，湖南省长沙市人。其主要经历见 1991 年《中国人物年鉴》。

〔涂萍（女）·湖南省路桥公司副总工程师·被授予全国巾帼建功标兵称号〕　1992 年 3 月 7 日在北京纪念“三八”国际劳动妇女节 82 周年的大会上，湖南省路桥公司副总工程师涂萍，获全国“巾帼建功”标兵和全国“三八”红旗手称号。

涂萍，1937 年 10 月生。湖南长沙人。中国共产党党员。1960 年于中南土建学院（今湖南大学）毕业后，在湖南省交通工程队任技术员。1979 年起，先后任湖南省公路工程处工程师，省路桥公司工程师、技术处施工技术科科长、高级工程师。几十年来，她深入工程实际，克服了常人难以克服的困难，先后参加了 20 座大中型桥梁的施工，成为湖南省著名女桥梁专家。1965 年她主持了湖南第一座预应力钢筑砼桥的施工。在本省著名的“望城沩水大桥”、“常德沅水大桥”、“长沙湘江北大桥”的施工中，均担任技术主管工作。她与科技人员、工人们一起，大胆采用新技术、新材料、新工艺，为发展中国桥梁建设事业作出重要贡献。其首次进行的柔性墩多点顶推新工艺填补了国内空白，获 1980 年度省科技成果奖；首创万能杆件拼装行架式挂篮，一次悬浇梁重达 700 吨，突破了当时的国内纪录；率先于国内将新工艺新型夹片锚具 XM 锚体系用于大型预应力箱梁，获省交通厅科技成果特等奖、省科技成果一等奖、国家优质工程银奖。在建筑国内最大跨径单索面双塔斜拉桥并位居亚洲第三的长沙湘江二桥中，涂萍担任副总工程师，主管全桥的技术工作。她主持、参与的轻型滚动式挂篮、5000KW 千斤顶、斜拉索二次防护等科研项目，都取得了重大突破，达到国内领先和八十年代国际水平。著有《柔性墩多点顶推新工艺》等文。其撰写的《XM—15 锚在常德大桥连续箱梁上的应用》及《XM 锚预应力体系的施工技术关键》，首次提出了锚固效果的鉴定标准。曾被授予湖南省路桥公司“三八”红旗手、长沙市“三八”红旗手称号。

〔谈家桢·遗传学家·应邀赴台访问〕

1992年6月12日，台湾《中国时报》报道：中国大陆科学家赴台访问团成员谈家桢教授在东吴大学同他50多年未见面的学生蒋纬国进行了亲切会晤。两人用浙江宁波话亲切交谈。蒋纬国赠送一袋礼物和一座电子钟给老师、师母，钟的背面刻着：“我们的基本立场是，海峡两边都是中国人，我们只要一个中国；我们的愿望是每个中国人都有过好日子的机会。追求一个新的中国，这个中国是要受到全世界的尊敬。”谈教授回赠蒋纬国一本《谈家桢文选》。深厚的师生情谊和国家统一前景紧密联系起来。蒋纬国三十年代在东吴大学附中念书时，谈家桢曾教过他生物学。这对师生自1934年后未再会过面，而今一见如故，情笃谊深。

谈家桢，浙江宁波人，1909年出生，1930年毕业于东吴大学，后留学美国，1936年获加利福尼亚理工学院哲学博士学位，先后任燕京大学、东吴大学，浙江大学、美国加州理工学院、哥伦比亚大学、意大利那不勒斯海滨生物研究所、上海复旦大学教授、研究员。1950年任浙江大学理学院院长。1952年后，任复旦大学生物系主任、遗传研究所所长、复旦大学副校长、校长顾问等职，1986年任复旦大学生命科学院院长。是中国科学院学部委员，国家科委全国生物工程中心顾问委员会副主任，全国政协常委、上海市人大常委副主任、中国民主同盟中央副主席兼上海市委主任委员、中国遗传学会理事长。

谈家桢从事遗传学研究和教学逾60年，为发展中国遗传学作出了重要贡献。先后出版专著译著十余种，发表学术论文近100多篇。在异色瓢虫色斑遗传变异研究领域有独创性的成就，他发现了瓢虫色斑遗传的嵌银显性现象，于1946年提出亚洲异色瓢虫色斑嵌银显性遗传理论，被认为是对经典遗传学发展的一大贡献。他对果蝇染色体内部结构变异的研究受到国际上的重视。还从我国和平利用原子能和原子弹防护的战略需要，进行了弥猴幅射遗传研究，十一届三中全会以来致力于分子遗传学和遗传工程的研究，均取得重大成果。

他在国际上享有盛誉，曾被选为第8届国际遗传学会常务理事、第15、16、17届国际遗传学大会副会长和名誉副会长。近年来被许多国外研究机构和院校授予荣誉称号。1983年被美国罗斯福夫人癌症研究所聘请为高级研究员；加州理工学院授予他“杰出校友”称号；加拿大约克大学授予他荣誉科学博士称号；联合国任命他为联合国科学技术发展中心非政府组织指导委员会委员，联合国工业发展组织国际遗传工程与生物技术研究中心科学顾问委员会委员。1985年当选为美国科学院外籍院士和第三世界科学院院士。1988年10月被选为意大利国家科学院院士。1990年美国加州授予他荣誉公民称号。1991年当选为世界科学院理事会理事。

〔陶百川·台湾“国家统一委员会”委员·建议台湾当局回应中共关于两岸谈判的呼吁〕　1992年8月1日台湾《联合报》刊登了“国家统一委员会委员”、“国策顾问”、著名政论家陶百川日前向李登辉的建议，主张台湾当局应回应中共两次有关两岸谈判的建议，指出台湾以其“并无新意”、“无须置评”而不回应，是不利于两岸商谈与沟通的。他认为，“统一难，维持现状也不易”，并提醒台湾当局须与中共好好维持现状，进而谋求祖国统一。陶百川最后指出，为了化解僵局，消弥危机，台湾当局必须勇于尝试，对中共作出回应，以观后效。1992年12月8日，他以“横遭诬蔑接受邓小平一国两制思想”为由，致函李登辉，要求准辞台湾“国家统一委员会”委员职务。次日李登辉指示“总统府”秘书长蒋彦士慰留陶百川。

陶百川，1903年生，浙江省绍兴市人。上海法科大学、南方大学毕业。1935年赴美国哈佛大学研究院攻读政治及法律。早年任上海英文《大陆报》编辑，《民国日报》助理编辑。1927年后任国民党上海市党部总干事、科长、秘书、委员、常务委员。1931年任上海《晨报》总主笔。1933年任上海淞沪警备司令部军法处处长。1937年任陈立夫机要秘书。1938年在汉口创办《血路》周刊。1939年任香港《国民日报》社长。1941年任国民党中央宣传部三民主义研究委员会主任委员、《中央周刊》社社长。1945年当选为上海市参议员。1948年当选为监察院监察委员。

1949年去香港，后去台湾。1964年赴美考察国会制度，任纽约《华美日报》主笔兼译员、编辑。1967年返台。在任台湾“监察委员”期间，曾提出不少颇轰动的弹劾案与纠正案。1977年辞去“监察委员”，同年被聘为“总统府国策顾问”。1990年聘为台湾“国家统一委员会”委员。是国民党中央评议委员。

陶百川常发表政见及评论文章。他主张中国统一，反对“台独”，曾提出先“两国两制”，后“一国两制”的构想。批评台湾当局的“三不政策”“不能有利于和平统一”，台湾“可派员与中共直接接触甚至正式谈判。”认为“台湾的未来系于中国，是无法改变的历史命运”。

著有《监察制度新发展》、《台湾怎样能更好》、《人权呼应》、《叮咛文存》、《我在美苏采风探真》、《东亚豪赌》等。

〔陶希晋·著名法学家·在北京逝世〕　老一辈法制工作领导者之一、著名法学家、原全国人大法律委员会顾问陶希晋，于 1992 年 4 月 11 日在北京逝世，终年 85 岁。

陶希晋，1908 年生于江苏溧阳。早年就积极参加革命活动。1929 年发动并领导了江宁地区的反蒋暴动，任行动委员会主席。1932 年领导正太铁路工人运动，并于 1935 年加入中国共产党，先后任中共石家庄工作委员会工厂支部书记、工委宣传委员、中共石家庄市委书记。“七七”事变后，历任中共正太沿线特委书记、中共晋中特委书记、晋冀地委书记、晋东地委书记。抗日战争胜利后，历任中共晋冀鲁豫中央局秘书长、华北人民政府秘书长等职。1949 年后，先后任政务院政法委员会秘书长，政务院副秘书长，中央政法干校副校长，中央人民政府法制委员会常务副主任委员，国务院机关党组成员、副秘书长兼法制局局长、参事室主任，国务院法规编纂委员会主任，中国政治法律学会常务理事、党组副书记，中共中央政法领导小组成员，全国人大常委会法制委员会副主任，中国法学会顾问等职。是中共八大代表，第五届全国人大代表。

陶希晋长期参加法制建设的领导工作，为我国社会主义民主法制建设作出了重要贡献。建国之初，参加领导了新中国政权建设工作和民主法制建设工作，参加了新中国第一部宪法和《惩治贪污条例》、《惩治反革命条例》及政府各部门组织法等重要法律的制定工作。1978 年后，为恢复政府法制机构、法学教育和研究机构、法制宣传机构进行了不懈努力，参加领导了刑法、刑事诉讼法、行政诉讼法等许多重要法律的起草、制定和法制宣传教育工作。1979 年担任民法起草领导小组副组长期间，参加领导了民法草案的起草工作。1986 年提出了健全和完善我国社会主义法律体系的构想，强调要加强行政立法工作，并倡导成立了行政立法研究组。他还撰写了不少专著和论文，主编了多部法学著作，为我国法学理论研究作出了贡献。

〔陶渊明·东晋诗人·其学术讨论会在常德召开〕　1992 年 4 月，来自全国各地的五十余名学者，聚集在风景秀丽的历史名城常德，举行了陶渊明学术讨论会。与会者围绕陶渊明研究的现状和问题，以及陶渊明的仕与隐、他对后世文学的重要影响、陶渊明与酒文化，陶诗的个性特征等问题进行了广泛深入的争鸣，特别是对《桃花源诗并记》的积极意义以及它的创作原型提出了许多独到的分析和论证。有的学者还介绍了国外及港台地区陶学研究的情况。

陶渊明（365—427），名潜，字元亮。浔阳柴桑（今江西省九江县西南）人。曾祖陶侃，在晋朝作过大司马。祖父陶茂，做过武昌太守。但到他这一代，家世已衰。关于他的身世，曾自著《五柳先生传》说：“性嗜酒，而家贫不能自得，”“环堵萧然，短褐穿结，箪瓢屡空。”这些“自况”的话，“时人谓之实录。”可见他当时生活相当困难。二十九岁起为江州祭酒，不久自解职归。以后做过镇军、建威参军，因不堪行役之苦，转任彭泽令，仅八十余天即辞归田园，不再出外做官，这时他四十一岁。晋安帝义熙末，五十余岁时被征为著作佐郎，不就。晚年穷到“窥灶不见烟”（《咏贫士》）的程度，终于在贫病交迫中死去。

陶渊明少年时也有远大的政治理想，是个“猛志逸四海”（《杂诗》其五）式的人。乱离的时世无法实现“济苍生”的抱负，三次出仕、三次退隐，正反映了他思想的矛盾，最后选择归田的道路。归隐初写的《归去来兮辞》就是对自己这一思想过程的总结，摆脱了“心为形役”的痛苦，批判过去，迎接未来，自然而又真率地写出他那从混浊社会中初得解脱的轻松心情。

陶渊明的诗留存一百二十多首，其中有二十余首是写田园生活和景色的田园诗。它们冲破当时笼罩文坛的“玄言诗”（谈玄说理的诗）风气，替五言诗开辟了新的境界，是中国田园诗的基石，在诗歌发展史上有其独特的地位。这些诗虽多叙田园之趣，但也往往流露着他对世事的关怀。萧统作《陶渊明集序》就说过陶诗“语时事则指而可想，论怀抱则旷而且真。”鲁迅也曾说：“陶集里有《述酒》一篇，是说当时政治的，这样看来，可见他于世事也并没有遗忘和冷淡。”

陶渊明五十七岁那年，著名的《桃花园诗并

记》诞生了，充满生活气息的桃花源与丑恶现实形成鲜明对比，这里虽有父子而无君臣，没有王税，没有战乱，人们愉快地劳动着，宁静幸福地生活着。这幅图景既透露了劳动人民朴素愿望的消息，又是经过提炼的诗化了的理想，当然，这只是一种空想，但却体现了作者对现实的强烈否定。一千多年以来，由这一名篇所引发的“桃花源”之有无及原型在何处，一直是文人学士研究、探索的一个重要问题。

陶渊明的骨头是硬的，在“安贫”还是“求富”的交战中，他能够忍受长期的贫困，“道胜无戚颜”，宁肯饿死也不应召。《咏荆轲》、《读山海经》等“金刚怒目”式的作品，就流露出他那愤激之情。当然他也有乐天安命、人生无常等消极思想，作品中很少直接反映农村的社会矛盾和人民疾苦；留存的诗文，当是独善其身的士大夫对污浊社会的抗言。特殊的生活经历和思想感情，使他的创作突破了当时形式主义的文风。诗文读来亲切真实，沛然如从肺腑中流出，在诗史上创出平谈、自然一路的诗风，然也深厚、含蓄，隽永有味。萧统曾将他的艺术成就概括为“文章不群，词采精拔。”有《陶渊明集》。注本有靖人陶澍汇注的《靖节先生集》和今人王瑶、逯钦分别作注的两种《陶渊明集》。

〔陶葆楷·著名土木工程与环境工程专家·在北京逝世〕　我国著名的土木工程与环境工程专家、九三学社中央参议委员会常委、清华大学教授陶葆楷，于1992年2月16日在北京逝世，终年86岁。

陶葆楷，1907年生于江苏无锡。1926年毕业于清华学校，赴美留学，1930年获美国哈佛大学卫生工程硕士学位。1931年回国任清华大学教授，1940年任西南联合大学土木系主任，1946年任清华大学工学院代理院长。1949年后，陶葆楷先后在北京大学、清华大学任教授，并曾任土木系主任、土木建筑系主任、环境工程研究所所长等职。还曾任中国市政工程委员会副理事长、中国土木工程学会给排水学会顾问、中国环境科学学会常务理事、北京市人民政府顾问团给水组组长、建设部给水排水教材编审委员会副主任委员、国家环保局《工业污染治理技术丛书》编辑委员会主任委员、中国人民政治协商会议第六届全国委员会委员、九三学社中央常委等职。

陶葆楷从教60年，开拓并发展了我国市政工程及环境工程教育事业，培养出了几代科技人员。他为改变我国卫生工程和环境工程的落后面貌做出了卓越的贡献，曾获国务院环境保护委员会、国家教委颁发的荣誉奖状及证书。为了表彰其功绩，清华大学于1986年设立了陶葆楷奖学金。

〔陶端予（女）·教育家·在北京逝世〕

为我国教育事业奋斗了一生的教育家，陕甘宁边区特等模范，原教育部初等教育司司长陶端予，1992年8月8日在北京逝世，享年71岁。

陶端予，1921年生于浙江绍兴。15岁参加革命，1937年加入中国共产党。抗日战争时期，她在延安北郊创办农村小学，并探索了一条与农村实际和群众生产需要相结合的办学道路。她创办的杨家湾小学成为陕甘宁边区模范小学。她的论著《在摸索试验中前进的杨家湾小学》，受到毛泽东、刘少奇、徐特立等赞扬。在1944年陕甘宁边区文教大会及1945年陕甘宁边区劳动英雄与模范工作者大会上先后两次被评为特等模范工作者，成为青年知识分子走与工农相结合道路的榜样。陶端予终身从事教育工作，是国内有影响的基础教育专家。

陶端予1940年在延安抗日军政大学、中国女子大学学习。曾任中共中央统战部秘书、宣传部干事。建国后历任长春市委宣传部长，鞍山市委、重庆市委宣传部副部长，重庆市教育局副局长，广播局局长，四川省教育厅副厅长，教育部司长等职。

〔黄华（女）·羽毛球运动员·获第十二届世界杯赛银牌〕　1992年8月3日，在巴塞罗那举行的第25届奥运会羽毛球女单半决赛中，中国选手黄华未能闯过印度尼西亚名将王莲香一关，为中国羽毛球队获得了一块铜牌。在奥运会女单半决赛中，王莲香以其无懈可击的防守和高质量的回球，使得黄华回球接二连三失误。黄华认为，她的失利主要是自己未能放开，比赛中满脑子一片空白，好象不会打球一样。她的教练陈玉娘则承认，比赛前一天未能给球员放下想赢球的思想负担。不过，在奥运会后举行的第十二届世界杯比赛中，黄华在半决赛中将奥运会银牌得主韩国的方铢贤淘汰出决赛，最后获得这项杯赛的亚军。同一年，她还在新加坡公开赛上，获得了女单冠军。这年5月，她作为中国女子羽毛球队的二号单打球员，参加了在吉隆坡举行的第十四届尤伯杯团体比赛，保持了每场不败的纪录，为中国队第五次捧回尤伯杯立下功劳。

黄华，壮族，1969年11月16日生于广西河池。其简历见 1990 年《中国人物年鉴》。

〔黄华·江阴富昌皮件实业总公司总经理·获全国农村优秀青年厂长（经理）称号〕 江苏省江阴市富昌皮件实业总公司总经理黄华，1992 年被评选为全国农村优秀青年厂长（经理）。

黄华，1960 年生，江苏省江阴市人。1984 年，年仅 24 岁的黄华担任了刚建立的江阴市文林皮件服装厂厂长。当时，尽管只有 3 间简陋的厂房，14 台旧缝纫机，可是凭着厂长的志气和职工的士气，一年多来，工厂搞了 10 多万元利润、百万元产值，同时，不再为他人作"嫁衣裳"，开始有了自己的产品——富昌牌皮服。八年来，黄华带领职工们在发展农村商品经济的大潮中奋勇拼搏，企业迅速发展壮大。如今的江阴市富昌皮件实业总公司，拥有固定资产 2560 万元，职工 1000 多名，1992 年实现产值 11800 万元，利税 1048 万元。

黄华敢于闯荡，把产品推到国际市场上去竞争。他认为，搞外贸，赚外国人的钱，一可以为国家创汇，二可以促进产品质量的提高，因为只有面料上乘、款式新颖、做工考究的服装才能在国际皮服市场上打开局面，站住脚。现在，他们生产的皮革服装已远销美国、法国、德国、荷兰、日本、意大利、丹麦、韩国、香港等二十多个国家和地区，年创汇达 1056 万美元，名列中国皮革协会的全国同行出口创汇榜首，先后荣获农业部、轻工部、经贸部优质产品奖，首届国内美化生活产品大奖赛金奖、轻工业博览会金奖、第二届北京国际博览会金奖；公司荣获轻工部出口创汇先进企业称号。国家商检总局颁给该公司出口商品免检证书。"斯母特发艾尔"、"袋鼠"、"泰朴"等世界名牌皮服相继在富昌皮件实业总公司诞生。

黄华办企业，从一开始就重视搞横向联合。他在同行业中最早和上海皮革服装厂联合，共同进军国际市场。如今，江阴市富昌皮件实业总公司已成为一家跨地区、跨行业的经济联合集团公司。总公司办有五家中外合资企业：无锡富昌皮件有限公司、无锡富盛皮件有限公司、深圳富昌皮件有限公司、江阴富得利皮件有限公司、江阴富卓制衣有限公司。总公司还办了八家内资企业：富昌制衣公司、富昌电子公司、颜家桥服装厂、鹏飞服装厂、富昌供销公司、富昌商场、富昌装璜公司、富昌皮件实业总公司启东分公司。轻工部长曾宪林曾给他们题词"走向世界"，现在已成事实。

〔黄琳（女）·北京市半导体器件三厂厂长·获全国优秀女企业家称号〕 1992 年"三八"国际劳动妇女节前夕，北京市半导体器件三厂厂长黄琳，被中国企协女企业家协会、全国妇联授予"全国优秀女企业家"称号，同时被全国妇联授予"全国三八红旗手"称号。

黄琳，1936 年 11 月 21 日生，北京市人。1952 年入北京工业学校读书。1955 年在北京电子管厂任技术员。1957 年起先后入天津大学、河北省纺织工学院学习。1963 年回北京电子管厂工作。1969 年调北京市半导体器件三厂任技术员。1981 年 6 月加入中国共产党。曾任车间副主任、技术科副科长、总工程师办公室副主任、副厂长。1983 年被厂职工代表民主选举为厂长。在大量进口的集成电路猛烈冲击国内需求市场，原材料价格逐年成倍上涨，而成品电路价格大幅度下降的逆境中，黄琳勇于开拓，善于经营，带领全厂职工转换企业经营机制，依靠技术进步，走质量效益道路，以产品质量优、生产效率高、物质消耗低，使全厂生产、效益稳步发展，各项经济指标都走在同行业的前列。她认为"管理也是生产力"，几年来，黄琳组织领导全厂用现代化管理的思想、方法、手段和工具，使管理水平年年"更上一层楼"。在生产中，采用引进、消化、吸收的办法，突破抗幅照、抗静电、抗锁定的工艺难点，生产出大规模集成电路，打破外国，尤其是"巴统"对军用高速 CMOS 系列产品的控制。该厂生产的电路曾在国家发射的 15 颗卫星上使用，因质优、稳定可靠而获航天部、科工委多次嘉奖和表彰。在黄琳领导下，北京半导体器件三厂被评为北京市先进管理企业、电子工业先进企业、重合同守信誉先进企业，获得质量管理奖、和电子行业企业管理优秀奖。黄琳重视提高企业的整体素质，关心职工生活，在经济效益年年提高的基础上，使全厂工资总额逐年上升。1985 年黄琳被评为北京市劳动模范，1990 年被评为北京市电子行业优秀厂长，曾连续四年被评为北京市工业企业优秀厂长。她是全国和北京市女企业家协会副理事长、高级工程师。

〔黄强·书法家、篆刻艺术家·作品被毛主席纪念堂收藏〕 1992 年，黄强的书法作品参加全国第五届书法篆刻展览和全国纪念毛主席《在延安文艺座谈会上的讲话》发表 50 周年书法展。同年，他的篆书作品"洋浦港"获 1992 年度海南省精神文明产品优秀奖，自撰篆书联被毛主席纪念堂收藏，并将在毛主席诞辰100周年活动中展出。

黄强，字习之，号南天一卒，1942年10月生，海南文昌县人。60年代始从事文化工作，于工作之暇不懈临池奏刀，承蒙著名书法篆刻家秦咢生、黄文宽诸前辈悉心指教，潜心于金文、秦篆、汉隶和印学的研习。他平日多作篆、隶，出入于毛公鼎、泰山、峄山刻石和史晨、张迁碑之间，而更多的是善于从近代名家中汲取养份，丰富自身，力求自成面貌。其书作用笔严谨，端庄透逸；治印线条挺实，轻重有度。秦咢生、黄文宽评曰："黄强对书法篆刻，锲而不舍，艺术日以提高，他的篆书尤为精到。自'文革'前之书艺学步，今其作篆且可侪于书法家之林，非过誉也。""黄强居处海南，师友同道不多，能够努力自学，取得可喜成就，已可列入专门名家之行列"，其作品曾多次参加省、全国、国际展览，除《书法》、《书法报》、《中国书画报》等报刊发表外，《中国新文艺大系·书法集》和《国际书法展览作品精选》、《当代中国书法艺术大成》等书均载有他的力作；部分作品为中国书法艺术博物馆（西安）、许慎纪念馆、周恩来纪念馆、董必武纪念馆、海南东坡书院、江苏新四军纪念馆、开封翰园碑林、马来西亚"天后宫"等单位所收藏，或刻为楹联、或刻石列入碑林。部分作品还远播美国、日本、新加坡等国家和地区，并于1991年10月出访日本。

黄强还致力于书法的普及工作，刻意培养新秀、奖掖后学，在全国青少年书法篆刻比赛中，他荣获"园丁"铜牌奖，参与编辑《名人入琼墨迹选》、《楷书初步》，已由海南人民出版社出版。"临池春起早、展卷夜眠迟"，是黄强选送参加全国第二届中青年书法家展览的作品，也是他艰苦跋涉的真实写照。

黄强系中国书法家协会理事，海南省书法家协会主席、海南诗书画联谊会副理事长、海南省政协委员、海南省文联委员。

〔黄简·书法家·任香港中国书法家协会主席·组织主办全国第五届书法展移港展出引起轰动〕　1992年7月，香港中国书法家协会正式成立，刘海粟任名誉主席，黄简任主席，刘才昌任副主席，方柏和任秘书长。理事为香港知名人士罗德丞、简福饴、叶黎成、岑伟文、杜志诚、叶盈枝、陈志刚等担任。会员有碑帖专家王壮弘，篆刻家徐云叔，茅大唐，文物专家蔡国声以及吴任、张贴来等人。香港中国书协成立后，黄简与同道组织主办全国书法在港展，即从沈阳举行的全国第五届书法篆刻展览中选出200幅精品，9月15日起在香港中国文物展览馆展出一周。中国书协副主席刘艺等专程抵港表示祝贺。舆论界称这次书展对香港今后书法的发展趋向有重大影响。

黄简，1947年生，上海人。早年临池多宗汉隶，尤醉心于西汉古隶，及长师黄葆戊"青山农体"。书作以"横平竖直、宁拙勿巧"为特点，气度恢宏，别具风貌。作品多次入选国内外重大书法展并被收入《香港美术家联展作品集》、《国际书法展览作品精选》、《当代楹联墨迹选》、《全国第三届书法展览作品集》等，为博物馆、纪念馆、艺术馆收藏或被碑刻，在《书法》杂志等发表。精于书论研究，著述甚丰，有论文、年表、图表、辞书、古籍校点数十种，《中国书法史的分期和体系》、《书法艺术的本质》、《笔法系统试论》、《笔势的定义和要点》《笔意是书法的要素》、《中国书法大辞典·字体》、《书法技法术语系统表》、《中国书法史事年表》（与郑明合编）等发表于多种专业刊物，或入选全国性书学理论研讨会。1976年负责上海《书法》杂志的创刊工作。1982年底移居香港，任香港《书谱》杂志执行编辑，并任《中国书法大辞典》执行副主编及《中华书法篆刻大辞典》编辑委员。

〔黄世德·被誉为"粘胶大王"的工人发明家·其产品获得多项奖励〕　在葛洲坝家喻户晓的工人发明家、企业家黄世德，1992年4月出任葛洲坝粘合剂开发公司总经理。他发明和组织生产的新型粘合剂，因粘合力强，工艺简便，用途广泛，1992年5月在北京第四届国际能源（电力）及供应技术和设备展览会上获得科技成果及优秀产品奖；7月又获得黑龙江全国科技成果展览会金奖；7至9月在湖北宜昌举行的消费者满意产品评选中，获消费者满意产品荣誉证书和匾牌。

18年前还是皮带工的黄世德，看到运料的传送带经常因磨损断裂，听到金属连接扣发出的怪叫声，就想能不能生产出一种能粘皮带的粘胶剂来，但多次试验都失败了，实验组不解自散。但黄世德执着地沿着认准的道路走下去。为了避免闲言碎语，他把实验用的瓶瓶罐罐搬回家中，并用家中仅有的300元钱购买实验用品，开始了艰难的跋涉……。经过240次失败，第241次配制成功了新型的氯丁胶。这种胶在常温下粘接，工艺简单，固化时间短，耐100℃高温，使用期达2年，储备期达3年以上，从此使中国矿山、工厂、工地上传送皮带断裂连接，告别了金属扣，走向粘接的新工艺领域。黄世德给他的发明起了个名字LDJ·241粘合剂，为此获得了多项荣誉。

为了把技术转化为生产力，黄世德筹办粘合剂厂，他又管生产，又跑推销，终于打开了局面。黄世德的成功，使一些嫉贤妒能的人百般刁难，甚至偷改配方，使黄世德事业受到很大的损失，连妻子也听信谣言，竟怅然而去。即使如此，黄世德百折不挠，又研制出橡胶与金属粘接的245胶，并获得葛洲坝工程局科技成果一等奖。

黄世德没有辜负领导的信任，担任粘合剂厂厂长后，产值、利润月月上升，产品已从皮带机械用胶发展到装璜用胶、民用鞋用胶等四大类10多个品种。产品畅销全国及欧美、港台和东南亚市场，创产值500多万元，实现利税100多万元。

为满足市场和用户需要，1992年6月由黄世德主持制定的年产3000吨粘合剂技改扩建论证报告获得通过，并于8月举行了开工奠基典礼。黄世德特别注意产品质量，健全生产工艺流程、质量管理网络，使产品出厂合格率为100%。

黄世德，湖北省大悟县人，1953年2月10日生，1968年3月参加人民解放军，1983年12月入党。

〔黄石木·宝安县坪山镇党委书记·带领坪山人民迅速脱贫致富〕　广东省宝安县坪山镇的马峦山、坪头岭，是孙中山打响推翻清王朝第一炮的地点，也是中国共产党领导的东江纵队第一次升起抗日战旗的所在。然而这块对中国人民革命作出过重大贡献的地方，直到1987年还是土地荒芜，民无温饱，个别地方甚至过着刀耕火种、石臼舂米的日子。这年10月，黄石木当选为镇长。他带领新班子跑遍坪山的山山水水，响亮地提出要转变观念，解放思想，有路走路，没路开路，发展工业，脱贫致富。他要求6个挨近公路条件较好的村放开手脚，自己发展；6个山区村下山办厂，由镇政府投资90万元在交通方便的圩镇开发出24万平方米的工业区，划给山区村，办厂的风险由镇上承担，又在贷款、基建、引进外商等方面一律从优照顾，村里只管办厂赚钱就是了。大胆的决策，加上认真扎实的工作，使全镇经济迅猛发展。过去只有一家工厂的碧岭村，引进了32家外商。白云深处的马峦村也办起17家工厂。1990年，全镇工缴费收入突破亿元大关。中共广东省纪律检查委员会机关刊物《党风》1992年第9期和深圳特区报在当年8、9月，对黄石木的事迹作了连续报道。

山里人下山办厂赚了钱，赚钱以后怎么办？黄石木又帮他们作出一个大胆的设想：杀回老家去，把大山的宝藏挖出来！已是跨着摩托车、拿着“大哥大”、在山下盖起小楼并拥有人均100多平方米厂房面积的山里人，投资250万元，修了15公里盘山公路，在原来的穷山秃岭上建成了年产10万只鸡的现代化养鸡厂，开发出3000亩果园、2000亩梅场。现在，“梅林”已成为深圳市同“锦绣中华”、“中国民俗文化村”并列的十大风景点之一；国内外客商已投资几千万元，正在兴建高尔夫球场和赛车场。紧接着，黄石木又代表镇党委提出发展农业的6条措施：开荒复种的，3年免缴公粮；开荒复耕的资金投入，镇政府补贴贷款利息……这样，唤回了民心，过去跑到香港的人纷纷返回家园，丢荒的600亩耕地已全部复耕。

黄石木当镇领导4年，坪山工农业总产值由原来的5000万元增长到1.3亿元。全镇人均收入由860元增加到1922元。现在，农民拥有大小汽车148辆，摩托车373辆，人均住房面积20多平方米。马峦村的村民在山上盖起幢幢小楼，还盖起5000平方米的村办公大楼。

黄石木，广东宝安人，1940年11月出生，1959年参军，1961年加入中国共产党。在部队服役14年，曾是广州军区出名的刺杀尖子，在1964年大比武中夺得全军刺杀第3名；当过标兵连长。转业回原藉后，在糖厂、法院系统工作过，1970年调坪山镇工作。多次被县和深圳市评为优秀党员，1991年后被评为省劳动模范，并被省树立为廉政勤政先进典型。

〔黄克智·固体力学专家·当选中国科学院学部委员〕　黄克智教授在固体力学研究方面做出重要贡献，1991年底当选为中国科学院技术科学部学部委员，1992年1月3日正式公布。

黄克智，1927年7月21日生，江西省南昌市人。1947年7月毕业于江西省中正大学土木工程系。1952年7月清华大学工程力学研究生毕业。1955—58年在苏联莫斯科大学数学力学系塑性力学教研组进修。他是清华大学的教委重点学科固体力学专业的第一学术带头人。现任该校学术委员会副主任和工程力学研究所所长，兼任国务院学位委员会力学评议组组长。1987年曾受聘于法国科学院与教育部任兼职教授。他还担任了力学学报主编等31种国内外重要学术职务，近年来主持了7项国家重大科研项目，共著有学术论文130余篇、专著5部，并多次获国际、国家或部委、省市级奖励。

黄克智在弹塑性断裂力学方面进行了国际领先的系统工作。1981年在ICF5大会上与高玉臣共同提出幂硬化材料的对数幂次型裂纹尖端奇异场，基本解决了国际上多年悬而未决的难题，受到国际弹塑性断裂力学奠基人 Rice 和 Hutchinson 的赞誉。1984年由于对鲍氏效应下裂纹尖端场的出色研究，被授予ICF6大会设立的少数几篇优秀论文奖。1989年在ICF7大会上被推选为国际断裂学会副主席。国际著名力学刊物 Applied Mechanics Reviews 特邀他做裂纹尖端奇异场方面的刊首主题综述。黄克智等在弹塑性扩展裂纹尖端奇异场所取得的突破性进展及由此导出的理论阻力曲线，为将裂纹扩展理论引入结构缺陷评定提供了现实的桥梁，获得国家自然科学奖和三项国家教委科技进步奖。黄克智在壳体理论和压力容器强度分析方面治学40年，获得了6项国家、部委级奖励。他首创的换热器管板设计方法是钢制压力容器国家标准中比国际同类规范上有重大突破的部分，已经国家压力容器技术委员会公函证明，在我国12个工业部门和上千个企事业单位应用。该方法领先于法、美等国的同类设计方法5年以上，且更为完善，在SMIRT国际大会上屡受好评，并有望成为主导国际换热器管板力学设计的核心方法，这位固体力学家也因此享誉国内外。

黄克智学风严谨，近10年来培养出博士19名，博士后3名。其学生中已有多人成为国内外知名的中青年力学学者。

〔**黄纬禄·火箭专家·当选中国科学院学部委员**〕　著名火箭专家、中国航天工业总公司高级顾问黄纬禄，在我国潜艇水下发射运载火箭的研制中贡献杰出，1991年底当选为中国科学院学部委员，1992年1月3日正式公布。

黄纬禄，1940年从南京中央大学毕业后，1943年赴英国伦敦大学攻读无线电专业，获硕士学位。1947年回国，在上海资源委员会中央无线电公司研究所从事研究工作。新中国成立后，先后在华东工业部电工研究所、通信兵部电信技术研究所任研究员。五十年代后期调入国防部第五研究院，先后担任研究所所长、总体部主任、研究院副院长兼研究院科技委主任和七机部总工程师等。

他长期主持和参加多种火箭控制系统的研制工作，特别是作为固体火箭的总设计师，领导和参加了固体火箭的研制、飞行试验，为开辟我国火箭技术的新领域做出了重要贡献。

1980年2月黄纬禄任固体地地导弹总设计师后，降低了选择发射场地的条件，缩短了发射准备时间，使1984年5月固体地地导弹和地面设备能进行全武器系统合练；1985年7月，固体导弹武器系统又成功地进行了发射试验。随后，在他指导下对有关设备作了改进，1987年5月用改进后的地面设备进行发射试验获得圆满成功。从而中国第一代固体地地战略导弹的研制获得成功，这为发展我国快速反应的固体导弹武器系统奠定了基础。

在黄纬禄领导下，我国潜艇水下发射的潜地固体战略导弹的研制也迅速进展。1982年1月，潜地火箭首次陆筒发射试验成功，同年4月第2次发射又获成功。1982年10月12日，用常规潜艇发射潜地导弹获得成功。1988年9月15日，我国第一艘导弹核潜艇发射潜地固体战略导弹获得圆满成功，刚刚退居二线的潜地火箭总设计师的黄纬禄，亲自参加了这次发射的现场指挥。这次发射使中国成为世界上第五个拥有导弹核潜艇的国家。

黄纬禄曾被选为中国宇航学会第一届理事会副理事长，1986年又被选为国际宇航科学院院士。他还是全国“五一”劳动奖章获得者，曾被选为第六届全国人大代表，中共第十三次全国代表大会代表。

黄纬禄，1916年12月生于安徽省芜湖市。其主要经历见1989年《中国人物年鉴》。

〔**黄忠学·解放军海军原顾问·在上海逝世**〕

1992年12月4日，解放军海军原顾问黄忠学在上海逝世，终年81岁。

黄忠学，湖北天门人。1932年加入中国共产党，同年参加中国工农红军。曾任红3军9师警卫营书记、团俱乐部主任，红2军团6师18团代理政委，红2军4师政治部宣传科科长。。参加了湘赣、湘鄂川黔革命根据地反“围剿”和长征。抗日战争爆发后，任八路军第120师教导团政治处宣传股股长，师政治部组织部巡视团主任，第358旅教导营政委。先后参加了陈庄战斗、晋西北反“扫荡”和百团大战。抗日战争胜利后，任晋绥军区第9军分区游击队支队长、军分区司令员，第一野战军7军政治部主任。参加了临汾、晋西南、太原、扶郿等战役。中华人民共和国成立后，任第一高级步兵学校政治部主任，后勤学院政治部主任，海军青岛基地副政委兼政治部主任，北海舰队副政委兼政治部主任。1964年调任第六机械工业部副部长，党组书记。1975年起任东海舰队副政委、政委，海军顾问。1955年被授予少将军衔，获二级八一勋章、二级独立自由勋章、一级解放勋章。1988年7月获一级红星功勋荣誉章。

〔黄宗道·华南热带作物研究院名誉院长·被推举为世界成果研究协会终生委员〕　华南热带作物研究院和热作学院名誉院长、海南省人大常委会副主任黄宗道，30多年来在热带作物教学和研究方面取得10多项在国内外有影响的成果，1988年被列入美国出版的《世界名人录》，1992年5月被世界成果研究协会（美国）推举为在热带作物教学和研究方面有名望的终生委员。

黄宗道，湖北孝感人，1921年2月出生。1945年1月毕业于南京金陵大学，后留校任助教、讲师。1952年调任南京农学院讲师。1953年4月至今在华南热作研究院及热作学院工作，历任讲师、副研究员、副院长、研究员、院长、名誉院长等职。他长期奋战在海南岛，为发展祖国橡胶事业和热作事业而艰苦创业。曾赴印尼、斯里兰卡、柬埔寨、马来西亚考察橡胶种植。1978年1月向全国科学规划会议提出了《加快发展我国橡胶和热带作物的建议》；在全国科协发表了《合理规划充分利用我国热带作物地区的土地资源》的论文。通过多年实践研究，全面解决了橡胶在北纬18—24度大面积种植技术问题，获国家科技发明一等奖；完成了《成龄橡胶芽接树高产综合措施开发研究》、《华南热带作物现代化综合科学实验基地》等课题，均获农业部科学进步一等奖。参与制定《中国农业区划——热带经济作物部分》，获国家农业区划一等奖。著有《橡胶栽培学》、《热带北缘橡胶树栽培》、《海南岛橡胶三十年》、《中国天然橡胶栽培》、《海南岛农业发展战略》、《世界天然橡胶及中国的重大成就》等专著。现兼任海南省科协主席、国际橡胶研究和发展委员会理事等职。

〔黄独峰·艺术教育家、画家·黄独峰师生画展在广西举行〕　广西政协副主席、广西艺术学院教授黄独峰从艺70周年、从教60周年及他的80寿诞时，广西博物馆于1992年10月20日举办了“黄独峰师生画展”，总结和展示这位艺术家和艺术教育家在艺术上的卓越成就。

黄独峰，笔名黄山，又名榕园，1913年10月生，广东揭阳人。他18岁时，入“春睡画院”，师承岭南画派高钊父。1936年赴日本东京深造。1950年，在香港拜张大千为师。他一生辛勤劳作，在中国画、特别是山水画上卓有贡献。他的代表作《万紫千红》、《丹崖碧湖》和《千峰竞秀》等，都是当代水墨画的重要作品。他一方面发挥岭南画派的清新画风，同时，又把中国传统笔墨和西画技法结合，创制出一种墨色淋漓、沉郁酣畅的艺术效果。他交游广阔，足迹遍中外，他长期从事艺术教育事业，桃李满天下。这次举办的“黄独峰师生画展”，展出了他本人和广西自治区内外40多位弟子的佳作160多幅，充分体现了他个人的艺术风格和他所培育出来的各方艺术人才的精深造诣。

黄独峰曾任广东韶关“颂风画苑”院长，广州南中美专国画系主任、教授，他在旅居印尼时，又创办了棉兰中国画院并自任院长。近年又任广西艺术学院教授、副院长、全国美协广西分会主席。

〔黄养辉·金石书画家·《黄养辉艺术文集》出版〕　黄养辉是我国著名金石书画家、艺术教育家，1911年11月底，出生于江苏无锡。江苏美术界为祝贺他80寿诞，除举行纪念研讨会外，1992年出版了纪念文集——《黄养辉艺术文集》，在国内外引起反响。

黄养辉自幼酷爱金石书画，十九岁时，曾师从徐悲鸿习画，后考入中央大学艺术系，并长期担任徐悲鸿秘书。从徐悲鸿学艺，先后达二十年。艺术、风范、品格、学问、均深受徐的影响。1942年任中国美术学院副研究员兼秘书，1946年又历任国立北平艺专副教授兼秘书，苏州美专教授，中央歌剧院特约教授等职。

黄养辉作画风格质朴，清新，擅长人物，花鸟，山水。他在继承传统的基础上兼取西画之长，有的雄浑，有的高雅，有的明丽，有的野逸。这和徐悲鸿的风格十分近似。他的书法稚拙如金石，而金石又秀逸如绘画，三者相互彰扬，对江苏及至全国都有很大影响。半个世纪以来，他创作了无数件精美的艺术品，在国内外参加了许多重要的画展，作品为英、法、美、日、意大利及香港、新加坡等地的博物馆和私人收藏家所珍藏，视为一代珍奇，而倍受翼护。此外，他还擅长水彩、粉画和油画。

黄养辉的书法、印章，出入秦汉，古雅秀润，是江南一带有名的作手。他的诗文楹联也饶有大气，美术史论方面，尤多精彩警辟的议论。曾有

《白石老人早年篆刻经过》、《徐悲鸿师在南京》、《悲鸿先生与书法艺术》、《包世臣论书读后》等文。

近几年、黄养辉更焕发了创作热情，在南京、西安、福州、厦门、香港等地均举行过个人展，赢得了普遍的赞誉。他是美协、书协会员，金陵印社名誉社长，徐悲鸿奖学金委员会委员，江苏省美学学会名誉理事，江苏省国画院画师、教授。

〔黄萃庭·著名外科学家·在北京逝世〕 我国和国际著名的外科学家，中华医学会名誉理事、外科学会主任委员，北京医科大学第二临床医学院教授黄萃庭，1992年5月27日在北京逝世。

黄萃庭，广东惠阳人，1916年4月15日生。1938年毕业于燕京大学，获学士学位。同年考入北平协和医学院，1942年毕业，获协和医学院和纽约州立大学医学院双医学博士学位。1942年至1946年在唐山林西开滦煤矿医院工作。1946年起，在北平中和医院（解放后改名为中央人民医院，后又改为北京医科大学人民医院），历任外科副主任、副教授、教授、副院长、院长。从事医学事业长达50年。

黄萃庭，1957年加入九三学社，1979年加入中国共产党。1950年抗美援朝战争爆发后，他参加了第一批抗美援朝医疗手术队，担任医务主任，协助组建野战医院。1965年参加农村医疗队，为农民送医送药，因地制宜开展炕头手术，并热心培养农村医生。他在73岁高龄时还经常上手术台指导下级医生。

黄萃庭在医学上努力进取，不断创新。五十年代初期，他在肝脏外科解剖方面，提出的分叶分段见解，得到广泛采用。他首创的采用脾肾静脉分流术治疗门脉高压症，远期疗效达国际水平，从而获得1978年全国科技大会一等奖。八十年代初期；他提出液递物质在门脉高压发病机制上作用的观点和实验研究，得到国内外同行重视。四十多年来，他发表有创见的论文100多篇，主编或参与编著、翻译的专著近20种。1982年被授予法国外科学会荣誉会员称号。1990年获国家教委颁发的从事科技工作40年荣誉证书，1991年获北京医科大学桃李奖。

黄萃庭还兼任卫生部医学科学委员会委员，国家科委医学专业组委员、《中华外科杂志》总编辑等职。

〔黄跟宝·上海南市区文化馆剧场经理·制作微型乐器赴日本参展受赞誉〕 上海市南市区文化馆剧场经理黄跟宝以制作小如芥蒂的微型乐器而闻名海内外，1992年4月，他携带微型乐器随上海民间传统技艺表演团出访日本，在日本展出和表演期间受到赞誉，被称为当代的斯特拉里瓦里斯（注：斯氏为意大利提琴制作大师）。

黄跟宝的微型制作，曾三创世界之最。1989年，中文版《吉尼斯大全》刊登一把由一位德国人做的微型小提琴，琴高7.6厘米，而黄跟宝早于此之前已制成一把仅高5.2厘米的微琴，工艺超过德琴。此后不久，黄跟宝又以真琴225分之1大小制成另一把更小的微琴。1990年版《吉尼斯大全》纪录了一位美国人做成一把高2.38厘米微小提琴，黄跟宝得知后，即又制成一把琴身高仅2.1厘米的“世界第一小琴”，此琴按意大利名琴“斯特拉里瓦里斯”的原样微缩800倍而成，琴身所有制材，全部以正式演奏琴为标准，颜色装饰一样，四根琴弦细若游丝，最细的一根为2.5丝，是普通头发的1／3，它在放大镜下能调谐出清晰的音调，妙趣无比，叹为观止。黄跟宝十多年来创作和制造微型乐器达200多种，其中民族乐器有二胡、三弦、琵琶、扬琴、古筝、月琴、大阮、蒙古马头琴、新疆冬不拉、西藏艾捷克、古乐器筑、瑟、箜篌、西汉墓出土的磬石编钟等；西洋乐器有古钢琴、竖琴、各类提琴，以及罕见的巴洛克风克的乐器、欧洲文艺复兴时期直到现在的各种拉弦乐器等。每件乐器制作精良，部件长短均按正规乐器徽缩而成，且都具有演奏功能。他制作的系列微型乐器，曾参加上海首届国际艺术节、工艺精品展、全国首届工艺美术及名艺人作品展、90上海艺术节绝技精品展、长江沿线工艺美术作品创作展等。他建立的家庭微缩艺术品展馆，曾接待德、美、英、日本、荷兰、新加坡、香港、台湾、澳门等国家和地区友好人士观赏，获得高度评价。国内十多家报刊和香港大公报、明报、晶报、天天日报、澳门日报、台湾联合时报以及日本、欧美一些报刊介绍了他的徽缩艺术成就。

黄跟宝，江苏宿迁人，1954年11月生，自小爱好音乐，中学毕业后曾在江苏省歌舞团任小提琴手兼乐器修理师，1990年在上海音乐学院管弦系学习提琴兼习制作，并自修了绘画、雕塑、音乐、工艺美术等课程。他节衣缩食，购买古今中外各类乐器资料，每制作一件微型乐器，要经过数十次乃至数百次的失败，他还结合制作学习了木工技艺、雕刻艺术、油漆工艺、声学、力学等，突破难点，积累经验，终于获得成功。他被评为上海南市区文化系统先进个人。

〔黄羲平·退休讲师·研究武则天文字和回文诗获成就〕　广东医药学院退休讲师黄羲平潜心研究武则天文字、回文诗和书法艺术获得卓越成就。1992年1月15日《人民日报》（海外版）、中央电视台及新华文摘、羊城晚报、澳门日报等10多家报刊报道了他的事迹。

黄羲平，广东省龙川县人，1920年12月生，1947年毕业于广东国民大学，曾任教于广州圣心中学、医士学校和广东医药学院。他自幼酷爱诗词书艺，涉猎百家学说，几十年来，做了大量起衰续绝的文史书艺工作。第一，为武则天“无字碑”补文填字，首创“武则天文字碑砚”（立砚）。唐朝武则天曾创造部分新汉字，使用一百多年，有的流传日本。语言学家林语堂曾收集12个武氏遗字，日本早稻田大学教授泽田瑞穗收集17个，日本学者原百代收集17个，黄羲平却收集了20多个则天字，他将这些字组成一首五言诗：“照国年天授，载初吹圣人，君臣证又正，地戴日月星。”以记述则天称帝之举。并创制了中国第一方武则天文字碑砚。其结构由砚和砚座两部分组成，立起是碑，卧下是砚，构思巧妙，立意隽永。砚顶部雕一横卧如意，中嵌一金轮，在金轮四周竖书“大周”，横书“天册”，以示“大周天册金轮皇帝长眠”之意。金轮下横书“武后遗字”，即镌刻那首五言诗。碑砚背面刻着武后回文铭二首。底座刻“贞观、永徽”、“嗣圣垂拱”八字。此碑砚由肇庆端溪砚厂刻制三方：一方赠日本《武则天》一书作家原百代；一方赠《武则天》一书译者台湾谭继山；一方留肇庆砚厂。碑砚在日本东京、我国广州、西安展出，受到国内外学者关注。被作为“华夏一奇”，列入全国电视艺术片展播，第二，黄羲平潜心研究文学遗产之一回文，著有《回文丛话》一书。他的回文诗词、对联与书法作品多次在广州等地展出，如“墨兴国治”、“治国兴墨”和“喜喜欢欢事事成功得志，安安乐乐人人建业兴邦”等回文联，传之甚广。他曾将越南古代一名士所撰回文诗写成书法作品参展，受到越南友好人士欢迎。专家们赞扬他“书道传中外，回文汇古今。”第三，醉心于书法艺术和微书研究。曾录王羲之句“山阁画晴帘卷翠，砚池春暖墨生香”，以端庄灵秀的楷书奉献于兰亭之柱，受到赴兰亭参观的国内外人士赞尝。他教过的书法弟子不少人在全国、省、市书法比赛中获奖。自1985年起，有数十名日本学生慕名前来向他求教。还曾书写毛泽东诗词、毛泽东与陈毅谈诗的一封信、郭沫若《科学的春天》等近40幅微书作品在广州参展。

〔萧乾·著名作家·从事文学工作六十周年〕

由中国现代文学馆、中国现代文学研究中心（台湾）、中央文史研究馆、华艺出版社、中国历史博物馆、中国民主同盟中央委员会、中华全国新闻工作者协会联合举办的“萧乾文学生涯60年展览”，1992年5月5日至12日在北京举行。台湾作家林海音、何凡、尹雪曼等从台湾赶来向萧乾祝贺。

萧乾，蒙古族。1910年生于北京。早年在北新书局学徒时开始接触文艺。他较早写的一篇散文《平绥琐记》，是在1932年。次年，创作了第一篇小说《蚕》。1933年至1937年间，写过20几个短篇，主要收在《篱下集》和《栗子》两本集子里。1935年，萧乾进入大公报任文艺副刊编辑，在此期间，曾写过几篇通讯特写。在《流民图》和《滇缅公路》中，为那些受灾者和筑路英雄们留下生动的群像。

第二次世界大战开始一个多月，萧乾到达英国，一面在伦敦大学执教，一面为大公报写英伦通讯，他写的伦敦大轰炸那组特写，报道了英国群众在德国狂轰滥炸下镇定自若，用蔑视和嘲笑对待法西斯的精神，给读者以深刻印象。1944年，他放弃英国剑桥大学学业，跟随美国第7军奔赴莱茵前线，成为第一批进入柏林采访的中国记者，在枪林弹雨中写出了《到莱茵前线去》、《林林那趟》等战地通讯。

1957年萧乾被错划为右派后，被迫搁笔。粉碎“四人帮”后，他笔耕不辍，十几年来每年都有新作出版。他写的《北京城杂忆》，1987年在全国优秀散文（集）、杂文（集）评奖中，获中国作家协会颁发的荣誉奖。

展览通过150多幅照片和100多册图书版本，部分手稿、实物，再现了这位82岁老作家风雨蹉跎的生活经历、笔耕不辍的创作道路以及传奇绚丽的记者生涯。

萧乾简历参见1990年《中国人物年鉴》。

〔萧一山·已故台湾学者·诞生九十周年〕

1992年5月7日，是已故台湾学者、著名历史学家萧一山九十周年诞辰。

萧一山，原名桂森，号非宇，江苏徐州人，1902年生。他从中学时代起就有志于写出一部高质量的清代史。1920年考入北京大学史学系，经过勤奋努力，在不到三年的时间里，果然写出一部数十万言的《清代通史》上卷，引起当时学术界的轰动，得到李大钊、梁启超等知名学者的高度赞赏。1924年，萧一山经梁启超推荐，被聘为清华大学教授，与梁启超共同讲授中国通史，梁主讲文化史，他主讲政治史。以后几年，萧一山继续在清华、北大及北京师范大学等校任教，并陆续写出《清代通史》中、下卷与《中国通史大纲》等书。1931年，他应南京中央大学之邀，担任清史教授。1932到1934年，赴欧美考察文化教育，搜集太平天国史料，回国后辑成《太平天国丛书》第一集及《太平天国诏谕附考释》、《太平天国书翰》、《近代秘密社会史料》等书。1935年任河南大学教授兼文学院院长，创办《经世》半月刊。抗战期间，他先后任迁到四川的东北大学文理学院院长，西北联合大学文学院院长。抗战胜利后，曾一度担任北平行辕主任李宗仁的秘书长。1948年，萧一山到台湾大学任教。新中国成立以后，他曾任台湾中央研究院院士，与张其昀等主持"清史编纂委员会"，改编"清史稿"为"清史"。1960年，萧一山完成了《清代通史》的全部修订工作。修订后的《清代通史》共410余万字，史料宏富，考订精粹，结构严谨，条理清晰，文笔生动，被誉为"自来以一人之力，能有此种著作者，殆属创举"。他的著作还有《中国近代史概要》、《曾国藩传》、《民族文化概论》和《洪秀全传》等。据统计，他发表的学术论著不下两千万字。

1978年7月，萧一山在台湾因心脏病发作逝世，终年77岁。

〔曹锋（女）·浴池医脚师·被授予全国最佳服务员称号〕 1992年9月15日，商业部在北京人民大会堂隆重召开建国以来首次全国饮食服务业最佳服务员表彰大会。黑龙江省哈尔滨龙江浴池医脚师曹锋，在会上被授予"全国最佳服务员"称号。

曹锋，1951年7月28日生于河北献县。1971年初中毕业后被分配到浴池当服务员。多年来，曹锋以雷锋为榜样，把顾客当亲人，遇到老人和盲人，主动迎上去搀扶；遇到带小孩洗澡的女同志，就主动当义务保育员；对体弱和晕池的人，耐心护理，准备好白糖给他们冲水喝。她早到晚归，积极工作，到浴池当年就被评为市服务系统先进工作者，第二年被评为市服务系统先进工作者标兵和市劳动模范，并担任了江洪旅店主任。1974年加入中国共产党。1977年春，浴池恢复传统的修脚项目，需要一名年轻的修脚工。而许多人都不愿干。曹锋毅然辞去店主任的职务，学起了修脚技术。她每天很早就来到修脚室，搞完卫生就拿起修脚刀削竹板。她不仅班前班后练，回家还在自己脚上练，像着了迷一样练指力、腕力和刀功，自己的手脚不知被割破多少个口子。很快，曹锋就成了一名优秀的修脚师。不仅修脚，她还会注射、包扎、彩活（手术），能给鸡眼、猴子脚疸等病症做手术。她不管工作多忙，对患者总是笑脸相迎，给患者让坐，亲自打水泡脚。她检查脚病细致认真，力求一刀除根不留后患。她了解到有些脚病患者行动不便，就实行电话预约和上门服务，一直坚持了多年，足迹遍及哈尔滨的每个角落。1990年，组织上特批曹锋转为国家干部，企业安排她做副经理工作，但她放弃当干部的机会仍工作在第一线。她利用业余时间把各种疑难脚病的医疗卡片、手术后留下的标本、平时搜集的民间验方加以整理，写出了一部3万字、图文并茂的《关于脚病的医治》的书，为服务公司技术培训中心提供了教材。她还研制了20多种治疗脚癣、脚气、汗脚、点痦、骨刺等的药物，经临床实验效果较好。10多年来，曹锋接待患者5万多人次，其中"彩活"870多人次，成功率达98%以上。曹锋医脚技术精湛，却总是按国家规定最低价格收费，对有困难的患者，她免费治疗。曹锋曾被评为省市劳动模范、特等劳动模范，全国和省、市"三八"红旗手，还被评为省商业系统特级劳模和商业部特级劳模，1979年后连任两届中共哈尔滨市委候补委员，出席了省、市党代会和全国总工会第九次全国代表大会。

〔曹骥·中国农业科学院研究员·当选世界生产率科学院院士〕 1992年曹骥被增选为世界生产率科学院院士。5月5日，他在北京接受了院士证书。

曹骥，1916年4月生于北京市。1939年毕业于清华大学，获理学士学位，1941年获中央大学硕士学位，1949年获美国明尼苏达大学昆虫学博士。自1950年以来，他主要从事农业害虫的防治研究。先后主持过飞蝗、棉蚜、粟灰螟、果树害虫和检疫害虫等研究课题。初期，他着重化学防治，对不宜采用化学防治的则研究农业技术防治。

1952年在北京郊区、1975年在延安对粟灰螟的防治，取得良好效果，并分别在《昆虫学报》、《植物保护学报》上发表了研究成果。1976年以后，主持国家"七五"科技攻关项目麦蚜和豆蚜的抗性研究，发表研究论文和科普文章多篇。1992年7月，出席第19届国际昆虫学大会，是大会顾问团成员。他的著述和译作有《中国果树害虫》（与邹鍾琳教授合著）、《作物抗虫原理及应用》、《植物检疫手册》、《害虫防治、策略及方法》（与张宗炳教授合编）、《害虫综合治理导论》、达尔文全集之一卷《人和动物感情的表达》。他现在是中国昆虫学会理事兼学报副主编。

〔曹双明·任人民解放军空军司令员〕

1992年11月，中央军委任命曹双明为人民解放军空军司令员。11月17日曹双明会见了来访的巴基斯坦陆军防空军司令纳扎。

曹双明，1929年8月生，河南林县人。1946年参加中国人民解放军。同年加入中国共产党。曾任第二野战军师教导队分队长。参加了淮海、渡江、西南等战役。1952年毕业于空军航空学校。后任飞行员。1953年参加抗美援朝，任中国人民志愿军空军飞行中队中队长。后任中国人民解放军空军飞行大队大队长、副团长。1958年在福建前线击落台湾空军飞机一架，立一等功。后历任空军团长、师长、副军长，军区空军副司令员、司令员，沈阳军区副司令员兼沈阳军区空军司令员。是第七届全国人大代表，中共十四届中央委员。1988年被授予空军中将军衔。

〔曹刚川·任人民解放军副总参谋长〕

1992年11月，中央军委任命曹刚川为人民解放军副总参谋长。

曹刚川，1935年12月出生，河南午阳人。1954年入解放军第三炮兵技术学校学习。1956年2月加入中国共产党。同年入解放军大连俄文专科学校学习。1957年赴苏联，入炮兵军事工程学校学习。1963年回国。后历任总后勤部军械部、装备部助理员，总参谋部装备部参谋、副处长，总参谋部装备部副部长、部长，1990年8月任中央军委军品贸易办公室主任。1988年被授予少将军衔。

〔曹芃生·任兰州军区政治委员〕　1992年11月，中央军委任命曹芃生为兰州军区政治委员。

曹芃生1930年7月生，河北乐亭人。1946年参加中国人民解放军。1949年加入中国共产党。曾任东北野战军师宣传队副分队长，第四野战军团宣传队队长。参加了辽沈、平津等战役。建国后，历任军政治部保卫干事，师政治部保卫科科长，军政治部保卫处处长，军检察院检察长，团政委、师政委。1979年毕业于解放军政治学院。后任军副政委兼政治部主任、军政委，山东省军区政委，济南军区副政委。1990年起任兰州军区政委。是中共十三大代表，中纪委委员，中共十四届中央委员。1988年被授予少将军衔，1990年晋升为中将军衔。

〔曹宝麟·书法家·作品获"全国奖"〕

1992年6月30日至7月15日，在沈阳举行的"第五届全国书法篆刻展览"，有48名作者获"全国奖"。安徽书法家曹宝麟是获奖者之一。

曹宝麟，1946年5月生，上海嘉定人。自幼受伯父顾振乐影响爱好金石书画。书法起步颜楷转学草书，先师赵孟頫，后又从陆柬之上溯王逸少。1967年得戴尧天指导，改学米芾，兼习苏轼，孜孜以求，终得神貌。近年锐意变法，熔裁宋、明，渐达苍茫浑成之境。作品获首届全国大学生书法竞赛一等奖，入选全国第二、三届书法篆刻展，河南"国际书法展览"，第一、二届全国中青年书法作品展览等，被许多博物馆、纪念馆等收藏。

曹宝麟精于书史、书论研究，所撰《读贴考斟》、《蒙诏帖非伪辩》、《赵佶书蔡行敕考》、《陆机平复贴商确》、《颜真卿自书告身证讹》等文在《故宫院刊》、《书谱》、《书法研究》、《中国书法》等刊物发表。《书法报》开辟"技法讲座"，曹宝麟撰述了《米芾的草书》，1991年7月连续在该报刊登。同年台湾蕙风堂出版曹宝麟所著的《抱瓮集》。该集收入曹氏16篇碑帖考据文章，其考辨或从文字内容发掘，或语言特征之比较，或人物事件之检索，或性格习惯之归纳，参用现代统计法，罗列证据而不惮烦，独到之处甚多，颇受读者欢迎。此书获台湾书法教育学会1991年度大奖。

曹宝麟现为中国书法家协会会员，中国书法家协会安徽分会副主席，安徽师范大学语言研究所副研究员。

〔曹鸿年·工艺美术师·创作新猴邮票《猴桃瑞寿》获好评〕　第二轮生肖猴票的征集和发行

令人瞩目，经过几轮角逐和专家们的反复评审，曹鸿年创作设计的《猴桃瑞寿》中选，被邮电部定为壬申年生肖邮票，并于1992年1月正式发行。评论界反应热烈，认为该邮票构思新颖独特，造型美观，乡土气息浓郁，充满喜庆气氛，是民间文化与现代审美意识的自然结合。1992年1月，《北京日报》、香港《明报》以及《集邮》杂志、《知识与生活》等报刊，都对新猴票及其设计者曹鸿年作了比较详细的介绍。

新猴票《猴桃瑞寿》的主体图案是桃中套猴、猴子抱桃又吃桃的形象，把猴子那种机灵好斗、淘气顽皮的性格充分地表现于方寸天地之间。在中国的传统文化中，桃是增寿的瑞果。"桃圈猴，猴吃桃"，猴桃结合，恰应了"猴桃瑞寿"的民间俗谚，寓意吉祥；猴耳两侧的一对蝠形线，构成"福寿双全"的画面。在主体图案上，作者又增加了蜜蜂与桃花，象征青年男女间的美好爱情，同时，蜂与猴又谐"封侯"，寓意"封侯挂印，人寿年丰"。在用色上，设计者把民间常用的玫瑰红作底色，烘托出浓郁的喜庆气氛。

曹鸿年在创作设计《猴桃瑞寿》新票过程中，吸取了中国传统的民间剪纸艺术形式，并加以创新。他运用对称折叠剪切法，极简练地表现出正面猴头五官对称的生动形象，同时，锯齿纹又恰好把猴绒毛逼真地表达出来，体现了这一民间艺术形式独特地表现方法。新猴票以继承传统文化为基点，以喜庆祥和为纲目，使其内涵得到了升华。著名剪纸艺术家吕胜中等评论说，曹鸿年设计的猴年生肖邮票，脱开了以往生肖邮票图案化的表现形式，凝聚了中华民族古文化的观念，体现了汉文化的博大与深远。

曹鸿年，北京人，1960年12月生，现为济南市历下彩印厂工艺美术师。幼年时曾随搞地质勘探工作的父母过着流动生活。山村田野的童年时代，使他饱受乡情民俗的熏陶，这是他热爱、从事民间艺术的根源。青少年时代，在学校里一直是文艺宣传骨干。1985年入山东轻工业学院美术系学习，1990年到济南历下彩印厂从事美术装璜设计工作，尤爱民间剪纸画，曾拜访过许多民间剪纸艺人。1992年10月18日，他的剪纸《剪园》大型艺术展在北京《当代美术馆》展出，受到观众的好评。他的作品大多采用民间剪纸的表现形式，以意象、夸张、象征、装饰乃至抽象手法直抒其美。由于他勤奋好学，技艺不断长进，现在已成为济南工艺界有名的"一把剪"。

〔曹楚南·腐蚀科学专家·当选中国科学院学部委员〕 曹楚南研究员在金属防腐领域中造诣深厚，贡献突出，1991年底当选为中国科学院技术科学部学部委员，1992年1月3日正式公布。

曹楚南，江苏省常熟市人，1930年8月15日生。1952年毕业于上海同济大学化学系。曾在中科院上海物理化学研究所和长春应用化学研究所工作。现任中科院金属腐蚀与防护研究所腐蚀科学开放实验室主任，该所学术委员会主任，中科院材料科学技术委员会委员。1986年曾任日本东京工业大学客座教授。

曹楚南是我国最早从事金属腐蚀与防护研究者之一，我国腐蚀电化学研究的倡导者和学术带头人。长期来，他针对国际通用的监测腐蚀速度的线性极化电阻法的理论误差和实验困难进行了研究，创造性地提出了"微分极化电阻"测量原理和方法，获得专利并生产出根据该原理设计的仪器；对孔蚀过程中的电化学噪声进行了系统研究和理论处理，经国内外同行评议，认为已达到国际先进水平；还创造性地提出利用载波钝化改进不锈钢钝化膜稳定性的新思想，并进行了研究；在对当前国际上十分重视的电化学阻抗谱（EIS）的研究中，其工作也达到国际先进水平，如提出了有钝化膜复盖的金属电极法拉第阻抗方程式并解释了孔蚀诱导期的阻抗谱特征，将定态过程的稳定性条件引入EIS理论，导出了相应的公式并讨论了可能的EIS图形等。

曹楚南还曾进行了下列多项研究，如钢铁表面磷化处理，铅的土壤腐蚀，铝的电解抛光，铝及铝合金的阳极氧化，镁合金阳极氧化，腐蚀试验数据统计分析，低合金钢海水腐蚀，以及缓蚀剂等。其中缓蚀剂应用于保护生产井、缓蚀剂及其酸洗工艺的应用分别获1978年全国科学大会重大科技成果奖和1978年水电部重大科技成果奖，后者赶上了国际先进水平；"钢铁表面磷化处理"的研究成果1955年获中科院青年优秀论文奖。他研究的多项成果在国防工程建设中发挥了重要作用。

截止1990年末，曹楚南共发表研究论文、报告115篇，出版专著3本。他所在的研究室共取得16项成果，其中达到国际领先和国际先进水平的5项，已获国家级重大科技奖的2项，获中科院及部委科技成果奖的10项。他培养出研究员2名，副研究员和高级工程师7名，硕士生23名，博士生3名。他本人被授予长春市特等劳模、吉林

省劳模等称号，1985年获“五一”劳动奖章和“全国优秀科技工作者”称号

〔龚育之·著名学者·发表多篇阐述邓小平有中国特色的社会主义理论的文章〕　原中共中央宣传部副部长、著名学者龚育之，在邓小平同志1992年年初南巡讲话以后，在报刊上发表多篇理论文章，系统阐述邓小平同志提出的建设有中国特色的社会主义理论。

龚育之先后发表在《解放日报》、《文汇报》、《经济日报》和《人民日报》等报刊上的理论文章，以《在有中国特色的社会主义旗帜下——读邓小平著作的笔记》(《解放日报》)、《解放思想、解放生产力——学习邓小平同志重要谈话》(《文汇报》)、《市场经济问题与思想路线问题——围绕邓小平有关论述的对谈录》(人民出版社出版的《著名学者谈社会主义市场经济》) 等几篇影响较大。这些文章主要介绍和论述了邓小平建设有中国特色的社会主义理论的基础、结构和主要内容。他认为，中共十一届三中全会以来，我们党在对社会主义再认识的过程中，在哲学、政治经济学和科学社会主义等方面，发挥和发展了一系列重要的理论观点，这些观点构成了建设有中国特色的社会主义理论的轮廓，初步回答了我国社会主义建设的阶段、任务、动力、条件、布局和国际环境等基本问题，规划了我们前进的科学轨迹。党的十三大报告列举了十二个理论观点，其中，关于解放思想，实事求是，以实践作为检验真理的唯一标准的观点；关于建设社会主义必须根据本国国情，走自己的路的观点；关于在经济文化落后的条件下，建设社会主义必须有一个很长的初级阶段的观点，则是建设有中国特色的社会主义理论的前提和基础。关于建设有中国特色的社会主义理论的结构，他认为，“一个中心，两个基本点”这个概括，既是党在社会主义初级阶段的基本路线的公式，也为概括建设有中国特色的社会主义的核心内容提供了一个框架结构。这是党的十三大的概括，也是邓小平同志的概括。无论是以经济建设为中心，还是坚持改革开放，坚持四项基本原则，都是邓小平同志最先提出和反复论述的。而邓小平同志的南巡讲话，针对当前的形势，论述了进一步推进我国改革开放和现代化建设的关键问题，是建设有中国特色的社会主义理论的重要发展。

龚育之，1929年生，湖南长沙人。1948—1951年在清华大学化学系学习。1952年到中共中央宣传部科学处工作。1956年起在哲学研究所自然辩证法组兼做研究工作，1962年起兼任北京大学哲学系自然辩证法研究生指导教师。“文化大革命”后期重新工作，先后在教育部、中共中央文献研究室、中共中央宣传部工作。曾任中共中央文献研究室研究员、副主任，中共中央宣传部副部长等职。他还曾担任中国社会科学院哲学研究所学术委员会委员，中国自然辩证法研究会常务理事、秘书长，中国科学学和科技政策研究会常务理事、《科学研究》杂志主编，中国大百科全书哲学卷编委兼自然辩证法部分主编，自然辩证法百科全书副主编。

长期从事党的宣传和理论研究工作的龚育之，在哲学、自然辩证法方面著述颇多。他的主要著作有：《关于自然科学发展规律的几个问题》、《自然辩证法工作的一些历史情况和经验》、《列宁、斯大林论科学技术工作》(编译)。代表性论文有《从历史决议谈毛泽东哲学思想研究》、《<实践论>三题》等。

〔盛成·北京语言学院教授·报刊介绍其充满传奇色彩的一生〕　1992年3月《风流一代》杂志以《盛成：被人遗忘的辉煌故事》为题，介绍了这位传奇人物的一生。他11岁加入孙中山领导的同盟会，20岁成为长辛店的工人领袖，21岁赴法国勤工俭学，加入法国社会党，与社会党左派一起创建了法国共产党。1985年4月，盛成86岁时在北京接受了法国总统密特朗授予的“法国荣誉军团骑士勋章”。

盛成，1899年出生于江苏省仪征县，11岁在南京汇文书院读书时秘密加入了同盟会，1911年10月10日武昌起义之后，盛成在南京从事侦察敌情、传送情报、保存秘密文件等革命工作，被誉为“辛亥革命三童子”之一。后到上海参加了迎接孙中山莅临就任大总统活动，受到孙中山的接见，勉励他：“读书不忘革命，革命不忘读书”。同盟会改为国民党后，盛成是最早最年轻的国民党人。他先后进入南京的陆师学堂、铁路学校和上海南洋路矿学校、震旦大学预科学习，在震旦结识了黄扶（即徐悲鸿），成为莫逆之交。1919年“五四”运动爆发时，盛成在北京长辛店工作，发起和组织了“长辛店铁路工人救国十人团联合会”，担任会长，并编演话剧“火烧赵家楼”、还办了油印小报以宣传群众。在这期间，结识了周恩来、张国焘、郭隆真、许德珩等。1919年11月，盛成被长辛店工人推选

为代表出席在上海成立的全国各界救国联合会。他未参加会议，却找到吴稚晖联系赴法国勤工俭学。1920年1月乘“勒苏斯”号轮船抵巴黎，同船的有后来成为中共著名人物王若飞等。盛成先进入旺多姆中学进修法语兼修数学，后入国立高等农业专科学校学习蚕桑。在留学法国初期，他和周恩来、王若飞、赵炎年、李立三、蔡和森、向警予等人一起参加领导了留法勤工俭学学生的斗争活动，并于1920年3月加入法国社会党，后来与社会党左派加香、弗昂沙等人一起创建了法国共产党，被选为法共南方地区兰盖道克的省委书记。参加了当时法国进步的“达达”运动，结交了毕加索、海明威两位著名人物。1922年，盛成赴意大利皇家巴都大学进修蚕桑，在巴都大学建校700周年庆典中发表演说，获得了“中国万岁”的欢呼声，在那里见到了爱因斯坦和高尔基，受教益颇深。1923年回到法国进入蒙白里大学，攻读4年获高等数理硕士学位，后来执教巴黎大学，开始醉心于《动物社会学》、《比较蚕桑学》的研究。1927年，他出席了由法国大作家罗曼·罗兰发起在日内瓦召开的“世界妇女自由和平促进大会”，与会的有胡志明、尼赫鲁等世界名人。盛成作为法共的一位重要领导人未经法共中央批准擅自参加这次大会而遭到严厉处分，并被开除出党。此后，他回到巴黎大学讲授《易经》，并撰写小说《我的母亲》，该书出版后轰动法国文坛，部分章节被收入法国中、小学课本，并被译为英、德、荷兰、西班牙等16国文字而风靡世界。1930年，盛成经埃及、印度回到上海。1931年接受蔡元培、胡适的邀请，出任北京大学文学院法语教授。1932年1月，他毅然投笔从戎，赴上海十九路军参加松沪抗战。部队撤出上海后，他又回北京大学任教。1934年，盛成受张继委托赴欧洲秘密调查故宫博物院的国宝失窃案。1935年回国后，在上海中华书局任编辑，从事写作与翻译，出版了《海外工读十年纪实》、《意国留踪记》、译作有巴尔扎克的长篇小说《村教士》、普希金的长诗《茨岗》。1937年上海沦陷后，他来到武汉，同冯玉祥、邵力子、郭沫若、茅盾、郁达夫、老舍等发起成立中华全国文艺界抗敌协会，被选为常务理事。1941年他到广东中山大学任教。1945年抗战胜利后，应聘到兰州大学任教。1947年，奉国民党教育局调遣到台湾大学法学院执教，后又兼任中国文化学院教授、中央图书馆编纂。因他拒绝重新加入国民党，被视为“异己分子”，终于被解聘。在台湾工作18年，先后编撰了《沈光文研究》、《唐代美术》、《温庭筠研究》等专著，还应联合国教科文组织约请，将《老残游记》译成法文。1965年8月获准赴美国探亲。1966年3月回到巴黎。1972年盛成给老友周恩来总理打电报，问是否可以回国。鉴于当时国内环境，周总理沉默未复。1974年周总理托人转告：盛成可以回来了。一直到1978年10月，他才从香港到达深圳，回到祖国怀抱。盛成在语言学方面享有盛名，法国文化电台曾邀请他每天早晨在广播节目上漫谈半小时，这组广播节目被制成录音带公开出版，并成为中小学教材。他为纪念“达达”运动写了许多法文诗，被编成诗集出版，密特朗总统誉为“具有极高文学价值的诗集”。盛成除精通法文、英文外，还通晓德文、意大利文、希腊文、拉丁文、马来文、梵文、泰文等十几种语言。

〔盛金章·古生物学及地层学家·当选中国科学院学部委员〕 中国科学院南京地质古生物研究所研究员盛金章对我国古生物及地层的研究做出卓越成绩，1991年底当选为中国科学院地学部学部委员，1992年1月3日正式公布。

盛金章，1921年5月15日生，江苏省靖江县人，毕业于重庆大学地质系，曾在前中央地质调查所工作。新中国成立后，先后在中国科学院古生物研究所和中科院南京地质古生物研究所工作。现还担任《微体古生物学报》主编、江苏省古生物学会理事长、国际地层委员会二叠系分会主席。

盛金章长期从事古生物学中的䗴类及地层学中的二叠纪生物地层学研究，最先建立我国二叠纪䗴类化石序列，填补了二叠系上统䗴类研究的空白。以此为基础，解决了我国南方连续沉积的二叠纪碳酸盐岩地层的划分和对比，为我国二叠纪地层的分统、建阶奠定了基础，为国际间海相二叠纪地层的研究树立了赖以对比的我国标准。

从八十年代起，盛金章与中外专家合作，研究我国南方上二叠统“长兴阶”及海相二叠系与三叠系之间的界线地层，取得多项研究成果，为将以我国地层命名的“长兴阶”一名列入国际年代地层柱争得了一席，同时也为力争把国际二叠系——三叠系界线层型选在我国提供了重要证据。

盛金章研究的“辽宁太子河流域地层”1956年获国家自然科学三等奖（集体）；“中国的䗴类”（中国各门类化石之一）1982年获国家自然科学二等奖（集体）；“广西、贵州及四川二叠纪的䗴类”1987年获国家自然科学四等奖（独自）。

〔**盛泽田·摔跤运动员·获第二十五届奥运会古典式摔跤铜牌**〕 1992年7月30日，中国选手盛泽田在巴塞罗那奥运会古典式摔跤比赛中，获得57公斤级铜牌。这是中国摔跤选手在奥运会上获得的第一枚奖牌。

盛泽田，1970年生，身高1米64，安徽省人。盛泽田自幼练过武术、体操。他的哥哥是摔跤运动员。一次偶然的机会，16岁的他被哥哥送到上海体育系统竞技体校练习古典式摔跤，一练就是4年，第一次参加世界大赛，就为中国摔跤队夺得奥运会第一枚奖牌。

〔**常书鸿·画家·被东京富士美术馆授予为名誉馆长**〕 日本东京富士美术馆于1992年4月授予我国著名画家常书鸿为该馆名誉馆长。

常书鸿于是年4月应日本创价学会邀请，参加纪念日中邦交正常化20周年活动的。在此期间，该会为常书鸿举行了隆重赠画仪式，89岁的常书鸿和夫人李承仙将一幅油画《珠穆朗玛峰》赠给日本创价学会。

常书鸿，别名廷芳，满族，原籍热河头田佐人。1904年4月生于浙江杭州。擅长油画和敦煌艺术研究。1923年毕业于浙江甲种工业学校。1932年毕业于法国里昂国立美术学校。1936年毕业于法国巴黎高等美术专科学校。历任北京艺专教授，国立艺专校务委员，造型部主任、教授，教育部美术教育委员会委员。1943年2月到达敦煌，任敦煌艺术研究所所长。1949年后历任敦煌文物研究所所长、名誉所长，敦煌研究院名誉院长、研究员，国家文物局顾问，甘肃省文联主席。第三届、第五届全国人大代表。第六届全国政协委员。第四届全国文联委员。中国美术家协会顾问。作品有《G夫人像》、《浴后梳妆》、《激流颂》等。论著有《敦煌艺术的源流与内容》、《敦煌艺术》、《敦煌壁画艺术》等。

常书鸿的生平事迹参见1989年《中国人物年鉴》。

〔**常世琪·微雕大师·其发雕作品破吉尼斯世界纪录**〕 中国微雕艺术大师常世琪，1992年6月2日在一根2厘米长的纤纤白发上，雕出了28句“God Bless You”英文句子，共计308个字母，创造了一项吉尼斯世界纪录。他的这件发雕精品经新加坡科学园标准与工业研究院验证后，获取了新加坡吉尼斯微细书写世界纪录证书。《人民日报》（海外版）、《北京日报》以及新加坡的《新明日报》、《华侨日报》、《天天日报》、《联合早报》等作了报道。

常世琪，1945年1月生，原籍辽宁省法库人，三岁时全家迁居湖北省老河口市。1958年参加工作，1964年入老河口市玉雕厂学艺，1987年调湖北省工艺美术研究所，现任该所雕刻研究室主任，高级工艺美术师。常世琪19岁学艺，21岁就担任车间主任、厂总设计。“文革”开始后，他被扣上“三名三高、走白专道路”的帽子受到批斗、撤职。此后，他偷偷自学微雕书画。1976年，“四人帮”倒台，使他看到了艺术的曙光，从而加倍努力。他在鸡蛋大小的绿松石上雕刻了民间传统故事中的“田螺姑娘”，获1978年全国工艺美术评比一级品。这是中国第一次以等级方式评定艺术作品。从此，他的技艺一天天升华，先后在象牙片、玉石、木变石以及头发等材料上创作了许多优秀作品。他在高仅4毫米，展开宽7.4毫米的象牙折扇上，雕刻了中国古典名著《红楼梦》中的“十二金钗”，12个女性人物在薄如蝉翼的12叶扇片上，各具风采。牙雕《八仙微壶》是在高2.94毫米的园壶周围，雕刻了8位神仙，说得上工精艺绝。还有一幅为人津津乐道的作品，是把世界名画——达芬奇的《蒙娜·丽莎》，缩雕在5×3.4毫米的象牙片上，为原作24005分之1，仍不失原画的风韵。

微雕是一门难度很高的艺术，而发雕的难度更是微雕之极，是毫末中的艺术。这种结合了雕刻、书法、绘画为一体的艺术，非有超强的耐性和毅力不可。在常规下，人体脉博振动幅度，只能刻出万分之四平方厘米大的汉字，而常世琪却能刻出十万分之四五平方厘米大的汉字，超越了常人的极限。他在1.5厘米长的白发上又刻了《红楼梦》人物12金钗（彩色），还在3.8毫米白发上刻了一幅《西游记》人物图，唐僧的慈悲，孙悟空的机智，猪八戒的憨态，沙僧的诚实等，跃然发上，人物图上还着有红黄兰黑紫五种颜色，被誉为稀世珍宝，在新加坡展出时，标价十万新元。常世琪在雕发时，不用放大仪器，而是依靠腕与指的触感。创作前，必须打好腹稿，巧妙布局，然后排除杂念，手、眼、心、气协调配合，全神贯注，一气呵成。稍有疏忽便前功尽弃。这就是行家所谓的“意念雕刻”。这次赴新加坡前常世琪花了一个月的时间，在1厘米长的头发上，用英文刻了唐诗名句“欲穷千里目，更上一层楼”，并加落款和年月日，共计

173 个字，以此挑战原有 2 厘米 158 个字的纪录。到新加坡后，原有纪录被一位印度微雕家以 2 公分 249 个字母的纪录刷新。他下决心在新加坡再创造一项更新的纪录。在 2 厘米长的白发上他雕刻了 308 个英文字母仅花了一天时间。

常世琪的微雕，无论是书法、山水、人物花鸟，刀法流畅，富有神韵，尤其以发雕与人物肖像见长。他的作品多次在国内外展出，曾 12 次荣获国际、国内的奖励。他创作的“千载寿”、“钟馗”等三件微雕作品，被中国工艺美术馆珍宝馆收藏。著有《绿松石微雕艺术初探》、《徽雕艺术与鉴赏》等论文。

〔常沙娜（女）·中央工艺美术学院教授·被授予全国巾帼建功标兵称号〕　1992 年 3 月 7 日，在首都各界人士纪念“三八”国际劳动妇女节 82 周年的大会上，中央工艺美术学院院长常沙娜，被授予全国“巾帼建功”标兵称号。

常沙娜，满族，祖籍浙江省杭州市，1931 年 3 月生于法国里昂。1945 年起在甘肃敦煌随父常书鸿学习传统壁画。1948 年赴美国入波士顿美术博物院美术学校学习。1950 年冬归国，在清华大学建筑系任助教。1952 年调至中央美术学院实用美术系任助教。1956 年中央工艺美术学院成立时调任该院染织系讲师。1964 年加入中国共产党。1979 年起任副教授、副院长和院学术委员会主任。1983 年任院长、教授。曾先后参与中国共产主义青年团团徽设计和人民大会堂、民族文化宫等重点建筑工程的建筑装饰设计和壁画创作，担任过国庆 35 周年游行活动的总体设计顾问并参与组织工作。作为一个工艺美术教育的领导者，近年来，她大胆改革教学体制，根据社会和形势发展的需要，调整专业学科的设置，新建了“服装设计系”、“工业设计系”、“环境艺术系”、“史论系”等；她广泛调动各方面的积极因素，同时大胆选拔年轻有为、德才兼备、作风正派、富有开拓精神的中青年教师担任中层领导；她适时地提出“加强基础、拓宽专业、增强能力、突出特色”的深化改革原则，并于 1988 年 7 月正式组建基础部，从而拓宽了学生的知识面，丰富了教学层次；她积极改革教学行政管理体制，在全国艺术院校率先整顿教学秩序，加强校风校纪建设，实行奖学金与助学金相结合的制度，并逐步完成学生公寓的管理；她还努力开创教学、科研、设计三位一体的新局面，成立院教学科研设计经理处和环境艺术研究设计所，改变封闭性办学方式，使中央工艺美术学院成为全国艺术院校中改革起步较早的单位之一。主要代表论著有《敦煌历代服饰图案》及参与编著《敦煌藻井图案》、《敦煌壁画集》等。她是国内外知名的敦煌艺术和工艺美术设计研究专家，同时又是当代一位富有开拓精神的工艺美术教育工作的领导者。曾于 1960 年、1982 年分别被评为全国文教系统“三八”红旗手、全国“三八”红旗手。是中共第十二、十三大代表，第七届全国人大代表，中国美术家协会常务理事会委员、中国国际文化交流中心理事、轻工业部工艺美术专业高级职务评委会委员、北京市服装协会常务理事、欧美同学会理事。曾出访过日本、法国、英国、西班牙、葡萄牙等国家。

〔常香玉（女）·豫剧表演艺术家·电视连续剧《常香玉》拍成播放〕　1992 年春暖花开之际，河南电视台将豫剧表演艺术家、爱国艺人常香玉的前半生拍成了十八集电视连续剧。这是迄今为止，我国拍摄的唯一一位活着的艺术家的电视剧。扮演“常香玉”的是她的孙女小香玉，把祖母的一生经历演得维妙维肖，真实动人。

常香玉，河南省巩县人，生于 1922 年。她父亲张茂堂（张福仙）是豫西调名艺人，常香玉 6 岁时，因看了一场夜戏而迷上了豫剧。后在父亲的培养下，一门心思学戏、唱戏，从清晨练功、吊嗓到夜晚点香练眼神。以后随父远走异乡，开始了她漫长的学艺、卖艺生涯。由于刻苦，练就了扎实的基本功和一付“金嗓子”，经辗转流浪、投亲靠友，13 岁在开封以文武全才之童伶初露头角。虽然渐渐唱红，生活仍不安定，相反遭到来自各种旧势力的压迫，数次被恶霸用手榴弹炸毁戏台，被迫唱堂会，多次遭到流氓的侮辱，甚至有次因不堪忍受一位姓芦的专员的羞辱，竟愤然跳崖险些丧命。另一次常香玉为反抗宝鸡青帮二爷的欺压，吞下了两枚金戒指，以死抗争。她的这种宁为玉碎不为瓦全的拼搏精神，在电视剧中得到了充分体现。人们还看到，当时常香玉学艺，只能靠个人闯荡，那时是看不到艺术发展前途的。解放后，新中国给予了常香玉安定的个人生活、社会地位、发展艺术的有利条件，使她在艺术上有了飞跃，成为受人尊敬的艺术家。她从亲身经历中体会到：人民受难，艺术也受难，艺人更受难。只有人民得解放，艺术才能解放，艺人才能彻底解放，因而自然而然地萌发了强烈的爱国主义精神。抗美援朝时期，她率领香玉剧社用了半年时间，演遍半个中国，为中国人民志愿军空军捐献了一架战斗机，从而在人民群众中播洒了爱国主义思想的种子，为豫剧成为全国性的大剧种，作了辛苦的耕耘，为文艺界树立了一面旗帜。

常香玉自小随父学的是豫西调，在五十多年的艺术实践中，她勇于创新、借鉴，不仅将豫东、豫西、祥符、沙河、高调等五大豫剧声腔派系熔于一炉，而且广泛采撷了河南曲剧和越调、京剧、昆曲、河北梆子及河南坠子等兄弟剧种和曲艺的声腔技巧，形成独具风采的常派艺术。她注重从人物出发，又能灵活运用传统程式，因而她在《花木兰》、《白蛇传》、《拷红》、《破洪州》、《五世请缨》及《朝阳沟》等剧中塑造了一系列有血有肉的艺术形象，给观众留下深刻的印象。

八十年代，她又在河南设立《香玉杯艺术奖》，以推进豫剧的发展和鼓励后辈。从她五十年代为志愿军捐献《香玉号》战斗机到现在设立的《香玉杯艺术奖》，都反映了这位艺术家爱祖国、爱艺术的一片纯真。

〔崔计奎·乡镇企业家·应邀赴美参加所撰论文《企业改革在中国》首发式〕　1983年，在河北省邢台市桥东区政府机关工作的崔计奎，自断“皇粮”，弃职创办河北省第一家不花国家一分钱，实行自负盈亏的乡镇集体企业——邢台市桥东区外贸公司。九年来，企业越办越昌盛，年出口商品由当初的50吨、100吨猛增到现在的1300吨，出口商品种类已达14种之多，9年共出口农副产品8700多吨，为国家创汇700万美元，企业固定资产从零积累至100余万元。1992年7月，崔计奎应美国《太平洋经济导报》社和美国金龙企业集团之邀赴美国洛杉机参加了他撰写的论文《企业改革在中国》首发式，并在美国加州等7所大学作了题为《外贸企业管理内功》的演讲。

崔计奎于1942年6月出生于河北邢台，青年时期随叔父到新疆求学，1964年毕业于乌鲁木齐职工业余大学后，在新疆参加工作，任过中学教师，做过报社编辑，“文革”后期当汽车司机。1974年调河北邢台地区外贸公司工作，1981年调桥东区政府工业科工作。1983年，崔计奎向区政府自荐并征得同意后，开办了桥东区对外经济贸易公司，创业之初，他就决定，一不要国家投资，二不与当地国营外贸收购单位争货源。自己借款10多万元开辟邢台地区农产品出口的两项空白——花生与大蒜。他们从河南引进5万多公斤耐旱高产“花37”、“花39”种子，在内邱县胡里村、马村搞试验，为当地农民免费提供栽种、施肥等科学管理技术，并与农民签订合同：试种失败赔偿农民两倍损失。这一年他们成功了，胡里、马村的农民获得大丰收。同时，崔计奎引进河南“宋城大蒜”新品种在隆尧试种成功，亩均产由原来的250公斤猛增到1500公斤、出品合格率由10%提高到80%，亩均收入由300元猛增到1300元。不到两年功夫，崔计奎先后引进了300多吨花生、大蒜优良籽种，辐射到邢台地区的11个县、市贫困地区。这一带农民都称崔计奎是扶贫的“活菩萨”。如今，花生、大蒜已成为邢台地区外贸出口的拳头产品。

局面打开以后，崔计奎主动把辛勤开创的邻近市、县的几十个花生、大蒜基地让给当地收购，自己则到靠近河南黄河古道的原阳、封丘、山东聊城等20多个交通不便的贫困地区建立新基地，算下来这要比当地收购每公斤要多付7分钱运杂费。有人对此不理解。崔计奎说：“为贫困地区农民开辟致富道路，再多花几个钱也值得！”在向农民收购农产品时，崔计奎禁止收购人员搞吃、拿、索、要。1988年冬，公司一名副经理带队到河南收购花生，有一农民私下给了他300元好处费，崔计奎知道后立即对他作了严肃批评，马上派人与他一起把钱退还给那位农民，同时令他作深刻检查，交职工代表大会进行处理。10年，崔计奎创办的桥东外贸公司，收购8725吨农副产品，没向农民打过一张白条，没欠过农民一分钱，压秤、压价、压级的事从未发生过。现在，这家公司职工人数由20人增至42人，10年累计上交利税42万元，成为邢台市“文明单位”、“明星企业”，崔计奎也荣获邢台市劳动模范光荣称号。

〔崔致学·猕猴桃专家·所编《中国猕猴桃》一书出版〕　中国农业科学院郑州果树研究所研究员崔致学长期研究猕猴桃种质资源，其成果居世界领先地位，他编写的《中国猕猴桃》一书已于1992年出版。

崔致学，1916年11月生，天津市汉沽区人，1945年毕业于金陵大学园艺系。1978—1991年负责全国猕猴桃科学研究协作组的工作。为了促进我国猕猴桃种植业，崔致学根据三十年代新西兰引种我国猕猴桃后培育出新品种并大量进入国际市场的情况，13年来，他本人并组织23个省、市、自治区的猕猴桃科技工作者先后到伏牛山、武夷山、九万大山等地调查猕猴桃资源，共发现新种22个、新变种22个、新变型6个、濒危种20个以及各省、自治区特有种52个。并统计出我国现有猕猴桃属植物总计为59个种、43个变种、7个变型；全世界63个猕猴桃种中原产于中国的占93.7%。他们还发现三个维生素C含量比柑桔约高10—13倍的种和一个能在黑龙江伊春地区零下43.1摄氏度生长的耐寒种。同时选育出59个优良品种，其中有的已优于新西兰的品种。

在资源调查的基础上，为了保存一些猕猴桃属植物，崔致学领导的协作组在广西植物所等六处建立了种质资源圃。有的协作单位开展了种间杂交，获得了维生素C含量高和一年六次开花的杂交新品种；并获得胚乳培养植株和果实，均居国际领先水平。崔致学还培养了从事猕猴桃科研的中高级研究人员70余人，编写出35万字的专著《中国猕猴桃》。

〔符浩·外交家·为发展中日友好作出重要贡献被日本授予最高勋章〕　1992年11月16日，全国人大常委会委员、外事委员会副主任符浩，在日本驻中国大使馆接受了日本大使桥本恕代表日本天皇和政府授予的“勋一等瑞宝章”。这是日本授予外国人士的最高勋章。在中日邦交正常化二十周年之际，日本天皇和政府共给予五位中国人士这种荣誉，以表彰他们为发展中日友好作出的重要贡献。同年6月，符浩还被推选为中越友好协会会长。

符浩，1916年4月生，陕西礼泉人。早年曾就读于西安师范学校，在校参加抗日爱国运动。1937年秋进云阳西北青年训练班,同年入延安抗日军政大学。1938年2月加入中国共产党。同年春东渡黄河赴抗日前线，先后任八路军第一一五师补充团政治处干事、股长，后任渤海军区政治部敌工科科长。1946年曾任北平军事调处执行部驻德州小组中共代表（上校军衔）·后任渤海军区政治部联络部部长、宣传部部长，渤海纵队政治部组织部部长，九十八师政治部主任，三十三军政治部组织部部长，先后参加济南、淮海、渡江、上海等战役。1950年调外交部工作，曾任中国驻蒙古大使馆政务参赞，外交部亚洲司专员。1953年赴朝鲜开城任志愿军遣俘代表团顾问。1955年任外交部亚洲司副司长，驻印度大使馆政务参赞。1962年任外交部政治部副主任兼干部司司长。1969年任外交部办公厅主任，1972年任外交部副部长。1974年9月任驻越南大使。1977年8月任驻日本大使，曾参加“中日友好和平条约”的谈判及签订。1982年任外交部顾问。他是中共十二大代表，第六、第七届全国人大常委，中国——日本友好小组主席，中日友好二十一世纪委员会中方委员。他还是中华炎黄文化研究会顾问，中国亚非发展交流协会名誉会长。1992年被聘为西安交通大学兼职教授。同年出版诗集《天南地北集》。

〔康白·大连医学院教授·研制回春生制剂获重奖〕　大连医学院教授康白，研制系列微生态制剂新药“回春生”，转让给制药厂后，获得显著经济效益。1992年6月，康白获得这一成果得到的首批经济效益的40%共42750元奖金。康白获奖后，当即决定拿出2万元作为院长基金，支持学校教育和科研事业的发展。

康白，辽宁岫岩人，1928年8月4日生，1949年10月毕业于大连大学医学院，留校在微生态学、流行性病学专业任教。1979年任副教授，1984年任教授。1987年研究成功“促菌生”获国家科技发明三等奖，1988年获大连市科技进步一等奖，1992年获大连市科委金奖。他还研制“乳康生”，也获得较好的社会效益和经济效益。目前他正在研制“定菌生”。主要著作有《人体微生态学》上海科技出版社出版；《微生态学》大连出版社出版；《康白论文集》收入在国内外期刊上发表的100多篇论文。他还兼任中国微生态杂志总编辑、中华预防医学会微生态学会主任委员。

〔康克清（女）·全国政协副主席·在北京逝世〕　无产阶级革命家、中国妇女运动卓越领导人、中国人民政治协商会议第七届全国委员会副主席、中华全国妇女联合会名誉主席康克清，于1992年4月22日在北京逝世。她在弥留之际谆谆告诫子孙们说：“你们要好好地、太平地过日子……不要贪污，不要犯错误……”

康克清于1911年9月7日出生在江西省万安县罗塘湾的一个贫苦渔家。少年时期接受进步思想影响，1925年在本乡从事妇女工作，1926年加入中国社会主义青年团，1927年任乡妇女协会秘书。1928年9月参加中国工农红军，上了井冈山。次年与朱德结婚。1931年转为中国共产党党员。1932年任红军总司令部直属交通大队政委、女子义勇队队长，1934年当选为中华苏维埃共和国临时中央政府执行委员会候补委员。长征中，任红军总司令部直属队政治指导员。她三过草地，历尽艰辛，与朱德一起同右倾分裂主义进行了坚决斗争。1936年任红四方面军党校总支书记。1937年后，历任八路军总司令部直属队组织股长、政治处主任、党总支书记，晋东南妇女救国会名誉主任，中共中央妇委会委员，解放区战时儿童保育会代主任。1949年出席第一次全国妇女代表大会和中国人民政治协商会议第一届全体会议。

新中国成立后，康克清担任过中国人民保卫儿童全国委员会秘书长、副主席、主席，中国福利会名誉主席，中国儿童少年基金会会长，全国儿童工作协调委员会主任，宋庆龄基金会主席，历任全国妇联第一至五届常委，第三届副主席，第四、五届主席，第六届名誉主席。在长期的妇女工作领导岗位上，她一贯坚持中国妇女解放事业必须在中国共产党的领导下，走社会主义道路。她重视妇女学习文化科学知识，强调妇女必须提高自身素质，发扬自尊、自信、自立、自强精神。她十分关心维护妇女的合法权益，1979年亲自主持《婚姻法》的修改工作。中共十一届三中全会以来，她强调把妇女工作的重点转移到社会主义现代化建设上来，提出“四个现代化需要妇女，妇女需要四个现代化”的号召，为新时期中国妇女运动作出了贡献。她还为增进我国与各国妇女的友谊做了大量工作，曾代表我国出席过“国际保卫儿童会议”和联合国妇女中期会议，代表中国政府签署了《消除对妇女一切形式歧视公约》。她一贯重视儿童工作，曾发起建立延安第二保育院，为战区难童和革命者后代的成长呕心沥血。建国后，她动员社会各方面的力量，大力兴办各种儿童福利事业，有力地促进了儿童健康成长。

康克清是第二、三届全国政协委员，第四届全国政协常委，第五、六届全国政协副主席。她为加强人民政协建设，为巩固和发展爱国统一战线，为坚持和发展共产党领导的多党合作和政治协商制度，为贯彻党的基本路线作出了积极贡献。她还是中国共产党第七、八、九、十、十三次全国代表大会代表、第十一、十二届中共中央委员；全国人民代表大会第一至六届代表、第四、五届常务委员。

〔阎志友、饶成刚、李建军·发现和鉴定世界上最早会飞的鸟化石在国际地质学界引起重视〕

一个在辽宁省朝阳县境内发现的、世界上最早会飞的鸟化石，1992年初在美国《科学》杂志上详细介绍后，在国际地质学界受到广泛重视，引起较大反响。它的发现者是辽宁省朝阳县黄花沟的一位普通农民阎志友，鉴别认定并向国际地质学界、古生物界公布者是饶成刚、李建军。

1987年7月18日，阎志友在本县胜利乡南炉采集鱼化石时，挖出一块页岩，其中有一只比较完整的鸟化石。他认为此化石对考古必有意义，所以特地去当地照像馆拍了化石照片，寄给了北京自然博物馆。北京自然博物馆得知后，于1988年9月派该馆古生物研究室科研人员饶成刚、李建军前往朝阳。由阎志友带领，到采集现场作了详细调查，并将鸟化石带回北京。据专家介绍，鸟化石在化石中十分稀少，因鸟类一般身体较小，骨骼纤细中空，不易形成为化石，加之它们大多在飞翔中生活，死后不易遇到良好的埋藏环境。因此，鸟化石在考古中相当难得。阎志友发现的这块鸟化石保存在较细的沉积岩中，骨骼印痕十分清晰。化石只有麻雀大小，爪子弯曲、尖细、状似镰刀。令人吃惊的是，化古虽然有鸟类才有的尾综骨，但嘴里有牙，翅膀有爪，与当今所见鸟类迥然不同。经过饶成刚、李建军及美国生命起源与解剖学专家反复研究鉴定，认为此鸟生存年代约在一亿三千五百万年以前，地质史上属中生代晚侏罗世或早垩世，是仅稍晚于德国始祖鸟后的最古代的鸟类。由于出土地点别称三塔，所以专业人员将这只新发现的鸟命名为“三塔中国鸟”。这只“三塔中国鸟”，虽具有许多原始特征，样子像恐龙，与由爬行动物进化而来的始祖鸟有不少相似之处。但体内的飞翔结构却很发达，有宽阔的胸骨，翅膀关节活动范围很大，尾骨大大缩短。这比在地上生活，能振翅助跑滑翔而不能腾飞的始祖鸟，又有很大进化。根据这些特征，饶成刚和美国芝加哥大学古生物学家鲍尔·赛雷诺认为，这是一个处于恐龙和鸟类之间的过渡型化石。这一研究成果在北美古脊椎动物学会成立50周年学术讨论会发表后，引起轰动，美国纽约时报、华盛顿邮报、芝加哥论坛报、洛杉矶时报以及世界各大新闻机构都刊发了新闻。国内外许多专家认为，这枚化石的发现表明，鸟类飞翔能力的起源，要比人们过去想像的早得多。它的发现，填补了自始祖鸟由滑翔向战胜地球引力向上腾飞进程中一个重要的缺失环节，因而更加珍贵，被视为“稀世珍宝”。这枚“三塔中国鸟”化石，现珍藏于北京自然博物馆。

阎志友，1939年12月出生，辽宁省朝阳县胜利乡黄花沟村人。16岁以前在家放牛、上小学，以后在本地农村劳动至今。曾因发现和保护文物多次受到有关部门表彰奖励。

饶成刚，浙江杭州人，1954年8月生，1972

年高中毕业后，到安徽农村插队近6年，一边劳动，一边坚持自学，1978年考入北京大学地层古生物专业学习，毕业后，分配到北京自然博物馆古生物研究室从事科研工作，现为该馆助理研究员。1990年，曾在美国进行为期一年的学术交流活动。发表过古生物学研究文章数篇。

李建军，北京自然博物馆古生物研究室主任，助理研究员，北京市人，1956年8月生，1975年到农村插队，1978年与饶成刚同时考入北京大学同一专业，毕业后又同时分配到北京自然博物馆。1988年赴英国进修一年，先后在国内外有关学术刊物上发表文章数篇。

〔阎洪臣、宋金升、蒋正华·当选农工党中央副主席〕　阎洪臣、宋金升、蒋正华在1992年12月举行的农工党十一届一中全会上新当选为农工党中央副主席，宋金升兼秘书长。他们在当选后表示，一定要继承和发扬农工党与中国共产党密切合作的优良传统，团结、带领广大成员，解放思想，扎实苦干，迈开新步伐，作出新贡献。

阎洪臣，1936年生，黑龙江尚志县人。1959年起历任长春中医学院主治医师、副教授、副院长、教授，国家自然科学基金会评委。1983年加入农工党，历任农工党吉林省主委、农工党十届中常委。是第六、七届全国人大代表，吉林省政协副主席。1991年被评为国家级有突出贡献的中青年专家，享受政府特殊津贴。著有《内难经选释》、《伤寒论析要》等五部医学著作。研制的治疗脊髓空洞症的新药“益髓冲剂”系列，填补了国家空白，多次获奖。

宋金升，1932年生，河北景县人。1947年参加工作。新中国成立初期曾在交通部海运总局工作。1953—58年在唐山铁道学院（现西南交大）学习，毕业后留校，历任系主任、中共总支书记，党委办公室副主任。后任铁道部太原运输干部管理学院教务处长、副院长、院长，高级工程师。1953年加入农工党，历任该党九届中委、十届中常委、山西省主委，山西省政协常委。

蒋正华，1937年生，浙江人。1958年西安交通大学毕业后留校，历任助教、讲师。1982年获印度孟买国际人口研究院博士。后任西安交大人口研究所所长、教授、博士生导师。1991年调任国家计划生育委员会副主任，兼西安交大人口研究所所长。1992年加入农工党。是七届全国政协委员，国家级有突出贡献的中青年专家，享受政府特殊津贴。曾获国际人口科学研究院金质奖章，国家科技进步一等奖两项、三等奖两项。

〔阎桂祥（女）·京剧演员·参加第三届中国艺术节演出《画龙点睛》获特别嘉奖〕　1992年2月18日第三届艺术节在昆明隆重开幕，阎桂祥等演出新编京剧《画龙点睛》。该剧曾获文化部第一届“文华”新剧目大奖，阎桂祥本人原是第二届戏剧“梅花奖”获得者，又因演此剧，于1992年获北京市颁发的“为首都的精神文明建设作出贡献”特别嘉奖，党和国家领导人江泽民、李瑞环等观看演出之后，也给予高度评价。

第三届中国艺术节被称为中华56个民族文化艺术的大荟萃，《画》剧作为这届艺术节的唯一一出新编京剧剧目格外引人注目。《画》剧由孙月退编剧，演的是历史传说故事：唐太宗李世民下令文武百官书写治国条陈，以选拔国家栋梁，将军常何不通文墨，偶遇秀才马周，命他代笔行文。马周以一幅瞎龙丹青相送。李世民见到常何呈上的这幅丹青，有所悟，乔装私访求贤，来到张四娘开的酒店，又见墙上一幅瞎龙丹青，深为震撼，决心要找到“点睛”之人。

阎桂祥饰演张四娘，这个角色是此剧中不可缺少的“点睛”之人。阎桂祥受命于彩排迫在眉睫之时，她凭着坚实的功底，聪敏的理解力和为艺术献身的精神，投入紧张的排练。十几天之后，阎桂祥就把一个令人信服的，有艺术感染力的“张四娘”树在了舞台之上。阎桂祥塑造的张四娘，具有多侧面的性格，她虽为当炉卖酒之妇，却有满腹才学，情感深沉，而坎坷的命运又造就出她性格的刚正。这一切，既不能用传统的青衣应工到底，又不能硬加进花旦的表演。阎桂祥的创作在于根据人物性格活用表演程式。看张四娘一出场，素衣素鞋，毫无修饰，却凭那响亮委婉的声音，炯炯闪光的眼神，夺人耳目。唱、念、做不落青衣、花旦两个行当的窠臼，活脱一个有文化有志向的卖酒妇。尤其是最后那段〔娃娃调〕经阎桂祥用哭音一装饰，高亢中含着悲愤，极富刚烈色彩，每唱至此，必博得满堂掌声。张四娘这一人物以传神传情，为全剧注入感人的魅力。

阎桂祥之所以能较快地完成这一角色的塑造，这与她丰富的经历有关。1947年，阎桂祥出生在北京一个商人家庭。由于年幼丧父，家境艰辛，造就了她勤勉好学、开朗热情的性格，加之天姿聪颖，感情丰富，模样乖巧，善模仿，很得邻居——

武生演员李元瑞喜爱。她从小就经常跟着李元瑞去戏院看戏，耳濡目染，深爱此门艺术。12岁那年竟同时考上中国戏曲学校和北京市戏曲学校。她选择北京市戏曲学校就读。在校期间，先后向唐芝芳、华世香、贾世珍等名师学艺，以领会快、表演准确、嗓音醇亮等优点，成为学员中的佼佼者。

“文革”期间，阎桂祥被分配到北京延庆县，每天她扛着锄头上山，站在高高的山岗上放声吟诵诗词。这种迎风引吭，对她的嗓子恰如好铁再加锤炼，更为出色，至今受益。

几年之后，阎桂祥以自身的优长，先后被调到现代京剧《沙家浜》、《杜鹃山》、《审椅子》等剧组，担任主要创作任务，特别是在《杜鹃山》剧组，为完美地塑造柯湘这一人物立下汗马功劳。显露出创作角色的才能。

七十年代末，阎桂祥进入艺术的成熟阶段，她先后成功地主演了著名京剧表演艺术家赵燕侠亲授的《荀灌娘》、《盘夫索夫》、《白蛇传》等戏。又在《木兰从军》、《情痴》、《北国情》等戏中，倾注自己对角色的热爱和理解，进行创造性的表演，由此获得“唱不倒的金嗓子”美誉。在第三届中国艺术节的舞台上，阎桂祥面对为她鼓掌喝彩的观众，异常激动，内心发出这样的感慨：在艺术面前，灵气只是一个条件，勇气和钻研才是成功的保证。

〔梁凤仪（女）·香港作家·作品在大陆出版发行〕 香港著名女作家梁凤仪独树一帜的“财经小说”系列中的《醉红尘》、《花魁劫》、《豪门惊梦》，于1992年8月间由人民文学出版社出版发行。她的作品是雅俗共赏的通俗文学，以大量财经管理知识融入悲欢离合的情节中，具有较强的可读性与艺术感染力，对于大陆读者认识香港具有较高价值。她曾获香港1991年最佳作家大奖，其作品连续二十三个月成为香港各出版社、书店的十大畅销书之一。8月23日，她在北京王府井新华书店举办签名售书活动。她觉得自己的作品能在自己国家出版发行，是她最大的运气和幸福。梁凤仪还是一位实业家，在香港金融、工商界中有“女强人”之称。

梁凤仪，1949年生，生长在香港，曾在香港中文大学攻读文史哲专业。毕业后赴英、美勤工俭学四年，主修图书馆学和戏剧。1977年在香港创办了首家女佣介绍所——碧利公司，从此踏入香港经济界。后被香港著名工商界巨子冯景禧（已故）所赏识，1981年出任香港新鸿基证券有限公司公关经理。两年后移居加拿大，攻读博士学位，研究晚清通俗小说。1985年受聘于香港联合交易所，三年后出任该所行政科总监。工余之时，她完成了6万字的《晚清小说的思想与功能》的博士论文。她认为晚清小说能忠实地反映时代精神。

梁凤仪自幼喜爱文学。1974年曾发表短篇小说。1986年开始为香港《明报》“勤十缘”专栏及其他一些报刊撰写专栏文章。她已出版22部小说，其中还有《花帜》、《昨夜长风》、《信是有缘》、《千堆雪》、《九重恩怨》、《红尘无泪》、《谁怜落日》等。《红尘无泪》、《谁怜落日》将拍成电视剧，并由台视、上海电视台与陕西电视台合作，在大陆、台湾、香港三地播放。梁凤仪的作品在台湾、东南亚、加拿大均有出版。

1991年初，梁凤仪创办香港《勤十缘出版社》，出版了中国名作家王蒙、宗璞、陆文夫等人的作品集。她曾多次来北京，致力于香港与大陆的文化交流。

〔梁在平·台湾音乐家·在京举行琴筝学术交流会〕 台湾琴韵研究会会长、著名古筝古琴大师梁在平，于1992年9月25日在北京中国文联会堂举行琴筝学术交流会。会上梁在平以流畅而稳健的指法，演奏了自己创作的《北蔡口》、《寒鸦戏水》、《高山流水》等古筝独奏曲。

梁在平，1911年生，河北省高阳县人。早年在北京读书期间就酷爱学习古筝。后毕业于交通大学。1945年赴美国耶鲁大学深造，曾在美国一些大城市举办古筝演奏会，甚获好评。抗日战争胜利后，在云、贵、京、沪等地组织琴社。1949年到台湾后仍致力于民族音乐的推广研究工作，不仅是位古筝演奏家，也是位作曲家。他收集、整理、创作古筝古琴曲近百首，著述甚多。所创作的曲子《忆故人》、《舒怀曲》、《长相思》等等脍炙人口，著有《国乐概论》、《琴影心声》、《古筝独奏曲》、《筝路历程》等。他足迹及美、欧、日本、东南亚等地，举行过数百场独奏会，获得多种奖励，如台湾“教育部文化局”颁奖，台湾1992年度文化奖。在台湾有“国乐泰斗”之称，在国际上也久负盛誉。

自1954年起，梁在平任“中华国乐会”会长达24年之久。曾当选为亚洲艺术协会副会长，是国际音乐教育学会及国际民俗音乐学会会员。历任台湾师范大学、中国文化研究所、世界新闻专科学校教授等职。

梁在平还是台湾公共关系协会的创办人，历任该协会理事长，并被聘为国际公共关系协会理事。

〔梁红洲·舞美设计·获文华舞美设计奖〕

在中共中央宣传部、国务院文化部、广播电影电视部于1992年5月20日联合召开的“纪念毛泽东同志《在延安文艺座谈会上的讲话》发表50周年颁奖大会”上，中央芭蕾舞团一级舞美设计梁红洲，因担任沈阳市歌舞团音乐舞蹈系列剧《月牙五更》舞美设计获文化部第二届文华舞美奖。他参与创作的《月牙五更》，以简洁、明快的艺术情调，空间与时间的对比、结合，紧贴舞剧的主题和感情氛围。月牙从一更移至五更的形象，有力地帮助了舞台形象的塑造，能动地将观众的注意力集中于舞台，紧随剧情的发展、变化。舞美以单一、清晰，不累赘，不臃肿、不落窠臼的设计，体现了该剧总体设计朴实无华的特点，从而加强了舞蹈系列剧的戏剧效果。

梁红洲，1933年生于山西省阳泉县。1946年起，先后在晋察冀边区华北大队宣传队、华北文工团、华北话剧团从事文艺工作。1953年后，在中国青年艺术剧院、北京舞蹈学校、中央芭蕾舞团专门担任舞美设计工作。主要创作有《天鹅湖》、《海峡》、《吉赛尔》、《泪泉》、《巴黎圣母院》、《红色娘子军》、《草原儿女》、《白毛女》、《鱼美人》、《希尔薇娅》、《祝福》、《雁南飞》等。其中《祝福》（第二幕）于1981年获“1980年新剧目新创作奖”，《雁南飞》获文化部授予的舞美设计奖。曾参加（北京）亚运会、山东潍坊第八届风筝节开幕、闭幕式和北京第七届工运会开幕式等大型活动的设计工作；与中央、北京、吉林电视台合作，创作设计了多部大型电视剧、晚会。主持、参加了1992年文化部春节电视文艺晚会的舞美设计。此外，还为东方歌舞团、中央歌舞团、四川省歌舞团、北京实验京剧院、北京杂技团等文艺团体进行过舞美设计工作，并参加来访的英国皇家芭蕾舞团、日本松山芭蕾舞团、前苏联芭蕾舞团的舞美艺术和技术上的处理工作。曾出访过亚洲、欧洲的一些国家和香港、台湾地区。著有《舞剧灯光设计》等文。是中国戏剧家协会、中国照明学会、中国演出管理家协会会员，中国舞美学会灯光专业委员会常务委员，北京照明学会专业委员会委员。

〔梁林宝·江阴沿山实业总公司董事长兼总经理·领导沿山村提前达到小康水平〕

江苏省江阴市沿山村的工业产值连续四年翻四番，1992年超过2亿元，利税突破3000万元，人均收入达到4280元。以国家规定的量化标准计算，沿山村已提前达到小康水平，成为“小康村”。村民们说，这要归功于党的改革开放政策，同时也靠梁林宝领导得好。从党的十一届三中全会以来，梁林宝带领大家发扬团结拼搏、开拓奉献、求实创新的精神，大力发展村办工业，以工致富，使一个贫穷落后的小山村，变为文明、富裕的社会主义新村。

梁林宝认为，农民办工厂，让产品有销路、有市场、有信誉、有竞争力，蛮干不行，必须讲科学，所以他始终重视科技和人才。八十年代末，他组织开发的冷轧薄板就填补了江苏省内空白，被评为省优产品，荣获科技成果奖；他们的高频焊管机组通过技术革新，轧制汽车专用板技术，被评为江苏省优秀新技术开发应用项目，荣获“金牛奖”。进入九十年代，梁林宝在加大改革开放步伐和力度的同时，更重视科技进步，为全村经济腾飞增添后劲，切实贯彻“科技为经济建设服务，经济建设必须依靠科技”的方针。沿山村成立了江阴市汽车专用板厂和华东冶金学院轧钢技术联合研究所，梁林宝任所长。村办企业与大专院校联合办科研所当时在江阴市是首创。他们还先后与清华大学、上海工业大学、北京科技大学、北京科联工业研究设计院、交通部公路研究设计院及包钢、宝钢、鞍钢、马钢、武钢等建立了较为稳固的产品联合开发、人才委托培养和帮助技术攻关的基地，投入资金250万元。另外，为激励大家重视科技进步，充分调动各方面积极性，为本村引进资金、引进人才、引进项目，梁林宝还在1992年7月主持制订了奖励振兴沿山经济有功人员的18条规定。这将为沿山经济不断登上新台阶起到积极的推动作用。

沿山村经济发展到相当规模以后，沿山实业总公司于1992年12月18日应运而生，梁林宝担任董事长兼总经理。为抓住机遇，加速沿山经济的发展，经江苏省批准，他决定投资3亿元，新建三个大项目：一是年产30万吨炼钢、连铸项目，投资1.5亿元；二是2.5万KW的自备电厂项目，投资8千万元；三是15万吨热轧带钢项目，投资4800万元。这三大项目已被江阴市列为“重大工程项目”，建成后将使沿山村工业形成自我发展、自我配套、自成体系的冶金行业一条龙生产企业群体。为引进和培养这三大项目所需要的工程技术人员，沿山村决定投资500万元，建造科技培训中心大楼和30幢别墅式人才楼，聘请华东冶金学院和北京科技大学的教师来授课，培养炼钢连铸、机械压力加工和冶金电气自动化等专业技术人员120名，另外引进技术人员100名。梁林宝决心继续大力推进科技进步，在本世纪末实现沿山实业总公司产值超20亿元的宏伟目标。

梁林宝，1952年5月生，江苏省江阴市月城镇人。

〔梁春芳（女）·西安碑林公安分局户政科长·被评选为中国十大杰出民警之一〕　1992年1月10日，由中宣部、公安部和新华社、人民日报社、中央人民广播电台、中央电视台等新闻单位联合举办的“中国十大杰出民警”评选揭晓，西安市公安局碑林分局户政科科长梁春芳荣获“中国杰出民警”称号。随后，全国妇联和省、市妇联分别授予她“全国三八红旗手”等称号，1992年7月，公安部又授予她“全国公安战线二级英雄模范”称号。

梁春芳，西安市人，1937年9月生，中学文化程度，1953年参加公安工作，1971年9月加入中国共产党，一直任户籍民警，1976年后任碑林公安分局户政科副科长、科长。在这个掌管着全区户口审批权的岗位上，她顶住各种压力，坚持原则，得到了人民群众高度赞扬。

户政是具有中国特色的人口管理手段，政策性极强，“农转非”是一项难度很大的工作。为了掌握第一手资料，她不辞劳苦，对每一份申请材料都进行认真的调查核实，无论是亲戚、朋友、熟人，还是领导，从不马虎。对于弄虚作假者，她软硬不吃，只认准一条，坚决按政策办。对于确实有困难的普通群众，梁春芳又总是想方设法帮她们解决问题。每年手握近千户户口审批权力的人，要想发财很容易，但梁春芳多年来给自己立下了铁的规矩：坚决不收礼。送到办公室的不收，送到家的退回；有人把退回的礼隔墙扔进来，她再隔墙扔出去。她一家至今仍住在又阴又潮的旧平房，每天要到200米远的巷口提水，24岁的小儿子还没有工作。一些手中有权的人向她表示可提供帮助，用房子、工作换户口，请她高抬贵手“开绿灯”，但总是遭到梁春芳的严辞拒绝。

梁春芳数十年如一日，勤勤恳恳，努力工作。担任科领导后，总保持着几个第一：每天早上第一个到班上；逢年过节第一个值班；市局分局抽调干部下基层第一个报名；遇到部分职工调资第一个提出“我免了”。她领导的户政科从1982年起连续9年受上级嘉奖，荣立过集体三等功，她本人也先后被授予陕西省劳动模范和全国公安基层优秀科长等称号。

〔梁桂明·农机专家·获国家发明奖二等奖〕
河南洛阳工学院齿轮研究室教授梁桂明因在“正值（非零）分度锥综合变位曲线齿锥齿轮”课题研究中贡献突出，获1992年国家发明奖二等奖。

梁桂明，1929年8月生于海南岛文昌县，1950年毕业于清华大学机械工程系。1950年10月至1955年10月任公安部二局干部。1955年10月至1981年4月在洛阳拖拉机厂齿轮分厂任技术科长、总工程师。1981年到今在洛阳工学院齿轮研究室任主任。

1981年梁桂明编写出版的《双曲线齿轮计算》（机械工程手册）获中国优秀图书一等奖。1985年，他研制的“非零变位螺旋锥齿轮”获中国发明协会奖励。其“非零强型锥齿轮”1986年获河南省科技进步二等奖，“小体积锥齿轮”1990年同时获中国发明协会金奖和机电部机电创新奖，“高强度、小体积、低噪声锥齿轮”1992年获国际发明奖金奖。

梁桂明发明的“正值（非零）分度锥综合变位曲线齿锥齿轮”可用于所有相交回转轴的机械传动装置上。他创立的“分度锥综合变位原理”是与近百年来《机械原理》、《机械设计》中传统的锥齿轮的变位原理完全相反的新理论，取代了传统的变位原理（节锥变位），其结果是保持轴交角不改变而成功。该发明已广泛用于火车头、拖拉机、推土机、卡车、坦克等的中央传动，直升飞机、轮船、快艇的主传动，以及煤矿、探矿、油田、化工、冶金、轻工机械的减速机上，其经济效益和社会效益均显著。

〔梁振杰（女）·大连渤海大酒店大堂主任·被授予全国最佳服务员称号〕　1992年9月15日，商业部在北京人民大会堂隆重召开建国以来首次全国饮食服务业最佳服务员表彰大会。大连市渤海饭店集团渤海大酒店前厅部副经理兼大堂主任梁振杰，被授予“全国最佳服务员”称号。

梁振杰，辽宁省海城县人，1966年9月1日生。大专文化程度。1985年7月参加工作，当过门厅接待员、客房服务班长和大堂主任，1991年4月加入中国共产党。她参加工作仅7年，在饭店的光荣榜上，她的标兵像已挂了5年。她多次被评为市服务明星、市财贸系统标兵，4次被评为大连市劳模，还是省优秀团员、省学雷锋积极分子、省新长征突击手、省“三八”红旗手，获得的各种荣誉达40多项。

梁振杰所在的大连渤海饭店集团，是集住宿、餐饮、购物、导游、娱乐于一体的国营大型饮服企业。梁振杰在旅游服务岗位上，苦练基本功，从多方面提高服务技能。她利用业余时间学习服务心理学、公共关系学和语言艺术，用于接待服务。她参加了商业部举办的高级服务员学习班，在按规范搞好正常服务的基础上，积极探索各种服务方法和技巧，创造了客房的“变样服务”、“细微服务”、“超前服务”、“应变服务”等多种服务方式，增设了挂鲜花等许多服务项目，为宾客提供最佳服务。她利用业余时间转遍了全市的每一条街道，各种地名在小本本上记得满满的，记住了各机关、学校、工厂的位置、电话号码，还记住了车、船、飞机的路线和时间表，成了旅客的“活地图”。她通过观察能看出宾客来店的需求，通过问候能沟通相互之间的情感，通过分类能对不同年龄、不同职业和不同身份的人提供相应的服务，赢得了广大宾客的赞誉。收到感谢信、表扬信300多封。梁振杰还组织学雷锋小组为宾客义务理发、洗衣、送医送药，仅一年时间，她带领学雷锋小组为宾客服务1700多人次。她还带领学雷锋小分队经常到社会福利院照顾孤寡老人，为饭店的离退休老干部送温暖。有位老干部患病卧床不起，她们定期为他理发，有位老干部膝下无儿女，他们经常帮他家买煤、搞卫生。

〔梁瑞鸾（女）·海口罐头厂椰子汁分厂副厂长·被授予全国巾帼建功标兵称号〕　梁瑞鸾参与研制和组织生产天然椰子汁，开发椰杏汁新产品，为企业赢得巨大经济效益，并在国内外赢得荣誉。1992年3月，全国妇联授予她“全国巾帼建功标兵”称号。

梁瑞鸾，海南省海口市人。1948年6月生，中专毕业后到海口罐头厂，历任食品检验员、车间主任、副厂长等职。她勇挑科研与生产两副重担，积极参加椰子汁研制小组，在简陋闷热的试验室里查阅资料，攻克难题。她同工人们一起，选椰子，剥椰衣，劈椰壳，刨黑皮，榨果肉，取椰汁，然后调配装罐头，超高温杀菌，消除“酪化”现象等，10多道工序，经过千百次试验和筛选，经受许多次失败，终于和同事们一起完成这个科研项目，开发出“中国一绝、世界首创”的天然椰子汁产品。在经营管理上，她坚决贯彻破除旧体制的改革措施，破除“三铁”，破除单人承包模式，转变科室职能。对职工实行联产量、联质量、联消耗、联效益的分配制度。加强思想政治工作。严格规章制度，实行重奖重罚。发动职工开展“爱我中华、爱我工厂、爱我岗位、创一流产品、提合理化建议”活动，她带头提出用机械洗果等10多项改革建议，每年为国家节约10多万元。她还提出改进派人采购原材料的做法，转变为同椰农订合同、定点定质定量送半成品到工厂，既节省了成本，又堵住了采购渠道的种种弊端。

〔尉健行·当选中共中央政治局委员〕

1992年10月18日，尉健行在中国共产党第十四次全国代表大会上当选为中共第十四届中央委员会委员。19日，在中共第十四届一中全会上当选为中央政治局委员，并根据中央政治局常委会提名通过，担任中央书记处书记。在中共第十四届中央纪律检查委员会第一次全体会议上，当选为中纪委常务委员会书记。

尉健行，1931年1月生，浙江新昌人，1949年3月加入中国共产党并参加工作，大连工学院机械系机械制造专业毕业，高级工程师。1949—52年在大连工学院机械系学习。1952—53年在东北工业部有色金属管理局抚顺俄语训练班学习。1953—55年，赴苏联乌拉尔卡明斯克铝加工厂学习企业管理。1955—66年，任国营东北轻合金加工厂生产计划科副科长、科长，一O三车间主任，厂长办公室主任、厂生产总指挥、厂党委常委。1966—70年，在“文化大革命”中受冲击，后下放车间劳动。1970—80年，任东北轻合金加工厂生产部长、厂革委会副主任，厂党委常委、副书记、厂长、厂党委书记。1980—81年，在中央党校一部中青年干部培训班学习。1981—83年，任中共哈尔滨市委副书记、哈尔滨市市长。1983—84年，任全国总工会副主席、书记处书记、党组副书记。1984—85年，任中央组织部副部长。1985—87年，任中央组织部部长。1987年起，任监察部部长、党组书记。是中共第十二、十三届中央委员。

〔屠守锷·火箭专家·当选中国科学院学部委员〕　中国航天工业总公司高级顾问屠守锷是我国远程运载火箭事业的重要奠基人之一，对我国运载火箭事业作出了杰出贡献，于1991年底当选为中国科学院学部委员，1992 年 1 月 3 日正式公布。

屠守锷，1917 年 12 月生于江苏省无锡县，1940 年毕业于清华大学航空系。1943 年在美国麻省理工学院研究生部学习，学成后出任一家飞机工厂工程师。1946 年初，他辞去了待遇优厚的工作，回到祖国任昆明西南联大副教授，年底又到清华大学航空系任教。曾参加北京学生反内战，反饥饿、要民主、要自由的学生运动。1948 年加入中国共产党。新中国成立后继续担任清华大学教授。五十年代，聂荣臻同志点名要屠守锷到国防部运载火箭研究院从事航天事业。1957 年 9 月，他作为技术专家，参加了以聂荣臻元帅为团长的政府代表团赴苏，就新技术援助问题同苏方进行谈判。1960 年，苏联单方面撕毁协议，撤走了全部专家。不久，中国的第一枚仿制 V—2 的弹道导弹在西北大漠中升空，命中目标。1962 年 3 月，中国自己设计制造的第一枚东风 2 号火箭发射不成功，屠守锷立即进行深入的调查研究，很快查清了失败的原因。经调整，随后的 2 枚东风 2 号发射成功了，改进型的东风 3 号又发射成功。从此，我国中、远程火箭的研制进入了一个新阶段。

在屠守锷的参与下，我国研制运载火箭必须遵循的系统工程框架确定了下来。接着在他的主持下，开始了我国远程大推力运载火箭的研制。首先攻下了大推力的火箭发动机，接着研究出一套推导公式，解决了箭体纵向耦合振动的难题。他还与专家们合作，将以往用燃气舵控制火箭姿态的方法，改为用摇摆发动机控制火箭的方案，取得了成功。1980 年 4 月，我国洲际运载火箭成功地飞向太平洋，震惊了世界。

发射澳星的长二捆火箭的总师王德臣是屠守锷的学生。我国推力最大的长二捆运载火箭，也是在屠守锷的全力支持下诞生的。

〔隋文举·任人民解放军第二炮兵政治委员〕　1992 年 11 月，中央军委任命隋文举为人民解放军第二炮兵政治委员。

隋文举，1932 年 10 月生，辽宁金县人，1950 年加入中国共产党。同年参加中国人民解放军。曾任旅大警备区营部书记，公安军边防团政治处秘书，第二炮兵工程建筑团组织处处长、团政委、基地政治部副主任、基地政委，1985 年起任第二炮兵政治部主任、第二炮兵副政委。是中纪委委员。1988 年被授予少将军衔。1990 年晋升为中将军衔。

〔彭冲·全国人大副委员长·谈人大工作指导方针〕　1992 年 6 月 3 日，彭冲在第二期全国人大干部培训班开学典礼上讲话时指出，人大工作要以党的基本路线为指导，把保证和促进改革开放作为重要职责，把加强社会主义民主和法制建设作为中心任务，把加强自身建设放在重要位置，这是人大工作的指导方针。

彭冲在讲话中着重强调加强党对人大工作领导的重要性。他说，党的领导主要是路线、方针、政策的领导，并不是事无巨细地包办一切。发展社会主义民主，健全社会主义法制，是党的十一届三中全会以来确定的根本方针。为了保障人民民主，必须加强法制。必须使民主制度化、法律化，使这种制度和法律不因领导人的改变而改变。不因领导人的看法和注意力的改变而改变。人民代表大会制度是我国的根本政治制度，这个制度不是哪个人的问题，应从国体和政体的高度看待这个制度，增加人民代表大会制度的意识。他还指出，有人认为：人大"可有可无"，人大常委会是"一个婆婆，碍手碍脚"；还有人把人大常委会当作安排将离退休老干部的场所和"荣誉机构"；有的把人大常委会当作政府的一个部门，分配人大常委会的主任、副主任去做政府的工作。这些看法和做法都是不符合宪法和法律规定的，应当加强人民代表大会制度的宣传教育。

3 月 27 日，彭冲在第七届全国人大五次会议作常委会工作报告时说，必须继续加强经济方面的立法，特别要抓紧制定保障改革开放、加强宏观经济调控方面的法律。他还强调，一定要抓好法律制定后的贯彻执行，把对法律执行情况的监督检查和制定法律放在同等重要的地位。

7 月 24 日至 8 月 9 日，彭冲率全国人大代表团访问密克罗尼西亚、马绍尔群岛、基里巴斯、斐济和瓦努阿图。这是中国人大首次派高级代表团访问南太平洋 5 国。

彭冲，1915 年 3 月生，福建漳州人。其主要经历见 1989 年《中国人物年鉴》。彭冲的夫人骆平也是漳州人，酷爱水仙。他们的居室里水仙盈盈，沁香幽幽，盆盆水仙全都出自骆平之手。她曾长期从事妇女工作，因病退休在家，嗜养水仙花。骆平曾在北京中山公园举办过水仙花展，她创造的水仙盆景"龙腾"、"马跃"参加中国水仙花雕刻艺术大奖赛获荣誉奖。中国水仙节组委会在 1991 年 1

月18日授予骆平"中国水仙雕刻大师"荣誉称号。

〔彭莉（女）·时装模特·闯入电影界〕曾于意大利那不勒斯举行的"1988年今日新模特国际大奖赛"中，力战群星，获冠军得金奖，叩开世界模特大赛之门，被誉为"东方时装模特皇后"的北京姑娘彭莉，如今又迈进电影界，在北京电影制片厂拍摄的《送你一片温柔》中扮演公关小姐莉莉（此片于1993年元月放映）。

彭莉，回族，1969年3月18日生于北京。1986年于职业高中毕业后，到香格里拉饭店当服务员。1987年考入北京时装模特队，成为专业时装模特。自这一年起，曾数次参加由北京电视台组织的春节联欢晚会和文艺晚会，进行过将时装与舞蹈溶为一体的个人专场时装模特表演和演唱活动。先后被中央电视台"正大综艺"邀为嘉宾和"百期"特别节目嘉宾。参加了由香港贸发局举办的时装流行趋势发布会、大陆首次举办的"罗曼梦"百名时装模特展示歌星演唱等演出。出访过美国、泰国、新加坡、日本、新西兰、澳大利亚等国家，多次与法国、日本、意大利著名服装设计师皮尔·卡丹、君岛一郎、劳拉·比娇蒂合作。对于外国的高薪聘请，她都一一婉言谢绝。彭莉爱好广泛，既喜欢读书、写诗，也喜欢音乐。她录制的两盒《写给明天》、《演唱会专辑》音带均已出版发行。

〔彭慧（女）·已故现代作家、翻译家·八五诞辰纪念会在京举行〕　1992年7月初，我国老一辈女作家、翻译家，研究俄苏文学的专家彭慧八五诞辰纪念会于北京师范大学召开。帅孟奇、楚图南、夏衍、阳翰笙、臧克家，韦君宜等写信、题词，向会议表示祝贺。

彭慧，原名彭涟清，曾用笔名慧中，涟清。1907年7月10日生，湖南长沙市人。自幼父母双亡，寄住外祖父家中。小学毕业后，入湖南省立第一女子师范学校读书。1925年由于带头闹学潮，未及毕业便离开学校，考入北京师范大学。翌年加入中国共产党。1927年到武汉，年底被派往莫斯科孙逸仙劳动大学学习。1930年回国后，在武汉、上海从事地下工作。1931年底，调到左翼作家联盟，担任左翼作家联盟执委。1932年以慧中笔名在《北斗》上发表处女作《米》，反映了上海"一二·八"战争时期在日本工厂的工人为支持十九路军抗日而遭到国民党镇压的故事。解放前写的短篇小说《巧凤家妈》、《四姑娘的喜事》、《皮大衣太太》等反映了妇女的生活与苦难。译作有《哥萨克》、《列宁格勒日记》、《爱自由的山人》等。她的遗作《不尽长江滚滚来》是我国为数不多的反映大革命时期工人运动的优秀长篇之一。在俄苏文学研究，尤其是在我国高等院校俄苏文学教学的学科建设中，彭慧作出杰出的贡献。她曾任北师大中文系党总支书记，民盟北京市妇女委员。为中国作家协会会员。她于1968年在"四人帮"的迫害下含冤去世。

帅孟奇在写给纪念会的信中回忆了在莫斯科中山大学彭慧在与王明路线斗争中的表现。夏衍、阳翰笙在题词和来信中赞扬了彭慧的"求真、求实"的精神和在文学工作中的成就。韦君宜以《不尽长江滚滚来》的"编辑者"的名义，再次赞扬了这部长篇小说的"生活真实"和撼动人心的力量。

〔彭军才·青年农民·获全国优秀共青团员称号〕　年仅28岁的陕西省礼泉县彭王村农民彭军才，1989年以来连获全国学雷锋先进个人、全国青年星火带头人及全省售粮状元、青年十杰、新长征突击手等诸多荣誉称号，1992年"五四"前夕，又被共青团中央授予全国优秀共青团员称号。

彭军才这个黄土地上出生的娃，命运一点也没有给他作特殊安排。1964年4月生于普通农家，1971年开始上了10年学，揣着高中毕业文凭回乡务农。农业劳动的艰辛，家境的穷困，使他曾悲观失望。为了改变历史赋予他的生存环境和条件，他去做生意、干临时工，没闯出什么名堂。他想，自己有文化，学过一些农科知识，为什么不在科学种田上做番事业呢？于是，他带着辞去民办教师工作的爱人，在1984年离家10多里承包了西张堡乡农场的130亩地。开始由于管理经验不足，加上原始式的耕作，到1987年累计亏损2万多元。有人说：小伙子想发财没发成，现在烂了一河滩，看他咋收场。父母含泪劝他回家，另谋财路还账。彭军才在短暂的信心动摇之后，冷静下来想：承包农场的初衷是为乡亲们带一个科学种田的好头，刚遇到一点失败，岂能中途收兵？他认真分析了经营中存在的问题，又到其他县拜访了土地经营大户，订阅了十几种报纸杂志，及时掌握信息和科学技术，同时贷款购置了农业机械，加上辛勤劳作，科学管理，1988年小麦喜获丰收。1989年亩产达到739斤，共收小麦7万多斤。有人劝他卖给粮贩子，多得一些钱还账。他认为没有党的好政策，就不会有农场的丰收，应该卖给国家以谢党恩。他回绝了

10几个上门求购的粮贩子，一次将6万斤小麦卖给了国家，秋季又缴售给国家4万斤玉米。此后两年，共向国家缴售小麦22.3万斤，仅1991年平价卖出的部分超过国家定购任务20倍，少收入9000元。

已经有了相当可观收入的彭军才立志再创大业。1991年新办了砖瓦厂、建筑队。有人说他"心太重了"，还想挣多少？他说："人活在世上的价值不是自己拥有财富的多少，而是为社会为人类创造财富的多少。"他当然懂得种经济作物比种粮食的效益要高得多，但想到我国是一个人口众多的国家，吃饭问题仍很严峻，作为一个农民有责任为国家多种粮，为国分忧，为民解愁，所以坚持种粮为主，兼顾其他。

彭军才经济上富裕后，积极捐资兴办社会教育和福利事业。他曾拿出几千元为全县的村庄订购《农村工作通讯》一书，为共青团、少先队组织买书。为乡敬老院的每位老人做了一身新衣服。出资为村子建小学。还积极扶持贫困户，帮助他们发展生产。他自谦由于经济不很宽余（新上的企业正在投资阶段），做的事不很多，今后将努力作出更大贡献。

〔彭明敏·前台湾大学政治系主任·流亡海外二十二年后返回台湾〕　前台湾大学政治系主任彭明敏，流亡海外22年后于1992年11月1日由美国经香港返回台湾。民进党头面人物许信良、江鹏坚、黄信介、陈永兴等人及"台湾独立联盟"在台的一些重要成员，兴师动众，前往机场迎接。之后，并举行一系列活动，欢迎彭明敏海外归来。彭明敏被视为"台独精神"领袖。据台报报道，台湾年底"立委"选举将届，民进党有意借彭明敏返台为其宣传造势。台湾政局动荡不安，彭明敏返台后会有什么举动，影响如何，为台湾各界所瞩目。

彭明敏，1923年生，台湾省高雄市人。早年就读于高雄中学，后赴日本关西学院中学部学习。1934年考取日本东京帝国大学政治科，1945年返台，入台湾大学政治系学习，毕业后留校任助教。1951年获"庚子奖学金"及胡适资助赴加拿大蒙特利尔大学攻读国际航空法，获硕士学位。1953年到法国巴黎大学深造，获法学博士学位。1954年回台湾大学执教，1958年升任教授，后任政治系主任。是国民党培植的"台籍政治菁英"，多次代表台湾当局出席国际性会议。1960年当选台湾"十大杰出青年"。曾任台湾当局"驻联合国代表团"顾问。

1964年9月，彭明敏与其学生谢聪敏、魏廷朝发表《台湾人民自救宣言》，主张"一个中国，一个台湾"，鼓吹台湾"自决、独立"，随即被逮捕。次年2月以"以不法手段图谋推翻政府"而被起诉，判8年徒刑，同年11月特赦出狱。1970年，在美国帮助下逃离台湾，经瑞典转往美国。到美国后，被聘为密执安大学中国研究中心教授。后创办"福摩萨研究所"，并任"台湾独立联盟世界总本部"主席。发起成立"台美协会"，任会长。1979年底参与创建"台湾建国联合阵线"。1982年成立"台湾人公共事务协会"，任名誉会长，1986年任会长，后退出。1990年2月发起成立"亚太民主协会"，任会长迄今。

彭明敏在大学读书时与李登辉相识，后同在日本读书，友谊深厚。1990年，台湾最高当局有意邀彭明敏返台参加所谓"国是会议"，因被列为"通缉犯"，反对者又不乏其人，未能成行。通缉令被撤消后，于1992年11月返回台湾。

著有《国际法》、《自由的滋味》、《全体主义的迷惘》等。合著有《台湾的法律地位》。

〔彭修文·音乐家·组织纪念刘天华逝世六十周年音乐会获金唱片特别奖〕　为纪念中国现代民族音乐的先驱、开拓者刘天华逝世60周年，1992年3月中国广播艺术团（总团）艺术指导兼广播民族乐团首席指挥彭修文策划、编曲、指挥，中国广播民族乐团在北京组织了刘天华作品全辑音乐会。中国唱片总公司依据"艺术成就高，社会影响大，唱片音带发行也达到一定数量"的评定标准，授予彭修文指挥金唱片特别奖。

彭修文，湖北武汉市人，生于1931年2月7日。1949年毕业于重庆私立求精商业专科学校工商管理科。1950年到重庆西南人民广播电台文艺组任演奏员兼编辑。1952年调中央人民广播电台文艺部工作。1953年参加组建中央广播民族管弦乐团（现名中国广播民族乐团）。1954年任该团责任指挥。1983年任团长。1985年任中国广播艺术团（总团）艺术指导兼广播民族乐团首席指挥。彭修文还任中国音乐家协会常务理事兼民族音乐委员会副主任、中国民族管弦乐学会会长。

近40年来，中国广播民族乐团在彭修文的指挥和培训下，已成为国家级民族乐团，活跃于国内外乐坛，享誉海内外。1957年，在莫斯科举行的第六届世界青年联欢节上，彭修文指挥中国广播民族乐团演奏了《春江花月夜》、《金蛇狂舞》、《关山月》等乐曲荣获金质奖章。他先后率团出访前苏联、意大利、西德、南斯拉夫、罗马尼亚、马尔他、阿尔巴尼亚、日本和香港等国家和地区，受到各地听众的热烈欢迎。

彭修文除担任指挥外，还创作和改编了400多首乐曲。五十、六十年代，他创作的乐曲有《步步高》、《采云追月》、《花好月圆》、《将军令》等。还改编了外国乐曲《美丽的梭罗河》（印尼）、《达姆·达姆》（阿尔巴尼亚）等。

七十年代后期以来，彭修文的创作有意识地向民乐交响化方向发展。如二胡协奏曲《不屈的苏武》、交响诗《流水操》（获1984年全国音乐创作一等奖）、幻想曲《秦·兵马俑》、音乐诗《云中鹤》、套曲《四季》等。他还改编了欧洲音乐名著比才的《卡门》组曲，德·比西的夜曲《云》等。

彭修文是一位造诣很高的民乐演奏指挥家和潜心研究民乐创作的作曲家。他没有受过专业培训，用他自己的话说："我今日对音乐的了解，全靠摸索与自修得来。"

彭修文于1981年、1986年和1991年三度担任香港中乐团的客席指挥。1987年任新加坡人民协会华乐团客席指挥。1986年被聘为香港杰出青年中乐大赛的评委会主席，1987年被聘为新加坡第6届华乐比赛的评委。

〔彭堃墀·光电专家·进行双模光场压缩态实验取得重要成果〕 1992年初，山西大学校长兼光电研究所所长彭堃墀教授，在国内首次从实验中产生了"正交双模压缩态光场"。这标志我国在量子光学实验研究方面进入一个新的高度。

"正交双模压缩态光场"不仅能用于量子力学基本原理的实验验证，还能应用于超高精度光学测量与光学通讯。由于这项实验要求高，难度大，目前世界上只有少数几个实验室能进行这方面的研究工作。双模压缩态的获得，对进一步开展光学量子、非破坏性测量等量子光学前沿领域的科学研究奠定了良好基础，表明我国对该项研究已达到国际水平，受到国际学术界广泛关注。

彭堃墀，四川广元人，1936年8月生。1961年四川大学毕业后分配到山西大学物理系任教。1981年至1982年在法国国家科学研究中心作访问学者。1982年至1984年在美国得克萨斯大学作访问学者。回国后，主持建立了山西大学光电研究所量子光学实验室，并任光电所所长。几年来，已完成了国家级科研项目三项、省级科研项目17项、其他科研项目10项；其中有9项获国家和省级科研成果奖，三项获国家和省级展品奖。1988年至89年，再次到美国得克萨斯大学和加州理工学院作访问学者。其间，他首次用连续谱动力学变量从实验上证明了量子理论中著名的爱因斯坦——波多尔斯基——罗兹详谬，显示了空间分离光场的量子位相相干，拓展了用量子光学手段验证量子力学基本原理的实验方法。1989年至1991年，任山西大学教授。1991年又到法国国家科学研究中心作访问学者。1991年8月任山西大学校长。

彭堃墀自1978年以来，发表论文数十篇，曾分获山西省理论成果一、二、三等奖。1985年获中华全国总工会授予的"全国优秀教育工作者"称号和"五一"劳动奖章，1986年获人事部授予的"有突出贡献的中青年专家"称号。1991年获"山西省优秀专家"、"山西省优秀科技工作者"和"优秀共产党员"等称号。

〔葛优·影视剧演员·获《大众电影》百花奖和《大众电视》金鹰奖〕 1992年9月，葛优在第十五届《大众电影》百花奖的评选中，因在影片《过年》中饰演丁图获最佳男配角奖；在第十届《大众电视》金鹰奖的评选中，因在大型电视系列剧《编辑部的故事》中饰演李冬宝获最佳男主角奖。

电影《过年》是一部以大年初一为背景，近距离反映改革开放大潮中的一个普通家庭的人与人之间关系的民俗生活故事。葛优在影片中饰演大女婿丁图，戏虽不多，但是一个挺复杂的人物。葛优以其冷峻、幽默、准确的表演刻画了一个巧言令色、内心阴暗的好色之徒，给观众留下了深刻的印象。

《编辑部的故事》是一部取材于社会生活中热门话题，以编辑部为主要场景，由六位年龄不等、性格各异，却善解人意、热心助人的编辑们贯穿全剧的大型电视系列剧。葛优在剧中饰演摄影记者李冬宝。这是个对工作、对生活非常认真，又有强烈的责任感，语言风趣、诙谐、幽默，很见功力的角色。葛优表演上不温不火，令人过目难忘，得到观众和专家的一致称赞。

葛优，1957年生于北京。父亲葛存壮是著名的电影演员。他从小在电影制片厂内长大。1976年高中毕业，来到京郊昌平县插队务农，在那里养猪两年多。1979年返城后，他以"养猪"的小品考入全总文工团话剧团。先后在《盛夏和她的未婚夫》、《山的女儿》等影片中跑龙套。1988年，葛优在电影《顽主》中饰演公司业务员杨重，一炮打响。他的那种表情特严肃、动作反应比别人慢半拍的大智若愚的表演，让观众倾倒，让专家刮目相看。因而获得第九届中国电影金鸡奖和第十二届大众电影百花奖最佳男配角奖的提名。接着又饰演了电影《代号美洲豹》里的劫机犯。1989年，葛优在电影《黄河谣》中饰演一个文不文、武不武，又温又蔫、又阴又毒、还会唱民歌的土匪头子黑骨头。这个形象使他获得了第三届中国电影表演艺术学会学会奖。1990年，他在影片《马路骑士》、《老店》和电视剧《围城》里饰演重要角色。1991年可以说是葛优创作上的丰收年。他先后在电影《喜剧明星》里饰葛老师、《过年》中饰丁图、《烈火金钢》里饰伪军小队长刁世贵、《决战之后》中饰徐州剿总副参谋长文强，在电视剧《编辑部的故事》中饰李冬宝。五个人物，五种形象，从中可以看出他表演上的功力。1992年葛优更“火”了，先后在六部影片里饰演男主角。在《大撒把》中饰留守男士、摄影师顾彦，在《离婚大战》中饰小号手大明，在《霸王别姬》中饰票友袁四爷，在《上一当》中饰代课教师刘杉，在《消失的女人》中饰刑警单立人，在《父子婚事》中饰养猪专业户大优。在电影不景气的今天，葛优能这样活跃在银幕上，不能不归功于他演技的日臻成熟。那种漫不经心的表演，其实是潇洒的自然的表演，因而深受观众的喜爱。

〔董义娥（女）·全国劳动模范·应邀参加全国“五一”劳动奖章、奖状授奖大会〕　郑州国棉三厂布机车间丙班挡车工董义娥，热爱本职工作，刻苦学习理论知识，苦练技术本领，创造“全能操作法”，并带出一批徒弟。1992年“五一”节前夕，她作为全国总工会重点宣传学习的20名劳动模范之一，应邀到北京参加了全国“五一”劳动奖章、奖状授奖大会，受到了党和国家领导人的接见。10月，她作为正式代表出席了中国共产党第十四次代表大会。

董义娥，1963年生，河南省温县人，1979年进厂当工人。布机车间噪声高达90分贝，一天巡回几十里，一个班下来累得腿都抬不起来。为了早日把技术学到手，她给自己定了约法三章：一是每天打结1000个以上；二是不会的技术决不放过；三是不懂的地方决不过夜。她在脖子上挂着纱，班上班下，厂里厂外，坐着站着，痴迷的练打结。即使在炎热的夏天也不放过。功夫不负有心人，她的打结速度达到每分种48个，当年夺得全车间操作技术比赛第一名，以后又在市里和省里的纺织系统比武赛中屡屡夺魁。

董义娥是个永不知足的人。一方面熟读多种纺织技术理论书，做到知其然而又知其所以然；另一方面采用“拿来主义”。一次她到外地参加比赛，发现有位选手处理断经的速度快，立刻用心记下了那位选手操作的特点，回来后苦心钻研，把原来需要用两手的动作合为一手。听到新疆来了一批选手住在兄弟厂，她连夜登门拜访，请教处理停台的方法。经过细心揣摩和逐步改进，董义娥创造了一套具有特色的操作方法。

董义娥认为，一个人的技术水平再高，贡献总是有限的。只有大家的技术水平提高，才能多织出优质布，为国家作出更大的贡献。她主动先后与21名新工人签订了师徒帮教合同，担负起带徒弟的任务。“言传与身教相结合，帮思想与教技术相结合，班中教与班后练相结合，耐心辅导与启发诱导相结合，严格要求与相互切磋相结合”。研究每个人的特点和不足之处，做到因人施教，有的放矢。下班后，她经常到集体宿舍或小姐妹家中串门，与她们谈心，或进行单个教练，为她们释疑解难。经过一个时期的共同努力，她带的21名徒弟思想技术素质都有了很大的提高，成为厂里的生产骨干，其中5人被评为厂和市级技术、质量标兵。

为了鼓励青年工人学技术的积极性，1989年她又把她获得省劳模的奖金拿出500元交给车间领导，用于奖励操作技术能手。车间用这部分奖金以她的名义设立了“操作奖励基金会”。奖励了16名操作技术能手。

董义娥1984年和1986年被评为郑州市青年技术能手和纺织系统先进生产者；1988年被评为郑州市劳动模范和全国纺织系统操作能手；1989年先后被评为河南省“三八”红旗手、省劳动模范、全国“三八”红旗手和全国劳动模范；1990年被推选为郑州市“十佳青年”。

〔董国强·青年书法、篆刻家·作品获“全国奖”〕　1992年，董国强的篆刻作品“杏花春雨江南”、“留在梦境之中”、“且留余地”等10多方治印，入选《全国第四届中青年书法篆刻展览》和《全国第五届书法篆刻展览》，分别获优秀作品奖和“全国奖”。

董国强，1965年4月生，北京人。自1980年学习书法，1982年兼工篆刻。为学篆刻，他反复临印，写篆。对传统印章中奔放、写意一路用功较多。有时彻夜操刀，废寝忘食。近年，他结识众多印界高手，特别是得到崔志强的指点，技艺大进。

董国强认为，篆刻之妙，应以自然为佳。倘若自然中又有高远意境，则更佳。秦汉印之妙就在于“其意不在印，不期工而自工”。如一味追求形式的新奇，章法的巧妙，而忽视自然，就难以于刀石之中见情见性，也就不能算做印坛高手。获“全国奖”，董国强感到太突然。他把“笔墨为友，刀石为伴”作为自己的座右铭。

董国强供职于中华人民共和国首都机场海关。现为中国书法家协会会员，北京印社社员。1992年，其书法作品参加《纪念毛主席<在延安文艺座谈会上的讲话>书法展览》、《纪念中日邦交正常化二十周年北京、东京书法联展》。

〔董振东·机车司机·安全行车百万公里获优秀共产党员标兵称号〕　哈尔滨铁路局齐齐哈尔分局机务段机车司机董振东，开车23年来，安全行车百万公里，没有发生过一次事故。哈尔滨铁路局党委决定，命名董振东为优秀共产党员标兵，并在全局开展向董振东学习的活动。

董振东，辽宁省营口市人，1938年5月生，1958年8月参加工作，1982年12月加入中国共产党。曾任司炉、副司机，1969年任机车司机。几十年来，他把全部精力和心血都倾注在安全生产及铁路事业的建设与发展上，先后16次被铁道部、哈尔滨铁路局授予先进生产者、先进生产者标兵、优秀共产党员、全国铁路安全司机标兵、全国铁路优秀共产党员、铁道部劳动模范等荣誉称号，并获铁道部“火车头奖章”。

被人们称为“老蔫”的董振东，是一个非常朴实、平凡，而又具传奇色彩的男子汉，平时不善言谈，不露声色，但干起活来却生龙活虎，一丝不苟。他严守规章制度，爱车如命。擦车时，连灰箱子底下都要擦得锃亮，从不马虎。“文化大革命”中，有的人把规章制度视为“管卡压”，而董振东却不以为然。他说，一个火车司机身后，紧系着千余旅客生命和国家财产的安全，一点也不能差。有一次，他的机车推着5辆重车往站内送，只见头一辆车突然朝左一拐，飞也似地冲向运煤专线11%的下坡道，不少工人正在下面作业，仅仅100米的制动距离，调车人员已飞身跳车，眼看车辆相撞、血肉横飞的事故一刹那就要发生，但由于董振东认真了望，及时发现信号楼给错了道，便立即刹车，两车在咫尺间嘎然而止，避免了一场严重事故的发生。他的高度责任心，曾使多次逼临车轮之下的行人、车马得以生还。他埋头工作，却很少想到自己和家庭。他患风湿病20多年，关节经常疼得钻心。却没有抽出时间认真治疗过。有一次，脚踝处肿起鸡蛋大的包，大腿肿得足有一尺粗，还是坚持出乘。有时实在坚持不住了，临时找医生打一针“安痛定”，又蹒跚摇摆着上了机车。几十年来他没有误过一个班。哪里艰苦、哪里困难最大，他就到哪里。嫩江调车组，天冷、条件差，离家远，过去出过事的人往往分配到那里工作，被人们称作分局的“西伯利亚”“劳改营”、“事故窝”。1981年，机务段为调一名去那里工作的司机长犯难，董振东听说后主动报名。他在那里一干就是五年，他以一个共产党员的模范行动，团结教育、关心、帮助职工，把一个“老落后”变成了连续5年的先进单位。为铁路运输事业付出的，不仅是董振东本人，还有他一家。董振东七老八十的父母一瘫一傻，久卧病床。他每年三分之二的时间在外跑车，侍俸老人，抚育儿女和十来口人的生活重担全落在妻子身上。1989年，他妻子又患脑溢血瘫在床上，光看病就欠债几千元。经济重担、精神压力都没有难住他。每次出乘前，他总是做好几天的饭，让孩子一顿一顿地热给病人吃。有次休班回来，看见妻子嘴上起了大泡，就问她为什么不多喝水，妻子说，水喝多了尿多，所以，尽量憋着少喝水。董振东听了非常心酸，但始终没有向组织开口请假。还安慰妻子说：你再坚持两年，等我安全行车25周年的时候，我就退休回家，一心侍候你和两个老人。1992年5月的一天，当他出乘到嫩江后，半夜机务段突然来电话，要董振东迅速返回。等他第二天回到齐齐哈尔时，他的妻子已经病故。分局领导在年终祝捷大会上讲到董振东的事迹后，抑制不住内心激动，向坐在前排的劳动模范们，深深鞠了一躬，他说，正是因为我们有许许多多像董振东这样的优秀共产党员代表，才会有安全生产的今天！

〔董寅初·再次当选致公党中央主席〕　致公党第十次全国代表大会于12月15日至20日在北京召开，董寅初再次当选为致公党中央主席。会议继续推举黄鼎臣为名誉主席，推举伍觉天为名誉副主席，选举产生了第十届中央委员会，推举和聘任了第十届中央委员会的咨议和顾问。会议还选出了致公党第十届中央委员会的五位副主席：杨纪珂、陆榕树、郑守仪、王宋大、罗豪才。秘书长由王宋大兼任。中共中央政治局委员钱其琛到会祝贺并宣读中共中央贺词，贺词称，中国致公党是同中国共产党长期合作，并肩战斗的亲密战友，具有爱国、革命的光荣历史。在夺取新民主主义革命的胜利和建设社会主义新中国的伟大事业中，同我们党风雨同舟，通力合作，作出了重要贡献。在新的历史时期，致公党动员和团结广大成员及所联系的归侨、侨眷和海外华侨，努力开创工作的新局面，以自身的工作实践，为国家和人民作出了新的贡献，并赢得了社会的赞誉。董寅初在大会的工作报告中指出，今后五年乃至下个世纪中叶，将是我国社会主义建设事业的关键时期，我们将一如既往地同中国共产党同心协力，共展宏图，自觉坚持"一个中心、两个基本点"的基本路线，切实加强自身建设，认真履行参政党的职责，充分发挥与海外侨胞各界人士联系广泛的特点和优势，为实现中共十四大提出的各项任务，为统一祖国、振兴中华再作新贡献。

董寅初，1915 年生，安徽合肥人，印尼归侨。现任全国人大常委、上海市政协副主席。其主要经历见 1990 年《中国人物年鉴》。

〔注：1993 年 3 月 26 日，全国政协八届一次会议选举董寅初为政协八届全国委员会副主席。〕

〔蒋勉·博士·获第三届国际罗纳德·贝切尔纪念奖〕　武汉大学化学系分析化学教研室副主任、博士蒋勉，因在分析化学领域取得显著成果，1992 年 5 月获得第三届国际罗纳德·贝切尔纪念奖。他是获此奖的第一位亚洲人。

罗纳德·贝切尔奖是国际理论与应用化学联合会为纪念著名化学家贝切尔教授对分析化学所作的卓越贡献于 1986 年设立的，由著名学术刊物 Talan ta（国际理论与应用分析化学）杂志及培高蒙科学出版社每两年颁发一次，以表彰杰出的年轻分析化学家。此前，已有 5 位欧美学者获此奖，本届获此奖的仅蒋勉一人。

蒋勉自 1987 年以来，全身心地投入到分析化学的教学与研究中，在化学修饰电极、动力学分析方法、灵敏极谱分析体系等方面，均取得突出成就。他首次研制出系列性能稳定的新型普鲁士蓝同类物——铁氰化物薄膜修饰电极，并发现这类无机薄膜对生物小分子有电位响应，并可作新型的水相及非水相参比电极材料。此外，这类薄膜还能在聚合物型电池、电色显示器件、新型电催化剂、离子电控释放、嵌入化合物模型、传感器等方面有广泛的用途。他还对这些反应过程进行了理论探讨与模拟，被专家们称为"化学修饰电极领域的成功之作"。此外，他在化学振荡反应方面的成就，也受到国际权威人士的好评。在进行研究工作的同时，他坚持在第一线教学，他指导的本科生班考取研究生比率在该系是最高的。

蒋勉，湖北武汉人。1963 年生。1980 年至 1984 年，在武汉大学化学系学习；1984 至 1987 年在武汉大学研究生院读硕士学位；1987 年起在武汉大学化学系任教；1991 年在武大获理学博士学位。1991 年获得国家自然科学基金会与中国化学会颁发的"中国青年化学奖"。1992 年获国家教委科技进步二等奖及纪念中国化学会成立 60 周年"优秀青年化学奖"。他曾连续两次获得武汉大学"优秀青年教师"称号。他先后在国内外权威化学刊物上发表论文 20 多篇，多次获得湖北省优秀科学论文一等奖。

〔蒋风之·二胡演奏家、音乐教育家·其二胡艺术研究会在京举行〕　为弘扬蒋派二胡演奏艺术，由中国音乐家协会民族音乐委员会和中国音乐学院联合举办的"蒋风之二胡艺术研讨会"，1992 年 4 月 27 日至 28 日在北京中国音乐学院举行。研讨会上，有关专家、学者做了题为《蒋风之早期教育思想》（倪宝恕）、《蒋风之艺术活动及其它》（崔瑛）、《乐改及乐器制作》（何汇泉）、《阳羡艺术宗师录》（何昌林）、《蒋派的演奏风格》（周耀琨）、《蒋风之先生与二胡名曲＜汉宫秋月＞——谈"蒋派"演奏》（蒋青）等 10 余篇学术报告，对蒋风之的艺术活动、教学思想、演奏艺术等等作了精辟论述，对蒋派演奏风格作了"深刻而不浅显、生动而不刻板、纯朴而不浮华、端庄而不轻佻、严谨而不哗众取宠"的概括。

蒋风之（1908.4—1986.1），江苏省宜兴县人。幼时曾在家乡随民间艺人学习演奏多种民族乐器。1927 年考入上海国立音专，从师朱荇青主修琵琶，兼学二胡和钢琴。1929 年入北平大学艺术学院音乐系，从师国乐大师刘天华学习二胡和小提琴，并自学钢琴。1931 年始曾先后在北平大学女子文理学院音乐系、京华美术学院音乐系、北平女子师范学院音乐系、河北女子师范学院音乐系等多所高等学府任教。1946 年在北平艺术专科学校升任教授。解放前，在北平多次举行反内战音乐会，演奏二胡曲《病中吟》、《光明行》等。新中国成立后，先后在中央音乐学院民乐系、北京艺术师范学院音乐系、中国音乐学院任系主任等职。

蒋风之是一位有很高艺术造诣修养的二胡演奏艺术家。他演奏的古曲和刘天华、阿炳的二胡名曲，均以技艺精湛、精深意远、古朴典雅、神韵动人而著称于世，形成了自己的演奏风格及艺术流派。他录制唱片和录音的二胡演奏曲目有《熏风曲》、《花欢乐》、《良宵》、《病中吟》、《空山鸟语》、《听松》、《二泉映月》、《月夜》等，琵琶演奏曲目有《平沙秋雁》、《浔阳夜月》等；所演奏的二胡曲《汉宫秋月》，把封建时代宫女内心的情感活动，刻划得维妙维肖，堪称一绝。

新中国成立后，蒋风之把主要精力放在教学和理论研究上。他对技术精益求精，对教学严谨认真，为国家培养了成批的演奏人材及高等音乐院校的音乐师资，同时，并向国际友人和外藉华人传授演奏技艺。著有《蒋风之二胡演奏艺术》和《二胡曲八首》等。生前任中国音乐学院教授、副院长、全国文联委员、中国音乐家协会第四届理事、中国音协民族音乐委员会委员、北京市高校职称评审委员会学科评审组成员等职。

〔蒋祥太·潜江张金镇饲料添加剂厂厂长·获全国饲料工业新技术新产品“特别金杯奖”〕

1992年5月16日，在全国饲料工业新技术、新产品评奖中，湖北省潜江市张金镇农民、饲料添加剂厂厂长蒋祥太研制的“银彩”牌中草药型畜禽复合饲料添加剂以其独特配方、高效安全、获得“特别金杯奖”。

蒋祥太，湖北潜江人，1940年出生，他原是张金镇猪场负责人，1979年6月，担任了饲料添加剂厂厂长。他发现当时国内外市场上生产的饲料添加剂虽然种类繁多，但大多含有化学药物、生物激素等物质。这类添加剂功能单一，特别是用这类饲料饲养的畜禽产品中均含有一定的化学元素，人食用后于健康有不良影响。这也是严重妨碍我国肉类产品出口的重要原因。而如何解决饲料添加剂功能单一及其存在的毒副作用，乃是当今许多国家正在研究、尚未解决的一个课题。蒋祥太决心攻克这一世界性难题。他克服文化低的困难，潜心攻读《生物学》、《药物学》、《基础化学工程》等课程，经常跑图书馆，查阅国内外有关资料，几年时间记下了数万字的笔记。在初步掌握理论的基础上，努力做试验，先后研制出了“氨基酸强化营养素”、“化药添加剂328高效育肥素”、“营养型畜禽饲料添加剂”。1989年，他在反复试验的基础上，以近40种天然植物和“麦芽酶曲”相结合，研制成功“银彩”牌中草药型畜禽复合饲料添加剂，投放市场后，即以其“高效、安全、优质、价廉”赢得广大用户的赞扬。在1991年第3届“国际科学与和平周”大会上，蒋祥太用5分钟时间，用最简洁的语言，概括了“银彩”牌中草药型畜禽复合饲料添加剂的独特性、新颖性和科学性，使在场的各国专家留下极深的印象。因而，这一最新科技成果很快震惊了国内外。一时间，国内有283个单位要求技术转让，国外有11个国家要求与蒋祥太面商转让事宜。这一添加剂于1991年连获首届中国科技之光“科技成果金杯奖”、第3届国际科学与和平周“和平与贡献金牌奖”，同年被国家列入星火计划和科技扶贫项目。1992年5月再获全国饲料工业新技术、新产品“特别金杯奖”。

〔蒋硕杰·台湾中华经济研究院董事长·应邀访问大陆〕　台湾著名经济学家、中华经济研究院董事长蒋硕杰，应北京大学校长吴树青之邀，于1992年5月4日抵达北京访问。在京期间，蒋硕杰与北京大学、中国人民大学、中国社会科学院及国家体改委的专家学者进行了学术交流，并会见了阔别多年的亲友学生。他认为如果海峡两岸携手合作，今后十几年将会是两岸经济快速成长的时期。

蒋硕杰，1918年生于上海，湖北省应城县人。早年肄业于上海南洋中学。1937年日本庆应大学毕业。1941年留学英国，1945年获伦敦大学政经学院哲学博士学位。1975年获伦敦大学经济学科学博士学位。1945年冬，蒋硕杰返国赴东北，任东北行辕经济委员会调查研究处处长。1947年执教于北京大学。1948年去台湾，任台湾大学经济学教授。1949年赴美国，任国际货币基金会研究员。

蒋硕杰对台湾的经济发展颇有贡献。1954年应邀出任台湾“行政院”经济顾问。当时他建议提高利率，吸引资金，又提出外汇改革方案，促进了台湾的经济发展。1958年被选为台湾“中央研究院”院士。六十年代，蒋硕杰先后任美国罗彻斯特大学、康乃尔大学教授。1971年任菲律宾大学洛克斐勒教授。曾两度去英国牛津大学任高级访问研究员。

1970年蒋硕杰任台湾国民党“行政院”赋税改革委员会委员。1976年任台湾经济研究所所长。1980年任“行政院”经济革新委员会召集委员。

1990年任中华经济研究院董事长。

著有《台湾经济发展的启示——稳定中的成长》等。

〔韩伟·北京军区原副司令员·在北京逝世〕

1992年4月8日，北京军区原副司令员韩伟在北京逝世，享年86岁。

韩伟，湖北黄陂人。1922年参加安源路矿工人大罢工。1924年加入中国社会主义青年团。1925年在国民革命军叶挺独立团当兵，1926年参加北伐战争，同年转入中国共产党。1927年参加湘赣边秋收起义。1929年起，任中国工农红军第4军中队长、大队长、红21军支队长，红12军34师100团团长，独立8师师长，福建军区参谋长。参加了闽西革命根据地反“会剿”和长征。抗日战争爆发后，入抗日军政大学学习。1938年8月起，任晋察冀军区军政干校军事教育主任，第2军分区团长，冀中军区警备旅副旅长，第9军分区司令员，雁北支队司令员。率部参加了百团大战、冀中区“五一”反“扫荡”。1944年到延安，入中共中央党校学习。日本投降后，任热河军区司令员。1946年8月任晋察冀军区第2纵队副司令员兼参谋长。1949年2月任第67军军长。在张家口保卫战中，指挥四个团的兵力，于怀涞地区成功地阻击了国民党军四个师的疯狂进攻，为华北战场组织防御战提供了经验。后率部参加太原、平津等战役。1952年毕业于南京军事学院，后任军事师范学校校长，华北军区副参谋长，北京军区副司令员兼参谋长。1955年被授予中将军衔，获一级八一勋章，一级独立自由勋章，一级解放勋章。是全国政协第三、四、五届委员。1988年2月获一级红星功勋荣誉章。

〔韩愈·唐代文学家·韩愈国际学术研讨会在孟县举行〕　为期6天的韩愈国际学术研讨会于1992年4月25日在韩愈故里河南省孟县闭幕。来自15个国家和地区的150多位学者、专家交流了韩学研究成果。

孟县地处豫北平原，古称河阳、孟州，是唐代著名文学家韩愈的故里，境内有韩愈的祖茔和陵墓，众多韩愈嫡系后裔散居在全县许多村落。自1986年汕头国际韩愈学术讨论会后，孟县越来越受到海内外各界的关注。纷纷解囊协助当地重新修复了韩愈墓祠。

韩愈（768～824），字退之。自谓郡望昌黎，世称韩昌黎；因最后官至吏部侍郎，故又称韩吏部。他出身于小官吏家庭，从小随兄嫂颠沛流离，二十五岁登进士第，经过许多挫折，才得到“试校书郎”的小官，其后又屡遭排挤贬斥，直到晚年才做到“吏部侍郎。”

韩愈的政治态度和哲学思想比较复杂。他出身庶族地主家庭，却站在豪门贵族一边反对“永贞革新”；同时，他和“永贞革新”的骨干柳宗元，刘禹锡等有很好的交谊，并极力赞助削平藩镇割据的斗争。他反对横征暴敛，关心民间疾苦，却又轻视劳动人民，说什么“巫医乐师百工之人，君子不齿”（《师说》）。

文学方面，韩愈的主要贡献是倡导古文运动。为了宣传儒家思想，他要恢复先秦、两汉那种具有切实内容和活泼形式的散文传统，摒弃南北朝以来矫揉造作的骈体文。他主张“文以载道，”即写文章要为宣传儒家正统思想服务；同时还提出“大凡物不平则鸣”，即把文学视为抒发不平、反映现实的工具。在文学形式上，他提倡创新，要求“唯陈言之务去，”“词要己出”，反对抄袭前人做“剽贼。”

韩愈的创作，实践了他的文学主张。他以散文体裁写了大量的政论、书启、赠序、杂说等，句式灵活多变，文笔流畅而有气势。“说理”文中，常常采用形象化的语言、生动的比喻和鲜明的对比手法，具有较强的说服力。如《杂说》中借“千里马常有，而伯乐不常有”比喻贤才难遇知己，把自己一腔愤懑之情发挥无余。记叙文中，无论写人、记事、状物都十分生动。《祭十二郎文》悼念侄子韩志成，写得情真意挚，凄楚动人。

韩愈倡导的古文运动，得到柳宗元密切配合，当世并称“韩柳”，到了宋代，欧阳修，曾巩、王安石、苏洵、苏轼、苏辙等继承韩、柳的文学传统，在散文创作上有突出的成就，被后人称为“唐宋八大家”。欧阳修在《新唐书精华》中称赞他：“愈深探本元，卓然树立，成一家言。其《原道》、《原性》、《师说》等数十篇，皆奥衍闳深，与孟轲、扬雄相表里而佑佑六经云。至他文造端置辞，要为不袭蹈前人者。然惟愈为之，沛然若有余。”

〔韩卫卫（女）·西安解放路饺子馆服务员·被授予全国最佳服务员称号〕　1992年9月15日，商业部在北京人民大会堂隆重召开建国以来首次全国饮食服务业最佳服务员表彰大会。西安市解放路饺子馆服务组长韩卫卫，在大会上被授予“全国最佳服务员”称号。

韩卫卫，山东省莒县人，1970 年 5 月 20 日生。高中文化程度，1988 年参加工作，现为西安解放路饺子馆二楼服务班“共青团厅”服务组组长、三级服务师。

为了搞好服务工作，韩卫卫苦练基本功。她每天上班比别人到得早，下班走得晚。她一步步地练习轻步快走，一字一句地矫正口语发音，同时学习语言艺术，回到家里还端个盘子放上茶杯酒瓶，练托盘，练臂力。她还努力熟悉每个饺子品种的特色，能按照程序结合一道道型味各异的饺子，讲出一个个妙趣横生的典故。随着改革开放的扩大和饺子馆名声的传播，来这里品尝饺子宴的外国客人越来越多。为此，韩卫卫刻苦学习外语，不仅能用英语和日语服务，而且能用外语介绍和讲述 100 多个饺子品种和典故。她运用外语为不少外国客人排忧解难，周到服务，得到了外国客人高度赞誉。韩卫卫带领“共青团厅”的姐妹们，在工作上努力争先，别的厅不愿接收的饭，她们主动接；客人到得太早或太晚的饭，她们热情接；低标准的饭，她们也一样接，而且保证卫生第一，服务第一。一次她们从早 9 点干到晚 9 点刚下班，忽然有十几位台湾同胞刚下飞机指名要吃饺子宴，因事先没有预订，请求给予照顾。韩卫卫得知后，马上主动接待，与客人们握手言别时已是夜里 12 点多钟。近几年，韩卫卫和二楼的服务员们先后接待台胞两万多人次，给台胞留下了大陆的美好回忆。韩卫卫参加工作仅 4 年，就获得了一系列荣誉：西安市饮食公司系统优秀服务员，市旅游局先进工作者，西安市学雷锋先进个人等。她带领的小组先后获得省旅游系统优质服务竞赛“金龙杯奖”、省“新长征突击队”、省“青年文明柜组”、市新长征突击队红旗班组等称号，1991 年商业部还授予她们“首届全国商业企业优秀班组”称号。

〔韩杼滨·任铁道部部长〕　根据国务院总理李鹏的提名，全国人大常委会于 1992 年 9 月 4 日任命韩杼滨为铁道部部长。同年 10 月，韩杼滨在中共第十四次全国代表大会上当选为中共第十四届中央委员。

韩杼滨，1930 年出生。解放战争时期就在哈尔滨站任运转车长。中华人民共和国成立后长期在柳州铁路局工作，曾任共青团柳州铁路局分局团委书记、柳州铁路局桂林党工委书记等职。1978 年任柳州铁路局局长。1983 年调上海铁路局任局长、党委书记。1990 年调铁道部任党组副书记兼政治部主任、纪律检查委员会书记。

〔韩济生、朱秀媛（女）·医学家·再度访问台湾载誉归来〕　北京医科大学生理教研室主任、神经生理学家韩济生 1990 年 4 月作为大陆首批学者访问台湾后，1992 年 5 月 20 至 27 日，又偕夫人朱秀媛（中国医学科学院药物研究所研究员），再次访问台湾，先后在台北、台中、高雄、彰化、桃园五市，作了八场学术报告，分别介绍了北京医科大学在针刺镇痛原理和痛觉生理方面两年来取得的最新成果和麝香药理研究的新进展，受到台湾医学界热烈欢迎。韩济生夫妇访台期间，还受到 93 岁高龄的陈立夫先生的亲切接见。韩济生将他亲笔书写的李白的《早发白帝城》条幅送给陈立夫，邀请他再次游访三峡。陈立夫高兴地说：“你邀我重游三峡，我邀你角逐立夫奖。”陈立夫多年来用“卖字”的收入设立了“立夫奖”，专门奖励研究中医中药卓有成就者。

韩济生，1928 年 7 月 12 日生，浙江萧山人。1953 年毕业于上海医学院医学系。在大连医学院生理高级师资班进修后，先后在哈尔滨医科大学、北京卫生干部进修学院、北京中医学院、北京医学院等单位任生理学教师。1979 年 2 月由讲师直接任命为教授。1983 年任北京医科大学生理教研室主任，1987 年任北京医科大学神经科学研究中心主任。兼任北京神经科学学会理事长、中华疼痛学会理事长、中国生物学会常务理事等职。他从 1965 年开始从事针灸原理研究，1972 年以来从中枢神经化学角度系统研究针刺镇痛原理。发现针刺可动员体内的镇痛系统，释放出阿片肽、单胺类神经递质等，发挥镇痛作用；不同频率的电针可释放出不同种类的阿片肽；针效的优劣取决于体内镇痛和抗镇痛两种力量的消长。韩济生在国内外发表学术论文 200 余篇。曾获国家自然科学奖，卫生部甲级奖、乙级奖，国家教委一等奖，北京市一等奖等共十一次。1984 年被评为国家级有突出贡献的科学家。从 1979 年以来他应邀到 22 个国家和地区 90 余所大学和研究机构讲学。被选聘为世界卫生组织科学顾问，瑞典隆德皇家学会国际会员，国际疼痛研究会教育委员会委员及中国分会主任委员，国际麻醉性药物研究学会执委会委员，美国国立卫生研究院科学评审委员会顾问等。他曾被收入英国剑桥国际传记中心出版的国际名人录和美国国际名人录、澳洲和东亚名人录等。

朱秀媛，1928 年 7 月 3 日生。河南开封人。

1954年毕业于上海医学院药学系。曾在东北制药总厂、哈尔滨医科大学、中国医学科学院药物研究所任助教、研究实习员、助理研究员。1981至1982年在瑞典进修一年。1983年起在中国医学科学院药物研究所任副研究员、研究员。她多年从事麝香药理研究，承担过三项部以上科研攻关项目，均圆满完成任务。1987年曾获卫生部科技成果奖。

〔韩清利·解放军某部教员·被授予爱军习武标兵称号〕　人民解放军某部教导队教员韩清利刻苦钻研军事技术，成为部队中有名的神枪手。他先后参加130多次重大射击比武，次次夺得第一，还精心培养出220多名射击能手。1992年8月11日，北京军区党委授予他爱军习武标兵荣誉称号和二级英雄模范奖章。

韩清利，河北省献县人，1958年4月生，1977年1月入伍，1979年3月加入中国共产党，上尉军衔。1981年担任部队射击教员后，学习钻研了《兵器知识》、《射击学理》、《轻武器射击教学大纲》等20多本军事著作，对不等风力下的射击偏差修正、烈日下的虚光排除、击发时机的掌握、运动目标瞄准等问题，进行了系统、深入的研究、总结出一套科学的射击训练方法，并根据多年的经验体会撰写了《心理障碍对射击精度的影响》、《轻武器速射探讨》等10多份有重要价值的教案，受到上级的肯定和推广，被评为优秀教练员。入伍以来，先后参加上级组织的重大射击比武130多次，次次夺得第一。为上级首长进行射击表演39场，场场赢得好评。经他精心培养的220多名射击能手，成了部队军事训练的骨干。1991年9月10日，在一次重大的军事训练成果汇报表演中，他成功地进行了步枪速射表演，35秒钟内命中百米距离上的40个目标，弹无虚发，受到前来检阅的党和国家领导人的高度赞扬，被部队官兵誉为“军中第一枪”。他顾全大局，不计较个人得失，自觉服从部队建设的需要，在家居农村缺少劳力、生活困难的情况下，无条件地听从组织决定，三次放弃退伍、转业的机会，扎根军营、报效祖国。曾3次荣立三等功，18次受到各级嘉奖。

〔韩增荣·水泥厂厂长·获全国“五一”劳动奖章〕　陕西西安雁塔水泥厂厂长韩增荣，不断开发新产品，使企业经济效益大增。从1989年以来，该厂连续三年蝉联全国水泥质量“标兵企业”称号。1992年4月29日，韩增荣获全国总工会授予的全国“五一”劳动奖章，并在“五一”节期间，受全国总工会邀请，到北京参加全国“五一”劳动奖章、奖状授奖大会，受到党和国家领导人接见。

韩增荣1980年受命出任水泥厂厂长时，企业管理混乱，产品质量低下，人心浮动。但他认为，企业落后，职工很穷，但穷则思变，只要下大气力，就能改变面貌。于是，他大胆改革干部管理体制，按照“四化”标准选拔充实了中层以上领导班子，打破了干部终身制的铁交椅。对一些年龄偏高、文化偏低的干部的工作和生活也做了妥善安排。

1980年初，他在全厂实行了经济承包责任制。结合生产实际，实行了定人员、定工资、定产量、定质量、定消耗、定成本、定奖励的“六定”办法，与车间签定了承包合同。把个人、企业、国家三者的利益紧密结合起来，调动了干部和职工的积极性，企业效益一年比一年好，1991年实现利税210万元，比1980年增加近二十倍。

1985年，当425号普通硅酸盐水泥走俏市场时，他以敏锐的观察力认识到，产品有畅就有滞，必须不断更新换代。排除了来自各方面的议论和阻力，积极倡导开发研制了525号R硅酸盐水泥。这种水泥，以它早期强度高，后期强度增进率大、易性好等特点赢得了大批用户，填补了陕西省的一项空白，7年来畅销不衰。1989年他又主持研制波特兰水泥。1990年通过省级技术鉴定。其性能指标均优于525号R硅酸盐水泥，是我国进行经济建设和扩大对外出口贸易急需的一种建筑材料。

为确保产品产量质量，韩增荣先后投资1600多万元，完成技术改造20余项。推广、运用新技术、新材料30多项，使企业增添了后劲。生产能力由建厂初期的2万吨增加到8万吨，粉磨能力达到10万吨。同时安装了一台1500瓦汽轮发电机组，利用窑尾余热发电。年发电量达320万度，几乎占工厂总用电量的三分之一。而且年节煤上千吨。企业因此被评为全国能源综合利用先进单位。

1991年2月韩增荣在周密调查研究之后，毅然决定投资兴建济仁保健用品厂，开发了心病外治的“冠心康”。治疗冠心病总有效率达84·5%。8月，“冠心康”获得国家专利，10月，获全国第六届发明展览优秀产品奖。

韩增荣，1939年9月生，陕西省西安人。1962年12月参加工作，曾在西安市未央区卫生科、郊区卫生局、东方红干校、燎原农械厂、水泵厂工作过，1974 年调西安雁塔水泥厂。

〔辜胜阻·教授·被评为第三届中国十大杰出青年之一〕 由中华全国青年联合会、中国青少年发展基金会和首都十家新闻单位联合组织的第三届“中国十大杰出青年”评选，1992 年 10 月 7 日在北京揭晓。中国民主建国会会员、武汉大学人口研究所所长辜胜阻博士，因在人口学研究方面取得突出成就而入选。

辜胜阻为了研究中国人口问题，十多年来，六十多次带领科研人员深入农村进行调查，足迹遍及湖北省 70%的县市，获取了几十万个人口研究的重要数据，提出了一系列受到国内外学者关注的论点：一、在人口生育与人口控制方面，在国内最早提出“生育观三分法”，即人们的生育观念由生育动机、生育性别偏好、生育数量偏好三部分组成。他从这一理论出发，深入地研究了中国人，特别是农村人的生育观与人口生育的内在联系及改变人们传统生育观的对策手段；二、在农村劳动力非农化和农村人口城镇化方面，他在总结世界发达国家乡城人口迁移的历史和发展中国家乡城人口迁移的经验教训及我国的实际情况后，提出“国家必须设立或指定有关部门协调和规划我国目前出现的大量乡城人口迁移，改革人口流动体制，有计划地变暂时性人口迁移为永久性人口迁移，改革目前这种迁移中的盲目性、无序性、不稳定性和‘两栖性’”。并提出现时的中国必须实行城市化和农村城镇化同时并进的二元城镇化战略和走以 2000 多个县城或县内首位城镇为中心的农村城镇化道路；三、在人口老龄化方面，在国内首次进行了中、美、日三国老年人健康和社会生活的大型国际比较研究和城乡老年人问题综合研究，不仅取得了大量有价值的第一手数据资料，而且在综合运用社会学方法和自然科学方法研究老年人问题方面做了有益的开拓性工作。辜胜阻的研究成果为完善我国人口控制政策和建立科学的宏观社会经济发展作出重要贡献，受到国家统计局、计生委、老龄委等部门的重视。

辜胜阻，1955 年 12 月生，湖北人，1976 年当民办教师；1977 年至 1981 年在武汉大学经济学院学习；毕业后即留校在武大经济学院人口研究所工作至今，现任所长。1991 年以兼职身份毕业于武汉大学经济系，获经济学博士学位。他还兼任中华全国青联委员、湖北省青联副主席、中国人口学会理事、国际人口学会会员等职。他撰写和主编的学术专著 10 部、学术论文 90 余篇。先后十多次到美国、德国、印度、韩国等进修或参加人口学和经济学国际学术研讨会。

〔覃应机·原广西壮族自治区人民政府主席·在南宁逝世〕 覃应机于 1992 年 12 月 8 日因心脏病突发逝世，终年 78 岁。覃应机，1915 年出生于广西东兰县，壮族。1929 年参加革命，历任中国工农红军第七军班长、排长、连长、指导员。1930 年 10 月后随红七军转战桂湘粤边地区，于 1931 年 7 月到达中央革命根据地。后曾任红三军团保卫局科员、团特派员、师侦察员，红一军团保卫部科长。参加了长征。抗日战争爆发后，任八路军总司令部侦察队长，太行和太岳公安处副处长，晋冀鲁豫边区公安总局秘书主任，冀南公安局副局长，冀南公安总局副局长、局长。中华人民共和国成立后，历任河北省公安厅厅长、社会部长，广西公安厅长、社会部长，广西公安总队政委，南宁警备区副司令员，广西边防局局长，中南军政委员会委员、检察长，广西省副省长，广西省政法委员会主任，广西壮族自治区人民政府主席、党委第二书记，广西省委常委、书记处书记，广西壮族自治区党委书记、区人民政府主席、区政协主席。长期来为贯彻党的民族政策，改变广西落后面貌，发展广西经济，维护民族团结作出了重要贡献。是中共第八、十一、十二、十四大代表，中共第十一、十二届中央委员。1987 年 11 月当选为中共中央顾问委员会委员。还是第一至五届全国人大代表。

〔覃碧霞（女）·海口市罐头厂椰子汁分厂副厂长·被授予全国巾帼建功标兵称号〕 1992 年 3 月 7 日，在首都各界人士集会，纪念“三八”国际劳动妇女节之际，海口市罐头厂椰子汁分厂工程师、技术副厂长覃碧霞，被全国妇联授予全国“巾帼建功”标兵和全国“三八”红旗手的称号。

覃碧霞，1957 年 11 月 8 日生于海南琼山县。1982 年于华南理工学院毕业后，在海口市罐头厂从事食品工艺的研究和技术管理工作。曾主持制定工艺实施、标准化管理等 10 余种管理制度，并提出 40 多条合理化建议。先后参与研制成功多种罐头食品和饮料，其中蜗牛、木瓜罐头分别获广东省“四新”产品一等奖、优秀奖，并首创天然椰子汁、粒粒天然椰子汁。前者已成为海南省畅销国内外的拳头产品，它的研制成功与投产，有力地推动了海南省椰子种植业的发展，使中国椰子加工技术走在了世界前列。该产品曾获轻工业部科技进步奖、首届中国食品博览会金奖、北京国际博览会金奖、国家星火科技一等奖和省、市科技进步特别奖。在她的参与下，天然椰子汁的保存期已从6个月延至9个月，椰子片亦成为名牌产品，获得了第二届国际博览会金奖。此外参加开发的天然矿泉水也已成为名牌产品，她曾获天然椰子汁饮料技术开发省、市科技进步特别奖、国家星火奖一等奖、全国轻工业优秀新产品奖等个人奖。

〔喻近仁·芙蓉矿务局局长·获全国优秀经营管理者称号〕 四川省芙蓉矿务局局长喻近仁，1988年由局党委书记改任局长时，年近55岁。在这承包"最后一站"路上，他以二期矽肺病的残躯，率领两万名职工，争分夺秒地为提高矿区生产力和经济效益奋战。全局全员劳动生产率每年提高10%，矿务局晋升为省级先进企业，他还主持制定了到2000年全面实现年产525万吨原煤，成为四川最大煤炭生产基地的规划。1992年4月29日，他被授予全国优秀经营管理者称号和全国"五一"劳动奖章。

喻近仁接任局长时说："我年近55岁当局长，尽管承包任期只有三年，但却是我一生中最宝贵的三年。""我要对党的事业负责，对矿区的江东父老和子孙后代负责，绝不干杀鸡取卵，急功近利的事，要立足当前，放眼未来"。于是，他狠抓采掘接替和配套设施建设，加快白皎矿治灾，杉木树矿扩能，巡场矿三水平延深，珙泉矿瓦斯利用三期工程，水泥厂扩建、自备劣质煤发电厂筹建和水电讯改造等工程，有的已落实投资，有的已开工建设，但这一系列工程都只是在他卸任后才发挥效益。可他在这些工程上倾注了自己全部心血。1990年4月，他支气管炎复发长达一个多月，天天咳嗽不止，时感喘不过气来，医生强令他住院治疗。他却坚持上午下矿跑基层，下午到医院输液。1991年，他检查出身患二期矽肺病，工会多次劝他去疗养，他却坦然地说："人生自古谁不死，夕阳西谒马克思"。照样开足马力工作。

喻近仁常说："一个聪明的领导，要象淘金者那样，善于挖掘和发现蕴藏于广大职工群众当中的智慧的光点。如果单靠个人出点子，想办法，必将一事无成。"他注意深入基层，搞调查研究，每年都要下矿90多天。当他发现白皎矿8015掘进队实行"三公开"、"四上墙"，民主气氛浓厚，工人积极性高，他想这正是"三大民主"优良传统在生产上的应用。于是先后16次到8015队和职工一起对生产上"三大民主"的内容逐步逐项地探讨。经过一年的推广，"三大民主"（政治、生产、经济民主）在全局开花结果。

随着《企业法》的实施和局长负责制推行，喻近仁地位变了，权力大了，他把注意力放在如何加强权力约束，接受党组织和群众监督上。他坚持参加每月一次党政工领导碰头会，共商全局重要工作；坚持每半年向职工代表大会报告一次工作，共同决定企业重大问题；坚持每年向职工代表述职，接受职工群众民主评议。近年来，根据民主评议结果，经局党政联席会议讨论决定，先后免去12名矿处级干部职务，对13名矿处级干部亮"黄牌"警告，通报表扬36名矿处级干部。他还建立了"局长信箱"，直接处理职工反映的问题。

喻近仁，1934年生，四川邛崃人。1957年毕业于北京矿业大学，被分配到青海省工业厅生产处任技术员，1962年调到新疆石河子南山煤矿生产科任技术员、科长、分矿矿长。1975年调芙蓉矿务局工作，历任矿生产科长、副局长、党委书记。

〔程同进·青年篆刻家·创作微刻石书《雪国》〕 已故日本作家川端康成的小说《雪国》，曾获诺贝尔文学奖。1992年8月，程同进经过9个月的精心创作，将这部世界名著用日文刻在特制的石片上，并设计制作成一部精致而又奇特的石书。程同进说："川端康成的《雪国》是世界文学的瑰宝。把他的作品刻成石书是很有意义的。我以此为中日文化交流作点微薄的贡献。"

程同进，1961年生，上海人。他从小学五六年级开始，就对书法产生了浓厚的兴趣。1978年进上海华生电器总厂技校学习，毕业后分配到这家工厂的油漆车间工作。工余，他到文化宫继续学习书法、篆刻，又练习微刻，在米粒上镌刻唐诗。1988年，他在石头上微刻了6000多字的《孙子兵法》。1990年起，花了两年时间，在86块大小不一、形状各异的石章上，镌刻了370398字的《三国志》全文，成为一件融中国传统的篆刻、微刻、书法、绘画艺术于一体的艺术品！每一块石章上刻有一篇或两篇书目，目录均用较大的篆体字刻成，全文则用端秀、飘逸的隶书；不同的石章上，又根据史书内容在文字旁创作了一些插图，刻了历史人物曹操、关羽、刘备、孙权、诸葛亮等，以及作战场面。

程同进在业余大学学习日语，打下了较好的基础。为迎接1992年中日邦交正常化20周年，促进中日文化交流，一年前他就开始准备创作日文石书《雪国》。已创作完成的这部石书，似扑克牌那样大小，分上下两册，共 20 片，每 10 片一册，用金色丝线穿过石片上的小孔串制而成，形似中国古代的线装书。石书的封面是篆体字“雪国”两字，右下方刻有书中女主人公驹子的线刻像，线条流畅飘逸，栩栩如生。用 5 倍放大镜观看石片，见正反面均刻有楷体日文，黄底白字，十分清晰，每面下部刻有花纹，标有页码，石片长 88 毫米、宽 62 毫米，每片厚 2.5 毫米。石片每面刻 2340 字（含标点符号），每字 1.2 毫米。《雪国》全书 72697 字（含标点），后面还附有竹西宽子的评论文章《川端康成其人和他的作品》和加伊藤整的《关于“雪国”》一文，整部石书共 80464 字。石书是根据日本《新潮社》平成二年的版本刻制的。20 片石片，采用中国名贵的“昌化石”石料，是程同进特地从浙江青田采购来的。这原是一块 8 公斤的石块，程同进将它锯开、磨平、抛光，制成一定的尺寸，然后在石片上镌刻。为完成这部石书，作者每天伏案操刀八九个小时，有时从中午 12 时起连续刻到次日凌晨 2 时。

〔程华明·航空发动机制造专家·获国家航空金奖〕　我国第一代航空发动机制造管理专家、曾任黎明发动机公司总工程师、总经理的程华明，长期从事发动机企业的管理和科研工作，先后成功地组织了涡喷 5、涡喷 6、涡喷 7 发动机的设计、生产等工作，后又成功地领导了涡喷 6 甲、涡喷 7 甲发动机的改进、改型、延寿等工作，为我国航空发动机事业的发展做出了突出贡献。1992 年 12 月 23 日他被授予我国航空工业最高荣誉奖“航空金奖”和 10 万元奖金。

程华明，1917 年 12 月生，原籍广东省中山市。1935 年考入浙江大学，1945 年参加革命工作，1948 年加入中国共产党。全国解放后，程华明肩负党的重托，来到沈阳担任新中国第一个航空喷气发动机制造厂——黎明机械厂副厂长，主持了涡喷 5 发动机的试制工作。

60 年代，我国经济遇到严重困难。程华明带领科技人员，发扬“自力更生，奋发图强”精神，对已成机生产的涡喷 5、涡喷 6、涡喷 7 等型号发动机，大胆进行了改进改型，使涡喷 5 发动机使用寿命由 100 小时延长到 400 小时，涡喷 6 发动机寿命也增加了 1 倍。涡喷 6、涡喷 7 性能改型的成功，为我国自行设计研制的歼 8 飞机、强 5 加大航程飞机，提供了急需的动力装置，推进了航空事业的发展和空军的国防装备建设。在这同时，他组织和领导技术人员，刻苦攻关，先后研制成功了叶片砂带磨、真空钎焊、电子束焊等一大批先进的工艺技术和装备。有的填补了我国航空工业技术空白。

1981 年，程华明任黎明发动机制造公司总经理后，亲自指挥叶片生产线的改造，采用数控、静压和仿型等先进技术，使近百台设备重新恢复青春。1982 年，65 岁的程华明主动提出不当总经理，退居二线当顾问，但他比以前更忙了，领导研制了我国第一台热电联供工业燃气轮机，缓解了油田电力严重不足的局面，也为军工企业在“军转民”前进路上开辟了航机陆用的新领域，国家经委授予科技进步三等奖。

程华明是中国航空学会理事、辽宁省科协副主席。曾获沈阳市、航空部先进科技工作者称号，1990 年获航空航天部授予的先进离休干部称号。

〔程劲松·大学生·其科研成果获全国首届大学生实用科技发明大奖赛特等奖〕　程劲松在武汉大学化学系读研究生期间进行的“冠醚聚硅氧烷毛细柱交联方法的研究”，1992 年 11 月在全国首届大学生实用科技发明大奖赛中，获得特等奖，奖金 1 万元。与程劲松同时获得特等奖的，还有华东化工学院研究生古宏晨等，他的科研成果是“超微粒 r-Fe_2O_3 磁粉制备技术”；成都科技大学研究生但卫华，他的科研成果是“高档猪革产品综合开发”。

程劲松，湖北石首市人，1968 年 10 月生。1985 年至 1992 年在武汉大学化学系就读，学习期间，多次获人民奖学金，多次被评为三好学生、优秀团干部、优秀研究生。他的《冠醚聚硅氧烷毛细柱交联方法研究》，发表在《色谱》杂志上，曾获武汉大学研究生学术成果二等奖。1992 年夏他到轻工部食品发酵所工作。

〔程建新·摄影爱好者·被两度收录入《世界名人录》〕　英国欧洲出版公司出版的具有权威性的英文传记资料《世界名人录》，在 1991—1992 年版和 1992—1993 年版本中，两次收录了安徽省岳西县民族宗教事务科干部程建新的事迹。

程建新，笔名司空灵峰、山石，安徽岳西县人。1961 年 3 月出生，高中毕业后，没有考上大学，后到部队当兵。退伍后回原籍当了投递员。他酷爱摄影，又十分热爱家乡大别山，为此他端起了照相机，将那迷人的山峰、瀑布、树木、河谷、村落皆收入自己的镜头之中。他刻苦学习摄影技巧，钻研摄影理论。为了拍摄声名远著、历史辉煌的佛教禅宗祖师慧可的道场——司空山，他多次攀上海拔 1200 多米的高峰。司空山尚未开发，坡险苔滑，荆棘从生，每遇险峻之处，他只得小心翼翼地爬行，脚上血泡连连。他与山上庙里的老和尚为伴，同吃同住，终于拍到了理想的照片。他先后有 60 余幅（篇）作品在国内外报刊或比赛中发表及获奖，英文版《中国日报》曾以“大别山的骄子”为题，向海外介绍他的大别山风光摄影系列，受到行家们重视。日本友人渡边正夫专门致函称赞他：在自己多次的中国之行印象中，发现程先生的风光摄影是极美的。

程建新曾自费考察了大别山旅游资源，拍摄了《大别山风情》和《司空山》两套照片，并精选加工制成明信片向全国发行，为县邮局创经济效益 2 万多元，同时这一新的旅游资源引起了国家及省市有关部门的重视。他在《人民日报》（海外版）、《中国日报》、中国佛教协会主办的杂志《法音》等报刊上频频发表文章图片，呼吁开发司空山，还向领导机关写了专题报告，建议尽快利用当地优势，用旅游这个无烟工业推动革命老区的经济发展。全国政协副主席、中国佛教协会主席赵朴初曾多次接见他，夸奖他为司空山的开发立下了头功，并欣然题写了“司空山”和“二祖寺”的山、寺名，还特意亲笔书赠“奋发”二字，勉励他为家乡建设再立新功。共青团安徽省委为表彰他在改革和社会主义现代化建设中做出的突出成绩，曾授予他“七五”建功者一级奖章。他的摄影代表作有《村野》《面壁》《秋天的童话》等，部分作品被日本友人收藏。

〔**程尊堂·川剧演员·获第二届文华表演奖**〕

1992 年 2 月，川剧演员程尊堂主演通俗喜剧《攀枝花传奇》，因表演憨厚诚朴、道白妙趣横生、演唱激荡人心，为此获戏剧界最高奖——文化部颁发的文华表演奖。

程尊堂，1946 年出生于四川省隆昌县农民家庭，自幼耳濡目染，痴嗜乡土文化。1966 年毕业于四川省川剧学校，先后工作在西昌地区川剧团、盐边县文工队、米易县川剧团、攀枝花市川剧团。他师从刘烈光、秦介仁、何鸣辉等老师，工须生，得众师多方指导，曾饰《南阳关》中伍云召、《太君求情》中的杨延昭、《斩黄袍》中的赵匡胤、《杀惜》中的宋江，表现出良好的嗓音天赋，行腔高低可就，力度均匀，上下句之间衔接紧密，鱼贯尾随，常令场内彩声迭起。他还跨行演过《归正楼》中的邱元顺、《做文章》中的徐子元等丑角戏，扮演过《拨火棍》和《桂英打雁》中的净角孟良，及《绣襦记》中的郑元和，《双八郎》中的前后杨八郎等文武小生戏，甚至反串《杀狗》中的老旦焦母，熟谙蜀调巴歈。“文革”时期，几经转折，演过话剧、歌剧、京剧，有时兼唱快板、荷叶、金钱板等四川曲艺，还幕后操作苏笛、二胡、唢呐，甚至小提琴。既适应了团小人少、行当短缺的客观需要，又极大地满足了山区人民文化娱乐多方面的需求。数十年如一日地服务于边远山区的广大群众和兄弟民族。丰富的生活基础、长期的艺术实践和多种艺术的陶冶，为程尊堂拓开了步入艺术殿堂的成功之路。

《攀》剧写的是当代老人的再婚问题。孀居多年的朱妈妈深夜遭流氓围困，幸遇退休裁缝宫安吉拔刀相助，得以化险为夷。两位同病相怜的老人，由互生好感到情投意合。对此，双方子女或喜或忧、或反对或支持，演出了一幕令人啼笑皆非的喜剧。只见舞台上，程尊堂微微秃顶、矮矮身材，发音低沉厚重，无论量衣、裁衣、熨衣、按电源、铺垫布、取瓷盅、盛水、喷水、提熨斗、试电温等一系列动作，无不做得精到传神，活脱脱一个裁缝。问其原因，他说：“我妻就是裁缝。”他通过观察体验，运用鲜明的职业习惯和音色语调的改变，来突出人物生理上、心理上的特点。如当宫裁缝初次登门看望朱妈妈，不意遭朱莉姐妹的冷遇，陷入尴尬境地。程尊堂采用自我心理剖析与自我言行描述相结合的方式，旁若无人地滔滔不绝，直陈自己关切朱妈妈的古道热肠，却又两眼低垂，避免直视对方，极为真实地表现了宫裁缝的忠厚诚朴以及他温和宽容的气度。经过一番曲折，二老终于再次相见，程尊堂借用电影中的慢镜头，表现宫裁缝拥抱朱妈妈的刹那间，却又借故拍打飞蚊而关闭感情闸门。在戏剧行为的突然转折中，极为生动地勾画出人物当时被放大的可笑可敬的心理状态，附丽于人物性格，便使这一形象横溢别趣，独具异彩。

程尊堂以唱见长，有一副得天独厚的好嗓子，音色悦耳，音域宽阔，舒卷自如，穿透力强，善于通过唱腔抒发人物内心感情，尤其是在真假嗓结合方面最见功夫。二老幽会一场，宫裁缝有段唱：“冬枝，你看哪！夕阳无限好，何需惆怅近黄昏？老夫喜作黄昏颂，满目青山夕照明……”程尊堂大胆突破传统曲律，尤其是结尾一句“老人，老人也是人”，他忽翻高，唱得奔放激越，厚重达远，产生一种情绪冲击波，仿佛向社会发出“理解老人，关心老人”的呼吁，每演至此总博得满堂喝彩。当然，这毕竟不是一幕以死殉情的命运悲剧，程尊堂准确把握艺术法则中的辨证原理，演得以悲衬喜，虽喜犹悲，分寸得当，转化自然，台上人在大悲，台下人在大笑，引导观众在相互渗透和对比中品尝人生的酸甜苦辣，别有一番滋味在心头。数年来程尊堂多次获奖，仅1990年以后就因演《攀》剧成功，获第5届振兴川剧会演优秀演员奖，全省第一。后获全国现代戏曲观摩演出优秀表演奖，并曾在四川省川剧广播大选赛中，夺得最佳演员奖桂冠，被评为四川十佳演员。

〔傅元天·青城山常道观监院·当选中国道教协会会长〕 中国道教协会第五届代表会议于1992年3月2日至6日在北京举行，青城山道教协会会长兼常道观监院傅元天当选为中国道教协会会长，兼任中国道教学院院长。

傅元天，四川简阳县九龙场人，生于1925年5月。1946年到成都灌县水磨乡黄龙观出家修道，为全真龙门派道士，师从张永平道长。1955年到青城山常道观参拜易心莹大师，留驻聆教。1956年主持青城山上清宫事务。1964年正式被上清宫道众推选为住持。1980年青城山道教协会成立，众望所归，当选为会长，兼任常道观监院。同年当选为中国道教协会常务理事，成都市道教协会会长，灌县政协副主席，成都市政协常委，四川省政协常委。1986年当选为中国道教协会第四届副会长。1989年被推选为道教文化研究所名誉所长和中国道教学院副院长。1989年12月北京白云观举行隆重传戒仪典，被授予“大师”称号。

〔傅全有·任人民解放军总后勤部部长〕

1992年10月19日中共十四届一中全会决定，傅全有为中共中央军委委员。其后，中央军委任命傅全有为人民解放军总后勤部部长。

傅全有，1930年11月生。山西崞县（今原平）人，1946年参加中国人民解放军。次年加入中国共产党，曾任西北野战军副连长。参加了宜川、兰州等战役。1947年在延清战役中立一等功。建国后，任连长、营参谋长。1953年参加抗美援朝，任中国人民志愿军营长。1960年毕业于解放军高等军事学院。后历任团参谋长、师参谋长、师长、军参谋长、军长，成都军区司令员、兰州军区司令员。是中共十二届、十三届、十四届中央委员。1988年被授予中将军衔。

〔注：1993年3月28日，八届人大一次会议表决决定傅全有为中华人民共和国军事委员会委员。〕

〔傅家谟·地球化学与沉积学家·当选中国科学院学部委员〕 中国科学院地球化学研究所研究员、副所长傅家谟在地球化学研究中做出突出贡献，1991年底当选为中国科学院地学部学部委员，1992年1月3日正式公布。

傅家谟，1933年7月生，湖南省沅江县人。1956年毕业于北京地质学院，1961年中科院地质研究所研究生毕业。他于1956年建立了国内第一个有机地球化学实验室。在海相碳酸岩生油理论方面，他首次提出我国南方海相碳酸岩地层“找气为主，找油为辅”的科学预见，后为勘探实践所证实。他系统总结了海相碳酸岩油气生成演化理论与评价指标方法，主编出版了国内第一本“碳酸岩有机地球化学”专著。他还丰富和发展了陆相生油理论，最先提出煤成气、煤成油生烃潜力新模式，突破了Ⅲ型干酪根只能生气的传统学术观点。他负责的“中国煤成气开发”项目，1987年获国家科技进步一等奖。他主编出版了国内第一本“煤成烃地球化学”专著，并发现膏盐沉积相浅层未成熟原油，提出膏盐沉积未熟生油岩生油新理论，促进了发现未成熟工业油流。他在我国沉积物中首次发现葡萄藻烷（烯）、含硫有机化合物等20多种新生物标志物，成功地应用于判识有机质输入、成熟度、油源对比等。

〔焦吉波·青年农民·培育长毛兔创产毛量双项世界纪录〕 1992年12月20日，中国长毛兔协会按照国际规章鉴定剪兔毛达标程序，在山东省莱州市程郭村的明星养兔场实行公开剪毛鉴定。青年农民焦吉波饲养的10只参与剪毛的长毛种兔，体重共计106.4市斤，毛总重量为3960克，每只平均剪毛396克;群体只年产兔毛1584克，平均每市斤兔体重产毛率为0.751市两，比国际良种兔产毛标准（每市斤兔体重产毛量0.625市两）超出20.16%。其中一只产毛量最高的兔一次剪毛490克，年产兔毛1960克，打破了德国公布的每只兔产毛量最高1800克，群体只均产毛量1388克的双项世界纪录。

鉴剪专家们一致认为，年近 30 岁，只有中学文化的当地青年农民焦吉波在发展养兔业中创造了奇迹，成为自学成才的养兔专家。他养的长毛兔问世以后，始终供不应求，不仅山东省，而且全国许多地方都竞相购买。很短的时间内，他就售出种兔 2000 只，产生了显著的经济效益和社会效益。焦吉波 1992 年又投资 4 万多元，建起现代化的兔种场，通过滚动式的发展，为程郭村明星长毛兔冲出国门，打入国际市场，奠定了可靠的基础。

〔**释德扬·少林寺武僧总教头·成为少林寺第三十一代武功传人**〕　释德扬 9 年苦练少林武术，练就一身硬功，成为嵩山少林寺第 31 代武功传人、武僧总教头。近年来，这位和尚先后拍摄了《少林达摩》、《南北少林》等 13 部电影、电视片，并出版了《少林功夫》、《少林神功探秘》、《少林风光》等 7 部专辑画册，为弘扬中华民族瑰宝少林武术做出了突出的贡献。

释德扬俗名史万峰。1968 年出生在河南省太康县一个干部家庭。童年时期，他有一个邻居是在少林寺出家后又返俗的老人，经常向他讲起当年的游僧生活，并私下向他传授一些少林功夫，使他萌发了到当和尚和学少林武功的心愿。1982 年，电影《少林寺》上映，他连看了七遍，深深被影片中那绝妙的少林功夫和少林和尚匡扶正义、扬善除恶的行为所感动。1983 年初中一毕业，他便向父母提出了到少林寺出家的要求。起初父母不同意，但在他软缠硬磨下，开明的父母同意了他的选择。这样，他拜在少林寺首座僧素喜禅师门下为徒，成了寺里当时年龄最小的和尚。

素喜禅师平日待徒弟和颜善目，但练功时，对弟子们却极为严格。有一次，释德扬练站马桩，由于困倦难忍，就在手脚上偷了懒。师父发现后，二话不说，几棍子落在身上。他一气之下悄悄收拾好行李准备晚上溜之大吉，不想刚走到山门内口处，头上已架起了木棒，几个师兄奉命把他架回了师父的禅房。经素喜禅师一番点拨，从此他下定决心，一定要练就少林真功。他常年身穿沙背心，腿绑沙袋，每天早起跑到右山脚下，用绳子绑住双腿，蹦着跳上当年少林初祖达摩面壁十年的“达摩洞”前，然后双手抓地，头朝上，顺着 300 多级台阶从洞顶一步步爬下山来，从不间断。有时，他还身背干粮，来到嵩山深处一个秘密练功场，一练就是半个月。就这样，几年来他学会了大洪拳、小洪拳、罗汉拳、少林棍术、少林剑法、气功、轻功、腾身术等十八般武艺。打起拳来声如雷、动如电、行如龙、抖如虎、虚虚实实、变化莫测。尤其是他的“铁砂掌”功，达到了伸手可戳透墙，挥手能砍断木的地步。由于武艺超群，他担任了寺里的武僧总教头，成为少林寺第 31 代武功传人。

现在，释德扬每日向寺院的武僧们传授武艺。对社会上一些慕名前来求教的练武青年，他也热情指教，徒弟遍及全国十几个城市和日本、美国、新加坡、瑞士、加拿大、澳大利亚等十几个国家。名声远播海外，世界上最具权威的美国武术杂志《黑腰带》早在 1988 年 7 月就以《世界武术界又升起一颗新星》为题，介绍了他学佛、习武的情况；新加坡《星洲日报》载文称这位中国的年轻和尚为“中国改革开放以后，在宗教界出现的一个和尚使者”。许多到少林寺参观的中外旅游团都点名要看他的武术表演，一些外国朋友愿出高薪请他去国外定居，开办武术学校、会馆。对那些要求观看表演的，释德扬总是有求必应。而对请他出国定居的邀请，他都婉言谢绝。他说：“我虽身在空门，但我仍是一个中国公民，弘扬中华民族瑰宝少林武术是我少林弟子的责任。我愿为少林武术贡献出我的全部青春”。

〔**鲁军·大连管理干部学院副院长·被选入《国际知识分子名人录》**〕　大连管理干部学院副院长、副教授鲁军从事行为科学和管理科学研究，成绩卓著，1992 年 4 月被英国剑桥国际传记中心选入《国际知识分子名人录》第 10 版和《有成就的人》第 15 版。

鲁军，辽宁省大连市旅顺人，1941 年 9 月生，1962 年毕业于大连海运学院中专部，后考入中国科学院心理学研究所心理学函授大学读至毕业。1986 年，他出任中国第一个行为科学研究所——大连管理干部学院行为科学研究所所长，带领所里人员先后同 10 多家大中型企业领导同志一起，应用行为科学解决企业深入改革中的一些实际问题，并主持完成了一系列科研课题。例如，与大连锻造厂合作课题“应用行为科学开发企业人力资源”，获辽宁省计经委颁发的企业管理现代化成果一等奖；与瓦房店轴承厂合作课题“更新观念，多方位多层次调动职工积极性”，获辽宁省计经委颁发的企业管理现代化成果一等奖；与大连石化公司合作课题“领导行为整体性评价方法与应用”，获中国石化总公司颁发的企业管理现代化二等奖，等。他主编的著作有：《领导行为与领导学》系列丛书、《领导者的测试与评价》、《管理人才现代化手册》、《成功女性》系列丛书（获全国计划单列市优秀图书奖）等；与人合作编译有《人际关系趣谈》、《人才培养百原则》等。在各类学术杂志、报刊发表论文47篇，其中在市、省及国际学术会议上获奖的11篇。

鲁军多次参加国际学术会议宣读论文。1987年7月在大连"组织行为与人事管理国际会议"上，发表《PM理论在中国的应用与开发》、《人才档案的建构与应用》二篇论文均获组委会颁发的一等奖；1989年12月在香港"第二届世界人事与人力资源管理国际会议"上宣读论文《职工价值综合指标的开发与应用》（第一作者）和《工作单位中的分配公正性》（与美国教授麦德多合作）受到好评，并被收入英国出版的《人事与人力资源研究》论文集。先后有日本、美国、加拿大等9个国家和地区的学者来函邀请他前往讲学与交流，曾接受美国纽约州立大学阿鲁托院长资助赴美讲学。

鲁军现兼任大连行政学院、大连市社会主义学院副院长，中国行为科学学会常务理事，辽宁省行为科学学会副理事长、大连市行为科学学会代理事长兼秘书长，中国价值工程学会理事，中国公共关系协会理事。他连续多年被评为大连市优秀科技工作者，并被授予有突出贡献的科学技术管理专家称号。

〔鲁望岩·晚清秀才·"百岁秀才"事迹在报章披露〕　晚清最末一届的科举秀才鲁望岩，年逾百岁，仍精神矍铄，记忆清晰。《光明日报》1992年5月2日载文报道了百岁秀才鲁望岩的一生。

鲁望岩，原名邦瞻，安徽省合肥市人，清光绪19年（1893）12月生。周岁丧父，生活清苦，母亲携姐弟二人艰难度日。鲁望岩幼时上了几年私塾，生性聪慧，成绩优异，11岁便考取了庐州府中学堂。因家中清贫，无力交纳学费，被校方破例批准免费上学。光绪30年，适逢科举考试，他便去合肥应考。不到12岁的鲁望岩竟然一举中了秀才，被人们视为神童，一下轰动了合肥城，鼓乐齐鸣，祝贺报喜者不绝于门。中学毕业后，他曾到南京两江高等师范和北京清华大学学习，1913年又入北京大学采矿冶金系学习，1917年毕业后留校任教，教授物理、化学、地质、英语等课程。解放后，50年代在淮南矿业学院采矿系任教授兼地质科主任。在北京大学工作期间，受蔡元培、陈独秀等人的思想影响，憎恨反动当局，同情学生运动。"五四"游行时，曾跟随学生队伍，目睹火烧赵家楼，痛打汉奸、卖国贼。

对鲁望岩一生影响最大的人，就是让他免费上学的李伯行。李伯行是李鸿章的儿子，曾任清政府资政大夫、邮传部左侍郎，鲁望岩到北京上学时，即与李伯行保持着密切的关系。李伯行看到满清将亡，即主张教育救国、实业救国。他投资办厂，让鲁望岩协助。1933年以后，鲁望岩便到江西、上海的锡矿采炼厂、麻织厂、印染机器制造厂任副厂长、经理。他是个学者，不善办厂的经营之道，所以也都成就不大。解放前夕，上海大公纺织印染机器制造公司的大老板匆匆去台，便委托他照顾厂子。因此，解放后，就被戴上了"资产阶级代理人"、"私方代理人"的帽子，子女也因此受到影响，有的要和他断绝父子关系。老人虽遭不公正对待，但仍"努力学习，积极工作"，经常参加上海工商联组织的一些学习活动，赋诗抒怀，讴歌党和社会主义祖国："元老三朝尽，神仙一代中。夕阳无限好，会作东方红"。退休以后，1983年政府按高级专家政策对待，给他每月百分之百的工资，民政部门还经常派医生为他检查治疗，以后，又批准给他每月特殊照顾费100元，受到上海市各方的关怀与照顾。原来"资产阶级代理人"、"私方代理人"的称号，也无形之中取消，老人心情愉快，安然颐养天年。

鲁望岩两次结婚，前妻周仲玙，生有6个子女，都早已参加工作，其中三个还是优秀党员。周仲玙，当过中学老师，是优秀教师，后曾任赣州市政协秘书长等职，现已93岁，跟随小女生活。后妻邱予真年已78岁，和老先生一起住在上海。鲁望岩一生经历了满清、北洋军阀、国民党三个时期，他自慰不曾为五斗米折腰，没有做过违法的事，没有贪污过一个铜板。一生淡泊名利，清贫自珍，情操高尚。

〔曾凡华·军队作家·其长篇报告文学《神农架之野》获全国优秀报告文学奖〕　由解放军文艺出版社出版、军队作家曾凡华创作的长篇报告文学《神农架之野》（与李德禄合著），被认为是"站在人类及整个地球的角度，用热切的目光来关注我们这个唯一能够适合人类生存的星球……""是一部内涵丰富和引人入胜的优秀文学作品"。1991年3月，人民文学出版社《当代》杂志、中国环境文学研究会、神农架林区曾联合在京召开《神农架之野》作品讨论会。这部作品获1990—1991年度全国优秀报告文学奖。

曾凡华1951年出生，湖南溆浦县人，1968年入伍，1978年调入解放军报编文艺副刊，现为上校主任编辑。

曾凡华自60年代末开始发表作品，先后出版了诗集《洞庭军号》、《士兵的维纳斯》、《辽远的地平线》、散文诗集《绿雪》（与晓桦合著），散文小说集《月蚀》，长篇报告文学《蓝色之环》（与纪学合著），长篇纪实文学《碧血黄花》、《最后一战》等。

曾凡华的新作《最后一战——中日湘西雪峰山会战纪实》由湖南文艺出版社出版。这部新作个性凸现、场面壮阔，以丰厚的史料和生动叙述，再现了国民党军在正面战场对日最后一战的历史画面。

1992年8月号《新华文摘》选载了曾凡华的长篇纪实文章《碧血黄花——台儿庄战役纪历》，引起了评论界和史学界的关注。

〔曾石德·煤矿工人·获全国"五一"劳动奖章〕　福建省苏邦煤矿大同沟井采一队队长曾石德，当矿工14年来，先后8次被评为先进生产者，两次被评为矿标兵，7次被评为优秀共产党员，荣立三等功两次。他带领的采煤一队，年年被评为先进集体。1992年4月29日，曾石德获全国总工会授予的全国"五一"劳动奖章，并在"五一"节期间，受全国总工会邀请，到北京参加全国"五一"劳动奖章、奖状授奖大会，受到党和国家领导人接见。

曾石德，1952年6月27日生，福建省平和县人。初中文化水平。1976年在部队加入中国共产党。1978年复员回家，到矿山当了一名采煤工。他从入矿那一天起，就全身心地投入矿山生产。他虚心向老工人学习，苦练打眼、放炮，回柱等井下采煤操作技术，他坚持出满勤，干满点。据统计，自1985年担任队长以来，他七年下井2437天，月平均下井28天，年年均出勤346天。

前几年，曾石德妻儿家眷在农村，责任田一大片，农忙时，家里老小束手无策，经常来信催他回家帮忙。他回信劝说，如果大家都回去抢收抢种，煤炭谁挖，矿上岂不是要停产。

有一次，他患了肝病，住院期间，心里仍挂念井下。在医院里关心队里生产情况、为队里生产提建议献计谋。之后，领导为了照顾他准备让他在地面工作。但是，他婉言谢绝了领导的照顾，只休息几天，又下井劳动。

在采煤中，消耗最大的是坑木，他积极和全队职工做好坑木回收复用工作，并及时组织坑木修复。仅1990、1991年，全队坑木千吨耗就比核定指标下降了2.87立方米，仅此一项，1990年节约成本2.8万元，1991年节省开支3.25万元。他主动请求在该队工作面进行毫秒雷管微差爆破采煤工艺试验，取得了显著的经济效益，采用这一新工艺，该队的雷管千吨耗下降了24.45%，炸药千吨耗下降了44%，块煤率提高了17%，回采工效从1.8吨／工日提高到3.02吨／工日。

〔温家宝·当选中共中央政治局候补委员〕

1992年10月18日，温家宝在中国共产党第14次全国代表大会上当选为中共十四届中央委员会委员。19日，在中共十四届一中全会上当选为中央政治局候补委员，并根据中央政治局常务委员会提名，通过担任中央书记处书记。

温家宝，1942年9月生，天津市人。1965年4月加入中国共产党，1968年2月参加工作。北京地质学院地质构造专业研究生毕业，工程师。1960—65年，在北京地质学院地质矿产一系地质测量及找矿专业学习。1965—68年，北京地质学院地质构造专业研究生。1968—79年，任甘肃省地质局地质力学队技术员、政治干事、队政治处负责人，队党委常委、副队长。1979—82年，任甘肃省地质局副处长、副局长。1982—83年，任地质矿产部政策法规研究室主任、党组成员。1983—85年，任地质矿产部副部长、党组副书记兼政治部主任。1985—87年，任中共中央办公厅副主任、主任。1987年起，任中央书记处候补书记兼中央办公厅主任、中央直属机关委员会书记。是第十三届中央委员。

温家宝的同事和下属认为他敏锐、沉稳，工作勤奋，平易近人。

〔游好彦·台湾中国文化大学舞蹈系副教授、现代舞蹈家·来京授课〕　台湾现代舞蹈家游好彦，在北京进行艺术交流，于1992年2月上、中旬，给青年舞团进行了为期14天的现代舞训练，受到欢迎。7月，他带领的台湾游好彦舞团又为大陆观众献演了一台精彩的现代舞节目。晚会演出了游好彦创编的《神往》、《渔夫》、《斗鱼》、《黑天使》、《索——路是人走出来的》和从舞剧《鱼玄机》中选取的三个片段等六部作品，他的每一部作品，作品中的每一个人物、舞段及动作，都蕴含着深沉而又内在的人生意味和哲理，使人强烈地感受到舞蹈在表现生命之严肃、深邃方面所具有的独特力量。他的创作，既体现了他“将中国与西方、传统与现代融合”的特点，也反映了他在求变中走中国现代舞全新道路的用心。

游好彦，1941年生于台湾台北县。15岁时立志终生献身于舞蹈事业。先在台湾进行古典芭蕾的规范训练，后只身前往西班牙，求教于皇家艺术学院。毕业后，到美国师从该国现代舞大师玛莎·格兰姆，从而成为玛莎·格兰姆舞团的第一位中国人，并深得玛莎的赏识和真传。同时他在玛莎的基础上也开拓了自己的风格，即具有东方精神境界和中国民族艺术语汇的现代舞。1978年于纽约成立了第一个“游好彦与舞者舞团”，在这前后，他曾在大学、表演艺术中心任教。1981年担任澳州阿德莱艺术学院兼澳州舞蹈团艺术指导，密西根·音特拉根艺术学院客座教授。被称为是“难得的人才、教师与舞蹈家”。经历了14年的游子生活后，他于1982年返回台湾，任文化大学舞蹈系副教授，并在台北成立第二个“游好彦与舞者舞团”（1983年更名“游好彦舞团”）。他的团员便是他的学生，无一不有自己的职业，除演出训练外，舞团平时均由游好彦独守。他一直以个人的精力和财力支撑着舞团的日常活动，不久前，又卖掉了房产，以求发展。1991年应邀率团赴美巡回演出时，《纽约时报》知名舞评家珍妮弗·唐宁撰文盛赞“游好彦带回了自己的风格”。近几年，他数次来大陆讲学、参观，还带团在北京演出。他热切期望在大陆开展现代舞事业，培养人才。

〔谢非·当选中共中央政治局委员〕　1992年10月18日，谢非在中国共产党第十四次全国代表大会上当选为中共第十四届中央委员会委员。19日，在中共第十四届一中全会上当选为中央政治局委员。

谢非，1932年11月生，广东陆丰人，1949年7月入党，1947年11月参加工作，高中文化。1947—55年，任广东省陆丰县河田镇民运组组长，镇政府指导员、区委委员、土改工作队队长、区委书记，县委宣传部副部长、部长。1955—60年，任广东省陆丰县委常委兼宣传部长、副县长、县委书记（其间，1959—60年在广东省委党校中级班学习）。1960—73年，任广东《上游》杂志社编辑，中南局政策研究室研究员，广东省革委会政工组政工办公室副主任。1973—79年，任广东省科教政治部副主任、省文教办公室副主任，《红旗》杂志社三人领导小组成员。1979—83年，任广东省委副秘书长兼办公厅主任。1983年—86年，任中共广东省委书记、省委秘书长、省委党校校长（其间，1983—84年在中共中央党校进修部政治经济学专业学习）。1986—88年，任广东省委副书记兼广州市委书记。1988—91年，任广东省委副书记。1991年起，任广东省委书记。是中共第十二届中央候补委员、十三届中央委员。

谢非经常强调，一个好的领导者要经常深入基层，深入群众搞调查研究。

〔谢志民·中南民族学院教授·参加百越文化国际研讨会宣读“女书”研究论文受赞誉〕　中南民族学院教授、“女书”研究专家谢志民，于1992年11月参加“百越文化国际学术研讨会暨贵州侗学会年会”，宣读有关“女书”研究论文，受到学术界的赞誉和关注。

谢志民，四川省资中县人，1933年3月出生，1956年毕业于中央民族学院，曾参加中科院少数民族语言调查工作，在广西南宁从事壮语调查研究和壮文的研究与教学。1958年被错划为“右派”，1979年彻底平反。1980年调中南民族学院从事教研工作，现任教授、“女书”文化研究中心主任。他长期从事少数民族语言研究工作，近十余年来对湖南江永“女书”的研究获得显著成绩。“女书”是很久以来流传在湖南省江永县上江圩一带的一种奇特的妇女文字，是当地妇女专用的一套系统的文字符号。男人不认识，也不过问。“女书”外形大致呈“多”字式的菱形，共有单字一千多个，基本上可以较完整地记录当地土话。谢志民先后十多次深入“女书”流传区从事民间调查，收集大量“女书”原文，寻找“女书”传人诵读“女书”，并制作全套录音，了解当地人文历史、居民口语、风土人情等，做了艰苦的考察研究工作。先后发表十多篇论文和一部专著，揭开了“女书”之谜。如：《江永“女书”概述》、《论“女书”文字体系的性质》、《“女书“是一种与甲骨文有密切关系的商代古文字的子遗和演变》、《“女书”中的楚文化遗存》、《“女书”中的百越文化遗存》等，对“女书”的性质、源流、文化特征进行了科学考证。他独立完成的专著《江永“女书”之谜》（上、中、下、三卷，139万字），是全面介绍、系统研究“女书”的巨著，受到语言学界、民族学界专家的广泛赞誉。这部论著提出了一系列有价值的发现，如发现并论证了“女书”是一种记号音节文字，为文字学提供了独特的新文字类型；发现与论证了“女书”与甲金文的密切关系，是甲金文的“活化石”；发现了“女书”中保留的刀币字符；发现并论证“女书”中保留的百越古文化遗存等，为文字学、民族学、妇女学、历史学、民俗学研究提供了新的资料。谢志民认为，“女书”植根远古，文化遗存丰富，是一种具有多学科研究价值的文化遗产，其中蕴涵着文字学、语言学、考古学、民族学、妇女学、民俗学、民间文学等多项饶有兴味的研究课题，对“女书”的深层研究，有赖于从多学科方面综合开发。近年，国外许多学者远涉重洋来中国考察“女书”，港、台一些报纸也报道了“女书”研究成果。谢志民由于研究“女书”获重大成就，被授予国家级有突出贡献的专家称号。

〔强伯勤·生物学家·当选中国科学院学部委员〕　1993 年 1 月 3 日，中国科学院正式公布了新增选的学部委员名单。中国医学科学院基础医学研究所和中国协和医科大学基础医学部研究员强伯勤，增选为生物学部学部委员。

强伯勤，1943 年 11 月生。1962 年毕业于上海第二医学院医疗系。他长期从事核酸研究工作，近十年来对遗传工程的基因剪切工具——限制性内切酶做了较系统研究。迄今为止，世界上虽有上百种限制性内切酶，但多数只能识别 4～6 个核苷酸序列。强伯勤在国际上首次发现了 8 核苷酸高识别特异性Ⅱ型限制酶 sfiⅠ，并与他人合作鉴定出第二种 8 核苷酸酶 NotⅠ的识别特异性，为当今真核基因尤其人基因组酶谱和全序列测定的计划提供了 DNA 大片段剪切的有用工具；筛选中还发现三种新酶（NIaⅢ，NIaⅣ和待命名的 CAPYNN／NNPUTG）以及几十种异源同功酶；后者已有 5 种高产菌替代现有菌株用于酶的生产；应用基因工程技术构建酶的高产工程菌五株，使限制酶或甲基化酶产量提高十至百倍以上。他注重研究与应用相结合，目前能向全国提供 30 种以上工具酶产品，在内切酶研制领域做出突出贡献。

〔髡残·清初著名山水画家·逝世三百周年〕

清代“四大画僧”（包括八大山人，石涛、弘仁）之一的髡残（1612—1692）号石谿，字介丘，又号白秃、残道者，电住道人、石道人。武陵（今湖南常德）人。1992 年是他逝世三百周年，湖南和南京美术界举行了座谈会，出版了《四大画僧》的巨型画集，人们对他的艺术极为崇敬。

髡残幼时生活非常困苦，后剪发出家，离乡背井，“行脚”于南京、杭州、天台、雁荡、黄山等名山古刹，沉溺于山林风景，寝处流离，十分艰困。在程正揆的《石谿小传》中说他“……或以血代饮，或以溺暖足，或藉草豕栏，或避雨虎穴。”猿卧蛇委，苦痛备尝！但困苦为他日后的创作生活，充实了胸中丘壑，积累了笔底云烟。他四十多岁时，流寓金陵大报恩寺，校刻《大藏经》，颇受器重；晚岁，迁牛首祖堂山幽栖寺，钻研佛学，精心作画，直到老病而故！

髡残在金陵的这段时间，把自己长年旅行的感受，化作创作的精神，又在金陵一带寻师访友，加深艺事的磨炼，终至誉满金陵，成为品行、笔墨俱高人一头的大画家。时人曾把他和石涛并称，誉为“金陵二石”。后又与“八大山人”等并称画坛“四大名僧”。

髡残能诗善画，所作皆“奥境奇僻、面邈幽深”，“笔墨高古，引人入胜。”目前，他的作品尚存一百余幅，皆平中见奇，浮雅有趣，在艺术上有一种与时更新的创新意识，使他的山水作品，三百年来行世不衰！

〔雷蕾（女）·林汝为（女）·所写歌曲《少年壮志不言愁》获全国影视歌曲大奖〕　一首好的影视歌曲，能够对人们精神生活产生巨大影响。我们今天的《国歌》，就是电影《风云儿女》中的插曲《义勇军进行曲》。为总结新时期以来影视歌曲的成就，表彰优秀词曲作者，推动我国影视歌曲的健康发展，中国电视艺术家协会，中央人民广播电台、海南珠江实业股份公司等 8 单位举办的“全国影视歌曲大奖赛”，1992 年 11 月 18 日在北京揭晓。由剧作家林汝为写词、作曲家雷蕾作曲的《少年壮志不言愁》等 30 首歌曲获奖。

这次“大赛”采取专家与群众相结合的评选办法，由国内著名词、曲作家组成评委会，从 1978 至 1991 年上映的影视作品中 4000 多首歌曲里选出 100 首作为提名，再由群众投票选出 30 首优秀作品。现 30 首获奖作品已经选出，《少年壮志不言愁》得票最多，获第 2—5 名的歌曲分别是：晓光词、施光南曲的《在希望的田野上》，易茗词、雷蕾曲的《渴望》，阎肃词、许镜清曲的《敢问路在何方》，易茗词、雷蕾曲的《好人一路平安》。华艺出版社出版了提名的影视歌曲《100 首影视歌曲金曲集》，中国科协声像中心、海南安美镭射制造有限公司，将分别出版获奖歌曲的盒带、卡拉

OK 带和镭射唱片。

雷蕾、林汝为主要经历见 1989 年《中国人物年鉴》。

〔雷洁琼（女）·再次当选民进中央主席〕

中国民主促进会第七次全国代表大会于 1992 年 12 月 11 日至 18 日在北京举行，雷洁琼再次当选为民进中央主席。大会推举谢冰心、赵朴初为民进中央名誉主席；选举产生了新的中央委员会，陈舜礼、葛志成、楚庄、叶至善、梅向明、陈难先、冯骥才、邓伟志、许嘉璐等 9 人当选为民进中央副主席，陈益群为秘书长。大会还推举产生了民进中央参议委员会，赵朴初兼任主任。

中共中央政治局委员、书记处书记丁关根到会祝贺并宣读中共中央贺词。贺词称，民进是中国共产党久经考验的亲密战友，成立四十七年来，始终同中国共产党风雨同舟，患难与共，带领广大会员发扬爱国、民主、革命的优良传统，为中国革命和建设事业建立了光荣业绩。民进广大会员投身于现代化建设，在各自的工作岗位上贡献才智。特别是从事基础教育、师范教育和职业教育的民进会员发扬“园丁精神”，辛勤劳动、言传身教、做出很好的成绩。民进各级组织和广大会员还注重发挥自身特点和优势，围绕加强基础教育，推进义务教育等问题，深入调查研究，认真提出建议，赢得了社会的赞誉。

雷洁琼在工作报告中指出，中共十四大的召开，标志着我国的社会主义建设事业进入了一个新的历史阶段。我们相信，只要全面贯彻落实中共的基本路线，充分利用有利条件和难得机遇，就一定能把改革开放搞得更好，使经济建设更快地登上一个新台阶。关于民进今后工作，雷洁琼提出了三点建议：认真贯彻中共十四大精神，围绕经济建设中心，解放思想，实事求是，积极发挥参政党作用；积极开展社会服务和海外联谊工作，为社会主义物质文明、精神文明建设和实现祖国统一大业多做贡献；加强自身建设，提高民进的整体素质。

《人民日报》于 1 月 12 日发表了雷洁琼的《人民民主制度是人权的根本保证》一文。文章说：“我国的人权基本内容包括国家的独立权，人民的生存权和发展权，而生存权则是我国人民长期争取的首要人权。”“新中国成立之后，我国人民翻身作了国家主人，建立了人民民主政权，实现了国家独立。国家有了主权，人民的生存和发展有了根本的保障，这才有真正的人权可言。”“我国人民不仅有管理国家和社会事务的政治权利，而且将人权贯彻到社会、经济、文化等各个方面。”

1992 年第二期《学术研究》发表了雷洁琼撰写的《增强中华民族凝聚力　促成中华民族新崛起》一文。在文章中她提出“要在新的历史条件下和新的社会体制基础上，继承、弘扬优秀的民族文化传统和优良的民族道德精神，把增强民族凝聚力和社会主义精神文明建设结合起来，和巩固、发展最广泛的爱国统一战线结合起来，和把祖国建成富强、民主、文明的现代化强国的宏伟事业结合起来。”

雷洁琼，1905 年 9 月生于广东省台山县。早年留学美国，获南加州大学硕士学位。1931 年回国后，曾任北平燕京大学讲师、副教授，中正大学、东吴大学、沪江大学、燕京大学教授。1949 年后，曾任北京政法学院副教务长、国务院专家局副局长，北京大学教授，北京市副市长，民进中央副主席。六届全国政协副主席。七届全国人大副委员长。

〔附注：1993 年 3 年 27 日，八届全国人大第一次会议选举雷洁琼为八届全国人大常委会副委员长。〕

〔雷海宗·已故著名历史学家·诞生九十周年〕　1992 年 3 月 14 日，是已故著名历史学家雷海宗的 90 岁诞辰。雷海宗博学多才，兼通古今中外历史，在哲学、宗教、文学艺术、地理、气象以及生物等方面，也都有渊博的知识和精辟的见解。他研究历史强调以一定的哲学观点来消化史料，解释历史，自成体系。他认为真正的史学不是烦琐的考证或事实的堆砌，于事实之外须求道理，要用哲学的眼光，对历史做深刻透彻的分析、了解。

雷海宗字伯伦，1902 年生于河北永清县基督教中华圣公会的一个牧师家庭。自幼在旧学和新学两方面都打下了相当扎实的基础，1922 年从清华大学毕业后，公费留学美国，在芝加哥大学主科学习历史，副科学习哲学。1924 年入该校研究院史学研究所深造，1927 年获哲学博士学位。同年返国，任南京中央大学史学系和金陵女子大学历史系教授。1932 年返回北平任清华大学历史系教授。新中国成立后，1952 年调任天津南开大学历史系教授，直至逝世。

雷海宗学术著作丰富。早在三十年代前期就编著了《中国通史》、《中国通史选读》、《西洋通史》和《西洋通史选读》两套完整的教材。抗日战争爆发前后，他的主要著作有《中国的兵》、《中国的家族制度》、《皇帝制度之成立》、《无兵的文化》、《断代问题与中国史的分期》和《世袭以外的大位继承法》等。解放后，雷海宗的教学和研究工作主要集中在世界史方面，主要论文和著作有《世界上古史交流讲义》、《耶稣会——罗马教廷的别动队》、《上古中晚期西欧大草原的游牧世界与土著世界》和《世界史分期与上古中古史中的一些问题》等。

雷海宗认为，历史是多元的，没有统一的世界史，只有一个个处于不同时间和地域的高等文化独自产生和自由发展的历史。每个文化虽各有特点，但发展的节奏、时限和周期大致相同，都经过封建时代、贵族国家时代、帝国主义时代、大一统时代和政治破裂与文化灭亡的末世五个阶段，最后趋于灭亡。

1958年后，雷海宗带病翻译了施本格勒所著《西方的没落》一书的重要章节，认真校改《李维〈罗马史〉选》一书的译稿。1962年初，他还抱病登上讲台，先后讲授《外国史学名著选读》和《外国史学史》两门课程，直到1962年底因病逝世。

〔虞小勇·中学生·第四次东渡日本展出书法作品〕　1992年5月初，日本国日中友好协会石南书画社向年仅17岁的中国江苏省溧阳中学高三学生虞小勇发出邀请，请他于8月赴日本举办个人书法作品展。

虞小勇9岁起就学习书法，几年来临池不辍。他的书法作品曾50多次在全国性书法比赛中获奖。1984年，9岁的虞小勇书写的“希望”二字被送往日本展出，荣获日本中部书画会颁发的优秀作品奖。1985年，他的“勤攻吾之缺”在中日21世纪委员会主办的“中日友好青少年书法展览”评比中，荣获最佳作品奖。次年3月，他随中国青年代表团出访日本，在东京书画院信笔挥毫，使在场的日本小朋友和书法家惊叹不已。1990年，他的作品荣获全国名人书法展览优秀作品奖，入选中日书法大展，第三次送日本展出。1991年8月，来我国旅游观光的日本著名书法家、石南书画会会长久田鹤南先生，参观了虞小勇的书法汇报展以后，感慨地说：“中国书法是东方艺术的太阳，小勇是采摘阳光的少年。”

〔路遥·著名作家·在西安逝世〕　1992年11月17日，著名作家路遥因患肝硬化、腹水引起肝功能衰竭，经医治抢救无效，在西安逝世，年仅42岁。

路遥出生于陕西省清涧县一个农民的家庭，是在黄土地上成长起来的作家。多年来，他长期扎根于黄土地，在那里汲取不竭的创作之源。70年代开始，他致力于文学创作。80年代，他发表了《人生》、《在困难的日子里》等优秀作品，在全国读者中引起反响。此后，他又凭借顽强的毅力，在长达6年的时间里倾尽心血完成了百万字的长篇巨著《平凡的世界》，并因此而荣获茅盾文学奖。

在文学创作的道路上，路遥是一个刚毅执著的作家。他以“老老实实写自己的东西，走自己的路”为信念，从不为他人所左右，他始终对黄土地，特别是陕北有着深深的眷恋之情。他在病重期间曾说：“我死也要死在延安”。因为那里不仅孕育他，也孕育了他的作品。

路遥是中国作家协会理事、陕西省作协副主席。

路遥，1949年12月3日生人。其经历见1992年《中国人物年鉴》。

〔路曦（女）·著名话剧表演艺术家·逝世六周年〕　六年前的1986年6月，著名话剧表演艺术家路曦因突患脑血栓，在北京逝世，享年70岁。她出生于1916年，从她1931年学艺起，从艺五十多年中共塑造了80多个艺术形象。在表演艺术上取得了卓越的成就，特别是在台词上，她的造诣极深，不仅台词说得清楚自然，无论剧场大小，台下观众都能听得字字入耳，听她的台词，简直就是一种美的享受。她的一生为我国话剧事业作出了杰出的贡献。

路曦原名杨露茜，北京市人，1931年考取上海明月剧社学艺，1937年登上话剧舞台，她创造的第一个艺术形象是五幕话剧《武则天》中的妙玉，之后她在《金田村》中饰洪宣娇、《雷雨》中饰鲁侍萍、《日出》中饰翠喜、《群魔乱舞》中饰小白菜，《阿Q正传》中饰七斤嫂，这是些有着不同时代，不同出身，不同遭遇的人物，可是路曦却使他们个个异彩纷呈。尤其是以她那声声扣击心扉的台词打动了观众，使观众走出剧场以后，对她扮演的人物的神态，仍久久不能忘怀。

“七·七”事变爆发，上海业余剧人协会解散，她参加了影人剧团，投入救亡运动，演出了《放下你的鞭子》、《芦沟桥》、《塞上风云》等抗日救国、呼吁民族团结、反对分裂的剧目。这期间她还演过《清宫外史》中的慈禧、《法西斯细菌》中的钱琴仙、《日出》中的陈白露、《安魂曲》中的莫扎特夫人。1949年她是中国青年艺术剧院的首批演员之一，创造了《万尼亚舅舅》中的苏尼娅、《上海屋檐下》中的彩玉、《文成公主》中的柳夫人、《全家福》中的李大妈。无论是内心情感复杂的知识妇女，还是有风度、有气派的唐代贵夫人，亦或是解放后北京的街道妇女，她都能表现得淋漓尽致，令人难以忘怀。

1955年初春，是她悲痛与成功交织最烈的时刻，《万尼亚舅舅》演出正在高潮，路曦的丈夫著名电影导演冼群因癌症与世长辞了，路曦匆匆料理完丧事赶紧又投入了演出，在台上她创造了一个被苏联导演列斯基肯定的“俄国人——苏尼娅”。路曦把苏尼娅那纯朴、爽朗、心无纤尘，精神上昂扬感奋而又温柔、细腻的感情，表演得十分准确。此剧临终前，剧中的人们都走了，连苏尼娅默默爱了六年的医生也走了，这时无泪的苦痛，清醒的迷茫，无怨的哀愁，绝望的向往集于苏尼娅一身，使观众深刻地、具体地看到一个人物灵魂的隐曲，并与之喜怒与共、哀乐相通，产生了强烈的情感共鸣。

路曦外形条件并不出色，但却是个有艺术光采、有舞台魅力的好演员，她的表演深厚、含蓄、隽永、细腻，她总是说：“演戏就是演人——有血有肉之躯和内心情感的人，所以人物的动作要符合性格，台词要是人物心声的流露。”因此她所创造的人物被人们称之为“一篇完成了的音乐”、“一首歌颂人们应得到的生活的颂歌”。

〔詹才芳·广州军区原顾问·在北京逝世〕

1992年12月2日广州军区原顾问詹才芳在北京逝世，终年85岁。

詹才芳，湖北黄安（今红安）人。1927年参加黄麻起义并加入中国共产主义青年团，1928年转入中国共产党。曾任黄陂县游击大队大队长，红1军1师排长、连指导员、营长，红4军10师30团政委。参加了鄂豫皖革命根据地反“围剿”斗争。1933年进入四川后任红4方面军4军12师政委，红9军政委，红31军政委。率部参加了川陕革命根据地反“围攻”和长征。1937年入抗日军政大学学习。后任抗大第1大队副大队长，第2分校2大队大队长。1940年底任晋察冀军区第3军分区副司令员，参加了晋察冀抗日根据地反“扫荡”斗争。1944年任冀热辽军区副司令员，参加了1945年夏季攻势作战和大反攻。抗日战争胜利后，任冀东军区司令员，冀东纵队司令员。1947年任东北民主联军第9纵队司令员，率部参加了东北1947年秋、冬季攻势作战。1948年起任东北野战军第9纵队司令员，第46军军长。指挥所部参加了辽沈、平津、衡宝等战役。中华人民共和国成立后，任湖南军区副司令员兼46军军长，中南军区公安部队司令员，广州军区副司令员、顾问。1955年被授予中将军衔，获一级八一勋章、一级独立自由勋章、一级解放勋章。是第二、三届国防委员会委员，第五届全国人大常委会委员。1982年被选为中共中央顾问委员会委员。1988年7月获一级红星功勋荣誉章。

〔解海龙·摄影记者·推出“希望工程”纪实摄影展览〕　1992年10月8日，中国青年报社摄影记者解海龙的“希望工程”纪实摄影展在北京和台北同时展出，引起海峡两岸社会各界的强烈反响。一双双渴求的眼睛，一声声心灵的呼喊——“我要上学!”；一幅幅真切感人的照片表达了一个共同的心愿——为“希望工程”奉献爱心。40幅放大的黑白照片悬挂在北京民族文化宫前厅里，参观展览的人络绎不绝，好多人哭了，更多的人奉献出一片爱心，捐款帮助贫困地区的孩子上学。

青年摄影家解海龙以汗水、泪水和真诚，为贫困地区许许多多失学的孩子点燃了希望之光，他的“希望工程”纪实摄影展览也为中国的纪实摄影拍出了希望……

解海龙，1951年生，河北景县人。中共党员。1968年参加中国人民解放军，1984年起在北京市崇文区文化馆从事摄影工作。1992年任中国青年报摄影记者。

解海龙的摄影生涯始于1976年的“四·五”天安门事件，当时很多青年拿起相机记录历史，他也是其中之一。从此对摄影如痴如迷。他卖了家里的一些东西和2000CC血换来一架相机和一台放大机。他加入了北京最有影响的民间摄影团体——广角摄影学会，并担任秘书长。他的辉煌就是从此开始的。

他是个令人羡慕的“得奖专业户”，从国际影展到国内各种奖励不少于300个。主要作品有：《古与今》获1984年“祖国的春天”影赛一等奖；《动人的入场式》获1988年“艰巨历程”全国新闻影赛优秀奖；《艰辛的哺育》入选1988年香港国际影展；《蹉跎岁月》、《黄土地》获1988年中日“劳动与生活”影赛三等奖。

〔**蔡仪·著名美学家、文艺理论家·在北京逝世**〕　1992年2月28日，著名美学家、文艺理论家蔡仪在北京逝世，终年86岁。

蔡仪是我国较早运用马克思主义研究美学的著名学者。在长期的研究工作中，他依据马克思主义的基本原理，在美学领域中探讨、钻研，逐步形成自己系统的美学理论，提出一些具有独到见解的新论点。在其主要著作《新美学》一书中，他提出了研究美的客观存在的“美论”，研究对美的认识的“美感论”，研究美的创造的“艺术论”。在美学史上，他第一次提出“社会美”的概念，把现实美分为自然美和社会美。在我国理论界，他最早肯定马克思的“美的规律”论的重大意义，并把它同美的本质的探讨联系起来，从而把美的本质问题的研究大大推进了一步。他还提出了唯物主义的“美的观念”和“美是典型”的理论。关于形象思维问题，他在八十年代初就论证了形象思维的逻辑规律，后来又分析了形象思维的六种表现形态，从而丰富了形象思维的理论。

蔡仪，1906年6月生于湖南攸县。1925年考入北京大学预科文学部，1926年冬加入共产主义青年团。1929年—37年留学日本。1937年回国参加抗日救亡工作，参加了北京、武汉文化界的抗敌救亡活动，后又在郭沫若领导的国民政府军事委员会政治部三厅和文化工作委员会从事对敌宣传工作。1945年加入中国共产党。抗日战争胜利后，他受党指派到上海参加青运工作，并主持《青年杂志》。新中国成立以后，他长期从事美学与文学理论的研究、教学和领导工作，历任中央美术学院、北京大学、中国人民大学、中国社会科学院教授、研究员、硕士生和博士生导师。

60多年间，蔡仪撰写和出版了许多著作。早在三十年代，他就发表了小说《夜渔》、《绿翅之死》、《旅人芭蕉》、《混合物的写生》等。在美学和文艺理论方面，先后出版了《新艺术论》、《新美学》、《中国新文学史讲话》、《唯心主义美学批判集》、《论现实主义问题》等十多种专著；还主编了《大学教材》、《文学理论》和《美学原理》，以及《美学论丛》、《美学评林》、《美学讲坛》等刊物。近十年来，他着手《新美学》的改写工作，直到住院前，仍在积极从事《新美学》第三卷的撰写。

〔**蔡子民·再次当选台盟中央主席**〕　台湾民主自治同盟第五次全国代表大会于12月23日到28日在北京举行，蔡子民再次当选台盟中央主席。大会继续推举苏子衡为台盟中央名誉主席，选举产生了新的中央领导机构，选出台盟中央的两位副主席张克辉、陈仲颐，潘渊静当选为台盟中央秘书长，还推举产生了台盟中央评议委员会。中共中央政治局委员、国务院副总理邹家华到会祝贺并宣读中共中央贺词。贺词指出，台盟自1947年成立以来，同中国共产党通力合作，致力于祖国的革命和建设事业，致力于祖国的统一大业，为建立独立、统一、富强的新中国做出了宝贵的贡献。在新的历史时期，台盟积极发挥参政议政、民主监督作用，在参与国家大事的协商、讨论、协助我们党和政府做好对大陆台胞的工作，加强与岛内外台胞的交往，以及加强台盟自身建设等方面，都取得了新的成绩。贺词希望台盟的同志继续以多种形式致力于祖国统一大业，为促进‘一国两制’的实施，和平统一祖国，作出自己的贡献。

蔡子民在大会上所作的工作报告中说，当前，机遇与挑战同在，是我们国家发展的好时机，也是台盟工作发展的好时机。台盟各级组织和全体同志要解放思想，实事求是，勇于开拓，真抓实干，为建设有中国特色社会主义、促进祖国和平统一贡献力量。

蔡子民，1920年生，台湾彰化人。日本早稻田大学毕业。1947年参加台湾“二·二八”起义。现任全国人大常委。其主要经历见1991年《中国人物年鉴》。

〔**蔡兰英（女）·第一位设计生肖邮票的民间艺术家·创作“雄鸡报春”被选定为第二轮鸡年生肖邮票**〕　为迎接农历癸酉年（鸡年）的到来，河北著名民间剪纸艺术家蔡兰英大娘，于1992年精心创作了一套由形态各异的一百多只鸡组成的《百鸡图》，其中一幅“雄鸡报春”经过专家评审推荐，被邮电部选定为《癸酉年》特种邮票的图案。这样，蔡兰英不仅成为以民族艺术形式和内容为特色的中国生肖邮票发行十几年来，第一位设计生肖邮票的民间艺术家；而且也是自1878年中国清朝政府海关试办邮政并首次发行我国第一套邮票“大龙”邮票一百多年来，为数极少的设计邮票的民间艺术家之一。

蔡兰英，现年75岁，河北省献县本斋乡邓家庄人。她从8岁起，就喜爱剪纸，至今从事剪纸艺术创作已近70个寒暑。由于她心灵手巧，聪颖好学，又受家乡其它民间艺术的影响和风土民情的薰陶，使她的作品体裁多样，感情真挚，具有丰富的想象力和感染力。在农村，每逢年节她都要剪许多的窗花送给乡亲们。村子里谁家办喜事，布置新房，也都要请她去剪一些红红绿绿的窗花、喜花、礼花、墙围花和顶棚花。乡亲们对她的剪纸非常喜爱。她成为远近闻名的剪纸艺术家，大量的剪纸作品散留在献县农村。

蔡兰英剪纸巧在不用打底稿，而是手拿剪刀按照纸张的大小构图，信手剪来，件件多姿多彩。作品除表现民间神话传说、戏曲故事、民情风俗和花草虫鱼外，更善于表现自身经历和农村现实生活。只要她看过的戏曲，里面的情节与人物她都能用剪纸的形式再现出来，并融入自己的理解和感受。如她剪的《秦香莲》、《蝴蝶杯》、《苏三起解》等，从构图到表现形式和人物刻划都充满了自己的创造性，栩栩如生。她曾以自己的亲身生活经历为题材，创作了30多幅具有传记色彩的作品，生动地描述了自己往日的悲欢离合与向往追求，以剪纸形式抒发心灵，极具魅力。

由于蔡兰英在剪纸艺术上几十年的不断实践和创新，她的作品受到美术界和民俗界许多专家学者的高度重视。首都不少高等艺术院校请她讲授剪纸艺术，海外友人对她的剪纸作品赞叹不已，国内的艺术博物馆和各类报刊也竞相收藏与介绍她的剪纸作品。她创作的《捉迷藏》和《铡美案》，分别获得了1989年在北京举办的中国剪纸大奖赛与中国首届民间美术佳品展优秀作品奖。她还被中国工艺美术学会民间工艺美术委员会和河北省民间艺术研究会吸收为会员。即将出版的《中国民间美术全集》剪纸卷、《中国民俗·剪纸图集》与《中国戏曲剪纸图集》都收录了她多幅作品。

〔蔡廷锴·已故著名爱国将领·百年诞辰纪念〕　1992年4月28日，是爱国将领蔡廷锴将军诞辰100周年纪念日，首都各界人士300多人于4月15日上午在人民大会堂集会，举行纪念活动。

纪念会由民革中央副主席何鲁丽主持。中共中央统战部常务副部长蒋民宽代表中央统战部向蔡廷锴先生表示深切的怀念和崇高的敬意，他在讲话中说，蔡廷锴先生经历了旧民主主义、新民主主义和社会主义的不同历史阶段，走过了一条从爱国主义到社会主义的道路。他的爱国精神和历史功绩，永远留在人们的记忆之中。全国政协副主席马文瑞、民革中央副主席李赣骝以及程思远、袁伟民、荣高棠等及家属代表蔡诏芝在纪念会上发了言。他们回顾了蔡廷锴先生光辉的一生，表示要学习，发扬他爱国、革命和不断进步的一生，为振兴中华，统一祖国大业，为世界的和平和发展作出应有的贡献。

蔡廷锴（1892—1968）广东罗定人。18岁投奔广东新军当兵。辛亥革命后，他决心追随孙中山，继续参加民主革命。北伐战争期间，由于他英勇善战，有勇有谋，屡立奇功，成为号称铁军的第四军中一员杰出的将领。1930年，蔡廷锴升任十九军军长。1931年"九·一八"事变后，他和十九路军3万多官兵，在赣州宣誓反对内战，要求团结抗日。嗣后，十九路军调京沪沿线。1932年1月28日，日本军国主义武装侵犯上海，向十九路军防区发起突然袭击。蔡廷锴不顾国民党当局的禁令，与蒋光鼐等爱国将领，指挥部队坚决抵抗，并联名发表通电，坚决抗日，表示"尺地寸草，不能放弃"。面对敌人的优势装备，全军将士和上海人民一起在十分困难的条件下，浴血奋战，给敌人以沉重的打击。这一仗大大鼓舞了中国人民的斗志，震撼了全世界。蔡廷锴以军功升任十九路军总指挥。以后，十九路军被蒋介石调往福建对红军作战。1933年，在中国共产党抗日政策的影响下，与红军订立抗日反蒋协定。1933年与李济深、陈铭枢、蒋光鼐等成立福建人民政府，任人民革命军第一方面军总司令。

抗日战争时期，曾任国民党第十六集团军总司令，在两广指挥作战，为抗战胜利作出重要贡献。抗日战争胜利后，蔡廷锴对国民党当局发动反共反人民的全面内战极为不满，积极从事反对蒋介石独裁统治、发动内战的斗争，并和李济深、何香凝等在广州正式建立中国国民党民主促进会，争取和团结国民党内的爱国民主力量参加民主革命的行列。1948年1月，蔡廷锴在香港参加发起组织中国国民党革命委员会，同年冬季从香港到达东北解放区转赴北京，参加新政协会议的筹备工作。

新中国成立后，蔡廷锴先后担任中央人民政府委员，全国人大常务委员会委员、全国政协副主席、国防委员会副主席、国家体委副主任等职。为人民革命和社会主义建设事业做出了重要贡献。1968年4月28日，蔡廷锴在北京逝世。

〔蔡泽壮·养路工·首创"三白四绿两平台"标准路被誉为海南文明路的创建人〕　全国劳动模

范、全国十佳养路工、海南省公路局琼山县分局三门坡道班班长蔡泽壮，带领全班职工，在他们维护管养的10公里路段两边，修造出飘带似的两条护路平台，种植了四条边绿的路树3500多株，并在沥青路面上镶制出三条十分醒目的白色瓷砖标线（简称三白四绿两平台）。这一创新的海南标准文明路，受到上级的肯定，并在全省公路系统推广。1992年10月，蔡泽壮作为正式代表，参加了中国共产党第十四次全国代表大会。

蔡泽壮从1969年以来，一直坚守在养路道班这个平凡岗位上。他负责养护的海榆东线10公里长的路段，原先弯多路窄，安全视线不良，极易发生事故。为把管养的路段改造好，他带领职工，日晒雨淋，艰苦奋战5年，几乎牺牲了所有休息日，截弯取直改造路道9处，把原来7米的路基加宽到13米，挖掉树头2千多个，动土方工程6万4千多立方，在上级仅分配1万元费用的情况下，完成了17万元的工程量，使原来三级路基达到了二级公路路基标准，行车速度每小时提高了30公里。

蔡泽壮在工作中，实干、苦干加巧干，不断研究摸索出一套有海南特色的养路办法。为提高工效，减轻职工的劳动强度，他这个只有初中文化水平的人，刻苦钻研，自制回沙机、铲草机等机械。用回沙机操作，使工效提高25倍；用铲草机，比人工除草提高工效30多倍，大大减轻了职工的劳动负荷。

蔡泽壮对己严待人宽，对职工兄弟有一颗滚烫的心。不管谁有了病，他都要登门看望，谁家有困难，他都要伸出援助的手。几年来，他为解决道班职工和附近群众困难，拿出自己的2千多元。职工们说，老蔡不仅是我们工作上的榜样，而且是我们生活上的贴心人。

蔡泽壮，海南省琼山县人，1946年10月生，1969年11月参加工作。20多年来，蔡泽壮兢兢业业，埋头苦干，创造出了突出的成绩，多次受到奖励。1988年以来，他先后被授予交通部劳动模范、全国劳动模范和全国十佳养路工荣誉称号。

〔裴昌会·爱国起义将领·在重庆逝世〕
中国国民党革命委员会中央名誉副主席、著名爱国起义将领裴昌会，于1992年3月23日在重庆逝世，终年96岁。

裴昌会于1896年生于山东省潍坊市。保定陆军军官学校第八期、陆军大学特六期毕业。1927年后历任国民党第四师参谋长、四十七师团长、旅长、副师长、师长，1937年起任国民党第九军副军长、军长，第四集团军副总司令、第一战区副长官、西安"绥靖"公署副主任兼第五、第七兵团中将司令官。1949年12月23日在四川德阳率部起义，为中国人民的解放事业作出了重要贡献。

1950年后，裴昌会历任国防委员会委员、西南军政委员会委员、川北行署副主任兼工业厅长、西南纺织管理局局长、重庆市副市长，第五届、六届四川省人大常委会副主任，历届重庆市政协副主席。先后担任民革中央委员、民革中央副主席等职。1955年，中央人民政府授予他"一级解放勋章"。他是第一至七届全国人大代表，第五届、六届全国人大常委会委员。

裴昌会与中国共产党亲密合作，肝胆相照。他积极参加爱国统一战线的各项活动，参政议政，提出了许多宝贵的意见和建议。他一贯致力于祖国统一大业，希望海峡两岸早日实现和平统一。他认为"一国两制"的方针是符合国家民族利益的，是解决台湾问题的唯一正确选择。多年来，他念念不忘台湾和海外的亲朋故旧，切盼祖国统一大业早日实现。

裴昌会于1989年在他93岁高龄时加入了中国共产党，实现了他多年的夙愿。

〔裴保全·解放军指导员·被授予模范指导员称号〕　解放军某部政治指导员裴保全主动请调到后进连队工作，带领全连打翻身仗，使该连连续三年达标，两次荣立集体功。1992年9月19日，空军党委决定授予他模范指导员荣誉称号和二级英雄模范奖章。

裴保全，山西省太原市人，1961年12月生，1979年12入伍，1981年10月加入中国共产党，上尉军衔。他原是本部队先进单位某通信连指导员，1988年部队为帮助后进单位四站连赶队，挑选政治指导员时，他迎难而上，主动请调到四站连。他耐心查找连队存在的主要问题，发动全连官兵出主意想办法。连队官兵关系不融洽，他从抓干部的模范作用入手，改善官兵关系，团结带领干部与战士同甘共苦，处处以身作则。他和连长下到班排，同战士们一道顶着30多度的高温，苦干40天，圆满完成了装备整修任务，受到上级通报表扬。他处处给全连同志做好样子，给菜地施肥，他第一个跳下粪池掏粪；集合列队，他和干部先到场，提高了干部的威信，赢得了官兵的信任。他大力扶植正气，给一名积极肯干、热爱连队，被称为

“老黄牛”的战士报请了三等功，调动了战士的积极性。他广泛收集了解情况，对每个战士的学习、工作、军事技术、身体状况、兴趣爱好、家庭情况都了如指掌，增强了思想政治工作的针对性和有效性。他把一名入伍前进过拘留所，入伍后因打架斗殴，违反纪律受过处分的战士，教育改造成一名遵纪守法勤奋工作的骨干。几年来先后帮助10名战士改正缺点错误，有7人当了班长。他关心战士疾苦，志愿兵小李家庭生活困难，他主动资助，小李的爱人产后得了妇科病，他和爱人四处联系求医购药治好了小李爱人的病。战士小成父母病故，家中只有一个14岁的小弟弟，他及时赶到小成家中，求得当地政府的支持，解决了小成家的困难。在他和其他连队干部带动下，全连团结一致，经过一年的努力，连队外场服务质量和保障能力明显提高，装备完好率和一次起动率，优质场次率均达到100%。连队从此打了翻身仗，连续三年达标，先后荣立集体三等功和集体二等功，被评为标兵单位。他本人被上级树为基层主官标兵，两次立功。

〔裴澍萱·西藏第二人民医院内科主任·诊治和研究高山病作出重要贡献〕　中国高山病的杰出研究者裴澍萱，近30年来在西藏主持或参与诊治30余万人次高原疾病门诊，收治近万名住院病人，抢救危重病人2000余人，治疗有效率达95%，并获得一系列高原医学科研成果。1992年4月28日《西藏日报》报道了他的事迹。

裴澍萱，辽宁省凌源县人。1934年5月出生，1962年毕业于辽宁中医学院，自1963年起，一直在西藏从事医疗和科研工作，在林芝、昌都、拉萨等地为藏胞和进藏人员治病，重点探索和攻克高山病治疗方法。他在拉萨主持建立了西藏第一个高原血液流变学研究室（后改为研究所）。他通过对312位高山病人的逐项检查，测定计算了20多万个参数。首次提出高原健康人的世居者和移居者在海拔3658米的血液流变学正常值；首次认定“高原人血液流变学异常，是某些慢性高原病发生、发展的重要环节之一”。这些发现引起了高原医学界的重视。他发表了《西藏慢性高山病的心肺生理研究》、《高原血液流变学的研究》等专著和20余篇论文，有的论文刊登于国外权威性医学杂志和论文集。他主持的科研课题曾三次获西藏自治区科技进步二、三等奖。他多次在国际性和全国性学术交流会议上宣读论文受到好评。他是中华医学会高原医学会常委、《高原医学杂志》、《西南国防医药》、《西藏科技》、《西藏医药杂志》编委、副主编。

〔管华诗·海洋药物、海洋保健食品研究专家·获美国世界成就奖〕　青岛海洋大学副校长、教授管华诗在海洋药物——藻酸双酸钠（PSS）项目研究中作出重大贡献，1992年获美国世界成就获。

管华诗，1939年9月2日出生于山东省夏津县。中共党员，大学本科生。1964年毕业于山东省海洋学院，留校担任助教。历任讲师、副教授、教授。长期以来，他边进行教学，边从事海洋研究工作，从1978年开始，研究海洋药物和海洋保健食品。经16年的辛勤耕耘，主持完成了十多项科研课题。其中，两项获国家级奖，19项次获省、部级奖，两项获国际奖，1989年被指定为国家水产品加工与储藏博士点导师。他主持研制的“食品添加剂——藻酸丙二酯”、“新型农药乳化剂”、“糖尿病辅助治疗剂——降糖乐”、“PS型双重造影硫酸钡”、“排铅奶粉”、“贻贝系列保健食品”、“刺参系列保健食品”等成果，先后分别获国家和山东省科技大会奖、农业部科技进步二等奖、山东省科技进步三等奖，得到国内外海洋药物专家的赞赏。1982年，他把重点转到研究海洋药物——PSS藻酸双酯钠，经上百次试验，于1985年研制成功并通过国家级技术鉴定。经七年的临床应用，该药已成为国内外治疗心、脑血管疾病的优选药物之一。目前，已有20多个厂家投资生产，产品销售东南亚、美国、原苏联等5个国家和地区，共创产值5亿多元，利税近亿元。医药专家认为，“PSS藻酸双酯钠”是真正来自海洋的药物，这种药的诞生不仅创造了可观的经济效益，而且为药物的开发研究，开辟了一条广阔的途径，使人类看到了海洋制药产业的曙光。仅此项成果，1987年获南斯拉夫第十五届国际博览会新发明金奖，1988年获国家经委科技优秀成果一等奖，山东省科技进步一等奖，1992年又获美国世界成就奖，全国“百病克星”大赛金奖等15项国内外大奖。

〔廖一久·台湾省水产试验所所长·当选台湾“中央研究院”院士〕　台湾著名水产专家、台湾省水产试验所所长廖一久，于1992年7月9日当选为台湾“中央研究院”第十九届生物组院士，是首位来自水产养殖学界的院士。台湾学者同时当选为生物组院士的还有台湾“中央研究院”分子生物研究所筹备处主任王正中，台湾大学医学院内科教授陈定信。台湾“中央研究院”物理研究所所长郑天佐当选为数理组院士。

廖一久，1936年生，台湾省台中县人。台大生物系毕业。获日本东京大学农学修士（硕士）、农学博士学位。历任美国洛氏基金水产养殖研究员，台湾大学动物系兼任副教授，台湾省水产试验所技正兼分所长，“中央研究院”动物研究所兼任研究员，台湾大学动物系及海洋研究所兼任教授，台湾省水产试验所东港分所研究员兼分所长，东南亚渔业发展研究中心国际合作计划研究员，美国国际开发总署虱目鱼养殖计划技术顾问。1987年调任台湾省水产试验所所长。专长水产养殖水族生态。1969年在东港分所完成了草虾、砂虾、斑节虾、熊虾的人工繁殖，名扬于世，被称为“草虾之父”，同年获选台湾十大杰出青年。1972年与同事合作，以人工培育乌鱼苗成功，创下咸水鱼以人工繁殖成功的世界纪录，继又完成了第二代再繁生第三代的“完全养殖”，引起国际水产界的轰动。1976年获台湾“行政院”首届杰出科学奖。1986年获世界养殖学会荣誉终身会员。曾40多次出席国际性有关水产及海洋学会议。

〔廖山涛·数学家·当选中国科学院学部委员〕　北京大学数学系教授廖山涛在六十年代微分动力系统刚兴起时就致力于这方面的研究，并形成了独具特色的研究体系，取得一系列国际一流的成果。1991年底他当选为中国科学院学部委员，1992年1月3日正式公布。

廖山涛1942年毕业于西南联合大学数学系，1950年赴美国芝加哥大学求学，在著名数学家陈省身门下苦读数载，获博士学位。在普林斯顿高级研究所工作了几年后，于1955年返回祖国，在北京大学数学系任教至今。

五十年代末，他从一篇文章中预感到微分动力系统这门新兴学科将会有极大的应用价值，于是便穷追不舍。30年来，他在国内外一流学术刊物上发表论文几十篇，提出了两大基本理论“典范方程组”和“阻碍集”。他在世界上最早研究微分动力系统中李雅普诺夫指数，第一个对C^1封闭引理给出正确的证明，在稳定推测方面也做出了突破性的贡献。所有这些，使他在我国这一领域中成为众人瞩目的人物。

八十年代是廖山涛一生辛勤耕耘后的收获季节，他荣获第三世界科学院数学奖，当选为该院院士，并获国家自然科学一、二等奖。

廖山涛，1920年1月4日生于湖南省衡山县。其主要经历见1989年《中国人物年鉴》。

〔廖继春·台湾画家·《台湾美术全集·廖继春卷》问世〕　台湾老一辈油画家廖继春在画界中极孚众望，被喻为是跨越时代鸿沟的艺术天才。台湾美术全集出版《廖继春》专卷于1992年问世。

廖继春于1902年出生于台湾一农民家庭，正处于日本强占台湾时期，家庭生活极为困苦。父亲务农，母亲以女红补助家计。从小即受母亲刺绣图案的影响，对自然环境，花鸟草虫的描绘，极感兴趣。1918年考入师范学校，在美术课中，得到了初步美术知识。1924年，东渡日本，入东京美术学校学画。受日本西画大师黑田清辉的培养，学习了三年，以优异成绩毕业返台。

1927年他参加了首次台湾的美术展览。他的《裸女》、《静物》一炮而红。之后，他参加了多次“台展”，并成为台湾“赤岛社”、“台阳美协”等群众艺术组织的中坚分子。1938年以前，曾五次获奖，成为台湾乡土画家中的佼佼者。

〔端木蕻良·著名作家·获首届中国满族文学奖荣誉奖〕　1992年5月28日，由国内13个满族自治县联合主办的“首届中国满族文学奖”在北京举行颁奖仪式。端木蕻良、马加、颜一烟、关沫南、丁耶、寒风、许行、华忱之等八位满族老作家，被授予最高奖“荣誉奖”，以表彰他们对满族文学事业的历史性贡献。

端木蕻良，1912年9月出生于辽宁省昌图县，十岁左右的时候随其兄长到天津汇文中学读书，开始接触鲁迅、郭沫若、茅盾等人的作品，文学意识由此萌发。16岁时，在南开中学组织“新人社”，出版文艺刊物《人间》和《新人》。

1932年，因开展学运而被除名的端木蕻良离开天津，转赴北平。加入北平左翼作家联盟，主编左翼作家联盟机关杂志《科学新闻》。第二年秋天，北平左联遭破坏，他又回到天津，以“叶之林”、“曹坪”等笔名与鲁迅先生通讯。同时，开始创作第一部长篇小说《科尔沁旗草原》。

1935年，端木蕻良与许多爱国青年一起投身于抗日救国的热潮，在北平参加了“一二·九”运动。他离开北平后到上海继续进行文学创作，以笔作武器，坚持斗争。1936年，陆续发表了短篇小说：《鸳鸯湖的忧郁》、《爷爷为什么不吃高粱米粥》等。抗日战争开始，他先后执教于临汾民族抗日大学和重庆复旦大学，编辑《文摘》副刊，写长篇小说《大江》、《新都花絮》等。1940年以后，他曾辗转于香港、桂林、重庆、武汉等地，先后主编《时代文学》杂志，《力报》《大刚报》副刊等报刊。并创作《科尔沁旗草原》第2部。1947年以后，他又奔波于长沙、上海、香港等地，曾任教于长沙水陆洲音专和在上海主编《求是》《银色批判》。

1949年建国前夕，端木蕻良回到北京，筹备北京市文联，曾任副秘书长等职。1952年，他实现了自己的夙愿，加入中国共产党。建国后，他的戏剧创作甚丰，写有京剧《戚继光斩子》、《周处》，评剧《罗汉钱》、《梁山伯与祝英台》等。“文革”后，步入老年的他精神振奋，再展雄风，带病创作长篇历史人物小说《曹雪芹》，以丰富的史料、畅达的笔触，展示了一代文学巨匠跌宕起伏的人生之道，勾勒出一幅封建社会的风俗画。

〔赛福鼎·艾则孜·全国人大副委员长·出访白俄罗斯、乌克兰〕 1992年8月12日至25日，赛福鼎·艾则孜率中国全国人大代表团先后访问了白俄罗斯和乌克兰。访问期间，赛福鼎阐明了我国政府愿在和平共处五项原则基础上与白俄罗斯和乌克兰继续保持与发展友好合作关系。两国领导人先后会见了赛福鼎副委员长一行。

赛福鼎·艾则孜，1915年3月生，新疆阿图什县人，维吾尔族。1932年参加南疆人民武装暴动。曾在新疆塔城报任编辑、主编。1944年参加伊犁、塔城、阿勒泰三区革命，任教育厅长。1949年以后，曾任新疆省政府副主席，新疆军区副司令员，西北行政委员会副主席，新疆维吾尔自治区党委第一书记。历任第一至第七届全国人大副委员长。中共第九至十三届中央委员，第十、十一届中央政治局委员。

〔附注：1993年3月26日，全国政协八届一次会议选举赛福鼎·艾则孜为全国政协第八届全国委员会副主席。〕

〔谭元元（女）·上海市舞蹈学校学生·获国际比赛头奖〕 在1992年12月10日晚结束的第五届国际舞蹈比赛中，中国选手、上海市舞蹈学校学生谭元元，获古典芭蕾少年组女子（独舞）第1名。本届古典芭蕾舞比赛共设五项第一大奖，她是在有25个国家的125名参赛选手中，唯一获头奖的选手。“芭蕾女神”乌兰诺娃作为评委给谭元元打了满分，认为她比成年组选手跳得更好。各国评委称赞她：“好极了！”“漂亮极了！”“近几年来还没有看到过象她这样好的演员。”

谭元元，祖籍山东，1976年2月14日生于上海市。1986年入上海市舞蹈学校学习芭蕾。在校期间曾被学校、市文化局、上海市分别评为三好学生，并连续三年获奖学金一等奖。谭元元每天要经过六七小时的强化训练，超负荷的运转，使她双脚的小趾甲完全脱落，右足主骨变形，为了攀登芭蕾艺术高峰，在老师的勉励下，她以坚强的意志和毅力咬牙坚持，一边治疗职业病、止痛，一边训练。1991年谭元元参加在芬兰赫尔辛基举行的第二届国际芭蕾比赛获少年组女子第二名，同年分别在上海舞蹈比赛、第三届全国桃李杯大赛中，获优秀表演奖、女子少年组第二名。1993年1月，谭元元又夺得日本名古屋第一届国际舞蹈比赛古典芭蕾少年组女子（双人舞）唯一金奖。她跳的《吉赛尔》、《艾丝米娜塔》、《生命之季》，引起轰动。各国选手和专家们惊叹：“她跳的就象女神一样！”“她的每个动作、造型都象一幅画！”日本芭蕾明星森下洋子说：“实在太美了！”由于每轮比赛，谭元元得分都比所有选手高出好几十分，因而波兰驻日本大使把尼金斯基奖授予她。两年来连获四面国际奖牌，使谭元元成为中国年纪最小，获国际比赛大奖最多的芭蕾女演员。她说，人生最重要的是要有坚强的意志，要有精神支柱、奋斗目标。在比赛中我看到了许多选手的优点，以后还要更好地吸收、提高自己。

〔谭民化·农业专家·获国家科技进步一等奖〕 高级农艺师、四川南充地区农业科研所旱粮研究室主任谭民化选育出甘薯新品种“南薯88”，4年增产12。5亿多斤，1992年获国家科技进步一等奖。

谭民化，1929年7月生于四川省万县。1953年从西南农学院农学系毕业后，在四川南充地区农科所从事农业科研工作至今。“七五”期间谭民化主持选育甘薯的科研工作，他身患肝炎、肺气肿、胆结石等多种疾病仍坚持科研攻关。他领导的甘薯课题组，获省科技进步一等奖。为了保证“南薯88”科研成果的科学性、完整性，他不顾体弱多病，几渡琼州海峡，亲自到海南岛进行繁育工作。他还在四川省大部分地区指导协作组，促进研究项目的顺利完成。试验证实“南薯 88”比徐薯 18 稳定增产20%以上。

谭民化先后获国家农业部、省、地科技成果及科技工作奖 21 次，1987 年被南充地委授予优秀共产党员称号，1989 年被选为四川农业劳动模范，1990 年被农业部授予全国农业科技推广先进个人称号。1991 年被国家评为有突出贡献的科技人员，国务院授予“有突出贡献的专家”称号，享受政府特殊津贴。

〔谭良德·跳水运动员·获第二十五届奥运会男子三米跳板跳水银牌〕　1992 年 7 月 29 日在西班牙巴塞罗那举行的第 25 届奥运会男子三米跳板跳水决赛中，中国选手谭良德又一次站在“一人之下，万人之上”的位置上，获得了他的第三枚奥运会银牌。

八年的心愿终未实现，这是谭良德最大的遗憾。1984 年洛杉矶奥运会上，谭良德输给了美国的“空中英雄”洛加尼斯，获得银牌。从那时起，他下定决心要夺取奥运会金牌。然而，在 1988 年汉城奥运会上，他与洛加尼斯的拼争中又失败了。他曾寄希望于 1992 年巴塞罗那奥运会，结果却仍是一样，不过他这次败在洛加尼斯的同胞马克·伦奇手下。但是，谭良德不必遗憾。从 1983 年世界大学生运动会初露锋芒起，他在漫长的跳水生涯中，曾两次获世界杯赛冠军，两次获世界大学生运动会冠军，一次友好运动会冠军。尽管没有夺得奥运会冠军，但人们不会忘记谭良德对中国和世界跳水运动的发展所作出的贡献。

谭良德，身高 1 米 70，体重 60.1 公斤，1965 年 7 月 30 日出生在广东省茂名市。1976 年，11 岁的谭良德被选进茂名市业余体校开始跳水训练，一年后进了省队。1982 年，他被选进国家集训队，在梁伯熙教练的精雕细刻下严格训练，技术日臻成熟。1982 年 11 月，他获得第九届亚运会银牌。1983 年，他与队友一起夺得第三届世界杯跳水赛男女混合冠军和男子团体冠军，个人获跳板第三名；同年 9 月，他一举独揽第 5 届全运会跳板、跳台和全能 3 枚金牌。1988 年 1 月和 5 月，他先后在澳大利亚和美国两次战胜洛加尼斯。

1991 年，他曾获世界锦标赛的亚军和世界杯赛的第三名。1992 年，他在亚洲游泳锦标赛上夺得了男子三米跳板冠军。

谭良德的事迹与简历参见 1989 年《中国人物年鉴》。

〔谭其骧·著名历史地理学家和历史学家·在上海逝世〕　中国科学院学部委员、著名历史地理学家和历史学家、复旦大学历史地理研究所前所长谭其骧，于 1992 年 8 月 28 日在上海病逝，终年 81 岁。

谭其骧，浙江嘉兴人，1911 年 2 月生。1932 年毕业于燕京大学研究院。曾任浙江大学教授。1934 年与顾颉刚等发起成立我国第一个专门研究历史地理学的学术团体——禹贡学会，创办了《禹贡》半月刊。创办这一杂志的目的是为了推动历史地理方面的研究，让这方面的研究成果有一个发表的园地。

新中国成立后，谭其骧历任复旦大学历史系主任，历史地理研究所所长。从 1957 年起，他耗费 20 多年的心血，主编了规模宏大的《中国历史地图集》（8 册）。这部图集对我国历史疆域、政区、水系变迁、民族迁徙及地理沿革等方面的研究自成体系，奠定了中国历史地理学的基础。这一重大科研成果，获上海市（1979—1985）哲学社会科学特别奖。1982 年，他又以古稀之年主持了中华人民共和国国家历史地图集的编绘工作。

谭其骧于 1951 年参加九三学社，1983 年加入中国共产党。他曾当选为第三、四、五届全国人大代表，上海市第六届政协常委。1960 年获全国文教战线先进工作者称号。1981 年当选为中国科学院地学部委员，1981 到 1985 年被聘为国务院学位委员会学科评议组成员，1982 年任国务院古籍整理出版规划小组成员。1991 年被美国传记研究所列为最近 25 年间对世界有重大影响的 500 位人物之一。

谭其骧的论文大都被收入《长水集》一书中。

〔谭绍文·当选中共中央政治局委员〕

1992 年 10 月 18 日，谭绍文在中国共产党第十四次全国代表大会上当选为中共第十四届中央委员会委员。19 日，在中共十四届一中全会上当选为中共中央政治局委员。

谭绍文，1929 年 7 月生，四川新津人，1955 年 5 月加入中国共产党，1952 年 9 月参加工作，西北工学院纺织工程系毕业。1948 年—52 年，在成都铭贤学院纺织工程系、西北工学院纺织工程系学习。1952—58 年，任天津国棉三厂技术员，天津纺织工业学校机织科教师、副主任。1958—66 年，任河北纺织工学院教务处副处长。1966—81

年，任天津纺织工学院教务处副处长、处长、院党委常委、副书记、副院长、院长（其间：1980—81年在中共中央党校一部学习）。1981—89年，任天津市文教委员会副主任、主任、中共天津市委常委兼秘书长、市委副书记、市人民政协主席。1989—90年起，任中共天津市委书记。是中共十二大代表。

〔附注：谭绍文于1993年2月3日在天津逝世。〕

〔谭登云·银行储蓄员·获建行卫士称号〕

1992年2月15日，一位年仅28岁的银行储蓄员披红戴花，登上甘肃省政府礼堂主席台。他以浴血斗敌、保卫国家财产的英雄行为，在这里接受中国人民建设银行授予的"建行卫士"称号和中共甘肃省委授予的"优秀共产党员"称号。他就是建设银行甘肃积石山县支行大河家储蓄所的储蓄员谭登云。

1991年11月8日晚9点40分，谭登云锁好门窗，从营业室后门出来，给住在二楼的储蓄员送开水。早已隐藏在院内厕所的一名流窜歹徒，乘机溜进营业室，先毁电话，后撬桌子寻找保险柜钥匙。正在这时，谭登云回到营业室。歹徒顺手抄起储蓄所值班人员备用的一根直径3厘米、长约1.2米的钢管，向刚跨入值班室的谭登云头部打来。鲜血从谭登云额头喷涌而出，他只觉得眼冒金星，天旋地转。但他本能地意识到眼前发生的一切，猛扑上去，双手紧紧抓住歹徒又一次举起的钢管，并连声高呼抓贼。身体比谭登云强壮得多的歹徒，面对满脸是血、怒目圆睁的谭登云，心虚胆怯了。就在歹徒转身欲逃的瞬间，谭登云从歹徒身后将其双臂连同钢管死死抱住。歹徒挣甩不开，拖着谭登云向外挣逃。谭登云的鲜血模糊了双眼，伤口剧烈疼痛，但他始终不松手，被歹徒拖出16米远，血洒一路。危急关头，二楼的储蓄员听到呼叫，从楼梯翻身跳下，冲上去一把揪住歹徒的头发向后摔去，跟在他身后的房东抡起扁担将歹徒打倒在地。歹徒佯装昏死片刻，转眼间又拔出匕首，企图反扑，被闻声赶来的回族青年一脚踢飞。此时派出所的同志闻声赶来，歹徒束手就擒。

〔熊庆来·已故著名数学家、教育家·百年诞辰〕　1992年10月6日，云南省各界1000多人在云南大学隆重集会，纪念著名数学家、教育家、云大老校长、伟大的爱国主义者熊庆来先生诞生100周年。严济慈、钱伟长和杨振宁博士等致电祝贺。

由熊庆来的儿子熊秉明教授创作的熊庆来先生纪念铜像于纪念会后揭幕。在此次纪念活动中，还举行了《熊庆来纪念集》和《熊庆来传》的首发式。

11月20日，邮电部发行《中国现代科学家》纪念邮票一套4枚，熊庆来是这四位科学家中之一。其余三位是汤飞凡、张孝骞和梁思成。

熊庆来（1893～1969），字迪之，云南弥勒人。1909年考入云南省高等学堂本科，1911年考入英法文专修科。1913年留学比利时包芒学院预科学习采矿。1915至1920年先后在格诺布大学、巴黎大学、马赛大学、蒙柏里大学学习，获理科硕士学位。1921年回国后，曾任南京东南大学数学系教授、清华大学数学系教授。1931至1933年在巴黎专攻函数论，获理科博士学位。1937至1949年任云南大学校长。1949年出席在巴黎召开的联合国教科文会议，遂留巴黎做科学研究工作。1957年回国后，任中国科学院数学研究所研究员、常务委员、学术委员会委员、函数论研究室主任，全国政协常务委员等职。1969年2月3日病逝。

熊庆来先生的一生，无论是科研领域还是教育工作，都有极高的成就。当今享誉世界的华裔美籍教授陈省身，国内知名的老一辈数学家华罗庚、吴大任、庄圻泰，老一辈物理学家严济慈、钱三强、钱伟长、赵忠尧等，都是熊庆来二三十年代的学生。他是中国科技界的一代宗师。

〔翟永淳·中共济南市委书记、市长·被群众誉为"务实市长"〕　1992年2月16日的《人民日报》以"拳拳公仆心"为题，报道了中共济南市委书记、市长翟永淳求真务实，一心为群众办实事、办好事的事迹。

翟永淳，1931年生，山东省蓬莱县人，1946年参加工作，1948年2月加入中国共产党，长期从事基层党政工作。1976年起任山东大学党委副书记。1978年2月起任山东省水利厅厅长。1983年2月起任山东省供销合作社主任。1983年8月起先后任中共济南市委副书记兼市纪委书记、代市长、市委书记、市长。

翟永淳从1986年担任市长以来，为了丰富群众的菜篮子，他跑市场、访菜农，带领群众建起了六大副食生产基地和六十多个农贸市场，使济南市蔬菜淡季不淡，肉蛋奶人均占有量成为全国省会中最多的城市之一；治理脏乱差，他从改造公厕、处理垃圾这些“小事”抓起，使泉城跨入全国十佳卫生城行列；解决住房特困户，他亲自主持研究方案，狠抓落实，直至把崭新的住房证送到住房特困户的手中。

1987年8月26日，济南市遭受百年未遇的特大暴风雨的袭击，翟永浡冒雨趟水，指挥排水救灾，两天两夜没合眼，半城积水很快排完，倒塌房屋上千间，但无一人伤亡。水电部电报嘉奖说“措施得力，指挥正确”。为了解决受灾最重的工人新村市民住房问题，翟永浡在市委常委会上提议：缓建正在施工的“八一”立交桥，将2000万元建桥款先盖工人新村。大水过后一年，69座造型各异的居民楼竣工，一个现代工人新村在泉城崛起，喜迁新居到市委市府送感谢信的人群络绎不绝。

为了解决群众“乘车难”，翟永浡挤公共汽车，和驾驶员、售票员谈心，深入进行调查研究。他认为，要解决乘车难，先要解决行车难。经他提议，市长办公会议决定，每年从市财政拿出400万元用于购置新车，淘汰旧车破车，同时整修道路，改善路况，整顿市场秩序，不准商贩摊点挤占马路、阻碍交通。几招齐出，“乘车难”现象逐步缓解。

翟永浡交了许多市民朋友，有的成了政府决策的“参谋”。70多岁的马德贵阿訇就是其中的一位。1991年春天，济南市委、市政府决定拓宽经七路，改善市内交通拥挤状况。这条路东西横穿泉城繁华地段和回民集中聚居区，拆迁工作十分繁重。按照初步方案，将有700户回族群众外迁，济南市最大清真寺——南大寺靠路一侧的沐浴房也需拆除。听到这一消息，马德贵阿訇连夜敲开市长家门，向翟永浡反映了回民群众要求保留南大寺完整建筑和集中居住的意见。根据群众意见，翟永浡主持制定了新的施工安置方案：道路南移9米，避开南大寺；在同一地段新建具有民族特色的回民小区，既使回民群众改善居住条件，又照顾他们的生活习惯和宗教活动需要；暂时外迁户实行集中安置，建好回民小区后可以回迁。这个方案一公布，回族市民高兴得冒着蒙蒙细雨拆墙扒屋，不到三天，703户全部拆迁完毕，创造了济南城建史上最快拆迁纪录。马德贵阿訇请人写下“人民政府为人民，泉城穆民感党恩”的大红匾，招呼几个年轻后生敲锣打鼓送到市政府。

1992年6月，翟永浡辞去济南市市长职务，出任山东省政协副主席。

〔翟象乾·人民日报高级记者·率大陆记者采访团赴台湾采访〕　应台湾海峡交流基金会邀请，大陆记者首次正式组团，于1992年9月5日到12日在台湾进行了为期一周的采访活动，从而打开了两岸新闻双向交流的大门。人民日报社高级记者翟象乾担任采访团团长。

1987年11月，台湾当局开放一般民众赴大陆探亲后，5年来，300多万同胞往来大陆。台湾来大陆采访的记者也逾2000人次，可是大陆却没有一位新闻从业者以记者身份正式赴台采访。为了改变这种单向流动的状态，在台湾岛内有识之士呼吁下，1992年1月6日，台湾海基会致函海协会，提出邀请大陆记者去台访问的意向。几经折冲后，18位大陆记者终于成行。

一周间，大陆记者在台北、高雄、台中、新竹、花莲等地访问了农村、工厂、科技园区、故宫博物院、学校、医院、住宅区和太鲁阁风景区等处，同各界人士进行了广泛接触。在台湾海基会的安排下，对张学良、陈立夫等知名人士进行了采访。92岁高龄的张学良在谈话中一再流露思乡之情，表示：“我愿意中国统一，为国家为人民的事情，鞠躬尽瘁我都很愿意”。93岁高龄的陈立夫语重心长地说：“国共第一次合作是北伐，第二次合作是抗日，两个目的都达到了。今天面临第三次合作，希望国共双方都以开阔的胸襟来实现这一合作。”新华社记者还单独访问了原国民党秘书长和“行政院长”，现任国民党中常委、“总统府资政”的李焕。

采访团副团长是柏元宾（全国记协国内部副主任、港台处处长）、端木来娣（新华社国内部港澳台编辑室副主任）、王求（中央人民广播电台台播部副主任）。团员有：中央电视台张长明、景春寒，《瞭望》周刊海外版杨远虎，《半月谈》林双川，《台声》杂志汪舟，《团结报》卜林龙，《光明日报》翟惠生，《经济日报》赵兹，《中国青年报》吴苾雯，《工人日报》董玉琴，中国新闻社周建闽，《今日中国》魏秀堂，《福建日报》庄战成，《海峡之声》广播电台刘武。

〔樊纲·青年经济学家·被评为国家级有突出贡献的中青年专家〕　1992年，39岁的青年经济学家、《经济研究》编辑部主任樊纲，破格晋升为中国科学院经济研究所研究员，并被评为国家级有突出贡献的中青年专家。

樊纲，原籍上海，1953年生于北京。1969年到黑龙江生产建设兵团务农，后转到河北围场县，1978年考入河北大学经济系，1982年毕业后考入中国社会科学院研究生院经济系，1988年毕业，获经济学硕士、博士学位。1985年到1987年，曾赴美国国民经济研究局及哈佛大学访问研究。1988年到中国社会科学院经济研究所工作，现任《经济研究》编辑部主任。

近年来，樊纲出版了《公有制宏观经济理论大纲》等多种专著，在《经济研究》等学术刊物上发表了《灰市场理论》等学术论文数十篇，在理论界产生较大影响。《公有制宏观经济理论大纲》一书，用现代经济学的理论和方法，从公有制经济和基本结构出发，系统地分析了这种经济面临的特殊问题及其各种表现形式。一些经济学家认为，这本著作无论是在运用现代经济学的理论与方法进行宏观经济分析方面，还是在构建公有制宏观经济学理论体系方面，都有创新。国内许多大专院校的经济系，都将此书作为研究生的主要参考书目之一。

樊纲的另一部著作《改革的渐进之路》，力图用现代经济学特别是现代制度经济学的一些理论和方法，深入地研究经济体制改革过程。作者认为，体制改革的实质是改变现存的社会经济利益关系，因此必须用利益矛盾的观点来分析改革过程，并在此基础上研究改革的战略与步骤。中国式的“渐进改革”道路的最基本的特征，就在于不是一下子直接地打破原有的利益分配格局，而是通过逐步发展新体制的办法，避免直接的利益冲突，逐步化解利益矛盾，使人们逐步从新体制中获益。

樊纲的其他代表性著作还有《现代三大经济理论体系的比较与综合》、《市场均衡与经济效率》等。1989年以来，他参加了经济研究所与香港大学的合作研究项目《中国经济的微观基础与宏观调控》，现已基本完成，将由牛津大学出版社出版。1991年以来，作为中方负责人，他主持了经济研究所同美国哈佛大学与加州大学的合作研究项目《中国宏观经济管理与经济增长》，现已进入最后完稿阶段。

〔樊痴·丹东市人民检察院检察长·被授予模范检察长称号〕　1992年5月，最高人民检察院授予辽宁省丹东市人民检察院检察长樊痴“模范检察长”称号。

樊痴，吉林省海龙县人，1928年3月生，高中文化程度，1945年10月参加革命，1946年加入中国共产党，先后担任过区委副书记、县委宣传部长、县委副书记、市委宣传部副部长、地委党校副校长、中共丹东市委副秘书长、文教部长等职。1983年起任丹东市人民检察院检察长。1992年7月离休。

在检察长的岗位上，樊痴始终站在反贪污贿赂斗争的前列，集中精力查处大要案。近3年时间，他们先后查处了原宽甸县县委书记李运生、岫岩县人大副主任陈守学、凤城县法院院长刘玉芳、市广播电视局局长耿吉兰、市政工程处处长杨希禄、东齐电器公司总经理梅世春等一批有影响的要案。在查处原岫岩县人大副主任陈守学索贿受贿一案时，阻力重重，有人劝他小心，有人公开指责、威胁他。在市委和人大的支持下，他带领办案组连续奋战两个月，跑遍了15个乡镇，调查取证200余人次、700余份，终于将犯罪分子绳之以法。在查处梅世春一案时，有人辱骂诅咒，对他进行人身攻击，扬言要给他“放血”，甚至写黑信、在他家门前放火进行威胁，他毫不退缩，案件照办不误，结果深挖出8名犯罪分子，为国家挽回经济损失100余万元。凤城县农民方某，从1986年起，以4万元开道，顺利办了农转非、乡进城、招工转干。宽甸县县委书记李运生为此受贿　2000元，宽甸县劳动局局长王巨夫受贿1万元，凤城县法院院长刘玉芳受贿6000余元，先后有23名党政机关干部卷了进去。方某在不到两年时间内，爬上了凤城县法院办公室主任的位置，有了“12年工龄”。樊痴在此案中不畏艰难，严格依法办案，深挖出了7名犯罪分子，其中县处以上干部3人，万元以上大案3件，并查清一批违纪案件交有关部门处理。3年中，他们连克难点，先后查办县处级干部和政法干部贪污贿赂犯罪要案16件，做到没有一件错案，法院均作了有罪判决。1989年以来，在樊痴领导下，丹东市区、县院共查处贪污贿赂等经济犯罪案件386件，大要案224件，他亲自参与办理有影响的重大案件就有32起。多年来，他坚持亲自接待来信来访，对确有冤屈的错案，不管困难多大也要管到底，先后依法纠正了5起错案。他忘我工作，早到晚走，经常与办案人一起加班连轴转。他每年用四分之一的时间下基层调查研究，写出17份有份量的调查报告，在领导决策中发挥了重要作用。曾两次被评为优秀共产党员，5次被评为先进工作者，荣立二等功一次。

〔黎明·香港影视歌星·在北京举办个人演唱

会〕　应中华文化交流与合作促进会和国际文化艺术公司之邀，香港著名影视歌星黎明于1992年10月29日至11月1日，首次在北京首都体育馆举办个人演唱会。每次演唱会都受到众多歌迷的喝彩赞扬，其中有专程从浙江、河北等地赶来的歌迷。在他所到之处，均有歌迷追踪，电话探询。黎明深有感触地说："北京的演唱，许多情形是我从未遇到过的，故乡的歌友相当令我感动。黎明只是黎明，不是天王，在台上为大家尽心尽力，在台下只是一个平凡的人……。"

黎明，1966年生，北京市人。1970年随其父母迁居香港。八十年代初初中毕业后，远赴英国留学。返港后当过营业员。曾考入亚洲电视第四期艺员训练班。1986年参加第五届新秀歌唱比赛，以演唱"绝对空虚"获得季军，从此踏入歌坛，并向影视界进军。他多才多艺，是一位影视歌三栖明星。1986年后参与拍摄的电视剧主要有《男儿本色》、《飞跃霓裳》、《回到唐山》、《天涯歌女》、《回到未嫁时》、《今生无悔》等。因主演《人在边缘》并演唱主题曲而备获好评。参与拍摄的电影有《美男子》、《少女心》、《YES一族》、《痴情快婿》、《神算》、《明月照尖东》、《妖兽都市》等。

在香港歌坛，黎明与刘德华、郭富城、张学友被誉为"四大天王"。他以精湛的技艺演唱"相逢在雨中"、"亲近你"、"是爱是缘"、"对不起我爱你"、"我的感觉"、"但愿不只是朋友"等歌曲而名扬港台、大陆及东南亚等地，拥有众多的歌迷。他有粤语大碟《相逢在雨中》、国语大碟《今夜你会不会来》等多部，其中《是爱是缘》成为1991年IFPI全年销量最佳大碟。

黎明获得过很多奖誉，其中有TBV十大劲歌金曲最佳新人奖，和记十大魅力男士，十大健康形象艺人，壹周刊最受欢迎男艺员第一位，港台十大中文金曲奖，还有碧泉新星大赛冠军等。1992年初在由香港商业电台主办的"叱咤乐坛男歌奖"中，荣获铜奖。他眷恋故乡，一往情深，在北京的见闻使他激动不已。

〔颜碧君（女）、王希钟·电影化妆师·获《中国电影》金鸡奖最佳化妆奖〕　八一电影制片厂化妆师颜碧君、北京电影制片厂化妆师王希钟，在影片《周恩来》中，成功地对众多历史人物逼真的化妆造型处理，荣获1992年第十二届《中国电影》金鸡奖最佳化妆奖。

影片《周恩来》在银幕上真实地再现了老一代无产阶级革命家周恩来的光辉形象，产生了强烈的艺术感染力，引起轰动效应，倍受中央领导以及广大观众的称赞，获得了广播电影电视部政府奖、《大众电影》百花奖最佳影片奖和《中国电影》金鸡奖特别奖、最佳男主角奖及最佳化妆奖等。两位老化妆师颜碧君和王希钟的准确、形象、逼真的人物肖像造型，有力地配合了人物形象的塑造，为影片的成功作出了不可磨灭的贡献。

颜碧君，1923年4月生于上海。1941年开始从影，当过演员、管过灯光，后来又学习化妆。建国后进入八一电影制片厂任化妆师。先后在《战斗里成长》、《柳堡的故事》、《狼牙山五壮士》、《永不消逝的电波》、《槐树庄》、《赤道战鼓》、《闪闪的红星》、《梅岭星火》、《风雨下钟山》、《再生之地》、《血战台儿庄》、《周恩来》等几十部影片中任化妆师。1983年在《风雨下钟山》中，她对敌我双方的众多历史人物真实可信的化妆造型，一举夺得第三届《中国电影》金鸡奖最佳化妆奖。1987年，她在《血战台儿庄》中的逼真肖像造型和角色的气氛妆，再度夺魁。《周恩来》使她成为唯一获得三只"金鸡"的化妆师。

王希钟，中国电影家协会第五届理事会理事，中国电影化妆学会主席。1928年11月27日生于山东省蓬莱县长山岛。1949年入东北电影制片厂化妆训练班学习。1954年曾随中国电影实习团到苏联莫斯科电影制片厂实习。他先后在东北电影制片厂和北京电影制片厂任化妆师。他在《吕梁英雄》、《新儿女英雄传》、《智取华山》、《万水千山》、《停战以后》、《汾水长流》、《以革命的名义》、《女飞行员》、《海霞》、《智取威虎山》、《龙江颂》、《杜鹃山》、《红娘》、《宝莲灯》、《铁弓缘》、《西安事变》、《茶馆》、《红楼梦》、《周恩来》等数十部影片中担任化妆师。1982年，王希钟在影片《西安事变》中以其精湛的化妆技艺使国共双方十几位领袖人物栩栩如生，因而获得第二届《中国电影》金鸡奖最佳化妆奖，成为第一位享有这个声誉的化妆师。1990年，他因在影片《红楼梦》中为近百名形态各异的人物化妆造型，获得"金鸡奖"最佳化妆奖提名。影片《周恩来》是他第二次手捧"金鸡"。

〔潘小扬·四川电视台导演·被评为中国十大杰出青年之一〕　由全国青联、中国青少年发展基金会和首都十家新闻单位联合举办的第三届"中国十大杰出青年"评选，1992年10月6日在北京揭晓。四川电视台导演潘小扬以100多万票入选，名列第三。

潘小扬，1953年生，四川重庆人。上海戏剧学院电视导演专业毕业。他从1971年参加工作以来，先后在铁道部第二工程局文工团，重庆电视台，四川电视台担任演员、导演。1979年以来，他执导的电视剧连续在国内和国际评选中获奖，他领导的剧组被广播电影电视部通报表彰为全系统的先进剧组。1985年，他导演的电视剧《巴桑和他的弟妹们》获得第六届全国优秀电视剧飞天奖单本剧一等奖。1986年，他导演的电视剧《希波克拉底誓言》获得第七届全国优秀电视剧飞天奖单本剧一等奖。1987年获新时期十年十佳影视导演提名荣誉。他导演的电视剧《南行记边寨人家的历史》获得1991年中国四川国际电视节金熊猫最佳故事片大奖。1987年中国电视艺术家协会举办了潘小扬导演艺术研讨会。1991年受中国电视艺术家协会的邀请，出席了'91国际电视艺术研讨会，并在会上宣读了论文《中国电视艺术工作者历史责任》。自1986年以来，他先后在国家级文艺理论刊物和报纸上发表了20余万字的学术文章。1990年他的传略和创作活动情况编入了中国电影电视艺术家辞典和世界当代文艺家肖像画册。1992年，由他执导的电视剧《南行记》获得第十二届“飞天奖”，他荣获最佳导演奖。

〔潘立鼎·全国劳动模范·涡阳化肥厂厂长·被誉为“扭亏圣手”〕　安徽省涡阳县化肥厂厂长、全国劳动模范潘立鼎，近几年受化工部、安徽省政府委托，先后帮助山西、安徽、河南三省的11个中小型化肥厂扭转了严重亏损局面。1992年12月2日，新华通讯社播发了题为“扭亏圣手潘立鼎”的通讯，介绍了潘立鼎治理亏损大户“手到病除”，令人叹服的事迹。

1979年涡阳县化肥厂亏损99.9万元，濒临倒闭。1980年潘立鼎出任厂长。他果断决策，进行全面改革，使合成氨产量由1979年的2307吨上升到1988年的46156吨，增长19倍，累计盈利2782万元，平均每年递增70.37%，吨氨能耗由1979年的4736万大卡下降到1257.2万大卡，在全国一千家同行企业中居第七位。他不断更新知识，善于用人育人，摸索出一套较为全面的人才运筹法和企业管理法。他无私地帮助本省和山西、河南11家中小型化肥厂，在短期内扭亏为盈。无论兄弟厂历史长短、规模大小，产品是碳氨还是尿素，都一律“显效”，奥妙在于潘立鼎有“三奇”、“四绝”和“一颗火热的心”。

“三奇”，即制亏用奇术，治病用奇法，领兵用奇人。所谓奇术，就是鼓舞士气。每次实施扭亏之初，他都要给亏损企业的职工讲一次话，首先鼓起亏损企业干部职工的上进心。奇法，就是从各个企业的实际出发“对症下药”。亏损企业有的是管理问题，有的是技术问题，还有的是产品销售、资金回笼问题。他深入调查研究，找出主要问题所在，再采取相应的“法”，往往可以收到立竿见影之效。用奇人，就是精心挑选带好队伍的“领头人”。潘立鼎认为，治理一个企业，制定方案固然重要，用人，特别是启用领兵的“主将”也十分重要。所谓“四绝”，一是制定规章制度要绝对细，绝不漏掉哪一个岗位和环节；二是执行规章制度，领导要从自身做起，要做得绝对地好；三是落实厂规厂纪要绝对地严，对违法者不管是谁都要按章处罚，并公之于众；四是倡导企业精神，绝对要深入人心。这“四绝”已在被帮助的许多企业中发扬光大。

潘立鼎有一颗不断追求、永无止境的事业心，一颗热爱人民、帮助他人的赤子之心。帮助11个同行企业扭亏，大多数是在涡化发展的关键时刻，他忍痛抽调精兵强将进行无偿支援。

潘立鼎，1933年生，安徽亳州人。中国共产党员、高级经济师。1989年被国务院授予“全国劳动模范”称号。安徽省曾发出嘉奖令，表彰他们的无私奉献和扭亏成就，号召全省向涡化学习，化工部也多次给予嘉勉。山西省繁峙化肥厂在本厂大门口树立了一块石碑，永远铭记以潘立鼎为首的涡化人对结束本厂亏损历史的功勋。

〔潘承洞·数学家·当选中国科学院学部委员〕　山东大学校长潘承洞教授是著名的数学家，曾攻克许多数学难题，1991年底当选为中国科学院数学物理学部学部委员，1992年1月3日正式公布。

潘承洞，1934年4月生于江苏省苏州市，1956年毕业于北京大学数学力学系，1961年在该系研究生毕业，后在山东大学任教至今。

五十年代，潘承洞第一个得到了关于算术数列中最小素数的上界定量估计，这个结果被广泛引用并作为一条定理写进了数论大师Hasse的名著《数论讲义》中。六十年代，他主要从事哥德巴赫猜想的研究工作，首先确定命题｛1，C｝中C的具体数，证明了命题｛1，5｝和｛1，4｝成立，

为后来的 {1, 3} 和 {1, 2} 的证明打下了基础。算术数列中素数分布的均值估计对研究解析数论的许多著名问题能起到广义黎曼猜想的作用。七十年代，他在简化陈氏定理 {1, 2} 时提出并证明了一条新的均值定理，是对 Bombien 定理的重要推广与发展。由于以上工作，他 1982 年与陈景润、王元共同获得国家自然科学一等奖。为了最终解决哥德巴赫猜想，他提出一个完全不同于经典“园法”的新途径，其中的误差项比“园法”简单明确，便于直接处理。他还用分析方法对小区间上素变数指数和的估计进行处理，提出了估计这种和的一个新的分析方法，使表大厅数为 3 个几乎相等的素数之和能得到更精确的结果。

〔薛玉英（女）·青海微电机厂嵌线工·获全国“五一”劳动奖章〕　青海微电机厂电工车间嵌线班班长薛玉英，领导所在班年年超额完成生产任务，提前跨入 2000 年。1992 年 4 月 29 日，薛玉英获得全国总工会授予的全国“五一”劳动奖章，并在“五一节”期间受全国总工会邀请，到北京参加全国“五一”劳动奖章、奖状授奖大会，受到党和国家领导人接见。

薛玉英带领的班组有 40 多名青年，她根据青年人有文化，求上进的特点，积极开展对女职工的“四有”教育、“法制”教育、“双基”教育，促使她们努力克服生活、工作中的种种困难，走自强自力，岗位成材的道路，在各项工作中拚搏实干。班组年年超额完成生产任务，成效显著。仅据五年来的统计，全组 41 人完成了相当于 514 人全年的工作量，共嵌线 638812 台，人均超额了六年半的生产任务，全班提前跨进了 1998 年。薛玉英提前进入了 2000 年。小组创造的人均 4.2 万元的全员劳动生产率，达到全国同行业的先进水平。

她们班严格遵循“从严治厂，以优取胜”的治厂方针，1983 年以来坚持开展 QC 小组活动。薛玉英代表小组先后在厂、厅、市、部级 QC 成果发布会上发表的《消灭 ZDB7122 定子槽口击穿》、《加强质量管理开展产品质量信得过活动》、《提高 ZDB71 系列一次交验合格率》、《质量管理是加强班组管理的关键环节》、《产品质量是企业各项工作质量的综合反映》、《合理缩短 71 系列绕组端部》等一批成果均获了奖。其中《质量管理是加强班组管理的关键环节》被全国班组研究会《班组研究》杂志 1990 年第四期选用。

薛玉英带领小组在近五年中回收 13071 系列、13063 系列、COZ90 系列等 2197 台，节约机壳 16094.61 元，节约原材料 2894.242 元，收回铜线 77720 元，共计 52508.85 元；奉献工时 57493 个小时，合工时价值 308734.40 元，人均奉献 7718.43 元。

为了提高棉线利用率，薛玉英组织大家把棉线缠成团用，这一小小改进每公斤线就可多绑 60 台绽子。为了解放手工缠线团，她们在车间调度和工装员的帮助下制做的缠线机获厂小制作三等奖。仅此一项，几年来，已节约棉线 100 多公斤。她们向车间提出的单项电机园模改方模的建议显著提高了绕线组的工效，保证了产品质量，节约了原材料。

薛玉英，1946 年 7 月 27 日生，河北省故城县人，1975 年参加工作。

〔薛红仙（女）·第一六九医院内科主任·被评为解放军巾帼建功先进个人〕　广州军区第 169 医院主任医师、一内科主任薛红仙，于 1992 年 3 月被解放军总政治部评为全军“巾帼建功先进个人”，7 月荣立一等功。

薛红仙，1934 年 1 月生于浙江省宁波市。1951 年入第六军医大学医疗系学习。1954 年调至广州军区总医院任军医。1956 年加入中国共产党。1957 年在广州军区卫生学校任教员。1958 年起任第 157 医院内科主治医师、副主任，第 169 医院一内科副主任、主任、主任医师。她从 22 岁开始就病魔缠身，先后患肝炎、肝硬化、贫血病、冠心病、子宫肌瘤和乳腺癌，婚后不到 10 年，年仅 39 岁的丈夫患震颤性麻痹症几成“植物人”。薛红仙用自己纤弱的病躯托起家庭、事业两副重担，在艰难的人生路上始终奉行“赶紧做”3 个字，坚守医疗岗位为数以万计的病人解除痛苦。1991 年 7 月，薛红仙因患乳腺癌做了胸大肌、胸小肌切除术，术后第 5 天，她硬是支撑着给一位难以确诊的农村老大娘作检查，排除了病人患肠癌的疑虑，而她的伤口却渗出了一圈血印。在化疗期间，她曾先后组织数十次抢救，使伤病员脱离了危险。病人说，她是在用自己的生病换取病人的生命。为学习和运用世界的先进技术、设备，她通过自学攻克英语关，广泛收集最新医疗成果、信息和各种临床病例，加以消化、吸收和运用，使科研工作迈上了新的台阶。她创造了用成人胃镜做婴儿胃镜检查的全国首例和近百例不用开刀就能摘取异物的疑难杂病诊断新纪录；曾于 1981 年研究出“纤维结肠镜非透视下操作”新方法，成功率达98%以上，在全国推广；历经10年研制成“胃痛宁”，总有效率提高到98%，治愈率达90%。她将自己40年来积累的30本医学和科研笔记，精心摘录的2000多张资料卡片，全部奉献出来，先后带出21名主治医生和住院医生，其中5人获得军队科技成果奖。所带的科13次被广州军区后勤部评为“先进科室”。薛红仙曾先后获9项科技成果奖，开展新技术项目50多项，25次立功受奖，8次被评为优秀共产党员，两次被评为医疗卫生先进个人。她用自己的“生命挑战工程”的成果向世人证明，“生命的价值不在于年轮的计算，而在于生命利用率的高低”。

〔薛寿生·出任亚洲（澳门）国际公开大学校长〕　1992年11月11日，亚洲（澳门）国际公开大学成立，薛寿生出任该大学校长。亚洲（澳门）国际公开大学是东亚公开学院，于本年9月获澳门政府批准，与葡国公开大学在澳门联合成立的新大学。薛寿生在成立典礼上致词表示，该大学将为澳门及亚洲地区，尤其是大陆和香港提供高等教学及培训课程。大学将采用国际教材，透过遥距教学方法授课。这将使在职人士有机会以兼读的方式接受高等教育，对澳门过渡期培训人材极为重要。

薛寿生北京燕京大学毕业。获瑞士日内瓦大学政治学博士学位。曾在香港大学、牛津大学、菲律宾大学执教或从事研究工作。1966年被聘为香港中文大学公共行政学教授，两年后升任政治与行政学讲座教授。1972年至1975年任新加坡南洋大学校长。后任香港中文大学社会科学院院长、联合书院院长，兼任政治与行政学系主任及亚洲课程部主任。1980年任澳门东亚大学创校校长，1986年任满后被聘为名誉校长。1988年再任澳门东亚大学校长，同年并出任澳门特别行政区基本法起草委员会副主任委员。1991年8月上述两职任务完成。曾在许多国际学术及专业团体任职，如历任东方地区公共行政组织助理秘书长，东南亚社会科学学会会长，联合国顾问，东南亚高等教育机构协会理事，澳门基金会管理委员会委员，东方基金会咨询委员会成员等。

薛寿生精通数国语文，在亚洲、欧洲及美洲出版过多种专著及论文。获得过多种奖誉，其中有法国总统颁授的荣誉功勋爵士勋章，澳督颁授的文化勋章，泰国总理代表东方地区公共行政组织颁授的国际友谊服务奖状，日本创立大学授予的最高荣誉奖章，并被葡国大学校长协会邀为名誉会员，东亚大学授予名誉博士学位，北京对外经济贸易大学聘为名誉教授。

〔薛社普·实验胚胎学和细胞生物学家·当选中国科学院学部委员〕　中国医学科学院基础医学研究所研究员、中国协和医科大学教授薛社普在实验胚胎学和细胞生物学领域硕果累累，1991年底当选为中国科学院生物学部学部委员，1992年1月3日正式公布。

薛社普，1917年9月生于广东省新会县，1943年毕业于中央大学博物系，1947年获中央大学生物系硕士学位，1952年获美国华盛顿大学研究院动物系博士学位。六十年代，他从事“细胞分化调控”研究，为细胞的可调控性及其规律提供了重要理论依据。七十年代以来，他对棉酚及雷公藤抗精子发生作用机理、毒性、毒理、药代动力学等规律进行了系统研究，提出棉酚靶细胞及亚细胞作用位点的假说，阐明了棉酚在体内的代谢动态及靶细胞定位与药物作用起效期相关的规律，为我国节育药棉酚的科研领先于国际和带动我国男性生殖生物学与节育研究做出重要贡献。八十年代，他以调控肿瘤细胞恶性分裂分化为目标的研究取得了重要突破，揭开了哺乳类红细胞自然去核之谜，在国内外首次发现哺乳类红细胞胞质中存在能逆转恶性分裂、调节基因表达和诱导终末分化的“红细胞分化调节因子”，这一因子对体外培养的转化及肿瘤细胞有高活性的抑制生长作用，有很大的学术价值和潜在的应用价值。

〔薛培森·航空博物馆馆长·为发展航空国防教育作出贡献〕　1992年8月2日，中央电视台、中央人民广播电台以“志在蓝天”为题，介绍了薛培森主持建立航空博物馆、发展国防航空教育的事迹。航博建成四年多来，已接待中外观众100多万人次，现拥有各种型号的飞机、雷达、航空武器装备共1000多架、件，其规模为亚洲第一位，世界第五位，它以实物再现了中国人民空军的成长史和中国航空工业发展史。江泽民等党和国家领导人视察时曾称赞说：这是对青少年进行爱国主义教育最好场所。该馆被北京市评为关心青少年科技教育先进单位。

薛培森，黑龙江哈尔滨市人，1934年4月出生，1952年毕业于人民解放军第八航空学校，先后在空军部队担任特设师、参谋、副科长、处长、副师职学术研究员等。还曾赴印尼担任援外专家。

他曾参与制定空军第一个作战指挥自动化建设方案，参与创立空军作战指挥自动化专业。主持编写了全国第一部《日、英、汉电子计算机词典》。1988 年投身于航空博物馆的建设事业，以馆为家，艰苦奋斗，自学了中国航空史、世界航空史、博物馆学、文物法和陈列设计等专业知识，收集上百万字资料；翻阅了空军 40 多年来的装备历史档案；实地考察了美、英、法、德等国的主要航空博物馆。在经费紧缺的条件下，他带领筹建人员风餐露宿，四处寻找，收集航空装备，在上海航空体校附近茅草地里，找到了苏联 1928 年生产的一架波——2 飞机和三架雅克——18 飞机；在长春电影制片厂的雪地里找到了一架伊尔——10 和两架雅克——11 飞机；在八一电影制片厂的废品堆里，找到了一架拉——11 飞机。他还找到了战斗英雄王海、李汉驾驶过的功勋战机，当一架立过战功的飞机被拆送工厂回炉时，他立即抢救重新装配起来。这样先后收集了 90 多种型号 180 多架飞机，雷达 50 多部，以及数百件其他装备，使航空博物馆成为世界航空珍品荟萃地。薛培森多次被评为空军先进工作者。

〔薄一波·原中共中央顾问委员会副主任·《薄一波文选》出版〕　新华社 1992 年 12 月 19 日报道，中共中央文献编辑委员会编辑的《薄一波文选》已由人民出版社出版。这是薄一波继 1991 年出版《若干重大决策与事件回顾》（上卷）后的又一部重要著作。

《薄一波文选》收入了薄一波自 1937 年 4 月至 1992 年 1 月间的重要文章、讲话、电报、书信等 72 篇，共 40 余万字、这部著作记录了他在党的领导下，在抗日战争、解放战争、新中国成立后各个时期对于中国革命和社会主义建设事业所做的努力和贡献，是薄一波半个多世纪革命生涯中积累的丰富经验，是运用马列主义普遍原理与中国革命和建设实际相结合的产物，体现了毛泽东思想的光辉。它的出版，对于研究中国革命和建设的历史经验，促进社会主义现代化建设和改革开放事业的发展，具有现实意义。

12 月 20 日，《人民日报》刊登了《薄一波文选》重点文章的介绍。21、22 日，又发表了《文选》中的《正确处理计划和市场的关系》全文。这是薄一波从 1990 年冬开始思考，经过深入调查研究，于 1991 年秋写成的论文，经反复征求意见后定稿。他在此文中指出，计划和市场的关系问题是社会主义经济体制中的一个核心问题。不改革原有的高度集中的计划体制和计划方法，是没有出路的。小修小补，也是无法有效地解决目前经济生活中存在的许多深层次的问题的。计划和市场作为调节经济的手段，它们的有机结合已成为现代社会生产力发展的客观要求。薄一波从理论和实践的角度，深入剖析了计划与市场的有机结合问题，主张从深化企业机制改革、完善社会主义市场体系、建立适应社会主义商品经济运行要求的宏观调控体系三个方面做好工作，沿着建设有中国特色的社会主义的方向，坚决而稳妥地把改革引向深入，真正实现计划和市场的有机结合。

薄一波，1908 年 2 月 17 日生，山西省定襄县人。1925 年 4 月加入中国共产党。其主要经历见 1989 年《中国人物年鉴》。

〔戴汝为·电子计算机专家·当选中国科学院学部委员〕　戴汝为研究员在计算机模式识别和智能控制方面贡献突出，1991 年底当选为中科院技术科学部学部委员，1992 年 1 月 3 日正式公布。

戴汝为，1932 年 12 月 31 日生于云南省昆明市，1955 年毕业于北京大学数学力学系。曾在中科院力学研究所从事工程控制论的研究，后转到自动化研究所任研究部主任。1980—82 年在美国普渡（Purdue）大学电机系做访问学者，研究模式识别。1985 年被特批为“模式识别与智能控制”专业博士导师。1987 年以来担任国家高技术计划“智能计算机系统”第一、二届专家组副组长、专家及国家智能计算机研究发展中心首届学术委员会主任。先后在国外参加国际学术会议与讲学 20 余次。现还兼任《模式识别与人工智能》学报主编。

戴汝为的研究成果“语义、句法模式识别”获 1986 年中科院科技进步二等奖；“神经网络软件包”（参加者）获 1990 年中科院科技进步二等奖；“手写汉字识别的理论、方法与实践”（参加者）获 1992 年中科院自然科学一等奖。他还于 1990 年获得中科院优秀研究生导师奖励。

〔戴念慈·已故杰出建筑设计师·由他设计的“吴作人艺苑”落成〕　由戴念慈精心设计的苏州“吴作人艺苑”，于 1992 年落成。

戴念慈，江苏省无锡县人。1920 年 4 月出生，1991 年病逝。他是我国杰出的建筑设计大师，在世界建筑界享有崇高的威望。五十年代曾设计修建我国首批"十大建筑"之一的"中国美术馆"，其外表的富丽堂皇与内部结构的简洁明快给人以深刻印象。作为泱泱大国的最高美艺殿堂十分相称。六十年代他在斯里兰卡设计的纪念班达拉奈克国际会议大厦，成为世界著名建筑。八十年代，几十项高水平建筑相继问世。1982 年他主持设计的山东曲阜"阙里宾馆"。获建设部优秀设计一等奖，并被评为 80 年代新十大建筑之一。这组建筑是用现代材料建造的现代化宾馆，却与"孔庙"、"孔府"两处古建相协调，结构造型古意盎然而无一处抄袭古人，内部装饰华而不奢，未加矫饰而美不胜收。简洁、典雅、舒适，即细微之处亦见匠心独运，古典与现代意识融合得天衣无缝。显示了设计者深厚的艺术功力。

精心设计的苏州"吴作人艺苑"，以双塔作为借景，古今映衬，浑然一体。他的老同学沈佐尧先生曾为此写了一幅 566 字的长联，他就刻联的位置，每砖占多少字，再按规定大小和字数写出来，都作了认真的考虑和安排，后发现苏州烧制的金砖尺寸略有缩小，又用计算器作了精确计算。对工作的严谨、认真、细致的态度令人敬佩。

戴念慈曾任国家建设部副部长。但始终保持书生本色。办公室经常支着一块图板，在家也孜孜伏案，不离规尺，视建筑艺术为生命。

他也爱绘画，读大学时，绘水彩画是佼佼者。尤其画古代园林，清丽蕴藉，颇似其人。他有一颗强烈的爱国心，反对民族虚无主义，在建筑的民族风格与现代化的统一上所做的重要而成功的探索，为后人开辟了康庄的坦道。近年来他多次赴欧、美、亚、非等地参加学术会议及建筑设计，为祖国争得了崇高荣誉。遗憾的是他设计的"吴作人艺苑"落成之日，竟没见到他设计的图纸已变成现实而与世长辞了。

〔戴学江·任国防科学技术工业委员会政治委员〕　1992 年 11 月，中央军委任命戴学江为国防科学技术工业委员会政治委员。

戴学江，1930 年 2 月生，江苏靖江人。1946 年参加中国人民解放军，次年加入中国共产党。曾任华东野战军营文化教员、文化干事，第三野战军团政治处技术书记。参加了孟良崮、淮海、渡江、上海等战役。建国后，任华东军区师政治部秘书。1952 年参加抗美援朝，任中国人民志愿军师政治部秘书、营教导员。回国后，历任军政治部组织助理员，沈阳军区组织部科长、副部长，师政委，军政治部主任，军政委，沈阳军区政治部副主任、主任，沈阳军区副政委。1988 年被授予少将军衔。1990 年晋升为中将军衔。

〔戴树和·民盟中央常委·《可靠性分析在工程中的应用》专著在美国出版〕　1992 年 4 月，南京化工学院教授、民盟中央常委戴树和教授的专著《可靠性分析在工程中的应用》英文版，由美国 VNR 出版公司出版。美国康奈尔大学工学院副院长芬奈克斯教授和土木环境工程教授郭瑞高尔为此书作序，称此书"填补了国际工程可靠性分析文献的空白"。此书的扉页上写有一行醒目的大字："献给我们的祖国——中华人民共和国"。

此书是戴树和教授应美国康奈尔大学工学院副院长芬奈克斯等两位教授邀请撰写的。此书的主要贡献，是将模糊数学引入化工设备的可靠性分析。国际有关专家高度评价此书，认为此书"填补了国际工程可靠分析文献的空白"，"书中有许多新颖独到的特色"，"编入了可靠性分析中当代全部有用的模型"，是一本"需要量很大的书"。

戴树和，1923 年生于北京，江苏如皋人。1946 年毕业于中央大学化学工程系。历任中央大学化工系助教，南京大学、南京工学院、南京化工学院讲师、教授、系主任、名誉系主任、博士生导师，国务院学位委员会学科评议组成员，中国机械工程学会压力容器学会理事长，国际压力容器学会第六届学术会议技术委员会主席，美国工程科学学会会员。八十年代初由于在美国从事"裂纹尖端无位错区研究"的贡献，被列入美国出版的《世界名人录》、《科技前沿名人录》。1978 年被授予我国化工战线"学铁人标兵"，1985 年获"全国化学工业劳动模范"称号，1988 年入选《企事业改革家列传》，1991 年入选《20 世纪中国名人辞典》。1953 年加入中国民主同盟，历任民盟中央常委，江苏省民盟副主委、主委，全国政协委员、常委。

〔戴焕忠·科技实业家·获第三届全国科技实业家创业奖金奖〕　北京华讯通信发展总公司总裁、高级工程师戴焕忠在激烈的市场竞争中，依靠人才、技术优势使他所领导的公司从零起步，一跃成为北京市民办企业的"明星"，他本人于 1992 年 12 月被中国科协等单位授予"第三届全国科技实业家创业奖金奖"。

戴焕忠，1941 年 9 月 9 日生于安徽巢湖市，1960 年 1 月参加解放军，先后在解放军重庆通信技术专科学校、沈阳通信兵学院、总参谋部业余大学学习，获大专学历。1969 年 1 月至 1973 年 10 月，任电子工业部部长秘书，参与了我国“六五”电子工业和国防电子设备的规划工作。1974 年至 1988 年，先后在军委通信兵部、国家无线电管理委员会、北京市无线电管理委员会负责组织了多项大中型无线电通信工程组网工作，制定了各项技术规定，主持了国外先进无线通信技术的引进和推广工作。

戴焕忠从多年从事无线电管理工作的实践中看到，由于大陆无线电通信事业长期处于独家经营、缺乏竞争的环境，导致现有通信设施功效不能充分发挥，便于 1988 年底毅然“下海”创办了“华讯”公司。他以市场为导向，推动技术成果转化，一方面紧盯国际通信技术市场的发展，一方面又紧盯国内技术市场的需求，成功开发了集群通信、寻呼通信、数据通信等一系列具有国内先进水平的无线通信项目，其中无中心多信道选址通信系统已达到国际先进水平。4 年来，华讯公司在通信界异军突起，为社会组建大中型移动通信工程 150 多项，包括国务院移动通信网、北京市政府 800 兆赫集群指挥调度通信网、北京市检察院移动通信网、北京市公安交通指挥通信网等，并在第十一届亚运会中承担了重要的通信工程任务，又独家赞助了 1993 年第七届全运会无线通信网。华讯公司 1991 年在北京市开发区一千多家企业中，技工贸总收入跃居第七位，利润跃居第四位，成为拥有十九个分、子公司和一个中外合资公司的移动通信行业的企业集团。1991 年华讯公司荣获北京地区寻呼优质服务评比第一名，1992 年被评为北京市新技术产业开发试验区先进企业。

〔鞠躬·神经科学家·当选中国科学院学部委员〕　1992 年 1 月 3 日，中国科学院正式公布了新当选的学部委员名单。第四军医大学神经科学研究所所长、教授鞠躬名列其中。他进行的垂体神经——体液双重调节研究成果，1992 年获全军科技进步一等奖。

鞠躬，1929 年 11 月生。安徽绩溪人。1952 年在湘雅医学院毕业后，入北京协和医学院高级师资班进修。1953 年 3 月调第四军医大学，先后任解剖教研室助教、讲师、副教授。1983 年任组织胚胎教研室教授，1985 年任神经生物学研究室主任，1987 年加入中国共产党。1989 年任神经科学研究所所长。

鞠躬致力于神经解剖学研究所 40 年。主要从事束路追踪、神经内分泌学大脑边缘系统及神经免疫学的研究。早年主要研究脊髓和脑干的纤维联系，近年来主要集中研究下丘脑的脑下垂体前后叶的联系。具有重要意义的是发现了哺乳动物脑下垂体前叶内存在较大量肽能神经纤维，可与腺细胞形成突触，并参与机体内分泌的调节，从而提出了垂体神经——体液双重调节的假说。这一研究具有突破性意义，为垂体前叶的神经调节奠定了形态学基础，这些成果已得到国际上的承认和广泛注意。

1985 年至 1987 年，鞠躬先后赴瑞典和美国，担任瑞典 Karolinska 学院组织学系访问学者和美国 salk 研究所系统神经解剖学实验室访问学者。他在国内外发表学术论文 180 篇，载于国外刊物的有 50 篇。他还曾获总后勤部、陕西省科研成果二等奖。

〔鞠俊瑞·淄川公安分局刑警队副队长·被评为中国十大杰出民警之一〕　1992 年 1 月 10 日，由中宣部、公安部和新华社、人民日报社、中央人民广播电台、中央电视台等新闻单位联合举办的“中国十大杰出民警”评选揭晓，山东省淄博市公安局淄川分局刑警队副队长鞠俊瑞荣获“中国杰出民警”称号。

鞠俊瑞，1954 年出生，在沂蒙山区长大。1971 年参加工作，1975 年入伍成为一名侦察兵。在部队 7 年曾 9 次受嘉奖，一次荣立三等功。1982 年由侦察排长转业，成为一名便衣警察。在公安战线近 10 年的时间里，一直战斗在打击流窜犯罪第一线，共抓获各类违法犯罪分子 1364 名，缴获赃物、赃款 18 万余元。他十分注意在实践中潜心研究流窜扒窃犯罪的特点和规律，创出了一套精湛实用、独具特色的“鞠氏打流法”。为适应特殊岗位的需要，他练出了一副明察秋毫的“火眼金睛”，并娴熟地掌握了擒拿、格斗、射击、驾驶机动车辆等多种技能。在对敌斗争中，他常常只身一人同时抓获数名罪犯。曾 20 多次同手持枪械的凶犯搏斗，10 余次负伤，但每次都英勇机智地将罪犯制服。他的名字使当地的犯罪分子闻之丧胆。一次，淄川区岭子镇青年王其干盗窃一部 12 马力拖拉机变卖后潜逃，又与他人合伙抢劫作案 3 起。鞠俊瑞只身追捕，在公共汽车上发现了他们，罪犯有 5 人，而车上只有几个老人和妇女，找不到帮手。他大喝一声王其干，王犯还未反应过来，右手已被铐住。王犯身高力大，极力挣扎，很难再铐住其左手，鞠俊瑞便把手铐的另一边铐在自己左手腕上。其余罪犯惊魂稍定，有两个掏出刀子向他逼来。鞠俊瑞没带枪，他急中生智，右手往腰间一摸，大喝道："我是公安局的鞠俊瑞，谁敢动我就废了谁!"罪犯听了慌忙夺路而逃，当天下午相继落网。鞠俊瑞对人民群众满怀深情，曾冒着被烈火吞噬的危险奋力保护集体财产，勇拦拖车狂奔的惊马救出3条人命，先后抢救过13名受伤、中毒、病危的群众，被誉为"罪犯的克星"、"人民的保护神"。

9年中，鞠俊瑞先后13次获得省级以上各种荣誉称号。10多次被评为先进工作者、优秀共产党员和文明警察，荣立一等功、三等功各一次，二等功两次，还被山东省政府授予劳动模范称号，被共青团中央授予"全国新长征突击手"称号和"卫国为民英雄"称号，1989年被评为全国先进工作者。

〔魏桥·方志学家·被选入《国际知识界名人录》〕　浙江省社会科学院编审魏桥长期从事地方志的理论研究和新方志的编纂工作，成绩卓著。《人民日报》（海外版）等报刊曾发表专文向国内外介绍推荐。1992年他被收入英国剑桥大学国际传记中心所编的《国际知识界名人录》。

魏桥，原名魏云生，1930年3月出生于浙江省余杭县，1949年上半年高中毕业后参加革命工作，1957年毕业于中共中央高级党校哲学班。历任新华社12支社记者、浙江省委党校教员、《浙江学刊》主编、浙江省社会科学院副院长、省地方志办公室主任等职。主编《浙江省名镇志》（上海书店出版，125万字）、《浙江文化丛书》（浙江人民出版社出版）、《浙江人物简志》。著有《浙江方志源流》、《风雨四十年》等书，并发表了方志论文60多篇。担任浙江省萧山市、余杭市等50多个市县的方志顾问。他曾提出新方志学建设的构想，强调新方志的编纂要合格，又不拘一格；提出"详今略古"和"详今明古"的要求，弄清来龙去脉。发表的《开展海峡两岸修志交流之我见》文章，提出大陆、台湾交流修志经验与资料的建议，得到各方积极响应。现兼任中国地方志协会常务理事、浙江地方志学会会长、省政协委员、文联委员、国际百越文化研究中心主任。

〔魏龙骧·著名中医·在北京逝世〕　著名中医临床家，原北京医院中医科主任、主任医师，第六届、第七届全国政协常委魏龙骧，1992年7月17日在北京逝世，终年81岁。

魏龙骧，河北省东光县人，青年时代就立志要为良医，拜著名儒医杨淑澄先生为师，潜心研读中医经典专著，勤奋致力临床诊病实践，在解放前就已有声望。1950年参加革命工作，曾任中央卫生部中医司科长，解放军301医院中医顾问，北京医院中医科主任，卫生部医学科学委员会常委，国家科委中医专业组成员，中国红十字会副会长，中华全国中医学会副会长，中国中西医结合研究会顾问，中国和平统一促进会理事等职。

〔魏金山·任人民解放军海军政治委员〕

1992年11月，中央军委任命魏金山为人民解放军海军政治委员。

魏金山，1927年4月生，山东蓬莱人。1945年参加八路军，同年加入中国共产党。曾任华东野战军连指导员，第三野战军师作战参谋。参加了莱芜、孟良崮、济南、淮海、渡江等战役。1950年参加抗美援朝，任中国人民志愿军师作战训练科副科长。回国后，任华东军区军训处参谋，南京军区军训处科长，团长、师政委、军政委，南京军区政治部主任，总参谋部政治部主任。1985年起任海军副政委、政委。是中共十二届、十三届、十四届中央委员。1988年被授予海军中将军衔。

〔魏金水·原福建省省长·在福州逝世〕

原福建省省长魏金水因病于1992年8月11日在福州逝世。终年86岁。

魏金水是福建龙岩人。青年时期就投身革命，1929年5月担任乡苏维埃主席，带领农民开展土地革命。1929年7月参加中国工农红军，同年10月加入中国共产党。土地革命战争时期，曾任中共龙岩县委书记兼独立团政委。中央红军长征后，留闽西南坚持游击战争，曾任闽西南抗日义勇军政治部主任，中共闽粤赣省委组织部部长，中共闽西南特委书记。抗日战争胜利后，历任中共闽粤赣工委书记、闽粤赣区党委书记兼闽粤赣边纵队政委。中华人民共和国成立后，任中共福建省委书记处书记、省长、省革委会副主任、省政协副主席。1982年当选为中共中央顾问委员会委员。是中共八大代表，第五届全国人大代表。

〔魏喜奎（女）·曲艺、曲剧艺术家·应邀赴台作艺术交流〕　著名曲艺、曲剧艺术家魏喜奎，应台湾大汉玉集剧艺团团长王友兰、王友梅之邀，作为大陆第一位赴台的戏曲界人士于1992年

3月12日飞抵台北，从3月17日起，举办“海峡两岸说唱大展”及“大陆说唱研习班”，并与王氏姐妹联合演出多种鼓曲及曲剧《杨乃武与小白菜》选场，是为大陆与台湾演艺人员，首次在台进行海峡两岸艺术交流活动，在台湾引起强烈反响。

3月17日晚，魏喜奎在台北享有盛名的国艺中心首场演出。当晚剧场门前悬灯结彩，观众如潮。她独唱了奉调大鼓、乐亭大鼓和单弦岔曲等，每句腔还没全落，台下就响起热烈的掌声，叫“好”声不断。台湾本不兴返场，可魏喜奎演完节目总下不了台，观众一个劲鼓掌不息，最后不得不加演几个唱段。观众席中有许多人是魏喜奎40多年前的老观众，演出后他们激动地对魏喜奎说：“40年了，你的嗓子没变，唱的没变，扮相也没变。”魏喜奎打趣说：“当年我是小白菜，如今已是老白菜了。”她原定在台湾访问20天，但各地的观众纷纷来电话或直接找上门，请她去各地讲学，盛情之下魏喜奎只好把访问时间增加20天。在台湾的40天中，魏喜奎顾不上领略宝岛的风光，先后到台湾大学等13家大专院校及海基会组织的“海峡两岸艺术交流座谈会”讲课。她结合示范，穿插演唱，讲曲艺发音吐字、运气行腔、鼓曲类别、曲剧形式等，每场都座无虚席。台湾大学生听课后感到眼界大开，受益不浅。他们惊奇地说：“真想不到说唱艺术是如此丰富多彩。”许多大学的师生听完讲座后不肯退场，要求魏喜奎教他们一段。魏喜奎总是有求必应，更加赢得了台湾青年对她的崇敬。许多喜爱曲艺的青年诚恳地向她提出拜师的要求。魏喜奎在大陆就是一位声名显赫的老艺术家，桃李满天下。此次台湾之行盛情之下，又收了41个台湾徒弟。这些徒弟说：“曲艺、曲剧艺术是我们国家的民族艺术瑰宝，我们要让这种民族艺术在台湾生根开花，永远枝繁叶茂，世代流传。”

邀请魏喜奎访台的王友兰、王友梅姐妹，现年30余岁，为台湾有名曲艺演员。她俩在上学时即酷爱戏曲艺术。大学毕业以后从事京剧、曲艺演唱、研究工作。在台北第一个成立了以“汉”字命名的剧艺团。此后即主攻我国北方曲艺。1990年，王友兰来大陆投师，向京韵大鼓艺术家骆玉笙学习；后来得知魏喜奎曾举办曲艺、曲剧独唱专场，一个人能唱多种鼓曲。姐妹俩遂热忱向魏喜奎问艺习曲，建立了深厚情谊。她俩十分热衷于海峡两岸的艺术交流，深愿魏喜奎能亲往台湾访问，经过半年多的多方奔走，海峡两岸曲艺界的第一次交流终于实现。

魏喜奎，天津蓟县人，1925年出生，从小学唱鼓曲，曾从唐山大鼓改革成“奉调大鼓”，创立了一个新曲种，成为第一个演唱奉调大鼓的演员；新中国建立后，又在北方鼓曲的基础上，创成“北京曲剧”，填补了北京地方戏的空白，著名文学家老舍自告奋勇，写了第一个曲剧《柳树井》，于1951年4月上演，魏喜奎成为第一个主演北京曲剧的演员；1957年，魏喜奎在第六届世界青年联欢节上，以曲艺中的岔曲、曲剧选段参加“东方歌唱比赛”，荣获金质奖章，是至今我国仅有的一位获国际大奖的曲艺、曲剧演员；这次，她又成为大陆正式赴台作艺术交流的第一位戏曲艺术家。其简历见1992年《中国人物年鉴》。

附　录

中国共产党
第十四届中央委员会

（1992年10月）

中央委员会总书记：江泽民

中央政治局常务委员会委员：江泽民、李鹏、乔石、李瑞环、朱镕基、刘华清、胡锦涛

中央政治局委员（*按姓氏笔划为序*）：丁关根、田纪云、朱镕基、乔石、刘华清、江泽民、李鹏、李岚清、李铁映、李瑞环、杨白冰、吴邦国、邹家华、陈希同、胡锦涛、姜春云、钱其琛、尉健行、谢非、谭绍文

中央政治局候补委员（*按得票多少为序*）：温家宝、王汉斌

中央书记处书记：胡锦涛、丁关根、尉健行、温家宝、任建新

中央委员（*共189人，按姓氏笔划为序*）：丁文昌、丁关根、丁衡高、于永波（满族）、王克、王涛、王海、王群、王汉斌、王成斌、王兆国、王茂林、王忠禹、王维澄、王朝文（苗族）、王森浩、王瑞林、毛致用、乌力吉（蒙古族）、尹克升、邓鸿勋、艾知生、卢荣景、叶连松、叶选平、田纪云、田曾佩、史玉孝、白立忱（回族）、白清才、司马义·艾买提（维吾尔族）、成克杰（壮族）、吕枫、吕培俭、朱训、朱光亚、朱森林、朱敦法、朱镕基、乔石、伍绍祖、任建新、华国锋、全树仁、多吉才让（藏族）、刘中一、刘正威、刘仲藜、刘华清、刘安元、刘纪原、刘忠德、刘剑锋、刘精松、齐怀远、关广富（满族）、江泽民、阮崇武、孙维本、李景、李鹏、李九龙、李长春、李文卿、李来柱、李岚清、李伯勇、李希林、李际均、李其炎、李泽民、李贵鲜、李铁映、李瑞环、李德洙（朝鲜族）、杨正午（土家族）、杨白冰、杨国梁、杨德中、吴仪（女）、吴文英（女）、吴邦国、吴官正、何光远、何竹康、何椿霖、佟宝存、谷善庆、邹家华、汪家镠（女）、沈达人、宋健、宋汉良、宋克达、宋清渭、宋德福、迟浩田、张工、张震、张丁华、张万年、张立昌、张连忠、张勃兴、张思卿、张美远、张帼英（女）、张福森、陈玉英（女）、陈邦柱、陈光毅、陈希同、陈奎元、陈俊生、陈敏章、陈焕友、陈锦华、陈慕华（女）、邵华泽、邵奇惠、林丽韫（女）、固辉、罗干、和志强（纳西族）、岳岐峰、周南、周文元、周玉书、周光召、周克玉、郑必坚、赵志浩、赵南起（朝鲜族）、赵富林、郝建秀（女）、胡平、胡启立、胡富国、胡锦涛、侯捷、侯宗宾、姜春云、袁伟民、热地（藏族）、贾庆林、贾志杰、贾春旺、顾秀莲（女）、顾金池、钱正英（女）、钱其琛、铁木尔·达瓦买提（维吾尔族）、倪志福、徐惠滋、高严、高天正、高德占、郭振乾、郭超人、陶驷驹、黄菊、黄璜、黄启璪（女）、黄镇东、曹双明、曹芃生、戚元靖、崔乃夫、梁栋材、尉健行、彭珮云（女）、葛洪升、蒋心雄、蒋民宽、蒋祝平、韩杼滨、程维高、傅全有、傅锡寿、鲁平、普朝柱、温家宝、谢非、谢世杰、雷鸣球、路甬祥、廖晖、谭绍文、魏金山

中央候补委员（*共130人，按得票多少为序*）：王学萍（黎族）、耿全礼、马启智（回族）、孙文盛、克尤木·巴吾东（维吾尔族）、吴光宇、赵金铎（满族）、贾那布尔（哈萨克族）、桑结加（藏族）、曹伯纯、梁光烈、王志武、王洛林、江村罗布（藏族）、杜青林、李毅中、吴基传、张孝文、张俊九、郑斯林、钱树根、阎海旺、谭乃达、王云龙、石宗源（回族）、刘泽民、杨永良、吴玉谦、奉恒高（瑶族）、贾治邦、高祀仁、郭东坡、黄瑶（布依族）、曾庆存、廖文海（女）、王广宪、许其亮、孙同川、汪啸风、沈滨义、陈明义、岳海岩、龚谷成、程安东、田成平、汤洪高、孙家正、李慧芬（女）、宋宝瑞、张彦仲、郝岩、柴松岳、乌云其木格（女，蒙古族）、刘明祖、彭崑生、温宗仁、石兆彬、刘淇、张德江、秦玉琴（女）、顾浩、钱国梁、王太华、王乐泉、史大桢、白恩培、朱开轩、刘振华、李奇生、李淑铮（女）、陈云林、陈玉杰（女）、王如珍（女）、石玉珍（女，苗族）、卢瑞华、朱丽兰（女）、杨健强（白

族）、栾恩杰（满族）、王思齐、刘云山、李春亭、邹竞蒙、范钦臣、罗冰生、丹增（藏族）、回良玉（回族）、苏荣、刘毅、张肖（女）、周永康、贺国强、刘方仁、张秋祥、王梦奎、邹世昌、高昌礼、汝信、姜永荣、戴相龙、李嘉廷（彝族）、沙健孙（回族）、陈至立（女）、钱运录、徐匡迪、郭树言、李建国、欧广源、厉有为、刘华秋、杨振怀、曾培炎、黎明、俞正声、曾宪林、田凤山、王占、吴爱英（女）、赵延年（回族）、吴贻弓、李继耐、郑贤斌、桂世镛、熊光楷、张健民、马忠臣、兰保景、何其宗、叶青、房维中、肖秧

中央军事委员会

（1992年10月）

主　席：江泽民

副主席：刘华清、张　震

委员：迟浩田、张万年、于永波、傅全有

中央纪律检查委员会

（1992年10月）

书　记：尉健行

副书记：侯宗宾、陈作霖、曹庆泽、王德瑛、徐　青

常务委员会委员（按姓氏笔划为序）：王光、王德瑛、刘丽英、安启元、李至伦、何勇、陈作霖、侯宗宾、徐青、曹庆泽、尉健行、彭钢、傅杰

委员（共*108*人，按姓氏笔划为序）：丁凤英（女）、万绍芬（女）、马世昌、王光、王其超、王茂润、王宗春、王富中、王福义、王德顺、王德瑛、乌兰木伦（蒙古族）、巴桑（女，藏族）、甘子玉、艾维仁、田聪明、冯少武、冯芝茂、冯锡铭、朱育理、多巴（藏族）、刘崑、刘锷、刘丽英（女）、刘明仁、刘贵岭、刘峰岩、刘积斌、刘善祥、安启元、祁培文、孙祖梅、孙隆椿、李钊、李文海、李成仁、李至伦、李金华、李俊杰、李振东、李恩潮、李焕政、李清林、李惠仁、杨兴富、杨英昌、杨贤足、杨昌基、杨崇汇、杨敏之、杨德清、杨德福、吴景春（女）、何勇、佟国荣、闵耀中、汪文风、沈茂成、宋国臣、张轰、张文岳、张华林、张均法、张宝顺、张惠新、陈为松、陈光琳、陈作霖、陈明枢、范新德、林兆枢、林殷才、尚文、周声涛、郑国雄、赵丛（满族）、赵地（女）、赵宗鼐、胡之光、柳斌、侯颖、侯宗宾、饶凤翥、洪虎、贺邦靖（女，白族）、袁守芳、格日勒图（蒙古族）、贾军、夏国华、顾云飞、钱冠林、徐青、朗大忠（傣族）、曹庆泽、曹克明、崔毅、尉健行、隋永举、彭钢（女）、董范园（女）、蒋冠庄、韩德乾、傅杰、傅志寰、谢安山、靳玉德、谭福德、翟泰丰

中华人民共和国
第八届全国人民代表大会代表名单

（2977 名）

（1993 年 2 月 22 日全国人民代表大会常务委员会公告）

北京市（62 名）

于是之、万嗣铨、马耀骥、王润、王碧霖（女）、仉振亮（回族）、方惠坚、叶才民、史静贤（女）、代淑兰（女）、戎易、过慧芬（女）、刘长瑜（女）、刘民复、江小珂（女）、严仁英（女）、杜德顺、李其炎、李博生、李锡铭、李鹏、杨衣云（女）、杨周南（女）、杨沫（女）、吴树青、余永宁、宋世雄、张占林、张恭庆、张健民（满族）、陈丁茂、陈伦芬（女）、陈希同、邵运杰、英若诚（满族）、国林、罗益锋、周冠五、郑光美、孟振德、赵守俨、赵鹏飞（满族）、胡大鹏、胡亚美（女）、贾翠莹（女）、钱秀珍（女，回族）、钱青（女）、倪光南、凌爱宜（女）、郭本立、浦洁修（女）、陶大镛、陶西平、黄子云、黄达、黄超、梅祖彦、阎承宗、董建华、傅铁山、谢军（女）、黎光

天津市（49 名）

丁剑华、王光英、王贵明、王润生、王曾敬、韦力、卢蕙兰（女）、申月明、冯容（女）、母国光、朱兆芳（女）、乔维熊、刘如琦、刘建章、刘航鹰（女）、纪学澂、李云鹤、李泊溪（女）、李学琴（女）、李瑞环、杨戊辰、杨竞衡、杨溥臣、吴咏诗、吴振、闵恩泽、张立昌、张永根、张亚雄（女）、张柏峰、陈超英、陈皓东、陈德丰、易志宽、郑振妙（女）、孟昭瑞、赵克正、赵陆一、姚峻、聂璧初、崔士光、寇士清、蒋秉权、蔡世彦、蔡超群、缪主恩、潘义清、穆祥友（回族）、戴锡孟（女）

河北省（110 名）

王大名、王凤珍（女，满族）、王文义、王丙乾、王加林、王宝银、王洪增、王晓光、王敏玉（女）、王德芳（满族）、卢雪松、申礼成、叶连松、白冬至、白润璋、白淑华（女）、冯兰明、宁全福、毕又澄（女）、吕吉泽、吕传赞、朱志武、任保伦、刘汉章、刘韧（女）、刘金鱼（女）、刘宗耀（回族）、刘宜贵、刘景昌、齐永衡、关阔（满族）、许建华（女）、孙秀兰（女）、孙琬钟、孙德民（蒙古族）、杜书箱、李长庚、李永怀、李寿龄、李秀芬（女，回族）、李国庭、李炳良、李淑芳（女）、李惠生、李瑞昌、李新芳（女）、杨国琛、杨振华、杨新农、杨肇键、连振经、肖玉林、吴奇之、何香涛、佟志广、谷晓林（女）、邹本真、邹竞（女）、沈志峰、宋淑艾（女）、张凤娥（女）、张文典、张兰秋、张庆和、张兴让、张羽、张芸玲（女）、张品（女）、张锦芬（女）、陈世堃、陈丙珍（女）、苑书田、周振德、周德满、孟宪章、赵杏林、赵国忠、赵诚、赵振国（回族）、侯振清、姜殿武、栗战书、夏亨熹、徐冀、高学兴、郭成志、郭志、唐顺义、黄军军（女）、黄岚、黄国胜、黄庚辰、黄炎、崔翔、康庆德、阎志祥、阎恩荣、董耐芳（女）、韩振国、程广文、程有志、程维高、温永和、谢景龙、赖在抗、慈成禄、潘公平、霍宗义、穆喜恒、魏建昆

山西省（69名）

马翠珍（女）、王庭栋、毛维栋、乌杰（蒙古族）、亢龙田、左昇、卢功勋、申纪兰（女）、田桂兰（女）、白枫（女）、冯其福、成致平、朱礼厚（女）、仲济学、任建新、任继林（女）、任跟心（女）、刘润来、刘蓉芬（女）、关存先、江明、李子英、李双良、李立功、李运乾、李学谦、李振吾、杨珊珊（女）、来金烈、吴昂、张邦应、张光鉴、张泽宇、张挺、张奎、张斌严（女）、张塞、陈舜礼、郜爱国、金小美（女，满族）、周一鹤、周秋芳（女）、周素英（女）、郑社奎、孟伟哉、赵生才、赵学梅（女）、赵贵发、赵晓颖（女）、郝铸仁、胡富国、侯小保、袁杲、凌大琦、高忠丽（女）、郭步殿、郭保林、席忠义、曹景慧（女）、常贵明、常崇煊、梁吉祥、梁鸿飞、董秦军、程步云、解进保、薛军、霍红义、魏蕴瑜（女）

内蒙古自治区（62名）

于兴隆（蒙古族）、于丽华（女）、马林、王凤岐（蒙古族）、王玉山（蒙古族）、王占文、王先进、王林珍（女）、王尚罗、王维山（蒙古族）、王景芬（女）、王群、乌力吉（蒙古族，科右前旗）、乌力吉（蒙古族，海拉尔）、乌尼（达斡尔族）、文历东（女）、布仁白乙拉（蒙古族）、布赫（蒙古族）、卢振远、包文发（蒙古族）、冯笠、吕诚（女）、旭仁花（女，蒙古族）、刘学敏、刘震乙、李长发、李文光、李志英（女）、李保安、吴旭阳（女，蒙古族）、何福林、佟英争（蒙古族）、狄旺旺、沈光弘、张卫华（女，回族）、张云声、张凤、张玉华（女）、张国民、张福生、陈寿朋、陈秀才、陈朋山（女）、周觉、赵志成、荣文彬（蒙古族）、查干巴特尔（蒙古族）、宫树清（蒙古族）、费颂林、贺喜格扎布（鄂温克族）、徐术明（女）、高连元（蒙古族）、唐章媛（女）、陶作义（满族）、桑杰毛伦（蒙古族）、崔顺姬（女，朝鲜族）、斯热达日（蒙古族）、道布（蒙古族）、谢宏祖、赛革（鄂伦春族）、德力格尔（蒙古族）、额日登扣（女，蒙古族）

辽宁省（146名）

丁兆民、于国珑、于建华（女）、于恩光、马延利、王开元、王云峰（女）、王长春（满族）、王亚忱、王臣、王华彬、王守彬、王国珍、王金国、王显骢、王殿栋、毛丰美（满族）、卞国胜、巴殿璞、邓凤兰（女，满族）、左琨、石玉红（女）、史继文、白希尧（满族）、冯友松、冯玉忠、冯福纯、邢鹤林（蒙古族）、朱凤云（又）、朱炳梁、朱清时、朱雅轩、全树仁、刘广征（女）、刘玄恭、刘志林、刘宝林、刘相荣（回族）、刘洪达（满族）、刘铁华、刘清富、刘雅静（女）、关广生（满族）、关永光、许雷、孙兴武（锡伯族）、孙奇、孙尚清、杜清江、李玉臻、李正龙、李本、李华忠、李应发、李绍周、李映凯、李桂莲（女）、李晓安、李润庭、李继学、李鸿宾（回族）、李森茂、李靖、李静夫（女）、李静文（女）、杨振亚、杨烈宇、杨斌、肖彩芹（女，满族）、时铭扬、吴玉贵、吴汝舟、吴挺宝、何三光、何捷智、冷淑梅（女）、沈广顺、宋木文、张文成、张生贵、张礼京、张再华（女）、张国光、张宝孚、张前江（回族）、张晓俊、张焕文、张智毅（满族）、张毓茂、张德元、陈大新、陈英（女）、陈素芝（女，满族）、陈家洱、陈慕华（女）、武凤芹（女，蒙古族）、武迪生、林仪媛（女）、岳岐峰、岳振东、金连武（满族）、周重芝（女）、周保林、赵汝康、赵希友、赵祥、胡时英（女）、闻世震、姜允贤、姜克让、洪承礼、骆继勋、秦德荣（女）、袁一、夏福祥、顾诵芬、恩和巴图（蒙古族）、爱新觉罗·溥杰（满族）、高文田、高灿叶（朝鲜族）、郭明子（女，朝鲜族）、郭和夫、郭玲华（女）、黄建美（女）、黄畋（女）、黄恩元、戚其范、龚世萍（女）、常义、崔载述（朝鲜族）、阎纯和、阎宝琴（女）、梁志德、尉端恩、彭清源、葛晓光、董伟、董启凤（女）、程盛中、谢凤林（满族）、谢昭仪（女）、靳中华、鲍振东（蒙古族）、黎鹏、薄熙来、魏德江（满族）

吉林省（88 名）

丁士晟、马占清（满族）、马宁（女）、王子卿、王文富、王立平（满族）、王秉环（女）、王革（女）、王家骐、王湘浩、王儒林、尤国、卢志民、卢良兆、丘华燊、朱忠民、伍卓群、全哲洙（朝鲜族）、刘希林、刘萍（女）、刘淑莹（女）、关艳霞（女，满族）、米凤君（回族）、安太庠（朝鲜族）、安莉（女）、孙业堂、孙幼民、孙德慎、牟丽芳（女）、李乃洁、李云峰、李述、李前宽、李振荣、李桂菊（女）、李铁映、杨新人、连建设、吴长淑（朝鲜族）、吴玉富、吴式枢、吴宝晖、何竹康、谷长春、张今泰、张全、张明远、张桂芹（女）、张恩祥、张海龙、张嘉铭、陈秀丽（女，蒙古族）、陈明致、范士良（满族）、金敏雄（朝鲜族）、周绍宣、周翠华（女）、郝富霞（女）、战月昌、洪绂曾、袁柏雄、耿昭杰、聂文权、柴公仆、徐如人、高严、高杰（女）、高潮、郭永德、郭晓峰、郭麟恭、黄百渠、黄葆同、曹龙浩（朝鲜族）、蒋岚瑞（女）、程悦荪、傅万才、傅菁芸（女）、鲁宝凤（女）、曾凡煦、曾孝箴、谢玉林、谢声源、臧广信、臧胜业、额尔敦巴干（蒙古族）、霍明光、鞠桂芝（女）

黑龙江省（131 名）

刁家运、于洪恩、于维汉、王人生、王之馥（女）、王凤升、王文志、王汉忠、王军（女）、王吾如（女）、王英林、王金陵、王贵忠、王悦华、王德民、尤玉镯（赫哲族）、牛遇山、方春子（女，朝鲜族）、古宣辉、石忠智、卢喆、申明道（朝鲜族）、冯永明、巩艳荣（女）、有林、回景云（女，回族）、朱介麟、朱莲香（女）、朱德昌、伍增荣（女）、伊忠义、刘广宇、刘文举、刘桂琴（女）、刘海涛、安振东、许忠仁、孙丕文、孙永亮、孙家鼎、孙维本、孙普选、孙德志、纪汉文、苍秀芝（女，满族）、苏在兴、李玉芝（女）、李金春（女）、李树成、李秋彦（女）、李根深、李琰（女）、李锡胤、李德、李德贵、杨久礼（回族）、杨子银（回族）、杨兆辉、杨守文、杨应鋆（女，土家族）、杨国俊、杨淑珍（女，回族）、杨景苏、吴英淑（女，朝鲜族）、吴梅（女，回族）、吴鼎和（满族）、吴智勇、邱晴（女）、何首伦、何淑兰（女）、沈萃华、宋天虎（回族）、宋玉芬（女，满族）、迟建福、迟海滨、张久荣（女）、张心愿、张玉洁（女）、张正清、张丽贤（女）、张春娟（女）、张绪武、陆燕荪、陈占元、陈国兴、陈淑娴（女，满族）、陈渝樵、邵宏大、邵奇惠、季云祥、金遇春（满族）、周长吉、周占鳌、周祥、郑隆慧（回族）、单荣范、赵国良（满族）、赵晓霞（女，回族）、赵培星、赵德宏、段雅文（女）、洪伯铿、莫文军（鄂伦春族）、索长有、顾守信、钱棣华、倪志荣（满族）、徐寿山、徐良、徐国敏、高红岩（女）、高明三、高振元、郭大本、郭志深、郭建煜、常宝泉、梁义胜、梁凤颖（女）、梁彤、梁鹤先、尉健行、屠由瑞、韩国柱、嵇汉雄（女）、程俊（蒙古族）、谢勇、窦瑞霞（女）、蔡文成、滕昭祥、毅赫（达斡尔族）

上海市（70 名）

丁玮、干志坚、马桂宁、王乃粒、王之珮、王天铎、王佩洲、王培生、尤朝群、叶公琦、叶叔华（女）、白同朔（满族）、朱志豪、刘金宝、江泽民、江建中、孙廷芳、严义埙、李大潜、李敏陆、李葵南（女）、吴大琨、吴小仲（女）、吴邦国、吴阶平、吴肇光、何静芝（女）、汪云章、沈金康、沈效良、张元震、张友隽、张兰生、张仲礼、张定鸿、张轸宜（女）、张敏（女）、张锁娣（女）、张燕（女）、陈炳生、陈祖德、邵学明、林月英（女）、林淑琼（女）、罗大明、赵启正、荣毅仁、胡桂清、哈宝信（回族）、侯自强、骆兆添、秦宝兴、袁雪芬（女）、夏丽卿（女）、徐仁惠（女）、徐志毅、徐鹏、高文魁、郭建华、郭南麟、诸君菁（女）、黄关从、黄菊、曹国琛、惠永正、童宏谋、蔡福忠、薛明伦、薛慕煊、魏光爱（女，回族）

江苏省（137 名）

丁佩玲（女）、王励前、王希龙、王怀苹（女）、王宏民、王定吾、王荣炳、王振华、王殊、韦钰（女，壮族）、尤建圻（女）、尤俊明、方之焯、甘黎明（女）、艾德福、叶汝春、叶慧英（女）、冯端、匡培梓（女）、曲钦岳、朱正林、朱思明、朱家壁、华保良、庄印芳（女）、刘秀梵、刘鹤章、许忠兴、许嘉璐、苏定强、杜学彬、李从福（回族）、李玉坤、李吉林（女）、李先国、李金华（女）、李炳才、李高岚、吴仁宝、吴冬华、吴光英、吴光南、吴锡军（女）、邹家祥、汪洋、沈达人、沈辛荪、沈道齐（女）、张月芹（女）、张凤祥、张阿舟、张厚宝、张美芳（女）、张洪熙、张继青（女）、张霓（女）、张耀华、陆文夫、陆守曾、陆学艺、陆敬、陈次昌、陈冠军、陈祥兴、陈焕友、陈森辉、陈锡生、陈毓珍（女）、陈邃衡、邵荣世（女）、范广荣、范晋明、季允石、金忠青、金镠、周达春、周秀骥、周桂娟（女）、郑坚、郑娟华（女）、宓仲业、孟金元、赵少麟、赵文娟（女）、赵守权、赵奇僧、赵金香（女）、赵森森、荣际凯、胡福明、胡德芳（女）、俞敬忠、施学道、姜秀兰（女）、洪锦炘、费孝通、胥传珠、姚开标、姚福宝（女）、袁世珠（女）、顾永骏、顾黄初、钱小苹（女）、钱为民、钱易（女）、倪慧生、徐云锦（女）、徐玉时、徐守盛、徐其耀、徐德郁（女）、徐燕（女）、翁品光、凌福根、高之均、唐念慈、曹鸿鸣、龚则明、章师明、章瑞英（女）、章新胜、盖钧镒、彭金生、董世汤、蒋立金、韩培信、程惠明（女）、傅寿仲、谢美兰（女）、虞振新、窦国仁（满族）、蔡秀民、谭中行、谭泉海、潘一乐、潘多（女，藏族）、魏绍芬（女）

浙江省（117 名）

卜昭辉、万学远、王永明、王启东、王佳生、王碎奶（女）、史美棠、邢贲思、吕书缨、吕林、朱重庆、朱洪法、朱祖祥、乔石、任祖伊、邬福肇、庄志清、刘敏春（女）、刘锦霞（女）、江国庆、许行贯、许步劭、孙玉宝、孙永森、孙优贤、孙溦沅、严巍（女）、李成表、李杏芬（女）、李泽民、李居轩、杨少山、杨国栋、杨明志、吴山明、吴克甸、吴敏达、沈志荣、沈祖伦、沈善洪、宋少祥、张庆仁、张启椭、张念慈、张炳祥、张崇千、陆忠岳、陈士良、陈小微（女）、陈文宪、陈同海、陈华姣（女）、陈亦斌（女）、陈红冰（女）、陈国强（女）、陈珊妹（女）、陈俊亮、陈娟玲（女）、范巴陵（女）、范乐年、茅威涛（女）、林希才、林浦雁（女）、林瑜（女）、季道藩、金全才、金敬德、金鑫、周天相、周青疆、郑寿松、郑富生、项秉炎、项淳一、赵正华、赵仲光、赵章光、胡志祥、洪震寰、姚克、姚启明、姚海根、秦吉强、顾世林、钱华春、倪长生、徐文荣、徐灿根、徐复沛、徐鸿道、徐朝兴、高春花（女）、唐由之、黄亚洲、黄明智（女）、龚雪珍（女）、盛昌黎（女）、常沙娜（女，满族）、章凤仙（女）、章吉安、章锦湘（女）、梁焕木、彭国镇、葛洪升、董光福、董辅礽、蒋福弟（回族）、韩天贞（女）、韩曾萃、程速英（女）、童克祖、谢高华、雷文先（畲族）、裴鲁青（女）、潘燕飞（女）、薛驹、魏仰苏

安徽省（103 名）

丁士匡、丁明伟、卫玠（女）、马兰（女）、马兴教、马怀柱、王太华、王世清、王吉鹏、王兴林、王绍华、王盛榜、王慈娜（女）、仉贻壬（女，回族）凤懋润、方一本、孔繁超、叶书根、叶秀华（女）、朱咸来、刘汉杰、刘盛武、刘源张、孙尚珍（女）、孙起孟、孙毓芳（女）、李一峰（女）、李克强、李振华、李翊神、杨传玺、杨纪珂、杨金锡、杨顺生、杨素云（女）、杨振怀、杨海波、杨璞雄、吴文芳（女）、吴让祥、吴存心、吴华夏、吴杭生、吴建生、吴钧枢、吴福五、何国珍（女）、余根基、汪河池（女，土家族）、汪洋、汪清、沈棠华（女）、张玉琨、张平、张立之、张家顺、张锋生、张静（女）、陆子修、陈天庚、陈心昭、陈宗明、陈桂英（女）、陈培尧、陈铠、陈登明、陈源斌、邵明、邵挺根、季昆森、周正庆、周质胜、孟富林、赵玉涛（女）、赵师庆、赵素云（女）、赵衡蘧、胡平平（女）、胡继铎、侯露（女）、施伟国、姜林和、宣中光、秦德文、莫艳秋（女）、钱明高、徐立全、徐宝圻、徐桂兴、高

玉华（女）、高蔚青、诸宗智、龚存玲（女）、盛应芝（女）、盛瑛（女）、崔志东、梁天生、韩树棻（女）、程炳其（女）、傅锡寿、路观平、鲍建广、颜语（回族）

福建省（69名）

王小如（女）、王克明、王绶琯、王耀华、卢嘉锡、庄表峰、刘与平、刘中柱、汤金华、祁如琴（女）、许开瑞、阮五崎、巫秀美（女）、李立士、李振营、李景禧、李温仁、杨春波、吴孝凯、吴序良、吴松刚、何少川、何璟（女）、余宝笙（女）、余静娟（女）、张乾巽、张斌生、陈子荷（女）、陈日亮、陈光毅、陈希仲、陈泉源、陈章良、陈联合、陈慧珠（女）、林大穆、林兰英（女）、林再生、林克敏、林秀娥（女）、林宗棠、郑华森、郑秀琴（女）、郑瑞英（女）、郑碧漪（女）、柯雪琦（女）、要焕年、施性谋、洪少虎、洪永世、洪志明、袁启彤、贾庆林、高翔（女）、黄小晶、黄长溪、黄幼雄、黄善华、龚一飞、葛兰妹（女）、韩玉林、曾金凤（女）、谢华安、蓝玉凤（女，畲族）、楷清海（高山族）、赖爱光、蔡诗晴、潘心城、潘秀珍（女）

江西省（83名）

王水长、王仕筠（女）、王兴豹、王昭荣、王展意、毛致用、方博林、邓布仁、卢德荣、叶如美（女）、朱治宏、伍显硕、华桐、全文甫、刘与忠、刘初浔、刘炎玲（女）、刘夏石、刘焕辉、刘德旺、江小莹（女）、许勤、孙玉璞、孙家彪、李小平、李立德、李沛瑶、李崇佑、杨淳朴、肖山、吴运金、吴国民、吴官正、邱禄鑫、何光芬（女）、余秋里、余修炎、应明生、沈祖相、张果喜、张逢雨、张海如、张富、陈世旭、陈成之、陈作霖、陈癸尊、陈祥娣（女）、陈梅芳（女）、罗明、周琪（女）、胡丽华（女）、胡饬海、秦锡麟、聂福珍（女）、顾林昉、倪贤伍、徐国武、徐京发、殷国光、郭永坤、涂玲慧（女）、黄天纵、黄立圻、黄定元、黄智权、黄毓宝（女）、黄懋衡（女）、曹广洪、戚善宏、崔乃夫、阎鑫元、蒋仲平、喻长林、程光茹、傅国祥、舒圣佑、曾庆红、曾荣苟、雷长生（畲族）、黎金辉、颜龙安、戴执中

山东省（179名）

丁一心（女）、丁桂英（女，回族）、万珊珊（女）、马仲才、马国强（回族）、马学福（回族）、王大海、王夫先、王友昌、王仁元、王为民、王永幸、王廷江、王廷础、王志中、王丽（女，回族）、王秀君、王根源、王涛（女）、王善卿、王渭田、王新成、王曙光、韦大年（壮族）、毛宾尧、乌以功、卞宪体、尹忠显、尹萍（女）、孔繁生、巴中倓、卢洪、冯怡生、曲格平、任继愈、向阳、庄万（女）、刘伟、刘延民、刘肝昶、刘荣喜（回族）、刘陵城、刘维志、关美华（女）、汤家永、许文华（女）、许鸿章、孙吉芳（女）、孙华心、孙启玉、孙翠英（女）、孙德汉、牟成泽、纪玉君、杜荣久（满族）、杜爱玲（女）、杜德富、李士先、李大年、李戈、李文全、李可岐、李田祚、李后、李宏瑛（女）、李贤杰、李明先、李学智、李承友、李春圃、李振、李格森、李淑萍（女）、李景常、李登海、李德珍（女）、李德章、杨传堂、杨秋萍（女）、杨家杰、杨淑英（女）杨绵绵（女）、时立军（女）、吴桂本（女）、吴隆江、邱铁铠、余松烈、余诚刚、谷建芬（女）、辛守璞（女）、汪峡、宋希焕、张巧云（女）、张正斌、张同生、张华福、张庆黎、张守业、张国兰（女）、张知平、张树慈、张留林、张敏、张锡庆、张慧娟（女）、张德凤（女）、张儒岭、陆俊仪（女）、陆宣（女）、陈世廉、苑宪章、林书香、林敏（女）、金兰英（女，回族）、金仲英（回族）、周广福、周鸿兴、周德山、孟红（女）、孟红霞（女）、孟宪铎、赵传香（女）、赵志冰（女）、赵志浩、赵良才、郝进然、郝建枝（女）、胡宏智、胡振国、相建海、段建芹（女）、俞正声、逄先知、姜守智、姜春云、姜健（女）、贺学圣、贺端湜、秦云（女）、秦尧基、秦仲达、秦灿石、莫文祥、夏立德、徐北文、徐寅生、奚霞（女，满族）、翁维权、高仁人、高敏（女）、郭爱珍（女）、郭新璋、唐与山、唐厚运、黄义、黄可华、黄利群（女）、黄道农、曹志、戚其章、常宗琳、崔学文、彭佃德、彭湃、董凡玉（女）、韩新民、韩增旗、程汉邦、傅庆馥（锡伯族）、焦祖光、曾文戌、曾呈奎、谢

玉堂、谢立信、曾华诗、翟守才、潘承洞、戴文霞（女）、鞠俊瑞

河南省（152名）

丁一（女）、丁川、丁广治（回族）、马玛瑙（女，回族）、马忠臣、马树彬、马瑞雯（女）、王日新、王凤英（女）、王发水、王有杰、王列昭、王宏范、王俊礼、王冠群、王振秋、王留荣（女）、王遂舟、王群（女）、王殿勋、牛学忠、毛兴中、方成荣、左明生、史来贺、代鹿村、白凤祥（回族）、冯文成、吕茂盛、朱书泉、朱启祯、朱治国（回族）、刘世铭（女）、刘仲轩、刘志华（女）、刘国光、刘炳银、刘瑞云（女）、刘增杰、关文雅（女）、关福昌（满族）、孙前聚、孙鸿烈、纪华（女，满族）、李书安（回族）、李传家（回族）、李岚清、李怀清、李松武、李建中、李祖卫、李超、杨来顺、杨秀兰（女）、杨金亮、吴基传、吴翠兰（女，回族）、余文华、余世顺、余恒、沈宁福、沈成明、沈秋萍（女）、沈海观、张广兴、张天兰（女）、张文生、张世军、张世英、张世霖、张生活、张兆瑞（女）、张志刚、张明、张思卿、张复生、张娆妮（女）、张恩珠（女）、张玺钧、张海、张敏（女）、张皓若、张瑞璋（女）、张新亚、陈凤华（女）、陈守予、陈作雨、陈明、陈春平（女）、陈遒北（女）、范兆源、范好古（回族）、范钦臣、范保国、范濂、林孔兴、林艾英（女）、林作楫、林英海、郁明山、罗干、季新昌（蒙古族）、周沛、周洪春（女）、周遂记、郑增茂、封励行、赵玉莲（女）、赵丙申、赵东宛、赵存献、赵志吉、赵明恩、赵宗晋、赵福林、赵精华（女，满族）、郝延忠、侯志英、俞家骅、饶潞、姜荷英（女）、姜黎安、祝友文、姚秀荣（女）、秦科才、贾宝珍（女）、徐根娣（女）、郭中奎、郭月清、郭安民、郭金城、唐光裕、陶丽华（女）、陶新霞（女）、曹江、曹策问、龚肇枢、鄂晓芬（女，满族）、崔继哲、崔新芳（女）、梁长俭、董金荣、韩天经、韩顺风、景献琢、程典、焦金虎、释海法、雷书声、裴秀芹（女）、薛随柱、戴明

湖北省（113名）

万赤明、马金魁、马跃、王子健、王汉章、王爱芳（女）、王敏（女）、毛冬声、文光辉、尹光显、以体珍（女，回族）、申美君（女）、田洪先、田期玉、田震亚、邝安祥、冯杰、冯梦雅（女）、吕克克、吕炳传、回良玉（回族）、向兴平（女，土家族）、全梅华（女）、刘本仁、刘纳朋、刘和顺（土家族）、刘都庆、刘家栋、齐民友、江泽熙（女）、江荣生、安明、许厚泽、许蕴荣（女）、许冀煌、苏晓云（土家族）、李达开、李红梅（女）、李其凡、李昌禄、李崇淮、李绪鄂、李道均（土家族）、李新贵（女）、杨凤玲（女）、杨葆焜（白族）、吴发育、吴传英（女）、吴建宁、吴建国、何浣芬（女）、余笑予、沈克昌、张万华、张艺霞（女）、张正林（女）、张光明、张寿、张荣国、张道恒、陈亿毅、陈以芳（女）、陈振中、陈家杰、陈跃南、陈智周（女）、陈慈萱（女）、林上元、林金铭、罗丽兰（女）、罗清泉、金海润（满族）、周大兵、周作亮、周宝生、郑燕珊（女）、赵永兰（女）、赵宝江、赵梓森、郝诒纯（女）、胡昌民、姚绍斌（苗族）、贺光辉、袁仲由（土家族）、贾天增、贾华英（女）、夏菊花（女）、倪志福、徐林茂、徐鹏航、翁行德、郭树言、唐小禾、姬建强（回族）、黄自强、黄毅诚、戚元靖、龚文祥、梁淑芬（女）、覃立荣（女，土家族）、曾小毛（女）、曾世民、曾宪武、谢岳峰、詹炳炎（土家族）、詹道胜、蔡爱玲（女）、谭功炎、熊远著、缪合林、缪顺（女）、操三咏、魏廷琤

湖南省（112名）

万培亚（女，侗族）、义菊英（女，瑶族）、王宋大、王贤怡、王锡炳（土家族）、孔令志、邓文全、邓威特（壮族）、厉以宁、龙寿红（女，苗族）、申甲球、丛树英、朱品芳（女）、朱楚云、朱镕基、向显德、刘夫生、刘尧臣、刘红运、刘迪恺、刘建文、刘祖贻、汤淑兰（女）、孙吉祥、孙健忠（土家族）、阳忠恕、阳宝华、李仁善、李敬、李德华、杨仕伟（女）、杨鄂祥、肖征龙（土家族）、肖端林（女）、吴同南、吴志泉、吴沅生（苗族）、吴奇、何文彬、何真临、何祥、余孝良（女）、张明泰、张学东、张树

海、张剑、陈邦柱、陈光健、陈叔君、陈国达、林钮、林跃（苗族）、欧阳松、罗宽、周兴荣、周宇平、周理查、赵晓屏（女）、赵蓓瑛（女）、赵满珍（女）、赵毅拯、段以美（女）、侯振挺、姚守拙、姚绮云（女）、袁熙（女）、贾明忠（土家族）、夏和平（女）、夏家骏（土家族）、顾荣琪、徐唐龄、殷文忠、高锦屏（女）、高德、郭建平、涂萍（女）、黄远良（苗族）、黄秀德（女）、黄忠英（女）、黄培劲、曹正祥、戚和平、眭宝华（女）、章春香（女）、章锐夫、章燕萍（女）、梁稳根、彭元喜、彭茂吾、董志文、蒋铁生、韩兆锡、韩基安、储波、曾建徽、曾宪泽（女）、曾晓浒、曾维伦、谢巩基、谢纪凤、雷国璋、詹顺初、蔡鲁伦、廖丽君（女）、谭兴华、谭承令（女）、熊奇生、熊清泉、滕昭蓉（女，苗族）、颜永盛、潘贵玉（女）、魏惠生

广东省（162 名）

于飞、马万祺、王进、王佛松、王钬（女）、王敏刚、韦基舜、文炮田、方少逸、方苞、尹林、古华民、厉有为、卢钟鹤、叶丽群（女）、叶钦、叶雄干、叶耀、丘传英、吕建明（女）、吕钦、朱万里、朱良、朱森林、伍尚忠、刘观送、刘志平、刘瑞强、关山月、汤炳权、许雁（女）、红线女（女）、李文卿（女）、李兰芳（女，满族）、李伟庭、李连生、李近维、李国桥、李泽均、李泽添、李宝群（女）、李绍珍（女）、李泰谦、李维新（满族）、李瑞源、李楚珠（女）、李灏、杨俊声（回族）、杨泰芳、吴月金（女）、吴平、吴波、吴顺洪、吴康民、何化万、何厚铧、何德强、何耀棣、侣志广、汪仲英、汪明荃（女）、沈永椿、张天送、张汉青、张伟基、张远贻、张铭熙、张惠忠、张磊、张暹坤、陆达权、陆达兼、陆炽然、陆培炎、陆耀宝（壮族）、陈永棋、陈邦清、陈有庆、陈同庆、陈伟光、陈妙珍（女）、陈纮、陈昌骏、陈健才、陈雪华（女）、陈碧霞（女）、林良孝、林若、林金汉、林素华（女）、林维明、林曙光、罗寿棉、罗富和、周南、郑红朵（女）、郑耀棠、房亚水（瑶族）、赵汝能、赵钟鸣、柯正平、柯岩（女，满族）、柯居涯、柳锦洲、蚁美厚、钟光超、姚嘉华、袁镜焕、聂永强、徐是雄、徐起超、奚顺娣（女）、凌伯棠、唐广安、唐治安、唐星樵、唐海英（女，瑶族）、容柏生、黄广尧、黄文柬、黄东潮、黄光汉、黄华柱、黄国胜、黄忠勇、黄建立、黄涤岩、梁广大、梁戈文、梁昆浩、梁金城、梁爱诗（女）、梁鉴蓬（女）、彭士禄、覃自兴（壮族）、曾茂朝、曾昭科、曾宪松、曾宪梓、曾德成、温玉华（女）、游景玉（女）、谢先德、谢非、谢颂凯、谢强华、蒲蛰龙、赖秀娟（女）、简福饴、蔡体远、蔡诚、蔡渭衡、廖晖、廖瑶珠（女）、端木正（回族）、谭光荣、谭盈科、黎子流、潘子怡、薛凤旋、霍英东、戴杰

广西壮族自治区（89 名）

王延义（女）、王兆邦（壮族）、王素洲（女，壮族）、韦元威（壮族）、韦日科（壮族）、韦文林（壮族）、韦壮凡（壮族）、韦秀容（女，壮族）、韦启帅（壮族）、韦灵敦（壮族）、韦建征（壮族）、韦树英（壮族）、韦祖醒（壮族）、韦鼎勋（侗族）、毛旭辉、甘小惠（女，壮族），甘苦（壮族）、左自鸣（女）、卢丽芬（女，壮族）、卢新贵（瑶族）、帅立国、成克杰（壮族）、朱家清（女）、任现春（瑶族）、刘明祖、刘知炳、刘嘉森、刘德新（京族）、农元德（壮族）、苏以淑（壮族）、苏健基、李兆仍（壮族）、李兆生、李纪恒、李克（壮族）、李其成（女，壮族）、李京文、杨建忠（苗族）、杨政中、岑鸿平、何康、佘国信、沈北海、宋福民、张祖南（壮族）、陆宁宁、（女，壮族）、陆建长（壮族）、陈灿（女）、陈诗禄、林超群（壮族）、周军（壮族）、周祖森（瑶族）、郑金妹（女）、孟国才、赵玉林、赵富林、赵瑞隆（壮族）、俞芳林、洪普洲、袁凤兰（女）、夏宝芳（女）、徐爱俐（女）、凌克郊（壮族）、高成芝（女）、唐佩珠（女，壮族）、陶爱英（壮族）、黄少雄（壮族）、黄兰英（女，壮族）、黄汉儒（壮族）、黄永辉（壮族）、黄秀梅（女，壮族）、黄宗炎、黄保尧（壮族）、梁文书（壮族）、梁焕新、程思远、曾宗标、谢土鸾（女，仫佬族）、谢汝渲、谢铁骊、谢超杰、蒙荣兴（苗族）、雷宇、廖琛云（壮族）、廖靖生（壮族）、谭三川（毛南族）、黎晓娴（女，壮族）、潘志德（壮族）、潘桂安（壮族）

海南省（17名）

王光兴、王法仁、王桂兰（女，黎族）、王琼瑛（女）、王越丰（黎族）、阮崇武、杜青林、杜碧兰（女）、李广良（苗族）、杨文贵（黎族）、吴葵光、陈家悦、黄宝璋、符炳信（黎族）、曾浩荣、雷洁琼（女）、潘琼雄

四川省（205名）

于汉卿、土登尼玛（藏族）、马开明（彝族）、马麟、王文德、王可植、王充翕（女，藏族）、王兴浦、王如岑、王叔文、王金祥、王周龙、王荣轩、王敖、王家福、王鸿举、王源峰、王嘉玲（女）、水普老毛（彝族）、邓阳仲、左明忠、石万俭、卢道猜、旦科（藏族）、叶俊美、叶毓山、代先禄、白世泽（回族）、白尚武、白美清、冯克煦、冯伯和、冯崇泰、尼妹（女，藏族）、吉木克达（彝族）、朱预、朱盛科、朱裕民、伍精华（彝族）、任作瑛（女）、任绍辉、向仲怀、邬贺铨、刘文科（满族）、刘运生、刘家赞、刘继柏、刘鹏、祁林山、许君健、孙同川、孙昌琼（女）、牟绪珩（土家族）、严升贵、严如高、苏克明（彝族）、李丁一、李太银、李方政、李玉香（女，彝族）、李乐民、李达昌、李克光、李伯勇、李松旺、李治银、李俊聪、李振邦、李都（女）、李慎宽、杨凤（纳西族）、杨代蒂（女，彝族）、杨汝兰（女）、杨汝岱、杨志全（藏族）、杨析综、杨松英（女，羌族）、杨宗义、杨美芬（女，苗族）、杨振中、杨通兰（女，土家族）、杨麻里（藏族）、肖秧、吴因易、吴味辛、吴国芬（女）、吴诸辉、何万钟、何天荣、何天祥（蒙古族）、何郝炬、何卿桂（女）、何雪容（女）何碌为、佘国华、邹家华、辛哲生、汪林林、沈志云、沈琴（女）、张万全、张山（女）、张文彬、张永言、张安居、张其劭、张育仁、张彦宁、张美蕙（女）、阿布牛黑（彝族）、阿称（藏族）、陈大鹏、陈子升、陈光国、陈昌智、陈明琼（女）、陈承志、陈宪传、陈爱民、陈宽金、林先泽、欧阳城、罗开忠、罗通达（藏族）、季英珠、岳龙芳（女）、周世勇、周仙兰（女）、周光龙、周德钦、泽巴足（藏族）、郎三清（女）、屈坤宁、经福谦、赵文欣、赵尔宓（满族）、赵忠玉、赵春梅（女）、赵敏光、郝仕伟、胡敏、胡德忠、胡懋洲、柳恩梅、钟树梁、香根·巴登多吉（藏族）、种明钊、费子文、姚武定、贺芳（女）、秦万祥、袁昌玉（女）、袁景葵、索观涛（女，藏族）、钱尚介、倪鹤龄、徐尚志、徐宗俊、徐静（女）、徐僖、高贤华、高素芳（女）、郭代仪、席义方、唐宁、唐发春、谈延凤（女）、陶睎晦、黄玉方（苗族）、黄永光、黄学群（女）、黄济人、黄家夫（苗族）、黄寅逵、黄锦华、曹庆泽、康振黄、梁大碧（女）、梁树高、彭复生、葛少康、董德明、蒋辅臣、蒋登富、韩兴旺（苗族）、韩国宾、喻登荣、傅师亭（女）、曾平江、曾孝平、曾恒华、曾宪林、谢太丰、谢世杰、谢明道、蒲泽权、雷亨顺、雷复权（女）、蔡树根、臧棣华（女）、裴祥富、谭细绵、熊钟澜、滕传丽（女）、魏文彦

贵州省（72名）

马文骏、王以琴（女）、王国文、王国昌、王录生、王炳俊、王振江、王淑贤（女）、王朝文（苗族）、王勤华、韦绍玉（女，布依族）、韦绍凯（水族）、文明铣（苗族）、方崇平、龙明伍（苗族）、卢万里、申诚、田纪云、白德祥（苗族）、朱青（女）、乔学珩、刘大亮、刘也强、刘元举、刘长贵、刘正威、刘炳坤（女）、刘爱力（女）、刘路钗（女，仡佬族）、安毅夫（彝族）、许乐仁、李大学、李天碧（女）、李先辉（女，彝族）、李爱萍（女，回族）、杨光、杨运富（布依族）、杨初桂（女，侗族）、杨泽林（苗族）、杨晓莲（女，苗族）、杨菊花（女，侗族）、吴少祥（侗族）、吴向必（苗族）、何兆麟、何盛藩（土家族）、邹开良、张玉环、张芝庭、张庆勤、张明达（苗族）、陆镇藩（布依族）、陈清洁、欧明珍（女，苗族）、罗尚才（布依族）、周衍松、周德芬（女）、孟连崑、赵子一、姚茂森（侗族）、莫时仁（布依族）、徐采栋、郭筑鸣（女）、陶俊林、黄义仁（布依族）、黄康生（布依族）、康宏远、禄智明（彝族）、楼士礼、詹显芬（女）、管彦鹤（布依族）、熊明珍（女，苗族）、戴振华（土家族）

云南省（83名）

刀有祥（傣族）、刀导孔（景颇族）、刀述仁（傣族）、刀爱民（傣族）、马开贤（回族）、王正光（苗族）、王汉斌、王永滇、王延琛、王学仁、王昭明、艺和（女，傣族）、木荣相（纳西族）、尹俊（白族）、邓国强、卢恩才（壮族）、白乔英（女，彝族）、司久义、吕冠国、刘中辉（彝族）、刘枢、刘京、齐建仁（独龙族）、苏正国、李汉柏（白族）、李光明（瑶族）、李先猷（哈尼族）、李秀芳（女，拉祜族）、李坤阳、李宝莲（女，德昂族）、李荣昌（彝族）、李荫生、李振国、李桂英（女，彝族）、李彬（佤族）、李惠芳（女）、李聪惠（彝族）、杨传江（彝族）、杨明（白族）、杨健强（白族）、杨铮（壮族）、杨弼亮、杨福生（哈尼族）、肖代芬（女）、邱三益（傈僳族）、余志英（女，傈僳族）、张荣（苗族）、张美琮（女，基诺族）、张敖罗、阿逗（女，哈尼族）、陈彭年、青长庚、岩拉（佤族）、岩温（布朗族）、罗为信、罗正富（彝族）、罗林国、和双秀（女，普米族）、和志强（纳西族）、和丽梅（女，怒族）、金古阿都（彝族）、周林、郑志刚、宗庸卓玛（女，藏族）、赵东芬（女，阿昌族）、赵淑敏（女）、保永康、郗承文（傣族）、贺恭、格桑顿珠（藏族）、郭濬清、梅多文（女）、程政宁、童立珍（女）、普发翠（女，彝族）、普志英（女，彝族）、普联和（彝族）、普朝柱、曾永德、楚庄、缪以瑾（女）、滕藤、潘正扬

西藏自治区（19名）

才旺班典（藏族）、平措（门巴族）、生钦·洛桑坚赞（藏族）、白珍（女，藏族）、向巴平措（藏族）、江村罗布（藏族）、坚争（珞巴族）、阿沛·才旦卓嘎（女，藏族）、陈奎元、帕巴拉·格列朗杰（藏族）、胡锦涛、喀桑（藏族）、洛桑旦达（藏族）、洛桑江村（藏族）、洛桑顿珠（藏族）、洛桑朗杰（藏族）、热地（藏族）、索朗丹增（藏族）、谭华生

陕西省（66名）

丁关根、于小文（女）、万绍芬（女）、马大谋、马平一（回族）、王大中、王久富、王广林、王双锡、王玉锦（女）、王世臣、王戍堂、王苓（女）、王桂红（女）、王勤功、石俊贤（女）、史玉清（女）、白清才、宁长珊、司南、朱世保、朱春华（女）、刘文西、刘荣惠、刘遵义、牟玲生、芦翠雪（女）、苏明、李升堂、李成博（满族）、李俊山、李殿荣、肖正诚、汪昭贤、沈如林、张小可、张帆、张保庆、陆帼一（女）、陈作人（女）、陈国夫、陈漱阳（女）、易兰芬（女）、罗洪溪、庞家钰、郑修麟、赵米香（女）、赵炳章、柳随年、施文海、施润芝、贺桂梅（女）、秦宝英（女）、袁仲一、桂中岳、党磊、郭凤莲（女）、唐绩初、崔林涛、梁春芳（女）、彭玉梅（女）、焦李成、逯靠山、雷仁义、颜贻镖、潘季

甘肃省（43名）

丁泽生（回族）、马玉贵（女，回族）、马邦才（保安族）、马金翠（女，回族）、马靖宇（回族）、王永银、王国良、王家达、王福成、卢克俭（藏族）、齐茂忠、安峰（裕固族）、许飞青、孙一峰、孙英、李万林、李文成、李吉均、杨小琴（女）、杨丽青（女）、杨金义、杨德儒、吴金衡（女）、张吾乐、陈可言、陈耀仁、郑锦霞（女，东乡族）、赵俊谋、郝洪涛、柯茂盛、哈布塞来木（哈萨克族）、聂大江、贾志杰、顾军、顾金池、倪安民（女）、郭锡廉、陶进美（女）、阎海旺、韩修国、温家宝、德哇仓（藏族）、魏宝文

青海省（17名）

马德良（撒拉族）、王广仁、王汉民、王季平（女）、切生（藏族）、尹克升、田成平、达杰（藏族）、任卫东（女）、刘光中、杨衍银（女）、宋彭生、昂毛（女，蒙古族）、岳世淑（女）、宦爵才郎（藏族）、格桑秋吉（藏族）、童成荣（土族）

宁夏回族自治区（14名）

马自福（回族）、马昌裔（回族）、马思忠（回族）、王志杰（女，回族）、白立忱（回族）、冯之浚（回族）、刘璞（女）、李桂花（女，回族）、何生藻（回族）、汪愚、张奎、姚敏学、钱其琛、韩有为（回族）

新疆维吾尔自治区（58名）

马木提·卡德尔阿吉（维吾尔族）、马合木提·买买提（维吾尔族）、马建国（回族）、王玉芬（女）、王乐泉、木拉提·霍加（乌孜别克族）、尤努斯·艾克木（维吾尔族）、艾孜再姆·艾买提（女，维吾尔族）、艾海提·阿满（维吾尔族）、艾斯海提·艾山尼（塔塔尔族）、艾斯海提·克里木拜（哈萨克族）、卡拉波娃·伊万诺夫娜·卡丽娅（女，俄罗斯族）、永德光（锡伯族）、毕玉兰（女，回族）、吐尔森·索太（哈萨克族）、肉孜·艾依提（维吾尔族）、米尔扎衣·杜斯买买提（塔吉克族）、米吉提·胡达拜尔地（维吾尔族）、安尼瓦尔·玉山（维吉尔族）、许鹏、买买提江·艾买提（维吾尔族）、玛依努尔·哈斯木（女，维吾尔族）、克尤木·吐尔迪（维吾尔族）、克里木·纳斯尔丁（维吾尔族）、苏丹·张波拉托夫（哈萨克族）、吴昌元、邹如清（女）、沙地克·卡日阿吉（维吾尔族）、宋汉良、张国祥、阿山拜克·吐尔地（柯尔克孜族）、阿木冬·尼牙孜（维吾尔族）、阿不都瓦衣提·吾守尔（维吾尔族）、阿不都热衣木·阿米提（维吾尔族）、阿不都热依木·阿吉伊明（维吾尔族）、阿勒布斯拜·拉合木（哈萨克族）、陈兆瑜（女）、陈善明、陈德敏、努尔尼沙·吾甫尔（女，维吾尔族）、卓哈拉·司马义力（女，维吾尔族）、金云辉、周珠华（女）、茹先古丽·阿不都拉（女，维吾尔族）、哈德斯（哈萨克族）、热合木都拉·艾买提（维吾尔族）、聂胜利、贾德民、党金（蒙古族）、铁木尔·达瓦买提（维吾尔族）、徐思益、徐效成、曹宗淮、盛华仁、康克俭、蒋玲芝（女）、解生瑞、戴明梓

台湾省（13名）

王安生、田富达（高山族）、刘彩品（女）、江水生、李辰、杨玉辉、吴国桢、张克辉、陈贵州、范增胜、林丽韫（女）、洪涛、蔡子民

中国人民解放军（267名）

丁玉才、丁寿岳、刁从洲、于永波（满族）、于景常、么兴远、马凤桐、马占民、马驰、马建新（回族）、马盛林、马富才、王少君、王占华、王申、王立春、王永宁、王永明、王同琢、王作义、王春瑞、王洪福、王祖训、王继英、王清涛、王绪恭、王琪、王德芳、毛炳祥、方祖岐、尹文声、孔昭文、孔德年、邓小平、邓昌友、石宝源、叶正大、田书根、史水洲、冯金茂、邢世忠、成守亮、吕廷珩、吕家书、朱永清、朱光、朱京、朱超、朱森泉、朱增泉、乔文清、伍素华（女）、全英子（女，朝鲜族）、庆秀荣（女）、刘友法、刘书田、刘玉斋、刘世伦、刘东才、刘仕楚、刘永祥、刘华清、刘国裕、刘凯、刘保健、刘洪芳、刘振华、刘桂楠、刘新增、刘镇武、祁振华（蒙古族）、许志功、许胜、孙曼霁、孙景华、孙粹屏、阴法唐、买买提·艾力（维吾尔族）、严尔益、杜世刚、李元正、李云山、李云生、李永金、李

永泰（朝鲜族）、李对红（女）、李邦亮、李西林、李伦、李旭阁、李杰、李树文、李俊琏、李桂林、李继松、李惠兰（女）、李鼎文、李道芬（女）、杨士杰、杨子才、杨正刚、杨世喜（藏族）、杨白冰、杨汉文、杨伟炎、杨志华、杨怀庆、杨虹（女）、杨振玉、杨根远、杨蓉娅（女）、杨德春、肖怀枢、吴双战、吴华山、吴润忠、吴家民、吴湘庆、邱光灿、何彦芳（女，满族）、何善福、何新明、佟乌恩·白乙拉（蒙古族）、邸荣华、沈兆吉、沈裕峰、宋殿毅、迟浩田、张二旺、张万年、张太恒、张文台、张文华、张汉平、张传苗、张仲先、张志坚、张序三、张国初、张明远、张宝康、张振乾、张家德、张彬、张谋（土家族）、张湘、张震、陆载德、陈义春、陈达植、陈廷佚、陈华平、陈希滔、陈明山、陈学楚、陈荣乡、陈显华、陈培民、陈培森、陈章元、陈德明、陈燕勤、邵士诚、纳孜古力（女，哈萨克族）、范西红（女）、林传康、林虎、林基贵、易元秋、罗有礼、金怡濂、周子玉、周文碧、周尔均、周再康、周衣冰、周春山、郑申侠、郑邦玉、郑完植（朝鲜族）、郑顺周（朝鲜族）、郑炳清、单既林、屈全绳、赵国光、赵贵卯、赵海滨、赵新先、赵曦光（女）、胡长发、胡世浩、胡在银、钟玉征（女）、种发有、段喜康、贺平、秦基伟、袁树斌（女）、耿莲凤（女）、聂力（女）、栗前明、贾富坤、顿珠多吉（藏族）、徐文义、徐同业、徐信、徐家柱、徐惠滋、高元法、高云江、高世良、郭玉祥、郭伯雄、郭桂蓉、郭培巩、郭锡章、唐广才、唐天标、唐守扬、姬胜德、黄玉章、黄茂江、黄学禄、黄恒美、黄渐鸿、萧榕（女）、龚平秋、崔同山、符传荣、康成仁、康富泉、梁太林、隆志勇（壮族）、董云海、董占林、董良驹、董宜胜、蒋顺学、韩世谦、韩怀智、粟戎生（侗族）、景在新、喻忠桂（苗族）、程建宁、程晓健（女）、傅全有、傅秉耀、舒玉泰、温玉柱、温光春、谢光、谢德财、谢鹤鸣、蓝丁寿（畲族）、雷星平、蔡仁山、臧文清、裴怀亮、廖锡龙、谭仕禄、谭冬生、缪国亮、滕万明、潘鸿梅（女）、戴学江、魏伯良、糜振玉

〔附注：1993 年 3 月 10 日全国人民代表大会常务委员会公告：内蒙古自治区补选王维珍为第八届全国人民代表大会代表。〕

第八届全国人民代表大会常务委员会

（1993 年 3 月）

委 员 长：乔 石

副委员长：田纪云、王汉斌、倪志福、陈慕华（女）、费孝通、孙起孟、雷洁琼（女）秦基伟、李锡铭、王丙乾、帕巴拉·格列朗杰（藏族）、王光英、程思远、卢嘉锡、布赫（蒙古族）、铁木尔·达瓦买提（维吾尔族）、甘苦（壮族）、李沛瑶、吴阶平

秘书长：曹 志

委 员（按姓氏笔划排列）：于洪恩、万绍芬（女）、王永宁、王佛松、王宋大、王启东、王叔文、王晓光王淑贤（女）、王越丰（黎族）、王朝文（苗族）、厉以宁、叶正大、叶叔华（女）、史来贺、生钦·洛桑坚赞（藏族）、白尚武、冯之浚（回族）冯克煦、曲格平、朱良、朱启祯、伍精华（彝族）、任现春（瑶族）、刘国光、许勤、许嘉璐、孙廷芳、孙鸿烈、阳忠恕、阴法唐、玛依努尔·哈斯木（女，维吾尔族）、严义埙、李立功、李永泰（朝鲜族）、李伦、李旭阁、李克强、李学智、李桂英（女，彝族）、李绪鄂、李森茂、李登海、李灏、杨纪珂、杨初桂（女，侗族）、杨明（白族）、杨衍银（女）、杨泰芳、杨振亚、杨振怀、杨烈宇、杨竞衡、杨海波、来金烈、吴大琨、吴长淑（朝鲜族）、吴树青、邱晴（女）、何厚铧、何浣芬（女）、何康、佟志广、谷建芬（女）、汪恩、沈辛荪、迟海滨、张文华、张仲先、张寿、张克辉、张序三、张国祥、张明远、张挺、张彦宁、张绪武、陈光健、陈培民、陈舜礼、林兰英（女）、林丽韫（女）、林宗棠、罗尚才（布衣族）、周占鳌、周南、周觉、孟连崑、项淳一、赵东宛、郝诒纯（女）、胡敏、柳随年、逄先知、姚峻、秦仲达、聂大江、莫文祥、夏家骏（土家族）、顾林昉、顾诵芬、钱 易（女）、徐采栋、徐起超、徐静（女）、爱新觉罗·溥杰（满族）、陶大镛、陶爱英（壮族）、黄长溪、黄玉章、黄毅诚、戚元靖、崔乃夫、康振黄、章师明、章瑞英（女）、彭士禄、彭清源

中华人民共和国主席、副主席

（1993年3月）

主　席：江泽民

副主席：荣毅仁

中华人民共和国中央军事委员会

主　席：江泽民

副主席：刘华清、张　震

委　员：迟浩田、张万年、于永波、傅全有

中华人民共和国最高人民法院

院　长：任建新

中华人民共和国最高人民检察院

检察长：张思卿

中国人民政治协商会议第八届全国委员会

（1993年3月）

主　席：李瑞环

副主席（25人）：叶选平、吴学谦、杨汝岱、王兆国、阿沛·阿旺晋美（藏族）、赛福鼎·艾则孜（维吾尔族）、洪学智、杨静仁（回族）、周培源、邓兆祥、赵朴初、巴　金、刘靖基、钱学森、钱伟长、胡绳、钱正英（女）、苏步青、侯镜如、丁光训、董寅初、孙孚凌、安子介、霍英东、马万祺

秘书长：宋德敏

常务委员（288人，按姓氏笔划为序）：丁石孙、于洪亮、万国权、马大猷、马品芳、马烈孙（回族）、王惠、王之泰、王丹凤（女）、王文元、王光美（女）、王扶之、王郁昭、王叔云、王厚德、王洪昌、王济夫、王恒丰、王神荫、王鸿祯、王照华、王锡爵、王黎之、毛增滇、方荣欣、巴岱（蒙古族）、巴图巴根（蒙古族）、孔令仁（女）、石泉、石邦定（苗族）、卢强、卢邦正（彝族）、叶大年、叶至善、叶宝珊、叶笃义、田一农、田光涛、田麦久、田昭武、白纪年、冯元蔚（彝族）、冯克熙、冯宏顺、冯理达（女）、冯梯云、宁光堃、召存信（傣族）、邢永宁、邢崇智、朱元成、朱光亚、朱作霖、华联奎、多杰才旦（藏族）、邬沧萍、庄世平、庄逢甘、刘珩、刘豹、刘广运、刘世增、刘汉桢、刘邦瑞、刘存智、刘延东（女）、刘亦铭、刘应明、刘炳森、刘海清、关涛（女）、关世雄、江平、江家福（壮族）、江景波、安士伟（回族）、孙延年、孙敏初（哈尼族）、麦赐球、贡唐仓·丹贝旺旭（藏族）、芮杏文、严庆清、严

克强（壮族）、严忠勤、苏星、苏赫（蒙古族）、李刚、李毅、李子奇、李世济（女）、李东海、李金培、李振声、李梦华、李鹿野、李蓼源、李默庵、李赣骝、杨堤、杨樾、杨永斌、杨光华、杨纪珂、杨拯民、杨斯德、肖乾（蒙古族）、吴京、吴文俊、吴式铎、吴廷栋（侗族）、吴克泰、吴希海、吴修平、吴祖强、吴蔚然、何东昌、何振梁、何鲁丽（女）、余国琮、谷超豪、邹承鲁、沃祖全、沈求我、沈祖伦、沈遐熙（回族）、宋志英、宋克湘（土家族）、宋鸿钊、启功（满族）、张权（女）、张明、张洽、张竞、张存浩、张全景、张纪域（白族）、张志公、张伯权、张君秋、张宝顺、张春男、张素我（女）、张乾二、张敬礼、张媛贞（女，满族）、张新时、陆榕树（壮族）、陈仲颐、陈启智、陈明绍、陈秉权、陈学俊、陈荣悌、陈祖沛、陈家振、陈难先、陈培烈、陈彬藩、陈铭珊、陈灏珠、邵恒秋、拉敏·索朗伦珠（藏族）、松布（土族）、明旸、罗冠宗、罗涵先、罗豪才、帕提曼·贾库林、（女，哈萨克族）、岳书仓（满族）、金鉴（满族）、金开诚、金日光（朝鲜族）、金泰甲（朝鲜族）、金鲁贤、周与良（女）、周同善、周绍铮、周铁农、郑万通、郑守仪（女）、郑励志、宗怀德、房维中、经叔平、项朝宗（苗族）、赵先顺、赵伟之、赵庆夫、赵海峰、赵维臣（满族）、胡正名、胡如雷、胡峨亭、胡鸿烈、俞雷、俞泽猷、施奠邦、姜笑琴（女）、姜培禄、姜燮生、恰扎·强巴赤烈（藏族）、贺敬之、秦文俊、袁木、袁行霈、袁隆平、都本洁、聂卫平、贾亦斌、顾英奇（满族）、钱李仁、钱景仁、徐四民、徐志纯、徐英锐、徐照隆、徐展堂、徐崇华、徐惟诚、爱泼斯坦、高天、高狄、高占祥、高兴民、高振家、高景德、高镇宁、郭东坡、郭秀仪（女）、郭秀珍（女）、唐立民、唐有祺、唐树备、唐敖庆、唐翔千、浦山、谈家桢、谈镐生、陶开裕、桑顶·多吉帕姆（女，藏族）、黄昆、黄大能、黄甘英（女）、黄克立、黄启章、黄其兴、黄峻山、黄凉尘、梅养正、曹达诺夫·扎义尔（维吾尔族）、盘俊（瑶族）、阎洪臣、梁步庭、梁尚立、梁黄胄、梁裕宁（女，壮族）、彭少逸、彭司勋（土家族）、葛志成、董幼娴（女）、蒋正华、蒋民宽、蒋光化、蒋丽金（女）、韩叙、韩生贵（回族）、韩美林、韩培信、程连昌、程志青（女）、傅元天、童傅、曾近义、谢希德（女）、路明、解峰、嘉木样·洛桑久美·图丹却吉尼玛（藏族）、蔡文浩、管仲伟、廖延雄、廖灿辉、廖静文（女）、黎遇航、翦天聪（维吾尔族）、潘蓓蕾（女，高山族）、霍懋征（女）、戴树和、戴爱莲（女）

委员（共 2093 人。1993 年 2 月 19 日政协第七届全国委员会常务委员会第 22 次会议通过）：

中国共产党（91 人）

于洪亮、马英杰、王大明、王兆国、王扶之、王言昌、王惠德、王黎之、云世英（蒙古族）、巴岱（蒙古族）、巴图巴根（蒙古族）、龙志毅（彝族）、叶选平、史钧杰、冯锦汶、邢永宁、邢崇智、朱善卿、华联奎、多杰才旦（藏族）、刘正、刘枫、刘云沼、刘延东（女）、刘述卿、刘国范、刘树生（回族）、刘晋峰、刘海清、江平、孙颔、李岩、李子奇、李文珊、李则望、李治时、李梦华、李鹿野、李瑞环、杨堤、杨永斌、杨汝岱、杨应彬、杨静仁（回族）、吴学谦、何东昌、邹时炎、宋德敏、张全景、陆懋曾、陈达之、陈辉光、武连元（回族）、林准、季国标、金鉴（满族）、周文华、周绍铮、郑科扬、赵先顺、胡绳、钮茂生（满族）、俞雷、姜燮生、洪学智、姚文绪、贺敬之、袁木、聂荣贵、贾那布尔（哈萨克族）、钱正英（女）、徐崇华、徐惟诚、高狄、曹克强、龚育之、梁步庭、蒋民宽、蒋光化、蒋振云、韩树英、韩培信、程连昌、焦力人、温业湛、谢华、谢希德（女）、廉仲、塞风、赛福鼎·艾则孜（维吾尔族）、冀绍凯

中国国民党革命委员会（65 人）

王文、王枫（女）、王奇（满族）、王玉梅（女，满族）、王锡爵、韦大卫（壮族）、毛增滇、邓成城、邓宇民、甘培根、厉无畏、卢邦正（彝族）、冯友（女）宁光堃、边长泰、朱培康、刘德元（回族）、孙越崎、严庆清、李继勋、李尊贤、李蓼源、李赣骝、杨纪珂、肖善因、吴京、吴式铎、吴景峰、何升韬、何

鲁丽（女）、沈求我、沈学斌、张法、张竞、张弘谋、张华康、张克明、张素我（女）、张媛贞（女，满族）、张廉云（女）、陈宏、陈炎武、陈家振、陈培烈、邵恒秋、周铁农、赵中玉、赵伟铎、胡正名、侯镜如、贾亦斌、钱景仁、徐志纯、高葆英（女）、黄伟民、梅养正、崔维蘝、程谛青（女）、傅惠民、童傅、温崇真（女）、鲍隆清、蔡义江、蔡绍芝（女）、谭惕吾（女）

中国民主同盟（65人）

丁石孙、马大猷、马基铭（回族）、马梅荪、王丹凤（女）、王启宏、王祖旦、王皓茹（女）、孔令仁（女）、卢强、叶笃义、乐寿长、冯克熙、朱铭、任江平、伉铁保、邬沧萍、刘开渠、刘诗白、关世雄、江景波、许政润、苏步青、李文宜（女）、李树元、杨奎章、吴克清、吴修平、吴静波、沈晋、张芝联、张存浩、张纪域（白族）、张厚粲（女）、陈心铭、陈永民、林亨元、罗小未（女）、罗涵先、岳书仓（满族）、赵燕翼、胡政光、俞泽猷、俞海潮、洪惠馨、袁行霈、都本洁、贾裕观、钱伟长、倪国熙、徐英含、翁曙冠、高天、高景德、高擎洲、郭国庆、谈家桢、陶建华（女）、黄景钧、萧墉壮、傅世英、雷蕾（女，满族）、詹伯慧、黎乐民、戴树和

中国民主建国会（65人）

万国权、王坚、王之泰、王仁中、王艮仲、王洪昌、王恒丰、王峻岩、王尊祜、方嘉民、田世宜、白大华（回族）、冯梯云、边嘉珏、朱元成、朱尔梅、朱相远、任玉岭、庄申、刘珩、刘正谟（回族）、刘昌谋、刘家权、孙延年、苏宝琮、苏家兴、李功九、李清竹、杨真元、肖国金、余振中、宋绍华、初东明、张鹤龄、陈又遵、陈永达、陈明德、陈春龙、陈铭珊、林强、林永孚、林观华（女）、国隆亭、金斌统、周同善、庞延斌（回族）、胡宏敏、柏岳、施宁荪、姜笑琴（女）、顾宗棠、钱椿涛、黄舜、黄大能、黄孟复、崔建本、董幼娴（女）、辜胜阻、程贻举、路明、蔡载经、谭兴宜、熊大方、樊海山、墨文川

无党派民主人士（53人）

孔德懋、（女）、邓团子（女）、叶汝求、叶秀山、田昭武、史树青、朱文渠、华而实、刘应明、刘国祺、严克强（壮族）、严星华、李希泌、李泽厚、李默庵、杨国桢、吴骁、吴大诚、吴拱照、谷祖善、宋伟斌、张洽、张文正、张文彬、张心智、张守义、张志祥、张伯权、张春男、陈云英（女）、陈宗德、林娜（女）、易礼容、金日光（朝鲜族）、周汝昌、郑基英、胡有萼、胡如雷、俞曙霞（女）、袁熙坤、钱人元、钱广华、殷叙彝、郭予元、黄书谋、梅绍武、阎立中、梁从诫、梁裕宁（女，壮族）、蒋彦胤、廖静文（女）、潘国定、戴复东

中国民主促进会（35人）

王鸿祯、方明、邓伟志、石泉、朱鸿鹗、刘春、刘运来、刘锦才、麦赐球、严尧卿、李金培、李乾构、吴荣、应中逸、张光瑛（女）、张志公、张怀西、陈慧、陈益群、苗永明、荀建丽（女）、林逸、岳炳忠、周世昌、郑芳龙、段成桂、袁祖亮、陶祥洛、黄敬芳、梅向明、葛志成、蒋家祥、谢冰心（女）、德继民（蒙古族）、霍懋征（女）

中国农工民主党（35人）

于生龙、马吉庆、王士昌、王中刚、王传琛、王治田、王锡贞（女）、方荣欣、田光涛、任震宇、刘崇智、苏应衡、李清德、李汉秋、何绍勋、沃祖全、沈其震、宋金升、宋承铮、张言、张清德、张鹤镛、陈树勋、陈灏珠、邵令方（满族）、周德晖、柴邦衡、徐荣楠、郭秀仪（女）、黄耀燊、阎洪臣、董敬舒、蒋

正华、韩伟、管仲伟、翦天聪（维吾尔族）

中国致公党（20人）

司徒擎、朱藻文、李世雄、杨兆旋、吴豪德、邱国义、陆榕树（壮族）、陈荣悌、陈洪铎、林添福、罗豪才、周畅、周桑漪、郑守仪（女）、俞云波、唐国俊、黄鼎臣、董寅初、韩明、靳晋

九三学社（35人）

王文元、王幼辉、邓汉馨、刘邦瑞、刘荣汉、许香谷、李毅、李永昌、李昌道、李美南、杨槱、杨光华、吴翼、汪大成、启功（满族）、张叔英、陈明绍、陈学俊、金开诚、周培源、赵华、赵士杰、赵伟之、袁龙蔚、徐有恒、唐立民、唐有祺、黄其兴、龚振栋、彭司勋（土家族）、曾近义、曾陇梅、廖延雄、潘蓓蕾（女，高山族）、鞠庆祺

台湾民主自治同盟（20人）

叶庆耀、苏子蘅、吴克泰、汪慕恒、陈木森、陈仲颐、陈荣驾、陈森吉（高山族）、范新发、林东海、林盛中、郑励志、徐萌山、高仁生、黄启章、蔡海金、蔡铭熹、廖灿辉、潘渊静、戴见能

中国共产主义青年团（12人）

巴音朝鲁（蒙古族）、杨文意（女）、杨光成（白族）、肖东升、沙海林、宋恩华、张力、张宝顺、赵树丛、徐祝庆、黄建盛、蒋明红

中华全国总工会（53人）

于长生、王东、王仲方、王厚德、王振江、尤仁（蒙古族）、毛树梅、乌云（女，华籍日本人）、方嘉德、冯祖椿、冯家云、刘九株、刘家骧、刘智生、江荣、孙洪敏（女）、孙振华、孙祥炎、严孝潜、严忠勤、苏志学、苏盛允、杜尔逊、杜如昱、李琮、李冀、李万新、李友祥、李国忠、李容光、杨继良、杨维书、辛玉林、宋永津、张士辉、张永泰、张富有、阿不都拉·哈木都拉（维吾尔族）、陈秉权、陈康林、陈遇龙、陈肇博、陈蕊芳（女）、邵方殷、罗淑珍（女）、郑万通、郝震堃、徐锡澄、高忠谦、高颖维（女）、唐开宗、曹秀英（女）、蒋文良

中华全国妇女联合会（72人）

于蓝（女）、王光美（女）、王庆淑（女）、王秀梅（女，蒙古族）、王晓棠（女）、王效贤（女）、牛小梅（女）、方掬芬（女）、叶佩英（女）、叶维祯（女）、包淑和（女）、冯理达（女）、邢籁（女）、邢至康（女）、过宁扶（女）、吕敬先（女）、刘玉洁（女）、关涛（女）、孙君梅（女）、巫昌祯（女）、李莎（女，俄罗斯族）、李丽英（女）、李柳琼（女）、李载柔（女）、李梅菊（女）、杨拯美（女）、邱洛琳（女）、何理良（女）、佘中和（女）、应伊利（女，蒙古族）、张西蕾（女）、张树榛（女）、、张闾蘅（女）、张洁珣（女）、张蒙纳（女）、张锦秋（女）、林利（女）、罗天婵（女）、金庆民（女）、周翔（女）、周远楣（女）、郑晶莹（女）、赵桂英（女）、胡楷（女）、胡长和（女）、胡正芝（女）、胡启恒（女）、柯兰（女）、钟佩珩（女）、拜玉凤（女，回族）、段存华（女）、俞惟乐（女）、施如璋（女）、宣平（女）、秦怡（女）、袁家莼（女）、顾文霞（女）、徐永端（女）、高如曾（女）、郭月芳（女）、郭履容（女）、郭翼青（女）、资华筠（女）、容子青（女）、黄梦玲（女）、曹瑞武（女）、康泠（女）、阎颖

（女）、傅冬（女）、童君美（女）、黎沪娟（女）、潘复兰（女）

中华全国青年联合会（16人）

史丰收、白春礼（满族）、关牧村（女，满族）、李扬、李大维、张大宁、陈晓光、郑法雷、赵玉芬（女）、俞贵麟、姜昆、洛桑·灵智多杰（藏族）、袁纯清、倪以信（女）、葛健、策墨林·单增赤列（藏族）

中华全国工商业联合会（60人）

丁言章、卜仲宽、于熙钟、马品芳、王惠、牛笑萍（女）、方雪木、厉志成、卢菊芳（女）、叶元铮、叶仲若、叶宝珊、田来春、托乎提毛拉·托瓦库力（维吾尔族）、伍廷宪（壮族）、庄荣昌、刘世增、刘永好、刘靖基、关炳如、孙孚凌、李静、李安民、李宏昌、李科生、杨洪绶、杨振斌、何凤祖（回族）、邹康新、张旭、张宏伟、张宽训、张敬礼、陆航程、陈祖沛、欧云远、周宝芬、冼笃信、经叔平、胡平旭、钮守章、姜培禄、姚振民、袁世先、热比娅·卡德尔（女，维吾尔族）、夏守春、徐英锐、徐昭隆、徐祖宏、郭秀珍（女）、郭德恒、黄峻山、黄凉尘、梁尚立、韩伟、傅文祺（女）、童施建、谢福美、蔡体铨、蔡振兴

中国科学技术协会（44人）

马以惇（回族）、王夔、王文义、王亚辉、王连铮、王希舜、王振纲、王海藩、白景中、朱光亚、庄逢甘、刘恕（女）、刘颂豪、孙大涌、孙钟秀、李希竑、李振声、李铮友、李德平、杨乐、吴咸中（满族）、岑淳、邹仁鋆、闵桂荣、张侃、张涛、陈可冀、陈剑虹、范维唐、周亚特、赵忠贤、施奠邦、顾方舟、倪光南、高镇宁、郭正谊、黄启昌、章午生、温克刚、谢绍明、谢高觉、强巴赤列（藏族）、鲍奕珊、颜捷先

中华全国台湾同胞联谊会（20人）

王碧云（女）、石静如（女）、刘亦铭、江英彦、杨国庆、杨思泽、吴庆洲、吴英辅、陈玲（女）、陈锦堂、林毅夫、徐兆麟、徐振文、徐能光、郭平坦、容汉诠（高山族）、章中、章荣烈、梁泰平、曾华鹏

文化艺术界（145人）

丁聪、于洋、才旦卓玛（女，藏族）、马季、马友仙（女）、马玉涛（女）、马崇仁（回族）、王枫、王昆（女）、王蒙、王酩、王习三、王仁杰、王为政、王玉珏（女）、王玉磬（女）、王世光、王昌芝（女）、王济夫、王铁成、王爱爱（女）、王馥荔（女）、尹瘦石、巴金、邓友梅、左大玢（女）、叶少兰、叶文玲（女）、叶惠贤、白杨（女）、白雪石、白淑湘（女）、冯骥才、巩俐（女）、毕克官、吕瑞明、朱乃正、乔羽、刘敏（女）、刘国典、刘勃舒、刘炳森、刘晓庆（女）、刘海粟、刘德海、刘燕平（女）、齐良迟、孙瑛、玛拉沁夫（蒙古族）、严良堃、克里木（维吾尔族）、苏民、杜近芳（女）、杜鸣心、李凖（蒙古族）、李世济（女）、李存葆、李光羲、李希凡、李谷一（女）、李和曾、李维康（女）、李默然（回族）、杨乃珍（女）、杨秋玲（女）、吴冠中、吴祖光、吴祖强、邹德华（女）、闵惠芬（女）、沈湘、张权（女）、张锲、张巧凤（女）、张君秋、张贤亮、阿依吐拉（女，维吾尔族）、陈铎、陈健、陈颙（女）、陈汝斌、陈祖芬（女）、陈爱莲（女）、陈裕德、武季梅（女）、林耀基、欧阳中石、尚长荣、罗扬、郑雪莱、赵青（女）、赵士英、赵有亮、胡芝风（女）、胡松华（满族）、胡和颜（女）、钟振发（畲族）、俞丽拿（女）、俞振飞、姜文、姜振桐、姚有多、姚珠珠（女）、骆玉笙（女）、敖德木勒（女，蒙古族）、袁世海、耿绍

光、莫德格玛（女，蒙古族）、贾平凹、徐怀中、徐启雄、徐晓钟、高占祥、郭怡琮、海力切木·斯地克（女，维吾尔族）、黄婉秋（女）、黄蜀芹（女）、黄新德、梅葆玖、曹禺、盛中国、崔美善（女，朝鲜族）、章宗义、梁光弟、梁黄胄、彭丽媛（女）、董寿平、韩美林、程十发、傅庚辰、焦祖尧、谢晋、谢雨辰、靳尚谊、詹建俊（满族）、新凤霞（女）、蔡正仁、臧克家、裴艳玲（女）、管桦、潘虹（女）、潘霞（女）、霍达（女，回族）、戴爱莲（女）、魏明伦

科学技术界（186人）

于敏、于景元、马颂德、王元、王珉（女）、王选、王洲、王大鹏、王广鋆、王方定、王业宁（女）、王再生、王汝林、王志良、王弭力（女）、王淀佐、王惠通、王道荫、王燕谋、方守贤、方鸿琪、方樟顺、邓璟、甘子钊、古可、叶大年、田波、田复、冯伟年、冯宏顺、冯家璋、兰天（畲族）、巩毅、成思危、毕大川（赫哲族）、吕启东、朱耘、乔三阳、华宁熙、庄启谦、刘广均（回族）、刘天泉、刘从军、刘永坦、刘光鼎、刘松金、刘积仁、刘盛纲、刘敦一、刘新香（女）、汤定元、许中明、许其贞、孙延勋、孙忠良、孙家栋、阳含熙、严宏谟、严陆光、苏锵、杜祥明、李林（女）、李存模、李廷栋、李泽民、李素循（女）、李家明、李乾光、杨进、吴文俊、吴有彩、吴武封、邱大洪、邱占祥、邱守鍠、何祚庥、何梅芳（女）、佘湢、邹承鲁、汪品先、沙业汪、沈允钢、宋振骐、张仁（回族）、张开逊、张元方、张仁俊、张永明、张复良、张剑飞、张珏元、张乾二、张朝琛、张新时、张德洪、张镰斧、陆业海、陈日藻、陈均远、陈受宜（女）、陈泽深、陈相荣、陈厚生、陈俊勇、陈剑华（女）、陈祖涛、陈家镛、陈能宽、陈难先、陈道煦、邵厚坤、林金、林克安、欧阳予、罗西北、金宗哲（朝鲜族）、周平、周复榆、庞巨丰、赵锟、赵柏林、赵维纲、胡仁宇、胡聿贤、胡宗渊、胡海昌、哈秋舲（回族）、侯义斌、侯立尊、俞恩瀛、俞福良、洪朝生、姚汝华、姚建铨、聂玉昕、夏其甜、顾慰庆、柴扬业、钱学森、钱思初、徐朴、徐达、徐至展、徐光宪、徐如镜、徐松茂、徐性初、徐培福、徐静松、郭孝礼、郭肖容（女）、郭祥熹、郭履灿、郭燮贤、席成洲、唐九华、谈镐生、陶其嫩（女）、黄昆、黄志镗、黄荣辉、黄歆昌、黄蕴慧（女）、梅自强、曹培生、章祥荪、章惠民、梁思礼、彭少逸、彭德钊、董韫美、蒋丽金（女）、程之光、程晓伍、傅熹年、童志鹏、蔡诗东、蔡晬盎（女）、蔡睿贤、熊正美（土家族）、颜佳义、颜植生、颜福澄、潘家铮、戴元本、戴受惠（女）

社会科学界（45人）

王仲殊、王庆成、方强、卢之超、丛翰香（女）、齐世荣、孙执中、吴介民、吴建璠、何建章、余绳武、余敦康、汪敬虞、张椿年、陈卓、陈尧光、陈高华、林甘泉、林茂灿、罗荣渠、罗哲文、金冲及、周方、周叔莲、经君健、赵曜、荆其诚、胡继高、姜殿铭、恰贝·次旦平措（藏族）、钱嘉东、徐葵、徐苹芳、浦山、黄齐陶、黄高谦、盖山林（满族）、谌取荣、董衡巽、蒋和森、樊骏、樊锦诗（女）、冀淑英（女）、戴园晨、瞿世镜

经济界（82人）

马仪、马长贵、马祖彭、王珏、王世英、王传纶、王林生、王叔云、王荣生、王慧炯、王德衍、石山麟（朝鲜族）、石希玉、卢国纪、叶宏明、田一农、老志新、吕学俭、刘豹、刘汉祯、刘树林、刘鸿儒、孙民强、芮杏文、严瑞藩、苏星、李刚、李天相、李裕民、杨启先、杨勇俊、杨尊伟、励承豪、吴敬琏、何新、闵豫、沈之介、沈被章、张万欣、张巨声、张文达、张世尧、陆叙生、陈钝、陈永年、陈永联、陈岱孙、林信平、罗元铮、金熙英、周之英、郑敦训、房维中、赵靖、赵长白（女）、赵庆夫、赵海宽、赵维臣（满族）、姜习、徐庆熊、凌虢勋、高尚全、唐仲文、唐庚尧、浦寿海、盛树仁、崔建民、崔晋宏、鹿中民、梁沅凯、葛子平、董绍华、董维先、韩英、童赠银、谢仲余、赖高淮、蔡才玑、蔡宁林、熊性美、潘遥、魏玉明

农林界（69 人）

王郁昭、王炎堂、王祥林、毛炳衡、孔繁瑶、石元春、卢永根、卢克焕（壮族）、叶正襄、白有光（回族）、母秋华（女）、过益先、朱伯芳、朱耀光、乔振先、刘堪、刘广运、许伍权、李广毅、李玉山、李仁臣、李成荃（女）、李光博、李庆文、李信贤（侗族）、李梅芳（女）、杨庆凯、杨志福、汪可宁、沈国舫、沈桂芳（女）、张子仪、张水兵、张建岳、张春园、陈子元、陈白希、陈昌洁、陈耀邦、林平、林秉南、罗新书、周大荣、周政贤、郑恒受、郑镇安、孟庆闻（女）、赵法箴、赵学源、胡洪凯、相重扬、禹作敏、侯锋、祝源又、袁隆平、徐乾清、高子曼、陶鼎来、黄枢、曹文宜、曹赤阳、常近时、符气浩、曾吉恕、谢联辉、谢道宏、赖星华、（女）、黎汉云、潘光炎

教育界（116 人）

王钧、王浒、王甡、王甦、王于畊（女）、王务迪、王明达、王性复、王学珍、王祖农、王斯雷、王辉丰、王敦书、王福重（女）、王福祥、王震源、方福康、甘幼玶（壮族）、东噶·洛桑赤列（藏族）、白师贤、邢福义、任永泰、庄公惠、刘波、刘筠、刘云旭、刘世楷、刘西拉、刘思福、刘叙华、刘庭怀、刘恒椽、刘鸿文、齐康、许尚贤、阮天健、严大凡（女）、苏东庄、李昌、李心灿、李正才、李国华、李宝芳（女）、杨义先、杨弘远、杨桂通、吴云鹏（回族）、吴正德、吴代华、吴守一、吴震春、何声武、余国琮、余恕诚、谷超豪、邹逸麟、汪培庄、沈大荣、张士勋、张大卫、张友梅、张岂之、张进修、张鉴祖、陆善镇、陈征、陈敏恒、陈涵奎、苗永淼、罗辽复、竺苗龙、周恒、周与良（女）、周师庸、周克定、郑大中、郑庆云、郑丽荣（女）、赵重远、胡和生（女）、俞汝勤、饶博生、闻邦椿、姜伯驹、姜伯勤、袁力庸、顾正秋、钱青（女）、高庆（女）、高歌、高士品（满族）、郭湖生、郭燕杰、席裕庚、唐敖庆、唐崇惕（女）、浦通修、黄辛白、黄德音、龚昌德、梁宗巨、梁植文、彭庆山、彭道儒、蒋守规、程津培、傅恒志、谢志成、谢衷洁、强俄巴·多吉欧珠（藏族）、裘锡圭、赖万才、赖祖涵、蔡光天、蔡强康、樊恭烋

体育界（21 人）

马晓春、王义夫、王文教、文国刚、邓亚萍（女）、田麦久、曲绵域、李小双、李敏宽、杨天乐、何振梁、张英洲、张蓉芳（女）、张燮林、陈运鹏、林笑峰、聂卫平、徐益明、高健、高佳敏（女）、黄健

新闻出版界（30 人）

马庆雄、王乐天、王同亿、王国华、叶至善、冯锡良、刘杲、孙轶青、李侃、李彦、李峰、肖乾（蒙古族）、吴冷西、汪东林、沙博理、沈鹏、宋书声、张西洛、张常海、张惠卿、陈砾、陈必娣（女）、陈早春、范敬宜、林基洲、和穆熙、姜维朴、爱泼斯坦（华籍波兰人）、章辉夫、傅璇琮

医药卫生界（95 人）

马西、马文珠（女，回族）、马成义（回族）、王一飞、王天铎、王玉川、王孝涛、王灿晖、王贤才、王国相、王绵之、王新德、牛东平、丹增旺扎（藏族）、火树华、邓晓薇（女）、石锦辉（女）、田牛、丘和明、印木泉、刘世康、刘永纲、刘志明、刘敏如（女）、刘弼臣、米勒（犹太）、孙衍庆、孙曼霁、孙毓庆、严庆汉、李同生、李连达、李炎唐、李树楠、李桓英（女）、李梅生、李辅仁、李锡莹（女）、杨大峥、时德、吴蔚然、邱明庆（女）、何瑞荣、宋鸿钊、张友会、张均田、张铁良、张震康、张镜人、陆干甫、陆广莘、阿不都力米提·玉素甫（维吾尔族）、陈新、尚天裕、尚德俊、罗布桑（蒙古族）、罗爱

伦、金启祥（满族）、周超凡、郑惠君（女）、赵学铭、赵绍琴、胡熙明、钟南山、钟品仁、钟毓斌（女，满族）、侯建存、钱宇平、钱贻简、高守一、郭子恒、郭应禄、桑国卫、措如·才朗（藏族）、黄人健、黄启助（畲族）、黄鹤年、龚锦涵、彭瑞骢、韩向阳、喻娴武（女）、程天民、程莘农、傅莱、傅民魁、童尔昌、曾因明、谢荣、路志正、臧人和、管忠震、谭承项（毛南族）、黎磊石、戴尅戎、鞠躬

对外友好团体（24人）

马俊如、孔筱（女）、孔令朋、田一明、史久镛、刘山、刘德有、李克、李寿葆、李顺然、李源潮、杨天全、杨仲子、何方、陈白臬、陈鲁直、范国祥、郁文（女）、郑鸿业、黄甘英（女）、黄世明、梅兆荣、韩叙、黎虹

社会救济福利团体（21人）

王青林、王命兴、王照华、叶心力、庄永竟、孙柏秋（女）、杜淑贞（女）、李宝光（女）、杨琛（女）、张文寿、张汉夫、张金哲、陈欣（女）、陈丽华（女，满族）、陈君石、陈春明（女）、林佳楣（女）、周绍明（女）、顾英奇、高锡朋、章明（女）

少数民族（100人）

刀世勋（傣族）、千奋勇（蒙古族）、马长庆（东乡族）、马世恭（保安族）、马祖灵（回族）、马鸿恩（回族）、王连芳（回族）、王思明（布依族）、王泰昌（羌族）、王家贤（黎族）、韦国仁（水族）、扎西泽仁（藏族）、乌拉迪米尔·尼克来耶维奇·孜缅科（俄罗斯族）、文精（蒙古族）、方初善（女，朝鲜族）、孔志清（独龙族）、石邦定（苗族）、石昌禄（苗族）、甲嘎·洛桑汤觉（藏族）、田寿延（土家族）、冯元蔚（彝族）、司马义·买合苏提（维吾尔族）、尕布龙（蒙古族）、尕布藏（藏族）、召存信（傣族）、吉普·平措次登（藏族）、尧西·旺堆（藏族）、尧西·索良卓玛（女，藏族）、齐续春（满族）、米尔哈达木·穆哈买德牙诺夫（塔塔尔族）、米吉提·斯拉木（维吾尔族）、江中·扎西多吉（藏族）、江家福（壮族）、孙格巴顿（藏族）、孙敏初（哈尼族）、买买提吐尔逊·巴吾东（维吾尔族）、严天华（土家族）、苏赫（蒙古族）、李瑾（白族）、李光华（拉祜族）、李明天（苗族）、李慕唐（回族）、杨复兴（藏族）、杨清明（景颇族）、甫之聪（怒族）、吴慧（赫哲族）、吴廷栋（侗族）、吴庆云（回族）、沙车（基诺族）、沙之沅（回族）、宋克湘（土家族）、罕富有（傣族）、张乃诤（回族）、张永祥（苗族）、张瑞琥（彝族）、阿沛·阿旺晋美（藏族）、阿拉坦敖其尔（蒙古族）、拉敏·索朗伦珠（藏族）、拉鲁·次旺多吉（藏族）松布（土族）、卓加（藏族）、帕加（珞巴族）、帕提曼·贾库林（女，哈萨克族）、和根合（傈僳族）、和毅繁（普米族）、金泰甲（朝鲜族）、周礼成（羌族）、周民震（壮族）、孟苏荣（女，达斡尔族）、项朝宗（苗族）、赵廷光（瑶族）、赵恩登（女，锡伯族）、胡世强（纳西族）、钟安（畲族）、保洪忠（佤族）、泉博顺（鄂伦春族）、施嘉明（彝族）、洛桑丹增（藏族）、洛桑赤耐（藏族）、恰巴·格桑旺堆（藏族）祖拉力·牙库甫（塔吉克族）、祝华述（仡佬族）、格桑顿珠（藏族）、党巴（蒙古族）、郭柏林（裕固族）、朗加（藏族）、措姆（女，门巴族）、黄邦模（京族）、萨希荣（鄂温克族）、曹明兴（阿昌族）、盘俊（瑶族）、盘才万（瑶族）、麻合苏提·艾克拜尔（乌孜别克族）、蒋腊摆（德昂族）、韩应选（撒拉族）、傅万保（彝族）、鲁时仙（女，布朗族）、蓝光谅（畲族）、嘉拉降泽（藏族）、潘李珍（女，仫佬族）

中华全国归国华侨联合会（25人）

王善荣、庄炎林、刘闽生、杨银仙、肖岗、张楚琨、陈文华、陈有海、陈兆强、陈觉万、陈祖庇、陈彬藩、林雪梅（女）、周松、姚美良、徐发淦、郭荣昌、郭毅为、唐鸿千、黄广坦、黄锡坚、强伯勤、赖稳

贤、蔡国栋、蔡俊迈

香港同胞（79 人）

于元平、马临、云大棉（蒙古族）、文楼、邓广殷、古胜祥、石景宜、冯永祥、冯庆锵、司徒辉、朱莲芬（女）、伍淑清（女）、庄世平、刘迺强、刘皇发、刘浩清、安子介、阮北耀、李大壮、李东海、李国强、李侠文、李祖泽、杨光、杨孙西、利汉钊、邱德根、何世柱、何志平、余国春、邹灿基、闵建蜀、张云枫、张永珍（女）、陈日新、陈文裘、陈丽玲（女）、陈复礼、陈瑞英、邵友保、林贝聿嘉（女）、林克平、林淑仪（女）、罗友礼、郑家纯、赵镇东、胡应湘、胡法光、胡鸿烈、查懋声、施子清、施祥鹏、秦文俊、袁武、夏梦（女）、徐四民、徐国炯、徐展堂、高苕华（女）、唐翔千、黄允畋、黄守正、黄克立、黄启铎、黄梦花、梁燊、梁天培、梁钦荣、蒋丽芸（女）、曾星如、曾钰成、赖庆辉、蔡德河、谭惠珠（女）、黎锦文、潘江伟、潘祖尧、霍英东、霍震霆

澳门同胞（19 人）

马万祺、马有礼、王孝行、刘衍泉、李康、李天庆、李成俊、吴福、柯小刚、贺定一（女）、郭东坡、陶开裕、曹其真（女）、崔耀、崔世昌、康显扬、梁披云、廖泽云、潘汉荣

宗教界（58 人）

丁光训、马贤（回族）、马正中（回族）、马进成（东乡族）、王良佐、王神荫、王菊珍（女）、仁德、乌兰（蒙古族）、玉赛音阿吉（柯尔克孜族）、布米·强巴洛珠（藏族）、加纳追古·江央克珠（藏族）、地珠·江白格桑（藏族）、朱世昌、竹康·土登克珠（藏族）、伍并亚·温撒（傣族）、任法融、华长吉、刘柏年、刘雅敬、刘景和、安士伟（回族）、买买提·赛来（维吾尔族）、贡唐仓·丹贝旺旭（藏族）、却西（藏族）、杨凤英（女）、杨高坚、吴爱恩（女，朝鲜族）、沈以藩、沈遐熙（回族）、沈德溶、张继禹、陆薇读、阿不都拉大毛拉阿吉（维吾尔族）、阿嘉·洛桑图旦·久美嘉措（蒙古族）、纳国祥（回族）、郁成才、明旸、罗济、罗冠宗、金鲁贤、周绍良、宗怀德、赵朴初、恰扎·强巴赤列（藏族）、真禅、请佛、桑顶·多吉帕姆（女，藏族）、梁福寰、董光清、韩文藻、韩生贵（回族）、傅元天、谢生林（回族）、嘉木样·洛桑久美·图丹却吉尼玛（藏族）、赫连召选、蔡文浩、黎遇航

特别邀请人士（217 人）

丁懋萱（女）、马志民、马秉臣、马烈孙（回族）、王华（女）、王翔、王明哲、王树森（满族）、王奎章、王宪志、王隆夫、云丽文（女，蒙古族）、邓兆祥、艾则佐夫·哈斯木（维吾尔族）、艾买提·瓦吉地（维吾尔族）、左良、龙启琛、龙禹贤、叶刚、叶学龄、申效曾、田健、田世兴、史克信、白纪年、冯弗伐（女）、冯洪达、冯振伍、匡吉、毕皓、曲继宁、朱奎、朱立民、朱作霖、任务之、刘吉、刘钊、刘锋、刘小萍、刘中山、刘文泮、刘心格、刘玉堤、刘存信、刘存智、刘光甫、刘庆奎、刘志田、刘增禔、齐中堂、关东升（满族）、关百成（满族）、许鸣真、孙勇、孙文芳、孙家贤、杜大仕、杜绍三、巫致中、李硕、李源、李元栋、李世田、李生玉、李连秀、李伯康、李际祥、李明俊、李宗坊、李恩宝、杨立、杨桓、杨发勋、杨拯民、杨资元、杨海成、杨斯德、杨登彦、肖耀堂、吴庆彤、吴希海、吴佳和、吴顺义、吴德昌、何德全、余兴远、汪浩、沙人麟（回族）、沈醉、沈仁道、沈祖伦、宋堃（回族）、宋文中、宋志英、宋直元、张明、张敏、张乃英、张长珍、张文驹、张西铭、张廷翰、张声作、张佐才、张序登、张纯之、张振先、张铁男（女，满族）、张海云、张涵信、张德勤、陈端（女）、陈文生、陈守义、陈芳模、陈启智、陈铁迪（女）、陈滋英、邵华（女）、邵农、范康、罗章龙、罗越嘉（女）、岳枫、周正、周干峙、周世安、周叔璜（女）、周海婴、周雅光、周溪舞、庞中华、郑华、郑宝森、单印章、赵

宏、赵炜（女）、赵兴元、赵明生、赵定玉、赵健魁、赵海峰、赵景棠、荣智健、胡峨亭、胡笑云、胡逸洲、胡照洲、修瑞娟（女）、姜玉田、费岳峰、袁芳烈、莫百祥、栗光祥、栗寿山、贾启玉、夏国治、钱贵、钱七虎、钱李仁、徐大铨、徐文伯、徐乐义、徐春阳、徐润达、凌青、高克、高兴民、高伯龙、高振家、高焕昌、郭刚、郭其侨、郭国正、郭辅周、郭德治、唐树备、黄森、黄天明、黄语扬（壮族）、黄植诚（壮族）、曹达诺夫·扎依尔（维吾尔族）、曹步墀、常捷、宿灿、董建华、蒋先进、韩传雄、韩宇东、喇进修、程元、程浩、程步云、傅泽南、游德馨、谢国良、谢雪萍（女）、路正西、詹永杰、解峰、蔡端、裴九洲、嘎多锡雄（藏族）、管德、鲜恒、廖自强、谭方之、谭汉洲、谭恩晋、潘连生、潘启琦、潘君密、潘曾锡、潘静安、戴善仁、酆炳军、耀先

中华人民共和国国务院

（1993 年 3 月）

总理：李鹏

副总理：朱镕基、邹家华、钱其琛、李岚清

国务委员：李铁映、迟浩田、宋健、李贵鲜、陈俊生、司马义·艾买提（维吾尔族）、彭珮云（女）、罗干

国务院秘书长：罗干（兼）

外交部部长：钱其琛（兼）

国防部部长：迟浩田（兼）

国家计划委员会主任：陈锦华

国家经济贸易委员会主任：王忠禹

国家经济体制改革委员会主任：李铁映（兼）

国家教育委员会主任：朱开轩

国家科学技术委员会主任：宋健（兼）

国防科学技术工业委员会主任：丁衡高

国家民族事务委员会主任：司马义·艾买提（维吾尔族）（兼）

公安部部长：陶驷驹

国家安全部部长：贾春旺

监察部部长：曹庆泽

民政部部长：多吉才让（藏族）

司法部部长：肖扬

财政部部长：刘仲藜

人事部部长：宋德福

劳动部部长：李伯勇

地质矿产部部长：朱训

建设部部长：侯捷

电力工业部部长：史大桢

煤炭工业部部长：王森浩

机械工业部部长：何光远

电子工业部部长：胡启立

冶金工业部部长：刘淇

化学工业部部长：顾秀莲（女）

铁道部部长：韩杼滨

交通部部长：黄镇东
邮电部部长：吴基传
水利部部长：钮茂生（满族）
农业部部长：刘江
林业部部长：徐有芳
国内贸易部部长：张皓若
对外贸易经济合作部部长：吴仪（女）
文化部部长：刘忠德
广播电影电视部部长：艾知生
卫生部部长：陈敏章
国家体育运动委员会主任：伍绍祖
国家计划生育委员会主任：彭珮云（女）（兼）
中国人民银行行长：李贵鲜（兼）
审计署审计长：吕培俭

中国国民党革命委员会

第八届中央委员会

（1992年12月）

名誉主席：朱学范、侯镜如、孙越崎
名誉副主席：贾亦斌、赵祖康
主席：李沛瑶
副主席：彭清源（常务）、徐起超、李赣骝、何鲁丽、沈求我、周铁农、童傅、程志青、胡敏
秘书长：朱培康

中央监察委员会

（1992年12月）

主席：谭惕吾
副主席：廖运周、覃异之、方少逸、张素我、张克明、邵恒秋、顾毓瑔、吴京
秘书长：周锡卿

中国民主同盟
第七届中央委员会

（1992年12月）

名誉主席：楚图南
主席：费孝通
副主席：钱伟长、高天(常务)、谈家桢、陶大镛、罗涵先、马大猷、冯之浚、丁石孙、康振黄、孔令仁、谢颂凯、吴修平、张毓茂
秘书长：俞泽猷

中央参议委员会

（1992年12月）

主任：苏步青
副主任：叶笃义、冯素陶、刘开渠、李文宜、吴作人、陈敏之、林亨元、闻家驷、萧乾
秘书长：吴春选

中国民主建国会
第六届中央委员会

（1992年11月）

主席：孙起孟
副主席：陈邃衡、陈铭珊、万国权（常务）、冯梯云、黄大能、李崇淮、白大华、朱元成、冯克煦、路明、刘珩
秘书长：朱元成（兼）

中央咨议委员会

（1992年11月）

主任：浦洁修
副主任：王艮仲　徐崇林　资耀华　李文杰　汤元炳　周同善
秘书长：莫艺昌

中国民主促进会

第九届中央委员会

（1992年12月）

名誉主席：谢冰心、赵朴初
主席：雷洁琼
副主席：陈舜礼（常务）、葛志成、楚庄、叶至善、梅向明、陈难先、冯骥才、邓伟志、许嘉璐
秘书长：陈益群

中央参议委员会

（1992年12月）

主任：赵朴初
副主任：柯灵、潘承孝、梅达君、王鸿祯、方明
秘书长：毛之芬

中国农工民主党

第十一届中央委员会

（1992年12月）

名誉主席：周谷城
主席：卢嘉锡
副主席：方荣欣（常务）、姚峻、章师明、田光涛、杨烈宇、蒴天聪、陈灏珠、阎洪臣、宋金升、蒋正华
秘书长：宋金升（兼）

中央咨监委员会

（1992年12月）

主席：沈其震
副主席：郭秀仪、邓昊明、李洁之、梅日新
秘书长：王大鲁

中国致公党

第十届中央委员会

（1992年12月）

名誉主席： 黄鼎臣
名誉副主席： 伍觉天
主席： 董寅初
副主席： 杨纪珂（常务）、陆榕树、郑守仪、王宋大、罗豪才
秘书长： 王宋大（兼）

九三学社

第九届中央委员会

（1992年12月）

名誉主席： 周培源、严济慈、金善宝
主席： 吴阶平
副主席： 徐采栋（常务）、郝诒纯、安振东、王文元、杨櫃、陈明绍、陈学俊、赵伟之、洪绂曾、金开诚
秘书长： 刘荣汉

中央参议委员会

（1992年12月）

主任： 王淦昌
副主任： 黄汲清、袁翰青、柯召、谢立惠、陈立、高觉敷、陈恩凤、笪移今、启功、葛庭燧、方亮、李毅
秘书长： 李毅（兼）

台湾民主自治同盟

第五届中央委员会

（1992年11月）

主席：蔡子民
副主席：张克辉、陈仲颐
秘书长：潘渊静

中央评议委员会

（1992年11月）

主席：李辰
副主席：田富达、曾明如、许文思、曾重郎、徐萌山

中国人民解放军各总部、各大单位主要负责人

总参谋部　**总参谋长**：张万年　**副总参谋长**：徐惠滋　李　景　曹刚川

总政治部　**主　　任**：于永波　**副主任**：王瑞林　周子玉

总后勤部　**部　　长**：傅全有　**政　委**：周克玉

国防科工委　**主　　任**：丁衡高　**政　委**：戴学江

海　　军　**司 令 员**：张连忠　**政　委**：魏金山

空　　军　**司 令 员**：曹双明　**政　委**：丁文昌

第二炮兵　**司 令 员**：杨国梁　**政　委**：隋永举

军事科学院　**院　　长**：赵南起　**政　委**：张序三

国防大学　**校　　长**：朱敦法　**政　委**：李文卿

沈阳军区　**司 令 员**：王　克　**政　委**：宋克达

北京军区　**司 令 员**：王成斌　**政　委**：谷善庆

济南军区　**司 令 员**：张太恒　**政　委**：宋清渭

南京军区　**司 令 员**：固　辉　**政　委**：刘安元

广州军区　**司 令 员**：李希林　**政　委**：史玉孝

成都军区　**司 令 员**：李九龙　**政　委**：张　工

兰州军区　**司 令 员**：刘精松　**政　委**：曹芃生

各省、市、自治区主要领导人

省、市、自治区	省(市、区)委书记	人大常委会主任	省、市长(区主席)	政协主席
北　京	陈希同	张健民	李其炎	王大明
天　津	高德占	聂璧初	张立昌	刘晋峰
河　北	程维高	吕传赞	叶连松	李文珊
山　西	王茂林	卢功勋	胡富国	王茂林
内蒙古	王　群	王　群	乌力吉	千奋勇
辽　宁	全树仁	全树仁	岳歧峰	孙　奇
吉　林	何竹康	何竹康	高　严	刘云诏
黑龙江	孙维本	孙维本	邵奇惠	周文华
上　海	吴邦国	叶公琦	黄　菊	陈铁迪
江　苏	沈达人	沈达人	陈焕友	孙　颔
浙　江	李泽民	李泽民	万学远	刘　枫
安　徽	卢荣景	孟富林	傅锡寿	史钧杰
福　建	陈光毅	陈光毅	贾庆林	游德馨
江　西	毛致用	毛致用	吴官正	刘方仁
山　东	姜春云	李　振	赵志浩	陆懋曾
河　南	李长春	李长春	马忠臣	林英海
湖　北	关广富	关广富	贾志杰	回良玉
湖　南	熊清泉	刘夫生	陈邦柱	刘　正
广　东	谢　非	林　若	朱森林	郭荣昌
广　西	赵富林	刘明祖	成克杰	陈辉光
海　南	阮崇武	杜青林	阮崇武	姚文绪
四　川	谢世杰	杨析综	肖　秧	聂荣贵
贵　州	刘正威	刘正威	陈士能	龙志毅
云　南	普朝柱	尹　俊	和志强	刘树生
西　藏	陈奎元	热　地	江村罗布	帕巴拉·格列朗杰
陕　西	张勃兴	张勃兴	白清才	周雅光
甘　肃	顾金池	卢克俭	阎海旺	申效曾
青　海	尹克升	宦爵才郎	田成平	韩应选
宁　夏	黄　璜	马思忠	白立忱	刘国范
新　疆	宋汉良	阿木冬·尼牙孜	铁木尔·达瓦买提	贾那布尔

华夏第一镇

丝绸之乡——盛泽镇

盛泽镇党委书记、农工商总公司董事长吴海标

盛泽镇位于江苏省吴江市东南部，全镇总面积71平方公里，现有耕地4.7万亩。全镇在册人口7.2万，共有36个行政村、场，一个街道办事处，二十五个居委会。

盛泽是著名的丝绸之都，早在明清时期盛泽就有织机万台，素有"日出万绸，衣被天下"之称。历史上与杭州、苏州、湖洲并称为中国四大绸都。盛绸与杭纺、湖绉、苏缎齐名，为国内外人民所钟爱。明朝万历年间，盛泽的丝织产品就销往东南亚各国。清顺治四年(1647年)正式建镇。乾隆年间，盛泽丝织业进入历史上鼎盛时期。民国初年，"盛纺"在巴拿马、多灵国际博览会上均获金奖。

中华人民共和国成立后，盛泽丝织业逐步恢复和发展。目前，盛泽已成为国内重要的丝绸生产、集散及出口基地。近年来，盛泽乡镇工业异军突起，拥有织机5000台，其中从日本引进具有国际先进水平的喷水织机400台，染整设备250台套。丝绸印染业职工2万人。全镇有118家丝织、印染、纺机、纺器、工艺美术企业，其中镇办企业14家，镇办"三资"企业50多家。1990年全镇乡镇工业产值达到10.42元，赢得了"中国十大百强"乡镇第一名。1991年，又跳跃到15.75亿元，继续保持在全国名列第一的位置，被誉为"华夏第一镇"。1992年，乡镇工业又上新台阶，工业产值超过36亿元，四项效益2.8亿元，外贸收购额2.6亿元。

盛泽所产各类真丝绸，畅销于二十多个国家和地区，全镇真丝绸出口占全国出口总量的六分之一。在全国评比中，全镇有180多项产品获省以上优质产品奖，其中3项获国家金质奖，4项获银奖。镇西的中国东方丝绸市场是国内最大的丝绸专业市场，省内外数百家企业在此开设窗口，年销售额达15亿元。

总投资5亿元的盛泽印染厂科技开发区

元气袋的专利权人来辉武教授

陕卫药宣字(1992)4－028号

505 神功元气袋

荣获第41届布鲁塞尔尤里卡世界发明博览会金奖

中国咸阳保健品厂生产
陕西咸阳抗衰老研究所研制
中国医科院西安分院医药保健研究所监制

505神功元气袋系国家专利产品，已获国内外50项大奖。该产品系陕西咸阳抗衰老研究所所长、中国医科院西安分院顾问、北京中医学院名誉教授来辉武研制发明，陕卫医材字(1989)006号文批准生产。

●**主要功能**：滋养精、气、神　平衡阴阳　扶正祛邪　强力免疫　温阳补肾　养阴生津　活血化瘀　疏肝理气　健脾和胃　祛痰平喘　芳香化湿　补虚泻实　预防感冒　瘟疫驻颜轻身　抗衰防老　双向调节作用明显

●**保健治疗**：气血两虚　四肢乏力　五劳七伤　胃寒腹胀　腹痛　食欲不振　胃炎　腹泻　便秘　肾炎　水肿　性功能减退　阳痿　尿频　前列腺炎　肥胖　气喘　神经衰弱　痛经　带下　月经不调　宫冷不孕　附件炎　腰痛　冠心病　小儿尿床　手术后综合症等

505神功元气袋及其系列产品

内病外治神功袋　祛病强身505
国内国外首创　世界领先水平

厂址：陕西省咸阳市乐育北路3号(505信箱)　电话：213392　216567　电挂：8286　邮编：712000　联系人：周　华
业务联系电话：北京5122016(东城北池子二条3号)　上海3274255(思南路31号401室)　哈尔滨224001—406(中山路天宾馆)　沈阳360760—4301(和平区砂阳路19号)

广告经营许可证：(京)工商广临字029号